KRÖNERS TASCHENAUSGABE BAND 434

FRANK TROMMLER

SOZIALISTISCHE
LITERATUR
IN DEUTSCHLAND

Ein historischer Überblick

ALFRED KRÖNER VERLAG STUTTGART

CIP-Kurztitelaufnahme der Deutschen Bibliothek

Trommler, Frank
Sozialistische Literatur in Deutschland.
Ein historischer Überblick. – 1. Aufl. –
Stuttgart: Kröner, 1976.

(Kröners Taschenausgabe; Bd. 434)
ISBN 3-520-43401-6

Gesamtherstellung: Grafische Betriebe Süddeutscher Zeitungsdienst, Aalen

INHALT

EINLEITUNG

Die Geschichte des Sozialismus ist von einer Vielzahl literarischer Aktivitäten begleitet. Die Wechselwirkungen zwischen Revolutionsdenken, Literatur und Sozialpolitik reichen weit zurück. Man hat darauf hingewiesen, wie stark sich sozialrevolutionäre und ästhetische Bestrebungen bereits bei englischen und französischen Autoren in der ersten Hälfte des 19. Jahrhunderts berührten, noch bevor der Dichter Heinrich Heine und der Revolutionär Karl Marx in Paris Freundschaft schlossen. Die Entwicklungslinien, die in Deutschland von der Vormärzliteratur vor 1848 zum Naturalismus und vom Naturalismus zur gesellschaftskritischen Literatur des 20. Jahrhunderts führen, lassen sich ohne die Bezüge zur sozialistischen Bewegung nicht voll erfassen.

Die vielen verschiedenartigen Bezüge zwischen Politik und Literatur machen es dem Historiker nicht leicht. Zum einen stellt sich ihm die Aufgabe, die Haltung der Schriftsteller und Intellektuellen zur sozialistischen Bewegung aufzuarbeiten, ihr Schwanken zwischen Engagement und Zurückweisung, zwischen Faszination und Desillusion. Zum andern hat er den Interessen der politischen Organisationen nachzugehen, im Bereich der Praxis ebenso wie in dem der Theorie. Zugleich erfordern die kulturellen und literarisch-agitatorischen Aktivitäten in den sozialistischen Parteien eine ausführliche Analyse; ohne die historische Nachprüfung der vielbeschworenen Auffassung, wonach die Arbeiterbewegung zugleich eine Kulturbewegung darstelle, bliebe die Beurteilung der Entwicklung in Deutschland seit dem 19. Jahrhundert einseitig. Um diese mannigfaltigen Aspekte zu erschließen, genügt die literaturwissenschaftliche Perspek-

tive nicht. Hierbei geht es gleichzeitig um Kultur- und
Sozialgeschichte, um eine Vielzahl politischer Ereignisse
und Zusammenhänge.

Für ein Buch, das diesen Komplex ins Blickfeld rückt,
haftet jedem Titel eine gewisse Vereinfachung an. Mit ›Sozialistische Literatur in Deutschland‹ liegt die Vereinfachung
im definitorischen Anspruch. Schon die vorstehenden Bemerkungen dürften deutlich machen, daß die Definition
breit angelegt sein muß. Sie soll die Distanz gegenüber dem
ästhetischen Bereich, die man dem Sozialismus im Gegensatz zum Anarchismus seit jeher vorgeworfen hat, nicht
überdecken. Andererseits muß die Kontinuität in den kulturellen Aktivitäten von Arbeitern und Sozialisten seit dem
19. Jahrhundert erkennbar bleiben. Diese Kontinuität bestimmt sich aus der Zuordnung zur Entwicklung des Sozialismus in diesem Land, nicht aus einer einmal fixierten
ideologischen Determinante. Der Begriff ›sozialistische Literatur‹ versteht sich somit historisch, im historischen Zusammenhang, nicht abstrakt typologisch. Nur unter dieser
Voraussetzung läßt sich ideologiekritisch, politisch und
ästhetisch erschließen, was es mit den kulturellen Tätigkeiten im Umkreis des deutschen Sozialismus im 19. und
20. Jahrhundert auf sich hat, wo doch die einflußreichsten
Sozialisten, angefangen bei Marx und Lassalle, dafür keineswegs eine Theorie aufstellten und die späteren definitorischen Bemühungen, die sich eine zeitlang auf den ›sozialistischen Realismus‹ konzentrierten, höchst widersprüchliche
Ergebnisse brachten.

Sozialistische Literatur in Deutschland — die Definition
sei in diesen Sätzen zusammengefaßt: Der Begriff umschließt einmal diejenige Literatur, die, zumeist innerhalb
sozialistischer Organisationen entstanden, agitierend und
organisierend die Förderung der sozialistischen Bewegung
zum Ziel hat. Der Begriff umschließt darüber hinaus die
von dieser Bewegung geweckte und wieder auf sie zurückstrahlende Literatur, deren politisches Selbstverständnis
sich von dem der vorgegebenen (›bürgerlichen‹) Literatur
abhebt und mit der die Autoren häufig den Anspruch einer

künstlerischen Revolutionierung verknüpfen. Beide Literaturformen haben sich vielmals verbunden, jedoch ist die erstere mit dem Sieg Hitlers in Deutschland völlig an den Rand gerückt. Mit dem Aufbau eines kommunistischen Staates auf deutschem Boden geht das offizielle Bestreben um die Etablierung einer sozialistischen Literatur einher, das zur Definition das Element der staatlichen Legitimationsfunktion hinzufügt.

Auch eine Definition kann allerdings die Argumentation nur kanalisieren; die vielfältigen historischen Wandlungen im Verhältnis von Literatur und Politik, Individual- und Parteiinteressen sind damit noch nicht erfaßt. Der Umfang des Buches läßt über diese Vielfalt keinen Zweifel, wenngleich er nicht als ein äußerer Gradmesser der Bedeutung der Literatur für den Sozialismus mißverstanden werden soll. Die Randstellung, die der Literatur und Kunst in der sozialistischen Bewegung — und keineswegs nur hier — zukommt, sei von vornherein festgehalten. So stark auch Elemente kultureller Emanzipation (und Literatur und Kunst gelten hier als deren Mittel und zugleich Repräsentation) das Selbstverständnis von Sozialisten prägten, betrachtete man sie doch als das Abgeleitete, Sekundäre. Im Zusammenhang der Bildungs- und Kulturbemühungen stellten sie bunte Tupfen dar, die, wie man glaubte, einst zu einem leuchtenden Bild zusammenrücken würden, wenn das politische und soziale Fundament erkämpft sei.

Andererseits aber nimmt die Literatur dort keine Randstellung ein, wo sie den Menschen als Zeitgenossen einer spezifischen historischen Situation sichtbar werden läßt, sei es als Autor oder als Empfänger, sei es als Handelnden oder als Leidenden — in jedem Falle als jenes lebendige Wesen, dem sich der Sozialismus als Emanzipationsbewegung zugeordnet hat. Das gilt nicht nur für die Literatur großer künstlerischer Qualität, sondern ebenso für holperige Befreiungsgedichte oder pathetische Agitationsstücke. Literatur als Medium der Wirklichkeitserkenntnis und -veränderung wird immer auch zum Dokument der jeweiligen Wirklichkeit, und zwar in allen ihren ästhetischen Formen; natürlich muß sich der Interpret hüten, sie nur auf die Funktion des Dokuments einzuengen. Sie bietet einen wichtigen Ansatz, um den konkreten geschichtlichen Situationen näherzukommen, im Hinblick auf jene »wirklichen Individuen«, von denen schon in der *Deutschen Ideologie* bei Marx und Engels die Rede ist. Dort heißt es von den Voraussetzungen, an die der Historiker anknüpft: Dies sind »keine willkürlichen, keine Dogmen, es sind wirkliche Voraussetzungen, von denen man nur in der Einbildung abstrahieren kann. Es sind die wirklichen Individuen, ihre Aktion und ihre materiellen Lebensbedingungen«, die solcher Art »auf rein empirischem Wege« kritischer Analyse unterzogen werden. In der Literatur eröffnet sich dafür ein höchst aufschlußreicher Bereich privater und öffentlicher Kommunikation, sie gibt über Wandlungen der Bewußtseins- und Sozialgeschichte wichtige Auskünfte.

Das Buch macht von dieser Informationsquelle Gebrauch. Mit seiner historischen Ausrichtung treten von selbst größere Zusammenhänge ins Blickfeld, Zusammenhänge, die für das Schicksal der deutschen Arbeiterbewegung und darüber hinaus der deutschen Gesellschaft Gewicht besitzen. Konkret gesprochen, rücken mit der Behandlung der sozialistischen Literatur mindestens fünf große Komplexe in den Vordergrund. Da ist zunächst die Entwicklung der modernen deutschen Literatur mit ihrer späten und zögernden Zuwendung zur sozialen Realität. Für den Weg der Schriftsteller und Intellektuellen seit dem vorigen Jahrhundert lassen sich Engagement und Degagement, die den Zeitgenossen allzuoft als neu und unerhört erschienen, in ihren Konstanten genauer erfassen. Da ist zum andern die schwankende Revolutionshaltung der deutschen Arbeiter, ihr zögerndes Eintreten für die soziale Umwälzung in den verschiedenen geschichtlichen Stadien. Zum dritten ergeben sich zahlreiche Einblicke in die Art und Weise, wie der Prozeß der Modernisierung, vor allem am Ende des 19. und Anfang des 20. Jahrhunderts von der Gesellschaft bewältigt bzw. nicht bewältigt wurde. Dieser Prozeß, der sich in Deutschland auf höchst labilem politischen Fundament vollzog, erschöpfte sich nicht in dem der Industrialisierung und Wirtschaftsexpansion, umschloß vielmehr eine große Zahl soziokultureller, psychologischer und ästhetischer Faktoren. Zum vierten ein Komplex, der indirekt damit zusammenhängt, jedoch eigene Kriterien setzt, die seine Aktualität erweisen: die Ästhetisierung der Politik, im wesentlichen mit den modernen Kommunikations- und Reproduktionsformen seit der Jahrhundertwende verbunden. Für die Konfrontation von Sozialismus und Nationalismus bildeten sich damit verhängnisvolle Entwicklungen aus. Daran anschließend an fünfter Stelle genannt, aber in der Auswirkung für dieses Land wohl am gewichtigsten: die politische Aktivierung des Nationalismus, gegen die der Sozialismus einen langen Kampf austrug. Die Auswirkungen der furchtbaren Niederlage, die der Sozialismus 1933 bezog, werden bei der Behandlung der Exil- und Nachkriegssituation unter den Auspizien des Stalinismus sichtbar werden. Die kulturelle und literarische Entwicklung in der DDR läßt sich ohne diese Niederlage kaum umfassend verdeutlichen.

Mit diesen weit ausgreifenden Aspekten dürfte weniger die Länge als die Kürze des Bandes zur Diskussion stehen, und es sei sofort hinzugefügt, daß bei der Fülle der Themen eine breitere Darstellung nur andeutungsweise möglich ist. Sie betrifft vor allem die Kulturpolitik der Sozialdemokratie im 19. Jahrhundert, der SPD und KPD in der Weimarer Republik, die Entstehung der Arbeiterdichtung vor dem Ersten Weltkrieg und — ausführlicher als es in diesem Zusammenhang bisher geschehen sein dürfte — das enge Verhältnis zur russischen bzw. sowjetischen Literaturentwicklung.

Die Bemühung, ein umfangreiches kulturgeschichtliches Material in übersichtlicher Form auszubreiten, ist in diesem Buch mit der Hoffnung verknüpft, einige neue Gesichtspunkte für die Einschätzung des Sozialismus und der literarischen und politischen Entwicklungen in Deutschland zu erschließen. Worum es angesichts der dogmatischen Gefährdungen der Geschichtsschreibung der Arbeiterbewegung geht, hat Ossip K. Flechtheim in einer Diskussion zu diesem Thema überzeugend formuliert: »Ich glaube, daß für viele von uns Geschichte auch eben die Geschichte der Alternativen, der Chancen, der Möglichkeiten, der Praxis ist. Praxis auch in dem Sinne, daß sie verfehlt werden kann, daß Praxis vorwärts oder rückwärts führen kann, und daß wir in diesem Sinne zwischen Geschichte, Vergangenheit und Zukunft ganz andere, schwierigere, aber wahrscheinlich letzten Endes auch fruchtbarere Verbindungen herstellen können und müssen.«

Das Unternehmen hat all die Schwächen, die sich bei der Behandlung eines so umfangreichen Themas durch einen einzelnen ergeben. Da ich andererseits aber im Verlauf der Entstehung auch gewisse Vorteile dieser Arbeitsweise kennengelernt habe, betrachte ich sie als ein unumgängliches Risiko.

Das größte Problem bildete zweifellos die Beschaffung vieler nur schwer zugänglicher Texte. Für die Hilfe möchte ich folgenden Institutionen danken: den Bibliotheken der University of Pennsylvania, Philadelphia, und der Harvard University, Cambridge; der Deutschen Bibliothek, Frankfurt; der Wiener Library, London; den Archiven der Akademie der Künste der DDR, Berlin; dem Institut für Sozialgeschichte, Amsterdam; dem Deutschen Literaturarchiv, Marbach; dem Institut für Theaterwissenschaft, Universität Köln; dem Dokumentationsarchiv des österreichischen Widerstandes, Wien; dazu, mit besonderem Nachdruck, dem Institut für deutsche und ausländische Arbeiterliteratur, dem Institut für Zeitungsforschung und dem Ausschnittarchiv der Stadtbücherei, alle in Dortmund. Die Aufgabe wurde erleichtert durch Reisestipendien der University of Pennsylvania und der American Philosophical Society.

Gespräche mit Beteiligten oder engagierten Zeugen der Geschehnisse haben mir viele Einblicke verschafft, und ich danke — unabhängig voneinander — August Albrecht, Walter Fabian, Bruno Frei, Max von der Grün, Alfred Kantorowicz, Hans Mayer, Dietfried Müller-Hegemann, Henry Pachter und Karl August Wittfogel. Natürlich bleibt die Verantwortung ganz bei mir. Für den Austausch in vielerlei Form mögen meine Kollegen André von Gronicka und Heinz Moenkemeyer sowie, im Gedenken, Adolf Klarmann bedankt sein. Viel Anregung, viel Ermutigung habe ich von Jost Hermand, Thomas Koebner und Robert McGeehan erfahren. Kurt Neff hat mit seinem geduldigen und umsichtigen Lektorat sehr geholfen.

Schließlich bleibt noch Dank und wirkliche Verpflichtung dem Manne gegenüber auszusprechen, ohne den dieses Unternehmen kaum so weit gediehen wäre: Fritz Hüser, der das Institut für deutsche und ausländische Arbeiterliteratur in Dortmund aufgebaut hat und leitet. Er ragt nicht nur als außergewöhnlicher Kenner der Materie hervor, sondern auch durch die Art und Weise, wie er mit diesem Stoff umgeht: mit Achtung und Fairness.

ERSTER TEIL:

DER AUFSTIEG
IM 19. JAHRHUNDERT

Kapitel I
Die Partei

1. Zum Begriff ›sozialistische Literatur‹ im 19. Jahrhundert

Vor mehr als hundert Jahren prägte Wilhelm Liebknecht (1826–1900) den Satz: »Überhaupt brauchen wir eine sozialistische Literatur.«[1] Er scheint wie geschaffen, eine historische Darstellung der sozialistischen Literatur einzuleiten. Liebknecht äußerte ihn auf dem Parteitag, den die 1869 in Eisenach gegründete Sozialdemokratische Arbeiterpartei 1874 abhielt. Im folgenden Jahr schlossen sich die beiden deutschen Arbeiterparteien, die ›Eisenacher‹ und der 1863 von Ferdinand Lassalle (1825–1864) gegründete Allgemeine Deutsche Arbeiterverein (ADAV), in Gotha zusammen. Jedoch: Liebknecht verstand unter sozialistischer Literatur kaum Belletristik, Lyrik oder Drama, sondern vornehmlich wissenschaftliche Literatur, genauer populärwissenschaftliche Literatur, die dem Arbeiter bei seinem Aufstieg aus der materiellen und geistigen Unterdrückung helfen sollte.

Liebknecht stand damit nicht allein. Bei ›sozialistischer Literatur‹ dachte man im 19. Jahrhundert zunächst an die zahlreichen Traktate, Analysen und Programme, welche die vorhandene ökonomische Ordnung — zumeist mit sozialreformerischen oder sozialrevolutionären Zielen — kritisierten. Dabei dominierten Namen wie Claude-Henri de Saint-Simon (1760–1825) und Etienne Cabet (1788–1856), Robert Owen (1771–1858) und Charles Fourier (1772-1837), Wilhelm Weitling (1808–1871) und Pierre Proudhon (1809 bis 1865), Karl Marx (1818–1883) und Friedrich Engels (1820–1895). Während Lorenz von Stein (1815–1890) in seiner Schrift *Der Socialismus und Kommunismus des heutigen Frankreichs* (1842), die für das deutsche Sozialismusverständnis der vierziger Jahre wegweisend wurde, Sozialismus und Kommunismus trennte, und Engels später feststellte: »So war denn 1847 Sozialismus eine Bewegung der Mittelklasse, Kommunismus eine Bewegung der Arbeiterklasse« (MEW 25, 356 f.), hielt man sich in späteren Jahrzehnten im allgemeinen an den Begriff ›sozialistisch‹.[2] Mit den Aktivitäten der Lassalleaner kam der von Marx und Engels kritisierte Terminus ›sozial-demokratisch‹ in Gebrauch, den die Eisenacher in ihren Parteinamen einfügten.

Blieb damit, so läßt sich fragen, noch Raum für eine Definition sozialistischer Literatur im Zusammenhang mit Lyrik, Drama und erzählender Prosa? Liebknechts Äußerungen stimmen skeptisch, wenngleich hinzugefügt werden muß, daß er in diesem Punkt von anderen Sozialdemokraten angegriffen wurde. Es existierte in der Sozialdemokratie eine ›belletristische Agitation‹, wie man sie nannte, doch wurde sie nicht kontinuierlich als eine eigene Schöpfung alternativ zur ›bürgerlichen‹ Literatur empfunden. Der Terminus ›sozialistische Literatur‹ fand nur selten im Zusammenhang mit literarischen Werken Anwendung. Für eine Darstellung dieser literarischen Praxis im 19. Jahrhundert besitzt Liebknechts Satz also vor allem dadurch Aussagekraft, daß er auf ihre Randstellung in der sozialistischen Bewegung verweist — im Gegensatz zur wissenschaftlichen Literatur.

Nur mit Vorsicht bezog Franz Mehring (1846—1919), der bedeutende sozialistische Historiker der deutschen Arbeiterbewegung und Literatur, die Begriffe ›sozialistisch‹ und ›Literatur‹ aufeinander, sofern damit ästhetisch-künstlerische Bestrebungen gemeint waren. Bei seinen Analysen literarischer Werke, die im 19. Jahrhundert im Umkreis der Sozialdemokratie entstanden, ging Mehring kaum auf das Wort ›sozialistische Literatur‹ ein. Wenn er auch die politisch-organisatorische Kontinuität solcher Äußerungen, besonders über die Verbotszeit des Sozialistengesetzes 1878 bis 1890 hinweg, anerkannte, sprach er doch nicht von einer in sich geschlossenen Entwicklung sozialistischer Literatur.

Auch in dem ausführlichen Essay *Sozialistische Lyrik. G. Herwegh — F. Freiligrath — H. Heine*, der als eine grundsätzliche Reflexion über die Möglichkeiten sozialistischer Literatur angesehen werden kann, hielt sich Mehring betont zurück. Er begann mit den Worten: »Eine Geschichte der sozialistischen Lyrik ist noch nicht geschrieben worden, und es ist auch nicht zu erwarten, daß sie sobald oder überhaupt je geschrieben werden wird.« Mehring artikulierte seine Skepsis in prinzipieller Form: »Schwankt der Begriff des Sozialismus schon auf politischem und wissenschaftlichem Gebiet einigermaßen, so noch viel mehr auf ästhetischem. Es wäre ebenso unbillig, unter sozialistischer Lyrik nur Gedichte zu begreifen, die den Stempel irgendeiner sozialistischen Parteirichtung auf der Stirn tragen, wie es unbillig sein würde, ihr alle Gedichte zuzuzählen, aus denen ein grollender Ton über die sozialen Zustände hervorklingt, innerhalb deren der Dichter lebt.«[3] Mehring sah weder in der politisch dehnbaren Kategorie ›sozialistisch‹ ein klares Kriterium für die Definition sozialistischer Lyrik, noch im ›bloß‹ rebellischen Charakter von Gedichten. Statt dessen grenzte er die Fragestellung auf die Behandlung einiger Autoren ein. Er konzentrierte sich auf Georg Herwegh (1817–1875), Ferdinand Freiligrath (1810–1876) und Heinrich Heine (1797–1856), nicht ohne anzumerken, daß sich auch diese Dichter »so schlechthin nicht« als sozialistische Lyriker bezeichnen ließen, trotz ihrer engen Beziehungen zu Marx oder Lassalle.

Die von Mehring herausgehobenen Dichter genossen in der Sozialdemokratie seit jeher große Verehrung. Die kämpferischen Gedichte von Freiligrath und Herwegh und die ironisch-satirische Lyrik Heines dienten als Vorbild neuerer Gedichte von Sozialdemokraten wie Jakob Audorf (1835 bis 1898), August Geib (1842–1879), Max Kegel (1850–1902) und Rudolf Lavant (1844–1915). Den Sozialismus der ›Großen‹ maß man nicht nach der Umsetzung von Parteimaximen in Poesie, sondern nach der aktivierenden Anteilnahme am politischen Kampf. Die Tatsache, daß Heine, Herwegh und Freiligrath, wie Mehring andeutete, nicht grundsätzlich als Sozialisten anzusehen waren, bedeutete kein Hindernis. Mehring spielte die Bedeutung von Parteinähe oder -zugehörigkeit für die ästhetische Wertung sogar ausdrücklich herunter, wobei er im Falle der Zusammenarbeit von Freiligrath und Marx im Jahre 1848 den Tatsachen nicht voll gerecht wurde.

Der Schluß des Essays *Sozialistische Lyrik* zeigt diese Einstellung besonders deutlich. Mehring bemerkte: »Wie für Freiligrath und nun gar Herwegh, so blieb auch für Heine der wissenschaftliche Sozialismus ein Buch mit sieben Siegeln. Allein was ihre Schwäche als Denker sein mochte, war doch auch wieder ihre Stärke als Dichter.«[4] Die Hochschätzung der Kunst, die sich im 19. Jahrhundert über weite Strecken hinweg behauptete (wenn auch aus höchst verschiedenartigen Antrieben), manifestierte sich auch hier. Mehring würdigte die freien Geister, die sich nicht, wie er im Hinblick auf die Jungdeutschen schrieb, in Literatengeplänkel verbrauchten, sondern den Glanz der ästhetischen Formulierung auf den proletarischen Kampf bezogen. Diese Leistung wirkte weiter, war aber historisch genau umgrenzt: auf die Periode, in der der wissenschaftliche Sozialismus den proletarischen Kampf noch nicht systematisch analysierte und dirigierte. Mehring schloß den Essay mit den Worten: »Solange der Kommunismus eine Aussicht, eine Hoffnung, eine Sehnsucht war, die der Phantasie den weitesten Spielraum boten, hatte die sozialistische Lyrik ihren Tag; sobald er die klare Erkenntnis einer Notwendigkeit wurde, die sich in einem weltgeschichtlichen Ringen durchzusetzen sucht, bestätigte sich die alte Wahrheit, daß unter den Waffen die Musen schweigen.«[5]

Damit faßte Mehring die in der deutschen Sozialdemokratie vor dem Ersten Weltkrieg vorherrschende Auffassung zusammen, daß Literatur und Kunst zwar nicht aus dem proletarischen Kampf wegzudenken seien, jedoch nur bis zur Revolution 1848/49 eine eigenständige Funktion für den Sozialismus eingenommen hätten. Das Gewicht der Vormärzlyrik war so stark, daß die Definition sozialistischer Lyrik auf sie zurückverwies. Noch stärker war allerdings das Gewicht des wissenschaftlichen Sozialismus und der Parteiorganisation: es entzog den späteren künstlerischen

Äußerungen zugunsten der Sozialdemokratie die Gewißheit der Dringlichkeit und Unentbehrlichkeit. Erst die vollendete Revolution würde, so hieß es, eine sozialistische Literatur ermöglichen — freilich wäre das keine spezifische sozialistische Literatur mehr, sondern die Literatur der befreiten Menschheit.

Die Hochstellung der Vormärzliteratur hing eng mit dem sozialistischen Konzept der bürgerlichen Revolution zusammen. Die Sozialdemokraten erkannten die wichtige Rolle an, welche Kunst und Literatur zu einer Zeit gespielt hatten, als das Bürgertum den Kampf noch nicht unmittelbar politisch führen konnte. Im Zusammenhang mit Tolstoj stellte Mehring fest: »Das reichste Leben ist der Literatur allemal beschieden, wenn die Ökonomie und die Politik noch nicht mündig geworden sind, einen historischen Umschwung durchzuführen, der sich gleichwohl schon mit hundert Zungen anmeldet.«[6] Die hundert Zungen verwiesen auf die ökonomische und kulturelle Vorbereitung der bürgerlichen Revolution, gemäß dem ökonomischen und kulturellen Status, den das Bürgertum bereits vor der politischen Entscheidung einnahm. Demgegenüber war das Proletariat vor seinem Sieg ökonomisch und kulturell unterdrückt, konnte also noch keine proletarische Kultur entwickeln. Im Vormärz habe das Proletariat, wie Mehring bemerkte, von seiten bürgerlicher Revolutionäre (und Schriftsteller) Unterstützung erfahren. Später sei es allein zu seinem politischen und organisatorischen Kampf angetreten, der sich von dem inzwischen historisch gewordenen Kampf des Bürgertums unterschied, von ihm aber gleichwohl Impuls und Ermutigung empfing.

Die Zuordnung der Begriffe ›sozialistisch‹ und ›Literatur‹ hat für das 19. Jahrhundert, sofern sie ästhetisch-künstlerischen Bestrebungen gilt, ihre Problematik behalten. An Mehrings definitorischer Vorsicht führt, auch wenn seine Einschätzung Freiligraths und späterer sozialistischer Autoren viel Anlaß zu Widerspruch liefert, kein Weg vorbei. Diese Vorsicht entspricht dem Selbstverständnis der Autoren und ihres Publikums in der zweiten Hälfte des Jahrhunderts.

2. Die politische Literatur 1830–1848

Der Rückverweis auf die Vormärzliteratur gehörte in der deutschen Sozialdemokratie zur festen Gepflogenheit. Er entsprach der tatsächlichen Orientierung der Parteiliteratur, wie sie durch Lassalle in den sechziger Jahren stimuliert wurde. Herweghs Mitarbeit — er lieferte 1864 für den Allgemeinen Deutschen Arbeiterverein das *Bundeslied* — machte auch die biographische Anknüpfung sichtbar.

Die Literatur der Vormärzzeit wirkte nicht nur auf die Agitation der Sozialdemokratie ein, sondern blieb Beispiel für Grenzen und Möglichkeiten politischer Literatur generell. Die Periode zwischen 1830 und 1848 sah eine später kaum wieder erreichte Einflußnahme von Schriftstellern auf gesellschaftliche und politische Vorgänge. Für jede Diskussion moderner politischer Literatur läßt dieser Zeitraum bereits wesentliche Weichenstellungen erkennen, wesentliche Aspekte der Politisierung ebenso wie solche der Gegenstellung dazu, die schließlich um 1850, nach der gescheiterten Revolution, voll ins Zentrum rückten. Viele Konzepte sozialkritischer Dokumentation und politischen Engagements, die später im Naturalismus hervortraten und im 20. Jahrhundert, besonders in den zwanziger Jahren, die literarische Auseinandersetzung bestimmten, erhielten damals ihre erste und oftmals eindringlichste Formulierung.

Mit den zwanziger Jahren des 19. Jahrhunderts machten sich die Anzeichen einer neuen Haltung der Schriftsteller zu den gesellschaftlichen Fragen bemerkbar. Um 1830 proklamierte Heine das »Ende der Kunstperiode« und das »Eintreten der Revolution in die Literatur«, den Anfang einer neuen, von der geschichtlichen Umwälzung geprägten Kunst. Mit seinen Prosaberichten und Zeitgedichten, am brillantesten mit *Deutschland. Ein Wintermärchen* (1844), wurde er neben Ludwig Börne (1786–1837) zum hervorragendsten deutschen Repräsentanten dieser Strömung, umriß andererseits aber mit seiner Kritik an der Tendenzliteratur gleichermaßen deren Grenzen. Vieles, was im 20. Jahrhundert über Chancen und Schwächen politischer Literatur gesagt worden ist, findet sich bereits bei Heine — zumeist schärfer und witziger formuliert.

Allerdings läßt sich diese Generalisierung über die politische Literatur nur aufrechterhalten, wenn man Heine direkt folgt, und zwar buchstäblich auf dem Fuße: nach Frankreich, wo die Julirevolution von 1830 einen gewaltigen Aufschwung revolutionärer und literarischer Aktivitäten auslöste. So sehr auch Deutschland von diesen Ereignissen berührt wurde, deren Spuren sich im Hambacher Fest 1832, im Frankfurter Wachensturm (1833) und in den Veröffentlichungen des Jungen Deutschland bis 1835 niederschlugen, so sehr waren es die westlichen, politisch und ökonomisch fortgeschrittenen Länder, die die neuen Programme und Praktiken politischer Literatur beförderten. Heines Emigration nach Paris (1831) zeigte es exemplarisch: ohne die Berührung mit dem westlichen Ausland ließ sich jene neue politische Literatur nicht entwickeln.

Der Blick über Deutschland hinaus blieb für die Periode zwischen 1830 und 1848 selbstverständlich — und oft eine Lebensnotwendigkeit. Zahlreiche deutsche Schriftsteller emigrierten wie Heine, ein wichtiger Teil der politischen Literatur entstand jenseits der deutschen Grenzen, in den Emigrantenzentren Paris, London, Brüssel und in der Schweiz. Zwar machten die politischen Flüchtlinge nur einen Bruchteil der deutschen Emigranten zu dieser Zeit aus, doch ist die Gesamtzahl der deutschen Bevölkerung in Paris erstaunlich genug: 1831, bei Heines Ankunft, waren es etwa 6000 Personen, im Revolutionsjahr 1848 etwa 62 000 Personen, zumeist Handwerker und Arbeiter.[7] Unter ihnen bildete sich ein Publikum für die Literatur der radikalen und sozialistischen Autoren aus Deutschland; bei der Heimkehr nahmen sie manches über den Rhein mit zurück.

»Die charakteristischen Züge des Jahrhunderts werden um 1830 bereits alle erkennbar«, hat Arnold Hauser zur Situation in Frankreich festgestellt. »Die Bourgeoisie steht im Besitze und im Bewußtsein ihrer Macht vollentwickelt da. [...] Schon die Romantik war wohl eine wesentlich bürgerliche Bewegung, die ohne die Emanzipation der Mittelklassen undenkbar gewesen wäre, die Romantiker gebärdeten sich aber oft noch höchst aristokratisch und kokettierten mit dem Gedanken, sich an den Adel als Publikum zu wenden. Nach 1830 hören diese Velleitäten auf, und es wird offenbar, daß es außer dem Bürgertum kein massives literarisches Publikum mehr gibt. Sobald nun aber die Emanzipation des Bürgertums vollendet ist, beginnt auch schon der Kampf der Arbeiterklasse um den politischen Einfluß.«[8] Im Jahr der Julirevolution Louis Philippes veröffentlichte Sainte-Beuve den historisch gewordenen Artikel *Espoir et vœu du mouvement littéraire*. Der Autor konstatierte, daß für die Literatur ein neues Publikum heraufkomme, und appellierte an die Dichter, sich der sozialen Bewegung anzuschließen, die jeden Tag an Boden gewinne.[9] Das entsprach dem sozialen Aufbruchsgeist, der viele Romantiker, die bisher in der Auseinandersetzung mit der klassischen Ästhetik befangen waren, ergriffen hatte. Im berühmten Vorwort zu *Hernani* (1830) lieferte Victor Hugo (1802—1885) das Motto dafür: »La liberté dans l'art, la liberté dans la societé.« Zu dieser Zeit war die Gegenströmung, die auf das L'art-pour-l'art-Konzept zusteuerte, wesentlich schwächer.[10] Zur Kampfansage an die Klassik gesellte sich das Plädoyer für eine neue Kunst, die ihre Legitimation aus dem Eintreten für das Volk und seine Lebensinteressen zog.

Ob nun das Gewicht bei den Saint-Simonisten lag, die die Literatur zum Sprachrohr ihrer Vision einer gerechten Ordnung zu machen suchten, oder bei den Dichtern, die sich aus der Vision der Saint-Simonisten neue Selbstbestätigung verschafften — in jedem Falle entstand eine Literaturbewegung sozialer Anteilnahme, welche zahllosen Zeitgenossen die Augen öffnete über die Unterschichten, auf deren Kosten die neue Gesellschaft ihre Triumphe feierte. Mit der Enttäuschung über die Folgen der Julirevolution wirkte diese Bewegung tief in die politische Auseinandersetzung hinein. Die Barrikaden, die die Arbeiter gegen dieses System aufzu-

richten begannen, machten starken Eindruck. Die Schriftsteller, selbst von den Auswirkungen des Kapitalismus be-
troffen, orientierten sich um. Zugleich eröffneten Massen-
auflagen und Seriendrucke neue Möglichkeiten der Prominenz (und Eitelkeit). Heros der Masse, d. h. der Lesermasse,
zu sein, beschäftigte Hugo und Lamartine (1790—1869),
George Sand (1804—1876), Honoré de Balzac (1799—1850)
und Eugène Sue (1804—1857).

In England bedeutete die liberale Parlamentsreform (›Reform Bill‹) von 1832 einen bedeutsamen Fortschritt im Bemühen des Bürgertums um mehr Demokratie. Die Arbeiterführer suchten die Reform auf das arbeitende Volk auszudehnen (›People's Charter‹). Dem Chartismus gelang mit
der ›Working Men's Association‹ eine erste breite Organisation der Arbeiter. In Opposition zum abstrakten Modell-
denken der ›klassischen‹ Ökonomie von Adam Smith und
David Ricardo und zu den Laissez-faire-Prinzipien des Liberalismus formte sich eine Welle der Sympathie mit den
unteren Klassen. Thomas Carlyle (1795—1881), der für
diese Bewegung 1829 mit dem Essay *Signs of the Times*
die Zeichen setzte, schrieb 1839 in *Chartism*, daß die Statistiken der Ökonomen nicht ausreichten, um die erbärmlichen Lebensverhältnisse der Arbeiter zu erfassen. Nur die
konkrete, persönliche Beobachtung könne ein adäquates
Bild verschaffen. Carlyles Wort entsprach dem neuen Selbstbewußtsein der sozialen Schriftsteller, mit ihrem Werk wesentliche Aspekte der Wirklichkeit, die von den Wissenschaften beiseite geschoben wurden, aufzudecken. Wie in
Frankreich entstand eine Vielzahl sozialer Romane, und
Dickens (1812—1870), Charlotte Brontë (1816—1855), Benjamin Disraeli (1804—1881), William Thackeray (1811 bis
1863), Elizabeth Gaskell (1810—1865) galten als Repräsentanten einer neuen Literatur.

In England wie in Frankreich stellte diese Literatur, deren
romantische Wurzeln sichtbar blieben, einen ersten umfassenden Protest der Schriftsteller gegen den Kapitalismus
dar, einen Protest des Gefühls und des Herzens, in dem
zwar die aufklärerischen Konzepte der Humanität angerufen

wurden, aber die emotionale Anteilnahme am Schicksal der Ausgebeuteten die ästhetische Struktur begründete. Die Schriftsteller fanden ein neues Selbstverständnis. Die schmerzlich erfahrene Trennung von den herkömmlich engen Lebensformen wurde kompensiert im Angriff auf die neuen gesellschaftlichen Verhältnisse und im Mitgefühl für die Unterdrückten. Hier entstand ein großes Thema — das allerdings auch bald wieder seine Faszination für den Einzelnen verlieren konnte. Der Rückzug zum L'art-pour-l'art-Konzept bereitete sich lange vor der Revolution vor. Nach 1848 wurde er schnell allgemein.

Daß bei diesem Aufbruch, für den die Französische Revolution von 1789 den Ausgangspunkt darstellte[11], immer zugleich die konservativen gesellschaftlichen Kräfte im Blickpunkt standen und die Restauration auch literarisch eine eigene Gesetzlichkeit besaß (die man, was Deutschland betrifft, später zum Biedermeier stilisierte), braucht kaum hervorgehoben zu werden. Und daß die Bourgeoisie, die in England und Frankreich bereits herrschte, sich in Deutschland — so weit sie hier überhaupt auf einen Nenner gebracht werden kann — nur zögernd zum Kampf gegen das feudal-bürokratische System stellte, ist seit Heine zur Genüge kommentiert worden.

Mit der Entfaltung der kapitalistischen Industrie, die in Deutschland erst in den dreißiger Jahren in größerem Maße einsetzte, näherten sich zahlreiche Bürger einem vorsichtigen Liberalismus, bedurften jedoch stets neuer Anstöße, um gegen das Regime des Adels die eigenen Interessen als Politikum zu vertreten. Noch lag hier die Rechtfertigung ganz auf ihrer Seite, beim Pathos der Demokratisierung, das sich bei dem höchst unökonomischen Gebilde von 34 souveränen Staaten und vier Freien Städten, das der ›Deutsche Bund‹ darstellte, mit der Parole der Nation verband. Bis zur Revolution 1848 trug dieses Pathos voran, in das sich viele Stimmen mischten, viele Variationen auf das Krähen des gallischen Hahns. In den vierziger Jahren wurde aber auch in Deutschland die industrielle Revolution sichtbar, und damit entstanden auch hier die ersten Konfrontationen mit

dem Proletariat, das sich nicht mehr unter den Begriff des
Pauperismus subsumieren ließ.

Es kennzeichnet die deutschen Verhältnisse in den dreißiger Jahren, daß das Junge Deutschland von den weit über
Frankreich hinaus inspirierenden Ideen des Saint-Simonis-
mus vor allem die von der Emanzipation des Fleisches weiterverfolgte (die ohne Zweifel für den Kampf gegen den
deutschen Philister großes Gewicht besaß), während die
Programmatik einer neuen gesellschaftlichen Kultur in
Frankreich und England Resonanz erhielt, wo die industrielle Revolution wesentlich weiter vorangeschritten war.
In Deutschland, seit 1815 fest in die ›Heilige Allianz‹ eingebunden, fand die Aufklärung eine Nachfolge. Man durch-
forstete das in der Romantik wieder stark zugewachsene
Terrain der Emanzipation von den alten geistigen und politischen Elementen und setzte mit der Intellektualisierung
»auch die schummrigsten Winkel der Seele dem hellen Licht
des Tages aus«.[12] Zwar hatten die deutschen Romantiker
bereits eine ausgedehnte Kritik am Bürgertum und seinen
Lebensformen geübt. Die Philisterkritik reicht bis in das
frühe Werk von Marx hinein. Doch stellte das eine vorwiegend ästhetisch, nicht sozial basierte Kritik dar. Nun setzten
die Schriftsteller ihre Hoffnungen auf die moralische Umwälzung. Sie vertrauten auf die Durchschlagskraft der mit
Schwung und Verve vorgetragenen Argumente.

Das Volk als selbständig handelndes Subjekt geschichtlicher Bewegung, das die Umwälzung in Gang bringen
konnte: das stand erst fern am Horizont, jenseits des
Rheins, und verursachte Unbehagen bei der Lektüre von
Heines und Börnes Berichten. Die Befreiungskriege, in denen das Volk selbständig in Erscheinung getreten war, lagen zurück, nur in Liedern lebendig erhalten, und die demokratisch-revolutionäre Jakobinertradition war dünn, zumeist
auf Erinnerungen und Lieder beschränkt. Die Kritik, die
G. Büchner (1813–1837) im Brief an K. Gutzkow (1811 bis
1878) vorbrachte, zeigte 1836 die Grenzen der polit. Literatur
der Jungdeutschen. Er nahm zugleich ein Argument voraus,
für das man in Deutschland noch nicht bereit war:

»Übrigens. um aufrichtig zu sein, Sie und Ihre Freunde scheinen mir nicht grade den klügsten Weg gegangen zu sein. Die Gesellschaft mittelst der Idee, von der gebildeten Klasse aus reformieren? Unmöglich! Unsere Zeit ist rein materiell; wären Sie je direkter politisch zu Werke gegangen, so wären sie bald auf den Punkt gekommen, wo die Reform von selbst aufgehört hätte. Sie werden nie über den Riß zwischen der gebildeten und ungebildeten Gesellschaft hinauskommen.«[13]

Büchner suchte selbst jenen weiteren Schritt zu vollziehen, als er die illegale revolutionäre Organisation ›Gesellschaft der Menschenrechte‹ nach französischem Vorbild gründete und 1834 den *Hessischen Landboten* verfaßte, die, wie man gesagt hat, revolutionärste deutsche Flugschrift vor dem *Kommunistischen Manifest*. Im Dramenfragment *Woyzeck* (1835/36; veröff. 1875) machte er die halbproletarische Gestalt eines armen Barbiers zum Protagonisten, ein höchst ungewöhnliches Unternehmen. Er ging im Brief an Gutzkow so weit, vom Volk eine kulturelle Erneuerung zu erhoffen, obwohl die Verhältnisse in Deutschland kaum dafür sprachen: »Ich glaube, man muß in sozialen Dingen von einem absoluten Rechtsgrundsatz ausgehen, die Bildung eines eigenen geistigen Lebens im *Volke* suchen und die abgelebte moderne Gesellschaft zum Teufel gehen lassen.«

Wenig später reflektierte ein anderer junger deutscher Autor sein Verhältnis zum Volk. Georg Herwegh behandelte dieses Thema 1839 nicht mit Büchners kühler Einsicht, sondern romantisch, zugleich sich selbst als Dichter stilisierend:

»Ich schreibe einzig und allein für mein Volk, für mein deutsches Volk! Was seine besten Genien in stillen Nächten geträumt und gesungen, was sie Tiefes heraufgefördert aus den Schachten der Kunst und Wissenschaft, das will ich meinem Volke zeigen, ich will es ihm zu deuten und zu erklären versuchen. Echte Kritik ist ja nichts anderes als Vermittlung der Produktion an die Masse.«[14]

Herwegh folgte den Spuren der idealistischen Ästhetik, bezeichnete den Weg der Kunst von der Antike, in der sie in Symbiose mit dem Volk wirkte, zur Moderne als fortschreitende Subjektivierung und damit als Trennung vom Volk. Andererseits war er tief beeindruckt von den volkstümlichen Gedichten und Liedern von Pierre-Jean de Béranger (1780–1857), die die Zeitgenossen begeisterten. Er bemerkte: »Die *Poesie der Hütte*, die eben in *Béranger* einen so beredten Anwalt gefunden, wird von unseren deutschen Dichtern völlig vernachlässigt.«[15] Herwegh hoffte, mit Anrufung und thematischem Einbezug des Volkes die Literatur auch in Deutschland zu einer neuen Höhe erheben zu können. 1842 schrieb er an seine Braut:

»Mit der liberalen Bourgeoisie werden wir nie siegen, wir müssen die Sympathie der Massen suchen, sonst geht es nicht, und wird ein Sieg immer ein momentaner sein. Mein Dichten und Trachten ist nun, etwas hinauszuschleudern, was die Menge packt und ergreift. *Ein gelungenes Lied wäre hinreichend; warum* kann ich keine Marseillaise schreiben?«[16]

Immerhin kam Herwegh mit dem Erfolg seiner *Gedichte eines Lebendigen* (1841) diesem Ziel recht nahe. Er wurde Anfang der vierziger Jahre neben Hoffmann von Fallersleben (1798–1874), der 1840/41 *Unpolitische Lieder* veröffentlichte, der populärste politische Dichter in Deutschland. Herwegh markierte selbst den Umschwung, der die politische Literatur in diesem Land zu einem nationalen Ereignis machte und die Zeitgenossen, die immer noch unter dem Eindruck der »Kunstperiode« standen und vom Epigonentum sprachen, eine neue Blüte der Literatur erhoffen ließ. Als er 1842 mit dem Gedicht *Die Partei* gegen Ferdinand Freiligrath dafür eintrat, daß der Dichter politische Partei ergreifen solle, fand er breiten Widerhall. Sehr bald schwenkte auch Freiligrath auf seine Linie ein.

Die Entwicklung der politisch-volkstümlichen Literatur in Deutschland kann hier nur grob skizziert werden. In ihr kam seit dem *Rheinlied*, in dem Nikolaus Becker (1809 bis 1845) unter großem Beifall zum drohenden Konflikt mit Frankreich 1840 Stellung nahm, dem nationalen Element stets besondere Bedeutung zu. Die Differenzierung, die Herwegh im Begriff des Volkes vornahm — zwischen »oben« und »unten«, »Salon« und »Hütte« — wurde zumeist beiseite geschoben. Die soziale Literatur, die schließlich ab 1843 entstand und der Herwegh mit den anklagenden Gedichten *Der arme Jakob* und *Die kranke Lise* (1843) ein Beispiel gab, erlangte nur zeitweise größere Popularität. Sie entstand nicht selten im Rückzug von der Politik, in der sich die Hoffnungen auf die Reformen Friedrich Wilhelms IV. nicht erfüllt hatten.

Der erneute Aufschwung der politischen Literatur wurde von manchen mit dem in der Schweiz erschienenen Gedichtband *Ça ira* (1846) angesetzt, der Freiligraths Ruf als Revolutionsdichter begründete. Im allgemeinen verweist man auf die Revolutionsjahre 1848/49 selbst, vor allem auf das Feuilleton der von Marx herausgegebenen *Neuen Rheinischen Zeitung*, dem Georg Weerth (1822–1856), Ernst Dronke (1822–1891) und Freiligrath angehörten. Marx hatte schon in der *Rheinischen Zeitung* 1842/43 die politische Lyrik gefördert und Gedichte von Herwegh, Robert Prutz (1816–1872), Franz Dingelstedt (1814–1881) und anderen veröffentlicht.

Die soziale Literatur erhielt vor allem 1844 vom Weberaufstand in Schlesien Impulse. Zu ihr gehören die Gedichte von Hermann Püttmann (1811–1894), Karl Beck (1817 bis 1879) und Alfred Meißner (1822–1885) neben der Prosa von Ernst Dronke, Luise Otto-Peters (1819–1895) und Ernst Willkomm (1810–1886). Als Zeugnis dafür, daß nun auch in Deutschland die industrielle Revolution in ihren Auswirkungen klarer sichtbar werde und mit ihr die Konfrontation mit dem Proletariat, galt sie bereits den Zeitgenossen als wichtiges Dokument. Auch in Deutschland formulierten nun Schriftsteller und Bürger einen ersten größeren Protest gegen den Kapitalismus, einen Protest des Gefühls und des Herzens, dem ein Teil des bürgerlichen Publikums im Anschluß an die von Frankreich und England empfangene Literatur zustimmte und der sich, wenngleich mit geringeren ästhetischen Mitteln und auf schmälerer sozialer Grundlage, verschiedentlich mit politischer Programmatik berührte.

Infolge der heftigen Polemik, die Marx und Engels gegen die ›wahren‹ Sozialisten richteten, besonders gegen Karl

Grün (1817—1887), geriet diese literarische Richtung bei
Marxisten in einen schlechten Leumund, der sich teilweise
auch auf die Naturalisten erstreckte, die manche dieser Ansätze wieder aufnahmen. Für die Gesamteinschätzung, die
wiederum viele Einzelwertungen, positive und negative,
voraussetzt, ist der Vergleich mit der sozialen Literatur
Frankreichs und Englands unumgänglich. Darauf deutet
auch die Polemik im *Kommunistischen Manifest* hin, in der
die unterschiedlichen Stadien der Industrialisierung und der
Entwicklung des Proletariats berücksichtigt sind.

Wo die soziale Literatur weit entwickelte gesellschaftliche Phänomene dokumentierte, wurde sie auch von Marx
und Engels anerkannt, die dabei der künstlerischen Seite
besondere Aufmerksamkeit widmeten. Ihr positives Urteil
über Balzacs meisterhafte, jeden Ökonomen und Historiker
übertreffende Darstellung der bürgerlichen Gesellschaft
Frankreichs ist bekannt. Hinsichtlich der englischen Romanciers Dickens, Thackeray, Charlotte Brontë und Elizabeth
Gaskell bemerkte Marx, ihre »anschaulichen und beredten
Seiten« vermittelten »der Welt mehr politische und soziale
Wahrheiten [...], als alle Berufspolitiker, Publizisten und
Moralisten zusammengenommen von sich gegeben haben«.
(MEK 1, 535) Von Carlyle, der gesagt hatte, daß ohne
konkrete, persönliche Beobachtung kein Bild der sozialen
Zustände entstehen könne, läßt sich der Einfluß auf Engels
und dessen Werk *Die Lage der arbeitenden Klasse in Eng-
land* (1845) verfolgen. In diesem Buch, das Engels als
Sozialisten berühmt machte, trat die Verbindung von sozialer Dokumentation und rhetorischer Leidenschaftlichkeit
besonders überzeugend hervor.[17]

Der Hauptteil der sozialkritischen Literatur nach 1830
entsprang keinen festen gesellschaftlichen Konzepten, war
oft nur (einträglicher) Protest gegen das aufkommende
›materialistische Zeitalter‹. Der Anteil derer, die Babeufs
radikale Forderungen nach Gleichheit poetisch und agitatorisch verbreiteten, war begrenzt — außer in der französischen Arbeiterschaft.

Dennoch läßt sich die Geschichte des Sozialismus nicht

ohne diese Literaturbewegung nach 1830 denken. Sie hatte wichtigen Einfluß auf seine Entwicklung, bis hin zu den jungen Marx und Engels. Diese Literatur lehrte die neue ökonomische Realität sehen, die Welt des Bürgers und seiner Geschäfte, das Elend und den Protest der arbeitenden Massen, aber auch die Maschinen, die Fabriken, die Industrie.[18] Und sie lehrte formulieren. Ihre Abkunft von der Romantik gab ihr das Pathos, den Bilderreichtum und die rhetorische Leidenschaftlichkeit, womit viele sozialistische Schriften ihre Durchschlagskraft erzielten. Hinzu kamen neue Formen der sozialkritischen und -statistischen Darstellung und die Hereinnahme unmittelbarer Beobachtungen, womit die politische Prosa nicht nur mitreißend, sondern auch aufklärend wirkte. Eindrucksvollstes Beispiel: das *Kommunistische Manifest*, das im Februar 1848 mit den Zeilen eröffnete: »Ein Gespenst geht um in Europa — das Gespenst des Kommunismus. Alle Mächte des alten Europa haben sich zu einer heiligen Hetzjagd gegen dieses Gespenst verbündet, der Papst und der Zar, Metternich und Guizot, französische Radikale und deutsche Polizisten ...«

Schließlich sei auch darauf hingewiesen, daß in dieser Periode eine erste Blüte der Literatur von Arbeitern entstand. Auch das geschah vorwiegend in England und Frankreich.[19] Arbeiter wie Thomas Cooper und Agricol Perdiguier erreichten ein weites Publikum. Ihre Autobiographien wurden bekannt, sie selbst sogar zu Gestalten in Romanen. Die Chartistenlyrik fand weite Resonanz. In der französischen Literatur wurde die ›poésie ouvrière‹ um 1840 zu einer »wahrhaft nationalen« (nicht nur pariserischen) Strömung.[20] Zuvor hatte Félicité de Lamennais (1782—1854) mit seinen religiösen *Paroles d'un croyant* (1834) große Wirkung erzielt, auch bei Wilhelm Weitling und anderen deutschen Handwerkerkommunisten, die sich im Ausland aufhielten.

Arbeiterpoeten wie der Schuster Savinien Lapointe, der Maurer Charles Poncy, der Weber Magu und der Tischler Michel Roly gewannen Anerkennung in Frankreich. Zahlreiche Gedichte von Handwerkern und Arbeitern erschienen in Zeitschriften und Anthologien (etwa in *Poésie sociale*

des ouvriers, 1841). Sie sprachen vom Leben des Hand-
werkers und variierten die saint-simonistische Feier der
Arbeit. Sie klagten die Ausbeutung und das erbärmliche
Dasein der Proletarier an. Sie feierten und forderten die
Revolution. Häufig blieben sie ganz im Umkreis der er-
wähnten sozialen Literatur von Dichtern wie Hugo und
Lamartine, den formal wichtigsten Vorbildern. Da war dann
von Revolution nicht die Rede.

In gewisser Weise kann man sogar von ›schreibenden
Arbeitern‹ sprechen — insofern das eine bewußte Förderung
impliziert. Diese Förderung geschah um 1840 von seiten
berühmter Autoren wie Lamartine, Hugo und George Sand.
Es wurde geradezu Mode, Arbeiterdichter zu entdecken und
zu unterstützen.[21] Besonderen Anteil daran hatte Pierre
Leroux (1797–1871), Redner, Visionär und Sozialist. (Er
nahm wesentliche Charakterisierungen des Kapitalismus und
seines Ausbeutungscharakters voraus.)

Vieles an der ›poésie ouvrière‹ stellte eine Selbstverständigung der unteren Klassen dar, mit zahllosen Übergängen
in Volkspoesie und Heimatdichtung. Das Ausmaß der französischen Chansonliteratur war gewaltig. Ihr widmete später der Schriftsteller Adolf Strodtmann, der bei der Revolution von 1848 mitgekämpft und sich danach vorübergehend
in den USA (Philadelphia) niedergelassen hatte, eine Sammlung unter dem Titel *Die Arbeiterdichtung in Frankreich*
(1863). Strodtmann kommentierte: »Die Zahl jener Volksdichter ist Legion (ich allein besitze an 5000 dergleichen
Chansons von mehr als 400 Proletariern) — wie will man
da dem Gesang Einhalt tun? Jeder neue Gewaltstreich weckt
neue Lieder, schafft junge Dichter, und wenn es allzu toll
hergeht, bleibt den Armen die Waffe der Anonymität, da
ihnen, wie gesagt, am Ruhme nicht viel gelegen ist.«[22]

Das war beeindruckend. Dafür fehlten in Deutschland
die Voraussetzungen. Die ersten Lieder der revolutionären
Handwerksgesellen entstanden in den dreißiger Jahren vorwiegend im Ausland, in der Schweiz und in Frankreich, wo
sich die Geheimbünde ›Junges Deutschland‹, ›Deutscher
Volksverein‹ und ›Bund der Geächteten‹ (später ›Bund der

Gerechten‹) bildeten. Die ersten Liedanthologien, in denen sozialrevolutionäre Töne angeschlagen wurden, erschienen seit Anfang der dreißiger Jahre zumeist in Paris. Erst während der Revolutionszeit 1848/49 verbreiteten sich in Deutschland selbst eine größere Anzahl revolutionärer (und weniger revolutionärer) Arbeiterlieder.

Eine einmalige Wirkung erzielte allerdings Mitte der vierziger Jahre das Weberlied *Das Blutgericht*, das am Vorabend des schlesischen Weberaufstandes 1844 in Peterswaldau und Langenbielau entstand. Oft zitiert ist das spontane Lob, das Marx »dieser kühnen *Parole* des Kampfes« zollte, »worin Herd, Fabrik, Distrikt nicht einmal erwähnt werden, sondern das Proletariat sogleich seinen Gegensatz gegen die Gesellschaft des Privateigentums in schlagender, scharfer, rücksichtsloser, gewaltsamer Weise herausschreit«. (MEK 2, 227) Es beginnt mit den Strophen:

> »Hier im Ort ist ein Gericht,
> Viel schlimmer als die Feme,
> Wo man nicht erst ein Urteil spricht,
> Das Leben schnell zu nehmen.
>
> Hier wird der Mensch langsam gequält,
> Hier ist die Folterkammer,
> Hier werden Seufzer viel gezählt
> Als Zeuge von dem Jammer.
>
> Die Herren Zwanziger die Henker sind,
> Die Diener ihre Schergen,
> Davon ein jeder tapfer schindt,
> Anstatt was zu verbergen.
>
> Ihr Schurken all, ihr Satansbrut,
> Ihr höllischen Dämone,
> Ihr freßt den Armen Hab und Gut,
> Und Fluch wird euch zum Lohne.
>
> Ihr seid die Quelle aller Not,
> Die hier den Armen drücket,
> Ihr seid's, die ihm das trocken Brot
> Noch vor dem Mund wegrücket.«

3. Literatur als ›ideale‹ Gesinnung

Als Beispiel für die Art und Weise, wie führende Sozialdemokraten die politische Vormärzliteratur aktuell erhielten, sei die Würdigung etwas ausführlicher zitiert, die Karl Kautsky (1854–1938) im Jahr 1905 anläßlich der Neuausgabe von Freiligraths Werken in der sozialdemokratischen Zeitschrift *Die Neue Zeit* veröffentlichte:

»Zu keinem gelegeneren Moment konnte diese billige Ausgabe kommen als im Jahre der russischen Revolution. Ist doch Freiligrath neben Herwegh und mehr noch als dieser unter den Deutschen der wahre Dichter der Revolution, dessen Wucht und hinreißende Gewalt von keinem seitdem übertroffen wurde. Sehr erfreulich wäre es, wenn der Verleger nun auch eine auf die *politischen Gedichte* Freiligraths beschränkte *Volksausgabe* veranstaltete, in ähnlicher Weise, wie wir schon eine von Herweghs Gedichten eines Lebendigen haben, eine Ausgabe der Zeitgedichte (1844), Ça ira (1846) und der ›neueren politischen und sozialen Gedichte‹ (1849 und 1851), die den vierten und einen Teil des fünften Bandes der vorliegenden Ausgabe einnehmen. Die Übersetzungen aus dem Englischen ebenso wie die exotischen Balladen und sonstigen Gedichte dürften heute weniger auf allgemeines Interesse Anspruch erheben. Die politischen Gedichte dagegen lesen sich so jugendfrisch, als wären sie für uns geschrieben. Ja sie erhalten mitunter für uns einen höheren Sinn, als sie für ihre Zeit besaßen.

Man lese nur zum Beispiel den Eispalast:
›Doch — auch in Rußland kommt der Lenz und auch der Newa
Blöcke tau'n!
Hui, wie beim ersten Sturm aus Süd der ganze schimmernde
Koloß
Hohl in sich selbst zusammensank und häuptlings in die Fluten
schoß.‹
Das und die ganze folgende prächtige Schilderung des Zusammenbruchs des Eispalastes in der jauchzenden, freigewordenen Newa ist nicht auf Rußland gemünzt, sondern auf Westeuropa, vor allem Deutschland. Freiligrath kam es noch nicht in den Sinn, die kommende Revolution in Rußland besingen zu wollen. Aber ohne es zu wollen, hat er es getan.«[23]

Kautsky feierte die russische Revolution von 1905 mit der revolutionären Lyrik des Vormärz. Er aktualisierte Freiligraths bekannte Verse und projizierte sie auf den Befreiungskampf der Gegenwart, ohne ihre geschichtliche Bezogenheit zu verwischen.[24] Ähnlich pries Clara Zetkin (1857–1933) wenig später an Freiligrath den politischen Beitrag der bürgerlichen Schriftsteller um Marx und die *Neue Rheinische Zeitung*. Freiligraths Gedichte, schrieb die Sozialistin, packten »mit der frischen Unmittelbarkeit des Lebens selbst«. Clara Zetkin zitierte — und legitimierte — diese Wirkung als Argument gegen die politischen Zustände der Gegenwart. Sie bemerkte: »Diese Wirkung bestätigt die Rückständigkeit der politischen Entwicklung Deutschlands, anders ausgedrückt den Verfall des bürgerlichen Liberalismus, der seine historische Aufgabe von 1848 nicht gelöst hat.«[25]

Mit dieser im wesentlichen von Lassalle entwickelten Argumentation behielt die politische Vormärzdichtung, vor allem Freiligraths, ihre Aktualität in der SPD. In engem Zusammenhang damit stand auch der Rückgriff auf die Klassik. Als 1905 anläßlich der Feiern zu Schillers 100. Todestag in der Partei darüber diskutiert wurde, was die Arbeiter von Schiller übernehmen könnten, kam Kautsky trotz der Kritik an Schillers politischen Auffassungen zu dem Schluß, daß sich die Arbeiter, speziell die jungen, von seinem unbestimmt gebliebenen revolutionären Ideal für ihre besonderen Ziele anfeuern lassen und aus seinem Schwung, seinem Trotz Zuversicht und Hoffnungsfreudigkeit holen könnten.[26] Wo immer die deutsche Literaturtradition beschworen wurde, gebührte der ›idealen‹ Gesinnung, der Begeisterung für Befreiung und Freiheit, entscheidende Beachtung.

Mehrings Neigung galt denjenigen Erscheinungen, die, wie er in vielerlei Variationen formulierte, über die Tiefen der deutschen Misere hinauswiesen. Die Bindung an die nationale Geschichte, die er als radikaldemokratischer Journalist über die Periode der Reichsgründung hinweg aufrechterhielt, prägte seine Urteile auch nach seinem Übertritt zur

SPD im Jahre 1891. So hielt er an seiner Verehrung für die »Kraftnatur« Freiligrath, »dem schon ein Joch von Spinnenweben den unbeugsamen Nacken wundscheuerte«, trotz dessen »Hurra Germania«-Versen von 1870/71 fest und schrieb:

> »In den Gedichten, die Freiligrath in den Kriegsjahren 1870 und 1871 veröffentlichte, ist er sich durchaus treu geblieben; sie stehen in keinem inneren Widerspruche mit seinen Revolutionsliedern von 1848 und 1849, obgleich oder vielmehr weil sie in einem inneren Zusammenhange damit stehen, daß Freiligrath der neuen Arbeiterbewegung kein Lied gesungen hat. In dem Deutsch-Französischen Kriege trat ihm wieder ein Stück Revolution im Geklirr der Waffen entgegen; trotz aller diplomatischen Machenschaften und reaktionären Tendenzen Bismarcks war der Krieg insoweit ein Volkskrieg, als die Massen der deutschen Nation in ihn strömten, um endlich einmal Herren im eigenen Hause zu sein. Diesen Massen hat Freiligrath seine Lieder gesungen, und das war im wesentlichen die gleiche Auffassung des Krieges, wie sie auch Marx in den Manifesten der Internationale niedergelegt hat, nur freilich in kritischer Prosa und nicht in poetischem Schwunge.«[27]

Diese Feststellung bedeutete kein Einschwenken auf den offiziellen Nationalismus des Deutschen Reiches.[28] Jedoch macht sie die starke Verwurzelung dieses Sozialisten, der 1918 zum Mitbegründer der Kommunistischen Partei wurde, in der nationalen Bewegung des 19. Jahrhunderts sichtbar. Mehring verhehlte diese Verwurzelung durchaus nicht. Er ließ sich durch die nationale Bismarck-Verehrung nicht darin beirren, daß 1848 einen revolutionären Impuls für die Einigungsbewegung darstellte, nicht nur die Vorstufe zu einer sozialen Revolution, und er hielt an der Überzeugung fest, daß die Einigung der Nation einst als ein großes Versprechen sozialer, politischer und kultureller Art angesehen worden war. Die Kategorie ›Überwindung der deutschen Misere‹, welche die deutschen Intellektuellen im 19. Jahrhundert durchwegs gefangenhielt, blieb auch für Mehring verbindlich. Er verwandte sie, um Schillers Distanz zu den politischen Kämpfen zu erklären:

»Das Elend der deutschen Zustände war so groß und der Sumpf, den sie darstellten, so unergründlich, daß unsere klassische Literatur und Philosophie sich nur entwickeln konnten, indem sie auf Wolken wandelten. Aber eben dadurch, daß sie auf Wolken wandelten, haben sie den Geist gerettet, der dem proletarischen Emanzipationskampfe seine ersten und größten Waffenschmiede erzog.«[29]

Mit der Kategorie ›Überwindung der deutschen Misere‹ schlug Mehring die Brücke von Schiller zur Arbeiterbewegung. Die hohe Gesinnung und der Geist der Menschheitsbefreiung waren nun Sache der Arbeiter geworden.

Unter diesen Vorzeichen verfaßte Mehring in den neunziger Jahren die offizielle *Geschichte der deutschen Sozialdemokratie* (1897/98). Ihr letzter Satz lautet: »Der Emanzipationskampf der modernen Arbeiterklasse ist der glorreichste und größte Befreiungskampf, den die Weltgeschichte kennt, und Jahrhunderte deutscher Schmach löscht die Tatsache aus, daß die deutsche Sozialdemokratie diesen Kampf in der Vorhut führt.«[30] Das war ein stolzes Resümee. Das Resümee eines Intellektuellen, der nun wußte, daß die deutsche Arbeiterbewegung jene Tiefen überwunden hatte.

Mit diesem Bewußtsein hängt auch Mehrings Verehrung für Lassalle zusammen, eine Verehrung, die Mehring nicht im Konflikt sah mit der Bewunderung für Marx und seine überlegene politische und theoretische Rolle im Sozialismus. Mehring verehrte an Lassalle »jene flammende Leidenschaft [. . .], womit er sein neues Weltprinzip, den ›hohen sittlichen Ernst‹ verkündete, der sich der Arbeiterklasse bemächtigen müsse« und zitierte zustimmend den hochfliegenden Appell an die Arbeiter im *Arbeiter-Programm:* »Es ziemen Ihnen nicht mehr die Laster der Unterdrückten, noch die müßigen Zerstreuungen der Gedankenlosen, noch selbst der harmlose Leichtsinn der Unbedeutenden. Sie sind der Fels, auf welchen die Kirche der Gegenwart gebaut werden soll.«[31] Lassalle, der Redner und Agitator, war gemeint, der die hohe Gesinnung Schillers und Fichtes in die Arbeiterbewegung einbrachte, der, wie man sagte, die Arbeiterbewegung aus dem Schlaf nach der Niederlage der Revolution 1848/49 herausführte und mit neuem kämpferischen Selbstbewußtsein erfüllte. Es hatte nur wenig mit der tatsächlichen Wirkung und allmählichen Zurückdrängung der Lassalleaner in der Partei zu tun, wenn viele Sozialdemokraten an der Überzeugung festhielten, daß der »ideale Funke«, der über die Routine und Abstumpfung der alltäglichen Parteiarbeit hinwegsprang, von Lassalle in die Arbeiterbewegung getragen worden sei.

4. In kritischer Distanz: Marx und Engels

Die Bilanz, die Karl Marx 1852 aus den Erfahrungen der Revolutionszeit zog, wies in eine andere Richtung. Er verwandte die Einleitung seiner zuerst in New York gedruckten Schrift *Der achtzehnte Brumaire des Louis Bonaparte* zu einer Betrachtung über das Verhältnis von Revolutionären zu vergangenen Umwälzungen und Revolutionen. Berühmt sind die Sätze:

> »Die Tradition aller toten Geschlechter lastet wie ein Alp auf dem Gehirne der Lebenden. Und wenn sie eben damit beschäftigt scheinen, sich und die Dinge umzuwälzen, noch nicht Dagewesenes zu schaffen, gerade in solchen Epochen revolutionärer Krise beschwören sie ängstlich die Geister der Vergangenheit zu ihrem Dienste herauf, entlehnen ihnen Namen, Schlachtparole, Kostüm, um in dieser altehrwürdigen Verkleidung und mit dieser erborgten Sprache die neue Weltgeschichtsszene aufzuführen. [...] Die Totenerweckung in jenen Revolutionen diente also dazu, die neuen Kämpfe zu verherrlichen, nicht die alten zu parodieren, die gegebene Aufgabe in der Phantasie zu übertreiben, nicht vor ihrer Lösung in der Wirklichkeit zurückzuflüchten, den Geist der Revolution wiederzufinden, nicht ihr Gespenst wieder umgehen zu machen.« (MEW 8, 115 f.)

Man hat diese Bemerkungen, oft mit spöttischem Unterton, auf die Sozialdemokratie angewandt, hat deren Bemühung um die bürgerliche Kultur als Kostümierung bezeichnet, an welche die Arbeiter schließlich selbst glaubten. Diese Abqualifizierung der kulturellen Aufholprozesse einer emporsteigenden Klasse lag in Marx' Worten nicht begründet. Im *Kommunistischen Manifest* hob er ausdrücklich hervor, daß die Bourgeoisie bei ihrem Kampf gegen die Aristokratie dem Proletariat »ihre eigenen Bildungselemente, d. h. Waffen gegen sich selbst« zuführe (MEW 4, 471), ein wichtiger Hinweis auf dessen bildungsmäßige Emanzipation (wenn er auch zunächst stark auf die Produktionssphäre bezogen war).

Marx berief sich hier vielmehr auf die Revolution selbst und malte mit Ironie die Diskrepanz zwischen dem unheroischen Alltag der bürgerlichen Gesellschaft und der Tatsache, daß in der Französischen Revolution »die Gespenster der Römerzeit ihre Wiege gehütet« hätten. Er differenzierte zwischen bürgerlichen Revolutionen, die mit ihren dramatischen, ekstatischen Effekten dennoch kurzlebig seien, und den langsameren, umständlicheren proletarischen Revolutionen, die nach manchen Um- und Abwegen unaufhaltsam zum Ziel gelangten. Hier, bei diesem Typus der Revolution lag Marx' Interesse. Dieser Typus würde eine neue Poesie hervorbringen:

»Die soziale Revolution des neunzehnten Jahrhunderts kann ihre Poesie nicht aus der Vergangenheit schöpfen, sondern nur aus der Zukunft. Sie kann nicht mit sich selbst beginnen, bevor sie allen Aberglauben an die Vergangenheit abgestreift hat. Die früheren Revolutionen bedurften der weltgeschichtlichen Rückerinnerungen, um sich über ihren eigenen Inhalt zu betäuben. Die Revolution des neunzehnten Jahrhunderts muß die Toten ihre Toten begraben lassen, um bei ihrem eigenen Inhalt anzukommen. Dort ging die Phrase über den Inhalt, hier geht der Inhalt über die Phrase hinaus.« (MEW 8, 117)

Marx durchschnitt den Faden nach rückwärts. Die revolutionäre Zeit von 1848—1851 galt ihm als Beispiel für die verfehlte Belebung der alten Revolutionen. Anstelle der Rückwendung zur Poesie früherer Revolutionen beschwor er die Orientierung an der Zukunft.

Auch die deutsche Sozialdemokratie orientierte ihre Poesie an der Zukunft. Ihre Lieder, Gedichte, Festspiele und Agitationsstücke lebten aus der Gewißheit der Aufhebung der gegenwärtigen Verhältnisse. In der vielgebrauchten Licht-

allegorie zeichnete sich das Nahen des Sieges ab. Aber die
Sozialdemokratie gewann diese Poesie aus den Rezepten
der Vergangenheit. Sie stellte ›vergangene‹ Poesie in den
gegenwärtigen Kampf. Sie verteidigte die Notwendigkeit,
mit dieser Literatur zu leben, bis der revolutionäre Kampf
die Voraussetzungen zu einer neuen Kunst geschaffen habe.
Der Faden nach rückwärts wurde gestrafft, da mit ihm der
Anspruch, die neue Kunst herbeizuführen, aufrechterhalten
werden konnte. Der Ansporn, den man bei Schiller fand,
umschloß nicht nur Freiheits- und Kampfgesinnung, sondern
auch den ›klassischen‹ Vorschein jenes neuen, befreiten
Daseins.

Marx hatte anderes gemeint. Allerdings schwiegen er und
Engels über das, was statt dessen entwickelt werden sollte,
als die Sozialdemokratie als selbständige Partei agierte, d. h.
Konzepte für die Massenarbeit entwickeln mußte.

Anfang der vierziger Jahre verband Marx den Hinweis
auf ein Zeitalter der unentfremdeten Daseinsformen eng mit
dem Hinweis auf die Kunst, auf eine ökonomisch nicht
determinierte und spezialisierte Kunst. In der *Deutschen
Ideologie* schrieb er 1846: »In der kommunistischen Gesellschaft gibt es keine Maler, sondern höchstens Menschen, die
unter anderem auch malen.« (MEW 3, 379) Er kritisierte
die geläufige Kunstpraxis, die sich den Produktionsbedingungen der kapitalistischen Gesellschaft anpassen müsse und
in der emanzipierten Gesellschaft der Zukunft verschwinden werde. Die Projektion einer künftigen Kunst, in der
sich der Mensch unmittelbar, frei von gesellschaftlich vor-
bestimmtem Auftrag verwirklichen könne, berührte sich auch
bei Marx mit der Erhöhung der Poesie der Vergangenheit,
und zwar griff er auf die Kunst der Griechen zurück, dem
aus der deutschen Klassik übernommenen und weiterhin
gepflegten Beispiel. Er basierte seine Erhöhung der griechischen Kunst in der *Einleitung* zur *Kritik der Politischen
Ökonomie* von 1857 auf der Annahme, daß sie nicht von
ihrer unvollkommenen gesellschaftlichen Basis determiniert
gewesen sei und deshalb menschliche Natur unmittelbar
ausdrücke.[32] Inwiefern dies auf Kunst allgemein zutrifft,

ließ er offen und gab damit Zweifeln über die strikte An-
wendbarkeit des Basis-Überbau-Schemas auf die Kunst
Raum, das er 1859 im *Vorwort* zur *Kritik der Politischen
Ökonomie* generalisierte.

Jedoch ist diese Berührung von ästhetischen Daseinsformen der Vergangenheit und der Zukunft nur hauchdünn,
von späteren Autoren mehr oder weniger extrapoliert. Sie
vermittelt keine Anleitung. Marx brach 1857, nach seiner
Beschäftigung mit Ästhetik, die Überlegungen der *Einleitung* an dem kritischen Punkt ab, wo er nicht nur über eine
differenzierte Fassung des Basis-Überbau-Konzepts im Hinblick auf die Kunst hätte Aufschluß geben müssen, sondern
auch darüber, ob die ästhetische Praxis der Zukunft überhaupt erreicht werden könne. (Michail Lifšic kommentierte:
»Das Manuskript der Einleitung ist leider gerade da abgebrochen, wo der Darstellung von der Nichtwiederkehr der
griechischen Kunst in der Vergangenheit die Begründung
einer möglichen neuen künstlerischen Blüte folgen müßte.«[33]) Immerhin waren seit den Äußerungen in der *Deutschen Ideologie* — die erst im 20. Jahrhundert veröffentlicht
wurde — zehn Jahre vergangen, gefüllt mit intensiver politischer und theoretischer Arbeit. Zwar gebrauchte Marx
häufig literarische Hinweise als Teil seiner Argumentation,
bis hin zum *Kapital* (1867)[34], doch lieferte er keine materialistische Deutung der ästhetischen Kategorien.

Auch Engels ging im Grundsätzlichen nicht viel weiter,
obgleich er eher als Marx die kulturelle Befähigung des
Proletariats in seine Erwartungen einschloß.[35] In Briefen
äußerte er sich verschiedentlich über Fragen der Literatur.
Nach 1880 definierte Engels das Basis-Überbau-Konzept mit
größerer Elastizität, bezog neben den ökonomischen Faktoren auch biologische und geographische in die Bestimmung
der Entstehung von Kunst ein und machte auf die Wechselwirkung von Basis und Überbau aufmerksam. (Vgl. den
Brief an Mehring, 14. 7. 1893, MEW 39, 98.) Als wichtige
Lektüre empfahl er die Ästhetik von Hegel.

Dieser Komplex wird noch ausführlich behandelt werden.
Hier geht es zunächst um die Positionen der Partei und der

beiden Londoner im Bezug auf den politischen Gebrauch von
Literatur. Die Distanz ergab sich aus dem anfänglich besonders starken, von Lassalle geprägten Einbezug von Literatur in die Parteiagitation. Lassalles Konzept einer straff
gelenkten Partei — auf das sich später Lenin (1870–1924)
bezog — hatte dafür Raum. Marx' Bemerkung zu Freiligrath
über die »Partei im großen historischen Sinn«, die Mehring
1912 in der Abhandlung *Marx und Freiligrath in ihrem
Briefwechsel* aufgriff, wies in eine andere Richtung.[36] Engels
sprach davon, daß sich die »deutsche proletarische Partei«
auf »ihr ganzes theoretisches Dasein« konzentriere, was ihn
selbst, Marx und vor allem ehemalige Mitglieder des ›Bundes der Kommunisten‹ umfaßte.[37] Aus diesem Denken erwuchs kein Postulat einer parteilich anleitenden Literatur.
Marx' und Engels' Tendenzbegriff bezog sich auf das Her-
ausarbeiten der Dialektik der geschichtlichen Realität und
sah von der Agitation ab.

Mit Marx' Kritik an der Poesie vergangener Revolutionen
von 1852 ist Engels' Äußerung 1885 über die Revolutions-
lyrik zu vergleichen. Als Hermann Schlüter, der zur Zeit
des Sozialistengesetzes den sozialdemokratischen Verlag in
Zürich leitete, eine Sammlung progressiver Volkslieder her-
auszugeben beabsichtigte, wies ihn Engels unter anderem
auf die »Marseillaise des Bauernkrieges« *Ein feste Burg ist
unser Gott* und auf Chartistenlieder hin. Zum revolutionären Gesang von 1848 bemerkte Engels:

> »1848 herrschten zwei Lieder nach derselben Melodie:
> 1. Schleswig-Holstein.
> 2. Das Heckerlied.
>> ›Hecker, hoch dein Name schalle
>> An dem ganzen deutschen Rhein.
>>
>> Deine Großmut, ja dein Auge
>> Flößen schon Vertrauen ein.
>>
>> Hecker, der als deutscher Mann
>> Vor der Freiheit sterben kann.‹
> Ich denke, das genügt. Dann die Variante:
>> ›Hecker, Struve, Blenker, Zitz und Blum,
>> Bringt die deitsche Ferschte um!‹

Überhaupt ist die Poesie vergangner Revolutionen (die ›Marseillaise‹ stets ausgenommen) für spätere Zeiten selten von revolutionärem Effekt, weil sie, um auf die Massen zu wirken, auch die Massenvorurteile der Zeit wiedergeben muß – daher der religiöse Blödsinn selbst bei den Chartisten.« (MEK 2, 218 f.)

Das war keine freundliche Bilanz. Um ihr Gewicht zu ermessen, sei hinzugefügt, daß Engels ein Kenner von Volksdichtung war und seit seiner Studentenzeit eine Vorliebe für das Singen von Volks- und Studentenliedern bewahrt hatte. (Das *Allgemeine Deutsche Commersbuch* von 1869, das er benutzte, ist mitsamt der Rotweinflecken auf den Seiten 196 und 197 noch erhalten. Engels soll »gern, laut und unsagbar falsch« gesungen haben.[38])

Zu dieser Zeit hatte sich allerdings die Einstellung vieler Parteiführer gewandelt. Vielleicht mit Ausnahme von Liebknecht, dem Revolutionär von 1848 und Verfasser einer Schrift über den Volkshelden Robert Blum, dürften sie Engels' Urteil kaum widersprochen haben, da es die großen Gestalten der politischen Vormärzlyrik nicht berührte.

5. Lassalle, Liebknecht und das Erbe des Bürgertums

Für die kritische Orientierung der Sozialdemokratie an der vorhandenen Kultur hat in den sechziger Jahren des 19. Jahrhunderts vor allem Lassalle die Weichen gestellt. Der Revolutionär von 1848 brachte in die Agitation der deutschen Arbeiterbewegung das Konzept ein, das bei der Agitation für den deutschen Nationalstaat (etwa im ›Nationalverein‹) eine große Rolle spielte: die Berufung auf das kulturelle Erbe, vornehmlich der Dichter und Philosophen, nicht nur zu theoretischer Klärung, sondern zur Vorbereitung politischer Umwälzungen. Lassalle schloß sich selbst der nationalen Agitation an, die mit den Schillerfeiern 1859 großen Aufschwung nahm, doch gab er ihr eine andere Ausrichtung. Seine These lautete, vereinfacht: Die Arbeiter würden endlich bewerkstelligen, was sich literarisch und philosophisch längst manifestiert habe, bisher aber politisch gescheitert sei: die Vereinigung der deutschen Nation.

Dieses Konzept hätte nach Errichtung des Nationalstaates durch Bismarck, zu dem Lassalle heikle Verbindungen aufnahm, kaum noch Aufmerksamkeit gefunden, wäre es nicht fest mit dem Kampf gegen das Bürgertum verknüpft gewesen. Lassalles Auffassung von der Errichtung der Nation bezog sich nicht weniger auf die Schwäche der deutschen Bourgeoisie als auf die — bis dahin nur prophezeite — Stärke der Arbeitermassen. Das Versagen der Bourgeoisie in der Revolution von 1848, Deutschland demokratisch zu einigen, diente Lassalle als schlagkräftiges Argument zur Behauptung ihrer Schwäche und Dekadenz. Zwar habe sie sich auch in Frankreich und England entmachten lassen, doch könnten sich beide Nationen auf das »Erbe einer großen nationalen Vergangenheit« stützen, »Frankreich auf sein Schwert, England auf sein Gold«. In Deutschland müsse die »nationale Existenz« erst noch erobert werden, und dazu sei die Bourgeoisie zu schwach, sagte er am Ende seiner Abrechnung mit dem liberalen Politiker Hermann Schulze-Delitzsch, der Anfang der sechziger Jahre mit seinen Arbeiterbildungsvereinen großen Einfluß auf die Arbeiter besaß (*Herr Bastiat-Schulze von Delitzsch*, 1864). Beispielhaft für seine Rhetorik sind die Schlußworte der Rede, in denen Lassalle an die Arbeiter appellierte:

»Schon höre ich in der Ferne den dumpfen Massenschritt der Arbeiterbataillone! Rettet — rettet — rettet euch aus den Banden eines Produktionszustandes, der euch zur Ware entmenscht hat — rettet — rettet — rettet den deutschen Geist vom geistigen Untergange — rettet — rettet zugleich die Nation vor Zerstückelung!«[39]

Lassalle wurde nicht zum Advokaten einer Erhebung der in den sechziger Jahren noch viel zu schwachen Arbeiterschaft. Er lenkte die revolutionäre Gesinnung auf die Erkämpfung des freien Wahlrechts, in Antizipation einer ›Arbeiterdemokratie‹ mit starker Staatsintervention, ein vorläufiges und mit der gleichzeitigen Forderung nach Produktivassoziationen politisch mißverständliches Programm.[40] Immerhin hinterließ die Intensität, mit der er die Emanzipation der Arbeiter mit der politischen und kulturellen Ablösung des Bürgertums verknüpfte, einen starken Eindruck und prägte sich mit der Formel von der Arbeiterklasse, »der gegenüber alle anderen Klassen nur eine reaktionäre Masse sind« (*Gothaer Programm*, 1875) in der Sozialdemokratie tief ein. Davon wurden die in Deutschland in der Tat schwachen Ansätze zur Demokratie nachhaltig getroffen, für welche das Bürgertum zunächst Unterstützung gegen die feudalen Kräfte brauchte, und zwar, wie Marx und Engels betonten, über die Revolution von 1848 hinaus im Hinblick auf einen demokratischen deutschen Nationalstaat als nächstes Ziel (so Engels 1865 in *Die preußische Militärfrage und die deutsche Arbeiterpartei*). Andererseits sahen Wilhelm Liebknecht und August Bebel (1840—1913), als sie 1869 die ›Eisenacher‹ Partei gründeten, daß die Zusammenarbeit mit den bürgerlichen Demokraten ihre Sache nicht weiterbringen würde.

Aus den verwickelten Vorgängen der *Trennung der proletarischen von der bürgerlichen Demokratie 1863—1870*, wie Gustav Mayer (1871—1948), der demokratische Historiker der deutschen Arbeiterbewegung, seinen grundlegenden Aufsatz von 1912 betitelte[41], sei hier herausgehoben, daß mit der frühen organisatorischen Eigenständigkeit der deutschen Sozialdemokratie ebensofrüh die Möglichkeiten und Grenzen einer sozialistischen Parteiliteratur abgesteckt waren. Seit Lassalle in den ADAV-Versammlungen das Singen des *Bundesliedes* von Herwegh obligatorisch machte und unter anderem Auszüge aus dem politischen Roman *Lucinde oder Capital und Arbeit* (1863/64) von Johann Baptist von Schweitzer (1833—1875), dem nachmaligen Präsidenten des ADAV, vortragen ließ, entstand eine für die Partei, ihre Organisation, ihre Feiern und Ziele bestimmte Literatur. Es entstanden eigene Lieder, eigene Gedichte, eigene Theaterstücke und Festspiele, eine eigene Poetisierung und Agitation — die zugleich jedoch den Gebrauchswert so kräftig auf die Stirn gestempelt erhielten, daß sie angesichts des ästhetischen Maßstabes der ›hohen‹ Kunst kaum Chancen hatten, breitere Förderung zu erfahren oder mit anderen Literaturströmungen in einen künstlerisch fruchtbaren Kontakt zu gelangen. Der gesellschaftlich verengte Blickwinkel, der die Formung des ›bürgerlichen Realismus‹ nach 1848 begleitete, wurde von dieser Literatur nicht aufgebrochen, sondern nur politisch und allegorisch kontrapunktiert. Diese Distanz war symptomatisch für die deutsche Situation, für bürgerliche Schriftsteller ebenso wie für schreibende Sozialisten. In Frankreich und England, wo sich nach 1848 ästhetische und politische Standpunkte ebenfalls auseinanderentwickelten, kam es nicht dazu.

Für diese Differenzen ist das Pamphlet *Herr Julian Schmidt, der Literarhistoriker* (1862) aufschlußreich, in welchem Lassalle und Lothar Bucher (1817–1892) den Matador des bürgerlichen Realismus stellvertretend für Literaturkritik und Literaturbetrieb des Bürgertums nach 1848 angriffen. Sie warfen Schmidt vor allem vor, in seiner *Geschichte der deutschen Literatur* an das Werk großer Geister wie Fichte, Hegel und Schiller den Maßstab bürgerlicher Mittelmäßigkeit und Phantasielosigkeit anzulegen und es damit zu verzerren. Ihre Kritik, daß Schmidt die ideale Gesinnung, die ein Volk benötige, denunziere, war zugleich eine politische Feststellung gegen das liberale Bürgertum im Nachmärz.

Lassalle inaugurierte in der deutschen Arbeiterbewegung neben dem ersten Persönlichkeitskult, der nach seinem Tod im Duell 1864 verschiedentlich religiöse Dimensionen annahm, eine radikaldemokratische Agitation, mit der es fraglich erschien, ob die tiefgreifende sozialistische Transformation der kapitalistischen Gesellschaft, die Marx vorzeichnete, entsprechende Durchleuchtung und Förderung erfahren konnte. Die Konzepte aus der Zeit vor 1848 blieben darin wirksam, nicht nur die literarischen. Mit der Formel, daß der Arbeiterstand die vom Bürgertum 1848/49 aufgegebene Fahne vom Boden aufhebe und zum Siege trage, bezog Lassalle Hegel auf die neuen Verhältnisse; er bestimmte das Interesse der Arbeiter als »allgemeines Interesse« und den Arbeiterstand als »allgemeinen Stand«, dem nun die Verwirklichung der geschichtlichen Idee, Freiheit und Einheit,

zufalle. Die Agitation richtete sich auf die Bewußtmachung
der Idee und auf die Selbstverständigung des Proletariats
über das Scheitern des Bürgertums. In beidem kam Fichtes
philosophische Kulturkritik, einst auf das Bürgertum gemünzt, erneut zur Wirkung. Die Definition des Proletariats
geschah nicht ökonomisch, gemäß dessen Stellung im Produktionsprozeß, sondern historisch, gemäß dessen Verwirklichung der vorgegebenen menschheitlichen Idee, an der das
Bürgertum versagt habe. Der »ideale Funke«, den Sozialdemokraten bis ins 20. Jahrhundert an Lassalle priesen, war
nicht nur Illumination eines Programmes, er war Teil des
Programmes selbst.

Was Lassalle von Marx in diesem Bereich trennte, hat der
Sozialdemokrat Karl Korn (1865—1942) etwa zu derselben
Zeit einprägsam zusammengefaßt, da Mehring die »flam-
mende Leidenschaft« und den »hohen sittlichen Ernst« des
Verfassers vom *Arbeiter-Programm* pries. Im Aufsatz *Prole-
tariat und Klassik*, auf den sich später Walter Benjamin (in
Eduard Fuchs, der Sammler und der Historiker) berief,
schrieb Korn 1908:

»In der *Klassik* fand Lassalle den prägnantesten Ausdruck jener
Ideologie, an deren Normen er der bürgerlichen Wirklichkeit den
Prozeß machte, als der berufene Prokurator dieser Ideologie, selber ein Grandseigneur in diesem geistigen Besitz. Damals wurde,
unter Lassalles Präsidium, die Allianz zwischen dem deutschen
Proletariat und der deutschen Klassik proklamiert. Von Lassalle
hörten wir, daß der Zug der großen Dichter und Denker wie ein
Schwarm von Kranichen über dem deutschen Bürgertum hinweg-
gerauscht, daß aber das Proletariat seiner historischen Idee nach
berufen sei, das von der Bourgeoisie verwirkte Erbe der geistigen
Heroen anzutreten. Die Formel von der Wissenschaft und den
Arbeitern wurde geprägt, die Wissenschaft aber war wiederum
vornehmlich die klassische Philosophie und die klassische Lite-
ratur.
Eine wie ganz andere Wissenschaft ist es, in der Marx und
Engels ihre Gedanken begründeten, und wie entgegengesetzt zu
Lassalle faßten *sie* die Idee des Proletariats auf! Nicht historisch,
kurz gesagt, sondern funktionell. Nicht aus irgendwelchen, in die
Vergangenheit weisenden Besitztiteln, als ein Erbe, leiteten sie

den sozialen Vorrang der Arbeiterklasse her, sondern aus ihrer ausschlaggebenden Stellung im Produktionsprozeß selber. Wie braucht auch von Besitz, und sei es vom geistigen Besitz, und von historischen Rechtsansprüchen geredet zu werden bei einem Klassenparvenü, wie dem modernen Proletariat, das jeden Tag und jede Stunde durch die Tat selber, durch seine den gesamten Kulturapparat immer aufs neue reproduzierende Arbeit sein ›Recht‹ dartut, beim Proletariat, das, weil es im wörtlichen Sinne die Gegenwart auf den Schultern trägt, sich den Teufel um die Vergangenheit schert! Die Wissenschaft bei Marx und Engels ist deshalb immer lebendige Wissenschaft, Analyse des sozialen Komplexes auf breitester Basis. Das Historische ist ihr bloß ein Hilfsmittel für diese Analyse und alles Normative, wie in den Naturwissenschaften, kein Vorher und kein Jenseits der Entwicklung, sondern Ergebnis der Analyse, vermittels der Analyse im analysierten Prozeß vorgefundene Entwicklungstendenz. So ist für Marx und Engels das Prunkstück des Lassalleschen Bildungsideals, die spekulative Philosophie, kein Tabernakel, sondern Gebrauchsgegenstand, Alltagswerkzeug, nicht Inhalt, sondern Methode des Denkens, richtiger Schema, Gerüst zu einer Methode, ihrer sogenannten materialistischen Geschichtsauffassung.«[42]

Zwischen Tabernakel und Gebrauchsgegenstand: Korn zeigte die Differenzen zwischen der historisch-idealistischen und der historisch-materialistischen Definition des Proletariats, zwischen Lassalles Rückbezug auf die Klassik und Marx' ökonomisch-dialektischer Analyse. Korn gestand in seinem Aufsatz Lassalles scharfer Kritik des Bürgertums und dessen Kultur große Bedeutung für das politische und kulturelle Selbstverständnis der deutschen Arbeiterpartei zu. Aber er zog eine Grenze, wo diese Kritik selbst als definitive Bestimmung der Arbeiterklasse verwendet wurde. Entgegen dem Tabernakeldenken solle sich das Proletariat aus dem Erbe der Klassiker nur diejenigen Elemente nehmen, die seinem Kampf zugutekämen. Während das Bürgertum Kultur als Besitz ansähe, den es wie Kapital verwalte, stünde das Proletariat der vorgegebenen Kultur als kritischer Rezipient gegenüber. In Korns Worten: »Nur insoweit sie ihre lebendige Kraft zur Erreichung ihres Ideals liefert, wird die emporstrebende Klasse die überkommene Bildung schätzen und ihrer eigenen Ideologie einverleiben.«

Ob diese Aussage der tatsächlichen Praxis der Sozialdemokratie vor dem Ersten Weltkrieg entsprach, sei späterer Erörterung überlassen. Korn war nur eine — kritische — Stimme, die bezeugte, wie zentral das Verhältnis zur bürgerlichen Kultur für das Selbstverständnis der deutschen Arbeiterpartei blieb.

Bei Lassalle findet sich dafür nicht nur die geschichtsphilosophische Umpolung der Bürgerkultur als Kritik des gegenwärtigen Bürgertums, sondern auch das Konzept der Arbeiterbewegung als Kulturbewegung, das den sozialdemokratischen Kulturaktivitäten zugrundelag. Vom *Arbeiter-Programm* bis zur *Ronstorfer Rede* kurz vor seinem Tode wies Lassalle die Arbeiter an, sich ihre Kulturidee bewußt zu machen, und zwar im *politischen* Sinne — entgegen der bürgerlichen Bildungsideologie in den Arbeiterbildungsvereinen. Es ging ihm sowohl um Kritik wie um positive Kultur- und Erziehungsarbeit. Er betonte, die notwendige Abkehr der Arbeiter von der ›öffentlichen‹, in der bürgerlichen Presse manipulierten Meinung könne nur in einem umfassenden Aufklärungsprozeß erfolgreich verlaufen.

In vielen Bereichen blieb es bei Anregungen, die sich durchwegs dem Parteiinteresse zuordneten, sei es hinsichtlich einer eigenen Pressepolitik, sei es hinsichtlich der Gründung von eigenständigen Arbeiterchören, auf die noch Lenin beifällig hinwies. Der Konsequenz, mit der die Lassalle das Parteiinteresse zentral stellte, zollte Lenin Lob. Die Schrift *Was tun?* eröffnete 1902 mit dem Satz von Lassalle: »Daß die Parteikämpfe gerade einer Partei Kraft und Leben geben, daß der größte Beweis der Schwäche einer Partei das Verschwimmen derselben und die Abstumpfung der markierten Differenzen ist, daß sich eine Partei stärkt, indem sie sich purifiziert, davon weiß und befürchtet die Behördenlogik wenig.« Was Lenin kurze Zeit später in dem Aufsatz *Parteiorganisation und Parteiliteratur* (1905) über die Notwendigkeit der literarischen Agitation sagte, entsprach einem solchen Parteiinteresse. Die Agitation und Pressepolitik des ADAV, die Schweitzer nach Lassalles Tod ausbaute, läßt sich als der wohl wichtigste Vorläufer der Leninschen Konzepte in der Arbeiterbewegung bezeichnen.

In die hier eingeschlagene Richtung gingen die Eisenacher nach 1870, wobei übergelaufene Lassalleaner wie August Otto-Walster (1834–1898) und August Geib eine große Rolle spielten. Zu dieser Zeit war die Zusammenarbeit mit den Bürgerlichen von Liebknecht und Bebel aufgegeben worden. Den endgültigen Einschnitt brachte die Gründung des Deutschen Reiches, die beide Sozialisten im Gefängnis erlebten. Die politische Auseinandersetzung mit Bismarcks neuem Preußen-Deutschland steht im Hintergrund der Ansprache *Wissen ist Macht — Macht ist Wissen*, mit welcher Wilhelm Liebknecht 1872 den Kurs auf eine kulturelle Konfrontation zu bringen suchte. Die scharfe Verurteilung der gegenwärtigen bürgerlichen Kultur — es ist von »Wurmstichigkeit« und von der »dünnen Kruste« die Rede, unter der dann »die brodelnde und gähnende Lava der Barbarei hervorbreche« — ging eng zusammen mit der Verurteilung der Politik Bismarcks, besonders dessen Verwendung von Schule, Armee und Presse als Hauptstützen der Klassenherrschaft. Das war schärfer und konsequenter als Lassalles Kritik. Liebknecht maß die gegenwärtige Kultur an den unerträglichen Lebensverhältnissen des Proletariats und dessen von oben bewußt aufrechterhaltener Unbildung. Sein Resümee lautete:

»In der heutigen Gesellschaft wird für die Entwicklung der Anlagen nicht nur nicht gesorgt, die Anlagen werden geradezu unterdrückt oder verkrüppelt. Die heutige Gesellschaft hat darum kein Recht, *sich* kulturfreundlich zu nennen, und *uns* Kulturfeinde. *Sie* ist kulturfeindlich, denn sie verhindert den Aufschwung der Kultur — und *wir*, die Vorkämpfer der *neuen*, sozialistischen Gesellschaft, sind die *Verteidiger der Kultur* gegen die kulturfeindliche *alte* Gesellschaft, welche dem Volk das Wissen vorenthält, welche es leiblich und geistig erdrückt, welche das Gemeinwohl gemeinschädlichen Klasseninteressen opfert, das Eigentum zum Monopol einer ausbeutenden Minorität, den Arbeiter zum Ding, die Familie für das Proletariat zu einem frommen Wunsch, die Moral zur Heuchelei, die Bildung zur Lüge macht.«[43]

Die Absage an das bestehende System verknüpfte Liebknecht — wie Lassalle — mit dem Hinweis auf die einst von
Fichte in den *Reden an die deutsche Nation* entwickelte Idee
der Nationalerziehung und schloß: die höchste Aufgabe des
Staates sei die Volkserziehung, nur er könne sie lösen;
zeige sich der Staat unfähig, diese Aufgabe zu lösen, »so
hat er kein Recht zu bestehen«.[44] Das Ziel werde nicht über
die Parolen der Arbeiterbildungsvereine und bürgerlichen
Bildungsinstitutionen erreicht: »Wissen ist Macht«, »Durch
Bildung zur Freiheit«, sondern über deren Umkehrung:
»Macht ist Wissen«, »Durch Freiheit zur Bildung«. Nur
wenn das Volk sich politische Macht erkämpfe, öffneten
sich ihm die Pforten des Wissens.

Neben der Berufung auf Fichte kam der auf den englischen Kulturhistoriker Henry Thomas Buckle (1821—1862)
noch mehr Bedeutung zu. Liebknecht brachte ihm in der
Rede (und ihren langen Anmerkungen) eine Eloge dar.[45]

Buckle leitet den menschlichen Fortschritt von intellektuellen,
nicht moralischen Faktoren her und betont die spezielle Bedeutung der »großen und weitreichenden Denker«, von denen das
Wissen in weitere Kreise getragen werde. Dort verursache es eine
Änderung der öffentlichen Meinung, und zwar in Richtung auf
eine Demokratisierung der überkommenen Institutionen. Die
Wissenschaften, verstanden als Naturwissenschaften, haben eine
demokratisierende Wirkung: die Wissenschaft sei der »Tempel
der Demokratie«, wobei Buckle ausführlich auf die Rolle der Naturwissenschaften für die Vorbereitung der Französischen Revolution eingeht. Revolution bedeute die gewaltsame Anpassung der
Institutionen an das durch die Wissenschaft fortgeschrittene, de-
mokratisierte öffentliche Bewußtsein.[46]

Die Impulse, die Buckle mit seiner *Geschichte der Zivilisation in England* (1. Bd.: 1857, dt. 1859, Anfang der siebziger Jahre bereits in der 5. Auflage) der Hochstellung der
Wissenschaft in der deutschen Sozialdemokratie lieferte,
sind nicht schwer auszumachen, zumal Liebknecht in den
siebziger Jahren als Theoretiker der Partei eine unbestrittene
Stellung innehatte. Kautsky schrieb später, man habe damals geglaubt, Liebknecht sei der Verkünder der Marxschen

Wissenschaft: »Marx ist Allah und Liebknecht sein Prophet.«[47] Er selbst, Kautsky, habe diesem Glauben gehuldigt. Wenn Kautsky später die Abkehr von diesem Glauben mit harter Kritik an Liebknecht verband, so dürfte er jedoch die Eindrücke, die er selbst von Buckles Werk erhielt, nicht in gleicher Weise abgewertet haben. Er wurde von Buckle zu seiner ersten größeren Arbeit angeregt, die 1875 in Liebknechts *Volksstaat* erschien: *Die soziale Frage vom Standpunkt eines Kopfarbeiters aus betrachtet.*

In ihr definierte Kautsky die Revolution als eine »durch die vorgeschrittene Erkenntnis stattfindende Umwälzung der Anschauungen der Lebens- und Produktionsweise«. Die Revolution sei vor allem eine Umwälzung des Geistes durch eine neue Idee, durch eine neue Wahrheit, und könne deshalb »nicht nach Belieben ›gemacht‹ werden«. Niemandem in der sozialistischen Bewegung falle es ein, »sich mit Geheimbündeleien, Verschwörereien, Revolutionsversuchen und anderem dergleichen politischen Kinderspiel zu befassen«. Die Idee müsse in der großen Masse des Volkes Wurzeln schlagen, wofür die Folgerung lautet: »Die sozialistischen Ideen mit allen uns zu Gebote stehenden Mitteln im Volke zu verbreiten, sie durch Wort und Schrift in immer weitere und weitere Kreise hineinzutragen, rastlos, unermüdlich, unerschrocken.«[48]

Diese Gedanken lassen manches erkennen, was Kautskys Auffassungen auch noch später prägte, als er marxistisch argumentierte. Daß solche Gedanken schließlich generelle Bedeutung für die Sozialdemokratie und ihr revolutionäres Selbstverständnis gewannen, in dem Darwin neben Marx einen wichtigen Platz behauptete, ist von der Forschung inzwischen ausführlich dargestellt worden.[49]

Das von Liebknecht vertretene Bildungsdenken war viel zu tief in den liberalen Erziehungs- und Wissenschaftsoptimismus der Zeit eingebettet, als daß es sich angesichts der tatsächlichen Unbildung großer Teile der wachsenden Industriearbeiterschaft allein der Maxime »Durch Freiheit zur Bildung« verpflichtet hätte. Liebknechts späteres Vorwort zu seiner Rede trägt dem dann auch eingehend Rechnung. 1888 stand die praktische Erziehungsarbeit ganz im Vordergrund:

»Kein denkender Arbeiter heute in Deutschland, der nicht *wüßte*, daß er das *Opfer einer gesellschaftlichen Ungerechtigkeit* ist, und daß *dieser Ungerechtigkeit* ein Ziel gesetzt werden *kann* und *muß*. Dieses *Wissen* dringt in immer weitere Kreise, und *mit jedem Vordringen des Wissens wächst unsere Macht*. Nicht in der Faust — im *Hirn* liegt die welterobernde Kraft. Die Faust ohne Hirn kann nur blind zerstören. Und wo die Faust nötig ist, muß das Hirn ihr gebieten. Am Tage, da das *Wissen die Massen des arbeitenden Volkes* erleuchtet, beherrscht, haben wir auch die *Macht*, und fällt krachend das *Zwinguri der Gewalthaber*.«[50]

Schon Marx und Engels hatten Liebknecht scharf wegen seines übertriebenen Respekts vor der bürgerlichen Kultur getadelt.[51] Seine Bildungsgesinnung trug ihm auch in der sozialdemokratischen Führung am Ende des Jahrhunderts viel Kritik ein. Dennoch behielt sie für die Kultur- und Bildungsaktivitäten in der Sozialdemokratie noch lange ihre Bedeutung.

Sie ist poetisiert in Max Kegels *Sozialistenmarsch* (1891), der neben Jakob Audorfs *Arbeiter-Marseillaise* (1864) schnell zum populärsten Lied in der Sozialdemokratie avancierte. (Die *Internationale*, die Eugène Pottier während der Pariser Kommune 1871 schrieb, setzte sich erst um die Jahrhundertwende in Deutschland durch.)

Sozialistenmarsch

»Auf, Sozialisten, schließt die Reihen!
Die Trommel ruft, die Banner wehn.
Es gilt die Arbeit zu befreien,
Es gilt der Freiheit Auferstehn!
Der Erde Glück, der Sonne Pracht,
Des Geistes Licht, des Wissens Macht,
Dem ganzen Volke sei's gegeben!
Das ist das Ziel, das wir erstreben.
Das ist der Arbeit heil'ger Krieg!
Mit uns das Volk, mit uns der Sieg.

Ihr ungezählten Millionen
In Schacht und Feld, in Stadt und Land,
Die ihr um kargen Lohn müßt fronen

Und schaffen treu mit fleiß'ger Hand:
Noch seufzt ihr in des Elends Bann!
Vernehmt den Weckruf! schließt euch an!
Aus Qual und Leid euch zu erheben.
Das ist das Ziel, das wir erstreben.
Das ist der Arbeit heil'ger Krieg!
Mit uns das Volk, mit uns der Sieg!

Nicht mit dem Rüstzeug der Barbaren,
Mit Flint' und Speer nicht kämpfen wir.
Es führt zum Sieg der Freiheit Scharen
Des Geistes Schwert, des Rechts Panier.
Daß Friede waltet, Wohlstand blüht,
Daß Freud' und Hoffnung hell durchglüht
Der Arbeit Heim, der Arbeit Leben,
Das ist das Ziel, das wir erstreben.
Das ist der Arbeit heil'ger Krieg!
Mit uns das Volk, mit uns der Sieg!«[52]

In seiner beschwingt-pathetischen Aufreihung der wichtigsten sozialdemokratischen Parolen wies Kegel dem geistigen Kampf die erste Stelle zu, abgehoben von allen direkt
kämpferischen Aktionen. Geistiger Kampf deutete auf jene
von Liebknecht postulierte Erringung der Bildung, war aber
vage genug, um nach dem Erfurter Parteitag 1891, zu dem
das Lied entstand, die Durchdringung mit dem wissenschaftlichen Sozialismus, dem Marxismus, einzuschließen. Der
Respekt vor »des Wissens Macht« stellte bereits Selbst-
respekt der Arbeiterklasse dar, die nach den ›hohen‹ Dingen
griff.

Dieser Respekt galt auch der Kunst. Sie stand wie die
Bildung — in der Definition Liebknechts — als »Bildnerin
des Volkes« über der Partei. Sie stellte nicht Teil der Agitation dar, sondern mußte selbst erobert werden. Es bedeutete
eine Ehrung der eigenen Ziele, wenn die Kunst in ihrer
hohen Stellung bestätigt wurde. Als Liebknecht dies auf
dem Parteitag 1896 in Gotha im Zusammenhang mit der
Polemik gegen den Naturalismus vorbrachte, erhielt er
breite Zustimmung unter den Delegierten.

6. Die Sozialdemokratie und das Reich

Wie stark auch die Revolution von 1848 das Selbstverständnis der deutschen Sozialisten prägte — für das Verhältnis der Sozialdemokratie zur bürgerlichen Kultur wurde die Gründung des Deutschen Reiches 1871 zum entscheidenden Fixpunkt. Ohne eine Erläuterung der Beziehungen zu dem durch Krieg und Diplomatie, nicht durch demokratischen Entscheid zustandegekommenen Staat lassen sich die kulturellen Äußerungen der Sozialdemokraten nicht voll erfassen. Darüber gibt bereits die Emphase Auskunft, mit der Wilhelm Liebknecht in seiner Rede *Wissen ist Macht* den Anspruch des neuen Reiches angriff, Kulturstaat zu sein.

Die Bedeutung, die der Reichsgründung nach der ersten großen Expansionsperiode der deutschen Wirtschaft zukam, fand bei den Sozialisten breite Würdigung. Der neugeschaffene Nationalstaat wurde trotz seiner Ausschließung deutschsprachiger und Einschließung anderssprachiger Bevölkerungsteile als Basis für die sozialistisch-proletarische Revolution betrachtet, im Sinne der von Engels 1865 formulierten These, welche die Marxisten in der Folgezeit beibehielten[53]: »Die Arbeiterklasse gebraucht zur vollen Entfaltung ihrer politischen Tätigkeit ein weit größeres Feld, als es die Einzelstaaten des heutigen zersplitterten Deutschlands darbieten.« (MEW 16, 66) In einem Brief an Marx bemerkte Engels 1870 über Bismarck, er tue »immer ein Stück unsrer Arbeit, in *seiner* Weise und ohne es zu wollen, aber er tut's doch. Es schafft uns reineren Bord als vorher.« (MEW 33, 40) Mit der Ereignissen von 1870/71 verlagerte sich zudem, wie Marx und Engels folgerten, der Schwerpunkt der Arbeiterbewegung von Frankreich nach Deutschland. Diese Folgerung zog man angesichts der Ausdehnung der Sozialdemokratie zur Massenpartei am Ende des Jahrhunderts generell in Europa.

Die Reichsgründung als Vorbedingung der sozialistischen Revolution: auch bei den stärksten politischen Angriffen

hielten die Sozialisten im folgenden am Bestand des Reiches
fest. Sie beriefen sich auf die Nation, ihre Einheit und Tradition, wie sie es vor 1870, teilweise gemeinsam mit den
Bürgerlichen, getan hatten. Aber sie lehnten den Staat Bismarcks ab. Er hatte nichts mit dem Staat zu tun, den sie
erstrebten — so vage er auch mit dem Terminus »Volksstaat« umschrieben war (wie die Eisenacher ihr Organ be-
titelten). »Wir sind ›Reichsfeinde‹, weil wir Feinde des
Klassenstaates sind«[54], rief Liebknecht auf dem Parteitag
1874 aus. In diesem Sinne akzeptierte er das Schimpfwort
von den sozialdemokratischen Reichsfeinden, dem dann über
die Äußerung Kaiser Wilhelms II. von den »vaterlandslosen
Gesellen« (1895) hinweg bis ins 20. Jahrhundert Kontinuität zukommen sollte.

Die Definition des Reiches als Klassenstaat, in dem sich
die besitzenden Klassen die Machtmittel zur ökonomischen
Unterdrückung der Arbeiter verschafften, fand nach einer
Übergangsperiode, die bis zum ›Gründerkrach‹ 1873 durch
Gründungsfieber und hohe Beschäftigung gekennzeichnet
war, zunehmend Widerhall im Proletariat. Als sich Bismarcks Repressionspolitik mit Einsetzen der Wirtschaftskrise nach 1873 verschärfte, vergrößerte die 1875 vereinigte
›Sozialistische Arbeiterpartei‹ schnell ihre Anhängerschaft.
Das Anwachsen der Sozialdemokratie wurde durch das Sozialistengesetz 1878—1890, mit dem Bismarck offene politische Unterdrückung praktizierte, nicht aufgehalten, wie die
Reichstagswahlen, das einzige der Sozialdemokratie erhalten
gebliebene politische Forum, bezeugten.

Bismarcks Politik gegenüber der Sozialdemokratie stand
einerseits in engem Zusammenhang mit der wirtschaftlichen
Entwicklung des Kaiserreiches, das trotz der enormen Industrialisierung, die nun einsetzte und die deutsche Gesellschaft (und Landschaft) veränderte, von einer ausgedehnten
konjunkturellen Krise mit langfristigem Preisverfall und
abnehmenden Gewinnen heimgesucht wurde. Hans Rosenberg hat diese Periode zwischen 1873 und 1896 als ›Große
Depression‹ bezeichnet und in den ökonomischen, politischen
und psychologischen Auswirkungen auf das Bürgertum als

eine Zeit zunehmender Enttäuschung, zunehmenden Pessimismus, ja der Hysterie charakterisiert.[55] In ihr schloß sich das neu entstandene oder noch entstehende Wirtschaftsbürgertum der Frontstellung gegen ›die Roten‹ an, und das Bildungsbürgertum — wenn man diese Unterscheidung gelten lassen will — kompensierte seine Selbstzweifel in der Pflege der deutschen Kultur und der Abwehr der ›aufsteigenden Massen‹.

Damit ist auch bereits das ›Andererseits‹ berührt, Bismarcks politische Motive bei der Konfrontation mit der Arbeiterschaft. Sie hängen eng mit der Tatsache zusammen, daß die am 18. Januar 1871 im Spiegelsaal von Versailles vollzogene Kaiserproklamation einem Gebilde galt, das politisch in der Tat noch keineswegs feste Struktur angenommen hatte, außer daß es Sieger über Frankreich war. Im Bestreben, die divergierenden Kräfte, besonders das Bürgertum, zu integrieren, spielte Bismarck die von seiten der Sozialisten und Katholiken ›drohenden‹ Gefahren hoch. (Letzteren galt der ›Kulturkampf‹.) Wolfgang Sauer hat erläutert, wie mit dieser Taktik die Mehrheit der widerstreitenden Kräfte unter einer Fahne gesammelt und gegen die Minderheit geführt werden könne, »vorausgesetzt, daß diese stark genug ist, um als ernsthafte Gefahr für alle übrigen zu erscheinen, und doch zu schwach, um es wirklich zu sein. Auf diese Weise sieht sich die Mehrheit einem freilich fragwürdigen Integrationsprozeß ausgesetzt, und selbst die Minderheit unterliegt einer Art sekundärer Integration; denn obwohl bekämpft, wird sie doch gezwungen, im Gesamtverband auszuhalten.«[56] Zu dieser Taktik gehörten auch gewisse Konzessionen, so etwa die Sozialversicherungsordnung. Rosenberg hat sie als das Zuckerbrot bezeichnet, das die Peitsche, das Sozialistengesetz, ergänzen sollte.[57]

Bismarck scheiterte mit seiner Politik gegenüber der Sozialdemokratie. Seine Ausschaltung des liberalen Bürgertums isolierte die Partei allerdings endgültig. Außerhalb von ihr besaß die Demokratie in Deutschland keine größere politische Basis mehr. Als 1890 das Sozialistengesetz aufgehoben wurde, war die Sozialdemokratie nicht in der Lage, »eine den neunziger Jahren entsprechende strategische Konzeption im Kampf um die demokratische Republik zu entwickeln«.[58] Wohl stützte sie sich auf den unter dem Sozialistengesetz bewährten Kampfgeist und die in Erfurt 1891 besiegelte marxistische Revolutionstheorie, doch blieb sie politisch auf die gleichsam konstitutionelle Rolle der Reichsopposition fixiert, in der von Liebknecht bereits nach der Reichsgründung formulierten sozialistischen Umwertung der nationalen Werte, die sie mitsamt den organisatorischen und kulturellen Aktivitäten an die vorhandenen Institutionen fesselte. Sie verharrte bei der Zählung ihrer Reichstagsmandate und der Auffassung, daß die Zahl der sozialdemokratischen Abgeordneten unaufhaltsam anwachse, womit der Machtgewinn gewissermaßen gesetzlich in Reichweite rücken werde. Die Mitarbeit in den Parlamenten, in Süddeutschland besonders intensiv praktiziert, zeigte zwar demokratisches Bewußtsein, produzierte aber keine politischen Strategien zur Erringung der Demokratie. Zudem behielt die auf Lassalle zurückgehende Auffassung von der »einen reaktionären Masse«, die der Arbeiterklasse gegenüberstehe, einen starken Einfluß.

Wenn somit weder eine demokratische Strategie noch eine revolutionär-aktionistische Politik — das vielgefürchtete Errichten der Barrikaden — entwickelt wurde, trug die Sozialdemokratie, wie man oft festgestellt hat, mit der Disziplinierung der Arbeitermassen indirekt zur Stabilisierung des gegebenen Zustandes bei. Die ständig vergrößerte Machtbasis, nicht voll eingesetzt, bestätigte das vorhandene System. Darauf richtete sich schließlich der Vorwurf, den der französische Sozialist Jean Jaurès der deutschen Partei auf dem Internationalen Sozialistenkongreß 1904 machte, als er Bebel in einer berühmt gewordenen Auseinandersetzung antwortete:

»Aber zwischen eurer anscheinenden politischen Macht, wie sie sich von Jahr zu Jahr in der wachsenden Zahl eurer Stimmen und Mandate ausdrückt, zwischen dieser anscheinenden Macht und eurer wirklichen Macht an Einfluß und Tat besteht ein Gegensatz, der um so größer zu werden scheint, je mehr eure Wahlmacht zunimmt. O ja, am Tage nach jenen Juniwahlen, die euch die drei Millionen Stimmen gebracht haben, ist es allen deutlich geworden, daß ihr eine bewundernswerte Kraft der Propaganda, der Werbung, der Einreihung habt, aber daß weder die Traditionen eures Proletariats, noch der Mechanismus eurer Verfassung euch erlauben, diese anscheinend kolossale Macht von drei Millionen Stimmen in die Aktion der Nutzbarmachung und Verwirklichung, in die politische Aktion umzusetzen. Warum? Weil euch eben die beiden wesentlichen Bedingungen, die beiden wesentlichen Mittel der proletarischen Aktion noch fehlen – ihr habt weder eine revolutionäre noch eine parlamentarische Aktion.«[59]

Jaurès resümierte damit zugleich eine zu dieser Zeit in der II. Internationale wachsende Kritik an dem Führungsanspruch, den die deutsche Partei behauptete, lange Zeit, wie es vielen schien, durchaus zu recht.

Bereits Anfang der neunziger Jahre hatten österreichische Sozialisten anläßlich der Behandlung der Maifeier gegen die deutsche Taktik des bloßen Abwartens und der Konzentration auf die Wahlpropaganda protestiert. Die österreichische Arbeiterschaft war während des deutschen Sozialistengesetzes in ihrem Land ebenfalls, wenn auch nicht durch ein Ausnahmegesetz, politisch geknebelt worden. Sie besaß bis Anfang des 20. Jahrhunderts hinein kein Wahlrecht, entwickelte somit ein anderes Selbst- und Kampfverständnis, worin der Maidemonstration zentrale Bedeutung zukam. Ihrer offensiven Verwendung des 1889 beschlossenen internationalen Kampftages des Proletariats lief die vorsichtige Taktik der deutschen Sozialdemokratie entgegen, die auf Wahlagitation setzte. Das führte, da es den Widerstandswillen der österreichischen Unternehmer und der Wiener Regierung versteifte, zu starker Erbitterung unter den österreichischen Arbeitern.[60]

Ohnehin kamen in der österreichischen Sozialdemokratie unter der Führung von Victor Adler (1852–1918) politische und agitatorische Konzepte zum Zuge, die den aktuellen gesellschaftlichen Veränderungen und ihren psychologischen Implikationen offener Rechnung trugen als die Taktik der Deutschen. In der Vielvölkermonarchie, die die einlinige

Taktik der SPD von vornherein ausschloß, entwickelten sich zu Anfang des 20. Jahrhunderts zahlreiche theoretische Anstöße für die Zuordnung des Marxismus zur modernen Wirklichkeit, die woanders erst später aufgegriffen wurden (bis hin zu dem austromarxistischen Konzept »In jedem Land ein eigener Marxismus« nach 1918).

Die Taktik, gegen die sich die österreichischen Arbeiter wandten, war 1890/91 auch in der deutschen Partei auf Opposition gestoßen. Die Vorwürfe richteten sich gegen die Überschätzung des parlamentarischen Vorgehens und die Verhinderung der direkten Agitation (und Aktion) unter den proletarischen Massen. Die Angriffe kamen von der Gruppe der sogenannten Jungen mit den Schriftstellern Bruno Wille (1860–1928), Paul Ernst (1866–1933), Paul Kampffmeyer (1864–1945), dem Buchdrucker Wilhelm Werner, dem Tapezierer Karl Wildberger und anderen. Diese Gruppe hatte sich Ende der achtziger Jahre um das sozialdemokratische Wochenblatt *Berliner Volks-Tribüne* gebildet, das Max Schippel (1859–1928) leitete.[61] Die Ausschaltung der ›Jungen‹ — Bebel behauptete in der bis dahin größten sozialdemokratischen Massenversammlung seinen Status als Volkstribun gegen den Schriftsteller und Antiparlamentarier Bruno Wille — bedeutete nach der Nichterneuerung des Sozialistengesetzes die grundsätzliche Entscheidung gegen die direkte politische Aktion. Zugleich wurde der Einfluß des Anarchismus, der in anderen Ländern stark war, in Deutschland nachdrücklich beschnitten.

Mit diesen Vorgängen rückte ein Ereignis weiter in den Hintergrund, das für die Konfrontation der Sozialdemokraten mit dem deutschen Staat besondere Brisanz besessen hatte: die Pariser Kommune, Symbol des Aufbegehrens und der Eigenständigkeit des Proletariats, Bezugspunkt der internationalen Solidarisierung. Bebel hatte sich 1871 im Deutschen Reichstag mit den Kämpfern solidarisch erklärt und die berühmte Ankündigung gemacht, »daß der Kampf in Paris nur ein kleines Vorpostengefecht ist, daß die Hauptsache in Europa uns noch bevorsteht und daß, ehe wenige Jahrzehnte vergehen, der Schlachtruf des Pariser

Proletariats ›Krieg den Palästen, Friede den Hütten, Tod der Not und dem Müßiggange‹ der Schlachtruf des gesamten europäischen Proletariats sein wird«.[62] Die Kommune hatte dem Proletariat eine eigene revolutionäre Tradition geschaffen; man erhöhte sie zum Gegengewicht zu Bismarcks Reichsgründung ›von oben‹. Das alljährliche Gedenken am 18. März, dem ›Gegenfeiertag‹ zum nationalen Sedanstag, befestigte das proletarische Bewußtsein gegenüber dem deutschen »Klassenstaat«, gehörte doch zu dessen ersten Aktionen die Hilfestellung bei der brutalen Niederschlagung des Pariser Proletariats. Marx hatte die Kommune als Diktatur des Proletariats gefeiert.

Nun, nach Aufhebung des Sozialistengesetzes, behielt die Kommune die Aura des großen Ereignisses — aber auch nicht sehr viel mehr. Die SPD erklärte sich für Ehrung und Heroisierung des Geschehenen, betonte jedoch die Notwendigkeit einer ausgedehnten Organisationsarbeit statt spontaner Aktion. Engels, der mit der Herausgabe der *Adresse des Generalrats* 1891 die revolutionäre Tradition hervorhob, vertrat als Gebot der Stunde eine Taktik der friedlichen Ausbreitung der Sozialdemokratie durch Stimmenzunahme; ihm erschien ein Aufstand nach dem Vorbild früherer Revolutionen historisch überholt. (»Die Rebellion alten Stils, der Straßenkampf mit Barrikaden, der bis 1848 überall die letzte Entscheidung gab, war bedeutend veraltet.«[63]) Ein Aufstand würde dem militärisch überlegenen Gegner in die Hände spielen.

Inzwischen war 1877 der *Anti-Dühring (Herrn Eugen Dührings Umwälzung der Wissenschaft)* erschienen, Engels' populäre Darstellung des marxschen Systems. Vor allem mit dieser Schrift hatten die deutschen Sozialdemokraten in den achtziger Jahren den Marxismus kennengelernt. Wie stark sich nach 1890 die politische Hochstimmung in der SPD mit der Erwartungshaltung paarte, die in diesem und anderen marxistischen Texten zum Ausdruck kam, läßt sich an Mehrings Worten zum 1. Mai 1894 in der *Neuen Zeit* ablesen:

»Je weniger die Arbeiterklasse auf einen glücklichen Tag zufälliger Überrumpelung rechnen darf, wie er in der bürgerlichen Revolution so oft eine Rolle gespielt hat, um so sicherer darf sie sich auf den inneren Mechanismus der kapitalistischen Produktionsweise verlassen. Er arbeitet mit einer Sicherheit, die den völligen Zusammenbruch der bürgerlichen Gesellschaft, wenn auch nicht zur Sache eines bestimmten Tages oder einer bestimmten Stunde, so doch zur Sache einer sehr absehbaren Zeit macht. Für diese Zeit gerüstet zu sein, den Bankrott der bisher herrschenden Klassen zu liquidieren, die kapitalistische mit klarem Bewußtsein in die sozialistische Gesellschaft überzuleiten, das ist die wichtigste Aufgabe der Arbeiterklasse, der sich alle ihre anderen Aufgaben dienend unterordnen.«[64]

Hier war der Zusammenbruch des Kapitalismus nicht mehr fern. Zu dieser Zeit fragte man sich nur, *wann* er geschehen würde. Mehrings Aufsatz *Der Festtag der Arbeit* enthält nichts von der kämpferischen Herausforderung, die die Agitation zum 1. Mai in vielen Ländern charakterisierte. Mehring betrieb weniger Agitation als Repräsentation. Eine Repräsentation, die ihren Glanz von Goethes *Faust* bezog. Was Lassalle und Liebknecht über die Rezeption der bürgerlichen Kultur formuliert hatten, setzte Mehring schon voraus:

»Besser als das deutsche Bürgertum seinen Weltdichter, versteht das Proletariat Goethes tiefes Wort: Nur Der verdient sich Freiheit wie das Leben, der täglich sie erobern muß. Und in dem Maitage der Arbeit erfüllt sich der letzte Sehnsuchtsseufzer des Dichters:
Und so verbringt, umrungen von Gefahr,
Hier Kindheit, Mann und Greis sein tüchtig Jahr.
Solch ein Gewimmel möcht' ich sehn,
Auf freiem Grund mit freiem Volke stehn.
[...] In aufsteigender Linie hat sich der Maitag bisher bewegt, und so wird er sich weiter bewegen, bis das Ziel erreicht ist, bis zum Gewimmel der frohen und glücklichen Menschen, das Goethes brechendes Auge sah, bis auf freiem Grund freies Volk und freie Völker stehen.«[65]

Mehring ließ keinen Zweifel daran, daß die Sozialisten, indem sie die Worte des Klassikers in die Wirklichkeit umzusetzen suchten, gegenüber dem Bürgertum, das diese Worte im Bücherschrank verschloß oder als ›Kulturbesitz‹ gegen die unteren Klassen kehrte, die legitimen Erben darstellten.

In gleichem Sinne ließ Mehring keinen Zweifel daran, daß die Sozialdemokratie in dem Ringen um die Repräsentation der Nation, das Deutschland im 19. Jahrhundert beherrschte, keinen Fußbreit gegenüber den offiziellen Ansprüchen zurückstecken würde. Kurz zuvor, im Jahre der Thronbesteigung Wilhelms II., der diese Repräsentation mehr als alles andere zum Inbegriff deutscher Politik machen sollte, hatte Mehring in der *Volks-Zeitung* dagegen polemisiert, daß man ›in nationalen Kreisen‹ beabsichtige, die Feier des Sedantages mit der Gedenkfeier für einen großen deutschen Dichter oder Denker wie Goethe, Lessing, Schiller oder Fichte zu verbinden:

»Schiller und Lessing und Fichte, unsere großen Denker und Dichter, sollen an eurem Sedantag mitgefeiert werden? Da müssen wir doch sehr bitten. Seht, ihr habt ja alles, was eurer Herz begehrt, ihr habt ›brillante Kavallerieattacken‹ und Kanonen und Torpedos, ihr habt ›geniale‹ Staatsmänner und einen ›edlen‹ Adel [...], genug, ihr habt den wunderbarsten Raritätenkasten, den je ein modernes Kulturvolk gehabt hat, aber nun gebt euch auch zufrieden. Den Schiller und den Lessing und den Fichte, die laßt uns. Die gehörten ja auch nur zu der ›bürgerlichen Kanaille‹, die spotteten sogar — denkt doch nur! — über die Vorstellung, daß der Adel besser sei, als das übrige Volk; die waren ja auch nur Demagogen und Volksaufwiegler, erinnert euch doch nur.«[66]

Es ist hier, trotz Mehrings geistreicher Polemik, nicht der Ort, auf die deutsche Tradition der Erhebung von Kunst und Literatur zum Politikersatz im einzelnen einzugehen.[67] Immerhin wurzelte Mehring, wie erwähnt, tief in dieser Tradition und hatte seine Polemik *gegen* die Sozialdemokratie in den siebziger Jahren vor allem aus dem Vorwurf der unnationalen Gesinnung bezogen (von dem er nur Lassalle ausnahm). Wenn Mehring, wie im Aufsatz *Die Literatur im Deutschen Reiche* (1874), seiner Enttäuschung Ausdruck gab, daß das endlich geeinte Reich nicht die erhoffte Blüte deutscher Kultur gebracht habe, so erreichte er zwar nicht die Brillanz von Nietzsches Kritik, wohl aber den Punkt, wo er seine Erwartungen einer Erneuerung der Kultur auf den Sozialismus übertrug.

Mehrings Weg war ungewöhnlich, und er sei hier nicht verallgemeinert. Entscheidend ist in diesem Zusammenhang, daß er sich um 1890 tatsächlich mit dem der Sozialdemokratie traf, d. h. mit der von Bebel und Liebknecht geführten Politik der nationalen ›Konfrontation‹, zu der Liebknechts Satz von zwei Nationen im Deutschen Reich gehört, der Nation der Kapitalisten und der der Arbeiter.[68] Noch mehr als zuvor bezog die SPD in den neunziger Jahren das Konzept der Nation (bzw. der ›wirklichen‹ Nation) vorwiegend aus kulturellen Elementen. Auch wo sich eine klassenmäßige Definition andeutete, blieb der in der deutschen Literatur und Philosophie entwickelte kulturelle Ganzheitsbegriff verbindlich. Wiederum kam es nicht zu der Verknüpfung der Idee der Nation mit konkretem gesellschaftlichen und verfassungspolitischen Denken wie bei der Emanzipation der Demokratie in England und Frankreich.[69] Der unpolitische Nationsbegriff wurde so wenig wie zuvor in Deutschland zum Stimulus demokratischer Strategien. Vielmehr diente er vor allem als agitorisches Medium gegen die aktuelle Wirklichkeit der Gesellschaft — gemäß einer langen deutschen Tradition. Mit ihm rückte nach 1890 sogar die klassenbezogene Agitation in den Hintergrund, wozu die Furcht vor erneuter Illegalität beitrug. Bismarcks Vorwurf der Vaterlandslosigkeit wirkte weiter. Er rief wichtige Energien wach. Und er band wichtige Energien.

Die Folgen dieser Fixierung der SPD auf die Rolle der Reichsopposition zeigten sich 1914, als es ihr an konkretem gesellschaftspolitischen Denken und einer tieferen Verwurzelung der Demokratie gebrach, und spätestens 1918, als sie die Regierung des Deutschen Reiches übernahm, ohne ein gesellschafts- und verfassungspolitisches Konzept zu besitzen.

Die Intensität, mit der viele Sozialisten in der Periode nach der Pariser Kommune der Parole der Internationalität

des Proletariats angehangen hatten, kehrte in den späteren
Jahren nicht wieder, trotz der Gründung der II. Internationale 1889, und trotz der Überzeugung, daß eine sozialistische Gesellschaft nur im Rahmen einer internationalen
Aktion entstehen könne. Georges Haupt hat für die Zeit um
1900 zusammenfassend festgestellt, daß sich mit dem
Wachstum und dem allgemeinen Fortschritt der sozialistischen Bewegung die spezifischen Züge, die Verschieden-
heiten der Bewegungen verschärften, statt zurückzutreten.
Er zitiert die Worte aus Jean Jaurès' Rede auf dem Amster-
damer Kongreß 1904: »Während es für die Sozialisten aller
Länder leicht war, die allgemeinen Prinzipien zu formulieren, die wir gemeinsam haben, und zu behaupten, daß das
Proletariat nur durch die Umwandlung des kapitalistischen
Eigentums in das soziale Eigentum befreit werden kann, ist
es zwar nicht unmöglich, aber doch schwer, in jedem Land
über jede besondere Haltung einer Fraktion inmitten der
komplizierten und veränderlichen Umstände, unter denen
sich das Land entwickelt, die Kontrolle zu behalten.«[70]

7. Bildungspolitik und Menschenbild

Versucht man, die Isolation der Sozialdemokratie und
ihre gleichzeitige Ausrichtung auf das Reich auf einen
Nenner zu bringen, so bietet sich die damals weitverbreitete
Kennzeichnung August Bebels als (heimlicher) Gegenkaiser
Deutschlands an. Mit der ›Reichsopposition‹ der SPD ging
die Orientierung am Ganzen des herrschenden Systems
überein. Dazu gehörte die Tendenz zur möglichst weit-
gehenden organisatorischen Erfassung proletarischer Aktivitäten, mit der sich gegen die Diskriminierung der Arbeiter
von seiten des Staates und des Bürgertums eine sichtbare
Barriere und ein spürbares Zugehörigkeitsgefühl schaffen
ließ. Dazu gehörte im weiteren die Tendenz, diese Organisierung selbst schon als die entscheidende politische Maßnahme in der Konfrontation mit dem vorhandenen System
zu bewerten. Eine weniger isolierte Partei wäre, das Beste-

hen anderer starker demokratischer Kräfte in der Gesellschaft vorausgesetzt, auf eine spezifischere, pointiertere, ›politischere‹ Politik verwiesen worden. Aus der Isolierung der Sozialdemokratie ergab sich sowohl die Maxime, alles zu *organisieren*, als auch die, *alles* zu organisieren. Mit dem Zusatz: daß beides wiederum die Isolierung verstärkte.

Damit kam der Vermittlung der Bildungswerte größere Beachtung zu als ihren Inhalten. Der Vorwurf, den Liebknecht in der Rede *Wissen ist Macht* der bürgerlichen Gesellschaft machte, zielte darauf, daß diese dem Volk das Wissen vorenthalte: »*Sie* ist kulturfeindlich, denn sie verhindert den Aufstieg der Kultur — und *wir*, die Vorkämpfer der *neuen* sozialistischen Gesellschaft, sind die *Verteidiger der Kultur* gegen die kulturfeindliche *alte* Gesellschaft, welche dem Volk das Wissen vorenthält.«[71] Liebknecht hatte postuliert, die vorhandenen Kulturwerte in eigener Regie zu nutzen, damit sie dem Volk bei der Errichtung der sozialistischen Gesellschaft zugutekämen. Er behauptete nicht, daß das Proletariat schon jetzt kulturelle Innovationen hervorbringen könne, wohl aber, daß es Kultur und Wissen besser verwalte als das Bürgertum. Alles Gewicht fiel auf die Organisationspraxis, die nach 1890 von Festveranstaltungen, Vorträgen, Gesangs- und Turnvereinen bis zu Partei-, Gewerkschafts- und Sozialarbeit eine zunehmende Vielfalt von Formen umfaßte.

Man plazierte Wissen und Kunst in eine Sphäre jenseits der Klassen. In den praktischen Umgang mit ihnen mischte sich Fetischisierung, gespeist aus der überkommenen Bewunderung für die klassische deutsche Literatur, sowie für die großen Namen der Wissenschaft im 19. Jahrhundert (Darwin, Marx, Comte). Der Begriff ›Wissen‹ war stark mit Wissenschaft identisch. Als man den Parteitag in Erfurt 1891 vorbereitete, hieß es: »Alles, was nicht mehr zeitgemäß ist, was der Wissenschaft zuwider ist, soll entfernt werden.«[72]

In einer immer noch aufschlußreichen Untersuchung hat Hildegard Reisig Anfang der dreißiger Jahre diese Haltung der Vorkriegssozialdemokratie zur Wissenschaft folgendermaßen charakterisiert: »Wenn die Partei den Proletarier zu erfassen sucht, der noch hilflos und richtungslos im Chaos seiner gesellschaftlich-politischen Welt treibt, so ordnet sie ihm die Welt von einem unumstößlichen Blickpunkt aus. Alle Dinge gewinnen einen eindeutigen Sinn und haben einen bestimmten systematischen Ort. Der *materialistische* Standort macht das Vielschichtige einfach. Die Wissenschaft zeigt alle Dinge, wie sie wirklich sind; an ihr müssen sie ihre Gültigkeit erweisen für das Proletariat und seine Zukunft. Die Wissenschaft ist dem Proletarier die zentrale Grundhaltung zur Welt; sie ist etwas von der Einheit des Bewußtseins, die man Religion nennen könnte.«[73]

Hier braucht auf die enormen Leistungen dieser Bildungsarbeit der Sozialdemokratie nicht eigens hingewiesen zu werden. Wichtig ist jedoch der Zusatz, in dem Hildegard Reisig, offensichtlich in Auseinandersetzung mit Georg Lukács' Ansatz in *Geschichte und Klassenbewußtsein* (1923), konstatierte: »Allerdings: die Wissenschaft als normatives Prinzip des politischen Bewußtseins verdrängt das Klassenbewußtsein von seinem Platz; nicht den Komplex von gefühlsmäßigen Einstellungen, der in der Meinung der Partei Klassenbewußtsein heißt und als kausaler Faktor in der politischen Einstellung zutage tritt, sondern das Klassenbewußtsein als das eigentlich treibende Moment in der politischen Auseinandersetzung des Proletariats mit seiner Gegenklasse, das Bewußtsein, in seinem Lebensprinzip schon Objekt des geschichtlich Werdenden zu sein. Diese eigenste lebendige politische Kraft setzt die Partei nicht als bildendes Element ein. Die politische Bildung der breiten Masse ist mit der schematischen Ausrichtung des Bewußtseins, die durch Gehorsam und Disziplin erzeugt wird, erschöpft. [...] Als Subjekt des politischen Handelns erscheint sehr bald nicht mehr eigentlich die Klasse, sondern die Partei; nicht so auf die geschichtliche Klassenlage kommt es an als auf eine machtvolle Organisation. Die politische Bildung geht zum großen Teil in Bildung zur Organisation über.«[74]

In dem Miteinander von Wissenschaftsglaube und Parteidisziplin ist zweifellos nicht die ganze Organisations- und Bildungspolitik erfaßt (zumal sich nach der Jahrhundertwende Veränderungen ergaben). Doch zielt diese Darstellung auf den Schwerpunkt dieser Politik, von dem ausgehend die Alltagspraxis differenziert eingeordnet werden kann.

Ohne Zweifel geschah die Solidarisierung der sozialdemokratischen Anhänger in wechselnden Konfrontationen und
mit wechselnder Stärke, und es entwickelten sich eigene
Verhaltensmuster, denen die Partei- und Gewerkschafts-
organisationen entsprachen — zumeist pragmatisch. Was
zählte, war die tägliche Praxis der Lohnkämpfe, waren soziale Verbesserungen, Unfallschutz, Sozialgesetzgebung,
waren Konsumvereine, Bibliotheken, Presse und Bildungs-
veranstaltungen.[75] Sie bestätigten die zentrale Stellung der
Partei und berührten auch das Leben des nichtorganisierten
Arbeiters. Das SPD-Mitglied unterschied sich vom Nicht-
mitglied nicht unbedingt durch kämpferisches Verhalten,
sondern vor allem durch die Zuordnung zur Gesamtkonfrontation von Sozialdemokratie und herrschendem System.
In der einzelnen Organisationseinheit büßten Auseinandersetzungen über Revisionismus und Orthodoxie ihre Bedeutung ein; entscheidend war und blieb das Bekenntnis zu der
Gesamtkonfrontation, für die auch die kleinste Ortsgruppe
ein Symbol darstellte. Daß dieses Bekenntnis schließlich bei
vielen zur bloßen Gewohnheit herabsank (ohne daß sie sich
damit als schlechtere Sozialdemokraten betrachtet hätten),
muß nicht allein auf eine spezifische Ideologie zurückgeführt
werden. Es hatte viel mit dem Vermögen oder Unvermögen
der Partei zu tun, die immer zahlreicheren Anhänger
mit dem Disziplinierungskonzept auch innerlich an sich zu
fesseln.

Anfang des 20. Jahrhunderts gab es nicht wenige Bemühungen, die Disziplinierung zu festigen. Auf dem Bil-
dungssektor steuerte man eine Umorientierung von der
allzu wahllosen Wissensvermittlung zu einer bewußt ge-
lenkten Bildungspolitik an, die 1906 zur Gründung des
Zentralbildungsausschusses führte. Vor allem durch die
Aktivitäten von Heinrich Schulz (1872—1932) und Clara
Zetkin, die diese Gründung bewerkstelligten, verlor die
Auffassung an Boden, daß sich die Arbeiterklasse nur als
Wahrer eines neutralen Kulturgutes über den Klassen ver-
stehen müsse. Statt dessen betonte man die Notwendigkeit,
Arbeiterbildung als Bildung zum Klassenbewußtsein zu

organisieren, d. h. die praktische Instruktion tatsächlich auf die Gebiete zu konzentrieren, die, wie Schulz 1913 ausführte, »den Arbeiter in den Stand setzen, seine Stellung in der Gegenwart und als Klassenkämpfer für eine bessere Zukunft klar zu erkennen«.[76]

Die ›klassische‹ neuhumanistische Bildungskonzeption[77], die auch vom politischen Gegner beschworen wurde, trat, insofern sie die Individualität (statt der Klasse) heraushob, in den Hintergrund, blieb aber höchste Berufungsinstanz. In der klassischen Kunst sah man das bisher größte Zeugnis für den Geist der Menschheitsbefreiung, vorbildlich insofern, als sie sich der Gesamtheit der geistigen und materiellen Erscheinungen verpflichtete, wenn auch nur im ästhetischen Bereich. Es hieß an das Selbstverständnis der Sozialdemokratie rühren, wenn diese Gesamtorientierung beiseitegeschoben wurde, und Schillers Ruhm erhielt sich trotz der Kritik an seinen politischen Auffassungen weiterhin, weil er das kämpferische Eintreten für diese umfassende Befreiung symbolisierte.

In der Tat rührten Zeitgenossen an diese Gesamtorientierung. Einige der Haupteinwände wurden bereits von den ›Jungen‹ um 1890 vorgebracht. Sie konzentrierten sich darauf, daß die Partei weder den proletarischen Einzelnen noch die proletarische Masse wirklich in ihr politisches Handeln einbeziehe. Wenn aber, so hieß es, die »Individualisierung« des Arbeiters und die Propagierung des spezifisch Proletarischen versäumt werde, bestehe die Gefahr, vom bürgerlichen Staat aufgesogen zu werden. In dem *Manifest* der ›Unabhängigen Sozialisten‹ formulierten Bruno Wille, Paul Ernst, Paul Kampffmeyer u. a. 1891:

»Je entwickelter nun die Individualität des Arbeiters ist, um so machtvoller tritt er äußeren, seine Existenz schädigenden Einwirkungen entgegen, — kurz, desto revolutionärer ist er. In der sozialistischen Taktik muß deutlich jene Tendenz nach Verstärkung der Klassenunterschiede zum Ausdruck kommen. Der Boden der Unterhandlungen mit der Bourgeoisie wird immer mehr verschwinden, und das Proletariat wird im wachsenden Maße gedrängt werden, eine rein abwehrende Politik gegenüber der

Bourgeoisie einzuschlagen. Von einem neuen Kurse wird daher für uns innerhalb des Klassenstaates nie die Rede sein können.«[78]

Diese fundierte Kritik erhob sich in vielerlei Abwandlungen bis weit ins 20. Jahrhundert hinein. Sie entzündete sich zunächst an der Parlamentsorientierung und der mechanistischen Sozialismuserwartung in der SPD, dann aber auch an der dem Partei- und Wissenschaftskonzept zugrundeliegenden abstrakten Auffassung vom Proletarier als einem Wesen, das durch seine Klassenlage ausreichend bestimmt sei, ansonsten von der Partei im Hinblick auf seine zukünftige Befreiung geführt und gebildet werden müsse. Diese Verkürzung des proletarischen Menschenbildes in der deutschen Sozialdemokratie wurde um die Jahrhundertwende zum Gegenstand einer breiten Kritik von ausländischen Sozialisten ebenso wie von Anarchisten und Intellektuellen, die der politischen Initiative sehr viel mehr Bedeutung für den Klassenkampf zumaßen. Es entstanden mehr und mehr Entwürfe zu Kampftaktiken, die auf der proletarischen Masse als gesellschafts- und kulturumwälzender Macht aufbauten, gipfelnd in Georges Sorels Konzept vom Generalstreik, das breite Resonanz fand. Zugleich entstanden mehr und mehr Entwürfe einer proletarischen Kultur, d. h. einer Erneuerung der Kultur aus den Erfahrungen und Anlagen des Proletariers und seiner von der bürgerlichen Dekadenz noch nicht verdorbenen Klasse.

Wie die SPD-Führung die Auffassungen der ›Jungen‹ zurückgewiesen hatte, so wies sie auch diese Konzepte zurück. In der ausschließlichen Betonung des Proletarischen sah sie die Gefahr, eben jene Gesamtorientierung zu verlieren, die sie mit ihrer am Marxismus ausgerichteten Strategie zur geschichtsumwälzenden Bewegung machte. Die Pointierung des Proletarischen ohne Bezug auf die Partei erschien als Abweichung von der seit der Reichsgründung betriebenen Gesamtopposition gegen das herrschende System (weswegen bereits 1880 die radikalen Agitatoren Johann Most und Wilhelm Hasselmann als Anarchisten aus der Partei ausgeschlossen worden waren). Eine solche Poin-

tierung mochte — so die Kritik der Partei — die gegenteilige
von der gewünschten Wirkung haben: nicht Bekämpfung
der gesellschaftlichen Integration, sondern Hineingleiten in
die Integration, insofern die bürgerliche Gesellschaft viele
Bemühungen anstellte, um die Arbeiterklasse als Proletarier-
volk oder Proletarierstand zu integrieren. Die angeblich
proletarische Gesinnung werde — so die Kritik — allzu häufig zur bloßen Stimmung poetisiert.

In diesem Sinne mißtraute die deutsche Sozialdemokratie
der Ende des 19. Jahrhunderts anwachsenden soziologischen,
psychologischen und literarischen Beschäftigung mit Proletariat und Proletariern, soweit diese die Parteiperspektive
außer acht ließ. Das betrifft nicht zuletzt die Stellungnahme
zum Naturalismus, die in engem Zusammenhang mit der
Offensive der ›Jungen‹ zu sehen ist. In der Diskussion, die
die Delegierten des Parteitages 1896 in Gotha über die
naturalistische Literatur führten, zeichnete sich in der Polemik gegen die Unsittlichkeit und den mangelnden Optimismus der Naturalisten ein tiefergehendes Mißbehagen ab. Es
richtete sich gegen die Angriffe auf das von der Partei im
Hinweis auf die deutsche Klassik vertretene ›ideale‹ Menschenbild. Dieses Menschenbild wurde von mehreren Strömungen in Frage gestellt, und die Ablehnung von seiten
der Parteiführung, einschließlich Eduard Bernsteins (1850
bis 1932), galt sowohl den Naturalisten, die eine genaue
Abschilderung der proletarischen Lebensumstände anstrebten, als auch denjenigen Zeitgenossen, die eine spezifisch
proletarische Kunst zu initiieren suchten, in welcher der
Optimismus durchaus seinen Platz hatte. Letzteres kulminierte vor dem Ersten Weltkrieg in der sogenannten Sperber-Debatte, die 1910/12 um die Postulate des holländischen Dramatikers Herman Heijermans geführt wurde.
Dabei benutzte man den Terminus *proletarische* Literatur.

Hingegen überschrieb Mehring den eingangs zitierten
Aufsatz *Sozialistische Lyrik.* Er schlug von den Autoren des
Vormärz eine Brücke zur Gegenwart. Die Unterschiede im
Gebrauch der Termini ›proletarisch‹ und ›sozialistisch‹
reichten tief. Sie signalisierten den Übergang zu einer an-

deren Einstellung dem Proletariat gegenüber — und der
Literatur gegenüber.

8. Über die Möglichkeiten
einer sozialrevolutionären Literatur

Warum es die Sozialdemokratie mit einer ›idealen‹ Literatur hielt, dürften die Hinweise auf ihr Menschenbild zum
großen Teil schon erklären. Doch sei die Frage ausführlicher aufgenommen, die damals viele Zeitgenossen beschäftigte: Warum brachte die deutsche Arbeiterpartei über
die in den frühen Jahren agitatorisch ausgreifende, später
zur »Kampfbegleitung« eingeschränkte Parteiliteratur hinaus keine Literatur hervor, die den Aufstieg der Arbeiterklasse und seine schwierigen Bedingungen einem breiteren
Publikum sichtbar machte, und warum kamen die besten
Darstellungen über das Proletariat, die von Arbeitern gelesen wurden, vorwiegend aus dem Ausland, aus Frankreich,
Belgien, Skandinavien, England, Rußland und den USA?
Es gehörte zur Kritik ausländischer Sozialisten zu Beginn
des 20. Jahrhunderts, auf die Wirkung der Werke von Emile
Zola (1840—1902), Camille Lemonnier (1844—1913), Martin Andersen-Nexö (1869—1954), Maksim Gorkij (1868 bis
1936), Upton Sinclair (1878—1968) und anderen hinzuweisen und zu fragen, was man ihnen in Deutschland, wo
die Sozialdemokratie den größten sozialistischen Bildungsapparat der Welt besaß, zur Seite stellen könne. Die einzige
Gestalt war offensichtlich Gerhart Hauptmann (1862—1946),
der als Repräsentant einer ›sozialen Literatur‹ zeitweilig
recht gut abschnitt.

Natürlich kann man zur Beantwortung auf die deutsche
Literatur im allgemeinen und ihren schwach entwickelten
Sinn für die soziale Realität im besonderen hinweisen. Und
natürlich hat, wie oft gesagt worden ist, die Tatsache, daß
sich der Anarchismus in diesem Land nur schwach entwickelte, viel mit dem Mangel an einer überzeugenden sozialrevolutionären Kunst zu tun. Jedoch ist in beidem nicht

eigentlich eine Erklärung enthalten, sondern eher der Aufweis von Symptomen einer allgemeinen kulturellen und mentalitätsmäßigen Anlage, deren Erörterung grundsätzlicherer Argumente bedürfte (die dann zugleich die breite Wirkung des Sozialismus in Deutschland erhellen würden). Ratsamer scheint es, konkret historisch vorzugehen und nach der literarischen Reaktion auf Ereignisse zu fragen, die die Gefühle der Zeitgenossen aufwühlten.

Ein solches Ereignis stellt die Pariser Kommune dar. Sie wühlte die Gefühle der Zeitgenossen auf. In ihr fand der revolutionäre Befreiungskampf ein Symbol, das sich literarisch fassen ließ. Sie lieferte auch in der Niederlage, ja gerade in der Niederlage die Basis zu einer kämpferischen Gesinnung des Proletariats. Anders als bei Freiligrath und seinem berühmten Gedicht *Trotz alledem!* entstand hier die Dialektik aus dem *proletarischen* Kampf, war nicht mehr von bürgerlichen Revolutionen geborgt, wie es Marx im *Achtzehnten Brumaire* kritisierte. Sollte die Auslegung der Geschehnisse in Paris nur in der Stilisierung durch Marx geschehen?

Nicht zufällig kamen um 1870 weithin wahrgenommene Impulse für Lyrik und Publizistik von den später aus der Partei ausgeschlossenen Autoren Johann Most (1846–1906), einem mitreißenden Redner und Agitator, Herausgeber des *Proletarier-Liederbuchs* und Verfasser eines der aggressivsten und populärsten Lieder der Arbeiterbewegung, *Die Arbeitsmänner*, und Wilhelm Hasselmann (1844–?), dem Redakteur des *Neuen Socialdemokraten*. Nach der Kommune entstanden Gedichte, Lieder und einzelne Prosa- und Theaterstücke, die das Selbstbewußtsein des Proletariats hoben.[79] Die Kundgebungen zum 18. März, die der Revolution von 1848 galten, wurden 1873 mit dem Gedanken an den 18. März 1871 zu *der* Feier der revolutionären Arbeiterschaft vereinigt. Diese Veranstaltungen boten Gelegenheit zu gemeinsamem Gesang von Kommune-Liedern und Rezitation von balladenartigen Schilderungen der Vorgänge.

Eduard Bernstein berichtete, das Dramolett *Der Flüchtling der Kommune* frei nach Marx' *Adresse des Generalrats* geschrieben und auf einem Berliner Arbeiterfest vorgetragen (und dann verloren) zu haben. Die aufrührende Schlußansprache des Kommuneflüchtlings, vom Orchester mit der Melodie der *Arbeitermarseillaise* begleitet, sei in der Parole ausgeklungen:

›Die Nachwelt sei's, die unser Leid einst sühne,
ihr Kampfruf sei hinfort: Hoch die Kommune!‹«[80]

Bernstein fügte amüsiert hinzu, die Versammlung habe nach dem offenbar fesselnden Vortrag geglaubt, er hätte die Erfahrungen des Flüchtlings selbst gemacht.

Kautsky teilt in seinen Erinnerungen mit, er habe, noch bevor er Sozialdemokrat wurde, neben anderen Werken eine Erzählung über die Kommune geschrieben.[81]

Daß Bernstein und Kautsky nicht zu den Schöpfern einer kämpferischen sozialistischen Literatur wurden, dürfte sich in Anbetracht ihrer späteren theoretischen Beiträge verschmerzen lassen. (Kautsky als Romancier: das war in den siebziger Jahren eine Tatsache, in den neunziger Jahren bereits ein böses Gerücht, und er tat nicht wenig, um diese Vergangenheit zu tilgen.) Dagegen wog schwerer, daß der literarische Impuls der Kommune in der Sozialdemokratie zum Feierritual verblaßte, daß die einfache Dialektik, mit der viele Gedichte den zukünftigen Sieg des Proletariats aus den Lehren der vergangenen Niederlage entwickelten, kaum weiterwirkte (und erst von Rosa Luxemburg, Karl Liebknecht und Erwin Piscator wieder in die Agitation einbezogen wurde). Eine ›ideale‹ Literatur kam der universalen Selbsteinschätzung offensichtlich eher entgegen als die Verlebendigung jenes Geschehens.

Daß der Kampf der Kommune bei bürgerlichen Schriftstellern eine verspätete Resonanz erhielt, kann hier nur erwähnt werden. Als sich naturalistische Schriftsteller im Zuge der Kritik an den deutschen Zuständen nach Frankreich wandten, schenkten sie den Pariser Ereignissen von 1871 besondere Aufmerksamkeit (Max Nordau, Wolfgang Kirchbach, Arno Holz, Karl Bleibtreu, Karl Henckell u. a.).[82] Zur Zeit des Sozialistengesetzes sahen manche den Barrikadenkampf des Pariser Proletariats als vorbildlich an. Das konnte die Sozialdemokratie nicht akzeptieren.

Für die deutschen Sozialisten war Ende des 19. Jahrhunderts der Revolutionskurs determiniert. Dabei konnte es

Rückschläge geben, aber keine Niederlagen. So blieb sozialistischen Autoren nicht viel mehr als die poetische Füllung eines nach allen Richtungen ausgemessenen Bedeutungsraums. Das bedeutete, daß die Autoren der Darstellung der Wirklichkeit nicht eine eigenstrukturierte Gesetzlichkeit auferlegten, die den determinierten Gesamtzusammenhang aufgebrochen hätte. Vielmehr vermittelten sie die literarische Sinngebung in der Verweisung der Dinge auf den determinierten Gesamtzusammenhang. Das entspricht dem Grundprinzip der Allegorie insofern, als es von der aktiven Partizipation des Lesers oder Hörers abhängt, der die Verweisungsformeln kennen muß, mit denen aus den disparaten Dingen, Sätzen, Motiven, Emblemen in ästhetisch zu variierender Weise die Beziehungstotalität ablesbar wird. Das literarische Werk ist nicht für sich evident, gibt nicht Symbole, die sich in der Verinnerlichung durchdringen lassen, wie es in der geläufigen (bürgerlichen) Öffentlichkeit seit dem 18. Jahrhundert üblich wurde. Es läßt sich als Teil der »proletarischen Öffentlichkeit« einordnen, wie sie Negt und Kluge definierten: »Sie bezeichnet nicht bestimmte Formen und Inhalte, sondern wendet die marxistische Methode dahingehend an, daß kein Stoff der gesellschaftlichen Umwälzung, kein konkretes Interesse ausgegrenzt und unaufgelöst bleibt, und sie sorgt so dafür, daß das Medium dieser Einlösung und Verwandlung der Interessen der gesamte wirkliche Produktions- und Vergesellschaftungszusammenhang ist.«[83] Dieser Definition folgend könnte man die Abwehr der naturalistischen, spezifisch proletarischen und kulturrevolutionären Konzepte von seiten der Partei als »Abdichtung gegenüber der bürgerlichen Öffentlichkeit«[84] bezeichnen.

Mit dem Zwang zu dieser Abwehr ließ sich der Mangel an einer aufklärenden und anspornenden Literatur rechtfertigen. Für die — zu gewinnenden — Zeitgenossen, die außerhalb des allegorisch-politischen Bezugssystems standen, blieb der Mangel kritikwürdig. Für diejenigen, die weiter entfernt standen, rückte keine Literatur den Eindruck zurecht: daß die Ausstrahlung der deutschen Sozialdemokratie nicht viel über die der deutschen Gesellschaft generell hinauswirkte, was Disziplin, Wissenschaftsglaube, Schulmeisterei, Bürokratismus und Unsinnlichkeit anbetraf.

Die Lieder, Gedichte, Agitationsstücke, Satiren, Karikaturen, Embleme, Festspiele und Allegorien der deutschen Sozialdemokratie, die am Ende des 19. Jahrhunderts die politischen Ziele propagierten, wurden gleichsam zu einem Analogieritual der bereits wissenschaftlich determinierten Prozesse, an dem der Arbeiter unmittelbar partizipieren konnte. In ihnen gewann die »soziale Topik«, die »in Gestalt von Stereotypen, handlichen Formeln und beziehungsreichen Bildern« die kollektive Erfahrung der Klasse dem Einzelnen sprachlich zugänglich macht[85], besondere, den Sozialismus umgreifende Kristallisation. Das gemeinschaftliche Zuhören im Heraustreten aus der Arbeitswelt, das Mitsingen, die Selbstbeteiligung spielten eine große Rolle, und seit jeher haben diese Partizipationsvorgänge und Gefühlsrituale einer genaueren Analyse große Schwierigkeiten bereitet. Die dabei vielverwandten Klassifikationen des Kults und der Religion erschließen manches, simplifizieren jedoch häufig. Hendrik de Man, der belgische Reformsozialist, gebrauchte sie differenzierter, als er feststellte: »Wenn die Massen die ›Bewegung‹ nur als ›Organisation‹, als etwas Gegenständliches erfassen können, so ist das nicht Materialismus, sondern eine Art sozialer Animismus, eine Beseelung dessen, was man als eine eigene Schöpfung betrachtet, eine empfundene Erweiterung der eigenen Persönlichkeit zum Überpersönlichen, also recht eigentlich ein religiöses Gefühl.«[86]

Diese Erscheinung, die schon vor dem Ersten Weltkrieg an eine Wende geriet, wurde in den zwanziger Jahren rückblickend von Paul Levi (1883–1930) als eine spezielle Kraft gepriesen. Levi, der Rosa Luxemburg nahestand, kurze Zeit die KPD führte und später zur dominierenden Figur des linken SPD-Flügels wurde, schrieb:

»Neben der scharfen logischen Waffe, die uns Marx gegeben hat und die auch die alte Sozialdemokratie früher hatte, haben beide, Marx und die alte Sozialdemokratie, noch etwas anderes gehabt. Man nennt es das Eschatologische, der Hinweis auf ein großes Kommendes, Künftiges. Nur dieser Glaube an dieses Ziel gibt der Bewegung den hohen Schwung, den allein die verstandesmäßige Deduktion ihr nicht gibt. Mag das Ethos des Menschen Schicksal sein: das der großen geschichtlichen Bewegung ist das Ethos.«[87]

Aber dieses Ethos stand, wie Levi andeutete, nicht über den Zeitläuften. Der vielbeschworene Zusammenbruch des Kapitalismus, der sich aus Engels' Analyse der Krise seit 1873 als chronischer Systemkrise herauslesen ließ[88], mußte wirklich näherrücken, um das eschatologische Denken des einzelnen Sozialdemokraten für immer zu fesseln. Drastischer formuliert: »Versagte die Zusammenbruchsthese vor den Tatsachen, so verlor sich auch ihre seelische Wirkung auf die Arbeiterklasse.«[89]

Die Hochkonjunkturphase 1896—1913 brachte eine allmähliche Wende, nicht nur in den Hoffnungen auf den Niedergang des Kapitalismus — der nun auch von Deutschland aus imperialistisch expandierte —, sondern ebenso in der Einstellung zu jenem Ethos. Daran änderte die Begeisterung über die russische Revolution 1905 wenig; sie offenbarte zugleich die Stagnation der deutschen Partei. In diese Periode fällt die Diskussion über Bernsteins Wort: »Das Endziel ist mir nichts, die Bewegung alles.« Wie Rosa Luxemburg, Kautsky und Bebel auf den Revisionismus antworteten, braucht hier nicht eigens dargelegt zu werden. Ein bezeichnendes Element sei jedoch hervorgehoben, das sich am intensivsten bei Kautsky ausspricht, in den letzten Worten seiner Erwiderung auf Bernsteins Schrift *Die Voraussetzungen des Sozialismus und die deutsche Sozialdemokratie* (1899). Es ist der Appell, die ›ideale‹ Gesinnung des Proletariats zu stärken:

»Es gehört dazu, daß wir ihm [dem Proletariat] große Zwecke setzen, mit denen es selbst zu höherem Geistesleben heranwächst, daß wir es erheben über die alltägliche Kleinarbeit, die unentbehrlich ist und die das Leben dringend erheischt, die es uns aber eben deshalb von selbst aufdrängt, ohne daß wir es nötig hätten, dazu besonders eifrig zu mahnen. Sorgen wir dafür, daß nicht

Kleinheitswahn das Proletariat und seine Ziele degradiert, daß nicht an Stelle einer weitausblickenden grundsätzlichen Politik das Fortwursteln von Fall zu Fall tritt, mit anderen Worten, daß nicht die nüchterne Alltäglichkeit den Idealismus überwuchert, daß nicht das Bewußtsein der großen historischen Aufgaben verloren geht, die dem Proletariat gestellt sind. Wenn wir in diesem Sinne unsere volle Kraft einsetzen, haben wir unsere Pflicht als Sozialdemokraten getan: der Erfolg unseres Wirkens steht in der Hand von Faktoren, die wir nicht beherrschen.«[90]

Damit ist der Bogen wieder geschlagen zu Kautskys Vorliebe für die erhebende Wirkung von Freiligraths und Schillers Pathos. Und es wird deutlich, warum es die Partei bei der Inanspruchnahme der großen Leistungen des Bürgertums beließ, bis die Revolution die Arbeiterklasse instandsetzen würde, die neue Kultur aufzubauen. Die Quintessenz dieser Auffassung ist in Kautskys Satz von 1893 enthalten: »Wir sind die Erben einer reichen Vergangenheit: Nützen wir unser Erbteil aus und passen wir es unseren Zwecken an.«[91]

Das ist gleichsam die Sonnenseite der unproduktiven Haltung der Sozialdemokratie zur Kunst. Kautsky bezweifelte, daß die gegenwärtigen kapitalistischen Zustände die Entstehung einer eigenständigen Literatur des Proletariats zuließen. Im selben Beitrag von 1893 heißt es:

»Es erscheint uns sehr wahrscheinlich, daß die Periode des aufstrebenden Proletariats, in der wir leben, nicht ebenso die einer Blüte der schönen Literatur wird, wie die der aufstrebenden Bourgeoisie war. Wenigstens sprechen die bisherigen Erfahrungen dafür. Das ist unschwer zu verstehen, wenn man bedenkt, daß das Proletariat diejenige Klasse ist, welche durch ihre soziale Lage mehr als jede andere an der Entwicklung eines künstlerischen Empfindens und an künstlerischem Schaffen gehindert wird, während die Bourgeoisie in dieser Beziehung besonders begünstigt ist. Das bißchen Muße und alle die geistige Kraft, die dem Proletariat zu Gebote stehen, absorbiert der Kampf, der Klassenkampf; zum Besingen des Kampfes in formvollendeter Weise bleibt weder ausreichende Muße noch Kraft übrig.«[92]

Der Hüter der Parteitheorie folgte Marx insofern, als er die »Periode des aufstrebenden Proletariats« nicht in eine

mechanische Entsprechung setzte mit der Periode des aufstrebenden Bürgertums. Kautsky erläuterte die Schwierigkeiten der langsameren, umständlicheren proletarischen
Revolution, von der Marx im *Achtzehnten Brumaire* gesprochen hatte. Anders als Marx sah er die ›ideale‹ Literatur
als Faktor im gegenwärtigen Kampf an, aber er traf sich mit
ihm darin, daß er es unterließ, die tatsächlichen kulturellen
Möglichkeiten und Bedürfnisse der Arbeiter genauer zu
untersuchen.

Die Möglichkeit einer neuen Literatur aus dem Volk[93]
wurde unter Sozialisten ebensowenig in die Theoriebildung
einbezogen wie die Möglichkeit (und Wirklichkeit) einer
Literatur aus den Bedürfnissen der Massen, die sich zwischen 1830 und 1848 in verschiedenen Formen herausgebildet hatte. Marx' Kritik an dem Roman *Les Mystères de
Paris*, mit welchem Eugène Sue 1842/43 den Typ des Zeitromans schuf, richtete sich zwar auf ein auch von Arbeitern
gelesenes Werk, doch blieb dieser ins Esoterisch-Literarische
stilisierte Aufsatz ohne Nachfolge. Die Lesebedürfnisse der
entstehenden ›Massengesellschaft‹ und die neuartigen Einflüsse und Regulierungen der ›öffentlichen Kultur‹, die sich
in London, Paris, Wien und später in Berlin von den
Theatern und Unterhaltungszentren bis zur Ausstellungs-
architektur und Populärlithographie bemerkbar machte, fanden keine Analyse. Nur Paul Lafargue (1842–1911), ohnehin ein ungewöhnlich unabhängiger Marxist, betrat bei seinen Untersuchungen dieses Terrain. Der Schwiegersohn von
Marx warf — nicht ohne Gehässigkeit — Licht auf die Ge-
schäftspraktiken des politischen Schriftstellers Hugo, behandelte Volksbräuche, die Wandlungen der Sprache unter
dem Einfluß politischer Ereignisse und ähnliches.

Mit der Ignoranz gegenüber solchen Erscheinungen fiel
es den deutschen Sozialisten schwer, für die Konfrontation
mit der vorhandenen Kultur literarisch-publizistische Formen und Institutionen zu entwickeln. Die Ansätze bei
Lassalle, eine proletarisch-sozialistische Gegenöffentlichkeit
zu schaffen, erfuhren trotz der ständigen Diversifizierung
publizierter Öffentlichkeit keine grundsätzliche Neufassung.

Auf den Parteitagen kamen seit Ende des Jahrhunderts die Folgen dieser Versäumnisse wiederholt zur Sprache. Doch hielt man an den überlieferten Kultur- und Literaturkonzepten fest.

So konnte es geschehen, daß sich, der Partei keineswegs verborgen, kulturelle Tendenzen entwickelten, die, als die ›ideale‹ Gesinnung nicht mehr ausreichte, andere Identifikationsmöglichkeiten für Arbeiter bereitstellten. In diesem Zusammenhang klingt es fast nach Ironie, wenn konstatiert worden ist, daß dafür die Pariser Kommune einen wichtigen Anstoß lieferte, zumindest was Friedrich Nietzsche (1844 bis 1900) betrifft, der an der Formulierung und Durchsetzung jener Tendenzen großen Anteil hat. Nietzsches epochemachendes Werk *Die Geburt der Tragödie aus dem Geiste der Musik* (1872) läßt sich — wie auch ein Brief Nietzsches an Carl von Gersdorff bestätigt — mit der Reaktion auf die Ereignisse der Kommune zusammenbringen.[94] Der Entwurf der Renovierung der Kultur im Geiste der Griechen und der Schöpfungen Richard Wagners (1813—1883) steht in engem Zusammenhang mit der Furcht, daß die Kulturwelt, das Apollinische, durch die proletarische Revolution zerstört wird. Die Konzeption einer »solidarischen Kollektivität«, »die nicht bloß antibürgerlich ist, sondern jenseits der Klassenschranken zwischen Aristokratie und Bourgeoisie, dieser und dem Proletariat«[95] steht, sollte nach 1900 große Wirkung haben.

Kapitel II
Die Intelligenz

1. Die Stellung der Sozialdemokratie zur Intelligenz

Für die Tatsache, daß die Sozialisten die Behandlung des Themas ›Sozialismus und Intellektuelle‹ stark vernachlässigt haben, ist Marx selbst verantwortlich gemacht worden. Wenn es seinen Nachfolgern immer schwerfiel, zu einer differenzierten Analyse der Sozialstruktur der modernen Gesellschaft zu gelangen, so hat man als Grund häufig angeführt, daß er die systematische Diskussion dieser Frage im 52. Kapitel des III. Bandes vom *Kapital* nicht beendete. Damit kam es auch zu keiner grundsätzlichen Klassifikation der Intelligenz.[1] In der Praxis hielten sich die Sozialisten im allgemeinen an den Absatz im *Kommunistischen Manifest*:

»In Zeiten endlich, wo der Klassenkampf sich der Entscheidung nähert, nimmt der Auflösungsprozeß innerhalb der herrschenden Klasse, innerhalb der ganzen alten Gesellschaft, einen so heftigen, so grellen Charakter an, daß ein kleiner Teil der herrschenden Klasse sich von ihr lossagt und sich der revolutionären Klasse anschließt, der Klasse, welche die Zukunft in ihren Händen trägt. Wie daher früher ein Teil des Adels zur Bourgeoisie überging, so geht jetzt ein Teil der Bourgeoisie zum Proletariat über, und namentlich ein Teil der Bourgeoisideologen, welche zum theoretischen Verständnis der ganzen geschichtlichen Bewegung sich hinaufgearbeitet haben.« (MEW 4, 471 f.)

Marx und Engels, selbst Intellektuelle, betrachteten sich und andere Intellektuelle als natürliche Führer des Proletariats, insofern sie dieses »Verständnis der ganzen geschichtlichen Bewegung« erarbeiteten und den Arbeitern vermittelten, die unter den Ausbeutungsbedingungen des Kapitalismus dazu nicht in der Lage waren. Andererseits betonten sie, daß die Emanzipation der Arbeiterklasse das

Werk der Arbeiterklasse selbst sein müsse. Beides war aufeinander bezogen, mit den Arbeitern als dem Subjekt der
Revolution und den Intellektuellen als denjenigen, die das
Bewußtsein der »ganzen geschichtlichen Bewegung« vermittelten.

Die Führer der Sozialdemokratie vertraten die Auffassung, daß die Talente der Intellektuellen in der Gründungs-
phase der revolutionären Parteien bessere Entfaltung fänden
als danach, wo es auf Organisation, Taktik, Ausdauer und
Kleinarbeit ankomme. Das stand auch hinter dem Motto
›Unter den Waffen schweigen die Musen‹, das Mehring im
Hinblick darauf kommentierte, daß Freiligrath, der revolutionäre Sänger, für die eigentliche Parteiagitation nicht
viel übrig gehabt habe:

»Dem proletarischen Emanzipationskampf, namentlich den, wie
Marx einmal sagt, ›Halbheiten, Erbärmlichkeiten und Schwächen
seiner ersten Versuche‹ fehlen die dramatischen Effekte der bürgerlichen Revolution; ihm fehlte auch in den sechziger Jahren der
Farben- und Gestaltenreichtum der Volkskämpfe von 1848 und
1849, in denen Freiligrath die Revolution als wildschöne Siegerin
mit ehernen Sandalen und flatterndem Haar gesehen hatte.«[2]

Im Gegensatz zu den Arbeiterparteien in wirtschaftlich
weniger entwickelten Ländern wie Rußland und Italien, wo
Intellektuelle einen starken Einfluß besaßen, war die deutsche Arbeiterpartei wesentlich proletarisch-kleinbürgerlich
geprägt. Die Probleme des Übergangs der »Bourgeoisideologen« zum Proletariat wurden aktuell, als in den achtziger
Jahren, die von der Expansion der Industrie, der Großstädte,
der proletarischen Massen sowie vom Sozialistengesetz beherrscht wurden, das Interesse an der ›sozialen Frage‹ in der
Intelligenz stark anwuchs. Dieses Interesse brachte der Sozialdemokratie, die außer im Parlament als Partei nicht
wirksam werden konnte, eine wichtige Rückenstärkung. Es
verminderte das Gefühl der Isolation und machte Hoffnung
auf Unterstützung in einigen gesellschaftlichen Bereichen.
Immerhin praktizierten die naturalistischen Schriftsteller
eine radikale Opposition gegen die offizielle ›geistige Kultur‹

des Reiches. Bis in die neunziger Jahre hinein erwarteten die
Sozialisten, daß ein Teil der wachsenden akademischen Intelligenz die von ihnen erreichte Gesamteinschätzung der
Gesellschaft teilen und sich der SPD anschließen würde, abgesehen von jenen Akademikern, die mit ihrer Proletarisierung der Partei ohnehin nicht allzufern standen. Dem Pro-
letarisierungsmotiv vertraute man allerdings nur mit gewissen Einschränkungen: vorläufig waren die Bemühungen
vieler Volksschullehrer, Handwerker, Beamten und anderer
Kleinbürger, sich die bürgerlichen Privilegien zu erhalten,
nicht zu übersehen.

Diesen Problemen gab Kautsky 1895 in dem Aufsatz *Die
Intelligenz und die Sozialdemokratie* Ausdruck, der ganz
unter dem Eindruck des Interesses der Intelligenz für das
Proletariat und die ›soziale Frage‹ geschrieben ist und den
Zugang der »Bourgeoisideologen« als recht selbstverständlich voraussetzt. Es mag diese Einstellung gewesen sein,
welche die Sozialdemokratie in ihrer Taktik eher auf ein
Kanalisieren und Disziplinieren des Interesses als auf ein
Werben und Bündnissuchen zielen ließ. Kautsky definierte
die Intelligenz als »eine eigene Klasse, die an der kapitalistischen Ausbeutung in der Regel nicht — und ihrer Natur
nach auch nicht notwendig — interessiert ist«, die aber nun
unter den kapitalistischen Produktionsverhältnissen anwachse.[3] Er analysierte die Interessenunterschiede zwischen
Intelligenz und Proletariat und folgerte, daß der Appell an
die Interessen nicht das geeignete Mittel sei, die Intelligenz
in ihrer Gesamtheit für den Sozialismus zu gewinnen. Es
gehe vielmehr, wenn man von den proletarisierten Schichten
absehe, darum, die Einzelnen zu gewinnen; die »Einsicht in
die historische Berechtigung der Ziele des kämpfenden Proletariats« und die »Notwendigkeit seines Sieges« habe schon
viele der Partei zugeführt.

Mitte der neunziger Jahre bemühte man sich offiziell um
Akademiker und Studenten. Dazu gehörte die Gründung der
Zeitschrift *Der sozialistische Akademiker* im Jahre 1895
ebenso wie 1897 die Ansprache Bebels vor Akademikern, in
der er besonders auf die Ausbreitung des akademischen

Proletariats aufmerksam machte.[4] Die Tatsache, daß aus dem *Sozialistischen Akademiker* später die *Sozialistischen Monatshefte*, das Organ der Revisionisten, hervorging, deutet darauf hin, daß solche Bemühungen selbst wieder Probleme für die Partei mit sich brachten.

Ende der neunziger Jahre zeichneten sich zwei Tendenzen ab: zum einen das schwindende Interesse der Intelligenz an der Sozialdemokratie, zum anderen die wachsende Mißstimmung der Mitglieder gegen die Akademiker in den eigenen Reihen. Auf dem ›Akademiker‹-Parteitag 1903 in Dresden, auf dem sich die Antiakademikerhaltung gegen die Revisionisten entlud, vornehmlich gegen Heinrich Braun (1854 bis 1927), Wolfgang Heine (1861–1944), Paul Göhre (1864 bis 1928), Lily Braun (1865–1916) und Georg Bernhard (1875 bis 1944) fielen Bebels Worte: »Seht Euch jeden Parteigenossen an, aber wenn es ein Akademiker ist oder ein Intellektueller, dann seht ihn Euch doppelt und dreifach an.«[5] Es folgte stürmischer Beifall.

Diese in der heißen Debatte geäußerten Worte sollten im Kontext der Enttäuschung über die Intelligenz gesehen werden, ebenso wie die häufig vorgenommene Gleichsetzung von Akademikern und Revisionisten (die allerdings für das Streitphänomen Revisionismus bisher nicht genügend herausgearbeitet worden ist). Die beliebte Diskussion darüber, ob Intellektuelle von vornherein mehr zur Radikalität oder mehr zum Kompromiß neigen, schlug zu dieser Zeit bereits hohe Wellen — mit Argumenten für beide Verhaltensformen.[6] Kautsky gab um 1900 der Hoffnung Ausdruck, daß die Intelligenz gegen revisionistische Tendenzen von Hilfe sein könne. Wie bei seiner Äußerung zur Frage einer eigenständigen proletarischen Literatur lag die Annahme zugrunde, daß das Proletariat unter den Bedingungen der kapitalistischen Ausbeutung nicht imstande sei, zu einer schöpferischen Beschäftigung mit generellen Problemen zu kommen. Kautsky war es darum zu tun, aus dieser Situation keine Unterstützung für den Revisionismus entstehen zu lassen. Er wollte nicht, daß mit dem Beiseiteschieben der Akademiker auch die sozialistische Gesamtperspektive aus den Augen rücke. In einer Stellungnahme zur »weitreichenden Mißstimmung gegen manche akademischen Elemente in unseren Reihen« bemerkte er:

> »Was [die] weiterschauenden Elemente des Proletariats von den Akademikern erwarten, das ist die Erhebung über die Misere der alltäglichen Kleinarbeit, die Erhebung über den engen Kreis, der den Sinn verengert, die Setzung größerer Zwecke, die den Menschen wachsen machen. Werden für den Praktiker der Kleinarbeit die Akademiker überhaupt überflüssig, weil er auf die Theorie pfeift und die Praxis selbst besser versteht, so werden für den idealistischen Arbeiter jene Akademiker überflüssig, welche selbst auf die Theorie pfeifen, ihm alle großen Ausblicke versperren und seinen Geist auf das Nächstliegende beschränken wollen.«[7]

In diesen Feststellungen zeichnen sich schon die Argumente von Kautskys Kritik am revidierten Programm der österreichischen Sozialdemokratie ab, auf die sich Lenin in entscheidenden Gedankengängen seiner Schrift *Was tun?* (1902) berief. Kautsky führte aus:

> »Das moderne sozialistische Bewußtsein kann nur erstehen auf Grund tiefer wissenschaftlicher Einsicht. In der Tat bildet die heutige ökonomische Wissenschaft ebenso eine Vorbedingung sozialistischer Produktion, wie etwa die heutige Technik, nur kann das Proletariat beim besten Willen die eine ebenso wenig schaffen wie die andere; sie entstehen beide aus dem heutigen gesellschaftlichen Prozeß. Der Träger der Wissenschaft ist aber nicht das Proletariat, sondern die *bürgerliche Intelligenz*; in einzelnen Mitgliedern dieser Schicht ist denn auch der moderne Sozialismus entstanden und durch sie erst geistig hervorragenden Proletariern mitgeteilt worden, die ihn dann in den Klassenkampf des Proletariats hineintragen, wo die Verhältnisse es gestatten. Das sozialistische Bewußtsein ist also etwas in den Klassenkampf des Proletariats von Außen Hineingetragenes, nicht etwas aus ihm urwüchsig Entstandenes.«[8]

Kautsky dehnte den Gedanken des *Kommunistischen Manifests* über die »Bourgeoisideologen, welche zum Verständnis der ganzen geschichtlichen Bewegung sich hinaufgearbeitet haben«, gemäß der Verabsolutierung der Wissenschaft in der SPD an eine äußerste Grenze. Angesichts der aktuellen Revisionismusdebatte zielte er damit in eine andere Richtung als Lenin mit seinen Ausführungen. Lenin funktionalisierte die seit jeher als Oppositionsträger von der Gesellschaft isolierte russische Intelligenz zu einer Schicht von sozialistischen Berufsrevolutionären um.[9] Der Unterschied zur gleichzeitigen deutschen Situation — wenn man einmal die Vergleichbarkeit mit der Situation Lassalles beiseiteläßt — ist auch in den Bemerkungen Lenins über die Schaffung einer agitatorischen Parteiliteratur zu erkennen, einer Literatur, die Kautsky aufgrund seines Wissenschafts- und Entwicklungskonzepts nur für ein frühes Stadium des sozialistischen Kampfes in der ökonomisch noch nicht weit entwickelten Gesellschaft anerkannte.

Als sich die Auseinandersetzung um das Verhältnis von Akademikern und Proletariat 1903 zuspitzte, sah sich Kautsky anläßlich seiner Verteidigung von Mehring, der mit den erwähnten Revisionisten im Streit lag, zu der Einschränkung veranlaßt: »Jene Wissenschaft, die zur Emanzipation des Proletariats beizutragen hat, kann erst durch das Proletariat und aus ihm entwickelt werden.«[10] Oft werde der Emanzipationskampf durch Akademiker nicht beschleunigt, sondern aufgehalten.

Wenn Kautsky seinen Mitstreiter Mehring als Intellektuellen herausstellte, der die bürgerlichen Privilegien tatsächlich abgelegt und sich vorbildlich in die Partei integriert habe, so mag dabei auch eine gewisse Selbstrechtfertigung im Spiel gewesen sein. In der Striktheit seiner Mahnung an die »Literaten« machte sich der Affekt des Parteiideologen gegen die eigenen Anfänge als Literat bemerkbar.

Neben Kautsky haben andere ausgesprochen, was der soziale Abstieg eines Akademikers zum Proletariat im 19. Jahrhundert an inneren Kämpfen mit sich brachte. Aus dieser Einsicht erklärt sich manches an der Praxis der sozialistischen Parteien in diesem Zeitraum, den Intellektuellen zur Bourgeoisie zu rechnen und sich erst dann um ihn zu kümmern, wenn er mit der Partei arbeiten wollte. Dann allerdings sollte er sich voll einordnen, wie es Engels im Brief an Bernstein ausdrückte: »Wenn die Gebildeten und überhaupt aus bürgerlichen Kreisen stammenden Ankömmlinge nicht *vollständig* auf dem proletarischen Standpunkt stehen, sind sie reiner Verderb. Haben sie aber diesen Standpunkt wirklich, dann sind sie höchst brauchbar und willkommen.«[11]

Das lenkt den Blick wieder auf die Taktik der Sozialisten, das Interesse der Intelligenz, das in den achtziger Jahren stark gewachsen war, zu kanalisieren und zu disziplinieren, nicht bewußt zu stimulieren. Es gehörte zur optimistischen Erwartung über den Zusammenbruch des Kapitalismus, daß man annahm, die Intelligenz werde über kurz oder lang von selbst zur proletarischen Partei stoßen müssen. So hielt man auch, als Ende des 19. Jahrhunderts eine gewisse Enttäuschung einsetzte, an dieser Taktik fest — was wiederum die Intelligenz in ihrem zunehmenden Desinteresse bestärkte.

Eine Bilanz zog im Jahr 1900 Paul Lafargue, der 1887 über *Das Proletariat der Handarbeit und Kopfarbeit* Grundsätzliches in der *Neuen Zeit* veröffentlicht hatte. Er wandte sich gegen den Satz von Jean Jaurès im Vorwort zur *Histoire socialiste de la République française:* »Das durch die brutale und merkantile Gesellschaft beleidigte intellektuelle Bürgertum verbindet sich mit dem Sozialismus.« Lafargue bemerkte: »Leider stimmt das in keiner Weise. Die Umwandlung der geistigen Fähigkeiten in Ware, welche die Seele der Intellektuellen hätte mit Empörung füllen müssen, hat sie einfach indifferent gelassen.«[12]

Aber auch Lafargues Feststellung wurde den Gegebenheiten nicht ganz gerecht. Die Intelligenz blieb angesichts der gesellschaftlichen und ökonomischen Entwicklung keineswegs indifferent. Die bürgerlich integrierte technischwissenschaftliche Intelligenz reflektierte die durch ihr Anwachsen bedingte Verunsicherung, und die literarische Intelligenz setzte sich mit ihrer Isolation von den gesellschaftlichen und politischen Entscheidungen auseinander, sei es durch Flucht nach ›vorn‹, in den Vitalismus und eine von Nietzsche beförderte Selbststilisierung, sei es durch Flucht nach ›hinten‹, zum Rückzug ins Idyllische und Religiös-Mystische. Mit dem Ruck nach rechts näherten sich viele Intellektuelle imperialistischen Parolen, die in der Periode des Ersten Weltkrieges zum Chor anwuchsen. Die Sozialdemokratie unternahm dagegen nichts. Für die mit der Industrialisierung und Bürokratisierung ständig zunehmende Schicht der wissenschaftlich-technischen Intelligenz und der Angestellten unterließ es die Partei, obwohl (oder gerade weil) selbst bereits auf dem Wege der Bürokratisierung, eine Politik auszuarbeiten. Das rächte sich in den zwanziger Jahren, vor allem in der Periode der Weltwirtschaftskrise, in der Hitler und die Nationalsozialisten vom Appell an diese Schichten profitierten. Wohl hatte Engels verschiedentlich auf die Notwendigkeit der Zusammenarbeit des Proletariats mit den Leuten hingewiesen, die technisch vorgebildet seien, d. h. mit Ärzten, Lehrern, Ingenieuren, Chemikern, Agronomen und anderen Spezialisten. In der Grußadresse an den ›Internationalen Kongreß sozialistischer Studenten‹ 1893 hatte er den Wunsch geäußert, es möge gelingen, »unter den Studenten das Bewußtsein zu wecken, daß aus ihren Reihen das intellektuelle Proletariat hervorgehen soll, welches berufen ist, an der Seite und inmitten seiner Brüder, der Handarbeiter, eine bedeutende Rolle in der nahenden Revolution zu spielen«. (MEW 22, 415) Aber aus solchen Wünschen entstand weder eine Theorie noch eine Politik.

Was die literarische Intelligenz anbelangt, die mit dem Scheitern der von ihr mitgetragenen Revolution von 1848/49 ihren Einfluß auf Gesellschaft und Politik weitgehend verlor, so hatte Engels die Verengung auf das »Belletristische« seit seiner Auseinandersetzung mit dem Jungen Deutschland kritisiert. Von der Polemik gegen die ›wahren‹ Sozialisten in den vierziger Jahren bis zu der gegen die Fraktion der ›Jungen‹ von 1890/91, deren Vorstoß er als »Literaten- und Studentenrevolte« abtat, blieb seine Ablehnung des bloß Literarischen und bloß Tendenziellen, das den gesellschaftlichen Gesamtbezug der Phänomene nicht erfaßt, unverändert. Speziell während des Sozialistengesetzes, als Schriftsteller und Intellektuelle zur Partei stießen und Einfluß auszuüben suchten, schimpfte Engels eindrucks-

voll in seinen Briefen an Sozialdemokraten, wobei er auch
Autoren wie Robert Schweichel (1821—1907), die in der
Partei seit langem anerkannt waren, nicht schonte.[13]

In der Sozialdemokratie hielt man sich während des Sozialistengesetzes mit grundsätzlichen Stellungnahmen zurück. Im Engagement der Intellektuellen übersah man nicht
die Möglichkeit kultureller Bereicherung. Ihre Förderung
der Arbeiterbildung, Ende der achtziger Jahre in Berlin
und anderen Großstädten intensiviert, kam einem großen
Bedürfnis nach. Immerhin, das war — fast — Parteiarbeit.
Als Kautsky 1895 seine optimistischen Feststellungen über
das Verhältnis zur Intelligenz formulierte, tat er es jedoch
nicht ohne ausdrücklichen Hinweis auf die Gefahren, welche
die Isolierung der einzelnen Intellektuellen und Schriftsteller mit sich bringe: sie suchten bisweilen in der Sozialdemokratie nur ihre Zurückweisung von der bürgerlichen
Gesellschaft zu kompensieren. Er schrieb:

»Wer aus persönlichem Interesse zu uns kommt, wer kommt,
nicht um den Klassenkampf des Proletariats mitzukämpfen, sondern um im Proletariat den *Markt* oder die *Anerkennung* zu finden, die ihm die Bourgeoisie versagt, ist in der Regel ein fauler
Kunde und kann, namentlich wenn er aus der Intelligenz kommt,
direkt gefährlich werden. Wir können nicht sorgfältig genug
darauf achten, unsere Partei rein zu halten von verkannten Ge-
nies, verbummelten Literaten, Querulanten, Projektenmachern und
Erfindern (Erfindern neuer Orthographien und Stenographien,
neuer Heilmethoden und dergleichen), verkrachten Strebern und
ähnlichen Elementen.«[14]

Die Erfinder neuer Orthographien und Stenographien
hatten es dem Parteitheoretiker besonders angetan, neben
den verbummelten Literaten. Als sich am Ende des Jahrhunderts das Verbummeln tatsächlich zu einer Hauptbe-
schäftigung von Literaten entwickelte und das Deutsche
Reich in der bayerischen, weniger in der preußischen
Hauptstadt zu einer deutschen Bohème kam, reagierte die
SPD abweisend. Das Stichwort ›Isolation von der Gesellschaft‹ fiel häufig — nicht weniger vorwurfsvoll wie bei
Bürgern und Kleinbürgern.

In der Rückschau fällt es nicht schwer, dieses Stichwort in den Zusammenhang der weiteren literaturhistorisch-ästhetischen Vorgänge zu stellen, d. h. die von den Sozialdemokraten aufgewiesene Abhängigkeit der Autoren vom bürgerlichen Literaturmarkt zu konstatieren, zugleich aber auch die von den Sozialdemokraten abgewiesenen künstlerischen Erneuerungstendenzen zu würdigen, mit welchen einige Autoren diese Isolation schöpferisch reflektierten und zur kritischen Provokation der Gesellschaft verwerteten. Es bereitete sich eine gesellschaftskritische Literatur vor, die auf der von den Naturalisten in Deutschland weit vorangetriebenen Zerstörung der Ästhetik der ›hohen‹ Kunst beruhte. Sie verwendete Dokumentation, Groteske und Montage. Sie sagte der Repräsentation ab, die sowohl von den Bürgern wie den Sozialisten als notwendiges Element der Literatur erwartet wurde. Sie verbündete sich mit Frankreich, dem Anarchismus, der Kolportage und dem Kabarett. Als ihre deutschen Meister galten Frank Wedekind (1864 bis 1918) und Heinrich Mann (1871–1950). Ihre Jünger waren überall verstreut, zu ihnen zählten Expressionisten und Dadaisten ebenso wie Bertolt Brecht (1898–1956).

2. Vormärzintellektuelle und soziales Engagement

Manche der am Ende des 19. Jahrhunderts eingenommenen Positionen zeichneten sich bereits im Vormärz ab. Bekannt ist die Berufung der Naturalisten auf die progressive Literatur vor 1848, einschließlich Heines und Büchners. Im Terminus ›Jüngstes Deutschland‹ fand das gleichsam offiziellen Ausdruck. Für die Konfrontation mit der industriellen Revolution, dem von Engels in *Die Lage der arbeitenden Klasse in England* beschriebenen Ereignis, formten sich zu dieser Zeit grundsätzliche Haltungen aus.

Die Besorgnis über die moralische Krise, welche die Industrialisierung in den zwischenmenschlichen Beziehungen hervorrief, war mit den Erfahrungen in England und Frankreich im Vormärz stark angewachsen. Die Romantiker hatten bereits viele Formen von Protest und Gegenentwurf formuliert. Wie Karl Mannheim feststellte[15], kamen sich in der Abwehrreaktion Konservative und Progressive oft erstaunlich nahe, eine Tatsache, die, nicht unbedingt in den mannheimschen Kategorien, bis heute viele Diskussionen ausgelöst hat und bei der Beurteilung dieser Art von ›Intellektuellenopposition‹ jeweils zu reflektieren ist.[16] Zugrunde lag die Beobachtung, daß die Industrialisierung auf Arbeitsteilung beruhe und mit Fortschreiten dieser Teilung der Mensch aufhöre, Herr der von ihm benutzten Maschine zu sein. Statt dessen werde er ihr Opfer. Seine Fähigkeiten verkümmerten im Interesse der Produktivität. Die zwischenmenschlichen Beziehungen seien vom bloßen »cash-nexus« beherrscht, wie Carlyle die Abhängigkeit vom wirtschaftlichen Interesse in einem berühmten Wort faßte. Die Gemeinschaftsbeziehungen würden zerstört.

Carlyle erzielte mit seiner Kritik der Industrialisierung einen breiten Einfluß, der Engels und Marx in ihren Anfängen einschloß und bis ins 20. Jahrhundert bei Intellektuellen zu verfolgen ist. Um die Depravierung des Arbeiters zu erfassen — der sie selbst als Ausbeutung begreift und definiert —, bedienten sich Intellektuelle häufig der von Rousseau inaugurierten Reflexion der Entfremdung des Menschen von sich selbst. Sie stellten ein ideales Gegenbild auf, an dem sie die gegenwärtige Entfremdungssituation maßen, sei es nun die Gesellschaft des Mittelalters wie bei Carlyle und den Romantikern oder eine frühere oder zukünftige Gesellschaft. (Auch der junge Marx machte in der *Deutschen Ideologie* den Kontrast zur befreiten Gesellschaft der Zukunft sichtbar, in der jeder sich in jedem beliebigen Zweige ausbilden und heute dies, morgen das tun könne. Jedoch entwickelte er die grundlegenden revolutionären Kategorien aus der Auseinandersetzung mit der hegelschen Philosophie, den Begriffen der Arbeit, Vergegenständlichung, Entfremdung, Aufhebung, Eigentum.)

Vor allem für die ›wahren‹ Sozialisten der vierziger Jahre war diese Einstellung charakteristisch. Sie sahen zwar schon das Phänomen der industriellen Revolution, mußten sich aber zunächst vorwiegend auf Quellen aus England und Frankreich stützen, um es in einen größeren Rahmen stellen zu können. Da in Deutschland noch keine geschlossene Arbeiterschaft sichtbar war, auf deren Kampf sie sich hätten konzentrieren können, näherten sie sich dem Problem mit den überlieferten Mitteln, der Übersetzung entweder ins Philosophische oder ins Gefühlshafte.[17] Damit ging das besondere Interesse des Schriftstellers an einer neuen Einschätzung seines Tuns überein. Während sich viele auf die Bewahrung der von der modernen Zivilisation noch unberührten Gebiete zurückzogen, wofür Karl Immermann (1796—1840), der Autor des ersten ›Industrieromans‹ *Die Epigonen* (1836), mit dem dörflichen ›Oberhof‹-Teil des *Münchhausen* (1838) das Vorbild lieferte, lenkten andere den Blick auf die drohende Wirklichkeit der Industrie und die Entmenschlichung des Proletariers. Beides erhielt Resonanz. Allerdings währte sie für das letztere zunächst kaum über 1848 hinaus.

Für diejenigen, die sich mit dem Proletariat und seiner Notlage beschäftigten, gewann die daraus entwickelte Kategorie der Wahrheit nicht nur Relevanz im Sozialen und Politischen, sondern auch im Selbstverständnis als ›Gebildeter‹ und Schriftsteller. Hierin dürfte ein besonders wichtiger Antrieb für jene Beschäftigung liegen, der sich von der zitierten Bemerkung des jungen Herwegh über die Annäherung an das Volk bis zu den Äußerungen sozialkritischer Autoren vor 1848 verfolgen und im Naturalismus ebenso wie im 20. Jahrhundert erneut konstatieren läßt. Moses Heß (1812—1875), der unter denen, welche die Erkenntnis der sozialen Wirklichkeit in den vierziger Jahren voranbrachten, eine Sonderstellung einnimmt, definierte die Kategorie der (sozialen) Wahrheit bereits recht genau in ihrer (intellektuellen) Relevanz. Im Eröffnungsartikel des von ihm herausgegebenen *Gesellschaftsspiegel*, der ersten sozialistischen Zeitschrift in Deutschland, stellte er 1845 fest:

»Wem eine so schonungslose Enthüllung der bisher größtenteils gleißnerisch übertünchten oder verhüllten Zustände unserer industriellen sowohl wie ackerbauenden und übrigen Bevölkerung — wem eine so offene Darlegung unseres ganzen gesellschaftlichen Zustandes, wie sie der ›Gesellschaftsspiegel‹ zu geben beabsichtigt, etwa zu viel Kopf- und Herzweh macht, um sich mit diesem Unternehmen befreunden zu können, der mag bedenken, daß der Mut, der dazu gehört, einem Übel ins Antlitz zu schauen, und die Beruhigung, welche aus einer klaren Erkenntnis entspringt, am Ende doch noch wohltätiger auf Geist und Gemüt wirkt, als die feige idealisierende Sentimentalität, welche in der Lüge ihres Ideals, — das weder existiert noch *existieren kann*, weil es auf *Illusionen* gebaut ist — Trost sucht, angesichts einer trostlosen Wirklichkeit!«[18]

Das Eindringen in die soziale Wahrheit bedeutet in der Selbstüberwindung des Geistes eine Leistung für sich. Der weitere Schritt zur Tat ist impliziert, aber nicht notwendig. Heß markierte die Grenzen des literarischen Engagements, ging allerdings selbst darüber hinaus, wenn er auf das Proletariat als kommenden Geschichtsakteur hinwies und dem bürgerlichen »Kultus des Allgemeinen«[19] den Krieg erklärte.

Kennzeichnend ist auch Heß' Kritik an Berthold Auerbach (1812—1882), dem er im selben Jahr vorhielt, er hätte sich nicht aus dem Elend des Lebens zurückziehen dürfen, um mit seiner eigenen »Gemütlichkeit« zu kokettieren, während die Menschen vertierten und verhungerten:

»Du wärest mit mir in die Hütten der Unglücklichen eingedrungen und hättest die furchtbarsten Geheimnisse der depravierten Menschheit entdeckt und vielleicht besser als Sue, der französische Bourgeois, sie dargestellt und so mitgearbeitet an der Erlösung der Menschheit, während Du jetzt, wie Honek, eine andere Art Märchen für Winterabende schreibst zur Vertreibung der argen Langeweile der Müßiggänger, welche zur Abwechslung auch einmal die *unteren* Schichten gern besuchen, wenn die Cicerones nur die Wege schön mit Blumen und Tünche schmücken, damit ihnen nicht unbehaglich wird.«[20]

Heß sah die Literatur vom Inhalt und von ihrer Publikumsaufklärung her legitimiert, von dem Aufweis der Wahrheit, der zur Überwindung der Zustände beisteuern konnte, und man hat, wo das geschah, dieser Bemühung

Anerkennung ausgesprochen. So wenig damit die Schaffung eines proletarischen Kampfbewußtseins verbunden gewesen sei, habe die Bewegung des ›wahren Sozialismus‹ die erste große sozialistische Agitation in Deutschland dargestellt. »Sie brachte eine umfangreiche Literatur hervor und entfaltete eine rührige Propaganda, die viele Proletarier und Pauper erreichte und diese anregte, über ihre Lage nachzudenken und den Gedanken zu wagen, daß die in Religion und Königshaus so wunderbar verankerte Ordnung einer Reform unterworfen werden könne, die sie aus ihrer elenden Lage befreien und zu gleichberechtigten Bürgern erheben würde.«[21]

Hierfür sind im Bereich der Lyrik schon die Namen von Hermann Püttmann, dem Herausgeber der repräsentativen Anthologie *Album* (1847), Karl Beck und Alfred Meißner genannt worden, zu denen andere hinzuzufügen wären[22], ebenso für die Prosa die Autoren Ernst Dronke *(Polizeigeschichten; Aus dem Volke; Berlin;* alle 1846), Luise Otto-Peters *(Schloß und Fabrik,* 1846), Ernst Willkomm *(Eisen, Gold und Geist,* 1843; *Weiße Sklaven,* 1845), Robert Prutz *(Das Engelchen,* 1851) u. a. Der Weberaufstand wirkte für einen Großteil dieser Literatur wie ein Katalysator.[23] Fabrik, Maschinensturm und Streik wurden auf diese Weise schon früh zu Romanthemen.[24]

Nicht viele Autoren sprachen so selbstbewußt wie Ernst Dronke über die sozialkritische, an breiten Leserschichten orientierte Lyrik und Prosa. Dronke äußerte:

»Beide, Poesie und Roman aber dürfen nur als das vollgültigste Zeugnis für die fortschreitende Entwicklung der Massen angesehen werden; beide sind immer und überall der Spiegel ihrer Zeit gewesen, und so wie sie gegenwärtig das politische, religiöse und soziale Leben erfassen, sind sie ein Zeugnis, daß die politischen, religiösen und sozialen Fragen nicht mehr exklusiv, sondern dem Drang und der Fortentwicklung der Massen anheim gefallen sind.«[25]

Dronke, dessen *Polizeigeschichten* von Engels als »weinerliche Schilderungen aus der deutschen Spießbürgermisère im Tone von ›Menschenhaß und Reue‹« abgetan wurden[26], gehörte in der Revolution immerhin zu den Mitarbeitern der *Neuen Rheinischen Zeitung*. Er fand Anschluß an die revolutionäre Bewegung und trat in den ›Bund der Kommunisten‹ ein.

Die Tatsache, daß sich der sozialkritisch-politische Impuls nach der Revolution stark abschwächte (wofür auch Dronke ein Beispiel darstellt), ist häufig konstatiert worden.[27] Ohne Zweifel steht sie auch im Zusammenhang mit dem geschilderten Verhältnis der Autoren zum Themenkomplex Proletariat, mit ihrem *Interesse* an diesem Komplex, das unter veränderten Umständen auch wieder abnehmen oder einfrieren kann.[28] Manches von der Haltung der Intelligenz in den achtziger und neunziger Jahren gegenüber dem Proletariat läßt sich damit schon in Andeutungen erkennen, und nicht von ungefähr verwiesen Sozialdemokraten zu dieser Zeit verschiedentlich auf Marx' und Engels' Ablehnung der ›wahren‹ Sozialisten. Das heißt nicht, daß es im Nachmärz keine ›Industrieromane‹ gab, im Gegenteil. Diese Gattung blühte in der ersten, stürmischen Periode der deutschen Industrialisierung nach 1850. Allerdings ohne revolutionärpolitische Ausrichtung. Zumeist wurde nur das auf adligen Liebhaber und armes Bürgermädchen bezogene Schema der Trivialliteratur auf die neuen Industrieverhältnisse übertragen.

Wie Heß widersprach Marx den von den Gebildeten formulierten Allgemeinbegriffen über Gesellschaft, Menschheit und Individuum, indem er die Klassengebundenheit der bürgerlichen Intelligenz und ihrer Begriffe darlegte. In der Begegnung mit der entstehenden Arbeiterbewegung und dem französischen Sozialismus gelangte Marx über Heß hinaus zur Verknüpfung der Philosophie mit dem in der Industrialisierung ständig wachsenden Proletariat: die Philosophie könne sich nicht verwirklichen ohne die Aufhebung des Proletariats, das Proletariat sich nicht aufheben ohne die Philosophie.[29] Damit wurde zum erstenmal für die bürgerlichen Intellektuellen »die Überschreitung der eigenen Klassenlage als theoretisches und praktisches Problem« angesprochen.[30]

Die meisten Vormärzintellektuellen hielten am »Kultus des Allgemeinen« fest. Die politische Durchdringung der gesellschaftlichen Phänomene fiel schwer, wenn, wie Engels 1847 bemerkte, »die revolutionären Elemente selbst noch zu unentwickelt« waren und andererseits die »von allen Seiten umgebende chronische Misère zu erschlaffend« war, als daß man »sich darüber erheben, sich frei zu ihr verhalten und sie verspotten könnte, ohne selbst wieder in sie zurückzufallen«. (MEK 2, 217 f.) Der Druck der deutschen Zensur förderte die Neigung, die Probleme einer Umwandlung der Gesellschaft mit ästhetischen und philosophischen Kategorien anzugehen, was oft genug den Sinn für gesellschafts- und staatsbezogenes Denken gänzlich abschnürte. Die Intelligenz focht gegen Hof, Adel und Kirche, die, bildungsfeindlich und zensurbesessen, das Individuum an seiner freien Entfaltung hinderten. Es fiel nicht schwer, sich bei diesen Gegnern zum Anwalt der Menschheit aufzuschwingen. Der Intellektuelle konnte mit den Allgemeinbegriffen für seine freie Entfaltung in der deutschen Gesellschaft vieles Konkrete mitdenken. Er legte manches anders aus als der liberale Geschäftsmann. Indem er die innere Freiheit auf die äußere, politische Existenz zu übertragen suchte, folgte er nicht zuletzt dem Humanitätsideal der deutschen Klassik.

Als die Revolution 1848 im Gefolge von Wirtschaftskrise und Hungersnöten Gestalt annahm, woran das mutige Vorgehen von Handwerkern und Arbeitern in den großen Städten wichtigen Anteil hatte, zeigte es sich dann allerdings, daß die langwährende Distanz zur politischen Praxis, zu der die Philosophie häufig nur eine »Komplementärideologie«[31] darstellte, nicht in einem einzigen Anlauf überwunden werden konnte. In den Diskussionen, vornehmlich in der Frankfurter Nationalversammlung, gewann die Frage der Nation zunehmend Übergewicht über die praktische Demokratisierung eines feudalen Länderkonglomerats. Die Selbstbestimmung, noch im März 1848 für universell gültig erklärt, wandte man vier Monate später nur noch auf Deutsche an, sobald deutsche Ansprüche mit den Rechten anderer Völker in Konflikt gerieten.[32] Nur die linken Demokraten protestierten dagegen. Die Revolution endete nicht nur mit einer Niederlage, sondern auch mit einem neuen Nationalgefühl, das die Niederlage der demokratischen Revolution einbezog. Der Nationalismus wurde nicht zum Verbündeten politisch-demokratischen Denkens, sondern zu dessen Ersatz. Mit dem Umschlag 1848 blieb die deutsche Intelligenz an ihn gefesselt.

Nur wenige Vertreter der Vormärzintelligenz hielten über Bismarcks Reichsgründung hinaus ihren demokratischen Vorstellungen die Treue. Wer es tat, wie Georg Herwegh, stand isoliert.

Hinter der Lehre der Nation trat die von der Klasse weit zurück. Heinrich Heine war sich dessen bewußt. Er vermochte am klarsten zu beschreiben, was so unklar an der deutschen Gesellschaft und speziell an der deutschen Intelligenz war und blieb. Heine lieferte mit seiner Schrift *Zur Geschichte der Religion und Philosophie in Deutschland* schon 1835 eine erste große Einschätzung der deutschen Entwicklung im Übergang von der »Kunstperiode« zur Moderne. Er hob den schöpferischen Beitrag der deutschen Philosophie in seinen politischen Konsequenzen hervor. Aber er gab sich keinen Illusionen über die Triebkräfte hin, welche die ›deutsche Revolution‹ zu einem besonderen Ereignis der Weltgeschichte machen würden, behielt stets die Ambivalenzen dieses Weges zwischen Links und Rechts im Auge.

Am Ende der erwähnten Schrift ging Heine darauf ein, daß »die deutsche Jugend, versenkt in metaphysische Abstraktionen, der nächsten Zeitinteressen vergaß und untauglich wurde für das praktische Leben«. Er erwähnte die Kritik an diesem Verhalten, gab jedoch zu bedenken, daß eine endgültige Bewertung erst von späteren Generationen vollzogen werden könne: »Die deutsche Philosophie ist eine wichtige, das ganze Menschengeschlecht betreffende Angelegenheit, und erst die spätesten Enkel werden darüber entscheiden können, ob wir dafür zu tadeln oder zu loben sind, daß wir erst unsere Philosophie und hernach unsere

Revolution ausarbeiteten.«[33] Trotzdem vermochte Heine einige Charakterzüge, die den späteren Generationen nur allzu bekannt sind, schon zu benennen, vor allem im Hinblick darauf, wie aus der Isolation gegenüber der gesellschaftlichen Erscheinungswelt ein um so heftigerer Angriff auf die Weltordnung erfolgen würde:

»Laßt euch aber nicht bange sein, ihr deutschen Republikaner; die deutsche Revolution wird darum nicht milder und sanfter ausfallen, weil ihr die Kantsche Kritik, der Fichtesche Transzendentalidealismus und gar die Naturphilosophie vorausging. Durch diese Doktrinen haben sich revolutionäre Kräfte entwickelt, die nur des Tages harren, wo sie hervorbrechen und die Welt mit Entsetzen und Bewunderung erfüllen können. Es werden Kantianer zum Vorschein kommen, die auch in der Erscheinungswelt von keiner Pietät etwas wissen wollen und erbarmungslos, mit Schwert und Beil, den Boden unseres europäischen Lebens durchwühlen, um auch die letzten Wurzeln der Vergangenheit auszurotten. Es werden bewaffnete Fichteaner auf den Schauplatz treten, die in ihrem Willensfanatismus weder durch Furcht noch durch Eigennutz zu bändigen sind; denn sie leben im Geist, sie trotzen der Materie.«

Und an die Franzosen gewendet:

»Lächelt nicht über den Phantasten, der im Reiche der Erscheinungen dieselbe Revolution erwartet, die im Gebiete des Geistes stattgefunden. Der Gedanke geht der Tat voraus, wie der Blitz dem Donner. Der deutsche Donner ist freilich auch ein Deutscher und ist nicht sehr gelenkig und kommt etwas langsam herangerollt; aber kommen wird er, und wenn ihr es einst krachen hört, wie es noch niemals in der Weltgeschichte gekracht hat, so wißt: der deutsche Donner hat endlich sein Ziel erreicht.«[34]

Bisweilen wird Ironie zum wichtigsten Element des Realismus. Heine ging weit über die Selbsteinschätzung der Deutschen hinaus. Sie vergaßen es ihm nicht.

3. Heine, Hegel und die politische Literatur

Für die Begründung der modernen politischen Literatur in Deutschland besitzt Heinrich Heine zentrale Bedeutung. Er lernte die Dialektik der Emanzipation eines neuen Zeitalters, die Hegel aus der Geschichte entwickelte, auf seine Weise zu gebrauchen. Heine begrüßte die Programmatik Saint-Simons vom neuen Industriezeitalter, in dem das Heil des Menschen vom Menschen selbst kommen würde. Es hieß bei Saint-Simon: »Das goldene Zeitalter der Menschheit liegt nicht hinter uns, es liegt vor uns, es liegt in der Vollkommenheit der sozialen Ordnung; an uns ist es, ihm den Weg zu bahnen.«[35] Heine suchte diesen Impuls voranzutreiben, verwies auf die Forderung des Volkes nach voller Anteilnahme an den irdischen Gütern. Den von den Saint-Simonisten gegen den Spiritualismus abgegrenzten Sensualismus rückte er ins Zentrum und formulierte berühmte Worte über die neue Art der Revolution, die den rousseauischen Rigorismus abstreifen würde:

> »Wir wollen keine Sansculotten sein, keine frugale Bürger, keine wohlfeile Präsidenten; wir stiften eine Demokratie gleichherrlicher, gleichheiliger, gleichbeseligter Götter. Ihr verlangt einfache Trachten, enthaltsame Sitten und ungewürzte Genüsse; wir hingegen verlangen Nektar und Ambrosia, Purpurmäntel, kostbare Wohlgerüche, Wollust und Pracht, lachenden Nymphentanz, Musik und Komödien.«[36]

Das war Wunsch, nicht Prophezeiung. Heine bewertete die Revolution nicht nur unter sensualistischen Vorzeichen. Er deutete schon Mitte der dreißiger Jahre die Verbindung von Philosophie und politischer Revolution an. Als er 1844/45 in Paris engen Austausch mit Marx pflegte, war dieser dabei, die Verbindung von Philosophie und proletarischer Revolution herzustellen.

Im allgemeinen aber sah Heine, der sich 1840—1842 intensiver mit dem Kommunismus beschäftigte, diese Be-

wegung unter dem Vorzeichen der Lehren von Gracchus
Babeuf (1760–1797), die seit Mitte der dreißiger Jahre in
Frankreich unter den Führern des Proletariats besonderen
Einfluß erlangten und vielfach das Urteil (und die Abwehr)
der Zeitgenossen prägten.[37] Hieraus rührt Heines zwiespäl-
tige Haltung zum Kommunismus. Wenn er 1841 den »un-
zeitigen Triumph der Proletarier« als ein »Unglück für die
Menschheit« bezeichnete, »indem sie, in ihrem blödsinnigen
Gleichheitstaumel, alles, was schön und erhaben auf dieser
Erde ist, zerstören und namentlich gegen Kunst und Wissenschaft ihre bilderstürmende Wut auslassen würden«[38],
so dürfte sich diese Polemik vor allem gegen den Neo-
Babouvismus gerichtet haben. Heine zielte zugleich auf den
»Rigorismus« Rousseaus, den er, in der Gefolgschaft des
ihm näherstehenden Voltaire, ablehnte. Im Resümee über
»Rousseaus Partei«, zu der er Robespierre rechnete, formulierte er selbst seine zwiespältige Einstellung: »Ich bin nicht
tugendhaft genug, um jemals dieser Partei mich anschließen
zu können; ich hasse aber zu sehr das Laster, als daß ich
sie jemals bekämpfen werde.«[39] Zwar konstatierte er in der
Lehre von Marx, wie er sie verstand, die Überwindung dieser Form des Kommunismus[40], doch hielt er gegen Ende
seines Lebens an den Befürchtungen gegenüber Kunstfeindlichkeit und Gleichmacherei der babouvistischen Konzeption
fest.

Hierher gehören die vielzitierten Worte der französischen Vorrede zu *Lutetia* (1855), daß das Geständnis, den Kommunisten
gehöre die Zukunft, nur mit »Grauen und Schrecken« geschehe:
jene »dunklen Bilderstürmer« würden »erbarmungslos alle Mar-
morbilder der Schönheit, die meinem Herzen so teuer sind«, zer-
schlagen, »meine Lorbeerwälder« umhacken und darauf Kartof-
feln pflanzen, »und ach! mein ›Buch der Lieder‹ wird der Kraut-
krämer zu Tüten verwenden, um Kaffee oder Schnupftabak darin
zu schütten für die alten Weiber der Zukunft. Ach! das sehe ich
alles voraus, und eine unsägliche Betrübnis ergreift mich, wenn
ich an den Untergang denke, womit das siegreiche Proletariat
meine Gedichte bedroht, die mit der ganzen alten romantischen
Weltordnung vergehen werden. Und dennoch, ich gestehe es frei-
mütig, übt ebendieser Kommunismus, so feindlich er allen mei-

nen Interessen und Neigungen ist, auf mein Gemüt einen Zauber, dessen ich mich nicht erwehren kann; in meiner Brust sprechen zwei Stimmen zu seinen Gunsten, zwei Stimmen, die sich nicht zum Schweigen bringen lassen, die vielleicht nur diabolische Einflüsterungen sind — aber ich bin nun einmal davon besessen, und keine exorzierende Gewalt kann sie bezwingen.«[41]

Heine zog den Trennungsstrich zwischen der »Kunstperiode« und der neuen, von der politischen Revolution dominierten Zeit. Er lieferte den Ansatz zu einer neuen Literatur, die sich mit ihrer Zeit »in begeistertem Einklang« befinden werde. Aber er reflektierte auch die Schwierigkeiten, die der Kunst in der zunehmend kommerzialisierten Gesellschaft begegneten, und trat in den vierziger Jahren der Fixierung der Literatur auf bloße Tendenz entgegen. Die *Lutetia*-Passage macht deutlich: Heine begrüßte die Heraufkunft des Volkes, er war vom Kommen des Kommunismus überzeugt, aber er fürchtete um die Autonomie der Kunst, die er in ihrer Stellung zur kapitalistischen Gesellschaft auf ebenfalls neue — politische — Weise bestimmte. Auch bei ihm, der die Massen als die »Helden der neuern Zeit« bezeichnet hatte, läßt sich das Schwanken »zwischen einer populistischen Identifizierung mit dem Volke und einer starken Befürchtung, daß die Massenkultur die humanistischen Werte bedrohe«, erkennen, das Künstler und Intellektuelle seit der Industrialisierung kennzeichnet.[42] Für Heine, dessen Denken von progressiven Zeitgenossen oft als elitär angegriffen wurde, war jene Identifizierung geschichtsphilosophisch vermittelt. Im Gedicht *Die Wanderratten*, wohl im selben Jahr wie die *Lutetia*-Vorrede entstanden, traf er im Bild der Ratten die Angstvorstellung des Bürgertums vor dem Proletariat, doch umspannt die Ironie dieser Verse die »Grundspannung zwischen Abgestoßen- und Angezogensein«[43], die für ihn selbst galt. Zu seiner Modernität gehört auch dieser Zug hinzu, wenngleich seitdem genauer zwischen der Akkumulation proletarischer Massen in Industrie und Großstadt und den sozialistischen Programmen und Parteien unterschieden worden ist.

Vor allem aber hat man Heines Modernität in Hinsicht

auf Programm und Praxis seiner politischen Kunst herausgestellt, etwas, was ein Teil der deutschen Schriftsteller nach
1830 begrüßte und für die Auseinandersetzung mit den
politischen und sozialen Veränderungen in Ansätzen übernahm. Der Blick zurück vom 20. Jahrhundert, speziell von
Brechts ästhetischer Position, trifft hier auf eine neuartige
Vereinigung von Poesie, Kritik und Dokumentation.[44] Sie
grenzt sich von dem ebenfalls aus dem 19. Jahrhundert
übernommenen Konzept des geschlossenen, ästhetisch in
sich erfüllten Kunstwerkes nachdrücklich, wenn auch mit
wichtigen Übergängen ab. Man hat auf das in der ersten
Hälfte des 19. Jahrhunderts voll anerkannte und in den
Romanen von Jean Paul verehrte Prinzip der Stilmischung
hingewiesen, das von Heine auf neue Weise angewendet
wurde.[45] Wenn Heine von deutschen Schriftstellern und
Literaturhistorikern seit der zweiten Hälfte des vorigen
Jahrhunderts immer mehr zu einem gefährlichen Außenseiter abgestempelt worden ist, so spielte seine politische
Stellungnahme die zentrale Rolle. Doch nahm man ihm
seine Respektlosigkeit vor den etablierten Werten deutschen
Spießbürgertums auch im Bereich der Formen übel, und nur
dort, wo Zweckformen generell Anerkennung fanden, ehrte
man ihn auch als innovativen Künstler. Mit ihm gewinnt
die Parole »Die ganze große Welt der literarischen Zweckformen soll rehabilitiert werden!«[46] besondere Kontur.
Heine bietet dazu mit seinen Äußerungen, welche die progressive Haltung zum Sozialismus einschließen, einen wichtigen Ansatzpunkt.

Die Bedeutung der politischen und ästhetischen Um-
bruchsphase um 1830 wußte Heine eindringlich zu formulieren. Im Prosawerk *Französische Maler*, das er kurz nach
der Ankunft in Paris 1831 anläßlich einer großen Gemälde-
ausstellung verfaßte, heißt es:

»Meine alte Prophezeiung von dem Ende der Kunstperiode, die
bei der Wiege Goethes anfing und bei seinem Sarge aufhören
wird, scheint ihrer Erfüllung nahe zu sein. Die jetzige Kunst muß
zugrunde gehen, weil ihr Prinzip noch im abgelebten, alten Regime, in der heiligen römischen Reichsvergangenheit wurzelt.

Deshalb, wie alle welken Überreste dieser Vergangenheit, steht sie im unerquicklichsten Widerspruch mit der Gegenwart. Dieser Widerspruch und nicht die Zeitbewegung selbst ist der Kunst so schädlich; im Gegenteil, diese Zeitbewegung müßte ihr sogar gedeihlich werden, wie einst in Athen und Florenz, wo eben in den wildesten Kriegs- und Parteistürmen die Kunst ihre herrlichsten Blüten entfaltete.«[47]

Natürlich bedeutete das Postulat einer neuen Kunst aus einer politisch ›neuen‹ Zeit, für sich genommen, nichts Neues. Sie geschah, wie erwähnt, bei Schriftstellern dieser Periode, die in Erwartung der kommenden Revolution schrieben, in verschiedenen Variationen. Heines spezieller Beitrag liegt vor allem darin, wie er die »Zeitbewegung« für die Kunst und die Kunst für die »Zeitbewegung« fruchtbar machte. Er gewann den Gattungen Feuilleton, Essay, Brief und Reisebild neue Wirkungsmöglichkeiten ab. Er entwickelte die reflektierte Subjektivität zum brillanten (wenn auch als vorläufig betrachteten) Medium einer Verschränkung von künstlerischer Aussage und politisch-ideologischer Erkenntnis. Momente, die sich für die Ästhetik der »Kunstperiode« und die darin ausgesprochene Idee der Kunst ausschließen, treten hier in ein Funktionsverhältnis zueinander: »Das ideologische Moment kann zur hermeneutischen Funktion poetischer Imagination, die poetische Imagination kann zur heuristischen Funktion der ideologischen Erfahrungsstruktur werden.«[48] Damit überschritt Heine bloße Publizistik, und man kann hier bereits den Ansatz zu jener Kunst umreißen, die, wie er sagte, mit ihrer Zeit in Einklang steht, »nicht aus der verblichenen Vergangenheit ihre Symbolik zu borgen braucht und die sogar eine neue Technik, die von der seitherigen verschieden, hervorbringen muß.«[49]

Heines Projektion läßt sich über Marx' Bemerkungen im *Achtzehnten Brumaire* hinweg mit ihren Implikationen für eine — mögliche — Literatur des proletarischen Kampfes verfolgen, die ihre Symbole nicht aus der verblichenen Vergangenheit borgt. Allerdings steht dabei die Möglichkeitskategorie im Vordergrund, und zwar mehr als Maßstab für

die tatsächlich produzierte sozialistische Literatur denn als
Brücke zu Bertolt Brecht und der von diesem mit Walter
Benjamin (1892–1940) und Hanns Eisler (1898–1962) seit
Ende der zwanziger Jahre verfolgten Ästhetik.

Heine führte Hegels Aussage vom »Zerfallen der Kunst«
auf seine Weise weiter, im Widerspruch.[50] Er vollzog Hegels Hinweis auf Reflexion und Kritik als Äußerungsformen
der Gegenwart[51] nach, projizierte aber die neue Kunst in
ein weiteres Stadium *nach* der Phase der »selbsttrunkensten
Subjektivität«. Zwar bestimmte die Verbindung mit politisch-ideologischer Aufklärung Heines Einschätzung des
eigenen Werkes, doch läßt er sich nicht allein darauf fest-
legen: dazu hielt er die Kommerzialisierung der Kunst im
Kapitalismus für zu bedrohlich, dazu kritisierte er in den
vierziger Jahren die politische Tendenzliteratur zu streng,
und dazu legte er eine zu große Distanz zwischen den
Künstler und die kommunistische Kunstpolitik. Vielmehr
berief er sich mit dem Stolz des Dichters auf seine Autonomie und Sonderstellung bei der Erfassung der Wirklichkeit.
Seine »politische Labilität«[52] hängt damit eng zusammen.

Man hat die Frage gestellt, ob Heine seine Absage an
Hegels Wort vom Ende der Kunst nicht mit einer Selbsteinschätzung verknüpfte, die Hegel in ebendiesem Wort als
inadäquat für die moderne Welt deklariert hatte, wenn er
davon sprach, daß die Kunst nicht mehr das höchste Or-
ganon der Wahrheit sei, d. h. nicht das Ganze aussage und
es nicht auf höchste Weise aussage.[53] Es scheint jedoch, als
ob eine andere Frage dem Exemplarischen dieser Position
besser gerecht würde, die Frage, ob Hegel, indem er der
Kunst in der Moderne trotzdem reiche Möglichkeiten vorzeichnete, nicht auch schon recht genau den Ort determinierte, an dem Heines Innovation geschah: dort nämlich,
wo sich der moderne Künstler, frei geworden von einem als
selbstverständlich vorausgesetzten Weltbild, seine Aufgabe
selbst sucht (was die charakteristische Reflexionsvielfalt der
modernen Kunst begründet, die ihre Legitimation beständig
zu erweisen hat).

Im generellen Verständnis künstlerischer Tätigkeit berührte sich Heine durchaus mit dem, was Hegel zur formalen und thematischen Freiheit moderner Kunst bemerkt hat und zwar im Hinblick darauf, daß »kein Inhalt, keine Form [...] mehr unmittelbar mit der Innigkeit, mit der *Natur*, dem bewußtlosen substantiellen Wesen des Künstlers identisch« sei, sowie im Hinblick auf das Postulat: »Besonders bedarf der heutige große Künstler der freien Ausbildung des Geistes, in welcher aller Aberglauben und Glauben, der auf bestimmte Formen der Anschauung und Darstellung beschränkt bleibt, zu bloßen Seiten und Momenten herabgesetzt ist, über welche der freie Geist sich zum Meister gemacht hat, indem er in ihnen keine an und für sich geheiligten Bedingungen seiner Exposition und Gestaltungsweise sieht, sondern ihnen nur Wert durch den höheren Gehalt zuschreibt, den er wiederschaffend als ihnen gemäß in sie hineinlegt.«[54]

Diese Einsichten hinderten Hegel nicht, das politische Engagement des Künstlers mit der Trennung von »poetischen« und »prosaischen« Zwecken abzuwerten. Für ihn und die an ihn anschließenden Theoretiker blieb die Darstellung der Wirklichkeit als Totalität die Basis des ästhetischen Urteils, und er projizierte den Begriff der »poetischen Darstellungsweise« nachdrücklich auf das Konzept eines Kunstwerks, das »eine in sich geschlossene und dadurch selbständige Totalität« repräsentiert. Im Abschnitt »Zweck der Kunst« seiner *Ästhetik* macht Hegel deutlich, wie wenig er die Tendenzkunst mit ihren Zweckformen schätzt, da das Kunstwerk mit der Forderung nach moralischer Belehrung »nur als ein nützliches Werkzeug zur Realisation dieses außerhalb des Kunstbereichs selbständig für sich geltenden Zwecks Gültigkeit haben würde«. Hegels Entgegnung, die auf viele Ästhetiker und Autoren bis hin zu Georg Lukács (1885–1971) große Wirkung ausübte, lautet:

»Hiergegen steht zu behaupten, daß die Kunst die *Wahrheit* in Form der sinnlichen Kunstgestaltung zu enthüllen, jenen versöhnten Gegensatz darzustellen berufen sei und somit ihren Endzweck in sich, in dieser Darstellung und Enthüllung selber habe.

Denn andere Zwecke, wie Belehrung, Reinigung, Besserung, Gelderwerb, Streben nach Ruhm und Ehre, gehen das Kunstwerk als solches nichts an und bestimmen nicht den Begriff desselben.«[55]

Die Konjunktive und solche Wendungen wie »behaupten«, »berufen sei«, die auch in anderen Passagen über dieses Thema anzutreffen sind, lassen jedoch den Postulatscharakter von Hegels Einstufung des ›Totalitätskunstwerks‹ hervortreten. Das Normative seiner ästhetischen Urteile und Forderungen ist eng mit seinem philosophischen Ganzheitsbegriff verbunden und zugleich von spezifischen historischen Umständen geprägt, insbesondere von der aktuellen Auseinandersetzung mit der Romantik. Es erweist sich, daß sich Hegels ästhetische Forderungen nicht voll mit der von ihm geschichtsphilosophisch entwickelten Historisierung der Kunst treffen. Mit der (säkularisierenden) Dialektik der Neuzeit, die Hegel als Geschichtsanalytiker desillusionierend vor Augen rückt, ist der Vorhang vor dem Geheimnis der Kunst schon weggezogen, den Hegel als Kunstverehrer nach wie vor in große Falten zu schlagen versucht.

Hegel schob die Tendenzkunst als ›Kunst‹ beiseite. Aber er lieferte längst schon die Einsichten in die Entstehungsbedingungen der modernen Kunst, einschließlich der Tendenzkunst. Und trotz der Feststellung, daß die moderne Kunst die Totalität in der sinnlichen Vergegenwärtigung nicht mehr voll zu fassen vermöge und damit hinter Wissenschaft und Religion zurücktrete, sprach er dem Konzept der Kunst als geschichtlicher Wahrheitsform des menschlichen Geistes weitere Legitimation zu.

Hegel verwies auf die beiden Modi, in denen sich die Selbstreflexion der Kunst bzw. des Künstlers mit der Wirklichkeit verbinde, den subjektivistischen und den objektivistischen. Stefan Morawski hat sie mit den seit Hegel gewonnenen Einsichten in dieser Weise charakterisiert: einerseits die »Flucht aus dem Leben in die Welt der Phantasie, des Unbewußten, der mystischen Erlebnisse usw.«, andererseits die »Identifizierung der Kunst mit dem Leben«. Woran die Erklärung im Hinblick auf die Prosa geknüpft ist:

»Einerseits kann man z. B. in der Literatur eine Orientierung feststellen, die eine Brechung der traditionellen Narration, eine Hyperbolisation und nur einen Umriß der Situation und Personen, ein Mischen der Zeiten und eine Akzentuierung der Dimensionen der subjektiven Vision anstrebt, — diese Linie führt von Proust über Kafka zum heutigen Antiroman. Andererseits ist eine Orientierung sichtbar, die die Reportage, die Publizistik, die behavioristische Prosa und die Essayistik als den Kern des Romans anstrebt.«[56] Dafür nennt Morawski die Werke von Kisch, Hemingway, Dos Passos und die halb-essayistische Prosa neuerer Autoren.

Mit der Rehabilitierung der literarischen Zweckformen gewinnt die letztere Orientierung ihre Beispiele nicht nur aus dem 20. Jahrhundert (wo natürlich neben Prosa auch Theater und Lyrik einzubeziehen sind). Im 19. Jahrhundert ragt Heine hervor; am brillantesten wies er dem objektivistischen Ansatz in der deutschen Literatur die Richtung aufs Politisch-Ideologische.

Damit soll Heine nicht aus dem literarischen und historischen Kontext herausgelöst und auf einen einsamen Sockel gestellt werden. Zweifellos kommt auch Ludwig Börne, der die Jakobinertradition einbrachte, ein wichtiger und eigentümlicher Anteil zu[57], und es ließen sich zahlreiche Beiträge der Jungdeutschen und Junghegelianer aufweisen. Hegels Ästhetik stellte eine große Herausforderung dar und wirkte auch dort, wo seinen ästhetischen Postulaten widersprochen wurde. Seine Aussage über das Ende der Kunst im modernen Zeitalter, die auf die Auswirkungen der ökonomischen Zustände (des Kapitalismus) anwendbar war, ließ sich in Verbindung mit der Idee des gesellschaftlichen Umbruchs zugleich als Versprechen für einen Neuanfang interpretieren. Mit der Revolution würde auch der Weg zu einer neuen Kunst frei.

In diesem Zusammenhang muß auch Georg Gottfried Gervinus (1805—1871) erwähnt werden, der sich den neuen Möglichkeiten der Kunst gegenüber wesentlich kühler verhielt. Er sah den Auftrag der Kunst in Deutschland zunächst

erst einmal als erfüllt an. Nachdem die deutsche Klassik —
an deren Überhöhung und Stilisierung er mitarbeitete — die
geistige und kulturelle Einigung gebracht habe, müsse endlich die Politik nachziehen. Immerhin nahm er in seiner
einflußreichen *Geschichte der poetischen National-Literatur
der Deutschen* Goethes Überlegungen darüber auf, daß es
»das mangelnde Staatsleben war, was unsere Literatur dar-
niederhielt«, und widersprach Goethes Wort: »Wir wollen
die Umwälzungen nicht wünschen, die in Deutschland klassische Werke vorbereiten könnten.« *(Literarischer Sans-
culottismus)* Gervinus wünschte diese Umwälzungen und
arbeitete darauf hin, daß sie auch von den Zeitgenossen
gewünscht wurden. Erst mit den Veränderungen könne eine
Regierung entstehen, die »des Volkes innere Kräfte schätzen
lerne und ihnen Spielraum gäbe«.[58]

4. Exemplarische politische Lyrik:
Heine, Weerth, Freiligrath

Heines Ruhm als politischer Dichter bezog sich in der
Arbeiterbewegung zumeist nicht auf seine Prosa, sondern
auf seine Lyrik. Die Gedichte dienten sozialdemokratischen
Autoren als Vorbild für Spott, Ironie und Satire. Ihre Spuren lassen sich im *Wahren Jacob*, dem satirischen Unterhaltungsblatt der Sozialisten, und anderen satirischen Zeitungen seit Anfang der siebziger Jahre verfolgen. Besonders
während des Sozialistengesetzes, als ein offenes Bekenntnis
zu den sozialistischen Zielen gefährlich war, erhielten satirische und humoristische Beiträge die sozialdemokratische
Kritik am Reich und seinen herrschenden Mächten lebendig
und faßbar. Unter dem Vorzeichen Heines gab es zudem
manche Berührungen mit bürgerlich-oppositionellen Schriftstellern.

Dennoch betrachtete man Heine keineswegs als *den* politischen Dichter für die Arbeiterklasse — was er gewiß selbst
bestätigt hätte. Im Literaturverständnis der deutschen Sozialisten kam dem Appell und dem ritualisierten Bekenntnis

größere Bedeutung zu als der reflektiert-ironischen Stellungnahme. Wenn auch die individuelle Rezeption, die Heines
Gedichte zumeist voraussetzten, keineswegs abgewertet
wurde — ihre große Bedeutung unter den Bedingungen politischer Verfolgung oder in den isolierten Lebensumständen
des Alltags erwies sich immer wieder —, so tendierte man
in der Partei doch zu denjenigen Formen, die das Wir-Er-
lebnis erzeugten oder bestätigten. Etwas Feierliches mußte
dabei sein, ob nun öffentlich gesungen und rezitiert wurde
oder nicht, ein Stück Selbsterhebung über den mühseligen
Alltag hinaus, auch und gerade wo es um ein kämpferisches
Bekenntnis ging. Indem die Sozialdemokratie das Gefühl
der Zugehörigkeit zu einem Ganzen zu erzeugen suchte und
nicht nur Anhänger einer politischen Richtung zusammenführte, gewann die ritualisierte und ritualisierende Literatur
ihre zentrale Funktion. In den Anfängen, etwa bei Jakob
Audorf, kam das bisweilen einem religiösen Kult nahe; die
christlich-religiöse Metaphorik spielte neben der militärischen und der von den Demokraten und Liberalen gebrauchten, auf die Jakobiner zurückgehende Metaphorik
zweifellos eine wichtige Rolle.

Heine schrieb keine Appellyrik wie Freiligrath und Herwegh. Die einzigen Verse von ihm, die wie ein Appell gebraucht wurden, und zwar speziell in den neunziger Jahren,
als man über den Zukunftsstaat debattierte sowie die Frage,
ob man über sein Aussehen schon debattieren sollte, stammen aus dem *Wintermärchen*, Caput I. Bebel zitierte sie
unter großem Beifall auf einem Parteitag:

> »Ein neues Lied, ein besseres Lied,
> O Freunde, will ich euch dichten!
> Wir wollen hier auf Erden schon
> Das Himmelreich errichten.
>
> Wir wollen auf Erden glücklich sein,
> Und wollen nicht mehr darben;
> Verschlemmen soll nicht der faule Bauch,
> Was fleißige Hände erwarben.

> Es wächst hienieden Brot genug
> Für alle Menschenkinder,
> Auch Rosen und Myrten, Schönheit und Lust,
> Und Zuckererbsen nicht minder.
>
> Ja, Zuckererbsen für jedermann,
> Sobald die Schoten platzen!
> Den Himmel überlassen wir
> Den Engeln und den Spatzen.«[59]

Heine sprach im »wir«, ließ aber mit der Anrede »o Freunde« eine gewisse Distanz zu den Akteuren bestehen. Diese Distanz hat man auch in seinem berühmten Gedicht *Die schlesischen Weber* festgestellt, das 1844 unter dem Titel *Die armen Weber* im Pariser *Vorwärts* erschien und mit den Zeilen beginnt:

> »Im düstern Auge keine Träne,
> Sie sitzen am Webstuhl und fletschen die Zähne:
> Deutschland, wir weben dein Leichentuch,
> Wir weben hinein den dreifachen Fluch —
> Wir weben, wir weben!«

Heine knüpfte hier wohl an ein französisches Lied von 1831 an, den *Chant des canuts* mit der Formel »Nous tisserons le linceul du vieux monde«.[60] Er solidarisierte sich mit dem Kampf des Proletariats, doch blieben die Weber eine anonyme Masse, leidend, drohend und fluchend. Eine solche Typisierung fand auch in späterer Zeit Verwendung, als man die geballte Masse als revolutionäre Kraft sichtbar zu machen suchte. Allerdings entsprach gerade das nicht dem erhöhenden, allegorisierenden Wir-Appell der Partei.

Im Weber-Gedicht fällt ausnahmsweise die Ironie zugunsten des Pathos ganz weg. Heines Lyrik, die sich wie die Prosa an ein progressives bürgerliches Publikum wandte, ist von Ironie getragen — so weit eben Ironie trägt: dorthin, wohin man als Leser selbst bereit ist mitzugehen. Diese Lyrik, oft der Frivolität und des Nihilismus bezichtigt, fordert das Mitgehen, fordert die individuelle Denkanstrengung (und stand damit oft in einem überlegenen Kampf mit der Zensur). Dafür ist man unter dem Eindruck von Brechts

Lyrik inzwischen besonders aufgeschlossen: »Heines iro-
nische Texte beabsichtigen zwar politische Aufklärung,
geben aber die Erkenntnis nicht unmittelbar heraus, machen
sie vielmehr dem Leser zur Aufgabe.«[61]

Allerdings läßt sich das nicht ganz von der Rezeptions-
voraussetzung ablösen: es ist stark auf den bürgerlichen
Leser bezogen, genauer auf denjenigen Leser, der der Desillusionierung über die Zustände bedarf, die für ihn zumeist
noch recht angenehm sind. Die einfache Projektion auf den
Arbeiter, vor allem im 19. Jahrhundert, birgt gewisse Gefahren. Hierbei muß reflektiert werden, daß die Desillusionierung wohl große politische Wirkung besaß und besitzt,
aber als intellektueller Akt nicht selbst schon zum politischen Wert wird. Zu oft erhöht der Intellektuelle — derjenige, der weiß, daß die Desillusionierung nötig ist — in
seinem Eintreten für das Proletariat oder den Sozialismus
den Akt des Desillusionierens und Erkennens selbst schon
zur politischen Tat. Gerade das behält für den Arbeiter
häufig etwas Bürgerliches, wenn man will: etwas Intellek-
tuelles.

Hierin dürften einige der Gründe zu finden sein, warum
diese Literatur gegenüber der Appelliteratur unter Sozialisten in den letzten Jahrzehnten des 19. Jahrhunderts nicht
stärker zur Geltung kam. In der Arbeiterbewegung verstand man unter Literatur und Theater häufig genug das,
was im Künstlerischen über das alltägliche Arbeitsdasein
hinauszielt, sei es politisch stimulierend, ideal voraus-
nehmend oder einfach Anteilnahme gewährend.

In diesem Zusammenhang steht auch die Tatsache, daß
der von Heine beeinflußte Georg Weerth, den Engels als
den »ersten und bedeutendsten Dichter des deutschen Proletariats« bezeichnete (MEK 2, 296 f.), in der deutschen Arbeiterbewegung fast in Vergessenheit geriet, bis sein Werk
in den fünfziger Jahren in der DDR von Bruno Kaiser
ediert wurde. (In der Sowjetunion hatte man sein Andenken
besser bewahrt als in Deutschland.) Engels sprach nicht von
einem proletarischen Dichter, denn »Weerth gehörte zu
jenen bürgerlichen Intellektuellen, die sich unter dem Ein-

fluß der entstehenden Arbeiterbewegung und des sich her-
ausbildenden wissenschaftlichen Sozialismus für die Sache
des Proletariats entschieden und, wie es im *Kommunistischen Manifest* heißt, zum theoretischen Verständnis der
ganzen geschichtlichen Bewegung hinaufgearbeitet hatten.«[62] In dieser Position wurde der Kaufmann Georg
Weerth zu einem der glänzendsten Kritiker von Bürgertum
und Adel in Deutschland, der in der (dünnen) Linie von
Heine zu Heinrich Mann und Kurt Tucholsky (1890—1935)
zu plazieren ist, mit seinen Gedichten und Tagesbeiträgen,
vornehmlich in der *Neuen Rheinischen Zeitung,* ebenso wie
mit den *Humoristischen Skizzen aus dem deutschen Han-
delsleben* (1845—1848) und *Leben und Taten des berühmten Ritters Schnapphahnski* (1849).

Franz Mehring, der über Weerth im wesentlichen Engels'
Hinweise paraphrasierte, während er bei der Würdigung
Freiligraths sehr blumig und ausführlich schrieb, hob jedoch
hervor, daß dieser »Prinz aus Genieland, leicht einherschrei-
tend in funkelnder Rüstung und mit blitzendem Schwert,
kein Spaßmacher und Witzereißer des bürgerlichen Schlages« sei. Weerth war der erste deutsche Autor, der über die
Elendsschilderung hinausging und das Proletariat auch in
seiner Stärke darstellte, als kommenden Akteur des gesellschaftlichen Geschehens. Das geschah nicht allegorisch wie
in Freiligraths *Ça ira (Von unten auf!),* sondern realistisch,
was allerdings nur durch die Begegnung mit dem kämpferischen englischen Proletariat möglich wurde, das Weerth
1843—1845, teilweise gemeinsam mit Engels, bei seiner
kaufmännischen Tätigkeit genau kennenlernte. Aus diesen
Erfahrungen entwickelte er in Anlehnung an Shelley, Burns
und die selbstbewußte Chartistenpoesie eine eigenständig
vitale, volkstümliche Lyrik, die *Lieder aus Lancashire.* Die
Reportage *Das Blumenfest der englischen Arbeiter* schloß er
mit der Vision, daß der Arbeiter mit seiner Liebe zur Natur
einst »eine frische Literatur, eine neue, gewaltige Kunst
durch die Welt« führen werde.

Nach einer Anfangsphase im Zeichen von Heine und der Romantik formulierte Weerth die von Feuerbach inspirierten Ideen

einer gesellschaftlichen, wirtschaftlichen, technischen und — was Engels besonders lobte — sinnlichen Befreiung des Menschen zunächst in pathetischen Hymnen, die teilweise an Schillers philosophische Gedichte anknüpfen. Weerths Gedicht *Die Industrie* (1845) nimmt den Ton von Schillers Elegie *Die Götter Griechenlands* auf.[63] Nicht nur den Ton. Weerth projizierte Schillers Ideal vom harmonischen freien Menschen in eine nahe Zukunft, in welcher der Mensch — der Arbeiter — die Verfügungsmacht über die Industrie — »die Göttin unsrer Tage« — gewinnt, so daß sich der von Schiller resigniert gepriesene Menschheitstraum mit Hilfe des Sozialismus doch noch verwirklichen kann:

> »Der Arbeit Not, die niemand lindern wollte,
> Sie war's, die *selbst* den Fels beiseite rollte!
> Dann ist's vollbracht! Und in das große Buch,
> Das tönend der Geschichte Wunder kündet,
> Schreibt man: ›Daß jetzt der Mensch sich selbst genug,
> Da sich der Mensch am Menschen nur entzündet.‹
> Frei rauscht der Rede lang gedämpfter Klang,
> Frei auf der Erde geht des Menschen Gang!
> Und die Natur mit zaubervollem Kusse
> Lockt die Lebend'gen fröhlich zum Genusse!«

Mit diesen Schlußworten führte Weerth die aufwühlende Begegnung mit der Industrie und ihrer Entmenschlichung zu einem feuerbachschen Finale: Vermenschlichung, Aufhebung der Entfremdung, Lebensgenuß. Mehr noch, seine künstlerische Prophetie verwies zugleich auf den Modus der Verwirklichung dieser Prophetie, den Kampf. Damit vermittelte Weerth dem von Schiller übernommenen Versprechenscharakter der Kunst eine Basis im realen geschichtlichen Geschehen.

Der ›hohe‹ Ton fand auch Aufnahme in Weerths 1843/44 konzipierten, 1847 abgebrochenen Roman über Adel, Bürgertum und Proletariat. In dem Romanfragment prägt dieser Ton die Idealisierung des aus England heimkehrenden Eduard als »ersten klassenbewußten Proletariers in der deutschen Literatur« und wird kontrastiert von der Satire des bürgerlichen Fabrikanten Preiss. In einzelnen Episoden, etwa bei den Gesprächen der Arbeiter in der Mittagspause, sprengt der Autor diese Poetik jedoch durch einen neuen sachlichen Realismus, der mit der Individualisierung der Proletarierfiguren auch in seinen Gedichten sichtbar wird.

Die *Lieder von Lancashire* verstehen sich in ihrem volkstümlichen Ton zugleich als Anregung zu kritischer Reflexion. Auch

hier ist mit der Aufforderung zur Beteiligung des Zuhörers am
Erkenntnisprozeß in einer Form, die Gefühl *und* Verstand akti-
viert, einiges von der poetischen Technik Brechts vorausgenommen.[64] Repräsentativ ist dafür Weerths Gedicht *Der Kanonen-
gießer* (1845):

>»Die Hügel hingen rings voll Tau;
>Da hat die Lerche gesungen.
>Da hat geboren die arme Frau —
>Geboren den armen Jungen.
>
>Und als er sechzehn Jahre alt:
>Da wurden die Arme strammer;
>Da stand er in der Werkstatt bald
>Mit Schurzfell und mit Hammer.
>
>Da rannt er den Öfen in den Bauch
>Die schweren Eisenstangen,
>Daß hell aus Schlacken und aus Rauch
>Metallne Bäche sprangen!
>
>Kanonen goß er — manches Stück!
>Die brüllten auf allen Meeren;
>Die brachten die Franzen ins Unglück
>Und mußten Indien verheeren. [...]
>
>Und immer goß der lust'ge Held
>Die blitzenden Geschütze:
>Bis ihm das Alter ein Bein gestellt,
>Die Fäuste wenig nütze.
>
>Und als sie versagten den Dienst zuletzt,
>Da gab es kein Erbarmen:
>Da ward er vor die Tür gesetzt
>Wohl unter die Krüppel und Armen.
>
>Er ging — die Brust so zornig weh,
>Als ob sie der Donner durchgrollte
>Von allen Mörsern, die er je
>Hervor aus den Formen holte.
>
>Doch ruhig sprach er: ›Nicht fern ist das,
>Vermaledeite Sünder!
>Da gießen wir uns zu *eignem* Spaß
>Die Vierundzwanzigpfünder.‹«

Engels pries an Weerth 1883 vor allem den Realismus des Sinnlichen. Er stellte diese Qualität im Vergleich mit Freiligrath, der in der Sozialdemokratie so hoch geschätzt wurde, gebührend heraus: »In der Tat sind seine sozialistischen und politischen Gedichte denen Freiligraths an Originalität, Witz und namentlich an sinnlichem Feuer weit überlegen. Er wandte oft Heinesche Formen an, aber nur, um sie mit einem ganz originellen, selbständigen Inhalt zu erfüllen.« (MEK 2, 298) Wie stark Engels die Hochstellung Freiligraths in der SPD verdroß, läßt sich daraus ersehen, daß er den Artikel im *Sozialdemokrat*, dem Exilorgan während des Sozialistengesetzes, zu einer generellen Kritik der unsinnlichen Lebensanschauung der deutschen Arbeiter und Sozialisten benutzte. Engels schrieb:

»Indes kann ich doch die Bemerkung nicht unterdrücken, daß auch für die deutschen Sozialisten einmal der Augenblick kommen muß, wo sie dies letzte deutsche Philistervorurteil, die verlogene spießbürgerliche Moralprüderie offen abwerfen, die ohnehin nur als Deckmantel für verstohlene Zotenreißerei dient. Wenn man z. B. Freiligraths Gedichte liest, so sollte man wirklich meinen, die Menschen hätten gar keine Geschlechtsteile. Und doch hatte niemand mehr Freude an einem stillen Zötlein als gerade der in der Poesie so ultrazüchtige Freiligrath. Es wird nachgerade Zeit, daß wenigstens die deutschen Arbeiter sich gewöhnen, von Dingen, die sie täglich oder nächtlich selbst treiben, von natürlichen, unentbehrlichen und äußerst vergnüglichen Dingen ebenso unbefangen zu sprechen wie die romanischen Völker, wie Homer und Plato, wie Horaz und Juvenal, wie das Alte Testament und die ›Neue Rheinische Zeitung‹.« (MEK 2, 299)

Engels, selbst ein lebensbejahender Mensch mit viel Sinn fürs Natürliche und Praktische, kannte nicht nur die Schwächen der Deutschen, sondern auch die der deutschen Sozialisten sehr genau. Wohl akzeptierte er den Humor und die Satire, die zu ihrem Kampf unterm Sozialistengesetz gehörten. Aber das hatte mit Heines und Weerths Sensualismus nicht viel zu tun. Es war kämpferisch, nicht vital und sinnlich. Das bestätigte sich in der Naturalismus-Debatte 1896, als die Delegierten die Diskussion der Literatur mit dem Vorwurf des Unanständigen fast erdrückten.

Dem entspricht auch die Tatsache, daß Paul Lafargues hedonistisch inspirierte Schrift *Das Recht auf Faulheit* (1883) in diesem Land nur wenig Resonanz fand. Sie richtete sich gegen die puritanische Vergottung der Arbeit in der neueren Zeit und wohl auch gegen einige Tendenzen im internationalen Sozialismus. Der halb satirische Essay kam, von Bernstein übersetzt, im selben Jahr (1883/84) wie Engels' Weerth-Artikel im *Sozialdemokrat* zum Abdruck. Er stand im Gegensatz zu Auffassungen, wie sie der ›Arbeiterphilosoph‹ Joseph Dietzgen (1828–1888) in dem Wort zusammenfaßte: »Arbeit ist der neue Heiland!« Lafargues Ideal, der natürliche Mensch, der die Arbeit haßt, da sie die Menschenwürde zerstört, traf sich nicht mit der sozialdemokratischen Programmatik.[65] Lafargues Mahnung lautete:

»Die revolutionären Sozialisten sind somit vor die Aufgabe gestellt, den Kampf, den einst die Philosophen und Satiriker des Bürgertums gekämpft, wieder aufzunehmen; sie haben wider die Moral und die Soziallehren des Kapitalismus Sturm zu laufen und in den Köpfen der zur Aktion berufenen Klasse die Vorurteile auszurotten, welche die herrschende Klasse gesät hat; sie haben allen Moralitätsheuchlern gegenüber zu verkünden, daß die Erde aufhören wird, das Tal der Tränen für die Arbeiter zu sein, daß in der kommunistischen Gesellschaft, die wir errichten werden — ›wenn es geht, friedlich, wenn nicht, mit Gewalt‹ —, die menschlichen Leidenschaften freien Spielraum haben werden, da alle, wie bereits Descartes sagte, ›von Natur aus gut sind; wir nur ihren falschen und übermäßigen Gebrauch zu vermeiden haben‹.«[66]

Angesichts eines solchen Appells fällt es nicht schwer, die Einseitigkeit des sozialdemokratischen Menschenbildes und die Abstraktheit der Zukunftserwartung hervorzuheben. Doch ist bereits genügend über die Hintergründe gesagt. An dieser Stelle sei angefügt, was sich im literarischen Verständnis abspiegelt: das Faktum, daß die Ausrichtung auf die Partei auf Kosten des von Engels und Lafargue umrissenen, natürlichen, individuellen und sinnlichen Konzepts des Sozialismus geschah. Ein Sozialdemokrat war derjenige, der das Ganze der Wirklichkeit in seiner Entwick-

lung zum Sozialismus schon vorfixiert wußte. Durch die
Partei hatte er daran aktiven Anteil. Die Literatur konnte
und sollte diese Zuordnung zum Ganzen nachvollziehbar
machen, indem sie sich ihm selbst — im Allegorischen — zuordnete. Ihre Rolle sah man nicht darin, die geschichtlich-
ökonomische Dialektik in der ästhetischen Immanenz neu
erstehen zu lassen. Man argwöhnte, daß der Leser über der
literarischen Totalität die in der Wirklichkeit sich enthül-
lende Totalität aus dem Auge verlieren könnte. Daraus
rührte die Vorliebe für das Bekenntnis und das Ritual ebenso wie die Skepsis gegenüber der Schaffung einer sozialistischen Literatur, deren Qualitäten in den etablierten bürgerlichen Kategorien zu messen war.

In diesem Zusammenhang sei der Blick noch einmal auf
Engels gerichtet. Er dürfte, als er 1885 den Roman *Die
Alten und die Neuen* der Schriftstellerin Minna Kautsky
(1837–1912) kritisierte, in einem wichtigen Punkte wohl
an den Intentionen der Autorin und der von ihr vertretenen
Literatur vorbeigegangen sein. Seine Kritik an dem in der
sozialdemokratischen Zeitschrift *Die Neue Welt* in Fortsetzungen veröffentlichten Werk lautete: »Es war Ihnen
offenbar Bedürfnis, in diesem Buch öffentlich Partei zu ergreifen, Zeugnis abzulegen vor aller Welt von Ihrer Überzeugung.« Das bedeutete zur Zeit des in Deutschland herrschenden Sozialistengesetzes nicht wenig. Wenn Engels hinzufügte: »Das ist nun geschehen, das haben Sie hinter sich
und brauchen es in dieser Form nicht zu wiederholen«, so
wandte er sich gegen etwas, das die Autorin möglicherweise
sehr bewußt tat. War nicht das Bekenntnis gerade diejenige
literarische Äußerung, die der Partei aus den dargelegten
Gründen am ehesten zusagte? Schließlich ging Engels von
der Annahme aus, daß der Roman für ein bürgerliches Publikum berechnet sei, was generell stimmen mochte, aber
nicht im Hinblick auf das für die *Neue Welt* geschriebene
Werk *Die Alten und die Neuen* (und natürlich andere Prosa
in der Parteipresse). Aus dieser Annahme erklärt sich sein
Hinweis darauf, daß der Roman vor allem desillusionieren
solle; mehr sei nicht nötig:

»Dazu kommt, daß sich unter unsern Verhältnissen der Roman vorwiegend an Leser aus bürgerlichen, also nicht zu uns direkt gehörenden Kreisen wendet, und da erfüllt auch der sozialistische Tendenzroman, nach meiner Ansicht, vollständig seinen Beruf, wenn er durch treue Schilderung der wirklichen Verhältnisse die darüber herrschenden konventionellen Illusionen zerreißt, den Optimismus der bürgerlichen Welt erschüttert, den Zweifel an der ewigen Gültigkeit des Bestehenden unvermeidlich macht, auch ohne selbst direkt eine Lösung zu bieten, ja, unter Umständen, ohne Partei ostensibel zu ergreifen.« (MEK 1, 156)

Aber das eben traf offensichtlich nicht die Intention einer Parteiliteratur, die sich an ein vorwiegend proletarisches Publikum wandte.

So blieb es auch bei der Ignoranz gegenüber Weerth und der Vorliebe für Freiligrath — zu Engels' Verdruß. Der Vorwurf der Abstraktheit, den man der Bekenntnisliteratur von Freiligrath und Herwegh schon in den vierziger Jahren gemacht hatte, wurde so lange abgewehrt, als deren revolutionärer Schwung mit der geschichtlichen Dynamik korrespondierte. Mit Kautskys Würdigung von Freiligrath im Jahr 1905 ist dazu bereits das Wesentliche gesagt worden. Doch ist — auch für die späteren Erscheinungsformen politischer Lyrik — aufschlußreich, wie die Appellyrik im Gegensatz zu der Reflexionslyrik Heines ihre Wirkung erzielt. Herweghs berühmter *Aufruf* mag als Zugang dienen:

»Reißt die Kreuze aus der Erden!
Alle sollen Schwerter werden,
Gott im Himmel wird's verzeihn.
Laßt, o laßt das Verseschweißen!
Auf den Amboß legt das Eisen!
Heiland soll das Eisen sein.

Deutsche, glaubet euren Sehern:
Unsre Tage werden ehern,
Unsre Zukunft klirrt in Erz.
Schwarzer Tod ist unser Sold nur,
Unser Gold ein Abendgold nur,
Unser Rot ein blutend Herz.«

Die Verse bedürfen kaum des Kommentars (allerdings des Hinweises, daß Herwegh diese Pathosformen ab 1843 zugunsten ›realistischerer‹ Aussageweisen zurückdrängte[67]). Von Anfang an arbeitet die Rhetorik in hoher Tonlage, reiht Bild an Bild. In dieser Reihung etabliert sich der Inhalt: Vergewisserung und Intensivierung der nationalen Kampfgesinnung. Die Zeile »Reißt die Kreuze aus der Erden!« wird als eine Art Leitmotiv variiert. Das Gedicht bricht ab, wie es beginnt — ein Bekenntniszeremoniell mit stark theatralischem Charakter. Die politische Liturgie des »entlaufenen Theologen« Herwegh wird von einem fiktiven Sprecher vorgetragen; er agiert als Protagonist, um den sich die Zuhörer versammeln, die den Aufruf mitvollziehen. Die Worte sind nicht nur theatralischem Ritual entnommen (Schwerter, Kreuze, Eisen etc.), sondern auch in rituellem Sinne verwendet. Die religiöse Metaphorik dient politischen, nicht religiösen Absichten.[68]

In seiner vielbeachteten Kritik an Herwegh hat Friedrich Theodor Vischer (1807—1887) in den *Kritischen Gängen* vom erfahrungslosen Enthusiasmus gesprochen und dem Poeten vorgeworfen, es werde nicht recht klar, gegen wen der blutige Kampf eigentlich geführt werden soll. Es dürfte dieser ablösbare Enthusiasmus sein, der Herweghs frühe Gedichte in der Arbeiterbewegung lebendig erhielt, während die späteren Gedichte, die sehr viel reflektierter, oft satirisch und parodistisch argumentieren, in den Hintergrund traten. Man wird dieser Form der Lyrik, wie festgestellt worden ist[69], nicht gerecht, wenn man wie Vischer das Politische in der Sprache nur auf der Ebene direkter, politisch gemeinter Aussagen ansetzt.

Noch intensiver läßt sich die Bedeutung des Mitvollzuges als Bekenntniszeremoniell in Freiligraths Lyrik fassen, deren mimisches Element seit jeher Bewunderung und Kritik erfahren hat.[70] In der Sammlung *Ça ira* ist dieses Element bereits voll entwickelt. Gedichte wie *Von unten auf!*, *Wie man's macht*, *Freie Presse* bieten mehr als die geläufige gleichnishafte Einkleidung politischer Parolen, indem sie Tat bzw. Tatgesinnung in einem theaterhaften Vorgang verlebendigen, dessen Mitvollzug sich sowohl als Vorausnahme der Revolution wie als poetisches Ersatzritual einordnen läßt. Mit den 14 Strophen von *Wie man's macht*, in denen aus einer improvisierten Hungerrevolte in flottem Tempo die Revolution hervorwächst, weckt Freiligrath die Tatbereitschaft — und befriedigt sie zugleich. Wie stark es auch hier auf die szenische Bewegung ankommt, nicht auf gedankliche Vertiefung, läßt sich bereits bei der Nebeneinanderstellung von erster und letzter Strophe erkennen:

»So wird es kommen, eh' ihr denkt: — Das Volk hat nichts zu
beißen mehr!

Durch seine Lumpen pfeift der Wind! Wo nimmt es Brot und
Kleider her? —

Da tritt ein kecker Bursch vor; der spricht: ›Die Kleider wüßt'
ich schon!

Mir nach, wer Rock und Hosen will! Zeug für ein ganzes
Bataillon!‹ [. . .]

Und wie ein Sturm zur Hauptstadt geht's! Anschwillt der Zug
lawinengleich!

Umstürzt der Thron, die Krone fällt, in seinen Angeln ächzt das
Reich!

Aus Brand und Blut erhebt das Volk sieghaft sein lang zertreten
Haupt: —

Wehen hat jegliche Geburt! — So wird es kommen, eh' ihr
glaubt!«

Vom Vorschlag des kecken Burschen bis zum gewaltigen Zug zur Hauptstadt intensiviert sich die Aktion in rascher Abfolge, szenisch oft nur angedeutet, im Mitvollzug aber höchst einprägsam. Engels' Kommentar von 1847 kann man für zahlreiche Revolutionsdarstellungen generalisieren: »Alles geht so rasch, so flott, daß über der ganzen Prozedur gewiß keinem einzigen Mitgliede des ›Proletarier-Bataillons‹ die Pfeif ausgegangen ist. Man muß gestehen, nirgends machen sich die Revolutionen mit größerer Heiterkeit und Ungezwungenheit als im Kopf unsres Freiligrath.« (MEK 2, 190)

Allerdings kann man auch hier einwenden, daß das Politische nicht nur der Ebene direkter, politisch gemeinter Aussage zugehört. Revolutionsdarstellungen umfassen seit jeher Elemente des Spiels und der Illusion.[71] Das literarisch-szenische Ritual läßt sich, oft mit rhetorischer Lyrik verbunden oder *als* rhetorische Lyrik, vom Theater der Französischen Revolution bis zum 20. Jahrhundert verfolgen, bis hin zu Friedrich Wolf (1888—1953) und Vsevolod Višnevskij (1900—1951). Bedauerlicherweise ist der Revolutionseinakter, den Engels 1847 für den Brüsseler Arbeiterverein verfaßt haben soll, nicht erhalten. Gustav Mayer berichtet darüber: »Ein von Engels schnell hingeschriebener Einakter, der im September 1847 im Brüsseler deutschen Arbeiterverein von Arbeitern aufgeführt wurde, stellte schon einen Barrikadenkampf in einem Kleinstaat dar, der mit der Abdankung des Landesfürsten und der Proklamierung der Republik endete.«[72]

Die weit ausholenden Langzeilen des Gedichts *Wie man's macht*, die sich formal mit den berühmten Gedenkversen über die Revolutionstoten von 1848, *Die Toten an die Lebenden*, berühren, lassen allerdings auch die Schwierigkeiten erkennen, die sich aus der Verknüpfung von rhetorischem Bekenntnis und realistischer Detailinformation ergeben. Marx sagte, daß Freiligrath in der Revolutionsperiode seine besten Verse geschrieben habe. Trotz der größeren Nähe zum aktuellen Geschehen bedeutete das nicht, daß Freiligrath über das mitreißende Bekenntniszeremoniell hinausgegangen wäre.

Natürlich sind damit nur einige Elemente der appellativen Lyrik im Vormärz angedeutet. Die formalen Mittel der Allegorisierung und Chiffrierung bedürften im einzelnen der Erläuterung, insofern ihr Appell auf ein politisches Vorverständnis traf und damit seine spezifisch politische Bekenntnisqualität erreichte. (In Prutz' Worten: »Man stand, so zu sagen, fortwährend auf der Lauer, jeden Augenblick in die Höhe fahrend, ob das lang verheißene Unwetter jetzt nicht endlich hereinbreche.«[73]) Die progressiven Vormärzlyriker entwickelten — teilweise gegen die Zensur — die Appellsprache mit Hilfe zahlreicher Metaphern aus den Bereichen der Natur (Winter, Frühling, Morgen,

Gewitter usw.), der Religion und des antiken Mythos (z. B. Prometheus) weiter, die seit den Jakobinern im politischen Sinne verwandt wurden[74], und übermittelten wiederum vieles an die Lyriker der Sozialdemokratie. Solche Formeln waren keineswegs abstrakt, solange der revolutionäre Optimismus bzw. die allgemeine Hoffnung auf politische Veränderung lebendig blieb. Das galt nicht nur für demokratisch-revolutionäre Lyrik, sondern auch für einen Teil der vaterländischen Panegyrik.[75]

Nicht zufällig stand bei vielen dieser Poeten Schillers Lyrik in hohem Ansehen. Sie kontrastierte mit der Erlebnislyrik, der Lyrik der Verinnerlichung im Gegenstand, in der Situation, im Augenblick. Hans Mayer hat unter Hinweis auf Ernst Blochs Wort vom »Überholenden an Schiller« gezeigt, wie dieser Autor den Augenblick ständig übersteigt, nach vorn öffnet, und wie er auch in Naturbildern das Vorübergehende, Antizipierende, nicht die statische Stimmung herausarbeitet. Mayer zitiert Jacob Burckhardts Wort über Schiller: »Fortan steht er einzig unter allen lyrischen Dichtern, weil er mit starkem, geläutertem Willen der Verewigung des einzelnen Momentes, der einzelnen Situation wesentlich entsagt« und fügt an, das geschah *vor* dem Historismus, der dann den einzelnen Lebensmoment verewigte.[76] Mit dem Scheitern der Revolution 1849 kam der Verewigung und Verklärung des einzelnen Lebensmomentes sehr viel mehr Bedeutung zu; nur in der nationalen Bewegung (besonders nach 1859) und in der sozialistischen Bewegung wurde Schillers Lyrik auch später noch als Teil der politischen Praxis verstanden. Auch für Schillers Lyrik spielte das ›politische‹ Vorverständnis eine wesentliche Rolle, d. h. der Drang, die Gegenwart auf die Zukunft hin zu spannen und zu überschreiten. (Für eine Entsprechung bei Freiligrath vgl. das Naturgedicht *Die Linde bei Hirzenach*.)

Die Begrenztheit der appellativen Lyrik wurde lange vor 1848 sichtbar. Sie drohte entweder in leere Abstraktion überzugehen (sobald der politische Optimismus verfiel) oder von der Tat verschlungen zu werden (sobald diese in

Reichweite rückte). Zu letzterem schrieb Robert Prutz im Jahre 1847:

> »Die Dichter haben die Anmaßung aufgegeben, als ob die Literatur das Leben mache, vielmehr sie wissen, daß umgekehrt die Literatur hervorgeht aus dem Leben und daß nachher auch in der Dichtung keine neuen Lorbeeren zu erringen sind, so lange der Nation im Ganzen die Palme der Tat verweigert bleibt.«[77]

Die Literatur, die der Revolutionserwartung das Wort redete, wurde von ebendieser Erwartung beseitegeschoben.

Damit deutete sich auch bereits an, was später mit der appellativen Lyrik der Sozialdemokratie geschah, die auf der Vormärzliteratur basierte: sie wurde von der ›Tat‹, dem Umsturz, den sie antizipierte, in ihrer Abhängigkeit, ja Geringfügigkeit, fixiert (als »Kampfbegleitung«), und sie drohte zu erstarren, wo der politische Optimismus, die von Kautsky beschworene ideale Gesinnung, zerfiel. Das begann am Ausgang des 19. Jahrhunderts.

5. Marx, Engels und die moderne Kunst

Über das Verhältnis von Marx und Engels zu kulturellen Fragen heißt es in einer DDR-Darstellung: »Die von Marx und Engels entwickelte Gesamtkonzeption zeigt in großen Zügen die Umrisse der Kulturkonzeption des historischen Materialismus. Aber es gibt von ihnen kein umfassendes Werk über kulturelle Fragen, das etwa ein Gegenstück zur umfassenden Behandlung ökonomischer Probleme im ›Kapital‹ darstellen könnte. Auch gibt es keine klassische, etwa von Marx, Engels oder Lenin geprägte Definition des Kulturbegriffes, wie es eine klassische, von Marx geprägte Definition der Ware gibt.«[78] Das läßt sich nicht als zufällige Auslassung interpretieren, sondern muß als Faktum der Konzeption und historischen Anwendung des Marxismus verstanden und reflektiert werden. Erst damit kann man auch die Bemühungen genauer erfassen, die sich im 20. Jahrhundert, vornehmlich seit den dreißiger Jahren, in der Sowjetunion, auf die Klärung der Funktion der Kunst unter den Bedingungen der Diktatur des Proletariats richteten. Von der dazugehörigen Rückwendung zu Marx und Engels ist das Bild der beiden auch heute noch stark geprägt — recht verschieden von dem Marx- und Engels-Bild der II. Internationale, das auch in den zwanziger Jahren noch weitgehend gültig war.

In dieser (früheren) Phase tat die Zurückhaltung der beiden ›Londoner‹ gegenüber den grundsätzlichen Fragen der Kultur und Literatur der Bewunderung für ihre theoretische Arbeit keinen Abbruch. Die Auffassung, daß die Kunst im Kapitalismus keine Chance wirklicher Erneuerung besitze, wurde von vielen Sozialisten geteilt. Sie konsultierten nicht die Schriften von Marx und Engels, um diese Annahme im einzelnen zu bestätigen.

Es geschah erst im Zuge der Rückwendung zu Marx und Engels Anfang der dreißiger Jahre, daß Michail Lifšic in der ersten umfassenden Darstellung von Marx' ästhetischen Auffassungen, *Karl Marx und die Ästhetik* (1933), das Fehlen eines »Systems der Ästhetik« oder einer »Philosophie der Kunst« im theoretischen Nachlaß von Marx als »ein positives Faktum sogar vom Standpunkt der Ästhetik selbst« bewertete. Es zeige, so Lifšic, daß die »Begründer der internationalen Arbeiterassoziation auf der Höhe der geschichtlichen Aufgabe standen, daß sie alle Anstrengungen ihres Hirns auf die Lösung der Kernprobleme der menschlichen Existenz richteten«.[79] Lifšic, der an Sammlung und Herausgabe der verstreuten ästhetischen Äußerungen von Marx und Engels großen Anteil hat[80], sprach sogar davon, daß diese Aphorismen zu Kultur- und Kunstproblemen »wie alle Aphorismen« willkürliche Deutungen zuließen. Doch beeilte er sich hinzuzufügen: »Hier setzt die Aufgabe des Forschers ein. Er muß diese Bemerkungen in engen Zusammenhang mit dem allgemeinen Entstehungs- und Entwicklungsgang des Marxismus bringen.«[81] Das wurde zur Basis einer oft ins Doktrinäre reichenden Exegese, in der Zitate für verschiedene Zwecke hin- und hergeschoben wurden wie Schachfiguren zwischen schwarzen und weißen Feldern.

Lifšic wies der Auffassung, daß die Kunst im Kapitalismus keine Chance der Erneuerung besitze, bei Marx besondere Bedeutung zu. Davon ausgehend ließ sich um so nachdrücklicher vertreten, daß im Sozialismus endlich die Bedingungen für eine neue Kunst existierten. Ohne Zweifel traf Lifšic damit ein zentrales Element, das zugleich darüber Auskunft gibt, weshalb Marx die Fragen der Kunst nicht im grundsätzlichen weiterverfolgte. Mit der Darlegung des Warencharakters künstlerischer Produkte im Kapitalismus habe sich Marx, wie Lifšic feststellte, nicht auf eine Begütigung der Folgen des Kapitalismus und nicht auf die Prophetie eines idealen Zeitalters im Sinne der Romantiker eingelassen. »Die größte Bedeutung der Theorie von Marx besteht gerade darin, daß sie jenseits des Gegensatzes zwischen den Apologien des kapitalistischen Fortschritts und der Romantik führt. Marx verstand, daß in dem großen Rahmen der Geschichte gerade die *Destruktivkräfte* des Kapitalismus die größten *produktiven* Kräfte sind.«[82] Die gesellschaftliche Form der Produktion entwickele sich antagonistisch gerade durch ihren direkten Gegensatz, durch Atomisierung und Zerstückelung. Was dem (kapitalistischen) Fortschritt diene, zerstöre also die Bedingungen für Kunst. Zugleich seien die antikünstlerischen Elemente diejenigen, die am stärksten revolutionierten. Bis zum Entstehen der sozialistischen Gesellschaft sei kein Raum für eine Erneuerung der Kunst. In den Worten von Marx:

»Erst wenn eine große soziale Revolution das Werk der bürgerlichen Epoche, den Weltmarkt und die modernen Produktionskräfte gemeistert und sie der vereinigten Kontrolle der fortgeschrittensten Völker unterworfen haben wird, erst dann wird der menschliche Fortschritt aufhören, jenem abscheulichen heidnischen Götzen zu gleichen, der den Nektar nur aus den Schädeln Erschlagener trinken wollte.«[83]

Damit stehen die Optionen offen, an denen schließlich auch das Verhältnis von Fortschritt und Kunst in der Sowjetunion und anderen sozialistischen Gesellschaften gemessen werden kann.

Allerdings hat die breite Aufarbeitung der marxschen
Äußerungen seit 1930 die Unsicherheit in der Zuordnung
der Kunst zum Basis-Überbau-Konzept nicht beseitigt. Damit sind Schlußfolgerungen über den ›Erfolg‹ sozialistischer
Literatur, so weit man sie von Marx her begründen will,
unmöglich. Das gilt auch für Schlußfolgerungen über den
›Mißerfolg‹ der Kunst im Kapitalismus: ohne Zweifel wirkt
sie seit Marx trotz Lifšic in diesem gesellschaftlichen System
weiterhin als eine Herausforderung.

Es ist offengeblieben, wo denn nun die Kunst marxistisch
zu plazieren sei. Marx hat die Aporie selbst aufgewiesen,
die sich vor einer materialistischen Ästhetik auftut, und
diese Aporie hat sich, seitdem er wieder zur Darstellung
der politischen Ökonomie zurückkehrte, erhalten.

Da ist zum einen die von Marx zuerst in den *Öko-
nomisch-Philosophischen Manuskripten* und der *Deutschen
Ideologie* 1844—1846 entwickelte Auffassung, daß die Kunst
und alle anderen Formen des gesellschaftlichen Bewußtseins
»unmittelbar verflochten« seien mit der »Entwicklung der
Produktivkräfte«. Sie stellten einen »direkten Ausfluß« der
Lebensprozesse dar, fest an die materiellen Voraussetzungen
— die »Basis« — gebunden. Diese materialistische Auffassung ist in Marx' *Vorwort* zur *Kritik der Politischen Ökonomie* von 1859 bestätigt, wo es heißt:

»Mit der Veränderung der ökonomischen Grundlage wälzt sich
der ganze ungeheure Überbau langsamer oder rascher um. In der
Betrachtung solcher Umwälzungen muß man stets unterscheiden
zwischen der materiellen, naturwissenschaftlich treu zu konstatie-
renden Umwälzung in den ökonomischen Produktionsbedingungen
und den juristischen, politischen, religiösen, künstlerischen oder
philosophischen, kurz ideologischen Formen, worin sich die Menschen dieses Konflikts bewußt werden und ihn ausfechten. So-
wenig man das, was ein Individuum ist, nach dem beurteilt, was
es sich selbst dünkt, ebensowenig kann man eine solche Umwäl-
zungsepoche aus ihrem Bewußtsein beurteilen, sondern muß vielmehr dies Bewußtsein aus den Widersprüchen des materiellen
Lebens, aus dem vorhandenen Konflikt zwischen gesellschaftlichen
Produktivkräften und Produktionsverhältnissen erklären.« (MEK 1,
74 f.)

Und da sind zum anderen Marx' Überlegungen in der
Einleitung zur *Kritik der Politischen Ökonomie* von 1857,
die erkennen lassen, daß diese Auffassung die unvermeid-
liche Größe und Wirkung der europäischen Kunst nicht zu
erklären vermag. Marx stellte die Frage, ob große Kunst im
Kapitalismus noch möglich sei:

> »Ist Achilles möglich mit Pulver und Blei? Oder überhaupt die
> ›Iliade‹ mit der Druckerpresse oder gar Druckmaschine? Hört das
> Singen und Sagen und die Muse mit dem Preßbengel nicht not-
> wendig auf, also verschwinden nicht notwendige Bedingungen der
> epischen Poesie?«

Doch statt zu antworten, stellte Marx eine andere Frage:
wie die griechische Kunst, abgelöst von den gesellschaftlichen Entwicklungsformen, noch heute als große Kunst genossen werden könne:

> »Aber die Schwierigkeit liegt nicht darin, zu verstehn, daß
> griechische Kunst und Epos an gewisse gesellschaftliche Entwick-
> lungsformen geknüpft sind. Die Schwierigkeit ist, daß sie für uns
> noch Kunstgenuß gewähren und in gewisser Weise als Norm und
> unerreichbare Muster gelten.« (MEK 1, 125)

Dieser Gedankengang läßt sich mit den Ergebnissen des
konsequenten Materialismus nicht vereinen. Marx suchte den
Widerspruch zu beseitigen, indem er für den Reiz der griechischen Kunst eine psychologische Erklärung (die Erinnerung an die »geschichtliche Kindheit der Menschheit«) vor-
schlug. Offensichtlich befriedigte ihn das nicht. Er brach die
Einleitung ab.

Seit Marx ist dieser Widerspruch oft überdeckt worden.
Er bleibt bestehen: Auf der einen Seite die Einordnung der
Kunst neben Philosophie, Recht etc. unter die Überbau-
phänomene, die ideologisch als falsches Bewußtsein in einer
bestimmten sozialen Situation gründen und so lange gründen müssen, als sie ihre ideologische Verwurzelung nicht
durchschauen. Auf der anderen Seite die Definition von
Kunst als Phänomen, das sich dieser Fixierung entzieht,
d. h. qualitativ von anderen Erscheinungsformen der Ideologie unterschieden ist. Dazwischen läßt sich mit Vermitt-

lungen eben nur vermitteln, wobei die Gefahr besteht, daß man, um zu einer theoretischen Lösung der Widersprüche zu gelangen, entweder die Widersprüche oder die Lösung abflacht. So viel dann auch der Überbau an Gewicht zuerteilt bekommt — eine Ästhetik, die sich als materialistisch versteht, kann von der Vorordnung des Materiellen und der Einordnung der Kunst als Ideologie nicht abgehen.

Wo läßt sich demnach die Kunst im marxschen Sinne präzis plazieren? Marx' Hinweis auf das »unegale Verhältnis der Entwicklung der materiellen Produktion, z. B. zur künstlerischen« führt nur bis zur Aussage: »Die Schwierigkeit besteht nur in der allgemeinen Fassung der Widersprüche. Sobald sie spezifiziert werden, sind sie schon erklärt.« (MEK 1, 124) Es bleibt diese Spezifizierung. Sie ist zweifellos der Kunst freundlicher als der Theorie. Und es bleibt, im Rückgriff auf Marx' Begriff der Arbeit, die Definition der Kunst als spezifische Form der Produktion, als Vergegenständlichung des Menschen. Das ist die Hereinnahme des aktiven, antizipierenden Momentes, dem man seit einiger Zeit zu recht zentrale Aufmerksamkeit schenkt. Aber auch damit werden die theoretischen Widersprüche nicht geklärt.

Marx fand keine Gelegenheit, Hegels Kunstdialektik umzustülpen. Es bleibt nur die Referenz: Hegels Aufweis der Kunst als geschichtliche Wahrheitsform des menschlichen Geistes. Hegel ist selbst geschichtlich in seiner Vorliebe für bestimmte Wahrheitsformen, aber er definierte klar das Sichtbarmachen der Wirklichkeit in ihren historischen Veränderungen als Kern der Kunst. Er ging auf die Begrenzungen der Kunst im modernen Zeitalter mit Wissenschaft und »Maschinen- und Fabrikwesen« ein. Auch wenn er im Wahrheitsanspruch der Kunst nicht mehr die Totalität der Wirklichkeit erfaßt sah, hielt er an diesem Konzept fest. Er umriß, obgleich höchst kritisch, die neu entstandene Freiheit des Künstlers, seine Beliebigkeit in der Stoffwahl und Suche nach Legitimation.

Allerdings — Hegels Wirkung ergab sich aus anderen Aussagen. Seine geschichtsphilosophischen Bemerkungen

über den Status der modernen Kunst wurden mit normativen Postulaten weitgehend zugedeckt. Sein Einfluß resul-
tierte vor allem aus den Forderungen nach Objektivität und
Totalität. Das bloß Subjektive, Kritische wertete er ab, die
bloß gemüthafte Konstruktion des Objektiven in der modernen Prosa schob er zugunsten der »Form der Unmittelbarkeit« beiseite, die er für die »Einheit des Allgemeinen
und Individuellen, der Vermittlung und Unterscheidung
des Denkens gegenüber« forderte, etwas, das auch durch
begriffliche Variation nicht von ›Mystik‹ (Lukács) freiblieb.
Im sinnlichen Scheincharakter hielt für ihn das Kunstwerk
seine überlieferte Eigenheit aufrecht. Seine Urteile reflektieren den Wunsch, diese Eigenheit zu erhalten.

Die Orientierung am ›objektiven Kunstwerk‹ gewann
bereits in den vierziger Jahren des 19. Jahrhunderts mehr
und mehr Unterstützung, unter den Liberalen ebenso wie
unter den Radikalen, auch wenn sie für die Propagierung
ihrer Auffassungen stark zur subjektiven Prosaform griffen.
(Die Junghegelianer behandelten das als Symptom einer
Zeit, die noch in Meinungen lebe, anstatt zu objektiver
Selbstverwirklichung zu gelangen. Diese Verwirklichung
werde mit der Revolution geschehen, die auch die neue
objektive Epik initiiere.[84]) Diese Gegenströmung zur Ten-
denz- und Reflexionsliteratur erhielt schließlich nach der
Revolution von 1848 allseitige Anerkennung, und mit
Hegel schlug man die »bloß empirische Subjektivität« der
Jungdeutschen tot. Mit der gescheiterten bürgerlichen Revo-
lution fand die objektive Selbstverwirklichung privat im
Bürgerhaus statt, bei Gustav Freytag (1816—1895) zwischen
den Kaffee- und Zuckersäcken des Handelshauses T. O.
Schröter (*Soll und Haben*, 1855).

Andererseits läßt sich, ohne Hegels ästhetische Urteile in
irgendeiner Weise zu überhöhen, konstatieren, daß die darin
zum Ausdruck kommende Abwehr der Unverbindlichkeit
des subjektiven Urteils sowie der Beliebigkeit in der Stoffwahl eine Konstante in der modernen Kunst- und Literaturauffassung darstellt, zeitweise, etwa in den zwanziger Jahren des 20. Jahrhunderts, abgedrängt, zeitweise, etwa nach

1930, stärker im Vordergrund. Diese Einstellung macht sich auch in der Kritik von Marx und Engels an aktuellen Werken bemerkbar, und nicht ohne Grund und nicht ohne Erfolg griffen Georg Lukács und andere bei der Etablierung einer antimodernistischen Ästhetik in den dreißiger Jahren auf deren Äußerungen zurück.

Bereits 1842 richtete Engels an Gutzkow den Rat, von der »entarteten Belletristerei« zugunsten einer Publizistik abzulassen, in der die »neuesten religions- und staatspolitischen Entwicklungen« verarbeitet seien (MEK 2, 506). Engels' Abrechnung mit den ›wahren‹ Sozialisten fünf Jahre später war nicht zuletzt eine Polemik gegen Beliebigkeit und Subjektivität. Dafür sei seine Kritik an Ernst Dronke zitiert:

> »Das preußische Landrecht unter andern ist eine unerschöpfliche Fundgrube von spannenden Konflikten und drastischen Effektszenen. An der Ehescheidungs-, Alimentations- und Jungfernkranz-Gesetzgebung allein — von den Kapiteln über unnatürliche Privatvergnügen gar nicht zu reden — hat die ganze deutsche Romanindustrie Rohmaterial für Jahrhunderte. Dazu ist nichts leichter, als solch einen Paragraphen poetisch zu verarbeiten; die Kollision und ihre Lösung ist schon fertig, man hat nichts hinzuzufügen als das Beiwerk, das man aus dem ersten besten Roman von Bulwer, Dumas oder Sue nimmt und etwas zustutzt, und die Novelle ist fertig.« (MEK 2, 191)

In der erwähnten Kritik von Marx an Eugène Sues *Mystères de Paris* (und deren Lobredner Szeliga) 1844 spielen ebenfalls ästhetische Vorbehalte neben politischen eine Rolle, Vorbehalte, die in der Literaturkritik der vierziger Jahre generell gebraucht wurden und mit dem ›programmatischen Realismus‹[85] am Ende des Jahrzehnts breite Sanktionierung erfuhren. Marx wandte sich dagegen, daß die Romanfiktion zur bloßen Allegorisierung von Ideen benutzt wurde:

> »Bei Eugen Sue müssen die Personen, früher der Chourineur, hier der maître d'école, seine eigene schriftstellerische Absicht, welche ihn bestimmt, sie so und nicht anders handeln zu lassen, als *ihre* Reflexion, als das bewußte Motiv ihrer Handlung aus-

sprechen. Sie müssen beständig sagen: Hierin hab' ich mich gebessert, darin, darin etc. Da sie zu keinem wirklich inhaltsvollen Leben kommen, so müssen sie unbedeutenden Zügen [...] durch ihre Zunge scharfe Töne verleihen.« (MEK 2, 113) »Der Mensch, dem die *sinnliche Welt* zu einer *bloßen Idee wird,* ihm verwandeln sich dagegen bloße Ideen in *sinnliche Wesen.* Die Gespinste seines Gehirns nehmen körperliche Form an. Innerhalb seines Geistes erzeugt sich eine Welt von greifbaren, fühlbaren Gespenstern.« (Ebd., 115)

Von diesen Stellungnahmen gegen Allegorisierung von Ideen und Beliebigkeit im Stoff ist der Sprung nicht allzu groß zur Stellungnahme gegenüber Lassalles Drama *Franz von Sickingen,* die Marx und Engels 1859 unabhängig voneinander in Briefen abgaben.[86]

Lassalle nahm in dem zu dieser Zeit hochgeachteten Genre des Geschichtsdramas — dessen Reputation sich allerdings mehr aus der schwertklirrenden öffentlichen Anrufung der nationalen Einheit als aus originellen dichterischen Leistungen nährte — vieles von der Vormärzpoetik wieder auf. Er behandelte im Scheitern Sickingens, der sich in der Auseinandersetzung des 16. Jahrhunderts zwischen Bauern und Adel von seiner Klasse zu trennen sucht, das Scheitern der Revolutionäre von 1848, machte dies aber als Darstellung des Tragischen *jeder* Revolution durchsichtig, die ihre große Idee im Zusammenstoß mit der Wirklichkeit realisieren muß, wo die »Begeisterung, dieses unmittelbare Zutrauen der Idee in ihre eigene Kraft und Unendlichkeit« von den »endlichen Mitteln« der Ausführung bedroht wird (MEK 1, 170). In (endlos) langen Blankversmonologen und -dialogen schließt der theatralische Vollzug der revolutionären Erhebung an das Verkündigungsritual der Vormärzliteratur an. Lassalles Bühne ist eine innere Bühne, sein Stück ein Bekenntniszeremoniell in fünf Akten, wie er es im Brief an Marx recht offen beschrieb: »Jetzt konnte ich mich in Wut und Haß berauschen, konnte ihren Wogen Luft machen, konnte so vieles von Herzen schreiben!« (MEK 1, 169)

Mit Sickingen konzipierte Lassalle einen Revolutionär, der sich allzu diplomatisch und taktisch zur Revolution verhält und sie damit — wie Lassalle meinte: tragisch — aus den Händen verliert. Lassalle plädierte für die Notwendigkeit, dem Enthusiasmus der Masse den Weg zur Revolution zu ebnen, was sich sowohl als späte Rechtfertigung der Verkündigungen und Bekenntnisse, der Rhetorik und Tatgesinnung in den vierziger Jahren verstehen läßt wie auch als Vorgriff auf sein Agitationskonzept für die Organisierung des Proletariats in den sechziger Jahren. (Die Tatsache, daß das Stück nach Lassalles Tod verschiedentlich in Arbeiterversammlungen rezitiert wurde, bezeugte allerdings weniger revolutionäre Gesinnung als Verehrung für den Autor.)

Indem Marx in seinem Brief die Notwendigkeit bestritt, Sickingen zum Protagonisten der geschichtlichen Kollision zu machen, warf er auch auf Lassalles Agitationskonzept ein kritisches Licht. In konzilianter Form wies er darauf hin, daß den Vertretern der Bauern und den revolutionären Elementen in den Städten mehr Aufmerksamkeit gebührt hätte; damit wären die Individuen und die Ideen von selbst wesentlich lebendiger geworden. Marx schob also das Verkündigungsritual zugunsten der realistischen Herausarbeitung der (sozialen) Phänomene beiseite, was ästhetische *und* politische Implikationen besitzt:

»Du hättest dann auch in viel höherm Grade grade die modernsten Ideen in ihrer naivsten Form sprechen lassen können, während jetzt in der Tat, außer der *religiösen* Freiheit, die bürgerliche *Einheit* die Hauptidee bleibt. Du hättest dann von selbst mehr *shakespearisieren* müssen, während ich Dir das *Schillern*, das Verwandeln von Individuen in bloße Sprachröhren des Zeitgeistes, als bedeutendsten Fehler anrechne.« (MEK 1, 181)

Demgegenüber sah Engels den Autor einen kleinen Schritt weiter von der allegorisierenden und rhetorischen Vormärzgesinnung entfernt auf dem Weg zum Realismus, wenn er bemerkte:

»Ihr ›Sickingen‹ ist durchaus auf der richtigen Bahn; die handelnden Hauptpersonen *sind* Repräsentanten bestimmter Klassen und Richtungen, somit bestimmter Gedanken ihrer Zeit, und finden ihre Motive nicht in kleinlichen individuellen Gelüsten, sondern eben in der historischen Strömung, von der sie getragen werden. Aber der Fortschritt, der noch zu machen wäre, ist der, daß diese Motive mehr durch den Verlauf der Handlung selbst lebendig, aktiv, sozusagen naturnotwendig in den Vordergrund treten, daß dagegen die argumentierende Debatte (in der ich mit Vergnügen übrigens Ihre alte Rednergabe vor den Assisen und der Volksversammlung her wiederfand) mehr und mehr überflüssig wird.« (MEK 1, 184)

Auch Engels entging es nicht, wie viel das Stück vom Politiker und Rhetor Lassalle offenbarte. Im übrigen korrespondierten die ästhetischen Einwände von Marx und Engels mit vielen der Kriterien, welche Kritiker der fünfziger Jahre an Literatur anlegten[87]: »viel zu abstrakt«, »übertriebenes Reflektieren der Individuen über sich selbst«, »zu sehr Plädoyer«, »die Charakteristik der *Alten* reicht heutzutage nicht mehr aus«, »etwas zu abstrakt, nicht realistisch genug« etc. Dem steht die von Engels programmierte »volle Verschmelzung der größeren Gedankentiefe, des bewußten historischen Inhalts [. . .] mit der shakespearischen Lebendigkeit und Fülle der Handlung« gegenüber und die daran anschließenden Ratschläge Engels' in den brieflichen Bemerkungen an Minna Kautsky und Margaret Harkness in den achtziger Jahren: »Aber ich meine, die Tendenz muß aus der Situation und Handlung selbst hervorspringen, ohne daß ausdrücklich darauf hingewiesen wird« (MEK 1, 156); »Je mehr die Ansichten des Autors verborgen bleiben, desto besser für das Kunstwerk« (ebd., 158). Die Nähe zum zeitgenössischen Realismus — deren Erörterung die ausländische Entwicklung einbeziehen müßte[88] — ist offensichtlich.

Ein anderer Ansatz zeigt sich allerdings dort, wo die beiden Kritiker Lassalles Stoffwahl an der Geschichte selbst maßen, d. h. den Protagonisten des Dramas nach Elementen beurteilten, die sie aus der politischen Geschichte herausarbeiteten. Darin wichen sie deutlich von der in Literatur und Literaturkritik etablierten Gepflogenheit ab, das Kunstwerk an dem in ihm vorgegebenen Entwurf positiv oder negativ zu messen. Sie verwischten den Unterschied zwischen dem Historiker und dem Schriftsteller, etwas, was wohl selbst

Büchner im Hinblick auf *Dantons Tod* nicht akzeptiert hätte, zu schweigen von Friedrich Schiller.

Dieser Ansatz begleitete, in mehr oder weniger strikter Anwendung, auch späterhin die Literaturkritik von Marxisten. Bei Mehring und mehr noch bei Lukács läßt sich beispielhaft verfolgen, wie zur Literatur die historische Situation, der sie entsprechen oder die sie widerspiegeln soll (je nach Zuordnung des jeweiligen Kritikers), durchforscht wird und wie die marxistische Bewertung der historischen Situation zum Kern der Bewertung des literarischen Werkes gemacht wird. Das Resümee zeigt, ob der Autor die Situation, das Individuum oder die Problematik ›richtig‹ dargestellt hat oder nicht, ob er den ›richtigen‹ Stoff gewählt hat oder nicht. Der normative Gebrauch des Terminus ›Realismus‹ seit den dreißiger Jahren des 20. Jahrhunderts ergibt sich nicht notwendigerweise aus literarisch-stilistischen Gründen, sondern ist mit dem vorgegebenen Realitätskonzept des marxistischen Kritikers eng verknüpft; immerhin aber hat die Berührung von Marx und Engels mit dem Realismus in der Mitte des 19. Jahrhunderts und seiner Programmatik einen späteren Wertungskanon ermöglicht.

Diese kritische Vorentscheidung hat man häufig mit dem Begriff ›materialistisch‹ verknüpft — was wieder auf die Erörterung über eine materialistische Ästhetik zurückführt. Doch sollte der Wunsch, diese Zuordnung zu kodifizieren, nicht von vornherein beiseitegerückt werden. Abgesehen von realen und jeweils zu definierenden Parteiinteressen scheint sich darin etwas zu äußern, was in der Moderne nur allzuoft ausgesprochen worden ist, und keineswegs nur von Marxisten: der Protest gegen die Beliebigkeit in Stoffwahl und literarischem Engagement, wie ihn Hegel mit seiner Analyse der modernen Kunst verband. Für Hegel war der Abstieg des Künstlers aus dem zusammenhängenden und zwingenden Weltverständnis bereits besiegelt. Er stellte fest:

»Das Gebundensein an einen besonderen Gehalt und eine nur für diesen Stoff passende Art der Darstellung ist für den heutigen Künstler etwas Vergangenes und die Kunst dadurch ein freies

Instrument geworden, das er nach Maßgabe seiner subjektiven Geschicklichkeit in bezug auf jeden Inhalt, welcher Art er auch sei, gleichmäßig handhaben kann. Der Künstler steht damit über den bestimmten konsekrierten Formen und Gestaltungen und bewegt sich frei für sich, unabhängig von dem Gehalt und der Anschauungsweise, in welcher sonst dem Bewußtsein das Heilige und Ewige vor Augen war.«[89]

Das Heilige und Ewige aber ist, wie säkularisiert auch immer, noch im Bewußtsein fixiert; nicht zuletzt führt es ja die Kunst mit ihrer jahrtausendealten Geschichte vor Augen. Der Künstler mag die Freiheit für sein Werk nutzen, das Publikum mag von dieser Freiheit angerührt werden, doch bleibt der Anspruch lebendig, der Wirklichkeit mehr abzuringen als diese Freiheit, das Menschliche nachhaltiger zu fassen als in der Beliebigkeit künstlerischer Entscheidung.

Hegels eigene Abwehr der Unverbindlichkeit sowie seine Orientierung des Kunstwerks an der Objektivität sind erwähnt worden. Er deutete an, was die Entwicklung der modernen Kunst auf vielen Wegen begleitet hat, was immer wieder zu Recht als Korrektur und Maßstab angesehen worden ist und sich in dem Satz resümieren läßt: Wenn die Totalität auch nicht mehr in der Kunst zu erfassen ist, so sollte sich ihr die Kunst doch im Erkenntnisstreben verpflichten, um nicht in der Freiheit der Selbstäußerung zur Unverbindlichkeit zu werden.

Aus diesem Erkenntnisstreben stammen die Versuche, die Kunst im voraus auf ein Konzept der Totalität zu fixieren, sowie die Annahme, sie werde damit endlich ihrer wahren Bestimmung übergeben. Zugleich sind aber auch die Bemühungen der Künstler und Theoretiker zu nennen, die Kunst an die geschichtlichen Phänomene der modernen Welt, der »bereits zur Prosa geordneten Wirklichkeit« (Hegel), anzunähern und die ›Technik‹ der Kunst der wissenschaftlich-industriellen Technik (so vage das ist) zum Zwecke ihrer Neubestimmung zuzuordnen. Das hat zur Folge, daß sich die Kunst, bevor sie von der vorgegebenen ›Technik‹ oder ›Objektivität‹ ganz aufgesogen wird, immer wieder zur Freiheit verflüchtigt, und sei es auch nur im

vorübergehenden Verstummen. Von dieser Freiheit hat
Hegel selbst schon die Voraussetzungen in dem Satz umrissen, der den zitierten Gedankengang fortsetzt: »Es gibt
heutigentags keinen Stoff, der an und für sich über dieser
Realität stünde, und wenn er auch darüber erhaben ist, so
ist doch wenigstens kein absolutes Bedürfnis vorhanden,
daß er von der *Kunst* zur Darstellung gebracht werde.«[90]
Über Hegel hinausgehend und vereinfachend: Was die
Kunst daran hindert, die Totalität ganz zu erfassen, hindert
auch daran, sie dem Anspruch der Totalität ganz zu unterwerfen.

In der Mitte des 19. Jahrhunderts gehörte die Abwehr
des Allegorischen, Abstrakten, Zufälligen, Phantastischen,
Dekorativen, Rhetorischen zur Grundlage der (antiroman-
tischen) Ästhetik. Das Postulat des Realismus, das man
dagegenstellte, sollte nicht ein Kunstprogramm wie andere,
vorhergehende sein. Es sollte jenseits der Beliebigkeit wurzeln. Die Inflation der Worte ›objektiv‹, ›Objektivität‹,
›Wahrheit‹ etc. lassen die Intensität erkennen, mit der man
haltbare Grundlagen der Kunst suchte. Die historisch
orientierte Kritik von Marx und Engels an Lassalles literarischem Werk steht in diesem Zusammenhang.

Im Brief an Margaret Harkness 1888 ließ Engels dann erkennen, wie sehr er der Überzeugung war, daß die kritische
Vorentscheidung über die Objektivität des Gestalteten nicht
von außen geschehen müsse, sondern von der Kunst, vom
Realismus her geschehen könne. Als Beispiel dafür, daß der
Realismus »sogar den Ansichten des Autors zum Trotz
durchbrechen« könne (MEK 1, 158), diente Balzac. An ihm
suchte Engels zu erweisen, daß die politische und ideologische Einstellung des Autors (Balzacs Legitimismus) in
ihrer Beliebigkeit den Durchbruch der (progressiven) geschichtlichen Wahrheit nicht hindere. Mit anderen Worten,
Balzacs Kunst habe ›richtiger‹ gearbeitet als der Meister in
seinem Kopf. Damit sprach Engels die für die Kunst seit
jeher wichtige Stufung zwischen offener und verborgener
Aussage an, doch ging er in seiner Interpretation an Balzacs
Text vorbei.[91] Seine Schlußfolgerung steht in der Luft.

Engels hielt Miss Harkness vor, ihr Roman *A City Girl*
(1887), dessen Geschichte von der verführten proletarischen
Unschuld sie »a realistic story« betitelte, sei »noch nicht
realistisch genug«. Damit nahm er die Einwände gegen die
Beliebigkeit der Stoffwahl und Darstellungsweise der ›wahren‹ Sozialisten wieder auf. Er kritisierte, daß die Autorin
die Arbeiterklasse als passive Masse zeige, die unfähig sei,
sich zu helfen, ja nicht einmal versuche, sich zu helfen. Seine
Erfahrungen mit der Arbeiterbewegung stünden dem jedoch
entgegen, womit er sehr viel mehr verband: die von Marx
als gesetzmäßig herausgearbeitete geschichtliche Emanzipation der Arbeiterklasse (»krampfhaft, halbbewußt oder bewußt«), die »auf einen Platz im Bereich des Realismus Anspruch erheben« müsse.

Engels' Definition des Realismus ordnet sich als Postulat
der von Marx dargelegten geschichtlichen Einsicht zu: »Realismus bedeutet, meines Erachtens, außer der Treue des
Details die getreue Wiedergabe typischer Charaktere unter
typischen Umständen.« (MEK 1, 157) Es bestätigt sich die
kritische Vorordnung der geschichtlichen Einsicht, wofür der
Begriff des Typus eine sowohl im 19. Jahrhundert als auch
in der Sowjetunion nach 1930 vielgebrauchte Brücke »zwischen dem Wirklichen und dem sozialen Ideal« bildet.[92] In
diesem Begriff summiert sich die Stoßrichtung gegen die
Literatur der ›wahren‹ Sozialisten und der Naturalisten, der
vorgeworfen wird, daß in ihr die Tendenz aus einer un-
organischen, beliebigen Einsicht in die sozialen Verhältnisse
oder aus der Neigung zur »revolutionären Phrase« anstatt
aus dem Verständnis der »revolutionären Dialektik« der
Wirklichkeit entspringe.[93]

Doch spielte sich Engels nicht als Dogmatiker seiner Ein-
sicht auf. Am Ende des Briefes gestand er der Autorin zu,
daß sie die tatsächlichen Zustände unter den Arbeitern im
Londoner East End richtig dokumentiert habe: »Ich muß zu
Ihrer Verteidigung zugeben, daß nirgends in der zivilisierten
Welt die Arbeiterschaft weniger aktiv Widerstand leistet,
passiver sich dem Schicksal beugt, mehr hébétés ist als im
Londoner East End.« Allerdings sprach er solcher Dokumen-

tation nur bedingte Gültigkeit zu: »Und wie kann ich wissen, ob Sie nicht sehr gute Gründe hatten, sich diesmal mit einem Bild der passiven Seite des Lebens der Arbeiterklasse zu begnügen und die aktive Seite für ein anderes Werk vorzubehalten?« (MEK 1, 159) In der Tat gerieten kurze Zeit darauf die Arbeiter des Londoner East End politisch in Bewegung und inszenierten im Jahre 1889 einen großen Dockstreik.

Miss Harkness reagierte respektvoll und freundlich auf die Kritik von Engels, einem Menschen, der, wie sie schrieb, »an der Schaffung der Weltgeschichte mitwirkt«: »Vieles, was Sie über mein Buch sagen, ist sehr richtig, besonders über den Mangel an Realismus. Es würde zuviel Zeit erfordern, in einem Briefe meine Schwierigkeiten in dieser Hinsicht zu erklären. Sie entstehen hauptsächlich infolge des mangelnden Vertrauens an die eigenen Kräfte und, wie ich glaube, auch meines Geschlechtes.«[94]

Wesentlich schärfer und langatmiger reagierte Lassalle auf die Kritik von Marx und Engels. Lassalle verwahrte sich gegen Marx' Vermischung des Historischen mit dem Dichterischen: »Möchtest Du auch ganz und gar recht haben gegen den *historischen* Sickingen, so hast Du doch nicht recht gegen *meinen* Sickingen. Und hat der Dichter nicht das Recht, seinen Helden zu idealisieren, ihm ein höheres Bewußtsein zu leihen? Ist der Schillersche Wallenstein der historische?« (MEK 1, 200) Lassalle pochte auf das Recht des Autors, sein Werk frei zu gestalten. Läßt sich der Gründer des ADAV damit zum Praeceptor der künstlerischen Freiheit ernennen? Seine geringe Beschäftigung mit Ästhetik spricht dagegen[95], ebenso seine Tendenzgesinnung, in der die Kunst den Ideen gegenüber zum Träger und Verkünder wird. Freiheitsforderung und Funktionalisierung des Kunstwerks stehen bei Lassalle eng nebeneinander. Ein grundsätzlicher Widerspruch?

Auch Lassalle bewegte sich in dem von Hegel angedeuteten Manövrierfeld des modernen Künstlers, das einerseits die Freiheit der Kunst und der Stoffwahl, andererseits die ständige Suche nach (formaler oder inhaltlicher) Legitimation der Kunst umschließt, und in dem die Zuordnung des Kunstwerks zu den vorgegebenen Ideen oft genug nur seine Beliebigkeit verdeckt.

6. Die Kunst und die Revolution: Wagners Beitrag

Die Hoffnung auf eine Erneuerung von Kunst und Kultur, die im Vormärz beschworen wurde, trat nach der gescheiterten Revolution 1848/49 zurück. Sie belebte sich in Deutschland zur Zeit der Reichsgründung, um dann in eine um so heftigere Enttäuschung über die bestehende Kultur überzugehen. Schließlich regten sich am Ende des Jahrhunderts erneut die Erwartungen. Unter den Autoren, die die Hoffnung der Vormärzintelligenz späteren Sozialisten und Intellektuellen vermittelten, nimmt Richard Wagner mit seinen Schriften *Die Kunst und die Revolution* (1849) und *Das Kunstwerk der Zukunft* (1850), die er kurz nach seiner Revolutionsteilnahme verfaßte, eine herausragende Position ein. Diese Schriften dürften, wenn man von dem späteren Einfluß von William Morris (1834—1896) absieht, die klassischen Quellen darstellen, aus denen zahlreiche kunstinteressierte Sozialisten und sozialistisch denkende Intellektuelle und Künstler in Deutschland und Österreich bis ins 20. Jahrhundert hinein ihre Vorstellungen über Kunst im Zusammenhang der sozialen Emanzipationsbewegung formten, Vorstellungen, in denen die Kritik an der Kommerzialisierung der Kunst in der bestehenden Gesellschaft Ausgangspunkt, allerdings häufiger auch Endpunkt bedeutete. Daß Wagners Schriften in der Nähe des ›wahren‹ Sozialismus standen, den Marx und Engels im *Kommunistischen Manifest* scharf verurteilten, änderte nichts an ihrer langwährenden Wirkung, erklärt diese vielmehr.

In den beiden Werken gelangten die Ideen eines anarchistisch rebellierenden Künstlers zu schwungvoller, oft schwülstiger Formulierung. Immerhin aber ließ sich in ihnen eine Botschaft vernehmen, eine Vision, der die Sozialdemokratie bis ins 20. Jahrhundert hinein nichts Entsprechendes entgegensetzte. Die Schriften wurden in den siebziger Jahren und später verschiedentlich von der Arbeiterpresse abgedruckt (während man Wagners musikalisches Werk kritisch beurteilte)[96]. August Bebel nahm Passagen aus *Die Kunst und die Revolution* in sein Werk *Die Frau und der Sozialismus* auf und bezeichnete Gedankengänge des jungen Wagner als »vollkommen sozialistisch.«[97]

Der junge Wagner, der 1849 in Dresden auf die Barrikaden ging, hatte Michail Bakunin (1814–1876) und Georg Herwegh zu Freunden, von denen er gewiß manche Ansicht aufnahm. Doch läßt sich, nachdem die Biographen der sozialrevolutionären Seite Wagners stets ausgewichen sind, die Frage der Einflüsse auf sein sozialutopisches und revolutionäres Denken im einzelnen nicht leicht entwirren und kann hier nicht aufgerollt werden.[98] Unbestritten ist die Tatsache, daß Wagner aus vielen Quellen der Zeit, oft dilettantisch anempfindend, oft mit erstaunlichem gesellschaftlichen Verständnis, schöpfte, daß er das Problem der Entfremdung nicht allein auf das Interesse des isolierten und verschuldeten Künstlers zuschnitt, sondern auch den Arbeiter einbezog, daß er andererseits bei seiner Attacke auf die Gesellschaft und die Kommerzialisierung der Kunst immer als Künstler sprach, der die Revolution vor allem deshalb forderte, weil sie die Voraussetzung einer neuen Kunst und Kunstrezeption darstellte.

In seiner Autobiographie *Mein Leben* bezeugte Wagner selbst den tiefen Eindruck, den ihm Ludwig Feuerbach (1804 bis 1872) mit dem Buch *Tod und Unsterblichkeit* machte. Er pries Feuerbachs lyrischen Stil und schrieb dessen ästhetisch-sinnlichem Begriff des Geistes einen wichtigen Einfluß auf seine Konzeption eines allumfassenden Kunstwerks zu, eines perfekten Dramas, das die einfachsten und menschlichsten Gefühle im Moment der Erfüllung als ›Kunstwerk der Zukunft‹ anrühren sollte. Neben Feuerbach dürften darauf noch weitere Einflüsse der Zeit gewirkt haben. Um 1848 wurde die ›Hingabe an das Allgemeine‹, wie die Formel hieß, mit organologischen und Gemeinschaftsutopien verbunden, in denen man dem Volk gegenüber dem Staat eine eigene — ästhetisch-gefühlshaft vermittelte — Substanz zuschrieb. Anderes nahm Wagner von dem Revolutionär August Röckel auf, und bezeugt ist seine intensive Beschäftigung mit Pierre-Joseph Proudhon (1809—1865). In dem lange unveröffentlichten Fragment *Das Künstlertum der Zukunft* stellte Wagner den Kommunismus, den er als Leben in Wissenschaft und Kunst verstand, als abschließende Stufe der Entwicklung heraus, während er sich sonst im allgemeinen anarchistisch äußerte und in seinem Künstleregoismus bisweilen mit dem Junghegelianer Max Stirner (1806—1856) berührte. (Stirner gelangte am Ende des Jahrhunderts unter Anarchisten und Intellektuellen ebenfalls zu großem Einfluß.)

Aus den Schriften *Die Kunst und die Revolution* und *Das Kunstwerk der Zukunft* seien nur einige Gedanken genannt, auf die man sich später immer wieder berief. Besondere Beachtung fand Wagners zornige Abrechnung mit der Kommerzialisierung der Kunst in der modernen Gesellschaft. Er kontrastierte die vom Christentum korrumpierte Gegenwart mit der Situation im klassischen Griechenland. Das Griechenvorbild, von Schiller, Hegel und Marx beschworen, übte auch hier seine Wirkung aus. Wagner plädierte gegen die Ware Kunst und für die wahre Kunst, die der sozialen Bewegung die humane, ideale Richtung weise. Allerdings könne sie sich erst mit der Revolution, »auf den Schultern unserer großen sozialen Bewegung zu ihrer Würde erheben«.

Wagner ging auf die Befürchtungen ein, daß, wenn das Prinzip der Arbeit allgemein Gültigkeit erhalte, »die Ausführung dieses Zwanges, die Anerkennung jenes Prinzipes gerade das menschenentwürdigende Handwerkertum endlich zur absoluten Weltmacht erheben, und [. . .] die Kunst geradezu für alle Zeit unmöglich machen würde«. Wagners Antwort war, daß diese Kritiker das eigentliche Wesen der sozialen Bewegung mißverstünden:

»Sie täuscht der unmittelbare Ausdruck der Entrüstung des leidenden Teiles unserer Gesellschaft, welcher in Wahrheit aber ein tieferer, edlerer Naturdrang zugrunde liegt, der Drang nach würdigem Genusse des Lebens, dessen materiellen Unterhalt der Mensch sich nicht mit dem Aufwande aller seiner Lebenskräfte mühselig mehr verdienen, sondern dessen er sich als Mensch erfreuen will: es ist somit, genau betrachtet, der Drang aus dem Handwerkertume heraus zum künstlerischen Menschentum, zur freien Menschenwürde.«

Die Berührung mit dem sozialen Denken der ›wahren‹ Sozialisten ist augenscheinlich. Wagner ging jedoch darüber hinaus, indem er der Kunst, wenn auch vage, eine aktive Funktion für die Revolutionierung der Gesellschaft zuschrieb. Die anschließenden Zeilen wurden von Späteren oft als Programm dieses Einbezugs verstanden und wie eine Triumphgirlande über öffentlichen Kundgebungen entrollt:

»Gerade an der Kunst ist es nun aber, diesem sozialen Drange seine edelste Bedeutung erkennen zu lassen, seine wahre Richtung ihm zu zeigen. Aus ihrem Zustande zivilisierter Barbarei kann die wahre Kunst sich nur auf den Schultern unserer großen sozialen Bewegung zu ihrer Würde erheben: sie hat mit ihr ein gemeinschaftliches Ziel, und beide können es nur erreichen, wenn sie es gemeinschaftlich erkennen. Dieses Ziel ist *der starke und schöne Mensch*: die *Revolution* gebe ihm die *Stärke*, die *Kunst die Schönheit*!«[99]

Unter den Späteren, die Wagners Programmatik als Anleitung für die Praxis ansahen, sind besonders die Schriftsteller und Intellektuellen zu erwähnen, die sich Ende der achtziger Jahre um die Zeitung *Berliner Volks-Tribüne* gruppierten und dann zum großen Teil von der Partei abgedrängt wurden. Bruno Wille lieferte 1888 in zwei Nummern der Zeitung eine aktualisierende Paraphrasierung von Wagners *Die Kunst und die Revolution*.[100] Die Bildungsarbeit dieser Gruppe schöpfte aus Wagners Gedanken entscheidende Anregungen, bis hin zum Postulat ›Die Kunst dem Volke‹. Wagnersche Impulse prägten auch die Öffnung des Theaters für das Proletariat und die Gründung der Freien Volksbühne: das Theater sollte wieder als Stätte sozialer Erziehung und menschlicher Erhebung wirken.

Zu den Autoren in der *Volks-Tribüne* und in der von

Max Schippel edierten ›Berliner Arbeiterbibliothek‹ gehörte neben Bruno Wille, Paul Ernst, Paul Kampffmeyer und Conrad Schmidt auch Clara Zetkin. Die Sozialistin, die 1892 die Zeitschrift *Die Gleichheit,* das Organ der sozialistischen Frauenbewegung, gründete, knüpfte für die Erneuerung des klassischen Bildungsprinzips an Wagners Vision an, stellte sie der niedrigen Geistigkeit einer vom Kapitalismus verdorbenen Gegenwart gegenüber.[101] In der Rede *Kunst und Proletariat,* in der sie 1911 die »kunstschöpferischen« Aktivitäten des Proletariats ermunterte, berief sie sich auf Wagners Ideal des schönen und starken Menschen. Sie fügte unter Hinweis auf Nietzsche hinzu, daß das »nicht die vielberufene ›Persönlichkeit‹ des Individualismus ist, nicht die blonde Bestie des Übermenschen, sondern die harmonisch entfaltete Persönlichkeit, die sich mit dem Ganzen untrennbar verbunden, die sich als eins mit ihm fühlt. Die Revolution ist die Tat der Massen, und die höchste Kunst wird immer Ausdruck geistigen Massenlebens bleiben.«[102] Als Clara Zetkin 1924 auf dem V. Kongreß der Kommunistischen Internationale eine umfassende und kritische Abrechnung mit dem Versagen der Intellektuellen und den Fehlern der sozialdemokratischen Intellektuellenpolitik lieferte, nahm sie zum Abschluß diesen Gedanken wieder auf. Der schöne und starke Mensch, den Wagner zum Ziel der Geschichte erklärte, sei das Ziel geblieben. Sie gab der Erwartung auf Verschmelzung von Intelligenz und Proletariat Ausdruck und hielt Wagner den »Augenblick Erkenntnis« zugute, »daß die Stärke der Revolution vor der Schönheit der Kunst geht und ihre Wegbereiterin ist«.[103]

Wagner wurde im 19. Jahrhundert auch unter der oppositionellen Intelligenz in Rußland als Revolutionär gefeiert. Anatolij Lunačarskij (1875–1933), der als Volkskommissar für Aufklärung die Verantwortung für die Kulturpolitik in und nach der Russischen Revolution trug, schloß sich in seiner Verehrung für Wagner an eine wohletablierte Tradition an. Zu der Neuauflage von *Die Kunst und die Revolution* im Jahr nach der Revolution schrieb er eine Einleitung. Lunačarskij bezog sich auf Wagner direkt, was die

Erneuerung des Theaters betraf, der nach der Revolution viel Bedeutung zukam, und mehr indirekt, was die damit zusammenhängende Erhöhung und Stilisierung des Gemeinschaftserlebnisses anging. In dem Artikel *Theater und Revolution* konstatierte er 1921, daß das nachrevolutionäre russische Theater der Forderung Wagners nach Reinigung und Umgestaltung der Bühne weitgehend entsprochen habe.[104] In seiner Rede *Über das Musikdrama* (1920) verfolgte Lunačarskij die seit 1900 von ihm und anderen revolutionären Intellektuellen entwickelten Gedanken über die Verbindung von Heroismus und Massenerleben weiter, die auch von Clara Zetkin höchste Bewertung erfahren hatte. Lunačarskij, am Nietzsche-Kult der Jahrhundertwende beteiligt, verwies um 1920 erneut auf Nietzsches Werk *Die Geburt der Tragödie aus dem Geiste der Musik* (1872). Nietzsches Einfluß vereinigte sich mit dem Wagners. Für das Kapitel, das man ›Die Erneuerung des Theaters aus dem Geiste der Gemeinschaft‹ in der Periode des Ersten Weltkrieges und der Russischen Revolution nennen könnte und an dem Lunačarskij verantwortlich beteiligt war, gewann Wagner eine überragende Bedeutung.

Wagners Einfluß unter Intellektuellen, Sozialisten und Anarchisten rührte jedoch nicht nur von der Theaterprogrammatik her, für die sein Musiktheater als überaus berauschendes Beispiel wirkte, sondern auch von dem bereits in *Das Kunstwerk der Zukunft* formulierten ästhetisch *und* politisch gemeinten Begriff vom Volk als dem Träger der kulturellen Erneuerung. Bereits um 1850 gewann das Konzept des Gemeinschaftskunstwerks Gestalt, in dem politische Tat und ästhetischer Genuß verschmelzen, ein Konzept, das nach 1900 in Theater und Politik eindrang, zur theatralischen Manifestation gesellschaftlicher Umwälzungen. Es war eng auf den ästhetischen Volksbegriff bezogen: Im »*gemeinsamen Kunstwerk der Zukunft*« »wird auch unser großer Wohltäter und Erlöser, der Vertreter der Notwendigkeit in Fleisch und Blut, — *das Volk*, kein Unterschiedenes, Besonderes mehr sein; denn im Kunstwerk werden wir eins sein — Träger und Weiser der Notwendigkeit, Wissende

des Unbewußten, Wollende des Unwillkürlichen, Zeugen
der Natur, — glückliche Menschen«.[105]

Ebenso gefährlich faszinierend war Wagners Projektion
des Schöpferischen ins Volk hinein, in seine von den
Romantikern erschlossene ›Tiefe‹, in welcher Begriffe wie
Klasse oder Individuum von stockfinsterer Nacht umhüllt
werden. Mit großer Gebärde wies Wagner in diese ›Tiefe‹
und mahnte:

>»Nicht ihr Intelligenten seid daher erfinderisch, sondern das
Volk, weil es die Not zur Erfindung treibt: alle großen Erfindungen sind die Taten des Volkes, wogegen die Erfindungen der
Intelligenz nur die Ausbeutungen, Ableitungen, ja Zersplitterun-
gen, Verstümmelungen der großen Volkserfindungen sind. [...]
Nicht ihr gebt dem Volke zu leben, sondern es gibt euch, nicht
ihr gebt dem Volke zu denken, sondern es gibt euch; nicht ihr
sollt daher das Volk lehren wollen, sondern ihr sollt euch vom
Volk lehren lassen.«[106]

Der Kontrast zu Kautskys Einschätzung von Proletariat
und Intelligenz läßt sich kaum größer denken. Ihn zu verdeutlichen ist keineswegs deplaziert, sollen die Entwicklungen nach 1900 verständlich werden, als die Besinnung auf
das Volk (als Proletariat) und seine Schöpferkraft den Charakter einer neuen Lehre annahm, zu deren Propheten
neben Wagner auch Leo Tolstoj (1828—1910) und andere
anarchistische Schriftsteller gezählt wurden. Gegenüber der
starren Bildungs- und Organisationspolitik der deutschen
Sozialdemokratie hatte eine solche Besinnung breite Wirkung.

Nach 1900 waren die Folgen der Romantisierung von Gemeinschaft, Volk und Proletariat wesentlich tiefgreifender
als in der ersten Hälfte des 19. Jahrhunderts, als nur England und Frankreich eine höhere Stufe der Industrialisierung erreicht hatten. Doch sind, wenn man etwa auf die
Äußerungen der englischen Schriftsteller vor 1850 zurück-
geht, vergleichbare Positionen sichtbar (wofür auch Wagners Berufung auf Carlyle in der späteren Einleitung zu den
beiden besprochenen Schriften Hinweise gibt). Raymond

Williams hat in *Culture and Society 1780–1950* (1958) herausgearbeitet, wie die Schriftsteller die Entdeckung ihrer Abhängigkeit vom Markt mit der Kritik an der ›mechanischen‹ Gesellschaft beantworten, in der keine direkte Beziehung zum Publikum mehr möglich ist, und wie diese Antwort immer wieder in eine Beschwörung der Gemeinschaft übergeht, die wiederhergestellt werden soll. Charakteristisch ist die Verschränkung konservativer und progressiver Momente, die Williams zeigt, ein Ineinander von Ästhetizismus (oft Elitismus) und revolutionärem Engagement, das sich auch in der Ambivalenz der wagnerschen Programmatik erkennen läßt und in dieser Formulierung die vielleicht schwerwiegendste Wirkung gefunden hat. Als Feind gilt der Liberalismus, d. h. der zur Gesellschaftsdoktrin erhobene Egoismus (›Kapitalismus‹), der den Künstler vom Volk abschneidet; die Hoffnung richtet sich auf den Befreiungsakt des Volkes, der wieder zur Identifikation mit der Natur und dem Leben führt. Diese Identifikation — zugleich die Identifikation des Künstlers mit dem Volk — verwirklicht sich am besten in der Kunst.

Bei Wagner umschließt diese Ambivalenz Impulse für den Sozialismus ebenso wie für den Nationalismus. Noch sein *Ring des Nibelungen* wirkte in beide Richtungen, wenn auch zweifellos stärker auf den Nationalismus. Die einen feierten das riesige Musikwerk als Wiederbelebung des germanischen Mythos, George Bernard Shaw (1856–1950) dagegen pries es in *The Perfect Wagnerite* als riesige allegorische Erzählung über »industrielle und politische Fragen vom sozialistischen und humanitären Standpunkt aus«, in der die Wahl zwischen Geld und Liebe im praktischen Sinne auf die Wahl zwischen Ausbeutung der niederen Klassen oder Unterstützung ihres Aufstieges hinauslaufe.

Die Ambivalenz völkischer und sozialistischer Tendenzen wagnerscher Programmatik kam Ende des 19. Jahrhunderts auf politischem Terrain besonders in Österreich zum Ausdruck. Gründung und Aufbau der österreichischen Sozialdemokratie seit 1889 ist, was das Wirken ihres Führers Victor Adler angeht, ohne diesen Hintergrund nicht zu denken.[107] Adler bekannte sich zunächst als Deutschnationaler und gehörte dem Kreis um Engelbert Pernerstorfer (1850 bis 1918) an, in dem Wiener Intellektuelle und Künstler (z. B. Gustav Mahler) ihre Kritik an der Gesellschaft und dem gegenwärtigen Liberalismus austauschten und alternative Gesellschaftsentwürfe entwickelten, in denen die Idee der Kulturgemeinschaft eine zentrale Rolle spielte. Vieles davon ging in das ›Linzer Programm‹ (1882) der Deutschnationalen ein, das nationale Forderungen mit weitreichenden sozialen und politischen Reformen verband. Adlers und Pernerstorfers Bruch mit Georg von Schönerer, dem Führer der Deutschnationalen, geschah in den achtziger Jahren endgültig über dessen Antisemitismus.[108] Adler, der als Arzt engen Kontakt mit dem Proletariat besaß, wandte sich nun voll dem Sozialismus zu.

Mit diesem Übergang gab Adler seine Ansichten über die enge Beziehung von Kultur und Politik nicht auf, was sich in seinem Organisationskonzept niederschlug. (In dem Vielvölkerstaat Österreich-Ungarn wurden politische Herausforderungen ohnehin häufig als kulturelle empfunden.) Seine von der Beschäftigung mit Wagner geweckte Aufmerksamkeit für Massenpsychologie, öffentliche Symbolik und Gemeinschaftsveranstaltungen wurde zu einem wirksamen Faktor beim erfolgreichen Aufbau der österreichischen Sozialdemokratie, speziell in Wien, angefangen bei der Demonstrationsgestaltung des 1. Mai 1890, die der Bewegung großen Auftrieb verschaffte. Angesichts des Fehlens eines allgemeinen Wahlrechts wußte Adler die feierliche Demonstration und den Appell an die Gemeinschaftsgefühle zu einem wirksamen politischen Instrument zu machen.[109] Musik und Theater nahmen einen besonderen Platz ein, von den festlichen Choraufführungen der österreichischen ›Arbeitermarseillaise‹, dem 1868 von J. J. Zapf verfaßten *Lied der Arbeit* in der Komposition von Joseph Scheu und der von Pernerstorfer geförderten Arbeit der ›Wiener Freien Volksbühne‹ bis hin zur Agitation mit Hilfe politischer Kampf- und Spottlieder, die große Verbreitung fanden.[110] Sozialistische Publikationen wie die *Arbeiter-*

Zeitung (ab 1889), *Der Kampf* (ab 1907) und *Der Strom* (ab 1911) nahmen daran aktiven Anteil.

Adlers Einbezug psychologischer und ästhetischer Elemente in die politische Praxis der Arbeiterbewegung stieß bei deutschen Sozialdemokraten, vornehmlich bei Kautsky (selbst Österreicher), verschiedentlich auf Kritik. Auf der anderen Seite hielt Adler den deutschen Genossen ihren Mangel an psychologischem Denken und an Gespür für Massenarbeit vor und äußerte 1893 in einem Brief an Engels, mit dem er engen und freundschaftlichen Kontakt pflegte, ihn wundere Bebels geringe Vertrautheit mit der Massenpsychologie. Er vermute, »daß die Fehler, die die deutsche Parteileitung ab und zu macht, zum großen Teil aus solcher Unkenntnis stammen; daß sie zu naiv, fast hätte ich gesagt, zu ehrlich sind«.[111] Adlers Einschätzung der deutschen Sozialdemokratie gewährt einige Aufschlüsse für deren weitere Entwicklung, in der diese Haltung in Verbindung mit der Bürokratisierung zu einer politischen Unbeweglichkeit führte, die auch durch marxistische Bekenntnisse nicht aufgehoben werden konnte. Wiederum geht der Blick nicht nur zum Ausbruch des Ersten Weltkrieges, als ein Großteil der deutschen Arbeiter dem Appell der Regierung, für die Volksgemeinschaft mit der Waffe zu kämpfen, auch innerlich folgte, sondern auch zu den Jahren der Weltwirtschaftskrise um 1930, als Hitler und die Nationalsozialisten mit Massendemonstrationen, Führerkult und Appellen an Gemeinschaftsdenken (für das Volk, gegen den Kapitalismus) über das Kleinbürgertum hinaus Teile des Proletariats auf ihre Seite zogen.

Doch hält die Geschichte keine einfachen Schlußfolgerungen bereit. Auch Adlers größere Vertrautheit mit der Massenpsychologie, seine Fähigkeit, gemeinschaftsfördernde kämpferische Symbole zu schaffen, läßt sich nicht ganz ohne den Bezug auf Hitler bewerten. Es ist mehr als (böse) Ironie der Geschichte — und erforderte ausführlichere Erörterung —, daß Hitler, der in Wien seine prägenden Eindrücke empfing und die Deutschnationalen und Antisemiten Georg von Schönerer und Karl Lueger bewunderte, die wichtigsten

Kenntnisse über Massenpsychologie und ästhetisch wirksame Massenaufmärsche von Victor Adlers Sozialdemokratie erlernte. In *Mein Kampf* (1925) hat er über dieses »Stehlen«, wie der Terminus bei Nationalisten auch später lautete, Zeugnis abgelegt.

Daß Hitler mit Wagners Schriften selbst vertraut war, ist nach Hermann Rauschning anzunehmen.[112] In jedem Falle kam er in seinem kunstpolitischen Denken wagnerschen Anschauungen überaus nahe, einschließlich der antisemetischen Tendenz, wenngleich Wagner die Identifikation des Künstlers mit dem Volk als einer kulturellen Gemeinschaft definierte, Hitler dagegen von einer Rassengemeinschaft sprach. Die Erörterung von Wagners Programmatik und ihren völkischen und sozialistischen Implikationen sei mit Worten Hitlers von 1936 beschlossen, in denen die Ambivalenz des Ästhetischen in der Politik sichtbar bleibt — über die barbarische Verwendung bei Hitler, dem verkrachten Künstler, hinaus:

»Und mögen sie [die Gestalter und Schöpfer der deutschen Kultur] dabei aber auch begreifen, daß so, wie der Aufbau der menschlichen Gesellschaft nur denkbar ist durch die Überwindung der persönlichen Freizügigkeit zugunsten einer größeren gemeinsamen Bindung — auch kulturell eine große Generallinie gefunden werden muß, die die Schöpfungen der Einzelnen von einer größeren Idee erfüllt sein läßt, die ihnen das zügellos Willkürliche rein privater Auffassungen nimmt und ihnen dafür die Züge einer gemeinsamen Weltanschauung verleiht.«[113]

7. Sozialismus und Naturalismus

Sozialismus und Naturalismus: für viele Bürger reimten sich diese Begriffe am Ende des 19. Jahrhunderts, kaum jedoch für Sozialisten und Naturalisten. Das gespannte Verhältnis ist häufig diskutiert und seit neuerem ausführlich untersucht worden.[114] Ihm gebührt in der Tat ein besonderer Platz in den Beziehungen zwischen Sozialismus und Intellektuellen, exemplarisch, wenn man will, auch für das

20. Jahrhundert. Nachdem die organisatorische und bildungspolitische Entwicklung der Sozialdemokratie bereits behandelt worden ist, geht es bei den folgenden Bemerkungen nur um eine allgemeine Plazierung der Auseinandersetzung im Kontext der Gesamtdarstellung. Im übrigen wird auf die vorhandenen materialreichen Untersuchungen verwiesen.

Das Interesse für die sozialen Probleme kennzeichnet die europäische Literatur im letzten Drittel des 19. Jahrhunderts allgemein. Dazu gehört die ausgedehnte Diskussion der oft programmatisch verwandten Termini ›Naturalismus‹ und ›Realismus‹. Schon in den fünfziger Jahren spielte der Begriffsbereich ›naturalistisch‹ bei den Programmatikern des Realismus (Julian Schmidt, Gustav Freytag) eine wichtige Rolle, und zwar zumeist tendenziös, als schlechter Gegensatz zum eigentlichen Realismus. Man qualifizierte die »materielle Nachahmung der Natur« ab, »auch wenn sie künstlerischen Gesetzen folgt«, wie es 1854 in den *Grenzboten* hieß.[115] Es müsse vielmehr die »Notwendigkeit einer symbolischen, poetischen, allgemein menschlichen, idealen Wahrheit« hinzutreten. Diese »symbolische Wahrheit« und das gemeinte Symbol sollten zwischen dem geforderten Ideal oder der »Idee« und der ebenfalls postulierten »realistischen Darstellung« im einzelnen vermitteln. Das berührt sich mit der Einstellung, die im Zusammenhang mit der literarischen Kritik von Marx und Engels skizziert worden ist. Der benutzte Symbol- und Wahrheitsbegriff steht gegen das Beliebige in der Stoffwahl, er reicht unter bzw. über die Oberfläche zufälliger Wirklichkeitsdetails.

Die Kritik, die nach 1880 am Naturalismus geübt wurde, setzte diese Betrachtungsweise, wenn auch teilweise aus anderen Motiven, im wesentlichen fort.[116] Die Hauptvorwürfe gegen die Naturalisten richteten sich dagegen, daß sie unrepräsentative, unpoetische und unmoralische Stoffe wählten und an der Oberfläche der Realität stehenblieben. Einerseits hielt man ihnen vor, daß sie die Kunst zur bloßen Funktion ihrer Subjektivität machten, andererseits hieß es, daß sie die Kunst den Phänomenen der äußeren Wirklichkeit oder den

Resultaten der Wissenschaft auslieferten. Bezeichnenderweise kamen diese Vorwürfe sowohl von politisch konservativer als auch progressiver Seite, von Bürgerlichen ebenso
wie von Sozialisten. Sie verstärkten sich am Ende des Jahrhunderts und blieben auch im 20. Jahrhundert lebendig. Im
Begriff ›Naturalismus‹ machte man im Negativen dingfest,
was man bei aller Orientierung der Kunst an der Gegenwart
nicht wollte: ihre Auslieferung an die »bereits zur Prosa
geordnete Wirklichkeit«. Dem naturalistischen Ansatz stellte
man entweder die Eigenbewegung des Ästhetischen oder
die ›wirklich‹ objektive Darstellung gegenüber.

Emile Zola, dem man ›ideenlose Naturtreue eines Kopi-
sten‹ vorwarf, lieferte die wichtigsten Stichworte zur Diskussion.[117] Am stärksten wirkte die Theorie vom Experi-
mentalroman, worin er die Naturwissenschaft und die
Milieulehre zum Garanten der modernen Ästhetik erhob
und den Einzelnen als den physikalischen und chemischen
Gesetzen absolut unterworfen bezeichnete. Zola erklärte, im
Romanzyklus der Rougon-Macquart nicht nur interessante
Geschichten zu schreiben und beliebige Stoffe zu verarbeiten,
sondern nach dem Vorbild Balzacs die Wirklichkeit der
Epoche des Zweiten Kaiserreiches umfassend darzustellen,
gründlich wie ein Sozialforscher, ja, über Balzac hinausgehend, mit dem Anspruch der (experimentellen) Wissenschaft. Die große Wirkung seines Programms auf die
Schriftsteller seiner Zeit und ihre Begründung des Realismus (Naturalismus) braucht kaum hervorgehoben zu werden, der Hinweis auf Wilhelm Bölsches Schrift *Die naturwissenschaftlichen Grundlagen der Poesie. Prolegomena
einer realistischen Ästhetik* (1887) mag genügen. Zola bot
ein neues Selbstverständnis des modernen Künstlers. Er verankerte die Beschäftigung mit der sozialen Frage, die schon
in den vierziger Jahren als Aufdeckung der Wahrheit eine
erste Rechtfertigung gewährte, im Wissenschaftsglauben
seiner Epoche.

Und doch: war Zolas Darstellungsform durchgehend wissenschaftlich, wie seine Theorie behauptete? Schon der Vergleich der Romane mit den Skizzen und Vorarbeiten zeigt

seine Unabhängigkeit im ästhetischen Entwurf. Ausgehend von bildhaften Szenen stellte Zola große Lebenskomplexe unter Leitsymbole und erhöhte die Strukturen seiner Romane ins Mythische, von dem allesverschlingenden Ungeheuer im Bergwerksroman *Germinal* (1885), der Zeche ›Le Voreux‹, sowie der gewaltigen Freßallegorie und ›Käse-Symphonie‹ der Pariser Markthallen in *Le ventre de Paris* (1873) bis zu den Bildern der marschierenden Massen, der drohenden Großstadt, des Molochs Maschine. Diese Kraft der bildhaften Vergegenwärtigung wirkte unmittelbar auf die Millionen Leser, *sie* beförderte das Bewußtsein von einer neuen Gegenwart, dem modernen Massenzeitalter.[118]

Neben der wissenschaftlichen Theorie die mitreißenden Bilder, neben der Unterwerfung der Kunst ihre freie Entfaltung: Zolas Beitrag läßt sich als exemplarisch für die Widersprüchlichkeit der modernen Kunst verstehen. Zola war nicht von Anfang an ›engagiert‹. Er wuchs erst langsam in eine politisch-soziale Stellungnahme hinein, wenn er auch nicht zum Sozialisten wurde. Er gehörte nicht mehr zur Generation Victor Hugos, des sozialromantischen Propheten. Der Glaube an die Kraft der Literatur schwand überall mit dem Scheitern der revolutionären Bewegung von 1848.

Hugo hatte im Vorwort zu *Hernani* das Häßliche für darstellungswürdig erklärt. Nun erkannten Schriftsteller ästhetisch Anziehendes im Elend. Baudelaire, zunächst revolutionär, veröffentlichte *Les fleurs du mal* (1857). Hinter der Schilderung der unteren Klassen bei den Brüdern Goncourt stand kein sozialpolitisches Motiv; sie wollten eine ›Reportage‹ geben. Bei Schopenhauer und Rosenkranz ist der Gedanke schon philosophisch formuliert, daß im Schauspiel des menschlichen Elends Schönheit zu finden sei.[119]

In seiner Kritik an Zola hob Georg Lukács den Aspekt des Zuschauens (beim Schauspiel) besonders hervor. Dem Übergang vom Realismus zum Naturalismus liege die Tatsache zugrunde,

»daß die gesellschaftliche Entwicklung der Bourgeoisie die Schriftsteller von Miterlebenden der gesellschaftlichen Entwicklung, von Mitstreitern der großen epochalen Kämpfe zu bloßen

Zuschauern und Chronisten des Alltagslebens degradiert hat. Zola erkennt sehr klar, daß Balzac selbst Bankrott machen mußte, um César Birotteau gestalten zu können, daß er die Unterwelt von Paris aus eigener Erfahrung kennen mußte, um Figuren wie Goriot und Rastignac usw. leben zu lassen. Zola jedoch war, in noch höherem Maße als Flaubert, der eigentliche Begründer des Naturalismus, ein vereinsamter Zuschauer, ein kritischer Kommentator des Lebens seiner Gesellschaft. (Der tapfere publizistische Kampf in der Dreyfus-Affäre kam viel zu spät und blieb viel zu episodisch, um die Grundlagen seines Schaffens zu verändern.) Sein naturalistischer, ›experimenteller‹ Roman ist also nichts weiter als der Versuch, eine Methode zu erfinden, mit deren Hilfe der zum bloßen Zuschauer degradierte Schriftsteller in den Stand gesetzt werden soll, die Wirklichkeit schöpferisch realistisch zu bewältigen.«[120]

Lukács' Analyse ging über Zola hinaus, zielte auf die moderne Kunst generell. In der Nachfolge Hegels kennzeichnete Lukács den Abfall vom ›objektiven Kunstwerk‹: »An die Stelle der dialektischen Einheit des Typischen und des Individuellen tritt der mechanische statistische Durchschnitt — epische Situation und epische Fabel werden durch Beschreibung und Analyse ersetzt.«[121] Lukács erläuterte das mit der Gegenüberstellung von Zola und Balzac. Diesen Vergleich hatte bereits Engels 1888 im Brief an Margaret Harkness gebracht.

Der Vergleich zwischen Zola und Balzac, für die Differenzierung von ›Realismus‹ und ›Naturalismus‹ bei Marxisten grundlegend, wurde 1891 von Paul Lafargue in ›Das Geld‹ von Zola ausgearbeitet, dem lange Zeit wichtigsten Artikel eines Marxisten über Zola und die modernen künstlerischen Techniken.[122] (Er erschien 1892 in der Neuen Zeit.) Lafargue charakterisierte die Verfasser sozialer Romane folgendermaßen:

»Es fehlt ihnen an Erfahrung, und sie beobachten die Menschen und Dinge der zu schildernden Welt nur oberflächlich. Obgleich sie sich damit brüsten, daß sie das wirkliche Leben malen, bleibt ihr Blick doch ausschließlich auf der Außenseite der Dinge haften, sie erfassen das sich vor ihnen abrollende Schauspiel des alltäglichen Lebens nur in seinen oberflächlichsten, äußerlichsten Momenten.«[123]

Wenngleich Lafargue dies auch Zola zum Vorwurf machte, erkannte er ihn doch als großen Schriftsteller an. Die Basis dieser Kritik, die teilweise auch auf Flaubert und die Brüder Goncourt gemünzt war, stellte die Auseinandersetzung über sichtbare und überprüfbare ästhetische Konzepte dar. Die Gegenüberstellung mit Balzac zielte auf eine Kritik der von den Naturalisten entwickelten Darstellungsweisen, nicht auf eine politisch gestützte Kunstvision. Das Lob Balzacs entstammte der Überzeugung, daß die Wirklichkeitsdarstellung der Naturalisten dem Zufall, dem ästhetischen Virtuosentum und der Eigenbewegung der künstlerischen Mittel zu viel Raum gewähre. Balzac sei dagegen derjenige Schriftsteller, dessen Realismus die tatsächlich wirksamen Elemente der Realität aus ihren gesellschaftlichen Bedingungen heraus sichtbar mache. Das ließ sich mit der Untersuchungsmethode von Marx in Verbindung setzen.

Von Zola ausgehend, erweiterte Lafargue seine Untersuchung zu einer generellen Kritik der modernen dokumentarischen und experimentellen Literatur. Nicht zufällig wurde sein Artikel 1932 zum erstenmal ins Russische übersetzt. Er führte zu den Wurzeln von ›Modernismus‹ und ›soziologischem Objektivismus‹, die man in dieser Phase der sowjetischen Kulturpolitik unter Stalin als Gegenpositionen zum sozialistischen Realismus zu bekämpfen begann. Lafargues Beobachtungen ließen Rückschlüsse auf die Entstehung der modernen Kunstkonzepte zu, die mit Montage- und Reportageformen der gesellschaftskritischen und sozialistischen Literatur ihren Stempel aufgedrückt hatten. Lafargue arbeitete heraus, daß Zola seine Ideen und Schilderungen nach genauer Kenntnis der Publikumsbedürfnisse manipuliert habe, daß er verschiedentlich, etwa am Anfang des Romans *La terre*, so weit gegangen sei, Gemälde abzuschreiben. Er habe die sozialen Stoffe und Probleme nach ästhetischen Prinzipien montiert. Lafargue bestätigte die subjektive Basis des Modernismus und positivistischen Mechanizismus.

In dem Artikel *Erzählen oder beschreiben?* berief sich Lukács 1936 auf dessen Feststellungen. Für Lukács gehörten

sie innerhalb der Debatte um die moderne Literatur, einschließlich der von sozialistischen Autoren wie Bertolt
Brecht, zu den grundsätzlichen Argumenten.

Bezeichnend für diese Tendenz der sozialistischen Literaturkritik nach 1930 ist auch die Tatsache, daß im Jahre 1932 Engels'
Brief an Margaret Harkness zum erstenmal — mit einer mahnen-
den Vorbemerkung — zum Abdruck kam.[124] Allerdings blieb bei
der Systematisierung des Realismus zu dieser Zeit unberücksich-
tigt, daß Engels den bürgerlichen Bezugsrahmen der von ihm
vertretenen Realismusauffassung zumindest theoretisch andeutete.
Damit verfielen Werke wie die Romane und Erzählungen von
Minna Kautsky, die sozialistische Gedankengänge unter proletarischen Lesern verbreiten sollten, von vornherein dem ästhetischen
Verdikt. Die Verurteilung des Naturalismus erstreckte sich auch
auf künstlerische Erscheinungen des 19. und 20. Jahrhunderts, die
mit der naturalistischen Bewegung direkt nichts zu tun hatten.

Im Zeichen des Antipositivismus rückte Lukács den Naturalis-
mus und die von Lassalle geförderte Tendenzliteratur einander
nahe. Sein Lassalle-Artikel für die *Literaturenzyklopädie* der
Sowjetunion Anfang der dreißiger Jahre wirkt wie eine Art
Flankenschutz bei der Auseinandersetzung mit den bisherigen
Tendenzen im Bund proletarisch-revolutionärer Schriftsteller.
Lukács kritisierte die mechanische Unterordnung der Kunst unter
Tendenz und Naturwissenschaft beispielhaft an Lassalle, wobei
er auch auf Hegels Darlegung der ins Subjektive weisenden
Daseinsbedingungen der modernen Kunst einging. Bei Lassalle
sinke die Kunst, schrieb er, zu einem bloß subjektiven Ausdruck
herab, »was ein Fortschritt über Hegel sein könnte, wenn ihre
Subjektivität durch die objektive Dialektik der *materiellen* Wirklichkeit bestimmt wäre, wenn diese Auffassung auf die dialektische Aufhebung der *selbständigen* Geschichtsentwicklung der
Kunst hinauslaufen würde«. Doch sei dazu nicht einmal ein
Ansatz da. Lassalle ordne die Kunst dem ›Zeitgeist‹ *mechanisch*
unter. Damit »treten bei ihm beide falschen Tendenzen des
Hegelschen Denkens, sowohl der ›unkritische Idealismus‹ wie
der ›unkritische Positivismus‹ (Marx) noch schärfer hervor als
bei Hegel selbst«. Die Kunst sinke zu einem bloßen Symptom
der Entwicklung des Geistes herab, die ungleichmäßige Entwicklung, »das unegale Verhältnis der Entwicklung der materiellen
Produktion zum Beispiel zur künstlerischen« (Marx' *Einleitung
zur Kritik der Politischen Ökonomie*) werde nicht einmal als
Problem gesehen. »Zwischen Künstler und ›Zeitgeist‹ wird ein

ebenso mechanischer Zusammenhang konstruiert wie bei den —
teilweise ebenfalls von Hegel beeinflußten — Positivisten der
Mitte des XIX. Jahrhunderts, z. B. bei Taine (vgl. Lassalles Behandlung Lessings).«[125]

Bei seiner Polemik gegen die Tendenzliteratur berücksich-
tigte Lukács auch die diesbezüglichen Äußerungen Hegels.
Er wertete dessen »Stehenbleiben« bei der subjektiven Frei-
setzung der Kunst in der Moderne als Ausdruck der Begrenztheit der bürgerlich-idealistischen Philosophie. Lukács
bezog von Hegel die ästhetischen Totalitätspostulate (über
deren aktuelle Anwendung in den dreißiger Jahren noch
gesprochen werden wird), kritisierte ihn aber dafür, daß er
sie nicht mit der objektiven Dialektik der materiellen Wirklichkeit verbunden habe. Im Zentrum steht die Feststellung,
daß auch Hegels Kunstphilosophie als Teil der hegelschen
Dialektik materialistisch umgestülpt werden müsse. (»Auch
die richtigen Lösungen Hegels müssen vom Kopf auf die
Füße gestellt werden.«[126]) Ein Großteil von Lukács' Reflexion zur ästhetischen Widerspiegelung stellt die Bemühung um diese Umstülpung dar.

All diese Fragen spielten in den ästhetischen Auseinandersetzungen der II. Internationale, in der man Hegel
zumeist »wie einen toten Hund« behandelte, nur eine un-
tergeordnete Rolle. Die Beschäftigung der deutschen Sozialisten mit dem Naturalismus führte unter dem Vorzeichen
der idealistischen Ästhetik kaum zu differenzierten Feststellungen über die modernen Kunstformen. Mehring blieb
stark an die deutsche Literatur und Geschichte gefesselt, die
ohnehin im Gegensatz zur französischen und russischen
Literatur keine starke Realismustradition aufweist. Der
einzige Theoretiker, der zu dieser Zeit neuere Entwicklungen
in eine grundsätzliche und differenzierte Analyse der materiellen Bedingungen der Kunst hineinnahm, war Plechanov.
Doch auch er hielt an der Ästhetik Kants fest.

Die meisten sozialistischen Kritiker erhoben den Vorwurf, daß die Naturalisten an der Oberfläche steckenblieben.
Sie böten als Wahrheit, was nur eine Teilwahrheit darstelle. Sie sähen das Ganze nicht. Mehring schrieb 1893, der

Naturalismus habe das Verdienst, das Vergehende zu schildern, wie es ist. Er fügte hinzu:

»Aber die *ganze* Gesellschaft ist *nicht* verfallen, und das Schicksal des Naturalismus hängt davon ab, ob er den zweiten Teil seines Weges vollenden, ob er den höheren Mut und die höhere Wahrheitsliebe finden wird, auch das Entstehende zu schildern, wie es werden muß und täglich schon wird. Es ist aufrichtig zu wünschen, daß er dies Ziel erreicht, und *dann* freilich, aber auch dann *erst* wird er den Ruhm beanspruchen dürfen, ein neues Zeitalter der Kunst und Literatur zu eröffnen.«[127]

Für den Weg von der Teilwahrheit zur Wahrheit des Ganzen bezog Mehring keine hegelschen Argumente ein. Im Hinblick auf den in der Sozialdemokratie antizipierten Sieg im endgültigen Befreiungskampf der Menschheit definierte er die Ausrichtung an diesem Kampf als den notwendigen zweiten Teil des Weges. Einerseits simplifizierte Mehring damit die ästhetischen und erkenntnistheoretischen Vorbedingungen für das Entstehen einer neuen Kunst. Andererseits entsprach er der Forderung der Parteipraxis nach Repräsentation des politischen Kampfes. Der Wahrheitsbegriff war bereits vorgegeben. Der Anspruch von Naturalisten, den Wahrheitsbegriff künstlerisch neu zu begründen, traf auf Widerstand ebenso wie die Ausrichtung an einem Wissenschaftsbegriff, der von dem des historischen Materialismus abwich.

Die Debatte über naturalistische Literatur auf dem Parteitag 1896 in Gotha brachte allerdings keine überzeugende Manifestation dieses Standpunktes. Hinter der moralischen Entrüstung der Delegierten über eine ›anstößige‹ Passage im Roman *Mutter Bertha* (1893) von Wilhelm Hegeler (1870—1947) wurde eher die Unsicherheit darüber sichtbar.[128] Die Debatte entzündete sich an der Tätigkeit des Literaturkritikers Edgar Steiger (1858—1919), der die sozialdemokratische Unterhaltungsbeilage *Die Neue Welt* redigierte und darin die naturalistischen Romane *Mutter Bertha* von Hegeler und *Der neue Gott* von Hans Land (1861 bis 1935) zum Abdruck brachte. Schon vor dem Parteitag hatte Karl Frohme (1850—1933) die Polemik gegen Steigers Ansicht eröffnet, man könne bei den Arbeitern keinen ausgebildeten Kunstgeschmack voraussetzen, sondern müsse sie an die moderne Kunst heranführen. Frohme, der »lassalleanische Cicero«, griff Steigers Erziehungsanspruch mit dem Hinweis an, daß die Partei seit jeher an der »Emporhebung des Volkes« gearbeitet habe. Gemäß der sozialdemokratischen Tradition lehnte Frohme die Erziehung des Volkes mit Hilfe der Kunst keineswegs ab. Aber er verwies, ähnlich wie Liebknecht, auf die Klassik als Erzieher und äußerte, daß man die neue Kunstrichtung nicht eine »echte, wahre Kunst« nennen könne, sondern »als eine Erscheinung des Übergangs-Zeitalters, eines tollen menschlichen Karnevals« ansehen müsse.[129] Hermann Molkenbuhr (1851–1927) führte den suggestiven Satz ins Feld:

> »Der Arbeiter, der mit Not zu kämpfen hat, der in Zeiten der Arbeitslosigkeit schon zu einer gewissen Mißstimmung geneigt ist, kommt nicht zum Genuß der Kunst, wenn immer und immer nur die Not in den allerkrassesten Farben geschildert wird, im Gegenteil, es wird dadurch eine Art Selbstmordstimmung bei ihm hervorgerufen.«[130]

Steiger ließ erkennen, daß er mit seiner Erziehungsvorstellung auf ein kritisches Arbeiterpublikum hinarbeitete, das der Tugendhelden und idealen Fabeln nicht bedürfe. Er zielte auf einen Abbau des ritualisierten Idealismus, der das sozialistische Konzept ästhetisch transzendiert und die aktuelle gesellschaftliche Entwicklung übergeht. Mit dem Plädoyer, die Erkenntnis- und Reflexionsfähigkeit des einzelnen Arbeiters künstlerisch zu fördern, griff Steiger Elemente auf, die in dem Manifest der ›Unabhängigen Sozialisten‹ Anfang der neunziger Jahre zum erstenmal in Deutschland spezifiziert worden waren.

Bei dem Mißtrauen gegen Steiger spielte seine Zugehörigkeit zur *Leipziger Volkszeitung* eine gewisse Rolle. Zu dieser Zeit war das die einzige sozialdemokratische Zeitung, in der die moderne Kunst, vornehmlich die naturalistische Dramatik, relativ kontinuierlich verfolgt wurde. Das Blatt, das Bruno Schönlank (1859–1901) bis zur Jahrhundertwende leitete, ging über den geläufigen Parteijournalismus und -konformismus hinaus, nahm sich auch verschiedener Mißstände in der Partei an. Dabei blieben die Gegner nicht aus. Nicht zufällig erweiterte Frohme seine Polemik gegen Steiger auf die Zeitung insgesamt.

Indem jedoch die Kritiker zögerten, die Kunst differenzierter mit der Bildungspraxis zu verknüpfen, erlangte Steigers Argumentation einen gewissen Vorteil, und Schönlank, der ihn verteidigte, konnte ihnen vorhalten, ihr »Hohelied von der Kunst« sei »eben nichts anderes als das Hohelied von der ewigen Wahrheit der bürgerlichen Gesellschaft«.[131] Bebel, der die Erstarrung im Verhältnis der Sozialdemokratie zur ›hohen‹ (zumeist klassischen) bürgerlichen Kunst wahrnahm, trug in seinem Resümee Steigers Argumenten Rechnung:

> »Eine Partei wie die unserige, die reformierend in alle Gebiete eingreift, kann doch nicht auf dem Gebiet der Kunst und Literatur einen Standpunkt vertreten, der nach und nach als ein veralteter angesehen wird. Die meisten von uns, ich selbst nicht ausgenommen, sind infolge ihrer Tätigkeit gar nicht in der Lage, sich um die Entwicklung auf künstlerischem und literarischem Gebiete zu kümmern.«[132]

Bebel bestätigte die Distanz zwischen Parteipraxis und aktuellen Kunstfragen, mit der auch die Notwendigkeit einer Tendenzliteratur nur am Rande interessierte. Die Sozialdemokraten beließen es bei der Forderung, daß der Naturalismus nicht als ihre Literatur angesehen werden solle. Sie hielten am Konzept der ›hohen‹ Kunst fest, in dem sie ihren umfassenden revolutionären Anspruch symbolisiert sahen. Allerdings ließ sich das nur um den Preis der Abstraktheit und Abgehobenheit erkaufen. Mehring war sich dessen bewußt. Seine Anlehnung an Kants Ästhetik besaß hierin eine wichtige Basis.

Die Hoffnung auf eine Parteikunst bzw. proletarische Kunst beschränkte sich zumeist auf diejenigen, die von den naturalistischen Aktivitäten angerührt waren. Da gab es zum einen die offizielle Feststellung im *Vorwärts* kurz nach der Debatte:

»Wenn unsere Presse — was selbstverständlich ausgeschlossen ist — nicht den faden, farblosen Familienroman der meisten bürgerlichen Blätter kultivieren will, wird sie, da die Vorbedingungen für eine aus dem Boden sozialistischen Denkens erwachsende Kunst auf lange hinaus fehlen, nach wie vor auf den Import aus jener ›modernen‹ Literatur, wie unsympathisch sie auch viele Genossen berühren mag, angewiesen sein.«[133]

Und da gab es eine ähnliche Feststellung von Kurt Eisner (1867—1919), der jedoch hinzufügte:

»Aber die Sehnsucht nach einer anderen, nach einer Parteikunst im höchsten Sinne, ist nicht erloschen, noch weniger verächtlich, sie birgt im Gegenteil die Gewähr, daß nicht die moderne Strömung stagniert.«[134]

Eisner gehörte neben Clara Zetkin zu den wenigen Parteimitgliedern, die die Entstehung einer »Parteikunst im höchsten Sinne« nicht den guten Winden der Zukunft überlassen wollten.

Was nun die naturalistischen Schriftsteller selbst anbetrifft, so ist im Kapitel über die Sozialdemokratie und die Intelligenz schon einiges angedeutet worden. Kautskys Hinweis war zweifellos begründet: zahlreiche Schriftsteller und Intellektuelle benutzten die Wendung zum Proletariat ebenso wie die zur Wissenschaft dazu, ihr in der bürgerlichen Gesellschaft verunsichertes Selbstverständnis neu zu festigen. Wie sich Schriftsteller Mitte der achtziger Jahre dem Sozialismus zuwandten, kehrten sie ihm Mitte der neunziger Jahre wieder den Rücken. Das galt nicht nur für Deutschland. Allerdings wurde die große Welle des sozialen Interesses in Frankreich und Belgien am Jahrhundertende durch die stärkere Ausformung anarchistischer, syndikalistischer und reformistischer Strömungen sehr gefördert. Als die Gruppe um die *Berliner Volks-Tribüne*, welche die wichtigsten Ansätze der Annäherung von moderner Kunst und Proletariat in Deutschland lieferte, Anfang der neunziger Jahre aus der SPD herausgedrängt wurde, vermochten die Einzelnen noch eine zeitlang von Friedrichshagen aus Einfluß zu nehmen, doch zerstreuten sie sich bald, sei es in der individualistischen Bohème, sei es in anarchistischen, monistischen und anderen Gruppierungen. Sie wirkten auf die Aktivitäten im Umkreis der Zeitschrift *Der sozialistische Akademiker* (ab 1895) und der nachfolgenden *Sozialistischen Monatshefte* ein, ebenso auf die weitere Entwicklung der ›Freien Volksbühne‹ und der ›Neuen Freien Volksbühne‹, doch entstand daraus keine zusammenhängende Kunst- und Kulturkonzeption. Auf eine Darstellung der Entwicklung der ›Freien Volksbühne‹ kann hier verzichtet werden. Sie ist inzwischen bis ins einzelne geleistet worden.

Statt dessen dürfte ein Blick auf die Situation in Belgien und Frankreich zu dieser Zeit aufschlußreich sein. Dort erklärten der Anarchist Jean Grave und der Syndikalist Fernand Pelloutier die Annäherung von Künstlern und Arbeitern zum Bestandteil ihres politischen Programmes. Graves Aktivitäten im ›Club de l'Art Social‹ 1889 in Paris, die sich mit denen der ›Jungen‹ in Berlin vergleichen lassen, sowie seine Zeitschriften *La Révolte* (1887 bis 1894) und *Les Temps Nouveaux* (1895–1914) erhielten breite Resonanz. Viele Künstler widmeten sich vor der Jahrhundertwende der Emanzipation der arbeitenden Massen und sprachen sich gegen das Verharren der Kunst im Elfenbeinturm aus. Die politischen Argumente, häufig von Anarchismus und Syndikalismus inspiriert, waren militanter als vor 1848, als man auf die Macht des Wortes und der Vernunft gesetzt hatte. Im allgemeinen zielte man auf eine Gesellschaft sozialer Gleichheit, etwas, was die romantischen Künstler erschreckt hätte.[135]

Während die sozialistische Partei in Frankreich diesen Aktivitäten wenig Aufmerksamkeit schenkte, sie jedenfalls kaum förderte (bis auf die Reformisten um die Zeitschrift *La Revue Socialiste*, die auch von der Praxis der ›Jungen‹ in Berlin berichtete[136]), maß ihnen die belgische sozialistische Partei unter Emile Vandervelde (1866–1938) großes Gewicht bei. Für die Zusammenführung und Zusammenarbeit von Schriftstellern, Intellektuellen und Arbeitern war das wirtschaftlich weit entwickelte Belgien in der Zeit der Jahrhundertwende der zentrale Platz in Europa. Von hier strahlten organisatorische und künstlerische Impulse aus, vornehmlich nach Frankreich, aber auch nach Deutschland. Jules Destrée, der 1896 das zentrale Programm *Art et socialisme* ausarbeitete, berief sich auf William Morris und dessen Postulat, daß die Kunst wieder ins Leben integriert werden müsse. Vandervelde beteiligte sich selbst an den Unternehmungen der belgischen Sozialisten, die von der Auffassung getragen waren, daß Künstler und Arbeiter im Kapitalismus ausgebeutet würden und sich zur Schaffung einer neuen, von Ausbeutung freien Gesellschaft zusammenschließen müßten. Im Mittelpunkt stand die ›Maison du peuple‹ in Brüssel, für deren Organisation die Partei die Schriftsteller Emile Verhaeren und Edmond Picard gewann, mit dem Romancier Georges Eekhoud, dem Maler Fernand Knhopff und dem Kritiker Octave Maus als Beratern.[137] Für die ästhetischen Impulse, die vom ›belgischen Künstlersozialismus‹ ausgingen, sei hier nur auf die Lyrik von Verhaeren (1855–1916) und die Skulpturen von Constantine Meunier (1831–1905) verwiesen, die ein neues gefühlhaft-symbolisches Bild des Arbeiters und der Arbeiterschaft schufen.

Mit dem Terminus ›Naturalismus‹ läßt sich von diesen Entwicklungen nur ein Teil erfassen. Für den Aufbruch der literarischen Intelligenz seit den achtziger Jahren, an dem der Aufstieg der Arbeiterbewegung großen Anteil hatte, stellt der Naturalismus nur ein Symptom dar, wenn auch ein zentrales. Was an Zola gezeigt worden ist, der bereits einer etwas älteren Generation angehörte, läßt sich auch bei deutschen Schriftstellern verfolgen: das Miteinander von wissenschaftlicher Legitimierung und freier Entfaltung der künstlerischen Phantasie, von Zuwendung zur sozialen Frage und Stilisierung des Ästhetischen (die zunehmend unter Nietzsches Einfluß geriet).

In dem Weg von Arno Holz (1863–1929), der von der optimistischen Stellungnahme zugunsten des Proletariats zur rastlosen Bemühung um eine ästhetische Grundlegung der modernen Kunst führte, wird davon einiges sichtbar.[138] Holz formulierte den zündendsten Appell, das ›Unthema‹ in die Poesie einzubeziehen. Seine Strophen im Eingangsgedicht vom Buch der Zeit (1886) stimulierten Verehrung und Nachahmung zahlreicher proletarischer Lyriker zu einer Zeit, da Holz längst andere Wege ging:

> »Doch ob auch Dampf und Kohlendunst
> die Züge dieser Schrift verwaschen,
> kein flüchtig Glück will ich erhaschen,
> ich liebe dich, nicht deine Gunst!

Mir schwillt die Brust, mir schlägt das Herz
und mir ins Auge schießt der Tropfen,
hör ich dein Hämmern und dein Klopfen
auf Stahl und Eisen, Stein und Erz.

Denn süß klingt mir die Melodie
aus diesen zukunftsschwangern Tönen;
die Hämmer senken sich und dröhnen:
Schau her, auch dies ist Poesie!

Sie kehrt nicht nur auf ihrem Gang
in Wälder ein und Wirtshausstuben,
sie steigt auch in die Kohlengruben
und setzt sich auf die Hobelbank.«[139]

Holz' Provokation der Zeitgenossen schloß allerdings auch bereits die Harmonisierung ein.[140] Der Autor ging der Forderung
nach Echtheit und Wahrheit des dargebotenen Daseinsausschnittes
mit zunehmender Akribie nach, besonders in den Prosaskizzen
und Theaterdialogen, die er gemeinsam mit Johannes Schlaf
(1862–1941) verfaßte. Während dabei wissenschaftliche Theorie
und literarische Praxis nie ganz zueinanderfanden, verselbständigte sich das Experiment: die Behauptung der Echtheit und
Wahrheit löste sich von den sozialen Inhalten und wurde selbst
zum Inhalt. Dem entsprechen Holz' spätere Forderungen nach
»notwendigem Rhythmus«, »natürlichem Empfinden« und »letzter
Einfachheit«.

Die Eifersucht dieses Poeten gegenüber dem erfolgrei-
cheren Gerhart Hauptmann besitzt ihre Berechtigung. Was
Holz zur Provokation der Zeitgenossen literarisch aufbereitet und bei seinen ästhetischen Experimenten wieder aus
den Händen gleiten ließ, erfaßte Hauptmann von vornherein erlebnishaft, modellierte und konturierte es zu einem
Bilderbogen menschlichen Aufbegehrens: das ›Unthema‹,
die soziale Frage. Hauptmanns Drama *Die Weber* (1892)
gewann seine Wirkung nicht als ästhetisch-wissenschaft-
liches Experiment, sondern als Wiederbelebung der Weberrevolte von 1844 auf der Bühne. Zum erstenmal fanden
Dasein, Leiden und Aufbegehren von Proletariern wirksame Darstellung in der in Deutschland repräsentativsten
Literaturgattung, dem großen Drama.

Hauptmann entfaltete das Bühnengeschehen nicht aus der Perspektive des sozialkritischen Intellektuellen, die sein Stück *Vor Sonnenaufgang* (1889), Max Halbes *Eisgang* (1892) und andere naturalistische Werke charakterisiert. Anders als bei solchen mehr oder weniger bühnenwirksamen Auseinandersetzungen mit der sozialen Frage setzte Hauptmann in den *Webern* das Proletariat selbst in Bewegung. Die Weber in ihrem Aufbruch aus der Unterdrückung und Ausbeutung, in ihrem Zusammenrücken als Masse: das wies über die geläufigen Formen der sozialpolitischen Argumentation hinaus. Die Weberrevolte löst sich von einer gesellschaftskritisch-analytischen Artikulierung in der Sprache, treibt zu einer Entladung elementarer Emotionen. Die »szenisch-mimische Gebärdenkunst«[141], die Hauptmann aus der szenischen Sprachmimik von Holz entwickelte, steigert sich zu dramatischer, fast ritueller Gebärdung, bei der das Theater Symbolgestalt gewinnt — auf Kosten sprachlich-kritischer Reflexion.

Für die sinnlich visuelle Vergegenwärtigung des Proletariats griff Hauptmann bezeichnenderweise auf vorindustrielle Lebensformen zurück. Zweifellos lag darin ein wichtiger Antrieb für seine Zuwendung zum ›Unthema‹, nämlich die Überzeugung, daß die gesellschaftlichen Unterschichten dem ursprünglicheren Leben näher stünden. Wie andere Naturalisten konzentrierte er sich auf die Herausarbeitung ›des Lebens‹, im Sinne des schillernden, Ende des 19. Jahrhunderts zunehmend mythisierten Begriffes. Hauptmann äußerte später, die Tragödie sei »keineswegs eine richterliche oder gar Henkersprozedur, sondern eine Formel für das tiefste und schmerzensreichste Problem des Lebens«.

Diese sinnlich-visuelle Vergegenwärtigung des Proletariats bedeutete einen Durchbruch, bei bürgerlichen wie bei proletarischen Zuschauern. Gewiß stand das Drama Zolas Roman *Germinal* nicht allzu fern, doch hielt Käthe Kollwitz (1867–1945) erinnernd fest, daß sie unter dem gewaltigen Eindruck der *Weber*-Aufführung die begonnene Folge von Radierungen zu *Germinal* zugunsten einer Folge zum Thema der Weber liegenließ. Die Radierungen *Zug der Weber, Vor dem Fabrikantenhaus, Ende* etablierten ihren Ruf als ›soziale Künstlerin‹. Auch Käthe Kollwitz betonte, vor allem das

ursprünglich Lebendige und damit Schöne im Proletariat
gesucht zu haben:

>Ganz gewiß ist meine Arbeit schon damals durch die Ein-
stellung meines Vaters, meines Bruders, durch die ganze Literatur
der Zeit auf den Sozialismus hingewiesen. Das eigentliche Motiv
aber, warum ich von jetzt an zur Darstellung fast nur das Arbeiterleben wählte, war, weil die aus dieser Sphäre gewählten
Motive mir einfach und bedingungslos das gaben, was ich als
schön empfand. Schön war für mich der Königsberger Lastträger,
schön waren die polnischen Jimkies auf ihren Witinnen, schön
war die Großzügigkeit der Bewegungen im Volke. Ohne jeden
Reiz waren mir Menschen aus dem bürgerlichen Leben. Das ganze
bürgerliche Leben erschien mir pedantisch. Dagegen einen großen
Wurf hatte das Proletariat.«[142]

Die Künstlerin fügte an, sie habe sich in der Folgezeit
genauer mit den sozialen Problemen beschäftigt. Doch hob
sie ausdrücklich hervor, daß sie anfänglich nur in sehr ge-
ringem Maße durch Mitleid, Mitempfinden zur Darstellung
des proletarischen Lebens gekommen sei. Vielmehr habe sie
es »einfach als schön« empfunden. »Wie Zola oder jemand
einmal sagte: >Le beau c'est le laid.<«

Käthe Kollwitz ist ein unverdächtiger Zeuge dieser Auffassung. Häufig ist auch Fontanes Bemerkung von 1896
zitiert worden:

»Der Bourgeois ist furchtbar, und Adel und Klerus sind alt-
backen, immer wieder dasselbe. Die neue, bessere Welt fängt erst
beim vierten Stande an. Man würde das sagen können, wenn es
sich bloß erst um Bestrebungen, um Anläufe handelte. So liegt es
aber nicht. *Das*, was die Arbeiter denken, sprechen und schreiben, hat das Denken, Sprechen und Schreiben der altregierenden
Klassen tatsächlich überholt. Alles ist viel echter, wahrer, lebens-
voller.«[143]

Daneben sei aber auch ein verdächtiger Zeuge genannt:
Nietzsche. Bei seiner Definition der Schönheit vom Natur-
schönen her schloß Nietzsche den Naturalismus Zolas und
der Brüder Goncourt in die Würdigung der Kunst ein.
Kunst als Lebensbejahung — von dieser Anschauung nahm

er die französischen Naturalisten nicht aus: »Die Dinge sind häßlich, die sie zeigen: aber *daß* sie dieselben zeigen, ist aus *Lust an diesem Häßlichen.*«[144] Nietzsches Auffassung entsprach dem Zeitgefühl und formte es zugleich mit. Sie gewann zunehmend Bedeutung für die naturalistische Rückführung des Sozialen auf Naturgeschichtliches. Anfang der neunziger Jahre wurde sie zu einem entscheidenden Faktor für die Wendung gegen den Naturalismus, als sich der Wunsch nach Lebenssteigerung in die Forderung nach »Überwindung des Naturalismus« kleidete, »die sich zwar gegen dessen Kausalitätsbegriff, nicht aber gegen dessen Naturbegriff« richtete.[145]

8. Franz Mehring

Nach Jahrzehnten der Vernachlässigung und Abwertung hat Franz Mehring in jüngerer Zeit die ihm zukommende Beachtung erfahren. Er gilt als derjenige Marxist, der als erster nach Marx und Engels den historischen Materialismus umfassend auf die deutsche Geschichte angewandt und die sozialistische Perspektive in viele Gebiete der Geschichts- und Literaturgeschichtsforschung eingebracht hat. Als man Ende der fünfziger Jahre in der DDR daranging, ein auf den eigenen Staat zugeschnittenes Bild der deutschen Entwicklung historisch zu untermauern, wurde Mehring zum Zeugen und Vorbild: er hatte der geistigen Besitzergreifung von Welt und Geschichte durch die Arbeiterklasse den Weg gewiesen, und diese Besitzergreifung suchte man nun in Abgrenzung zum kapitalistischen Westdeutschland zu bewerkstelligen. Es erschien eine umfangreiche Neuausgabe seiner Schriften (1960–1967), und die Herausgeber Thomas Höhle, Hans Koch und Josef Schleifstein widmeten Mehring ausführliche Studien.[146] Wenn auch Mehrings Orientierung an Kant und Lassalle zahlreiche Interpretationsprobleme aufwarf, huldigte man ihm als großem Marxisten. Schließlich hatte ihm Lenin bescheinigt, daß er »nicht nur Marxist sein möchte, sondern auch zu sein versteht«.

Diese Zuwendung der Kommunisten zu Mehring bedeutete zugleich eine politische Rehabilitierung und stand im Zusammenhang mit den Angriffen auf den Mehring-Kritiker Georg Lukács, der 1956 in der ungarischen Revolte eine führende Position innehatte. Lukács' Auseinandersetzung im Aufsatz *Franz Mehring (1846–1919)* gehörte 1933 zu der Welle ideologischer Kritik an der Linken in der deutschen Vorkriegssozialdemokratie, vornehmlich an Rosa Luxemburg. Für diese Kritik bildete Stalins Artikel *Über einige Fragen der Geschichte des Bolschewismus* Ende 1931 in der Zeitschrift *Proletarskaja Revolucija* die zentrale Referenz.

Die Artikel über Mehring — vor Lukács publizierte Karl August Wittfogel *Franz Mehring als Literaturwissenschaftler (Der Rote Aufbau,* 1932) und Franz Šiller *Franz Mehring und die marxistische Literaturwissenschaft (Internationale Literatur,* 1932) — sollten einerseits eine parteibezogene Literaturpolitik abdecken, andererseits die nur auf Agitation gerichtete Literatur kommunistischer Autoren mit Hilfe eines breiter fundierten ästhetischen Konzepts verdrängen helfen. Mit der Artikelserie *Zur Frage einer marxistischen Ästhetik* 1930 in der *Linkskurve,* die eine scharfe Kritik an Mehring und Kant enthielt, antwortete Wittfogel auf die Herausgabe der Schriften von Mehring 1929/30 durch Eduard Fuchs (1870–1937), vor allem auf die Einleitung des KPO-›Abweichlers‹ August Thalheimer (1884–1948) zu den beiden Bänden Literaturkritik.

Mehrings ausführlichster Beitrag zu Fragen der Ästhetik, *Ästhetische Streifzüge* (1898), in dem er versuchte, entscheidende Lehrsätze der kantschen Ästhetik mit dem historischen Materialismus zu verknüpfen, ist fragmentarisch, ungeordnet und sogar widersprüchlich. Lukács hatte es hier mit einer Kritik nicht schwer. Er wies darauf hin, daß der literaturgeschichtlichen Praxis Mehrings, d. h. dem ständigen Bezug der Literaturkritik auf die revolutionäre Praxis das entscheidende Gewicht für die sozialistische Literaturtheorie zukomme. Hier habe Mehring selbst viele Irrtümer seiner Theorie aufgehoben. Lukács' Resümee lautete: »Der revolutionäre Aktivismus Mehrings, seine Betonung des aktiven Elements der revolutionären Subjektivität in der Kunst ist eine wichtige Entwicklungsstufe unserer Literaturtheorie, deren Fehler nur durch gleichzeitige kritische Aneignung des bedeutenden positiven Erbes, das bei Mehring enthalten ist, wirklich überwunden werden können.«[147]

Wie eng Mehrings Arbeiten mit der Kultur- und Bildungspraxis der Sozialdemokratie zusammenhingen, bedarf keiner weiteren Erläuterung. Als er 1891 der SPD beitrat, setzte er seine Tätigkeit als Publizist und Historiker fort, die er schon viele Jahre lang ausgeübt hatte. (Ihn begleitete noch einige Zeit Mißtrauen in der Partei wegen der antisozialdemokratischen Schrift *Die Deutsche Sozialdemokratie,* die er 1877 verfaßte. Auf seinen von allen Seiten kommentierten schwierigen Charakter braucht hier nicht eingegangen zu werden.[148]) Er analysierte, kommentierte, polemisierte und belehrte weiter, nun vor einem anderen Publikum. Auf seinem Wege als Publizist, dessen Anfänge von den Demokraten Johann Jacoby, Friedrich Albert Lange und Guido Weiß beeinflußt wurden — abgesehen von Lassalle, dessen polemische Schrift *Herr Julian Schmidt* er schätzte und nachahmte —, arbeitete er sich mehr und mehr in den historischen Materialismus ein. Damit gewann seine Kritik an den politischen, sozialen und kulturellen Verhältnissen des Deutschen Reiches ein neues Profil. Es war diese stilistisch brillant vorgetragene Kritik, die ihn in der Partei bald unentbehrlich machte. Neben die Polemik gegen die nationalen Kräfte trat nun der Hymnus auf das kämpfende Proletariat, und auf die *Lessing-Legende* (1893), in der er seine Auseinandersetzung mit der preußisch-nationalen Literaturinterpretation materialistisch untermauerte, folgte seine große *Geschichte der deutschen Sozialdemokratie* (1897/98) mit den hymnischen Schlußworten: »Der Emanzipationskampf der modernen Arbeiterklasse ist der glorreichste und größte Befreiungskampf, den die Weltgeschichte kennt, und Jahrhunderte deutscher Schmach löscht die Tatsache aus, daß die deutsche Sozialdemokratie den Kampf in der Vorhut führt.«

Das Nebeneinander von materialistischer Analyse und ›idealistischem‹ Hymnus kennzeichnet einen Großteil von Mehrings publizistischer Arbeit, die sich auf Hunderte von Artikeln, Abhandlungen und Schriften erstreckt. Darin fin-

det die Tatsache Ausdruck, daß er manche Vorlieben und
Kriterien, die er als radikaldemokratischer Journalist ent-
wickelt hatte, nicht zugunsten der historisch-materialisti-
schen Analyse aufgab, sondern daß er eine eigenwillige
Balance zwischen diesen Elementen herstellte, mit starken
Schwankungen nach der einen oder anderen Seite.

Das gilt nicht zuletzt für die *Lessing-Legende,* das Werk,
in dem er am überzeugendsten die Position eines Dichters
im politischen, ökonomischen und geistigen Kontext seiner
Zeit herausarbeitete. Mehring umriß die große ökonomische
und kulturelle Rückständigkeit Deutschlands gegenüber den
westlichen Ländern und zeigte, in heftiger Auseinandersetzung mit dem offiziellen Bild der nationalen Literaturhistoriker, die Spannungen auf, in denen Lessing zum preußischen Staat und preußischen Denken seiner Epoche stand.
Mehring gab dem Werk den Untertitel *Eine Rettung,* und
das charakterisiert recht genau den hohen Anspruch, mit
dem er Lessing aus der Fesselung durch die preußisch-
nationale Geschichtslegende befreite. Mehrings Neigung
galt, wie erwähnt, den literarischen Gestalten, die ihren
Kopf über die Tiefen der deutschen Misere erhoben und
wie Schiller, Heine, Bürger und Freiligrath unter widrigen
Umständen den Befreiungskampf der Menschheit vorbildlich unterstützten. Mit dieser Verbindung von Politik und
Literatur argumentierte er als radikaler Demokrat, der den
Befreiungskampf in vielen historischen Beispielen für die
gegenwärtige Praxis politisch fruchtbar zu machen sucht.
Dafür kam der Antrieb nicht aus der historisch-materialisti-
schen Analyse.

Doch berührten sich ›ideale‹ Kunstprogrammatik und
historisch-materialistische Analyse. Mehrings Untersuchungen gründen auf dem Gedanken, daß die Literatur als Teil
des Überbaus Klassencharakter trage und nur zu verstehen
sei, wenn man Werk und Autor aus den sozialökonomischen Bedingungen der Epoche und den Klassenkämpfen
erkläre. Er vermochte in vielen Bereichen der deutschen
Literaturgeschichte neue Perspektiven zu gewinnen, indem
er die geistigen Erscheinungsformen auf die ökonomischen

Grundlagen bezog und mit breitem sozialgeschichtlichen Wissen die historische Situation aufrollte, in der der jeweilige Dichter seinen spezifischen Beitrag leistete. Mehring erklärte politische Haltungen und literarische Stoffe, und darauf richtete sich in der II. Internationale das Hauptinteresse. Die Tatsache, daß sich in Form und Struktur des künstlerischen Werkes ebenfalls die historischen Bedingtheiten abzeichnen, ohne daß jeweils eine direkte Abhängigkeit des Überbaus von der Basis vorausgesetzt werden kann, rückte in der Analyse beiseite. Was Lessing als Dramaturg und Ästhetiker erarbeitete, erfuhr kaum Beachtung.[149] Worauf Mehring bei seiner Darstellung Lessings im sozialgeschichtlichen Kontext des 18. Jahrhunderts zielte, war der Kämpfer, das Vorbild. Ähnliches geschah mit Schiller, auch wenn Mehring gewichtige Vorbehalte gegen dessen politische Überzeugungen vorbrachte *(Schiller. Ein Lebensbild für deutsche Arbeiter*, 1905). Nicht zu unrecht hat Lukács diese »Idealisierung« der Dichter in engem Zusammenhang mit der Vereinfachung des Basis-Überbau-Schemas gesehen, mit welcher Mehring arbeitete. In anderen Worten: Um aus der historisch-materialistischen Analyse der Abhängigkeit ins Hohe und Vorbildliche zu gelangen, mußte Mehring ›springen‹.

Wenn Engels nach der Lektüre der *Lessing-Legende* dem Brief an Mehring einige Bemerkungen gegen die allzu starre Handhabung des Basis-Überbau-Schemas voranstellte, so dürfte Lukács, der diese Selbstkritik als eine höfliche Form der Kritik an Mehring wertete, zuzustimmen sein.[150] Engels schrieb:

»Sonst fehlt nur noch ein Punkt, der aber auch in den Sachen von Marx und mir regelmäßig nicht genug hervorgehoben worden ist und in Beziehung auf den uns alle gleiche Schuld trifft. Nämlich wir alle haben zunächst das Hauptgewicht auf die *Ableitung* der politischen, rechtlichen und sonstigen ideologischen Vorstellungen und durch diese Vorstellungen vermittelten Handlungen aus den ökonomischen Grundtatsachen gelegt und *legen müssen*. Dabei haben wir dann die formelle Seite über der inhaltlichen vernachlässigt: die Art und Weise, wie diese Vorstellungen etc. zustandekommen.« (MEW 39, 96)

Auch Mehring betrachtete nicht alles in strenger Abhängigkeit vom Ökonomischen. Doch hielt er an einer Auffassung des historischen Materialismus fest, die wenig Vermittlungen zuließ. Indem er den historischen Materialismus als eine historische Methode bezeichnete, als eine neue wissenschaftliche Methode zur Erforschung der menschlichen Gesellschaft, machte er vor dem weltanschaulichen Anspruch halt, der vor allem nach 1930 im dialektischen Materialismus systematisiert wurde[151], und gab dem Sprung in die »Idealisierung« Raum.

Seine Orientierung an Kant muß in diesem Zusammenhang gesehen werden. Mehring betrachtete Ästhetik als etwas Abgeleitetes, Sekundäres. Als nicht abgeleitet bewertete er hingegen die Korrelation des von Kant definierten hohen Kunstbegriffes mit der Emanzipation der menschlichen Gattung, die nun vom kämpfenden Proletariat vollendet werde. Nach Mehrings Auffassung bleiben in der (klassischen) Kunst, die sich über die Niedrigkeiten und Zufälligkeiten der gesellschaftlichen Interessen hinaushebt, die Ziele der Emanzipation in ihrer menschheitlichen Dimension sichtbar.[152] Kunst bedeutet sowohl Idealisierung als auch (Zurück-)Verwandlung der Emanzipationsideale in »natürliche Erscheinungen«.[153] Die Emanzipationsbewegung erzeugt mit der Revolution die Bedingungen dafür, daß Kunst wieder aktuell schöpferisch werden kann. Dekadenz und kapitalistische Indienstnahme der Kunst werden überwunden. Kunst vermag wieder zur Sache aller zu werden: »Sie wird eine verkrüppelnde Hülle abstreifen, um erst zu werden, was sie ihrem Wesen nach sein soll und auch ist: ein ursprüngliches Vermögen der Menschheit.«[154] (*Goethe und die Gegenwart*)

Mehring bezog also aus Kants Kunstkonzeption Argumente für die von ihm immer wieder als notwendig und vorbildlich beschworene Anteilnahme am Befreiungskampf der Menschheit. Gerade die ›Höhe‹ dieser auf die Klassiker der Literatur gestützten Konzeption zog Mehring an: Kant habe einen schöpferischen Kunstbegriff konzipiert, mit dem die Kunst aus den Funktionen der einfachen Mimesis-Reproduktion, der Agitation und des Philosophierersatzes gelöst und »als ein eigenes und ursprüngliches Vermögen der Menschheit« etabliert werde, »in einem tief durchdachten und eben deshalb auch künstlich konstruierten, aber an freien und weiten Ausblicken reichen System«.[155]

Daß diese Rückbindung in eine gefährliche Nähe zum L'art-pour-l'art-Konzept führte, war Mehring bewußt. Er kritisierte an Kant, daß er die ästhetischen Gesetze, die er aus der Kunst des emporstrebenden Bürgertums abstrahierte, als ewig und unverrückbar ansah und nicht als historisch bedingt. Die historisch-materialistische Bedingtheit habe Kant auch bei den »Bestimmungsgründen des Geschmacks« zugunsten des Subjektiv-Idealistischen übergangen. Mehring sah in der Analyse der historisch-materialistischen Bedingtheit von ästhetischen Formen und Urteilen den wichtigen Schritt hinaus über Kants Annahme von »übersinnlichen Substraten« als objektiven Bestimmungsgründen des Geschmacks. Jedoch lieferte Mehring keine Theorie, die diesen Schritt genauer erschlossen hätte.

Die Unmöglichkeit, diese Theorie zu liefern, ist vielfach ausgesprochen worden. Es scheint, als habe Mehring der von Hegel für die Moderne angedeuteten Dialektik von Bindung und Freiheit der Kunst besonders deutlich Ausdruck gegeben, in ständigem Schwanken zwischen dem Ansatz, die Kunst in objektiv-historischem Zusammenhang ›vorzudeterminieren‹ (wie es schon Marx und Engels getan hatten), und dem Ansatz, die Kunst als ursprüngliches menschliches Vermögen in ihrer Freiheit für die zukünftige Entfaltung der Menschheit exemplarisch zu werten.

Mehring entfernte sich damit nicht so stark von den Zeitgenossen, wie seine scharfe Kritik an ihnen vermuten läßt. Da war zum einen der Anspruch von Künstlern auf den autonomen Kunstentwurf, den sie unter Berufung auf Kant ideologisierten. Da war zum anderen der Anspruch auf eine neue, ›objektive‹ Kunst der Moderne, den die Naturalisten erhoben. Mehring wandte sich gegen beides, kritisierte die unzulässige Berufung auf Kant und die falsche Wissenschaftskonzeption. Demgegenüber machte er einer-

seits die sozialökonomischen Abhängigkeiten von Kunst und
Künstler sichtbar und verwies andererseits auf — Kant.[156]
(Seine *Ästhetischen Streifzüge* stellen über weite Strecken
eine Erwiderung auf Edgar Steigers *Das Wesen des modernen Dramas* dar.)

Sein Rückgriff auf Kant, auf *seinen* Kant, nicht den der
Gefühlsästhetiker, wurde bestärkt durch die Bedrohung,
die er, ähnlich Plechanov, in der Gefühlsästhetik von Naturalismus, Impressionismus und Vitalismus für den wissenschaftlichen und zugleich ›idealen‹ Anspruch des Sozialismus
spürte. Immerhin griffen diese Bewegungen auch ins Proletariat hinein, gaben proletarischen Lebenssituationen Ausdruck. Mehring verhehlte nicht seinen Unmut, daß der
Hauptteil der Zuschriften zu einem kritischen Artikel über
Richard Dehmel (1863—1920) diesen Schriftsteller 1908 in
Schutz nahm, anstatt, wie es Paul Frölich, der Autor des
Artikels in der *Neuen Zeit* getan hatte, ihn als Dichter der
Bourgeoisie zurückzuweisen.[157] Daß Dehmel seit den neunziger Jahren mit einigen Gedichten über das Proletariat
auch bei sozialdemokratischen Arbeitern populär wurde,
ohne den kämpferischen Idealismus der Partei zum Inhalt
zu machen, forderte eine scharfe Reaktion heraus.

Als schließlich in der sogenannten Sperber-Debatte 1910
bis 1912 über die Möglichkeit und Notwendigkeit einer
proletarischen Kunst debattiert wurde, wandte sich Mehring
von der Höhe der literarischen Überlieferung gegen eine
solche »Ästhetik der schwieligen Faust«. Seine Stellungnahme erschien am Ende von *Freiligrath und Marx in ihrem
Briefwechsel* (1912), einer Studie, in welcher er den Konflikt
zwischen Marx und Freiligrath über das Thema Kunst und
revolutionäre Bewegung neutralisierte, indem er die Grenze
zwischen Ästhetik und Politik, zwischen dem Bereich des
Künstlers und dem des Politikers hervorhob. Es war *seine*
Antwort auf den nach 1900 immer stärkeren Vormarsch der
›ethisch-ästhetischen‹ Strömungen mit ihrer Vermischung
dieser Bereiche. Mehring bemerkte: Gerade wenn man die
ästhetische Erziehung der Arbeiterklasse befürworte — wie
es in der deutschen Partei geschehe —, müsse man die

Grenze zwischen Ästhetik und Politik zu erkennen wissen.[158]

Einen besonderen Platz behauptete das Wort »Unter den Waffen schweigen die Musen«. Es war von Kautsky inspiriert, doch dürften auch die Erfahrungen vom Anfang der neunziger Jahre, als Mehring die Leitung der Freien Volksbühne übernahm (1892–1895)[159], mitgesprochen haben. Er sah die Größe der zukünftigen Kunst nicht nur in der Größe des gegenwärtigen Kampfes garantiert, sondern befestigte diese Garantie sogar an der Unmöglichkeit, in der aktuellen Kampfsituation eine proletarische Kunst zu entwickeln. Er schrieb: »Je unmöglicher sich aber aus dem proletarischen Klassenkampfe ein neues Zeitalter der Kunst entwickeln kann, um so sicherer ist es, daß der Sieg des Proletariats eine neue Weltwende der Kunst herbeiführen wird, eine edlere, größere, herrlichere als Menschenaugen je gesehen haben.«[160] Mit der Formel »je unmöglicher« — »desto sicherer« projizierte er eine Kausalität zwischen der Niedrigkeit der gegenwärtigen und dem Glanz der kommenden Kunst.

Immer wieder wies Mehring auf die Bedeutung der *vergangenen* großen Kunst für den Befreiungskampf des Proletariats hin. Er knüpfte damit an die Tradition von Gervinus an, der die 1835–1842 entstandene *Geschichte der poetischen National-Literatur der Deutschen* in die Worte münden ließ: »Der Wettkampf der Kunst ist vollendet; jetzt sollten wir uns das andere Ziel stecken, das noch kein Schütze bei uns getroffen hat, ob uns auch da Apollon den Ruhm gewährt, den er uns dort nicht versagte.«[161] Mehring nahm diese Worte am Ende der *Lessing-Legende* auf und fügte hinzu:

»Das Ziel, das Gervinus meinte, hat noch immer kein Schütze getroffen, und der Ruhm, den Apollon ›dort‹ gewährte, ist auch längst verblichen. Aber andere Schützen haben ein anderes Ziel getroffen, und sie brauchen keinen Gott zu versuchen, ob er ihnen auch im Wettkampfe der Kunst gleichen Ruhm gewähren will. Denn sie haben die Dinge am richtigen Ende angegriffen, und auf eine klassische Politik wird immer eine klassische Literatur folgen. In den rauhen und schweren Tagen des Kampfes schweigen die Musen, aber ihre Kränze bleiben deshalb den arbeitenden Klassen nicht versagt.«[162]

Auch Gervinus hatte die Entfaltung einer neuen Literatur in der Gegenwart ausgeschlossen und auf die Zeit nach der Revolution projiziert. Das Gewicht lag nicht bei der literarischen Agitation (auch wenn er sie auf seine Weise würdigte), vielmehr beim Ansporn, der von der großen (klassischen) Kunst ausging. Mehring suchte diesen Ansporn immer wieder für den proletarischen Klassenkampf fruchtbar zu machen.

Kapitel III
Die Literatur

1. Sozialistische Literatur und bürgerliche Kultur
im 19. Jahrhundert

Vorwärts! betitelte 1884 der sozialistische Lyriker Rudolf
Lavant eine erste große Anthologie von Gedichten, die entweder in der sozialistischen Bewegung entstanden oder für
die sozialistische Bewegung brauchbar waren. Lavant
nannte sie im Vorwort »Dichtungen von Männern der Arbeit und Dichtungen für Männer der Arbeit« und betonte,
es seien »samt und sonders Kampfpoesien, Lieder und Gedichte, welche den großen weltgeschichtlichen Kampf der
Enterbten gegen die Besitzenden, der Unterdrückten gegen
die Unterdrücker, der Rechtlosen gegen die Machthaber,
der nach Erkenntnis Ringenden gegen die Monopolisten
der Wissenschaft, gegen die Feinde des freien Gedankens
zum Vorwurf haben.«[1] Der streitbare Ton des Buches, das
in der Schweiz herauskam, korrespondierte mit dem Kampf
der Sozialdemokraten unter dem Sozialistengesetz. Es wurde
prompt in Deutschland verboten. Der Band stellt ein interessantes Dokument für die enge Verbindung der sozialistischen Lyrik mit der Lyrik vor 1848 dar, einschließlich solcher Autoren wie Béranger, Pierre Dupont und Thomas
Hood. Zugleich gibt es Einblick in die Einschätzung dieser
Literatur »für das arbeitende Volk« bei einem der namhaf-
ten sozialistischen Lyriker. Lavant äußerte sich dazu nicht
nur in Prosa, sondern auch in dem Gedicht *An unsere Gegner*, das er der Sammlung voranstellte, und das mit den
Strophen beginnt:

»Ihr habt die Kunst sogar gepachtet
Wie Alles, das das Leben schmückt,

Und wenn ihr dieses Buch betrachtet,
Seid ihr gewißlich nicht entzückt.
Ich kenne euch und eure Phrasen,
So euren Haß wie eure Gunst:
Ich weiß, ihr rümpft etwas die Nasen
Und sprecht vom Fehlen aller Kunst!

Ein Lächeln tritt auf meine Lippen.
Ist es denn leicht nicht einzusehn,
Daß wir auf's Kippen und auf's Wippen
Der Silben schlecht uns nur verstehn?
Wir sind ästhetisch nicht erzogen —
Es hat kein Dichter dieses Buchs
Den Tonfall ängstlich abgewogen
Beim Wort des Zornes und des Fluchs.

›Eintönig‹ will es euch erscheinen?
So blättert doch nicht weiter fort! —
Eintönig bis hinab zum Kleinen
Ist in der Tat das rechte Wort.
Ich will es — ganz gewiß! — nicht drehen;
Was blickt ihr nur so säuerlich?
Daß wir uns ganz und gar verstehen,
Beglückt in tiefster Seele mich.

Eintönig — ja — wie Kronenbrausen
Im Eichwald bei Gewitters Nah'n,
Wie schwanker Föhrenwipfel Sausen
In einer Frühlingsnacht Orkan;
Eintönig — wie der Laut der Klage,
Der um geborst'ne Zinnen weht,
Der schleppend auch am stillsten Tage
Durch lange Trümmergänge geht.«

In den folgenden Strophen vermittelt der Autor mit dem Motiv vom monotonen Rauschen des Windes, Meeres und Baches einen Eindruck davon, welche Kraft der Eintönigkeit innewohnt, jener Eintönigkeit, welche die Bürger in den sozialistischen Liedern finden. Lavant schließt mit den Zeilen:

>»Der Übermut ist mannigfaltig,
Die Lust ist jedes Wechsels voll —
Eintönig, finster und gewaltig
Sind Zorn und Klage, Haß und Groll.
Stimmt eurer Instrumente Menge,
Gebt ein Konzert, doch glaubet mir:
Ihr kommt unrettbar in die Enge,
Denn Sturm und Brandung bringen *wir*!«

Das Naturbild — die Identifikation der sozialistischen Bewegung mit den unwiderstehlichen Naturgewalten — gehört zu den zentralen Elementen sozialistischer Lyrik im 19. Jahrhundert; die Verbindung zur Metaphorik im Vormärz (Frühling, Morgen, Sturm etc.) ist eng. Lavant wendet nicht ohne Geschick das literarische Urteil der Gegner gegen diese zurück: in der künstlerischen Schwäche der sozialistischen Kämpfer kündigt sich bereits ihr künftiger politischer Sieg über die Gegner an. Das berührt sich mit Mehrings Formel »je unmöglicher« — »um so sicherer«. Das Proletariat kann bei seinem Kampf der Kunst keine große Aufmerksamkeit schenken, kann nicht die Kunst-Instrumente stimmen und ein Konzert geben. Diese Haltung ist es jedoch, die den kommenden Sieg garantiert.

Eine solche Bewertung findet sich auch bei anderen Vertretern sozialistischer Literatur im 19. Jahrhundert. Sie bedarf einiger grundsätzlicher Erläuterungen. Einerseits bedeutet sie eine Würdigung der Gedichte, Lieder und Theaterstücke innerhalb der Arbeiterbewegung. Andererseits übersieht der sozialistische Betrachter (oder Autor) durchaus nicht, was dem bürgerlichen Kritiker, der von der künstlerischen Überzeugungskraft ausgeht und Werk mit Werk vergleicht, als ästhetische Schwäche erscheint. Entscheidend ist die Einordnung in den Zusammenhang des proletarischen Kampfes, in dem sich die Wertungskategorie ›Kunst‹ insgesamt verschiebt. Auf dieses Insgesamt kommt es an: die etablierten ästhetischen Kategorien werden weitgehend intakt gelassen, aber in Distanz gerückt. Die Anteilnahme an ihnen ist gewährleistet, allerdings um den Reflexionsakt erweitert, der Dasein und Aspirationen des Proletariats einbezieht. Zugleich finden die sozialistisch orientierten Werke, wie zahlreiche Gedichte, Prologe und Szenen bezeugen, Spielraum in einem anderen Wertungskontext. Das ›Nicht-erreichen‹ der etablierten ästhetischen Normen wird zum politischen Argument. Es läßt sich nicht allein mit ästhetischen Kriterien erfassen, sondern muß als Teil eines gesellschaftlichen Bewußtseinszusammenhanges gesehen werden.

Für diese Bewertung von Kunst lieferte Lassalles und Liebknechts kritische Auseinandersetzung mit der bürgerlichen Kultur wichtige Impulse. Doch liegt ihre Basis tiefer. Sie entzieht sich dem am Ende des 19. Jahrhunderts dominierenden bürgerlichen Kulturbegriff, der auf der intellektuellen und ästhetischen Kreativität beruht und vom individuellen Kommunikationsakt her argumentiert. Sie erschließt sich erst einem erweiterten Kulturbegriff, der das Moment gesellschaftlicher Produktion und Kommunikation einbezieht. Für diesen erweiterten Kulturbegriff sei auf Edward P. Thompson[2] und Raymond Williams verwiesen, die ihn im Hinblick auf die Sozialgeschichte des Proletariats und der bürgerlichen Gesellschaft exemplifiziert haben. In der *Deutschen Ideologie* von Marx und Engels finden sich dazu bereits wichtige Äußerungen, die verschiedentlich verarbeitet wurden[3], wenngleich auch dabei das Fehlen einer systematischen Diskussion des Klassenbegriffs bei Marx viele Probleme aufwirft.

Unter Einbezug des Produktionszusammenhanges definiert der erweiterte Kulturbegriff zwei verschiedene Lebensweisen, die als bürgerlich und proletarisch eingestuft werden. Die Unterscheidung zwischen ihnen ergibt sich erst an zweiter Stelle im Bereich der intellektuellen und imaginativen Tätigkeit und ist, wie Williams anführt, auch auf dem Gebiet von Wohnung, Kleidung und Freizeit nur schwer direkt zu fixieren. Die industrielle Produktion fördere ohnehin Uniformität in diesen Bereichen. Demgegenüber stellt Williams fest: Die zentrale Unterscheidung zwischen bürgerlicher und proletarischer Kultur liege »in den alternativen Ideen über die Natur der gesellschaftlichen Beziehungen«.[4] Die proletarische Kultur sei primär gesellschaftlich, schaffe die gemeinschaftlichen Institutionen der Arbeiterklasse, vor allem Parteien, Gewerkschaften und Genossenschaften. Das trenne sie von der bürgerlichen Kultur und ihrer individuellen Ausrichtung auf die intellektuelle und imaginative Tätigkeit.[5]

Mit diesem Ansatz, der hier sehr vereinfacht wiedergegeben wird, läßt sich verdeutlichen, auf welche Weise künstlerische und intellektuelle Tätigkeit für die Arbeiterklasse eine andere Bedeutung gewinnen kann als für die bürgerlichen Schichten. Es ergeben sich wichtige Hinweise für die Analyse der spezifischen Kritik im Proletariat an bürgerlicher Literatur und Kunst, denn zweifellos sind seit jeher bürgerliche Normen und Werte in ihrer literarischen Formulierung gegen das Bürgertum gekehrt worden (was sich mit der gedruckten Überlieferung allein nicht fassen läßt). Zugleich ergeben sich Argumente für die Auseinandersetzung mit der im 19. Jahrhundert aufkommenden und vielbenutzten These der Verbürgerlichung, in der eine bloße Zuordnung des Proletariats zur bürgerlichen Kultur bis hin zum Aufgehen in ihr angezeigt wird. Die Diskussion darüber ist aktuell geblieben, denn die Aufnahme der bürgerlichen Normen und Werte, die seit der Entstehung des Proletariats in der industriellen Revolution fortdauert, macht definitive Aussagen nicht leicht. Bisher ist das Gebiet der Arbeiterkultur noch nicht genügend erschlossen worden, wie man zu recht festgestellt hat, »Arbeiterkultur nicht in dem Sinne, daß hier eine in sich geschlossene, autochthone und autonome Kultur zu registrieren wäre, sondern Arbeiterkultur gerade in ihrer oft hilflosen und verzweifelten Auseinandersetzung mit der dominierenden bürgerlichen Kultur«.[6]

Diesen Hinweisen und Zusammenhängen kann die folgende Skizzierung der literarischen Aktivitäten in der sozialistischen Bewegung nur im groben Rechnung tragen. Immerhin ist vorausgesetzt, daß diese Aktivitäten, auch wo sie in die Funktion des politischen Rituals übergehen, im allgemeinen an *sekundärer* Stelle stehen. Sie lassen sich ohne die Zuordnung zum gesellschaftlichen Selbstverständnis der Arbeiter weder politisch noch ästhetisch einordnen.

Zurück zu Lavant. Die Abwertung der Zweckformen nach 1850 hat es der von ihm eingenommenen Haltung zur sozialistischen Literatur zweifellos nicht leicht gemacht: wo ohnehin nur ›Zwecke‹ erreicht werden sollen, so meinten auch Sozialdemokraten, solle man mit der Literatur lieber ganz kurz treten. Diese Argumentation wurde gestützt durch eine ebenfalls allgemeine Strömung nach 1850, die sich der aufklärerischen Zielsetzungen sehr viel direkter annahm: der Wissenschaft, genauer der Hochstellung und Ideologisierung der Wissenschaft. Liebknecht bezog recht prononciert Stellung gegen eine belletristische und für eine wissenschaftliche Agitation, und Kautsky machte später den von Marx und Engels gewiesenen Weg zum wissenschaftlichen Denken im publizistischen Bereich verbindlich.

Der wohlwollende, nicht besonders engagierte Ton von Mehrings Würdigung der literarischen Aktivitäten in der *Geschichte der deutschen Sozialdemokratie* steht damit in Zusammenhang. Mehring besprach kurz die sozialistische Lyrik und Belletristik, verwies auf die wichtige Funktion der Zeitschrift *Der Wahre Jacob* (ab 1884) unter dem Sozialistengesetz, ebenso der Zeitschrift *Süddeutscher Postillon* (ab 1882), und erwähnte die Parteikalender, um deren novellistischen Ausbau sich der Erzähler Robert Schweichel große Verdienste erworben habe. Im Anschluß an die Feststellung, »daß die Muse zu begleiten, doch zu leiten nicht versteht«, kam Mehring auf Grundsätzliches zu sprechen:

»Die ›tendenziöse Kunst‹ des Proletariats war im Grunde offener und wahrer als die ›reine Kunst‹ der Bourgeoisie, die nie und nirgends existiert hat, die nur eine reaktionäre Erfindung ist, gerichtet gegen die großen revolutionären Dichter des Bürgertums, die alle ›tendenziös‹ im Sinne ihrer Klasse gewesen sind. Seit den zahlreichen Klageliedern, die um Lassalles frühen Tod erschollen, schlang sich ein Kranz schlichter und schmuckloser Weisen durch die Geschichte der deutschen Sozialdemokratie, ›manch rund, manch rauh gestammelt, manch still, manch wild Gedicht‹: Audorf, Hasenclever, Frohme, Geib und wieviele andere noch schmiedeten ihren wackeren Reim in den

Mußestunden des proletarischen Kampfes; andere, wie Max Kegel, Leopold Jacoby, Rudolf Lavant, standen der Politik ferner und der Dichtung näher, aber auch sie beanspruchten keine neue Ära der Kunst zu eröffnen. Sie wollten nur, wie sich der formvollendetste von ihnen einmal ausdrückte, allem Zorn, aller Trauer, allem Jubel Luft machen, womit sie der proletarische Befreiungskampf in seinen wechselnden Phasen erfüllte, sich den Überschwang der Empfindungen, die ihnen die Brust zu zersprengen drohte, vom Herzen singen; ob die zünftige Literaturgeschichte sie einmal in einem ihrer vielen Fächer unterbringen werde, das hat ihnen niemals eine schlaflose Stunde gemacht.«[7]

Mehring zitierte hierbei aus der Vorrede von Lavant zu seinem 1893 anonym erschienenen Gedichtband *In Reih und Glied. Gedichte von einem Namenlosen*. Die Bemerkungen berühren die direkt agitatorische Funktion von Literatur nur am Rande. Am Ende des 19. Jahrhunderts war das die geläufige Betrachtungsweise.

Aber auch für die früheren Jahrzehnte dürfen die Merkmale der Feierabendbeschäftigung nicht übersehen werden, zumal in einem Jahrhundert, da Geselligkeit und Gemeinschaftsbildung eng mit gereimter und ungereimter Poesie zusammengingen. Basis der meisten poetischen Aktivitäten bildete das Vereinswesen, und man hat verschiedentlich die gesamte Arbeiterkultur aus der Arbeitervereinskultur abgeleitet.[8] Wenn das auch einer sehr genauen Differenzierung bedürfte, so steht doch fest, daß der bürgerliche Einfluß auf diesem Gebiet der Gemeinschaftsaktivitäten besonders intensiv war und in den Arbeiterbildungsvereinen bis in die sechziger Jahre hinein auch politisch, d. h. im liberalen Sinne, prägend. Der Widerstand gegen Lassalles Agitationsmethoden bei Arbeitern kam, vor allem in Süddeutschland, aus dem in diesen Vereinen gepflegten demokratischen Geist. Vor- und Nachteile dieser Erscheinung umriß Bernhard Becker (1826–1892) — kurze Zeit Nachfolger von Lassalle als Präsident des ADAV — in einem Brief an Lassalle in wenigen Zeilen: »Das Ausscheiden unserer Leute aus dem Arbeiterbildungsverein war uns sehr vorteilhaft, denn in diesem Verein sogen sie einen schädlichen Geist ein. Dort

lernten sie unseren Verein nicht als einen agitierenden,
sondern als einen Lokalverein zu betrachten und suchten auf
uns die parlamentarischen Strohdreschereien und Statuten-
veränderungsverhandlungen fortzupflanzen und überzu-
tragen.«[9]

Für den Erfolg der ›Eisenacher‹ spielte deren Festhalten
an den demokratischen Elementen der Arbeitervereine eine
große Rolle.

Schon im Vormärz lautete die Parole der Arbeiterbildungsvereine: »Bildung macht frei!«[10] Man sah wirtschaftliche Wohlfahrt und sozialen Fortschritt abhängig von der
Hebung des geistigen und sittlichen Standards der Unterschichten. Von hier läßt sich die demokratisch-bildungs-
bezogene Tradition in ihrer engen Bindung an den
Handwerkergeist bis in die siebziger und achtziger Jahre
verfolgen, auch wo sie sich — wie bereits im ›Bund der
Kommunisten‹ — politisch radikalisierte. Nach Aufhebung
des Sozialistengesetzes drängte der Massenzustrom des Industrieproletariats zur SPD dieses kulturell fruchtbare Element beiseite. Die Klagen von Friedrich Bosse (1848–1909),
des Vorsitzenden des Leipziger Arbeitervereins, legen davon
in den neunziger Jahren Zeugnis ab. Bosse beschwerte sich
über das mangelnde Interesse der Partei an der Agitation.
Er schrieb einen Großteil der im Arbeiterverein aufgeführten Agitationsstücke selbst.

Von der Praxis des Vereins- und Versammlungswesens
her kam der Lyrik und dem Theaterstück die zentrale Bedeutung in der sozialistischen Literatur zu. Das umschloß
den öffentlichen Lehr- und Streitdialog, die Rezitation, das
Schauspiel und den gemeinsamen Gesang. Daneben wirkte
die Arbeiterpresse als Forum literarischer Agitation und
Unterhaltung. Auch hier nahm das politisch pointierte Gedicht einen wichtigen Platz ein, während Dialog, Erzählung,
Skizze, Anekdote, Autobiographisches und Fortsetzungsromane erst an zweiter Stelle rangierten. Die (erzählende)
Belletristik wurde von nicht wenigen Sozialdemokraten
mehr als Konzession an die Frauen der Parteimitglieder
denn als ›Parteiarbeit‹ angesehen. Kautsky, selbst einst

Redakteur, faßte es in seinen Erinnerungen sehr grob: »Erzählungen wurden in die Parteiblätter nur aufgenommen,
der Weiber der Genossen wegen, die in ihrer Beschränktheit
nach solcher Lektüre verlangten und denen man etwas bieten mußte, um ihnen das Parteiorgan schmackhaft zu
machen.«[11]

Diese männliche Feststellung wird durch die Tatsache
nicht gemildert, daß Kautsky seine Mutter, die Erzählerin
Minna Kautsky, die ein Beispiel für die aktive Rolle der
Frau in der sozialistischen Bewegung gab, sehr verehrte
(mitsamt ihren Erzählungen). Trotz Bebels *Die Frau und
der Sozialismus* und der Forderung nach Gleichberechtigung
der Frau blieb die Sozialdemokratie eine sehr männlich
orientierte Partei. Daran hatte ihre Ausrichtung an den
Wahlen manchen Anteil: Frauen besaßen bis 1918 kein
Wahlrecht, ›zählten‹ also nicht.[12]

Der weibliche Einfluß auf die Männer aber bildete Thema
zahlreicher Überlegungen in der Partei, und die Befürwortung von agitatorischer Literatur, von Gesang und Theater-
spiel erfuhr davon wichtige Unterstützung. Das läßt sich
schon in der Organisationspolitik der Arbeiterbildungsvereine verfolgen. Bezeichnend ist die Debatte im Arbeiterbildungsverein Stuttgart Anfang der sechziger Jahre, worüber
es im Protokoll heißt:

»*Scheurenbrandt:* die Teilnahme der Weiber an den Vorträgen
und Unterhaltungen sei wünschenswert, nur von den Versammlungen in Vereinsangelegenheiten möge man sie ausschließen.
Um aber den Frauen bei uns wirklich Unterhaltung zu verschaffen, müsse man vor allem Gesang haben, und nehme er
deshalb Veranlassung auch in dieser Beziehung die Gesangsfrage
als die wichtigste zu bezeichnen. *Dr. Reventlow:* er ziehe seinen
Antrag [auf Zulassung der Frauen zu den Vorträgen] zurück, weil
doch manche Männer befürchten möchten, ihre Weiber würden
auf diese Weise Gelegenheit bekommen, zu sehen, wie viel sie
trinken.«[13]

Die Frage, ob die Frauen diese Einsicht auch in Abwesen-
heit vom Tatort gewinnen konnten, mag offenbleiben. Der
Puritanismus in der späteren Partei — ein wichtiges Element

im Kampf gegen den im Proletariat verbreiteten Alkoholismus — entzog ihr gewiß die Brisanz.

Zum Einbezug der Frauen in die Parteiarbeit traf ein Redner auf dem Parteitag der ›Eisenacher‹ 1871 bei der Diskussion über die sozialistische Literatur eine wichtige Feststellung:

»Wenn wir unsere Ideen zur Geltung bringen wollen, müssen wir bei der Jugend anfangen. Ebenso ist es nötig, die Frauen zu gewinnen, die, wie die Erfahrung zeigt, oft weiter sehen, als die Männer, namentlich in den sozial-demokratischen Prinzipien. Die Frau fühlt oft eher als der Mann das soziale Elend. Der Mann geht vielleicht von Hause weg, kümmert sich wenig um die Familienangelegenheiten; die Frau ist es, die mit den wenigen Groschen, die ihr der Mann überlassen kann, haushalten muß. Schriften, in denen der Frau Gelegenheit geboten wird, unsere Prinzipien kennenzulernen, werden sie zum Denken anregen, und sie wird dann nicht mehr, wie es bisweilen jetzt geschieht, den Mann von unsern Bestrebungen abhalten, sondern im Gegenteil, sie wird ihn dann eher anspornen.«[14]

Aus solchen Einsichten dürften allerdings bis zu den Aktivitäten Clara Zetkins um die Jahrhundertwende nur selten umfassendere Folgerungen gezogen worden sein. Ein Fall sei hier jedoch aufgeführt, da er zugleich über den Gebrauch von Versen in der Parteiagitation Aufschluß gibt. Er betrifft eine nicht rein vom Klassenbewußtsein gespeiste Aufforderung an die Frauen im Wahlkampf 1878, mit Witz, wenn auch etwas holperig vorgebracht und anonym in der satirischen Zeitschrift *Braunschweiger Leuchtkugeln* erschienen:

An die Frauen

»Wollt Ihr Weiber zu Männern?
Wollt einen Mann Ihr als Mann?
Tut eure Pflicht auch Ihr,
Jeder muß tun, was er kann.

Treibt an den Wahltisch sie.
Es handelt um Weib sich und Kind,
Sorgt, daß Die Männer *heißen*,
Auch wirklich Männer *sind*.

Bis entschieden die Wahl,
Bis uns zu Teil ward der Sieg,
Auch nicht ein einzigen Kuß
Mann oder Bräutigam krieg'.

Zeiget der Mann sich feig,
Zeiget zu ihm Euch lau,
Versalzt ihm zu Mittag die Suppe,
Laßt das Fleisch ihm schmecken flau.

Brummt und schmollt und foltert —
Ihr Schönen versteht's ja so schön, —
Ihr werdet, holdselige Weiblein
Euer blaues Wunder dann sehn.

Selbst wenn er des Nachts will schlafen,
Laßt ihn nicht finden Ruh',
Haltet ihm 'ne Gardinenpredigt —
Ihr habt es ja dazu.

Ihr wollt keinen Waschlappen haben,
Ihr wollt einen ganzen Mann,
Nun sorgt, daß die Männer sind Männer,
Zum Wahltisch treibt sie heran!«[15]

2. Proletarische Lyrik im Vormärz

In seinem Vorwort zur Gedichtanthologie *Vorwärts!* fügte
Rudolf Lavant auch eine Bemerkung über die Geschichte des
deutschen Arbeiterliedes ein. »Die deutsche Arbeiterbewegung«, schrieb er, »hat eine im eigentlichen Sinne des Wortes lyrische Epoche, wie die französische in den dreißiger
und vierziger Jahren, nicht gehabt, sie ist sofort nach ihrem
Inslebentreten Kampfbewegung geworden — das zeigt sich
auch in ihrer verhältnismäßigen Armut an Liedern gegen-

über jener. Dennoch hat es an solchen nicht gemangelt, und die deutschen Arbeiter haben in ihren Kämpfen die Macht des gesungenen Wortes, die Macht des poetischen Ausdruckes schätzen gelernt.«[16] Lavant ging offensichtlich von der Überzeugung aus, die deutsche Arbeiterbewegung sei erst in den sechziger Jahren sehr plötzlich und kraftvoll entstanden. Diese Überzeugung herrschte bei vielen Sozialdemokraten vor. Auf den Bruch zwischen den sozialistischen Aktivitäten der vierziger und der sechziger Jahre wies Bebel in seiner Autobiographie hin. Er hatte sich Anfang der sechziger Jahre dem Gewerblichen Bildungsverein in Leipzig angeschlossen. Darüber berichtete er:

»Sozialisten und Kommunisten aber waren uns Jüngeren zu jener Zeit vollständig fremde Begriffe, böhmische Dörfer. Wohl waren hier und da, z. B. in Leipzig vereinzelte Personen [...], die vom Weitlingschen Kommunismus gehört, auch Weitlingsche Schriften gelesen hatten, aber das waren Ausnahmen. Daß es auch Arbeiter gab, die z. B. das kommunistische Manifest kannten und von Marx' und Engels' Tätigkeit in den Revolutionsjahren im Rheinland etwas wußten, habe ich in jener Zeit in Leipzig nicht vernommen. Aus alledem ergibt sich, daß die Arbeiterschaft auf einem Standpunkt stand, von dem aus sie weder ein Klasseninteresse besaß noch wußte, daß es so etwas wie eine soziale Frage gab.«[17]

Bebel dürfte das aus der Perspektive des Führers der in den sechziger Jahren entstandenen Partei adäquat beschrieben haben; zur generellen Feststellung läßt es sich nicht erweitern. Die Forschung hat Kontinuitäten in den lokalen Arbeitervereinen über deren endgültiges Verbot 1854 hinaus konstatiert, ebenfalls Kontinuitäten von dem von Marx und Engels mitgeprägten ›Bund der Kommunisten‹ zur sozialistischen Agitation der sechziger Jahre. Daß die Arbeiterschaft politische Volkslieder der Revolution tradierte, hat inzwischen Wolfgang Steinitz nachgewiesen.[18] Allerdings dürfte diese Überlieferung nicht allzu intensiv gewesen sein. Der radikale Gesang der Handwerkergesellen und Arbeiter in den dreißiger und vierziger Jahren hat offensichtlich nur wenige Spuren hinterlassen.

Das verwundert nicht, da diese Lyrik nur unter Schwierigkeiten nach Deutschland gelangte. Sie war, wie erwähnt, mit den Geheimbünden der Handwerksgesellen vorwiegend in Paris und in der Schweiz stationiert, fungierte als politische Agitation und Verständigungsmittel bei den Versammlungen. Sie nahm jakobinische Überlieferungen auf, andererseits traf sie sich mit der in Deutschland bewahrten kämpferischen Lyrik aus der Zeit der Befreiungskriege und der Burschenschaften. Eine große Rolle spielte die Kontrafaktur, die Verwendung neuer Texte zu bekannten Melodien, wie es vor allem mit der Marseillaise, dem Fischerlied aus der *Stummen von Portici*, Schillers *Reiterlied* und Cramers *Kriegslied* (»Feinde ringsum«) geschah: »Die Lieder sollten sofort und allgemein sangbar sein. Auch wer sie zum erstenmal hörte, sollte mitsingen können, um so unversehens hineingezogen zu werden in die gemeinschaftliche Artikulation des politischen Willens, die das Singen solcher Lieder bedeutete.«[19]

Wolfgang Schieder nennt eine Zahl von etwa 200 politischen Liedern, die nach 1830 in der deutschen Arbeiterbewegung im Ausland gesungen wurden. Abgesehen von der mündlichen Weitergabe fanden sie Verbreitung durch Flugblätter, Flugschriften und Liederbücher. Die ersten Lieder dieser Art sammelte der deutschdänische Dichter und Freiheitsagitator Harro Harring[20] (1798–1870) im Band *Männerstimmen zu Deutschlands Einheit*, der 1832 erschien, im selben Jahr wie Harrings überaus populärer Gedichtband *Bluthstropfen*. Zahlreiche Liederbücher der dreißiger Jahre enthalten Handwerker- und Arbeiterdichtungen, bei denen dem Proletariat eine besondere Rolle im kommenden Freiheitskampf zugedacht wird. Sie tragen Verfasserangaben wie »Von einem deutschen Zeugschmied«, »Von einem deutschen Schriftsetzer«.[21] Als politische Liedersammlung errang der in der Schweiz veröffentlichte Band *Deutsche Volksstimme* (1833) besondere Verbreitung, und im *Liederbuch* (1835) und in *Volks-Klänge* (1841) lassen sich soziale

Töne vernehmen, vor allem in den Beiträgen des Schneider-
gesellen Wilhelm Weitling, der zum Theoretiker des ›Bundes der Gerechten‹ wurde.

Weitling, vom utopischen Sozialismus tief beeindruckt,
gab in seinen Liedern und Gedichten der Idee der Gleichheit
besonderen Raum. Gleichheit bedeutete Gütergemeinschaft
und zielte über die Idee der Freiheit hinaus, wie es im Motto
zu seiner Schrift *Die Menschheit, wie sie ist und wie sie
sein sollte* (1838) heißt:

> »Die Namen Republik und Konstitution,
> So schön sie sind, genügen nicht allein;
> Das arme Volk hat nichts im Magen,
> Nichts auf dem Leib und muß sich immer plagen;
> Drum muß die nächste Revolution,
> Soll sie verbessern, eine soziale sein.«[22]

Die Rechtfertigung dieser sozialen Revolution zog Weitling vornehmlich aus christlichen Vorstellungen. Sein religiöses Pathos war stark beeinflußt von Lamennais' und
dessen von Börne übersetzten *Paroles d'un croyant* (1834).
Weitling übersetzte selbst dessen *Livre du peuple* (1838).
Seine Lieder in den *Volks-Klängen* lassen Lamennais' Vorbild erkennen, eines von ihnen ist *An Lamennais* betitelt.

Die christliche Religion spielte auch für Handwerker und
Arbeiter, die deren Inhalte beiseiteschoben, noch längere
Zeit eine wichtige Rolle als »Erlebnisgrundlage und Erfah-
rungshorizont«.[23] Weitling maß dem Gefühl und dem Glauben entscheidende Wirkung für die Revolution bei und bemerkte in den *Garantien der Harmonie und Freiheit* (1842):
»Im Christentum liegt viel Nahrung für das Gefühl. Aufs
Gefühl müssen wir Kommunisten auch wirken. Der kalte
Verstand hat allein noch keine Revolution gemacht.«[24] Im
Umkreis der religiösen Sprache, Rituale und Motive gewannen noch viele literarische Äußerungen der frühen Sozialdemokratie ihre Gestalt, sei es durch (ernste) Umformungen
von christlichen Texten und Liedern, sei es — wesentlich
häufiger — durch Parodie und Satire. (Die Verehrung Lassalles als »Arbeiter-Heiland« und »Messias der neuen Zeit«
stellte eine besonders krasse Ausprägung dar.[25])

Man hat die sozialrevolutionäre Lyrik der Handwerksgesellen unter die Begriffe »proletarische Literatur«[26] und »Literatur des Frühproletariats«[27] subsumiert. Ein so weiter Begriff des Proletariats, der vor 1848 noch kaum anerkannt wurde — Handwerksgesellen grenzten sich vom Proletariat ab und auch der Begriff ›Arbeiter‹ erhob sich darüber[28] — muß also viele Strömungen vereinigen. Die Arbeiterschaft war in sich vielfach strukturiert, je nach Herkunft, Ausbildung und Arbeitsfunktion, wobei sich der Anteil der Industriearbeiter auf einen sehr geringen Prozentsatz belief.[29] Hält man also am marxistisch interpretierten Begriff ›proletarisch‹ für diese Zeit fest, so fallen viele Äußerungen, revolutionäre und nichtrevolutionäre, darunter. Dazu gehören Verse, wie die aus dem Jahr 1848, vom Schneider Christian Lüchow verfaßt und verbreitet, in denen der Begriff Proletariat im Sinne eines neuen Klassenbewußtsein verwendet wird:

> »Es quillt und keimt von unten auf
> Wie frisch gesäte Saat;
> Es wächst wohl aus der Erd' heraus;
> Das Proletariat!
>
> Es ist erwacht der vierte Stand,
> Der nützlichste im Staat;
> Denn wer ernährt das ganze Land?
> Das Proletariat!«[30]

Oder der Appell des Schuhmachers Heinrich Bauer im Gedicht *Aufruf* (1849), das auf die Weise der *Marseillaise* zu singen war:

> »Auf, Proletarier, Arbeitsleute!
> Auf, die ihr wirket Tag und Nacht!
> Die Stunde schlägt, sie ruft zum Streite:
> auf Brüder, mutig in die Schlacht!
> Verlasset jetzt die Arbeitsstätten,
> Landmann, verlasse deinen Pflug!
> Es ist gewirkt, geschafft genug —
> wir wollen uns befrei'n von Ketten!

>Auf Proletarier all!
Das Werk ist bald getan!
Steht Mann für Mann!
Es kommt zum Fall —
Der Freiheit Tag bricht an!«[31]

Hier wie in anderen Gedichten dokumentierte sich die Teilnahme der Arbeiter an der Revolution. (1848 erschienen die Sammlungen *Arbeiterlieder*, vom Königsberger Arbeiterverein herausgegeben, und *Freie Lieder für deutsche Arbeiter*.) Im allgemeinen stützte sich das neue Selbstgefühl stark auf das Handwerkerbewußtsein.[32] Die Arbeiterlieder reflektierten die durch die Revolution ermöglichte breite organisatorische Entfaltung, vorwiegend in den Arbeitervereinen, die zu der Gründung der ›Allgemeinen Arbeiterverbrüderung‹ 1848 durch Stefan Born (1824—1898) führte.[33] Nach der Niederlage der Revolution konzentrierten sich die Bemühungen zumeist auf die Selbsthilfe der Arbeiter, mit der man die unerfüllten sozialen Forderungen durchzusetzen suchte; jedoch wurde der politische Spielraum mehr und mehr eingeschränkt. Von diesem Geist ist in dem Gedicht *An die Arbeiter*, das 1850 in der Zeitschrift *Verbrüderung* erschien, einiges exemplarisch erfaßt. Ihm sind die folgenden Strophen entnommen:

>»Die Welt ist dein, du Sohn der Mühn und Sorgen,
Obwohl du kaum das täglich Brot erwirbst;
Ob auch die Not dich grüßt am Lebensmorgen
Und nimmer weichet, bis du endlich stirbst;
So bist du dennoch Schöpfer großer Taten,
Und dennoch ist die Welt dein Eigentum,
Ob deine Kraft verkauft, ob sie verraten —
Die Werke stehn, und diese sind dein Ruhm. [...]

>Die Kinder ernten, was die Eltern säten,
Dies ist, man sagt, ein heil'ger Wahrheitsspruch;
Gut, wißt ihr auch, wie Proletarier beten?
Ich sag's euch, hört: ihr Beten ist ein Fluch! —
Und wie die Alten singen, so nicht minder
Der Junge, der zerlumpte Pöbels Sohn —
Was ihr gesät, das ernten eure Kinder!
Die Frucht, sie reift — die Revolution! —

> Doch weg von dieser hochgebornen Rasse,
> In deren Brust ein Geldsack ist das Herz,
> Die kalt herab schaun auf die Volkesklasse
> Und taub sind bei der Armen Not und Schmerz.
> Zu euch, Arbeiter, will ich mich nun wenden,
> Die ihr, trotz Elend, doch noch besser seid;
> Zu euch, ihr Männer mit den schwiel'gen Händen,
> Da finde ich ein Herz und Redlichkeit.«[34]

Über Herz und Redlichkeit hinaus reichten allerdings die Bildungsgüter, um die man sich in den Arbeitervereinen kümmerte. Zahlreiche Gedichte bezeugen die Verehrung für Bildung und Wissen, in Formulierungen, die auch nach 1860 oft noch wörtlich gebraucht wurden. Hierbei geschah die Tradierung wohl direkt über die von den bürgerlichen Liberalen um 1860 initiierten Arbeiterbildungsvereine. Bildung, so hieß es, könne am ehesten die Schranken beseitigen, die die Arbeiter in ihrer niederen Stellung fesselten.

So viel zur Kategorie der ›proletarischen Literatur‹ in dieser Periode. Daneben findet ein anderer, historisch übergreifender Terminus Anwendung, den Wolfgang Steinitz genauer erläutert hat: ›Arbeiterlied‹. Steinitz erfaßt damit Lieder über Arbeit, Leben, soziale Lage und politischen Kampf der Arbeiterschaft, nicht nur sozialistische Lieder.[35]

Wie Steinitz zeigte, lassen sich nach 1850 revolutionäre Spuren im Gesang der Arbeiterschaft verfolgen, beispielsweise in dem mehrfach veränderten und folklorisierten Lied von Robert Blum, dem 1848 in Wien hingerichteten, überaus populären revolutionären Volkshelden.[36] Steinitz hat für die Zeit nach 1850 die eng mit dem Volkslied verbundene Erscheinung des ›Arbeitervolksliedes‹ herausgearbeitet, wozu er das Lied vom Bürgermeister Tschech, das Lied von den Frankfurter Studenten, ferner »In Löbtau sitzt bei ihrem Kinde die Frau des Arbeitsmanns und weint«, »So geht ein Arbeitsmann zugrund« u. a. rechnete. Außerdem bezog er die einfachen Lieder mit Protest- und Klagecharakter der Eisenbahn-, Kanal- und Straßenarbeiter ein, die sehr genaue Schilderungen der schweren Arbeitsbedingungen geben, ohne jedoch Forderungen zu erheben.

Auf die Tradierung der Vormärzlyrik, einschließlich sozialer und (später) sozialistischer Poesie, bei den Deutschen in den USA kann hier nur hingewiesen werden.[37]

3. Die Agitation der frühen Sozialdemokratie

Wieviel sich Lassalle von der literarischen Agitation versprach, bezeugen seine dringlichen Briefe an Georg Herwegh, das zugesagte *Bundeslied* für den Allgemeinen Deutschen Arbeiterverein endlich zu liefern. (Lassalle hatte von Freiligrath bereits einen Korb bekommen; Marx vermutete, weil der ihn nicht hatte »ansingen« wollen. MEW 30, 350 f.) Zur Definition des Verlangten gebrauchte Lassalle charakteristische Worte: »Nichts natürlicher als daß Sie, wenn Sie Ideen ausdrücken sollen, zu Ihrem natürlichen Privilegium greifen, sie sofort in plastisch-›poetischer‹, statt ›zänkisch‹-prosaischer Form auszudrücken«. Als Herwegh immer noch nichts Liedähnliches sandte, beschwor er ihn: »Wo bleibt Ihr Hülfscorps, das geflügelte Gedicht?«[38] Als es endlich ankam, ließ es Lassalle sofort in 12 000 Exemplaren drucken, zusammen mit der Komposition von Hans von Bülow. Es sollte in jeder Versammlung des ADAV gemeinsam gesungen werden. Was Herwegh, nach einem Gedicht Shelleys modelliert, aus Zürich schickte, blieb relativ populär und wurde noch vom Spartakusbund in der Revolution 1918 verwandt. Die letzten Strophen des Liedes lauten:

> »Menschenbienen, die Natur,
> Gab sie euch den Honig nur?
> Seht die Drohnen um euch her!
> Habt ihr keinen Stachel mehr?
>
> Mann der Arbeit, aufgewacht!
> Und erkenne deine Macht!
> Alle Räder stehen still,
> Wenn dein starker Arm es will.

> Deiner Dränger Schar verblaßt,
> Wenn du, müde deiner Last,
> In die Ecke lehnst den Pflug,
> Wenn du rufst: Es ist genug!
>
> Brecht das Doppeljoch entzwei!
> Brecht die Not der Sklaverei!
> Brecht die Sklaverei der Not!
> Brot ist Freiheit, Freiheit Brot!«[39]

Mehring wertete das Lied nicht sehr hoch und stellte mit gewisser Genugtuung fest, daß es nicht nur an der packenderen Melodie gelegen habe, wenn ihm Jakob Audorfs »schlichte Arbeitermarseillaise« so schnell beim deutschen Proletariat den Rang abgelaufen habe.[40]

Im Brief an Herwegh äußerte sich Lassalle auch darüber, wieviel er sich von dem politischen Roman *Lucinde oder Capital und Arbeit* (1863/64) von Johann Baptist von Schweitzer für die Agitation erwarte. Viele Arbeiter, die für die kritische Behandlung noch nicht reif wären, dürften durch diese Darstellung überzeugt werden.[41] Lassalle ließ Teile des Romans in den Versammlungen des ADAV vorlesen.

Trotz der von Lassalle zum erstenmal öffentlich dargelegten Forderung, den Einfluß der bürgerlichen Presse auf die Arbeiter zu bekämpfen, geschah die Gründung einer sozialdemokratischen Zeitung erst nach seinem Tod durch Schweitzer (*Der Social-Demokrat*, ab 1864).[42] Es war im wesentlichen Schweitzer, der der literarischen Agitation in der Sozialdemokratie zuerst ihre Gestalt gab. Der nachmalige Präsident des ADAV hatte sich als Schriftsteller betätigt, verfügte über journalistisches Geschick, literarisches Gespür und schnelles theoretisches Verständnis. Gustav Mayer hat im Vergleich des *Social-Demokrat* mit Liebknechts *Demokratischem Wochenblatt* (ab 1868) Schweitzers agitatorische und theoretische Fähigkeiten sowie den Einbezug der Massen hervorgehoben. (»Die fast immer von Schweitzer verfaßten oder wenigstens inspirierten nationalökonomischen Artikel des Socialdemokrat sind mit einem

ungleich größeren wissenschaftlichen Talent und mit einer
viel klareren Eindringlichkeit abgefaßt als die entsprechenden Leistungen des Demokratischen Wochenblatts.«[43])

Im Roman *Lucinde*, den Mayer als literarisch minderwertig
ablehnte, faßte Schweitzer seine Kritik am liberalen Bürgertum,
die zu Lassalles Arbeiterpolitik gehörte, in der Form satirisch
angereicherter Erzählprosa. Die von Sue beeinflußte Schilderung
der Arbeiter verrät wenig Vertrautheit mit deren tatsächlicher
Lebensweise. Die Kritik an der feudalen Schicht (im Hintergrund
lassen sich Anklänge an Bismarck erkennen) ist gemäßigt. Die
Arbeiter, tief im Elend verstrickt, erheben sich, werden aber von
der Armee des Fürsten geschlagen. Die Konfrontation mit der
Reaktion geht weiter, allerdings sind am Ende die Liberalen
ausgeschaltet.

Davon unterscheiden sich Schweitzers — spätere — Beiträge
zum agitatorischen Theater beträchtlich. Zunächst anstelle von
Leitartikeln im *Social-Demokrat* erschienen, wurden seine dramatischen Szenen *Ein Schlingel* (1867) und *Eine Gans* (1869)
auf vielen sozialdemokratischen Versammlungen und Theater-
veranstaltungen aufgeführt. Im *Schlingel* popularisierte Schweitzer die Mehrwerttheorie des gerade erschienenen *Kapitals* von
Marx. Er stellt den Arbeiter Roth dem Kommerzienrat gegenüber, der in seiner Fabrik die sozialdemokratische Agitation
ausschalten will. Der Kommerzienrat ruft den Ökonomen Dr.
Fisch zu sich, damit er den Arbeiter von der Fehlerhaftigkeit
seiner Auffassungen überzeuge. Aber der Ökonom wird von
Roth widerlegt. Daraufhin muß der Arbeiter die Fabrik verlassen. — Eine ähnliche Struktur besitzt *Eine Gans*, worin der
Kommerzienrat und Dr. Fisch versuchen, mit dem Verein für
›Erweiterung des weiblichen Arbeitsmarktes‹ zu billigen Ar-
beitskräften zu kommen. Roth widerlegt wiederum die schein-
humanitären Argumente des Kapitalisten. Roths Schwester Anna
wird diesen Verein nicht leiten.

Für die Agitation der sechziger und siebziger Jahre war
das gesprochene, gesungene und gespielte Wort gewiß wichtiger als das geschriebene. Doch maßen die sozialdemokratischen Führer auch dem gedruckten Wort bald große Bedeutung zu, das für die Kommunikation in den wachsenden
Parteien unabdingbar wurde. Die Eisenacher schufen eine
weitverzweigte Provinzpresse. Das Abonnement einer so-

zialdemokratischen Zeitung bedeutete für viele Arbeiter bereits ein Glaubensbekenntnis. Über die Lektürepraxis sei aus einer Untersuchung zitiert:

»Der Arbeiter gewann ein anderes Verhältnis zur Literatur, als es der Bürger besaß. Obwohl seit Urzeiten die Schauerromane in der Menge umliefen, lernten viele erst lesen, als sie aufrührerische Broschüren in die Hand bekamen. Es genügte, daß man sich einen Roman anhörte, wenn er gerade vorgelesen wurde; aber die politische Lehre mußte man studieren. In Vereinen und Volksbüchereien hielt das Bürgertum genügend Bildungsmaterial bereit; aber das Volk wollte zum Lesen nicht eingeladen, sondern genötigt werden. Im Bürgertum war es üblich, daß einer die Zeitung bestellte, die ihm und seinesgleichen gerade gefiel; aber für die sozialdemokratische Presse waren neue Abonnenten neue Werber, die es als eine Partei- und Ehrensache betrachteten, etwas für ihr Blatt zu tun. Das Bürgertum war gewohnt, sich Bücher zum Kauf im Laden auszusuchen; aber auf den sozialdemokratischen Veranstaltungen ging es gewöhnlich so zu, daß der Redner zum Schluß die ausgelegten Flugschriften Lassalles empfahl; und im Nu war der ganze Stapel für wenig Geld verkauft. Das Bürgertum kannte die Individualbildung. Der Lesestoff war spezialisiert und weit verzweigt. Man sprach über einiges am Familientisch, über anderes in der Gesellschaft und von manchem schwieg man auch. Fand dagegen ein Arbeiter ein Buch, das ihn fesselte, dann wußte am nächsten Tag die halbe Werkstatt von seiner Lektüre.«[44]

In den Autobiographien von Arbeitern finden sich immer wieder Passagen darüber, welch tiefen Eindruck die Lektüre sozialdemokratischer Schriften oder Zeitungen machte. Adelheid Popp (1869–1939), eine bekannte österreichische Sozialdemokratin, beschrieb den Eindruck, den die erste sozialdemokratische Zeitung auf sie machte:

»Die theoretischen Abhandlungen konnte ich nicht sofort verstehen; was aber über die Leiden der Arbeiterschaft geschrieben wurde, das verstand und begriff ich, und daran lernte ich erst mein eigenes Schicksal verstehen und beurteilen. Ich lernte einsehen, daß alles, was ich erduldet hatte, keine göttliche

Fügung, sondern von den ungerechten Gesellschaftseinrichtungen bedingt war. Mit grenzenloser Empörung erfüllten mich die Schilderungen von der willkürlichen Handhabung der Gesetze gegen die Arbeiter.«[45]

An Schweitzers Agitation knüpften verschiedene Autoren um 1870 erfolgreich an. Wilhelm Hasselmann verschaffte dem *Neuen Social-Demokrat*, der 1871 den *Social-Demokrat* ablöste, eine weitaus größere Auflage. Bei vielen Eisenachern bestand kaum Zweifel daran, daß die Stärke der Lassalleaner in der Agitation lag. Mehring zitierte die Worte des Eisenachers Karl Grillenberger: »Der Organisation nach waren wir Eisenacher, dem Prinzip und der Agitation nach Lassalleaner.«[46] Einige der besten Agitatoren der Eisenacher hatten als Lassalleaner begonnen — was zugleich einiges über die Attraktivität der Eisenacher Partei aussagt, zu der sie überwechselten. Exemplarisch ist dafür August Otto-Walster, der 1869 zur SDAP überging und neben Max Kegel, den er ›anlernte‹, mit seiner literarischen Agitation wohl am meisten Erfolg hatte.

Aus der Fülle der von Otto-Walster verfaßten Romane, Erzählungen, Theaterstücke und Gedichte seien zwei Werke hervorgehoben. Der 1869/70 geschriebene, danach überarbeitete und im *Volksstaat*, dem Nachfolger des *Demokratischen Wochenblatts*, abgedruckte Roman *Am Webstuhl der Zeit* (Buchausg. 1873) bietet ein erstaunliches literarisches Panorama der politischen Parteien und Interessengruppen Ende der sechziger Jahre in Deutschland. Er folgt den vor 1848 vor allem von Sue entwickelten Mustern erzählerischer Sozialkritik und verknüpft Privatschicksale und -szenen in einer mittleren deutschen Residenzstadt mit Dialogen, politischen Kampagnen und Ansprachen, die die politische Botschaft in direkter Rede übermitteln. Die Charaktere sind psychologisch wenig differenziert, oft nur Mundstück einer politischen Richtung oder Typus gemäß der Erzählüberlieferung. Unter den Vertretern der gegen die Konservativen und Liberalen gerichteten Opposition steht nur ein Arbeiter, die anderen sind bürgerliche Intellektuelle. Otto-Walster schildert die Entstehung einer (lassalleanischen) Produktivassoziation und die Konfrontation der ›Volkspartei‹ der Arbeiter mit den Bürgerlichen. Offenbar auf Vorschlag des

Braunschweiger Parteiausschusses, dem er das Manuskript zugesandt hatte[47], integrierte er in den Roman die um 1870 unter Sozialisten virulenten Aufstandsideen. Er ließ das Werk in eine militärische Auseinandersetzung münden, in der die Arbeiterschaft die Oberhand gewinnt und den Volksstaat errichtet.

Komödiantische Effekte benutzte Otto-Walster in dem ›Lustspiel in zwei Akten‹ *Ein verunglückter Agitator oder Die Grund- und Bodenfrage* (1874). Der Titel läßt die doppelte Ausrichtung erkennen: die Darlegung der Grund- und Bodenfrage im sozialistischen Sinne ist mit der Geschichte eines jungen Juristen verknüpft, der zufällig in ein Dorf gekommen ist und sich in die Tochter des Dorfschulzen verliebt hat. Die Bauern halten ihn für den erwarteten sozialistischen Agitator und bitten ihn, das Referat über die Grund- und Bodenfrage zu halten. Er tut es, nicht zuletzt um sich nicht bei der Schulzentochter zu blamieren. Dabei ›verunglückt‹ er: der zuspätgekommene Referent widerlegt ihn. Bei der Schulzentochter verunglückt er allerdings nicht.

Otto-Walster bevorzugte Theaterdialog und erzählende Prosa für die literarische Agitation. Andere — die Mehrzahl — hielten sich an die Lyrik, mit der man besonders schnell auf aktuelle Geschehnisse eingehen konnte, und die nicht viel Zeit beanspruchte, weder zum Verfassen, noch zum Aufnehmen. Die Genrewahl läßt sich nur schwer nach den jeweiligen Stärken und Schwächen der Autoren, zumeist Redakteuren und Funktionären, fixieren. Die meisten paßten sich den Erfordernissen an: die Botschaft mußte in immer neuem Gewand, an immer neuer Stelle gebracht werden, und die Fähigkeit zur Adaption entschied über die literarische Leistung.

Beim Agitationstheater dominierte die Komödie, diejenige Gattung, die das Volks- und Vereinstheater mit Ein- oder Zweiaktern beherrschte. Zumeist ergab sich ein Doppelkonflikt: die Auseinandersetzung zwischen Arbeiter- und Unternehmerinteressen neben einer dadurch verkomplizierten Liebesgeschichte. Andere Stücke verwendeten Komödienelemente und blieben ansonsten dramatisiertes Streitgespräch, das dem Zuschauer politische Einsichten vermitteln sollte. Die wenigen überlieferten Komödien mit sozialistischer Aussage — die meisten blieben ungedruckt — zeigen relativ grobe Darstellungsmittel, die aber im historischen Kontext zu sehen sind[48], etwa Hermann Goldsteins Wahlschwank *Das vergessene Konzept oder Ein sitzengebliebener Reichstagskandidat* (1878), Max Kegels *Press-Prozesse oder die Tochter des Staatsanwalts* (1876), Stichelhubers (Pseudonym) *Der Staatsstreich von Galgenhausen oder Die Geheimnisse der Familie Rammelkopf* (1878) und August Kapells szenischer Dialog *Dr. Max Hirschkuh oder Das Amt des Heuchlers* (1872), der sich gegen den Berliner Industriellen Borsig und die Hirsch-Dunckerschen Gewerkvereine richtete.

Die Komödie behielt auch später ihre Attraktivität für das Publikum der Arbeiterveranstaltungen. Doch verlor sich ihr agitatorischer Impuls. Nach 1890 betrachtete die Partei Formen der Agitation wie Wahlkampfschwänke und Streikdramen nur mit Zurückhaltung, wovon Friedrich Bosses Klagen zeugen. Während sich die Stücke der proletarischen Autoren dem naturalistischen Theater annäherten, hielt sich der Affront komödiantischen und kabarettistischen Theaters nur bei einzelnen Spieltrupps. Unter ihnen gewann die Berliner Truppe ›Vorwärts‹ unter Leitung von Boleslav Strzelewicz breitere Beachtung. Sie trat auf Parteitagen, Versammlungen und Festen auf. Mit ihr ergibt sich eine gewisse Kontinuität zu den Agitproptruppen der zwanziger Jahre.

Besondere Voraussetzungen bestanden in Österreich, vornehmlich in Wien, wo die Volkstheatertradition sehr viel lebendiger war. In einem Überblick resümierte 1900 ein Rezensent der *Neuen Zeit*: »So hat in Wien jede Schicht ihre Bühne und ihre Dichter, nur eine nicht, die Arbeiterschaft. Und trotzdem hat sie ihre Stücke: was die großen Wiener Volksdichter geschaffen, ist ihr Eigentum geworden. Bald genug, und die Arbeiterschaft wird auch der *einzige* Erbe sein.«[49] Darüber sei jedoch der Agitator Josef Schiller (1846—1897) nicht übersehen, der im nordböhmischen Proletariat (Reichenberg) als Schiller Seff überaus populär war.

Er schrieb satirische Gedichte, Autobiographisches *(Blätter und Blüten aus dem Kranz meiner Erinnerungen; Bilder aus der Gefangenschaft)* und brachte in seine Festallegorien *Kampf der Wahrheit mit Lüge und Unverstand* (1880) und *Selbstbefreiung* (1883) Elemente des österreichischen Volkstheaters ein. Zudem brillierte er in vielen Versammlungen als Rhetor und Stegreifkomödiant in der Tradition Nestroys.[50]

Neben dem agitatorischen Theaterstück, das zumeist nur Teil einer politischen Veranstaltung ausmachte, bildeten seit den sechziger Jahren die verschiedenen Formen von Lyrik (Lied, Gedicht, Couplet, satirische Ballade, Festprolog, versifizierter Leitartikel etc.) den Kern sozialistischer Literatur. Lyrik wurde rezitiert, gesungen und gelesen; sie gehörte fest zum Erscheinungsbild der Presse; in Lieder- und Gedichtsammlungen, für die man eifrig warb, gewährte sie Erbauung und Zugehörigkeitsgefühl.

Auf die große Bedeutung, die dem rituellen Bekenntnis innewohnte, ist schon hingewiesen worden. In dieser Erscheinung mag auch die Erklärung dafür liegen, daß Audorf mit dem *Lied der deutschen Arbeiter*, wie die *Arbeitermarseillaise* hieß, Herweghs *Bundeslied* den Rang ablief: es kam dem Bedürfnis nach Gemeinschaftlichkeit im proletarischen Kampf besser nach, sprach im Wir, war nicht nur proletarischer Appell. Seine erste Strophe lautet:

> »Wohlan, wer Recht und Freiheit achtet,
> Zu unsrer Fahne steht zu Hauf!
> Wenn auch die Lüg uns noch umnachtet,
> Bald steigt der Morgen hell herauf!
> Ein schwerer Kampf ist's, den wir wagen,
> Zahllos ist unsrer Feinde Schar,
> Doch ob wie Flammen die Gefahr
> Mög' über uns zusammenschlagen.
>   Nicht zählen wir den Feind,
>   Nicht die Gefahren all':
>   Der kühnen Bahn nur folgen wir,
>   Die uns geführt Lassalle!«[51]

Natürlich bedeutete nicht nur Lassalles Name Bekenntnis, sondern auch die lassalleanische Programmatik: gleiches Recht, vor allem Wahlrecht, für alle; Überwindung des »Unverstands der Massen«; Errettung des Vaterlands und Volkes vom Elend; Zusammenschluß der »Gesinnungskameraden«. Jakob Audorf schrieb das Lied 1864 anläßlich der Hamburger Totenfeier für Lassalle. Es entstand an der Schwelle zum Lassalle-Kult, in dem die ohnehin schon virulenten religiösen Assoziationen in den Dienst der Heldenverehrung gestellt wurden.

Lassalle, der religiöse Fragen aus seinen Reden und Schriften ausklammerte, hatte den Arbeitern 1862 gesagt: »Sie sind der Fels, auf welchem die Kirche der Gegenwart gebaut werden soll.«[52] Religiöse Assoziationen, Bibelzitate und Entlehnungen aus dem christlichen Kultus bildeten Teil der Agitation für ein neues, vom Bürgertum unabhängiges Selbstbewußtsein der Arbeiter und wurden häufig parodistisch gebraucht. Das traf auch für die Eisenacher zu, die sich von den Exzessen des Lassalle-Kultes freihielten. Die Lutherbibel und das protestantische Gesangbuch übten ihre Macht über die Geister beiderseits der Parteigrenzen aus. Das läßt sich an der Kontrafaktur zu Luthers *Ein feste Burg ist unser Gott* ablesen, einmal bei den Lassalleanern, einmal bei den Eisenachern. Audorf dichtete den *Volksgesang*:

> »Ein feste Burg ist unser Bund,
> Durch eigne Kraft geschaffen,
> Er wurzelt fest auf Felsengrund,
> Im Sturm ein sichrer Hafen;
> Ob auch die Woge braust,
> Drob keinem von uns graust,
> Hoch, hoch das Schlachtpanier,
> Darunter kämpfen wir
> Für unsre Menschenrechte!«[53]

In einer speziell lassalleanischen Version ersetzte Audorf 1865 in der zweiten Zeile »Durch eigne Kraft geschaffen« mit »Wie ihn Lassalle geschaffen«.[54] Bei den Eisenachern hieß es:

> »Ein feste Burg ist unser Gott:
> Der ›freie Geist der Wahrheit‹!
> Er bricht das schwere Joch der Not
> Und führt aus Not zur Klarheit.
> Der alte böse Feind,
> Der unsern Gott verneint,
> Heißt: ›Rohe Tyrannei,
> List, Pfaffenklerisei
> Und Götzentum des Mammon‹!«[55]

Ein solches Umtexten stellte — mitsamt Audorfs Variante — eine geläufige Praxis dar. Inwiefern sich damit der Geist wirklich änderte, läßt sich nicht immer präzis bestimmen, wenngleich anzunehmen ist, daß die Parodie, einmal erkannt, politisch besonders stimulierend wirkte. Das galt für religiöse, nationale[56] und militärische Texte gleichermaßen. Ihre ›Verfremdung‹ lehrte gesellschaftliche und kulturelle Phänomene durchschauen. Doch ist vor jeder Verallgemeinerung Vorsicht geboten. Zu viele Vokabeln und Formeln wurden aus diesen Bereichen entlehnt.

Wie auch zwischen den sozialistischen Parteien umgetextet wurde, zeigt die Eisenacher Variante des Refrains der *Arbeitermarseillaise*, wo nicht das Bekenntnis zu Lassalle erscheint, sondern Freiligraths *Reveille*:

> »Die neue Rebellion!
> Die ganze Rebellion!
> Marsch! Marsch!
> Marsch! Marsch!
> Marsch! — Wär's auch zum Tod!
> Und unsre Fahn ist rot!«[57]

Ein Großteil der politischen Lieder basierte ohnehin stark auf dem Formelschatz der Vormärzlyriker. Dazu gehören die Begriffsallegorien der Freiheit, zumeist mit der Verheißung des Frühlings verknüpft, sowie der Wahrheit und des Rechts. Vielgebraucht waren die Verbindungen »Recht und Freiheit«, »Recht und Wahrheit«, »Recht und Gleichheit«, »Recht und Licht«.[58] Sie bezogen sich auf die Wahlrechtsforderung, der Lassalle revolutionären Charakter zusprach.[59] Neben dem Begriffsfeld ›Recht‹ kam den Wortverbindungen mit ›Geist‹ bzw. ›Wissen‹ viel Bedeutung im poetischen Vokabular zu, etwa »des Geistes Schwingen«, »des Geistes Höhen«, »Schwert des Geistes«, »Geistesfortschritt«,

»Frühling des Geistes«, außerdem »des Wissens scharfer Pfeil«, »des Wissens Macht« usw. Auch das besaß polemischen Charakter im Zusammenhang mit der Politisierung von Wissen und Wissenschaft, den ›Verbündeten‹ des revolutionären Proletariats.

Gesungen wurde überall, möglichst viel, möglichst unterm Dach der Partei. Den ›Sängerabteilungen‹ und ›Dramatischen Klubs‹ bei den einzelnen Gemeinden widmeten auch Lassalles Nachfolger, Schweitzer, Wilhelm Hasenclever (1834–1889) und die übrigen ADAV-Führer, große Aufmerksamkeit. Wolfgang Friedrich stellte fest, daß es zunächst »Anhänger Lassalles« waren, »die in Gedichten und Liedern das Proletariat aufriefen«.[60] Die Institutionalisierung von Lyrik, Deklamation und Gesang in der *gesamten* Sozialdemokratie dauerte allerdings nicht allzu lange.

1877 wurde in Gotha der ›Allgemeine deutsche Arbeiter-Sängerbund‹ gegründet und eine erste Liedsammlung veröffentlicht, allerdings fiel der weitere organisatorische Ausbau 1878 dem Sozialistengesetz zum Opfer. Trotz der Verbote und polizeilichen Überwachung gelang es vielen Vereinen, für die Bestrebungen der Sozialdemokratie zu wirken. Nach Aufhebung des Sozialistengesetzes gründete man 1892 die ›Liedergemeinschaft der Arbeitersängervereinigungen Deutschlands‹ (ab 1908 ›Deutscher Arbeitersänger-Bund‹), die 1907 etwa 93 000 Mitglieder umfaßte.[61]

Von den Kommune-Liedern ist gesprochen worden. Daß es Anfang der siebziger Jahre wirklich radikale Töne gab, bezeugen Johann Most und Wilhelm Hasselmann, die man 1880 als Anarchisten aus der Partei ausschloß. In Hasselmanns *Neuem Social-Demokrat* erschien 1872 das lyrisch-rhetorische Pamphlet *Die Canaille*, in dem statt mit dem kommenden Frühling mit der schwieligen Faust argumentiert wird:

»Wer sind die Männer mit eisenfesten Muskeln und doch mit abgemagertem Gesicht, die bei der Glut der Schmelzöfen ausharren und das Eisen schweißen? Wer sind die Männer, die im Staub und Lärm dunstiger Fabriken mit tosenden Maschinen diese lenken und unter deren Händen sich die wundersamsten Gebilde des Kunstfleißes erzeugen? Wer sind die Männer, die in Hitze und Kälte, bei Sonnenschein und Regen unter freiem Himmel an Palästen bauen? Wer sind die Männer, die mühsam den

Pflug über die Äcker lenken und der Erde ihre Gaben bringen? Fraget den tändelnden Stutzer, fraget den übermütigen Krautjunker, fraget den zusammenscharrenden Wucherer, fraget all jene, die in den Palästen wohnen und schmausen, welche die Arbeit anderer verprassen: sie werden es Euch sagen. Sie werden sprechen: ›*Das ist die Canaille!*‹« Das Pamphlet wiederholt mehrmals diese ausgedehnte rhetorische Frage, verwoben mit immer neuen Bildern aus dem Leben des Proletariats, worauf jedesmal die verächtliche Antwort der Bürger erfolgt: »Das ist die Canaille!« Das intensiviert sich, um schließlich in die Drohung zu münden: »Nennt uns nur ›Canaille‹, das Wort wird Euch noch zu einer bitteren Erinnerung werden. Wenn dann das ganze Volk, vom Sozialismus begeistert, mit uns gemeinsam den Ruf erhebt: ›*Wir sind Canaille, wir wollen es nicht mehr sein*, es muß ein Ende der Qual, des Elends kommen‹, dann werden alle faulen Bäuche mit Entsetzen daran denken, wie sie einst das Volk verhöhnten: ›Das ist die Canaille!‹«[62]

Dieser Ton fand später wieder breitere Resonanz, als der allegorische Bewußtseinszusammenhang für die proletarische Literatur an Bedeutung einbüßte. Die Linien lassen sich zu proletkultischen Ansätzen und zu Werken proletarischer Literatur nach dem Ersten Weltkrieg verlängern; zugleich bestehen Entsprechungen zur französischen Arbeiterliteratur.[63]

Die Linien lassen sich auch noch weiter verlängern bis zu einem populären Exempel proletarischer Literatur der zwanziger Jahre, das in seiner Struktur eine verblüffende Ähnlichkeit mit dem Pamphlet *Die Canaille* aufweist: Kurt Kläbers lyrischrhetorische Skizze *Der Arbeiter*. Bei Kläber (1897–1959), einem der besten Repräsentanten proletarischer Literatur der zwanziger Jahre, heißt es:

»Der in den Fabriken an den Drehbänken steht, Tag für Tag. Den Hebel vor- und rückwärts reißt. Vor und zurück. Immer denselben Hebel. Bis er nur noch Hand ist, die vor- und zurückreißt, Hebel, der vor- und zurückschlägt: Das ist der Arbeiter!

Der in den Schmieden an den großen Dampfhämmern steht. Klein, zusammengedrückt. Nach dem fallenden Hammer stiert. Immer nur Klötze unterschiebt: hellglühende Klötze. Und der Hammer schlägt, schlägt, schlägt! Schlagen, schieben! Jeden Tag! Jahr für Jahr! Ein ganzes Leben: Das ist der Arbeiter!«

Diese rhetorischen Bögen, das harte Dasein des Arbeiters beschreibend, setzen sich viermal fort, jeweils in den Ausruf »Das

ist der Arbeiter!« mündend, bis der Schlußabsatz ebenfalls die
Befreiung ankündigt:

> »Der sich nun aber endlich besinnt! Der sich aus seiner lebens-
> länglichen Zwangsarbeit befreien will! Der sich schüttelt! Sich
> seiner Kraft und seines Menschseins bewußt wird. Der aufbricht!
> Und über den deswegen die ganze übrige menschliche Gesell-
> schaft herfällt und sich beleidigt fühlt, weil dadurch die Arbeit
> und besonders der Lohn gerechter ausgeteilt werden könnte:
>
> Das ist der Arbeiter!«[64]

Dieser Exkurs — dessen literarische und inhaltliche Implikationen hier nicht im einzelnen verfolgt werden können —
mag zugleich e contrario verdeutlichen, wie stark sich die
sozialdemokratische Agitationsliteratur seit ihren Anfängen
der Parteipolitik zuordnete, d. h. wie wenig sie die ästhetische Formung eines Menschenbildes anstrebte, in dem das
Proletariat und der einzelne Arbeiter ohne allegorischen Bezug sichtbar würden. Sie war in der Tat Teil der Politik,
förderte das Selbstbewußtwerden von Arbeitern im Rahmen
der Partei und — zunehmend — des wissenschaftlichen Ge-
bäudes, mit dem die Entwicklung zur siegreichen Revolution
als gesetzmäßig determiniert war. Wenn späteren Betrach-
tern die literarische Leerstelle an dem Ort auffällt, wo die
Arbeiter selbst, als atmende, leidende und fordernde Wesen
sichtbar sein müßten, so übersehen sie die einst lebendige
Füllung mit Allegorie und Ritual — die allerdings mit der
Politik, der sie diente, auch in die Geschichte gesunken ist.

Nicht in gleicher Weise abgesunken sind diejenigen literarischen Äußerungen, die ihre Rechtfertigung aus der kritischen Analyse der vorgegebenen Gesellschaft und ihrer
Institutionen zogen. Ihre jeweilige ästhetische Entscheidung
bleibt einigermaßen nachvollziehbar: Literatur als ein Mittel, etwas sichtbar zu machen, was sonst nicht gesehen wird
(im Kontrast zu jener Form der Parteiliteratur, die etwas
ästhetisch sichtbar macht, was schon politisch sichtbar ist).

Dafür finden sich überall Beispiele, am häufigsten in den
satirischen, konkret auf die Gesellschaft der Monarchen,
Kapitalisten, Pfarrer und Militärs gemünzten Werken. Hier

ist der bei Heine beschriebene ›intellektuelle‹ Effekt erhalten
(was sich allerdings nicht ohne weiteres mit der aktuellen
Rezeption gleichsetzen läßt). Von Max Kegel, der diese literarische Form am erfolgreichsten beherrschte, ist bekannt,
daß er in Chemnitz einen ›Arbeitertheaterklub Heinrich
Heine‹ gründete.[65] Heine spielte in den satirischen Zeitschriften, die seit Anfang der siebziger Jahre entstanden,
eine wichtige Rolle. Kegel etablierte mit Johann Most 1871
den Chemnitzer *Nußknacker*, der 1873 in die *Chemnitzer
Raketen* überging. 1872 entstanden die *Braunschweiger
Leuchtkugeln*. Die beiden späteren satirischen Blätter *Der
Wahre Jacob*, 1879 und erneut 1884 gegründet, und *Süddeutscher Postillon* (ab 1882) wuchsen unter dem Sozialistengesetz in eine halboffizielle Funktion hinein, wie überhaupt die satirische Literatur, vom Agitationsverbot der
achtziger Jahre zugleich bedroht und angespornt, zu dieser
Zeit ein breiteres Fundament gewann.[66]

Zur Herstellung und Verbreitung dieser kritischen Literatur gehörte viel Mut. Das Zensursystem des deutschen
Staates sah in der Sozialdemokratie seinen Hauptgegner.
Mit viel Witz und Erfindungsgabe begegnete man der Polizei, am bekanntesten ist der geschickte, vom »roten Feld-
postmeister« Julius Motteler (1838–1907) dirigierte
Schmuggel des in Zürich erscheinenden *Sozialdemokrat*. In
dieser Zeit gewann der Humor besondere politische Schlagkraft, und auch Engels spendete Beifall. Das Gefängnis war
nie sehr fern. Ein wegen seines sarkastischen Witzes ge-
fürchteter Agitator wie Otto-Walster verbüßte 1875 bereits
seine 25. politische Gefängnisstrafe.[67]

Um auch die Satire in entsprechenden Auszügen zu Wort
kommen zu lassen, seien zwei Beispiele gewählt, eines von
einem bekannten, das andere — wie es häufig der Fall war —
von einem anonymen Autor. Beide stammen aus den siebziger Jahren und reflektieren das ›Gründungsfieber‹ in
Deutschland nach dem Sieg über Frankreich. Zur Wirt-
schaftsspekulation nach dem Zustrom der französischen
Milliarden druckten die *Chemnitzer Raketen* 1873 eine
Neue Schöpfungsgeschichte ab:

»Am Anfang war die Kasse, aber die Kasse war wüst und leer, und der Geist des Gründers schwebte über derselben. Da sprach der Bankdirektor: Es geht mir ein Licht auf! Und siehe, es ging ihm ein Licht auf. Und er sprach: Es mögen sich alle Gelder versammeln an einem Ort und da ins Trockene gebracht werden. Und es geschah also. Und er nannte den Ort die Bank. Und er machte keinen Unterschied zwischen den Geldern, die sich versammelt hatten, und solchen, die nur auf dem Papier standen, und nannte ihre Namen Aktien. Und er setzte zwei Lichter über die Bank, darüber zu herrschen. Das große Licht war er selbst, und das kleine nannte er Verwaltungsrat. Dann berief er alles kleine Getier, so sich regt und rührt. Und er schuf die große Brillenschlange und das kleine Federvieh und das Renntier und den Kupon-Krebs und nannte das Ganze Personal. Dann sprach er: Kommt, wir wollen Menschen machen! Und er nahm Menschen, blies ihnen Wind in die Ohren und Sand in die Augen, daß sie übergingen, und siehe, sie waren gemacht. Und er sah alles, was er gemacht hatte, und sah, daß es sehr gut für ihn sei.«[68]

Das andere Beispiel entstand nach dem ›Gründerkrach‹ 1873 und widmet sich im Nachhall von Schiller und in der Nachfolge von Heine der Ernüchterung im Deutschen Reiche. Es stammt von Max Kegel und ist betitelt *Germanias Klage.* (Davon die erste und die letzten beiden Strophen.)

>   »Die Ideale sind zerronnen,
>   Die einst das trunkne Herz geschwellt,
>   Erloschen sind die Ruhmessonnen,
>   Und in den Taschen ist kein Geld.
>   Es ist dahin der süße Glaube
>   An deutsche Freiheit ganz und gar,
>   Und der Kaserne ward zum Raube,
>   Was einst des Volkes Hoffnung war. [...]
>
>   Und immer stiller ward es, immer
>   Verlassner um des Siegers Stuhl,
>   Der Milliarden bleicher Schimmer
>   Erstickte in der Krise Pfuhl.
>   Von all dem rauschenden Geleite
>   Harrt nur der Schutzmann bei mir aus,
>   Er geht mir treulich noch zur Seite
>   Und führt mich ein ins finstre Haus.

Und eines ist uns noch geblieben,
Das ist das schöne Sedansfest,
Wo bei dem Bier, dem edlen, lieben,
Das Elend sich vertrinken läßt.
Da singen wir die Schlachtenlieder
Und rühmen uns gewalt'ger Tat —
Da kehrt die Illusion uns wieder,
Die uns so schnöd verlassen hat.«[69]

4. Wissen, nicht Kunst ist Macht

Wenn es trotz der literarischen Aktivitäten der frühen Sozialdemokratie zu keinem durchdachten Literaturprogramm kam, so lag das in ebendiesen Aktivitäten begründet: es war Parteiarbeit, es gehörte zur Agitation, aber damit war es auch schon definiert. Die Debatten auf den Parteitagen der Eisenacher lieferten Anfang der siebziger Jahre einige grundsätzliche Ansichten zur Förderung von Parteiliteratur, aber daraus entwickelte sich keine zusammenhängende Politik.

Vor allem in Liebknechts Beiträgen macht sich die Abwertung der ›belletristischen‹ zugunsten der ›wissenschaftlichen‹ Agitation bemerkbar, die später ganz dominierte. Auf dem Parteitag 1870 stellte er den Antrag, die Veröffentlichung von Romanen im *Volksstaat*, dem Blatt der Eisenacher, einzuschränken (sie alle 14 Tage anstatt jede Woche zu bringen). Er verwahrte sich dagegen, daß die Zeitung »der Geschmacksrichtung der großen Masse huldigen« müsse, wie es im Protokoll heißt. »Die erhabene und heilige Aufgabe eines echten Arbeiterorgans sei vielmehr, den Arbeiter *denken* zu lehren. Deshalb müsse der Inhalt möglichst hoch gehalten sein, das Blatt möglichst viel belehrende Aufsätze umfassen. Seien die Aufsätze manchmal etwas schwer verständlich, nun, so müssen die Arbeiter eben ihr Hirn anstrengen. Das könne ihnen nur nützen. Gibt man ihnen, was sie schon wissen, so fördert man ihre Bildung nicht.«[70] Liebknecht grenzte den *Volksstaat* vom ›niederen Niveau‹ des *Social-Demokrat* ab. Seinen Antrag wiesen die Delegierten zurück. Dagegen sprach u. a. August Otto-Walster.

Der Begriff ›Literatur‹ wurde, den Gepflogenheiten der Zeit entsprechend, sehr breit verstanden. Er umschloß Journalismus, Unterhaltungsliteratur und Wissenschaft. Liebknechts Vorbehalte gegenüber der Unterhaltungsliteratur (›Belletristik‹) korrespondierte mit der Auffassung der liberalen Kritiker in den fünfziger und sechziger Jahren. Man förderte, etwa in der von Robert Prutz 1851–1867 herausgegebenen Zeitschrift *Deutsches Museum,* volkstümliche Literatur bei gleichzeitigem Kampf gegen die anwachsende »Schmutzliteratur«.[71] In seiner weitverzweigten publizistischen Praxis verfolgte Liebknecht keine konsequente Abgrenzung. In der Theorie aber hielt er an der strikten Scheidung von Belletristik und der von ihm als höher, d. h. jeder »Schmutz«-Konkurrenz entzogenen Literatur fest, welche die gesellschaftlichen, geschichtlichen und biologischen Erscheinungen auf wissenschaftlicher Grundlage darstellt.

In diesem Sinne äußerte auf dem Parteitag 1873 ein Delegierter (Milke) bei der Diskussion, »die Begründung einer belletristischen Zeitschrift betreffend«:

> »Ich beantrage, statt ›belletristisch‹ zu setzen: ›wissenschaftlichbelletristisch‹, und das Wort ›Unterhaltungsblatt‹ zu streichen. Ein bloßes Unterhaltungsblatt kann uns natürlich nicht genügen; wollten wir ein solches, so brauchten wir keins zu gründen; es gibt deren genug. Unter ›wissenschaftlich‹ verstehe ich natürlich nicht abstrus. Das neue Unternehmen muß in populärer gefälliger Form dieselben Prinzipien vertreten wie der ›Volksstaat‹.«

Ihm hielt ein anderer Delegierter (Geiser) entgegen:

> »An der Zweckhaftigkeit, ja Notwendigkeit einer belletristischen Zeitschrift, welche die Parteigrundsätze in Kreise trägt, wohin die politischen Parteiorgane und Parteischriften nicht dringen, wird wohl niemand zweifeln; aber gerade, weil diese Zeitschrift auf *andere* Kreise berechnet ist, als die übrigen Parteischriften, so muß sie auch einen durchaus verschiedenen Charakter haben; und wäre deshalb die von Milke geforderte ›Wissenschaftlichkeit‹ sehr schlecht am Platze. Das Unternehmen muß auch wesentlich auf die *Frauen* berechnet sein, denen wir bisher nichts haben bieten können.«[72]

Die auf dem Parteitag beschlossene Gründung der Zeitschrift *Die Neue Welt* (›Illustriertes Unterhaltungsblatt für
das Volk‹) wurde erst 1876 Wirklichkeit. Die 1873—75 von
Hasselmann herausgegebenen *Sozialpolitischen Blätter* stellten ihr Erscheinen nach der Vereinigung der Parteien zugunsten der *Neuen Welt* ein, ebenso der *Volksstaat-Erzähler*.

Die *Neue Welt* wurde anfangs von Liebknecht und Bruno
Geiser (1846—1893) ediert, dem Begründer der ›Volks-Bibliothek
des gesammten menschlichen Wissens‹. Sie existierte zunächst als
Zeitschrift, ab 1891 als wöchentliche Beilage zu sozialdemokratischen Zeitungen. In gewisser Weise stellte sie eine Gegengrün-
dung zur *Gartenlaube* dar, die seit dem Roman der Marlitt
Reichsgräfin Gisela (1869) hin und wieder die Arbeiterfrage ›berührte‹. Der Stil der *Gartenlaube* behielt großen Einfluß, zumal
es an erzählerischen Beiträgen aus sozialdemokratischer Perspektive mangelte. Sozialdemokratische Autoren waren u. a. Rudolf
Lavant, dessen teilweise autobiographisches Werk *Ein verlorener
Posten* 1878 erschien, Johann Philipp Becker (1809—1886), der die
von Engels geschätzten Erlebnisberichte *Abgerissene Bilder aus
meinem Leben* (1876—1878) beisteuerte, Minna Kautsky mit ihren
bekanntesten Werken. Eine große Rolle spielten populärwissenschaftliche Artikel und praktische Ratschläge. Die *Neue Welt* erreichte ihre größte Auflage kurz vor dem Ersten Weltkrieg (1911:
550 000 Exemplare)[73], zu einer Zeit, da sich Verbreitung und
Charakter der Unterhaltungsliteratur stark gewandelt hatten.

Eine ähnliche Gründung, mehr auf Romanliteratur ausgerichtet,
bildete die ab 1904 von Ernst Preczang (1870—1949) redigierte
Wochenschrift *In freien Stunden*, die von 1897 bis 1919 existierte.
Sie sollte dem Einfluß von Romanzeitungen wie der *Deutschen
Romanbibliothek* von *Über Land und Meer* entgegenwirken. Ihr
Schwergewicht lag bei Autoren der Weltliteratur, die soziale
Themen behandelten. Zu den deutschen Beiträgern gehörten Robert Schweichel, Clara Viebig, Minna Kautsky, Bruno Wille, abgesehen von Stifter, Hauff, E. T. A. Hoffmann u. a. Das ihr 1901
beigefügte Feuilleton nahm seinen Kurs jenseits der Klassenauseinandersetzungen.[74]

Im Kampf gegen den politischen und den belletristischen
»Schund« drängte man Anfang der siebziger Jahre auch auf
eine Literatur für Jugendliche und plante eine Jugendzeit-

schrift. Einer ihrer Befürworter stellte 1874 fest: »Wir müssen die Gegner auf allen Gebieten bekämpfen. Gerade in der Familie hetzen die Gegner wider uns und vor allem nähren sie die Jugend mit ihrem religiösen Fanatismus und mordspatriotischen Vorurteilen. Die Nationalliberalen schonen nichts in ihrem Eifer. Den Kindern im Mutterleibe möchten sie schon die Pickelhaube aufsetzen. Demgegenüber haben wir die Pflicht zu handeln. Gebe man eine gute Jugendschrift, die auch von den Eltern gelesen wird.«[75]

Mehr als bei der Diskussion über eine — werbende — Literatur für die Frauen stand hier der erzieherische Charakter von Literatur im Blickpunkt. Allerdings erschien die geforderte Jugendzeitschrift, nachdem man es Anfang der neunziger Jahre wieder bei der Diskussion beließ, erst Jahrzehnte danach. Wie Karl Korn später in seiner Geschichte der Arbeiterjugendbewegung bemerkte, korrespondierte das mit dem Mangel an Interesse für die Jugendarbeit in der Sozialdemokratie, dem erst Anfang des 20. Jahrhunderts, teilweise gegen die Parteiführung, begegnet wurde. »Was sich in jenen ersten, tastenden Versuchen vereinzelter Parteikreise hervorwagte, waren höchstens Regungen ideologischer, gefühlsmäßiger Natur.«[76]

Die Aufmerksamkeit galt zunehmend der wissenschaftlichen Literatur, wie sie Liebknecht forderte. Franz Mehring hat darüber als ›Sozialistentöter‹ höchst drastisch in seiner ersten *Geschichte der Deutschen Socialdemokratie* (1878/1879) berichtet. Mit speziellem Furor verfolgte Mehring zu dieser Zeit die vielen ›Halbgebildeten‹, die Lassalle noch gebändigt habe, die sich aber nun unter Liebknecht allzu breit machten. Ein Beispiel für die Sicht des damaligen Gegners, zugleich ein Beispiel für den von Mehring gemeisterten zeitgenössischen Metaphernstil:

»In diesen vernebelnden Schwarmgeistern fand dann der Kommunismus seine besten Bahnbrecher und Pioniere. Auf dem eisenacher Kongresse tauchten sie zahlreich auf, die Geib, Motteler, Walster, und sie haben sich dann in wuchernder Fülle vermehrt; Charaktere und Geister, einer wie der andere, von dem obersten

Phrasenwellenschlage unserer geistigen Entwicklung flach und
platt gespült, wie die Kiesel am Meeresstrande.«[77]

Allzu positiv lautete das Urteil von Engels im Brief an
Liebknecht 1877 jedoch auch nicht:

»Ich habe nie gesagt, die Masse Eurer Leute wolle keine wirkliche Wissenschaft. Ich sprach von der Partei, und diese ist, als
was sie vor der Öffentlichkeit, in Presse und Kongressen, sich
gibt. Und da herrscht jetzt die Halbbildung und der sich zum
Literatentum aufblasende Exarbeiter vor ... Eine gesunde Partei
schwitzt auf die Dauer manches wieder aus, aber es ist ein langer
und schwieriger Prozeß, und die Gesundheit der Massen ist sicher
kein Grund, ihnen ohne Not eine Krankheit einzuimpfen.«[78]

Liebknechts Äußerung vom Parteitag 1874: »Überhaupt
brauchen wir eine sozialistische Literatur«[79] zielte nicht auf
eine ästhetisch neue Gestaltung, nicht auf neuartige Romane, Gedichte oder Theaterstücke, sondern auf eine erzieherische Literatur, die auf der Basis wissenschaftlicher
Aufklärung entstehen sollte. Als Beispiel schlug er vor:
»Eine durchaus volkstümlich geschriebene und doch auf der
Höhe der Wissenschaft sich bewegende Welt- oder Kulturgeschichte wäre die mächtigste Agitationsschrift der Sozialdemokratie. [...] Eine wirkliche Weltgeschichte ist die En-
zyklopädie alles Wissens, die unbittliche Zerstörerin alles
religiösen und politischen Humbugs und der Afterwissen-
schaft.«[80] Liebknecht folgte auch hier den Anschauungen
von Buckle. Im Vorschlag für eine Welt- und Kulturgeschichte nahm er auf, was Buckle mit der *Geschichte der
Zivilisation in England* geliefert hatte.

Der große Erfolg, den August Bebel mit seinem vielmals
aufgelegten Buch *Die Frau und der Sozialismus* erreichte,
das 1879 zum erstenmal herauskam, läßt etwas von der
Popularität dieser Auffassungen in der deutschen Arbeiterschaft erkennen. Dieses Buch entspricht weitgehend der von
Liebknecht vertretenen Forderung nach einer »volkstümlich
geschriebenen und doch auf der Höhe der Wissenschaft sich
bewegenden Welt- oder Kulturgeschichte«. Es stellt am
Schicksal der Frau die bisherige Unterwerfung, langsame

Emanzipation und künftige Befreiung der gesamten Menschheit im Sozialismus dar. Bebel war mit Buckle vertraut.[81] Seine in *Die Frau und der Sozialismus* gegebene Definition des Sozialismus als »die mit klarem Bewußtsein und voller Erkenntnis auf alle Gebiete menschlicher Tätigkeit angewandte Wissenschaft«[82] legt davon Zeugnis ab, zumal er sie weniger im Hinblick auf den Marxismus als auf die Erwartungen, wie die zukünftige Gesellschaft aussehen werde, konkretisierte.

Breites Interesse fanden daneben auch Werke, die in der Nachfolge von Ludwig Büchner naturwissenschaftliche Aufklärung betrieben oder in die Lehre Darwins einführten, wie die Bücher von Edward Aveling, Wilhelm Bölsche, Ernst Haeckel, während die eigentlichen Parteischriften von Marx, Engels und Kautsky eher am Rande standen (sieht man von der frühen Wirkung Lassalles ab).[83] Nicht vergessen sei jedoch, daß Engels in den *Anti-Dühring* auch Naturgeschichte mit einbrachte, was zu dessen besonderem Erfolg beigetragen haben dürfte. Sehr lange populär war der antiklerikale *Pfaffenspiegel* von Otto von Corvin-Wiersbitzky.

Daß der Umgang mit dem (undialektischen) naturwissenschaftlichen Materialismus vielfach eine weltanschauliche Note erhielt, ist seit langem konstatiert worden.[84] Er bildete eine weitere Grundlage für die ›hohe‹ Gesinnung in Allegorien und Gedichten. Im Zusammenhang damit stehen auch Versuche, Marx mit Darwin zu ›versöhnen‹.

Hier ist vor allem der Arzt, Dichter und Philosoph Leopold Jacoby (1840–1895) mit seiner Untersuchung *Die Idee der Entwicklung* (1874–1876) zu erwähnen, in der er die Evolutionslehre Darwins auf die gesellschaftliche Entwicklung übertrug. Während Darwins *Über die Entstehung der Arten* die Geheimnisse der vergangenen Menschenwelt enthülle, hebe Marx mit dem *Kapital* den Schleier von der gegenwärtigen Welt: »Das Buch ›Das Kapital‹ ist die Fortsetzung und Ergänzung von Darwins Entstehung der Arten und Abstammung der Menschen.«[85] Auch Jacoby visierte einen sozialistischen Zukunftsstaat an. In ihm werde der Glaube endgültig durch das Wissen ersetzt, und jeder Mensch könne sich ungehindert gesellschaftlich entwickeln. Damit verbunden sei ein glänzender Aufschwung von Kunst und Literatur.

Bei Jacoby läßt sich besonders deutlich die hohe Gesinnung erkennen, die den Umgang mit der Wissenschaft zu dieser Zeit charakterisierte. Diese Höhenorientierung, ins Weltanschauliche gewendet, verstärkte sich noch am Ende des Jahrhunderts und zog viele Arbeiter an. (1881 Gründung des ›Deutschen Freidenkerbundes‹; 1892 Gründung der ›Deutschen Gesellschaft für ethische Kultur‹, der Ferdinand Tönnies angehörte; 1906 Gründung des ›Deutschen Monistenbundes‹, auf den Haeckel und Ernst Ostwald großen Einfluß nahmen.) Anfang des 20. Jahrhunderts gewannen Freidenker- und Monistenvereinigungen im Proletariat zunehmendes Gewicht. Sie wuchsen zu großen Organisationen und bildeten bis 1933 einen bedeutsamen Bestandteil proletarischer Kulturaktivitäten.

5. Zwischen Agitation und Repräsentation: die Lyrik

Literatur als ›ideale‹ Gesinnung: diese Formel vereinfacht, aber sie gibt einen ersten Aufschluß über das Literaturverständnis von Sozialdemokraten am Ende des 19. Jahrhunderts. Sie gibt Aufschluß, insofern sie auch auf einen Großteil der bürgerlichen und kleinbürgerlichen Literaturpflege im 19. Jahrhundert zutrifft. Wie stark die Ausrichtung auf die klassisch-romantische Ära zum Stimulans und zur Fessel der deutschen Kultur des 19. Jahrhunderts wurde, braucht hier nicht eigens erläutert zu werden. Literaturgeschichten lassen davon nicht genügend erkennen; es war nicht nur eine Sache der intellektuellen Eliten, die sich als Epigonen erkannten (oder nicht erkannten), sondern auch der anderen, der Bildungsbürger, Volksschullehrer und Redakteure, der Gelegenheitsdichter und Verlegenheitsdichter, die sich als Wahrer der Kultur bekannten. Wenn Sozialdemokraten mit Literatur eine ›hohe‹ Einstellung verbanden, sei es im Umgang mit den großen Dichtern der Vergangenheit, die im *Vorwärts*, im *Wahren Jacob*, im *Süddeutschen Postillon*, in der *Leipziger Volkszeitung* oder in der *Neuen Zeit* gewürdigt wurden, sei es beim Schreiben von Gedichten über den Aufstieg des Proletariats, so läßt sich das aus diesem Kontext nicht herauslösen.

Die Aufhebung des Sozialistengesetzes 1890 ermöglichte eine breite Selbstdarstellung der Sozialdemokratie, die sich nun als Massenbewegung entfaltete. Diese Größe garantierte Unabhängigkeit, doch ging mit ihr auch eine starke Orientierung an den in der deutschen Gesellschaft vorgegebenen politischen und kulturellen Ausdrucksformen überein. Die vom deutschen Vereinswesen bestimmten Formen der Repräsentation mit ihrer Trennung von ›sauren Wochen‹ und ›frohen Festen‹, von Leben und Kunst wurden in der Sozialdemokratie nicht grundsätzlich überwunden. Gebildete Kleinbürger, vom Redakteur bis zum Volksschullehrer, nahmen mehr denn je kulturelle Funktionen wahr und prägten sowohl das Erscheinungsbild der Versammlungen, Feste, Theateraufführungen und publizistischen Kampagnen wie auch die Rezeption der Wissenschaft als des weltanschaulichen Fundaments für den kommenden proletarischen Sieg.

Unterm Sozialistengesetz hatten Autoren vielfach geschichtliche Stoffe aufgegriffen, in denen sich aktuelle Aussagen unterbringen ließen. Am meisten Beachtung verdient zu dieser Zeit der von Friedrich Bosse geleitete Leipziger ›Fortbildungsverein für Arbeiter‹, dessen Kultur- und Bildungsprogramm bis in die neunziger Jahre hinein vorbildlich blieb.[86] Manfred Wittich (1851–1904), ein bekannter Journalist und Agitator, schrieb zum Reformationsfest 1887 das Festspiel *Ulrich von Hutten* mit deutlichen Anspielungen auf die Gegenwart. Es wurde auch noch in der Folgezeit aufgeführt.[87] Als auch nach Aufhebung des Gesetzes proletarische Festreden verboten blieben, bediente man sich szenischer Allegorien und lebender Bilder. Dem gestiegenen Selbstbewußtsein der Partei gaben nun weniger schwankhafte Agitationsstücke als Festspiele Ausdruck, z. B. *Der erste Mai* (1890) von Bosse, *Wintersonnenwende* von Franz Diederich (1865–1921), *Glühende Gipfel* (1891) von Karl Henckell (1864–1929), *Frühlingsboten* (1893) von Andreas

Scheu (1844—1929), dem damals bekanntesten Autor der österreichischen Sozialdemokratie. Neben Festspielen und Prologen verwendete man lebende Bilder, etwa 1892, als man in Berlin mit *12 Jahre Verbannung oder Des Ausgewiesenen Heimkehr* von Gaius Mucius Scävola (Pseudonym) die Aufhebung des Sozialistengesetzes feierte, nach einer Ansprache Bebels und dem Gesang eines großen Chores. Partei- und Maifeiern boten Anlaß zu zahlreichen Frühlings-, Licht- und Siegesallegorien.

Kurz vor seinem Tode entwarf Wilhelm Liebknecht für den Mainzer Parteitag 1900 ein lebendes Bild mit dem Thema ›Die Vereinigung der deutschen Sozialdemokratie‹, zum 25jährigen Jubiläum der Vereinigung der Eisenacher und der Lassalleaner. In Liebknechts Beschreibung heißt es: »Die beiden Gruppen, jede noch die eigene Fahne tragend vereinigen sich unter der neuen roten Fahne (Arbeiter aller Länder vereinigt Euch), die Marx dem aus dem Grabe aufsteigenden Lassalle zeigt. Marx hebt den stolz lächelnden Lassalle empor.«[88]

Eine zentrale Rolle spielte der feierliche Chorgesang. Das Chor- und Liedschaffen von Gustav Adolf Uthmann, dem »ersten proletarischen Komponisten«, wie ihn Hanns Eisler bezeichnete, erlangte große Popularität, weit über den Ersten Weltkrieg hinaus. Eisler kritisierte die politische Verschwommenheit der Texte, erkannte aber die Bemühung an, etwas vom Denken und Fühlen der Arbeiter auszusagen. Die Lieder »wirkten höchst schwülstig, aber gerade diese Eigenschaften machten sie populär«.[89]

Zwar entfaltete sich auch in den neunziger Jahren — vor allem an ihrem Beginn[90] — die kämpferische Agitationsliteratur, aber die unterm Sozialistengesetz zur Tarnung der politischen Aktivitäten etablierte Vereinskultur verlor mit der Zeit ihren politischen Antrieb. Repräsentation und Unterhaltung traten in den Vordergrund. Die nach 1890 hinzuströmenden Mitgliedermassen aus dem Industrieproletariat schufen eine neue Situation.

In dem Organisationsanspruch der Partei manifestierte sich die Vorstellung eines kulturellen Kontinuums, dessen Basis sich mehr und mehr ins Proletariat verlagern würde.

Das bedeutete, daß das Konzept einer speziellen sozialistischen Literatur wohl Anhänger besaß, aber von der Partei
nicht verfolgt wurde. Gerade die Orientierung am Ganzen
der geschichtlichen und zukünftigen Bewegung stand dem
entgegen.

Ein Vorschlag von Manfred Wittich lautete 1891: »Ich hätte
sehr gern, wenn wir einmal alle, von Lavant bis Wittich runter,
die ganzen Lyraschläger der Partei zu einer gemeinschaftlichen
Sammlung der besten Sachen zusammenbringen könnten.«[91] Doch
fand der Vorschlag keine Verwirklichung. Der einzige größere
Versuch einer solchen Sammlung bildete 1893 die Herausgabe
der fünf Bändchen *Deutsche Arbeiter-Dichtung*, in denen ausgewählte Lyrik von Wilhelm Hasenclever, Karl Frohme, Adolf
Lepp (1847—1906), Jakob Audorf, Rudolf Lavant, Max Kegel und
Andreas Scheu veröffentlicht wurde.

Im selben Jahr erschien die im Parteiauftrag von Karl Henckell
edierte Anthologie *Buch der Freiheit*, deren Grundidee, wie
Henckell im Vorwort sagte, »der moderne, ökonomisch-politische
Freiheitsbegriff in seinen verschiedensten Anwendungen [ist], so
wie ihn heute in erster Linie das organisierte Proletariat erfaßt
und verkündet hat, einmal als Erbe unerfüllter bürgerlicher Ideale
und sodann als Erzeuger und Träger neuer Bewußtseinsforderun-
gen der Menschheit.«[92] Es war ein Buch in Goldschnitt und
luxuriösem Einband, gemäß den bürgerlichen Repräsentationsbän-
den der Zeit. (Als sich ein Zeitgenosse beim sozialdemokratischen
Verleger darüber beschwerte, daß er es nicht habe geheftet kaufen können, soll er die Antwort bekommen haben: »Das Buch
ist nicht gegangen, und so haben wir es binden lassen!«[93]) In
diesem Querschnitt von Freiheitslyrik, welchen Henckell von
Goethe bis Graf von Schack, Felix Dahn und Karl Henckell sehr
großzügig bemaß, kamen einige der sozialistischen Autoren gar
nicht zu Wort. Einzig Konrad Beißwangers Sammlung *Stimmen
der Freiheit* gewährte den sozialistischen Gegenwartsautoren in
dem Überblick von »Sängern des Proletariats« und des »freiheit-
lichen Bürgertums« breiten Raum. Das Buch, 1899 in Heftform
erschienen (jedes Heft einem Lyriker gewidmet), erschien 1900
gebunden und erlebte bis 1914 mehrere Auflagen.

Unter den wenigen selbständigen Lyrikveröffentlichun-
gen, die die agitatorisch-kämpferische Auseinandersetzung
stärker betonten, ist vor allem der Band *Aus dem Klassen-*

kampf (1894) zu nennen, eine Auswahl der von Eduard Fuchs, Karl Kaiser (1868–?) und Ernst Klaar (1861 bis 1920) im *Süddeutschen Postillon* veröffentlichten Gedichte. Die häufig balladeske Lyrik beschreibt Arbeiterelend und streitet gegen den Kapitalismus, polemisiert gegen »Indifferente«, verweist auf die neue, befreite Gesellschaft und richtet sich auch gegen Elemente der bürgerlichen Kunstverehrung *(Ode an die Schönheitler)*. Die besten Leistungen stellen Kaisers balladeske Satire und Klaars soziale Schilderungen dar, mit einigen melodischen und einprägsamen Strophen *(Begräbnis)*. Im allgemeinen überwiegt eine hochgestimmte Allegorisierung und eine wenig differenzierte Satirisierung der bürgerlich-kapitalistischen Gesellschaft. Nicht von ungefähr berührte sich Klaar später in seinen emotionsgeladenen und plastischen Beschreibungen des ausgebeuteten und aufbegehrenden Volkes mit dem Anarchismus *(Knute und Bombe. Lieder und Gesänge für ein freies Rußland,* 1905).

Die Entfernung von dem kämpferisch-agitatorischen Ton, der Lavants Anthologie *Vorwärts!* von 1884 prägte, ist in der späteren Lyrik nicht zu übersehen.[94] Statt dessen machte sich der Nachhall der klassischen Dichtung stärker bemerkbar. Manche sozialistische Autoren ordneten, ähnlich wie Lavant, ihr Werk den großen Vorbildern zu, reflektierten ihre Epigonensituation und verliehen daraus dem Gedanken Durchschlagskraft, daß die wirklich neue Literatur erst mit dem Siege des Proletariats kommen werde. Das bestimmte auch die Definition des Natürlichen und Volkstümlichen, am kürzesten zusammengefaßt von Adolf Lepp. Er schrieb über seine Poesie: »Geliebtes Proletariat! Ich, Dein Sänger, habe keine Noten studiert, bin daher auch nicht im Stande, ›kunstgerecht‹ zu musizieren. Es sind nur Naturlaute, die ich Dir bieten kann.«[95] Ohne Zweifel äußerte sich damit in der Zeit des Naturalismus ein überlieferter Topos. Es war nicht die ›natürliche‹ Darstellung vorgefundener Lebenssituationen gemeint. Maßstab bildete die Literatur der Klassik und des Vormärz sowie das hohe Ziel des Proletariats.

Ausführlicher läßt sich diese Einstellung am Beispiel von Jakob Audorf verdeutlichen, der lange Zeit als der bekannteste sozialistische Gedichtautor angesehen wurde. Audorf stand in der Tradition der revolutionären Vormärzlyrik, mit festen Naturbildern, Begriffsallegorien und Pathosformeln. Anläßlich der Herausgabe seiner Gedichte würdigte man 1893 sein Werk mit folgender Feststellung: »Die einzige Art von Volksliedern, welche beim Stande unserer derzeitigen Verhältnisse möglich scheint, ist ihm vortrefflich gelungen. Er hat aus den Empfindungen seiner Arbeits- und Gesinnungsgenossen heraus ›freiweg‹ gesungen, was die Arbeiterschaft Deutschlands bewegt. Seine Dichtungen sind für die Seelenzustände seiner ›Klasse‹ wichtiger wie die Ibseniden Hauptmann, Holz, Schlaf und Konsorten, weil seine Lieder auch wirklich Volkslieder sind. [...] Alle Lieder Audorfs durchzieht ein wohltätiger Hauch von Wahrheit und Gesundheit; da sind keine gemachten Gefühle; da ist alles echt und aus dem vollen Leben heraus gesehen, gehört, empfunden und kunstreich wieder herausgestellt zu unverfälschtem Genuß für Hörer und Leser.«[96]

Diese Charakterisierung erläutert mit ihrer Kritik am Naturalismus, wie stark die ›ideale‹ Gesinnung die literarische Darstellung durchdrang, wie nachdrücklich die sozialistische Literatur in einem politisch-allegorischen Bewußtseinsraum eingefügt war.

Bürgerliche Beobachter (so weit es sie gab) widersetzten sich besonders heftig dem Nebeneinander von ›hoher‹ Gesinnung und ›niedriger‹ Tendenzliteratur.

Als J. Ch. Schlecht 1883 vom katholischen Standpunkt aus die erste größere kritische Abhandlung über die sozialistischen Lyriker verfaßte, konzedierte er: »Sie nennen wenigstens das große Weh der Zeit mit Namen und von ferne weht ein großartiger Hauch durch ihre Dichtung; sie haben ein fühlendes Herz in der Brust, das schlägt für die Leiden der ganzen Menschheit. [...] Es ist wahr, es liegt etwas Kräftiges, Unvermitteltes, Volksmäßiges in diesen Liedern der Arbeiter.«[97] Dennoch sparte Schlecht nicht mit Kritik, wobei er die sozialistischen Lyriker mit denen des Vormärz verglich: »Von ihnen haben die Epigonen gelernt, und sie haben gut gelernt, was das Thema des Liedes sei, nur die Methode ist etwas kläglicher, der Vers um ein Bedeutendes schlechter geworden.«[98] Schlechts Haupteinwand richtete sich gegen die widersprüchliche Verbindung von übertriebener Verehrung der Kunst in der Sozialdemokratie auf der einen Seite und tendenzmäßiger Unterordnung der Kunst auf der anderen Seite. Bei der übertriebenen Verehrung fand er (als Christ) abschreckende Parallelen im zeitgenössischen bürgerlichen Kunstverständnis. Er bemerkte: »Es wiederholt sich das alte Schauspiel: die Kunst wird einerseits in eine unnatürliche Höhe hinaufgedrängt, sie soll Religion und Kirche ersetzen und als ein neuer Gott Besitz nehmen von den Herzen«, und zitierte August Geib:

> »Es thront ein Geist unsagbar hoch,
> Durchschwebt beglückend Welt und Zeit
> Und nirgends duldet er ein Joch,
> Aussöhnend der Bedrückten Leid!
> Sein ganzes Wesen atmet Lieb,
> Durchs weite Äthermeer gesät,
> Ein Gott, der ewig war und blieb,
> Als freier Dichtung Majestät!«[99]

Zur gleichen Zeit aber, so schrieb Schlecht in seiner Betrachtung, solle die Kunst der Tendenz dienen, womit sie »in sich selbst vernichtet« werde.

Schlecht rührte an die Probleme, die sich den sozialistischen Autoren im Umgang mit der Tendenzliteratur stellten. Zu klaren Antworten kam es kaum. Zwar ließ sich die Vernachlässigung der Agitation zugunsten der Repräsentation aus der hohen Zielsetzung des proletarischen Kampfes rechtfertigen, im einzelnen aber erwuchs die Konzeption des Hohen und Schönen zumeist weniger einer eigenen Programmatik als der Übernahme der bürgerlichen Epigonendichtung, in der das Erbe der klassisch-romantischen Ära nach 1850 für den Hausgebrauch aufbereitet wurde.

Die sozialistischen Autoren konnten ins Feld führen, die Beschäftigung mit dem Schönen, die von den bürgerlichen Dichtern nur zur Flucht aus der Wirklichkeit benutzt werde, stehe bei ihnen in einem ganz anderen Zusammenhang. Allerdings bestätigten das ihre Werke nicht immer. Die selbstbewußte Bescheidenheit eines Rudolf Lavant — der im bürgerlichen Leben Prokurist in Leipzig war und Richard Cramer hieß — wurde nicht überall geteilt. Die ins Politische weisende Dialektik zwischen den ästhetischen Schwächen

gegenwärtiger Werke und der großen Kunst der Zukunft trat
hinter der lyrischen Selbstdarstellung zurück. Die poetische
Verachtung der Gegenwart sprach sich bei sozialistischen
Autoren häufig nicht anders aus als bei Lyrikern, die sich
am Münchener Dichterkreis und an Emanuel Geibel (1815
bis 1884) orientierten, der zu dieser Zeit als der größte
deutsche Lyriker betrachtet wurde.[100] Die von Max Kegel
im Parteiverlag herausgegebene Gedichtanthologie *Lichtstrahlen der Poesie* versammelt Graf von Schack, Hermann
Lingg und andere inzwischen vergessene Goldschnittlyriker
neben Béranger, Prutz, Heine, Lavant u. a. Das kann als
Versuch gewertet werden, die politisch progressiven Lyriker
neben den anderen zur Wirkung zu bringen. Aber gewisse
Überschneidungen bleiben sichtbar.

Urteilt man von den formelhaften Wendungen der sozialistischen Lyriker her, so läßt sich der Unterschied zu den
vielen bürgerlichen Lyrikern — ebenfalls formelhaft — dahingehend bestimmen, daß die Sozialisten das Schöne, das
jene als eine *vergangene* Größe mit der Gegenwart kontra-
stierten, in ähnlichen Worten als Verheißung des *Kommenden* der Gegenwart gegenüberstellten. Was die einen als
Nachfahren empfinden ließ, gab den anderen das Gefühl,
Vorfahren zu sein — zweifellos eine sehr spezifische Form
der Politisierung. Natürlich blieben die Berührungspunkte
mit der bürgerlich-nationalen Lyrik sehr zahlreich. Wo es
ging, grenzte man sich nachdrücklich ab, wie im Falle der
Verse von Ernst von Wildenbruch, an denen der *Sozialdemokrat* die »Logik des Sumpfes« aufwies.[101]

Unter den Lyrikern, die am Ende des 19. Jahrhunderts
ihre Verse dem Aufstieg des Proletariats widmeten, nimmt
Leopold Jacoby einen speziellen Platz ein, insofern er für
seine philosophisch-wissenschaftlichen und sozialkritischen
Aussagen eine freirhythmische Lyrik entwickelte, die über
die in der Sozialdemokratie etablierten Formen hinausging.[102] Sein Gedichtband *Es werde Licht* (1870) stand auf
der Liste der unter dem Sozialistengesetz 1878 verbotenen
Bücher an erster Stelle und das Verdikt über diesen Autor
hat sich weitgehend erhalten. Er selbst, der lange Zeit als

Privatdozent und Korrespondent in Italien lebte, beklagte sich 1895, kurz vor seinem Tod, darüber, daß er nicht nur in der gesamten bürgerlichen Welt, sondern auch in der deutschen Arbeiterbewegung so gut wie unbekannt sei.[103] Zweifellos steht seine Lyrik mit ihrem gemessenen, prophetischen, hymnischen und oft biblischen Ton den populären Feiergedichten der Arbeiterbewegung fern, berührte sich vielmehr, vor allem in *Es werde Licht*, mit dem »Ideal der vornehmen Haltung«[104], das mit der Gründerzeit seine Ausprägung fand. Jacoby projizierte die Vision des Hohen und Erlösenden auf das Proletariat, nicht auf nationale oder mythisch-geschichtliche Heroen und bewirkte wohl gerade damit die scharfe Gegenreaktion auf offizieller Seite.

Zwei große Lehrgedichte, in denen Jacoby an Goethe, Schiller und Rückert anknüpft, dominieren im Band *Es werde Licht*. In der *Klage* setzt er sich u. a. mit der Stellung der Dichter in der Gegenwart auseinander:

> »Aber die Dichter, die heut leben,
> Haben sie denn Augen, um nicht zu sehen?
> Haben sie denn einen Mund, um nicht zu sprechen?
> Ach! die besten von ihnen sind gar alt geworden.
> Sie haben sich zurückgezogen in gerechtem Groll
> Und schreiben nicht mehr,
> Und die noch schreiben, sind nicht die besten.
> Da ist keiner,
> Der mit Ernst die Wahrheit möchte verkünden,
> Obschon die Spatzen auf den Dächern davon reden.
> Da ist keiner, der das Schwert ergreift,
> Das blitzende, scharfe Schwert,
> Ein Lied zu singen zur rechten Zeit
> Mit klingender Form,
> Aber im Inhalt schonungslos, rücksichtslos.
> Die Poesie ist zum Gewerbe geworden,
> Wer am meisten gezahlt bekommt,
> Ist unter ihnen der größte Dichter.«[105]

Dazu stellt *Der deutschen Sprache Lobgesang* gleichsam die Antwort dar: der Aufruf an die Sprache, sich aufzumachen und das Proletariat wachzurütteln aus zweitausendjähriger Duldung, damit es seine Ausbeutung abstreife. Es heißt darin:

»Stehe auf, du Sprache, und gehe dorthin,
Wo der Jammer wohnet,
Wo das Elend zu Tische sitzt
Und der Hunger in den Eingeweiden wühlet.
Wen du dort finden wirst,
Mache seinen zerschlagenen Arm stark
Und seinen stumpfen Blick helle.
Laß nicht ab von ihm,
Wenn er sich hinlegt vom Elend
Und wenn er aufsteht zum Elend.
Trommle, zische, raune ihm zu:
Du sollst dich nicht treten lassen.
Du sollst dich nicht unterdrücken lassen.
Du sollst den Sklavensinn von dir tun.
Du sollst die Knechtseligkeit von dir tun.
Du sollst dich nicht bücken vor einem lebendigen
    Menschen,
Denn er ist nicht mehr als du.
Wirst du dies befolgen,
So wird das Elend abfallen von dir,
Wie ein Reif von der Erde schwindet,
Wenn das Frühlicht kommt
Und die Sonne am Himmel prangt.«[106]

Das Lehrgedicht endet mit der Prophetie einer Welterlösung biblischen Ausmaßes.

Karl Henckell würdigte den Freund später für seinen Versuch, die »bewußte Entwicklung der Menschheit zu freieren und schöneren Lebensformen« voranzutreiben. Er verglich Jacoby mit Conrad Ferdinand Meyer (1825–1898) und zitierte aus dessen Gedicht *Alle*:

»Es sprach der Geist: Sieh auf! Die Luft umblaute
Ein unermeßlich Mahl, soweit ich schaute.
Da sprangen reich die Brunnen auf des Lebens,
Da streckte keine Schale sich vergebens,
Da lag das ganze Volk auf vollen Garben,
Kein Platz war leer und keiner durfte darben.«[107]

Der Hinweis auf Meyer bedürfte genauerer Erläuterung. Doch ist er nicht verfehlt. Bekannt ist, daß Rosa Luxemburg (1871–1919) Meyers Dichtung verehrte (wovon sich wiederum auf Lassalles Vorliebe für Platen verweisen läßt).

Das Klassische, Hohe behielt seine Anziehungskraft. Sie wird auch noch in dem 1892 veröffentlichten Gedichtband *Lieder aus Italien* erkennbar, in dem Jacoby die Vision des kommenden sozialistischen Zeitalters entfaltete und auf die Vereinigung von Kunst und Leben vordeutete. — Ein größeres Publikum erreichte Jacoby wohl nur mit dem Gedicht *Karl Marx' Totenfeier.*

Auf dem von Jacoby eingeschlagenen Weg folgte kaum ein sozialistischer Autor nach, wenn auch am Ende des 19. Jahrhunderts sozialistische Weltanschauungsgedichte entstanden. Eduard Fuchs beispielsweise projizierte den Prometheus-Mythos auf das Proletariat *(Der Prometheus unserer Zeit, Sozialismus-Prometheus).*

Um so mehr richtet sich der Blick auf proletarische Autoren, die zu dieser Zeit der alltäglichen Situation des Arbeiters mehr Aufmerksamkeit schenkten, sich dabei aber nicht mehr wie Audorf an Schiller anlehnten[108], sondern vom Naturalismus Anregungen aufnahmen. In die Allegorisierung schob sich mehr und mehr soziale Dokumentation ein.

Exemplarisch ist dafür ein damals ebenfalls nicht allgemein bekannter Autor, der aber in seiner Heimatlandschaft, dem Industriegebiet an der Ruhr, große Popularität unter den Arbeitern erlangte. Heinrich Kämpchen (1847–1912), dem das Verdienst zukommt, »als erster aus eigenem Erleben heraus den modernen Steinkohlenbergbau im Ruhrgebiet als eine Welt der krassen Wirklichkeit in die Dichtung eingebracht zu haben«[109], dürfte heute als einer der eindrucksvollsten proletarischen Chronisten dieser Phase der Industrialisierung und des Klassenkampfes in Deutschland gelten.

Kämpchen war als Hauer beim großen Bergarbeiterstreik 1889 Streikführer der Zeche ›Hasenwinkel‹ bei Bochum. Als er ausgesperrt wurde und Anfahrverbot auf Lebenszeit erhielt, blieb er, wie seine zahlreichen Gedichte bezeugen, seiner klassenkämpferischen Überzeugung treu. Seine Verse, lange Zeit regelmäßig auf der ersten Seite der *Bergarbeiter-Zeitung* veröffentlicht, brachten von Maifeier und Schachtunglück bis zur Attacke auf Streikbrecher alle Aspekte des Bergarbeiterdaseins zur Sprache. Damit befand er sich in der Nachbarschaft von Lokalchronisterei und Heimatdichtung — einem seiner drei Gedichtbände gab er den Titel *Was die Ruhr mir sang* (1909) —, jedoch sei nicht vergessen, daß die Bergmannstradition bis zur zweiten Hälfte des 19. Jahrhunderts besonders selbstbewußt gepflegt wurde, was sich sowohl in der Poesie niederschlug[110] als auch in der konservativen (Handwerks-)Gesinnung. Die Sozialdemokratie faßte erst nach dem großen Streik von 1889 im Ruhrgebiet wirklich Fuß.

Kämpchen wurde Zeuge der sozialen Abwertung und juristischen Demütigung dieses Berufs, aus der viele der sozialen Kämpfe ihren Antrieb schöpften. Manchem jüngeren Bergarbeiter machte er Mut, sich in Gedichten über das proletarische Dasein an der Ruhr Rechenschaft abzulegen, wenn es auch nur selten in der von ihm vertretenen Kampfgesinnung geschah. Am ehesten wurde ihm darin Victor Kalinowski (1879–1940) zum Erben, der als Setzer der *Bergarbeiter-Zeitung* Kämpchens Gedicht-Kommentar fortführte und bis 1933, als er ›untertauchen‹ mußte, seine sozialistische und pazifistische Gesinnung in Gedichten mutig vertrat.

Gegenüber seiner Lyrik wahrte Kämpchen höchste Bescheidenheit. Den ersten Gedichtband kommentierte er: »Einen literarischen Wert beanspruchen diese Gedichte nicht; es sind eben schlichte Arbeiterlieder und wollen auch nur als solche gelten.«[111] Dennoch ließ er über seine Vorbilder keinen Zweifel: Schiller, Heine, Freiligrath, Herwegh. Bei seiner Formulierung der Ziele von Freiheit und proletarischer Einigkeit folgte er deren Spuren. Am besten gerieten ihm Polemik und Satire (*Streikbrecherlied, Der Mustersteiger, Potemkin, Streik* etc.).

Daneben aber ging er auch andere Wege, indem er die alltäglichen Lebensverhältnisse des Proletariats als Ausgangspunkt der politischen Bekenntnisse und Forderungen in das Gedicht hineinnahm, teilweise unter Verwendung naturalistischer und impressionistischer Elemente. Politisches Bekenntnis und soziale Dokumentation beziehen sich aufeinander, und bisweilen richtet sich das (Gefühls-)Bekenntnis des Autors auf die vorgeführte Lebenswirklichkeit selbst. Kämpchen gab der Zuneigung zur Industrielandschaft, *seiner* Industrielandschaft Raum und stand damit am

Beginn einer Entwicklung, mit welcher später der Begriff
›Arbeiterdichtung‹ seine spezifische Ausprägung gewann.
Wie bei den Äußerungen des Handwerkerselbstbewußtseins,
das darin nachklingt, bildet das Wir, d. h. die soziale Gruppierung, die oft als Gemeinschaft empfunden (oder stilisiert) wird, den literarischen Bezugsrahmen, während die
Partei als Institution an den Rand tritt. Das proletarische
Dasein wird als eigene, überaus harte Lebensform verstanden, in deren Beurteilung sich Stolz mischt. Diese Ambivalenz läßt sich in Kämpchens Gedicht *Ein Bild* erkennen:

> »Schwarz von Kohlendampf die Luft,
> überall Gepoch und Hämmern,
> jede Grube eine Gruft,
> um das Leben zu verdämmern.
>
> Zwischendurch der Hütten Dunst
> und die Glut von tausend Essen,
> eine Riesenfeuersbrunst,
> nicht zu malen, nicht zu messen.
>
> Graue Halden, dürr und kahl,
> Schlote, die zum Himmel ragen,
> Menschenleiber, welk und fahl,
> die stets hasten, die sich plagen.
>
> Sprecht vom Kohlengräberstand
> oft mit klügelnder Gebärde —
> das ist Kohlengräberland!
> Das ist unsre Heimaterde!«[112]

Dieses bild- und gefühlshafte Bekenntnis trennt vieles
von der allegorisierenden Parteilyrik. Der Autor läßt Proletariat und Proletarisches aus der gefühlhaften Stilisierung
vorgegebener bildhafter Erscheinungen literarisch Gestalt
werden. Bei Kämpchen bedeutete das erst eine Möglichkeit,
über welcher die politische Definition der Arbeiterklasse
nicht beiseitegedrängt wurde. Andere proletarische Autoren
entfernten sich um die Jahrhundertwende nachdrücklicher
von der geläufigen Parteilyrik.

6. Das notwendige Übel: die Prosa

Wenn der Arbeiter Zeit und Kraft zum Lesen fand, griff er im allgemeinen zur Zeitung. Nach der Parteipresse gewannen populärwissenschaftliche Schriften Aufmerksamkeit, und erst in großem Abstand folgten bei sozialdemokratischen Lesern Romane. Kautsky bemerkte im Zusammenhang mit dem Hinweis, daß Belletristik in den Parteizeitungen vor allem für die Frauen berechnet war: »Lyrik wirkte gewaltig auf die Genossen ein, von denen viele Sangesbrüder waren. Freiligrath, Herwegh, namentlich aber Heine wurden von ihnen verehrt, doch für Romane und Erzählungen hatten die meisten der männlichen Arbeiter nichts übrig, in der Regel fehlte es ihnen an Zeit und Ruhe, derartiges Zeugs zu lesen. Den Höherstrebenden gehörte ihr bißchen Muße Broschüren ökonomischen, politischen, historischen Inhalts.«[113]

Dennoch schenkten die Parteizeitungen der Belletristik Aufmerksamkeit, und die Zeitschriften (*Die Neue Welt, Der Wahre Jacob, Süddeutscher Postillon* etc.) sowie die Parteikalender (*Volksstaat-Kalender, Deutscher Arbeiterkalender des Neuen Socialdemokrat*; beide 1875 vereinigt zu *Der arme Conrad*), welche Erzählungen, Skizzen, Kalendergeschichten, Fabeln, Glossen und Fortsetzungsromane brachten, zeugen mit ihren hohen Auflagen von dem wachsenden Interesse an der Prosafiktion. Der Antrieb, diese Formen zu fördern, entsprang nicht unbedingt einem Agitationskonzept; man zielte vielmehr auf eine Abwehr der ›Schundliteratur‹. Für 1894 belegt die Statistik 45 000 Schauerroman-Kolporteure, die in Deutschland und Österreich etwa 20 Millionen Menschen erreichten[114], abgesehen von zahllosen Almanachen, Familienzeitschriften und -kalendern. Das Angebot an Massenliteratur war auch davor schon gewaltig; die Sozialdemokratie hatte zweifellos einen schweren Stand, und es ist fraglich, ob der Einzugsbereich ihrer Publizistik weit über die parteigebundenen

Leser hinausreichte. Es bedürfte einer umfassenden Untersuchung der von der Sozialdemokratie inspirierten Literatur in Presse, Broschüren, Kalendern und Büchern, um sowohl publizistische Verbreitung als auch inhaltliche Relevanz in der Leseöffentlichkeit der Zeit besser erfassen zu können.[115] Die Auswertung von Arbeiterbibliotheken um 1900 hat nur begrenzte Ergebnisse erbracht.[116]

Nur wenige Prosaautoren gewannen größeres Ansehen. Zahlreiche Beiträge mußten ohnehin anonym erscheinen. Unter den bekannteren Erzählern, die der Sozialdemokratie nahestanden, sprach man im allgemeinen Robert Schweichel und Minna Kautsky am meisten literarisches Können zu. Im Rückblick auf die siebziger Jahre erinnerte Karl Kautsky: »Einen einzigen Dichter von Ansehen zählte damals die Partei in ihren Reihen, es war der Ostpreuße Robert Schweichel, ein alter Achtundvierziger, der die Jahre der Reaktion in der Schweiz verbracht hatte. Nach 1861 kehrte er nach Deutschland zurück, wo er mit Liebknecht in enge Verbindung trat. Er wäre der richtige Redakteur der ›Neuen Welt‹ gewesen. Aber wahrscheinlich zögerte er, die wohlfundierte Stellung aufzugeben, die er als Redakteur der ›Deutschen Romanzeitung‹ gewonnen.«[117]

Schweichel steuerte zu den Parteikalendern und -zeitschriften Erzählungen bei, die sich dem arbeitenden Volk in Geschichte und Gegenwart widmen, häufig in Situationen des Protests und Aufbegehrens. Er ging von der im 19. Jahrhundert durch Gotthelf, Immermann, Auerbach und andere Autoren populär gewordenen Dorfgeschichte aus, als der »einfachsten Zelle der Volksgeschichte«, wie Mehring bemerkt hat: »In den Bergen und Tälern der Alpen erwuchs ihm seine dichterische Kunst, und diesen Ursprung hat sie nie verleugnet, nie oder doch so selten, daß die Ausnahmen nur die Regel bestätigen.«[118] Schweichel konzentrierte sich auf überschaubare, ländlich-kleinstädtische Schauplätze, auch wenn er das Proletariat beschrieb. Die Vorstellung von einem unversehrten Kern des Volkes, der zu bewahren und zu erweitern sei, wenn die Gesellschaft insgesamt gesunden solle, begleitete ihn auch späterhin.

Dabei reflektierte Schweichel seine Position gegenüber den Absichten der bürgerlichen Realisten. In einer Anmerkung zum Feuilleton der *Deutschen Romanzeitung* wandte er sich 1876 gegen den vielzitierten Satz von Julian Schmidt, die Romanautoren sollten das Volk aufsuchen, wo es in seiner Tüchtigkeit zu finden sei, nämlich bei der Arbeit (anstatt, was Schmidt ebenso betonte, wirklichkeitsfremde Ideale und schöne Träume zu gestalten). Schweichel schrieb: »Dieser von Julian Schmidt aufgestellte Satz ist durchaus unrichtig. Das Volk ist bei der Arbeit gar nicht das Volk, es ist Handwerkszeug, Maschine, und diese sind wahrlich keine Gegenstände für die Dichtkunst. Die Poesie hat das Volk dort aufzusuchen, wo es Mensch ist.«[119] In dieser Feststellung, mit welcher Schweichel Schmidts Intention mißverstand[120], trifft sich die marxistische Analyse der Entfremdung des Arbeiters mit einem konservativen Dichtungskonzept, in dem ebendiese Ausbeutungssituation des Arbeiters als allzuniedrig für die Kunst eingestuft wird. Wenn Schweichel den bürgerlichen Realisten vorwarf, die Entfremdung des Arbeiters zu verklären, bedeutete das nicht, daß er selbst den (Fabrik-)Arbeiter in seiner Entfremdung zum zentralen Thema erhob. Er vermied zwar die Verfälschung des Arbeiterdaseins, stand im übrigen aber den bürgerlichen Realisten mit der Verklärung einfacher, ›starker‹ Lebenssituationen nahe. Er wurde notwendigerweise wieder auf ländliche und geschichtliche Schauplätze verwiesen. In den Romanen *Der Axtschwinger* (1868), *Die Falkner von St. Vigil* (1881) und *Um die Freiheit* (1898/99, über den Bauernkrieg) behandelte er das Thema Revolution am Beispiel von Volksaufständen bäuerlicher Massen, ein jeweils farbenvolles und überschaubar-nachvollziehbares Geschehen.

In den siebziger Jahren schrieb Schweichel einige Erzählungen, die den aktuellen Kampf des Proletariats einbezogen. Er hielt sich zumeist an tatsächliche Vorfälle. In der Erzählung *In Acht und Bann*, die 1877 im Parteikalender *Der arme Conrad* erschien[121], gelang ihm eine überzeugende Darstellung vom Leben der Bergarbeiter, wohl die erste ihrer Art in Deutschland. Historisches Vorbild zum Helden Nikolaus Jung ist der Sozialdemokrat Klaus Jungnickel, Ort der Handlung Lugau in Sachsen mit dem Grubenunglück 1867. Jung, als politischer Kämpfer hochangesehen in der Arbeiterschaft, bringt sich um die Achtung der Mitwelt und findet ein — kolportagehaft berichtetes — bitteres Ende. Hier wie in anderen Erzählungen Schweichels aus dieser Zeit arbeitet sich der Held mit Hilfe des Studiums sozialdemokratischer Schriften (Lassalles) über seine Klassengenossen hinaus; er wird zum Repräsentanten der Wissensaneignung, die man in der Sozialdemokratie propagierte. Ähnliche Thematisierungen der Wissen-ist-Macht-Parole finden sich auch bei Minna Kautsky und anderen Autoren. Darin steckte für den proletarischen Leser zugleich die Würdigung der Tätigkeit, zu der er sich durchgerungen hatte: Lesen.

Über solche Stellungnahmen im Sinne der Partei ging Schweichel in seinem literarischen Werk jedoch nicht hinaus. Er trennte die politische Aktivität zugunsten der Partei — er hatte Ende der sechziger Jahre eng mit Liebknecht zusammengearbeitet — von der künstlerischen Tätigkeit. In einem langen Brief an Liebknecht, der seinen Roman *Der Bildschnitzer vom Achensee* (1873) kritisiert hatte, grenzte er 1873 seine Position ab:

»Meine sozialpolitischen Ansichten herbeiziehen, mag dem Roman vielleicht einige Leser neu werben, nimmt aber der Beurteilung, indem sie dadurch zur Parteisache gestempelt wird, jeden Wert und gibt den Gegnern eine Keule in die Hand, mit der sie alle meine spätern Produktionen prüfungslos totschlagen werden. Ich habe meine sozialpolitischen Ansichten nie verleugnet und in den Kreisen, in welchen ich mich hier bewege, kennt sie jeder. Auch weißt Du, daß ich die Partei unterstütze, wo und wie ich kann. Oder glaubst Du z. B. ich würde sonst meine Erzählung für euren Kalender geschrieben und meine jüngste Rede in Leipzig gehalten haben? Aber ein Parteimann in Deinem Sinne bin ich nie gewesen und werde es nie sein, einfach weil mir dazu das Zeug fehlt und weil mir als Novellisten die Schranken der *Partei* zu eng sind. Ich will und werde mit meinen Gaben für die *Idee* wirken und dabei wird und muß auch ein Gewinn für die

Partei abfallen; aber ich kann mich nicht ausschließlich in den Dienst der *Partei* begeben, denn sie wirkt nur in einem Teil der sozialdemokratischen Idee, und dieser Teil, auf rein praktisches gerichtet, bietet dem Poeten nur eine geringe Ausbeute. Ich würde mich selbst damit zur Unfruchtbarkeit verdammen und der Partei geschähe damit wahrlich kein Nutzen.«[122]

Schweichels Stellungnahme berührt sich mit Äußerungen anderer Schriftsteller im Umkreis der Partei. Sie wirft weiteres Licht auf die von Mehring verteidigte Abgrenzung des Künstlers vom Parteimann, die Freiligrath 1860 gegenüber Marx einnahm — in Abkehr von der um 1848 von ihm vertretenen Position.

Solange die deutsche Arbeiterbewegung ihre Verankerung in ländlich-kleinstädtischen Regionen, etwa Sachsen, besaß, vermochte Schweichel das Proletariat einigermaßen adäquat in seine Erzählungen einzubeziehen. Als sich mit den achtziger Jahren das Schwergewicht auf das Fabrikproletariat der großen Orte verlagerte, rückte Schweichel von der aktuellen Formulierung ab, zumeist in die Richtung auf die Geschichtserzählung. Seine Ablehnung des Naturalismus basierte nicht nur auf dem Vorwurf, daß die naturalistischen Autoren bei der Elendsschilderung steckenblieben. In ihr äußerte sich zugleich die Abneigung des ländlich-kleinstädtisch orientierten Erzählers gegen Industrie und Großstadt als Lebensformen, die die geläufige poetische Gestaltung zurückwiesen.

Mit dieser Abneigung stand Schweichel manchem der sozialdemokratischen Funktionäre nahe. Das Jahr 1878 erwies sich für die agitatorische Literatur als ein Wendepunkt. Das Sozialistengesetz beschnitt die literarische Entfaltung der Funktionäre und Redakteure und zwang sie, alles für die Erhaltung der Partei aufzubieten. Manche emigrierten, wenn auch nur vorübergehend, in die Vereinigten Staaten. 1893 dürfte Bernstein vielen aus dem Herzen gesprochen haben, als er bemerkte: »Der wirkliche Kampf, wie er heut geführt wird, bedingt durch die gegebenen Verhältnisse, stimmt schlecht mit den Anforderungen der Belletristik. Was läßt sich mit einem Arbeiterschutzgesetz literarisch anfangen? Was mit einer Rede über den Schutz des Wahlrechts?«[123]

Die Tatsache, daß Minna Kautsky, die zu dieser Zeit weiterhin über das Proletariat schrieb, in Österreich lebte und österreichische Umwelt darstellte, läßt sich in diesem Zusammenhang klarer einstufen. In diesem Land geschah die Änderung der ökonomischen Verhältnisse nach 1880 nicht so schroff wie in Deutschland, wo sich die Industrialisierung rapide verstärkte. Andererseits hatte der Realismus einiger österreichischer Schriftsteller die sozialen Probleme sehr viel konsequenter eingeschlossen als der besonders bürgerliche deutsche Realismus. Basis bildete auch hier zumeist die Dorferzählung, mit Rückgriffen auf den Bildungsroman. Erwähnt seien nur die Erzähler Ferdinand von Saar (1833–1906), der 1873 mit der Novelle *Die Steinklopfer* das Milieu der Arbeiter, die den Semmeringtunnel sprengten, erschloß, und Marie von Ebner-Eschenbach (1830 bis 1916), die in dem Entwicklungsroman *Das Gemeindekind* (1887) einen proletarischen Helden ins Zentrum rückte, der sich gegen die inhumane Gesellschaft durchzusetzen hat; auch auf Karl Emil Franzos (1848–1904) sei hingewiesen, der in *Der Pojaz* (aus dem Nachlaß 1905) den Entwicklungsroman eines Juden aus dem Ghetto schrieb und in Erzählungen die sozialen Probleme des Ostjudentums und anderer Völker der österreichischen Monarchie behandelte. Franzos lenkte das Interesse wieder auf Büchner und gab als erster *Woyzeck* in einer Gesamtausgabe von Büchners Schriften heraus. Am meisten Wirkung hatte zweifellos Ludwig Anzengruber (1839–1889) mit seinen gesellschaftskritischen Dramen, etwa *Der Pfarrer von Kirchfeld* (1870) und *Das vierte Gebot* (1877), wo er ins Wiener Großstadtmilieu griff, sowie mit seinen Erzählungen. Victor Adler widmete ihm 1889 einen Nachruf, der zugleich für Adlers Literaturverständnis aufschlußreich ist. Darin heißt es:

»Wir sind weit davon entfernt, ihn als Sozialisten zu proklamieren. Das wirtschaftliche Problem lag ihm fern. Aber er fühlte die schneidenden Widersprüche in unserer Gesellschaft und mit der naiven Wahrheitsliebe des wirklichen Dichters sprach er aus, was er sah und fühlte. [...] Was aus Anzengruber in einem freien Lande, unter menschlichen Zuständen geworden wäre, läßt sich nicht absehen. Das ›kunstliebende‹ Bürgertum ließ ihn verkümmern, wie es Schiller und Feuerbach verhungern ließ, wie es Wagner zwang, unter die Protektion eines prachtliebenden Fürsten zu flüchten. [...] Aber der Tag wird kommen, wo unsere Künstler werden zum Volke sprechen können, wo die Scheidewand fällt, welche sie von denen trennt, aus deren Herzen sie sprechen, wo die Kunst Gemeingut sein wird für alle, die Hirn und Herz haben, sie zu fassen. Die Scheidewand wird fallen, wenn die Ketten fallen.«[124]

In Minna Kautskys Romanen *Stefan vom Grillenhof* (1878), der von Marx Lob erfuhr, *Die Alten und die Neuen* (1884), den Engels kritisch würdigte, *Viktoria* (1889) und *Helene* (1894) sind eindrucksvolle Schilderungen von kleinbürgerlichen und proletarischen Lebensverhältnissen zu finden. Diese Verhältnisse halten, so sehr sie den Anschluß an die moderne Welt signalisieren, die Nähe zum Vertrauten, Einfachen, Erbaulichen. (Etwa im Dasein der Salzarbeiter in einem Alpendorf in *Die Alten und die Neuen*.) Daß die Autorin in diesem Kontext den Klassenkampf im Sinne der Sozialdemokratie weniger gestaltete als bekannte, stellte bereits Engels fest. Ihre Beschreibung anderer Gesellschaftsbereiche, vor allem des städtischen Bürgertums, blieb schematisch.[125]

Wie stark Minna Kautsky ihre Prosa auf proletarische Leser bezog, betonte Karl Kautsky, der seine Mutter zum Schreiben von Erzählungen und Romanen animiert hatte. Kautsky bemerkte über die Reaktion des proletarischen Publikums auf die Romane der Mutter:

»Sie wurden von den Lesern mit Beifall, ja mit Jubel aufgenommen. Und sie wuchsen rasch an Tiefe und Reife. Dem ›Proletarierkind‹ folgte eine ›Gute Partie‹ und dieser der ›Stephan vom Grillenhof‹, im Jahrgang 1878 [der *Neuen Welt*], meines Erachtens die beste ihrer Schöpfungen, die sie mit ihren späteren nicht übertroffen hat. Die Marlitt war damals die bekannteste Erzählerin für die bürgerlichen Leser Deutschlands, in der ›Gartenlaube‹. Unsere Genossen meinten, sie könnten meine Mutter als die ›rote Marlitt‹ bezeichnen. Ich stellte sie schon damals über die Marlitt und ich glaube, daß aus diesem Urteil nicht eine sohnliche Voreingenommenheit sprach.«[126]

Die bürgerliche Unterhaltungsliteratur vermittelte auch in diesem Falle den Maßstab. Obwohl man in der Sozialdemokratie die *Gartenlaube* in ihrer Tendenz bekämpfte, hielt man sich doch zumeist an den von ihr repräsentierten Ton. Auch in der sozialdemokratischen Presse erschien »eine Fülle belangloser, durchaus kleinbürgerlicher Liebesgeschichten und sentimental gefärbter Elendsschilderungen.«[127] Es fehlte die realistische Tradition, es fehlte die publizistisch-erzählerische Bekanntschaft mit den Daseinsbedingungen einer sich rapide wandelnden Umwelt, vor allem in Industrie und Großstadt, in den neuen sozialen, technischen und bürokratischen Abhängigkeiten.[128]

Als 1890 das Sozialistengesetz fiel, stand die Partei vor enormen Problemen der Organisation. Sie war darauf nicht vorbereitet. Und sie bemühte sich, was Presse, Belletristik und Massenliteratur betraf, kaum um neue Lösungen. Daran änderte die relativ große Verbreitung der satirischen Zeitschrift *Der Wahre Jacob* und der Beilage *Die Neue Welt* nicht viel. Die Klagen über die Schablonisierung der Parteipresse — mitsamt dem Feuilleton, dem ›notwendigen Übel‹, wie man es oft nannte — lassen sich auf den Parteitagen bis zum Ersten Weltkrieg verfolgen. Ähnliches ergab die Diskussion über eine sozialdemokratische Belletristik, besonders auf den Parteitagen 1892, 1893, 1896 und 1897[129].

Da man kaum sozialistische Literatur über Gegenwartserscheinungen förderte, blieb man auf Übernahmen aus bürgerlichen Zeitschriften angewiesen oder aus dem Import vom Ausland. Darüber gibt das Feuilleton der Parteizeitschrift *Die Neue Zeit* Aufschluß, über dessen 1890–1902 abgedruckte erzählende Literatur Georg Fülberth festgestellt hat: »Während die Literaturkritiker der ›Neuen Zeit‹ den Naturalisten vorgeworfen hatten, sie schilderten immer wieder nur Lumpenproletarier, nicht aber die Arbeiter als organisierte und kämpfende Sozialisten, fällt in den im Feuille-

ton abgedruckten Novellen auf, daß auch hier ausschließlich
proletarische Randgruppen gezeigt werden und daß fast
stets nur deren individuelles Leiden, kaum aber ihr Aufbegehren sichtbar wird.«[130]

7. Abkehr von der Agitation: das proletarische Drama um 1900

Die niedrige Einstufung der Belletristik in der Partei
blieb auch am Beginn des 20. Jahrhunderts bestehen. Das
korrespondierte mit dem Literaturverständnis der deutschen
Gesellschaft dieser Zeit. Theater zählte mehr: es war offizielle Kultur. Und selbst Lyrik zwang Achtung auf: es war
Dichtung, also etwas Hohes.

Dennoch gewann die Prosaerzählung in der Zeit der Jahrhundertwende stetig an Beliebtheit in der Arbeiterschaft. In
den neunziger Jahren, als man sich in der Partei eine zeitlang mit der Frage beschäftigte, wie der Zukunftsstaat aussehen werde, erzielte die sozialistische Zukunftsvision des
Amerikaners Edward Bellamy *Im Jahre 2000. Ein Rückblick
auf das Jahr 1887* größte Popularität bei den Arbeitern.
Fast alle sozialdemokratischen Zeitungen und Zeitschriften
druckten das Buch in Fortsetzungen ab.[131]

Repräsentativer waren Theater und Lyrik auf jeden Fall.
Ihren Wandlungen, die sich im Zusammenhang mit dem
ästhetischen Umbruch dieser Periode abzeichneten, schenkten die zuständigen Sozialdemokraten eher Aufmerksamkeit, wenn auch nicht allzuviel. Es ließ sich nicht übersehen:
naturalistische und impressionistische Perspektiven unter-
gruben die ›ideale‹ Gesinnung. Sozialdemokratische Autoren
entfernten sich von ihr, suchten dem Dasein des Proletariats
Ausdruck zu verleihen, wie sie es als real empfanden.

Auf welche Weise sich dieser Umbruch in der Lyrik
äußerte, ist am Beispiel von Heinrich Kämpchen angedeutet
worden. Sichtbarer noch manifestierte er sich im Theater,
und hierauf konzentrierten sich im allgemeinen die Kritiker
dieser Entwicklung.

Als die Parteiführung Anfang der neunziger Jahre dem Berufstheater gewisses Interesse zuwandte, stand die Hoffnung auf ein sozialistisches Drama im Vordergrund. Die Arbeit der Freien Volksbühne schien eine Abkehr vom kommerziellen Theaterbetrieb zu ermöglichen. Für Mehring wurde es dann zur besonderen Enttäuschung, daß man auch dort nicht gegen den Strom des kommerziellen Theaters schwimmen konnte. Er rechnete es sich später als Verdienst an, zumindest den Versuch dazu gemacht zu haben.

An dem 1893 aufgeführten (verlorengegangenen) Schauspiel *Andere Zeiten* von Paul Bader (1865–1945) lobte Mehring, »daß der junge Dichter zum ersten Male das arbeitende und kämpfende Proletariat auf die Bretter gestellt hat, die die Welt bedeuten«.[132] Hier geschah Repräsentation, und sie war offensichtlich gelungen, denn Mehring hielt dem Autor zugute, daß er den Kapitalisten Sanders, einen Zeitungsverleger, individualisiert, nicht typisiert habe, und sprach mit Genugtuung von der »Naturwahrheit« der Gestalten.

Viele Sozialdemokraten schätzten die Aufführungen der *Weber* 1893/94 auch später noch als großes Erlebnis, um so mehr, als sie Hauptmanns weiteren Weg als sozialkritischer Schriftsteller daran messen und abwerten konnten. Wie an Mehrings Äußerung über die Naturwahrheit ersichtlich, erhielten die neuen Stilmittel Resonanz, so lange sie in der ›richtigen‹ Weise eingesetzt wurden. Sie fanden in den sozialdemokratischen Stücken mehr und mehr Verwendung, und die Vorbilder Tolstoj, Ibsen und Hauptmann sind nicht schwer zu erkennen. Aber damit wurde auch schon die gefährliche Zone berührt: an die Stelle der Darstellung einer bestimmten gesellschaftlichen These trat die Darstellung einer bestimmten gesellschaftlichen Situation. Von agitatorisch typisierenden Einaktern wandte sich das Interesse Mehraktern zu. Die Vorbilder lagen beim Berufstheater. Einige Stücke gelangten in der Freien Volksbühne zur Aufführung.

Auf die Gefahr, die dieser Entwicklung für die Parteiagitation innewohnte, wies besonders nachdrücklich Friedrich Bosse hin. 1897, nach der Parteitagsdebatte über den Naturalismus in Gotha, schrieb er sogar ein Agitationsstück darüber, *Die Arbeiter und die Kunst*, das er wie seine anderen Stücke im Leipziger Arbeiterverein aufführen ließ.[133]

Der Redakteur Willmers sagt in diesem szenischen Dialog, der im Hause des kunstinteressierten Schuhmachers Klaar spielt, dem Vorsitzenden des örtlichen Arbeitervereins: »Ja, ja, mir werden die Arbeiter eine neue Kunst verdanken. Das Repertoire ist fertig. Ibsen, Hauptmann, Halbe, sie kommen zuerst zu Wort. Ich werde arbeiten wie ein Pferd, die Regie übernehme ich, die Schauspieler übe ich ein. Denken Sie nur, den großartigen Gedanken, der Arbeiterpartei eine neue Kunst zu bringen.« Willmers hält dem zögernden Schuhmachermeister Klaar entgegen, ein Stück wie Hauptmanns *Weber* zeige doch deutlich, daß es anders werden müsse. Worauf der Schuhmachermeister erwidert: »Das ist es ja gerade, der Gedanke sitzt schon in der Brust jedes aufgeklärten Arbeiters fest, aber das Wie bleibt die Frage! Nein, nein, da lobe ich mir doch meinen Schiller, der zeigt es wenigstens noch, wie man, wenn die Bedrückung zu groß wird, mit Tyrannen umgehen muß.«[134]

Willmers bringt das 1896 von Steiger gebrauchte Argument: »Die Kunst kann nur auf dem realen Boden gedeihen!« Dem erwidert Klaars Sohn Walter: »Ganz einverstanden, den Boden wollen wir schaffen durch bessere Lebensbedingungen, nur wenn wir die erringen, kann die Kunst gedeihen.«[135]

Bosse hielt sich damit an die von der Parteiführung vertretene Überzeugung. Er betonte, daß seine Stücke nicht den Anspruch erhöben, Kunstwerke zu sein. Zugleich vertrat er aber auch mit Leidenschaft das Argument, daß die ›niedrige‹ agitatorische Kunstübung nötig sei, denn sie gehöre zu dem Kampf, aus dem einst eine hohe Kunst hervorgehen werde, der Klassik vergleichbar. Hiermit geriet er mehr und mehr in Isolierung. Das Interesse der Partei an Agitationsarbeit ließ nach. In *Die Arbeiter und die Kunst* ist seine Enttäuschung schon zu spüren.[136]

In der Tat gelang es Bosse nur in den Postulaten seiner Bühnenfiguren, Agitation und klassische Kunst zu verknüpfen. Wo er diese Verbindung szenisch praktizierte, machten sich die ästhetischen Brüche nur allzusehr bemerkbar. Sein

Streikdrama in vier Akten, *Im Kampf* (1892), mit dem er Schillers *Kabale und Liebe* umfunktionierte, »indem er es in den Kontext der kapitalistischen Ordnung stellt«[137], geriet zu einem melodramatisch gekünstelten Bühnenspektakel, bei dem die Distanzierung der Partei nicht verwundert.

Man hat Bosse verschiedentlich Ernst Preczang gegenübergestellt, der gleichsam den neuen Typus des sozialdemokratischen Schriftstellers verkörperte: ein Mann, der in kleinbürgerlicher Umwelt aufwuchs, in Kontakt mit der Arbeiterbewegung kam, als ›freier‹ Schriftsteller arbeitete und um Anerkennung rang, was ihn Kompromisse mit dem bürgerlichen Publikum eingehen ließ. Preczang wurde 1904 bis 1919 als Redakteur der SPD-Romanzeitschrift *In freien Stunden* und ab 1924 als Mitgründer und Cheflektor der ›Büchergilde Gutenberg‹ zu einem wichtigen Vermittler sozialistischer und bürgerlicher Literatur an die Arbeiterschaft. Mit dem Bedarf der sozialdemokratischen und gewerkschaftlichen Vereinskultur an Prologen, Deklamationen und Festspielen war er vor dem Ersten Weltkrieg ein vielgefragter Autor.

Auch Preczang formulierte seine Gedichte und Theaterstücke zunächst in enger Bindung an die Klassik. In seinen frühen Gedichten über das Proletariat, wie *Hans Jörg* und *Schaffen*, klingt Goethes und Schillers Balladenton an. (Mehring lobte an seinem Lyrikband *Im Strom der Zeit*, 1908, vor allem die Balladen.) Schillers *Kabale und Liebe* diente auch Preczang bei seinem Streikdrama *Töchter der Arbeit* (1898) zum Vorbild.

Schauplatz ist das Büro des Kapitalisten Harland. Hier wird Einblick gegeben in die Geschichte der Arbeiterin Marie Hellmuth, die vom Sohn des Fabrikanten verführt, verlassen und beleidigt worden ist, und die Selbstmord verübt. Daneben entwickeln sich die Streikereignisse, die von Maries Tod beschleunigt werden. In einer Szene, die der Konfrontation des Verführers mit dem Vater des Mädchens in *Kabale und Liebe* nachgezeichnet ist, stellt der Autor Maries Vater und Erich Harland gegenüber. Am Ende geht der Kampf der Streikenden weiter, man sieht durch die offene Tür den Leichenzug mit dem toten Mädchen langsam vorbeikommen. In dieser Szene verwendet der Autor naturalistische Stimmungsmittel: ein Bild wie von Käthe Kollwitz gemalt, kein schillerscher Schluß.

Preczang verband Elemente schillerscher Dramatik zunehmend mit naturalistischen Stimmungswirkungen und verstärkte die Psychologisierung der Figuren. Den Vierakter *Im Hinterhause,* der 1903 von der Freien Volksbühne in Berlin aufgeführt wurde, machte er zu einer naturalistischen Tragödie.

Es ist die Geschichte des arbeitslosen Maschinisten Wilhelm Gensicke und seiner Familie. Gensicke könnte deren Not durch Verrat an seinen Arbeitskollegen beenden, indem er sich bei der Wiedereinstellung in den Betrieb als Streikbrecher betätigte. Er wählt statt dessen den Tod. Am Ende wird kein kämpferisches Banner weitergegeben, das Stück formt sich nicht zur optimistischen Tragödie.

Preczang verschaffte den Zuschauern Gelegenheit, sich in die differenziert gestalteten Charaktere einzufühlen. Die Wirkung dieses und anderer Werke von Preczang resultiert nicht aus politischen Thesen, sondern aus den »inneren Erlebnissen« der Proletarier, wie er es in seinem autobiographischen *Rückblick* nach dem Ersten Weltkrieg formulierte.[138] Ob damit schon eine Aussage über Preczangs Haltung als Sozialdemokrat gemacht werden kann, mag zunächst offenbleiben. Historisch und literarisch spricht sich darin vor allem die Bemühung aus, die abstrakte Auffassung vom Proletarier zu überwinden, der entweder im Heldentypus erstarrt oder von der Parteiallegorie eingeschlossen wird. Preczang verabschiedete damit die Tendenzliteratur des Vormärz, die bei Bosse noch weiterwirkte. Er rückte von der politisch-allegorisch vorgegebenen Tendenz zugunsten einer jeweils erst aus der Handlung entwickelten Tendenz ab. So sehr mit dieser Abkehr vom gewohnten Menschenbild der Sozialdemokratie einer bloßen Ritualisierung politischer Thesen entgegengearbeitet wurde, brachte es doch die Gefahr der Entpolitisierung und Verharmlosung des Klassenkampfes mit sich.

Den »inneren Erlebnissen« gingen neben Preczang auch Emil Rosenow (1871–1904), Paul Bader, Lu Märten (1879 bis 1970), Robert Nespital (1881–1961), Franz Starosson (1874–1919) und andere Autoren im Drama nach. Ihre Stücke richten sich an einer ›Naturwahrheit‹ aus, die zugleich seelisch-psychologische Wahrheit bedeuten soll: die Aufwärtsbewegung des Sozialismus vollzieht sich nicht nur aus einer abstrakten Gesetzmäßigkeit, sondern auch aus der Mitwirkung, Aktion, Veränderung im Menschlichen. Zur Verdeutlichung dessen bezogen die Autoren ein Element in die sozialistische Literatur ein, das zuvor die Naturalisten bevorzugt verwendeten: das Tragische.[139]

In den Stücken der genannten Autoren — in Rosenows *Die im Schatten leben* (1899), Nespital/Starossons *Verflucht sei der Acker* (1913) und *Häusler Grothmann* (1914), Lu Märtens *Bergarbeiter* (1907), Baders *Das Gesetz* (1914) — dominiert eine dunkle, oft dumpfe Atmosphäre, im Gegensatz zu den Festspielen und Allegorien, die man auf den Festen der Partei aufführte.

In Nespitals und Starossons *Verflucht sei der Acker!* wird die Tagelöhnerfrau Marie Drahn am Ende wahnsinnig und rächt sich mit einer Brandstiftung für alles erlittene Unrecht, während ihr Mann, der sie zu schützen sucht, erschossen wird.

Rosenows *Die im Schatten leben*, das künstlerisch überzeugendste dieser Stücke in der Nachfolge von Ibsen und Hauptmann, bringt eine »Elendswelt [...], in die von der Sonne des Sozialismus noch kein Strahl hineingeleuchtet hat und in der von klassenbewußten Proletariern noch nicht einmal die Rede ist«.[140] Es spielt in der Wohnung der Witwe Lückel in einer Bergwerkssiedlung bei Dortmund und zeigt, wie die Mitglieder der Familie Lückel Opfer des Ausbeutungssystems werden, sei es beim Unglück unter Tage, sei es infolge seelischer Erniedrigung und sexueller Verführung. Am Schluß, als die Tochter Liesa ihr Bündel schnürt, um anderswo vielleicht ein besseres Leben zu finden, läßt sich ein schwacher Hoffnungsschimmer erkennen.

Daß auch diese — aus guter Kenntnis der lokalen Sprech- und Lebensgewohnheiten entwickelte — Darstellungsform politische Bedeutung besaß, bezeugt das Verbot der Urauf-

führung 1910/11 in Berlin (das Stück wurde dann 1912 in
Frankfurt uraufgeführt). Es genügte, »die Arbeiter mit vielem Geschick und großer Liebe so darzustellen, daß sich
ihnen die volle Teilnahme und allgemeine Wertschätzung
zuwendet«.[141] In *Das Gesetz*, das eine heroische Episode aus
der Zeit des Sozialistengesetzes zum Thema hat, half Paul
Bader solchen Eindrücken kräftig nach.

Rosenow erzielte als einziger dieser Autoren auf der
bürgerlichen Bühne einen gewissen Erfolg, allerdings nicht
mit dem Stück über das Bergarbeiterelend, sondern mit der
Komödie *Kater Lampe* (1902), die sich an Hauptmanns
Biberpelz anlehnt. Diese Ausrichtung auf das Berufstheater
dürfte dazu beigetragen haben, daß Rosenow, der als Land-
agitator Ansehen in der Partei und bei der Bevölkerung des
Erzgebirges genoß und der 1898—1903 der jüngste Reichs-
tagsabgeordnete war, in seinen Stücken der Partei keine
Reverenz erwies. Damit stand er nicht allein.

Außer den tragischen Elementen fällt in den genannten
Stücken eine gesteigerte Gefühlssprache auf, die den seit
Ende des 19. Jahrhunderts geläufigen literarischen Tendenzen folgte. Sie mündet oft ins Lyrische, etwa am Schluß von
Starossons und Nespitals Schauspiel *Tutenhausen* (1912),
das die Konfrontation von Kapital und Arbeit in einem
mecklenburgischen Bauernhof zeigt, in dem ein Kaliwerk
steht. In dem Bergarbeiterdrama *Golgatha* (1908) von Paul
Mehnert mischt sich das Pathos der Passion Christi mit dem
von Goethes *Faust* und Sudermanns *Ehre*. Der erfolgreichen
Streikaktion des Stückes entspricht eine weniger erfolgreiche Sprachaktion des Verfassers, in welcher der Bekennt-
niswillen alle realistische Differenzierung erstickt. Anderen
Autoren diente das Streikthema oft nur zum Anlaß, ähnliche übersteigerte Sprachaktionen in Szene zu setzen. Davon ist auch das Drama *Bergarbeiter* von Lu Märten
nicht frei.

Im Zentrum dieses Dramas, das im Zimmer der Arbeiterfamilie
Burger spielt, steht die Begegnung mit dem Tod: nachdem Burgers
Frau und drei seiner Kinder an Tuberkulose gestorben sind, er-
warten sein Sohn Hermann und seine Tochter Gretje, ebenfalls

tuberkulosekrank, ihr eigenes Ende. Angesichts des Todes wird
Hermann zum Helden. Er richtet seinen Vater auf, beim Streik
weiterzukämpfen, und rettet bei einem Grubenbrand den jungen
Wilke. Dabei kommt er um, Burger faßt trotz dieser Schicksals-
schläge am Ende Mut für den weiteren Kampf.

Dieses Stück empfahl Clara Zetkin mit viel Enthusiasmus
Laien-Theatergruppen zur Aufführung: »Die Proletarier selbst
müssen — wie die Dinge liegen — die ›Bergarbeiter‹ auf die
Bretter bringen und womöglich auch selbst spielen. Schauspieler,
die Komödianten und nicht stark dramatische Nachempfinder und
Nachgestalter sind, werden die eigentümliche Schönheit des
Stückes vernichten. Denn diese ist Einfachheit und verhaltene
Glut, die man tief im Innern fühlen muß, auch ohne daß die
Flammen in Pathos und Gesten nach außen schlagen. Proletarier
hätten nur sich selbst zu spielen oder, richtiger, sich selbst zu
geben. So wie sie sind, ungeschminkt, schwerfällig in der Bewegung, um den Ausdruck für das Neue im Geiste ringend, aber
wahr.«[142]

Clara Zetkin gab dem Enthusiasmus für den gefühlshaften Mitvollzug des spezifisch Proletarischen zu Beginn des
20. Jahrhunderts in vielerlei Form Ausdruck. Sie ist ein
besonders zuverlässiger Zeuge für die Wandlungen im Konzept des Proletariats zu dieser Zeit, Wandlungen, die der
Begriff des Revisionismus nicht deckt; zumeist entzogen sie
sich dem theoretischen Denken oder stellten sich ihm sogar
entgegen. In ihrer Rezension verlegte Clara Zetkin den
Akzent eindeutig auf die Förderung des Selbstgefühls der
Proletarier, die um das Neue im Geist und im Gefühl ringen, wofür offensichtlich die Parteiversammlung aus dem
Blickfeld rutscht. Lu Märten verwandte eine stark gefühlsbezogene Sprache, bei der sich manches, wie ihr Gedichtband *Meine Liedsprachen* (1907) zeigt, aus dem Jugendstil
ableitet. An einigen Stellen sei »die Künstlerin, die neue
Menschen gestalten will«, der »Literatin« unterlegen,
merkte die Rezensentin an.

Clara Zetkins Feststellung von 1912 liefert bereits ein
Resümee ästhetischer Tendenzen bei proletarischen Autoren nach 1900, die die Literatur nicht als ›ideale‹ Gesinnung oder Ersatz für wissenschaftliche Belehrung ansahen,

sondern als Ausdrucksmedium eines spezifischen Lebensgefühls, ja als Lebensgefühl selbst:

>»In dem Schauspiel fallen nirgends Worte wie Kapitalismus, Klassenkampf, Organisation, Sozialismus. Und doch weht uns der schöpferische Odem unserer sozialistischen Auffassung aus allem entgegen, was die ›Bergarbeiter‹ sind, was sie reden und tun. Das Drama gibt Wesentlicheres als die landläufige Terminologie des proletarischen Befreiungskampfes. Es hat zu Fleisch und Blut verkörpert die neuen geistigen, sittlichen Kräfte gestaltet, denen der Sozialismus in den Massen das ›Werdet und wachset!‹ zuruft. Und es läßt uns stark empfinden, daß eben diese Kräfte nicht das Erbgut einiger ›Herrenmenschen‹ sind, vielmehr allgemein menschlicher Reichtum, schlummernder Reichtum der Massen, der Namenlosen, der nur der Erweckung harrt.«[143]

Von dieser Mythisierung des Proletariats als eigenständiger historischer Kraft, als Verkörperung des Natürlich-Menschlichen, das nur geweckt werden muß, ist die proletarische Literatur am Jahrhundertbeginn mehr und mehr geprägt. Allerdings verband sich das nur selten mit Clara Zetkins radikalen politischen Postulaten.

Die Impulse für das Theater und von seiten des Theaters sind nicht zu übersehen. »Die Theater warten auf die Massen. Und die Massen warten auf die Theater«[144], schrieb Heinz Sperber (Herman Heijermans) 1910 nach einer Ödipus-Aufführung unter der Regie von Max Reinhardt im Berliner Zirkus Schumann. Sperber kritisierte, daß diese Massenaufführung nur ein Spektakel des kapitalistischen Kulturbetriebs sei. Eine neue Kunst werde erst dann möglich, wenn das Massentheater in den Dienst des Proletariats trete.

Noch weiter ging Lu Märten in ihrem Beitrag zur Debatte um Sperbers Thesen. Sie polemisierte heftig gegen die Unfähigkeit der bisherigen Kunst, dem Dasein und der politischen Erwartung des Proletariats gerecht zu werden: »Die seelischen überschauten Konflikte der bürgerlichen Zivilisation bis hierhin hat die Kunst, besonders in Lyrik und Drama, mit Meisterschaft gestaltet. Vor der Arbeiterseele, die reden soll, ist der größte Künstler ein Dilettant. Diese

Seele muß sich ihrer selbst bewußt werden, eher wird sie keine vollkommene Gestaltung gewinnen.« Es werde ein neuer Anstoß nötig. Vor allem müsse man die Formen auf ihre Brauchbarkeit für die neuen Inhalte befragen. Man denke bei »Drama der Massen« an Bühne und Theater, jedoch: »man untersucht nicht, welche Kulissen das Drama braucht, das auf Höfen, Gefängnissen, Mietskasernen, Heilstätten, Fabriken usw. spielt. [...] Wer sagt oder kann es heute schon unternehmen, zu beweisen, daß das Drama der großen Masse notwendig die Form des Bühnendramas zu seiner künstlerischen Manifestation braucht?«[145]

Hier ist der Schritt über die traditionelle Kunstgesinnung des 19. Jahrhunderts hinaus angedeutet, die zum Selbstverständnis der Sozialdemokratie gehörte. Er wurde später in den Proletkultaktivitäten, vornehmlich im Massentheater der Russischen Revolution, gegangen, aber auch in Deutschland und in der deutschen Arbeiterbewegung ausgemessen. Er bildete Teil wachsender Hoffnung auf eine Erneuerung der Kultur, jenseits des Bürgertums, aber auch jenseits der bisherigen Parteipraxis, in der unter Kultur immer weniger Zukunftsversprechen und immer mehr Gegenwartsrechtfertigung verstanden wurde — wie zuvor im Bürgertum.

Im traditionellen Geleise blieben die Volksbühnenorganisationen und der 1908 gegründete ›Bund der Arbeiter-Theater-Vereine Deutschlands‹. Die Tausende von theaterspielenden Dilettanten — »bessere Industriearbeiter und -arbeiterinnen, kleine Bürobeamte, Boten, Hausdiener, dann auch Handlungsgehilfen und -gehilfinnen, wohl auch einmal ein Lehrer oder Pastor«[146] — waren in den Arbeitertheatervereinen im allgemeinen an unpolitischen Schwänken und Komödien interessiert, ähnlich den Mitgliedern bürgerlicher Theatervereine. (Vgl. die Editionen *Soziale Bühne* und *Arbeiterbühne* vor 1914.)

Ohnehin war, was man unter dem Sozialistengesetz an Gesangvereinen, Kegelklubs, Rauchklubs etc. zur Tarnung der politischen Tätigkeit etabliert hatte, bei dem gewaltigen Zustrom der Mitglieder zum Selbstzweck geworden. Trotz behördlicher Schikanen wuchsen der Deutsche Arbeitersän-

gerbund, der Arbeiterturnerbund, die Arbeiterradfahrbünde,
die Arbeiter-Athleten-, -Ruder-, -Theater- und -Sportver-
eine um die Jahrhundertwende zu respektablen Massenorganisationen heran, in welchen sich viele Formen der Parteiorganisation im Freizeitbereich wiederholten. Indem der
politische Charakter bereits in der Fixierung auf die Organisation vorausgesetzt war, die sich von der entsprechenden
bürgerlichen Organisation absetzte, kam der Politik bei den
Aktivitäten selbst weniger Bedeutung zu. Es blieb bei der
Übernahme der von der Partei geprägten Veranstaltungs-
formen. Dabei wurde ernste Klage geführt, daß die Feste,
die zur Läuterung und Erhebung dienen sollten, allzuoft
auf »ein ungemein niedriges Maß« herabgedrückt würden.[147]
1901 stellte ein Beobachter in der *Neuen Zeit* fest: »Ist es
doch eine allgemeine Klage, daß immer mehr die ›freien‹
Turn- und Radfahrvereine, ja selbst ›freie‹ Rauchklubs die
ganze freie Zeit der Arbeiter absorbieren, daß vielfach diese
manchmal recht zweifelhaften Vereine geradezu als Ersatz
für politische Organisationen gelten . . .«[148]

Noch einmal sei Friedrich Bosse zitiert, der in seinen
Zeitschriften *Sturmglocken* und *Der Freie Bund* diese Entwicklung analysierte. Einerseits mahnte Bosse, über der
Ausbildung zum politischen Kampf die Bildung nicht zu
vergessen.[149] Andererseits führte er darüber Klage, daß die
politische Agitation unterbewertet werde. So verschwänden
bei den Arbeiterchören die revolutionären Lieder immer
mehr unter der Fülle der Frühlings-, Trink- und Wiegen-
lieder.[150] Bosse mußte schließlich den Gedanken eines Verbandes der deutschen Volksbildungsvereine aufgeben. Wie
der ehemalige Arbeiter Otto Krille (1878—1954) in seiner
Autobiographie berichtete, sahen Bosses Gegner darin
»einen Einbruch in den Bereich der Partei. Dadurch kam der
Plan zu Fall. Es nützte nichts, daß Bosse klagte: ›Da sind
die Radfahrer, Turner und so weiter ganz andere Leute, die
haben ihre Organisation über ganz Deutschland ausgebreitet, halten Organe und Geschäftsbücher, aber die allgemeine
nicht bloß einseitige Bildung liegt darnieder‹.«[151]

In seiner Zeitschrift *Der Freie Bund* schrieb Bosse 1901

entmutigt: »Uns will es fast scheinen, als wenn der beklagte ›tote Punkt‹ innerhalb der Arbeiterbewegung nicht
nur in der politischen Agitation vorhanden ist, sondern sich
auch da zeigt, wo anscheinend großes Leben herrscht, auf
dem Gebiete der Geselligkeit.«[152] Krille wies darauf hin,
daß Bosses Entschluß, sich zurückzuziehen, schließlich auch
von der mangelnden Unterstützung der Arbeiterschaft motiviert worden sei.

ZWEITER TEIL:

DIE GESCHEITERTE REVOLUTION

Kapitel IV
Was tun? — Was tun!

1. Der Umbruch um 1900

Die Zäsur, die das Jahr 1914 für die moderne Geschichte darstellt, ist seit jeher auch für die Entwicklung der deutschen Sozialdemokratie konstatiert worden. Man hat darin Ende und Neuanfang gesehen, hat scharfe Kämpfe über die Bewertung der sozialdemokratischen Politik beim Ausbruch des Ersten Weltkrieges geführt. Für die Spaltung des deutschen Sozialismus wurden in diesem Jahr die entscheidenden Weichen gestellt.

Seit jeher hat man aber auch darauf hingewiesen, daß der Kriegsausbruch nur sichtbar machte, was in der europäischen Gesellschaft an Konflikten, Hoffnungen und Machtansprüchen bereits schwelte. Die Euphorie vom August 1914, das ›Augusterlebnis‹, das auch große Teile der Arbeiterschaft erfaßte, bedeutete die Entladung eines lange angestauten emotionellen Drucks. Ohne die Entwicklungen der vorausgehenden Periode läßt sich dieses Ereignis nicht denken.

In der Forschung sind inzwischen zahlreiche Erscheinungen aufgearbeitet worden, die die Umbrüche in der Sozialdemokratie seit Ende des 19. Jahrhunderts anzeigen. Besondere Aufmerksamkeit gilt den ideologischen Auseinandersetzungen um Revisionismus und Massenstreik sowie dem Wachstum von Parteiorganisation und -bürokratie (wobei die Gewerkschaften, die mit ihrer reformistischen Praxis großen Einfluß ausübten, langsam die ihnen gebührende Aufmerksamkeit erhalten). Neben den ideologischen und organisatorischen Tendenzen lassen sich langsam auch die psychologischen und soziologischen Faktoren genauer ausmachen, ohne deren Kenntnis das Verhalten der deutschen Arbeiterklasse im Ersten Weltkrieg und in der darauffolgenden revolutionären Phase kaum erschlossen werden kann. Die traditionelle Parteigeschichtsschreibung hat in diesem Bereich noch viele Fragen offengelassen, und nicht zufällig, denn diese Fragen zielen auf die Schwächen der traditionellen Organisations- und Revolutionsauffassungen, die sich in der Periode des Ersten Weltkrieges bemerkbar machten.

Die vorliegende Darstellung beansprucht nicht, den Bereich psychologischer Entwicklungen und Tendenzen genauer durchleuchten zu können. Indem sie sich dem Literaturverständnis und der literarischen Praxis der deutschen Sozialisten widmet, streift sie ihn jedoch. Literaturverständnis und literarische Praxis machen psychologische Umorientierungen erkennbar und zeigen Veränderungen im Selbstverständnis des Publikums an. Für die Periode zu Beginn des 20. Jahrhunderts, als der Einfluß emotionaler und irrationaler Faktoren auf Politik und Öffentlichkeit stetig zunahm, eröffnet dieser Ansatz besonders viele Einsichten. Beim Aufzeigen der wachsenden Rolle ästhetisch inspirierter Konzepte in dieser Zeit gilt es, die Perspektive nicht selbst von ästhetischen Konzepten überwuchern zu lassen. Andererseits repräsentieren auch die ästhetischen Aktivitäten von Arbeitern und ihre Resonanz einen Teil der Bewußtseinsgeschichte und lassen Rückschlüsse auf Tendenzen in der Arbeiterbewegung zu. Die Tatsache, daß sich die Bemühungen um eine Literatur von und für Arbeiter zu dieser Zeit von den geläufigen formalen und inhaltlichen Praktiken der Partei entfernten, wirft ein Licht auf die Veränderungen und Kämpfe hinsichtlich der ›proletarischen Öffentlichkeit‹. Wieviel auf dem Spiel stand, machte Friedrich Bosse mit seiner Feststellung vom ›toten Punkt‹ in der Parteiagitation auf seine Weise deutlich.

Unter den Phänomenen, die die Wandlungen um 1900 markieren, kommt der allmählichen Abkehr von dem politisch-allegorischen Bewußtseinsraum, in welchem die sozialistische Literatur des 19. Jahrhunderts weitgehend ihre Ausrichtung fand, besonderes Gewicht zu. Hans-Josef Steinberg hat auf den »Knick« im Geschichtsbewußtsein der Arbeiter nach 1895 aufmerksam gemacht, womit er ebendiese Erscheinung anspricht. Er sieht sie in engem Zusammenhang mit der neuen Qualität der kapitalistischen Produktionsweise und zugleich mit neuen Strategien gegen die Arbeiterbewegung. Steinberg führt aus: »In der vorimperialistischen Zeit hat sich ein ausgeprägtes Geschichtsbewußtsein im Bereich der sozialistischen Arbeiterbewegung entwickelt. Das kann man ohne weiteres nachweisen, etwa in den frühen Versuchen, die eigene Geschichte durch stehende Bilder sich zu vergegenwärtigen. Aber zu Beginn des 20. Jahrhunderts stagnierte die Entwicklung des Geschichtsbewußtseins, und das Interesse an der eigenen Geschichte nahm ab, wie sich — bei aller Vorsicht hinsichtlich des Aussagewerts solcher Statistiken — durch Analysen von Ausleihen aus Arbeiterbibliotheken zeigen läßt. Gleichzeitig ließ auch der Optimismus nach, der in der Arbeiterbewegung in so überreichem Maße vorhanden war, jener naive Optimismus, der auf einer kurzfristigen Revolutionsperspektive im Gefolge der verheerenden Auswirkungen der großen Depression beruhte. Und dann zeigte sich — und das ist ja gerade in letzter Zeit in Forschungen zu den Anfängen des Revisionismus dargelegt worden —, daß diese kurzfristige revolutionäre Perspektive unter neuen Bedingungen, nämlich unter den Bedingungen des neuen wirtschaftlichen Aufschwungs, einer nie gekannten Prosperität auf der Basis der Kapitalkonzentration, nicht nur jede reale Basis verloren hatte, sondern daß im Gegenteil die Bourgeoisie mit einer zukunftsträchtigen Gegenutopie in Gestalt des Imperialismus auf den Plan trat und daß damit die ganze Überzeugungskapazität auf seiten der sozialistischen Arbeiterbewegung gewissermaßen ins Leere stieß.«[1]

Damit ist bereits ein gewichtiger Teil der Aspekte genannt, die sich in den literarischen Äußerungen von Proletariern zu Beginn des 20. Jahrhunderts abzeichneten. Die Ausrichtung auf den politisch-allegorischen Bewußtseinsraum verlor ihre zwingende Kraft, auch wenn die Bildungsarbeit der Partei 1906 zentralisiert wurde und sich danach

eine Vielzahl von Bildungseinrichtungen und -veranstaltun-
gen an den Arbeiter wandten.[2] Die gewaltige Ausdehnung
der Sozialdemokratie — 1912 zählte die Partei über eine
Million Mitglieder und über vier Millionen Wähler (34 %);
den Freien Gewerkschaften gehörten weit über zwei Millionen Arbeiter an — änderte daran wenig, dürfte vielmehr
die Tendenz zu Ignoranz und Apathie gegenüber den Par-
teizielen verstärkt haben. Zudem: Was waren die Parteiziele
zu dieser Zeit? Sie verkürzten sich im wesentlichen auf »die
erfolgreiche Verwaltung der Tageskämpfe des Proletariats
und das Sammeln von Parlamentsmandaten mit der Aussicht, damit auf in den Einzelheiten allerdings noch unge-
klärte Weise an die Macht zu kommen. Auf diese beiden
Ziele war die Organisation selbst zugeschnitten«.[3] Die Versäumnisse der Partei hat man dem wachsenden Einfluß der
Revisionisten angelastet, doch spricht viel für die Differenzierung, die Georg Fülberth formulierte: daß es sich »nicht
um die Machtergreifung einer Clique und um bürokra-
tische Eigengesetzlichkeiten« handelte, sondern daß sich
»der in der deutschen Partei weithin schon längst überwie-
gende, gerade auf lokaler und regionaler Ebene großge-
wordene Revisionismus« eine Bürokratie schuf, die seinen
Zwecken entsprach.[4] Arthur Rosenberg sprach von der Partei vor 1914 als einer »sehr tüchtigen und leistungsfähigen
Berufsvertretung der Industriearbeiter im Rahmen des
monarchistisch-bürgerlichen Staates«.[5]

Steinberg läßt in seinen Bemerkungen aber auch erkennen, daß es im Hinblick auf das Bewußtsein der Arbeiter
nicht mit der Feststellung der politischen Stagnation der
deutschen Partei getan ist. Mit dem ökonomischen Aufschwung und der imperialistischen Ausrichtung großer Teile
der Gesellschaft zu Beginn des 20. Jahrhunderts griffen in
die sozialdemokratische Arbeiterschaft psychologische und
ideologische Impulse über, die die politische Aufmerksamkeit über den Organisationsraum der Partei hinauslenkten.
Angesichts der neuen Expansionsphase des Kapitalismus
und angesichts des Massenauftretens der Arbeiter bei den
großen Streiks dieser Periode verlor das Denken in eschato-

logischen, geschichtlich-gesetzmäßigen Kategorien seine
Überzeugungskraft. Überall wuchs die Neigung, die Probleme des sozialen Kampfes von den Kräfteverhältnissen
und Machtentscheidungen der aktuellen Situation her zu
verstehen. Das bezeugen die Konzepte der Parteirechten,
die eine Zusammenarbeit mit dem liberalen Bürgertum anvisierte, aber auch die der radikalen Linken, speziell Rosa
Luxemburgs, die die immer deutlicher hervortretende Masse
als Führerin der sozialistischen Bewegung verstand und die
These von der Partei als Werkzeug des bewußten Massenwillens ausarbeitete[6]; entscheidende Anregungen kamen
dafür von der russischen Revolution 1905. Das bezeugen
ebenso die politischen Beeinflussungsversuche von seiten
des Bürgertums, etwa der Nationalsozialen um Friedrich
Naumann, die das nationale Gefühlspotential auch bei den
Arbeitern zu wecken suchten. Davon zeugt schließlich auf
der Ebene politischer Bewußtseinsbildung die neue Eigen-
gewichtigkeit von Begriffen wie ›Arbeiter‹, ›Proletariat‹
und ›proletarisch‹. Die geschichtsphilosophische Definition
trat zugunsten der phänomenologischen, politischen und
ästhetisch-gefühlshaften zurück.

Für diese Entwicklung hat der englische Historiker
E. H. Carr einige Aufschlüsse gegeben, als er die Ablösung
des im 19. Jahrhundert ausgebildeten ökonomischen Denkens skizzierte. Carr verwies darauf, daß die Fixierung auf
vorgegebene objektive ökonomische Gesetze, die auch Marx
verfolgte, mit der Ankunft der Trusts, Kartelle und Mam-
mutunternehmungen in Frage gestellt wurde: »Die Wirtschaft war zum Instrument geworden — eine Angelegenheit
nicht so sehr der wissenschaftlichen Voraussage als der bewußten Manipulation. Selbsttätiger Preisausgleich durch
das Gesetz von Angebot und Nachfrage machte der Preis-
regulierung zu bestimmten wirtschaftlichen Zwecken Platz.
Man konnte nicht länger an eine Welt glauben, die von objektiven Gesetzen gesteuert wurde. Der Samthandschuh der
großen Korporationen verbarg kaum die geheime Hand, die
die Fäden zog. Diese Entwicklungen machten das alte Konzept vom Nachtwächterstaat obsolet, der das fair play zwi-

schen der Vielzahl kleiner, unabhängiger, miteinander konkurrierender Produzenten sicherte. Die Sozialisten, denen man gemeinhin die Erfindung des Begriffs ›Planung‹ zuschreibt, lagen jedoch weit hinter den deutschen Industriellen, Bankiers und Ökonomen zurück, was die Wahrnehmung von Richtung und Unvermeidbarkeit der neuen Tendenzen betraf. Die erste mehr oder weniger voll geplante Volkswirtschaft moderner Zeit war die deutsche Wirtschaft auf dem Höhepunkt des Ersten Weltkrieges, dicht gefolgt von der englischen und französischen. Mit dem Sieg der Revolution in Rußland beruhte die Planung auf dem sozialistischen Prinzip und auf dem Beispiel der deutschen Kriegswirtschaft.«[7]

Wie schwer den Sozialisten die Weiterentwicklung des im 19. Jahrhundert ausgebildeten ökonomischen Denkens fiel, ist offensichtlich. Die politische Verarbeitung der neuen technischen, organisatorischen und ökonomischen Tendenzen geschah außerhalb der Partei — von wenigen Ausnahmen wie Lenin und Rosa Luxemburg abgesehen. Angesichts der ideologischen Lethargie der Sozialdemokratie fanden mehr und mehr Impulse von außen ihren Weg in die von der Partei beanspruchten Bezirke. Carr gibt darüber Aufschluß: »Solange Armut, Wohnungselend und Arbeitslosigkeit dem Wirken objektiver ökonomischer Gesetze zugeschrieben werden konnten, beruhigte man sich mit dem Argument, daß die Anstrengung, dieses Mißgeschick zu beseitigen, ökonomischen Gesetzen entgegenarbeitete und die Dinge auf die Dauer nur verschlimmern würde. Sobald man jedoch alles, was in der Wirtschaft geschah, als Ergebnis bewußter menschlicher Entscheidung ansah und damit als vermeidbar, war das Argument für positive Aktion nicht zu widerlegen.«[8]

In diesem Kontext plaziert Carr die Gewichtsverlagerung in der marxistischen Doktrin vom Primat der Wirtschaft auf das der Politik. Er bezieht sich — mit Ausnahme von Rosa Luxemburg — nicht auf die deutsche Sozialdemokratie, sondern auf Lenin und dessen Schrift *Was tun?* (1902) sowie andere Äußerungen nach der Jahrhundertwende.

Mit den Versäumnissen der Sozialdemokratie hinsichtlich der Reflexion der neuen gesellschaftlichen und technischen Entwicklungen korrespondierte das Desinteresse der Partei an den tatsächlichen Denk- und Verhaltensformen der Arbeiter. Die Spannung zwischen den Gefühlen der Entfremdung und denen der eigenständigen politischen Kraft des Proletariats wurde kaum analysiert und nicht ausgewertet. Für die Zeit vor dem Ersten Weltkrieg sei noch einmal Hildegard Reisig zitiert: »Nur wer die Bildungs- und Kulturfragen der Partei zu bearbeiten hat, ist an einer theoretischen Klärung des Problems des Menschen interessiert; über diesen engen Fragenbereich hinaus fragt man nach dem Menschen überhaupt nicht.«[9] Otto Rühle (1874—1943), der als Linker zu dieser Zeit in der sozialdemokratischen Bildungsarbeit eine hervorragende Rolle spielte — wobei er durchaus die »Frage nach dem Menschen« stellte —, hat die Situation später als Rätesozialist analysiert. Besondere Aufmerksamkeit verdient seine Feststellung:

»Die alte Arbeiterpartei [stand] außerhalb des Raumes, in dem das Proletariat sein Proletarierschicksal erlebt. Der Proletarier ist Proletarier im marxistischen Sinne eigentlich nur im Produktionsverhältnis, in seiner Rolle als Lohnarbeiter. Also in der Werkstatt, in der Fabrik, im Betrieb. Hier wirkt er unmittelbar im Prozeß der Ausbeutung, ist er Opfer der Profitgesinnung, spürt er die Macht des Kapitals, wird er sich der Ausweglosigkeit seiner proletarischen Existenz bewußt. Außerhalb des Betriebs lebt, wohnt, denkt, betätigt und fühlt er sich als Kleinbürger. Seine Lebensformen entsprechen durchaus der bürgerlichen Schablone, in billigster Wiedergabe. Die Organisation, die ihn erfaßte, gewann nur den halben Proletarier für den Klassenkampf und mußte einen halben Kleinbürger mit in Kauf nehmen.«[10]

Rühle machte noch auf andere Aspekte aufmerksam, etwa darauf, daß sich nur ein kleiner Sektor des Gesamtproletariats parteilich organisierte, daß im Verhältnis von Führern und Geführten in der Arbeiterbewegung das bürgerliche Klassenverhältnis durchschlug, daß die Partei den einzelnen Arbeiter weitgehend als »Mitglied in der Reihe, als Nummer des Parteibuchs« behandelte und die Entwick-

lung von dessen Selbstwertgefühl anderen Kräften überließ, die, wie späterhin der Faschismus, »Nationalbewußtsein, Machtpolitik, Großstaat und Welteroberung« ins Feld
führten. Rühles kritische Äußerungen beziehen bereits das
spätere Versagen der Arbeiterparteien gegenüber dem Faschismus ein.

Die Tatsache, daß das Interesse vieler (literarischer) Intellektueller am Schicksal der Arbeiter vor der Jahrhundertwende nachließ, darf nicht darüber hinwegtäuschen, daß in
dieser Zeit die Phänomene der Arbeit, der Produktion, der
wirtschaftlichen Expansion in eine neue Beleuchtung rückten. Mit dem Aufstieg Deutschlands zur größten Industrie-
macht des Kontinents gewann der Bereich ›Arbeit‹, bereits
im 19. Jahrhundert nicht nur in Deutschland national verstanden[11], eine neue Aura nationaler Identifikation. Die
bereits von Wilhelm Heinrich Riehl vorgenommene Stilisierung der ›nationalen Arbeit‹ in einem romantisch-völki-
schen Sinne erhielt neue Nahrung. (»Beim wahren Fortschreiten der Kultur [sollte] zuletzt jeden Arbeiter das
Bewußtsein begeistern, daß er [...] für die Nation arbeitet,
daß er mitwirkt, die Grundlagen unseres lebendigsten Lebens, unserer Volkspersönlichkeit, eigenartig zu gestalten.«[12]) Obwohl von der Modernisierung in der Produktionssphäre angeregt, wurde die Stilisierung und Poetisierung
der Arbeit häufig im Sinne des um 1900 angewachsenen
antimodernistischen Denkens gebraucht und mit organischen
Ganzheitsvorstellungen aufgeladen.

Das Ausmaß der ›Antimodernen‹ läßt sich allerdings bei
der Vielzahl von Strömungen und Entwürfen in dieser
Periode nicht generell bestimmen. Ebenso sind die politischen Implikationen nicht von vornherein zu definieren.
Viele Bemühungen, auch literarische, die der Aufhebung des
Entfremdungsgefühls innerhalb der Produktionssphäre galten, leisteten tatsächlich einen Beitrag zu einem neuen Verständnis des Arbeiters von seiner Kraft und seiner Bedeutung, andere Bemühungen solcher Art integrierten ihn jedoch nur noch mehr in den Ausbeutungsprozeß. In jedem
Falle erhielt zu dieser Zeit die Rolle der Spontaneität bei

Rosa Luxemburg und einigen Linken in der Arbeiterbewegung ebenso wie bei bürgerlichen Ökonomen, Politikern und Unternehmern erhöhte Aufmerksamkeit.

Rosa Luxemburgs Feststellung angesichts des Generalstreiks vom Januar 1905 in Rußland läßt erkennen, daß Steinbergs Formulierung, die ganze Überzeugungskapazität auf seiten der Arbeiterbewegung sei gegenüber der bürgerlich-imperialistischen Gegenutopie »gewissermaßen ins Leere« gestoßen, differenziert werden muß. Rosa Luxemburg schrieb, durch die Massenaktion sei zum erstenmal das Klassengefühl und Klassenbewußtsein in Millionen »wie durch einen elektrischen Schlag« geweckt worden:

>»Und dieses Erwachen des Klassengefühls äußerte sich sofort darin, daß der nach Millionen zählenden politischen Masse ganz plötzlich scharf und schneidend die Unerträglichkeit jenes sozialen und ökonomischen Daseins zum Bewußtsein kam, das sie Jahrzehnte in den Ketten des Kapitalismus geduldig ertrug. Es beginnt daher ein spontanes allgemeines Rütteln und Zerren an diesen Ketten.«[13]

Angeregt vom russischen Beispiel suchte Rosa Luxemburg zu zeigen, daß das politische Potential der Arbeiterklasse nicht allein von den geläufigen Organisationsvorstellungen der deutschen Sozialdemokratie determiniert werde. Im Proletariat existiere mehr politische Kraft, als Partei und Gewerkschaften wahrhaben wollten. Sie finde an vielerlei Stellen Ausdruck. Aber es sei notwendig, daß die Partei den Hebel ergreife und der ganzen Bewegung eine *politische Führung* gebe.[14]

Das geschah allerdings kaum. So wurde selbst in der Produktionssphäre das politische Potential der Arbeiterschaft abgeschwächt oder neutralisiert. Mehr und mehr wurden die Loyalitäten innerhalb des jeweiligen ›Werkes‹ — bezeichnenderweise Begriff für Produktionsstätte und Produkt zugleich — ausgebaut. Im Hinblick darauf, daß sich der Arbeiter in seinem Beruf anerkannt sehen will, auch wenn er an der Ausbeutungssituation leidet und sie durchschaut, kam die »charakteristische Diskrepanz zwischen überaus gesteigerter Aggressivität gegen soziale Überlegenheit und ebenso gesteigerter Empfänglichkeit für das Prestige derselben sozialen Überlegenheit«[15] oft genug den Unternehmern zugute.

Diese Skizzierung des Umbruchs in der Arbeiterbewegung vor 1914 muß zunächst genügen. Das Gewicht ›neuer‹ Faktoren wie Gefühl, Spontaneität, Massenbewußtsein ist nicht zu übersehen. Ebensowenig ihre politische Ambivalenz. Lenin hat selbst auf die Ambivalenz der Spontaneität hingewiesen. Es gebe Spontaneität und Spontaneität. Während die eine zur Unterordnung der Arbeiterbewegung unter die bürgerliche Ideologie führe, sei die andere die Keimform der Bewußtheit, Erwachen der Erkenntnis, daß zwischen Bourgeoisie und Proletariat ein Antagonismus bestehe.[16]

2. Ästhetische Positionen und Auseinandersetzungen

Ästhetik, Kunst und Literatur stellten nicht gerade Gebiete dar, auf denen führende Sozialdemokraten die Konfrontation mit den neuen Tendenzen um 1900 suchten. Aber auch hier äußerte sich der Umbruch nachdrücklich. Mehrings Polemik gegen die »Ästhetik der schwieligen Faust« trug dem Rechnung. Das Festhalten an einer Literatur idealer Gesinnung hing eng mit der Abwehr »ethisch-ästhetischer« Strömungen zusammen, wie es Kautsky bei der Auseinandersetzung mit dem *Vorwärts* 1905 bezeichnete. Im allgemeinen verhielten sich die sozialdemokratischen Führer, so weit sie sich überhaupt dazu äußerten, gegenüber der aktuellen künstlerischen Entwicklung sehr kritisch. Sie teilten diese Einstellung mit ausländischen Führern in der II. Internationale, wenngleich nicht mit allen.[17] Zwei Jahrzehnte später geriet dann die Kunstpolitik der II. Internationale von seiten der Kommunisten unter offiziellen Beschuß. Doch läßt sich diese Politik, wie bei der Erörterung der verschiedenen Positionen im folgenden zu sehen sein wird, keineswegs über einen Kamm scheren.

Rosa Luxemburgs Verehrung galt der russischen Literatur. Aber sie sah die deutsche Klassik als wichtige Referenz an. Bei den deutschen Klassikern konstatierte die Sozialistin die Orientierung an großen und edlen Ideen, die sie in der sonst allzu philisterhaften deutschen Literatur vermißte.

Zur modernen Literatur bemerkte Rosa Luxemburg 1917 im Brief an Sophie Liebknecht, die Frau Karl Liebknechts, der ebenfalls inhaftiert war:

»Sie irren sich, daß ich von vornherein gegen die modernen Dichter bin. Vor etwa 15 Jahren habe ich Dehmel mit Begeisterung gelesen — irgendeine Prosasache von ihm — am Sterbelager einer geliebten Frau — ich habe eine dunkle Erinnerung — hat mich entzückt. Arno Holz' Phantasus kann ich jetzt noch auswendig. Johann Schlafs ›Frühling‹ hat mich damals hingerissen. Dann bin ich abgekommen und zu Goethe und Mörike zurückgekehrt. Hofmannsthal verstehe ich nicht, George kenne ich nicht. Es ist wahr: ich fürchte bei ihnen allen ein wenig die meisterhafte vollendete Beherrschung der Form, des poetischen Ausdrucksmittels und das Fehlen einer großen, edlen Weltanschauung dabei. Dieser Zwiespalt klingt mir so hohl in der Seele, daß mir dadurch die schöne Form zur Fratze wird. Sie geben gewöhnlich wunderbare Stimmungen wieder. Aber Stimmungen machen noch keinen Menschen.«[18]

Diese Abwehr einer auf Stimmungen zielenden Literatur richtete sich auch gegen aktuelle Versuche einer spezifisch proletarischen bzw. proletarisch fühlenden Literatur. So sehr es Rosa Luxemburg auf die Weckung des proletarischen Massenbewußtseins ankam und so sehr sie als mitreißende Rednerin auf eine direkte Artikulierung der proletarischen Kampfgesinnung hinarbeitete, so nachdrücklich trennte sie diesen Ansatz von dem der Kunst und Literatur. Das schloß Agitationsliteratur für die revolutionäre Sache nicht aus, gewährte ihr aber keinen speziellen Status in der ästhetischen Bewertung, und Rosa Luxemburg unternahm nichts, eine solche Literatur zu fördern. In ihrem Preis der russischen Literatur fügte sie ausdrücklich die Bemerkung ein:

»Nichts irriger freilich, als sich danach die russische Literatur als Tendenzkunst in rohem Sinne, schmetternde Freiheitsfanfare, Armeleutemalerei vorzustellen oder gar alle russischen Dichter für Revolutionäre, zum mindesten für Fortschrittler zu halten. Schablonen wie ›Reaktionär‹ oder ›Fortschrittler‹ besagen an sich in der Kunst noch wenig.«[19]

Damit stand sie den Äußerungen Engels' über Balzac nicht allzu fern, zumal sie bei Dostojevskij und Tolstoj hervorhob, daß deren Lehren reaktionäre Züge trügen, wodurch ihre Stellung als Künstler jedoch nicht beeinträchtigt werde. Sie wirkten in ihren Werken trotzdem »aufrüttelnd, erhebend, befreiend«. Rosa Luxemburg sprach dem sozialen und menschlichen Verantwortungsgefühl des Künstlers höchste Bedeutung zu, seiner Fähigkeit, die Probleme sichtbar zu machen: »Beim wahren Künstler ist das soziale Rezept, das er empfiehlt, Nebensache: die Quelle seiner Kunst, ihr belebender Geist, nicht das Ziel, das er sich bewußt steckt, ist das Ausschlaggebende.«[20]

Diese Anschauung vom Künstler, der mit seinen spezifischen Mitteln die Veränderbarkeit der Wirklichkeit erschließt, korrespondierte mit dem ›hohen‹ Selbstverständnis des Politikers, dessen sich Rosa Luxemburg immer wieder voller Skrupel versicherte. Im Hinblick auf Goethe zog sie selbst die Verbindung. Im Brief an Luise Kautsky schrieb sie 1917 unter Anspielung auf die sozialdemokratischen Politiker:

»Ich verlange nicht, daß Du wie Goethe dichtest, aber seine Lebensauffassung — den Universalismus der Interessen, die innere Harmonie — kann sich jeder anschaffen, oder wenigstens anstreben. Und wenn Du etwa sagst: Goethe war eben kein politischer Kämpfer, so meine ich: ein Kämpfer muß erst recht über den Dingen zu stehen suchen, sonst versinkt er mit der Nase in jedem Quark — freilich denke ich an einen Kämpfer größeren Stils, nicht an ein Wetterfähnlein vom Kaliber der ›großen Männer‹ von Eurer Tafelrunde, die mir neulich einen Kartengruß hierher geschickt hat.«[21]

Die intime Beziehung Rosa Luxemburgs zur ›großen‹ Literatur kann nicht lebendiger und präziser formuliert

werden. In ihren Äußerungen zu Goethe, Mörike, C. F.
Meyer, Stendhal, Tolstoj und Hauptmann ist die Empfänglichkeit für die dichterische Formulierung der großen
Menschheitsdinge nicht zur politischen Gebärde erstarrt,
sondern vom persönlichen (wenn man will: subjektiven)
Atem durchdrungen. Ihre Verehrung der Klassik bildet nicht
Teil einer Erziehungsstrategie wie bei Kautsky und Mehring, besitzt keine kompensatorische Funktion im Zusammenhang mit einem engen Verständnis des historischen
Materialismus. Auch wo sie Mehrings Schiller-Buch im Ju-
biläumsjahr 1905 großes Lob zollt, ist die Eigenständigkeit
ihrer Stellungnahme zu Schiller nicht zu übersehen.

Wie sehr sich Rosa Luxemburg der Bewußtseinswandlun-
gen um 1900 bewußt war, bezeugt ihr Plädoyer, Schiller,
dessen Werk die Arbeiter »in der eigenen revolutionären
Gedanken- und Empfindungswelt« umschmolzen, nun ganz
wissenschaftlich objektiv zu sehen. Man sei über die »Phase
des politischen Wachstums, wo die gärende Begeisterung,
das halbdunkle Streben zu den lichten Höhen des ›Idealen‹
den Anbruch der geistigen Wiedergeburt der deutschen Arbeiterschaft ankündigte«[22], hinaus. Mit der Kritik an dem
Streben, in Schiller »subjektiv aufzugehen oder richtiger ihn
in eigener Weltanschauung aufzulösen«, wandte sich Rosa
Luxemburg gegen den Kreis um Eisner, aus dem 1905 entsprechend gefühlshafte Äußerungen kamen. Diese Kritik
verband sie mit Kautsky, Mehring und deren Polemik in
der *Neuen Zeit* 1905. Doch zeigte sich Rosa Luxemburg im
Positiven an einem anderen Schiller interessiert, am Künstler, der ihrer Vision der handelnde Masse Ausdruck gab,
am Dramatiker, der aus der Geschichte mehr als Abläufe
und Gesetzmäßigkeiten aufzunehmen verstand: nämlich den
tragischen Konflikt. Sie schrieb:

»Schiller war vor allem ein echter *Dramatiker* größten Stils,
als solcher aber brauchte und suchte er gewaltige Konflikte, gi-
gantische Kräfte, Massenwirkungen, und er fand seine Stoffe in
den Kämpfen der Geschichte, nicht weil und insofern sie *revolutionär* waren, sondern weil sie den tragischen Konflikt in seiner
höchsten Potenz und Wirkung verkörpern.«[23]

Auch hierin ist der persönliche Atem zu spüren, Rosa Luxemburgs Sinn für das »gewaltige Schauspiel« der Geschichte, für das Agieren der Masse, das eine eigene Dynamik entwickelt, zu der auch die Tragik gehört. Das bedeutete keine Aufgabe des marxistischen Entwicklungsdenkens. Zumindest sprach sie sich im Ersten Weltkrieg sehr dezidiert über die Wandelbarkeit der Masse aus. (»Ein Führer großen Stils richtet seine Taktik nicht nach der momentanen Stimmung der Masse, sondern nach ehernen Gesetzen der Entwicklung, hält an seiner Taktik fest trotz aller Enttäuschungen und läßt im übrigen ruhig die Geschichte ihr Werk zur Reife bringen.«[24]) Über die Wandelbarkeit der Masse hatte der August 1914 genügend Aufschluß gegeben.

Es überrascht nicht, daß Rosa Luxemburgs Äußerungen zur Literatur und Kultur bei der um 1930 geführten Kampagne der Kommunisten gegen die deutsche ›Vorkriegslinke‹ Anlaß zu heftiger Kritik lieferte, insonderheit ihre in *Stillstand und Fortschritt im Marxismus* 1908 ausgesprochene Ansicht, daß vor der Revolution keine proletarische Kultur errichtet werden könne. Die von Stalin geführte Abrechnung mit dem ›Luxemburgismus‹ schloß auch ihre ästhetischen Auffassungen ein, obwohl sie diese selbst nicht in den Vordergrund gerückt hatte. Es hieß, auch darüber würden »antileninistische, trotzkistische und brandlerische Schmuggelwaren eingeschleppt«.[25] Der Vorwurf erwuchs der im Zusammenhang der zwanziger Jahre noch zu erörternden Absicherung der parteilich ausgerichteten kommunistischen Literaturpolitik, bei welcher die von Kautsky, Mehring und Plechanov bis zu Trockij und Thalheimer geäußerte Toleranz gegenüber der Kunstentwicklung zu einer verräterischen, antileninistischen Haltung stilisiert wurde. Die Fehler, die man Rosa Luxemburg vorhielt, verfolgte man in ähnlich simplifizierter Form auch bei den genannten anderen Sozialisten: »die Scheidung der Literatur von der Politik, die Scheidung des dichterischen Schaffens von der Weltanschauung, die Herabsetzung der Bedeutung des Bewußtseins, Vertuschung des Klassenkampfes, mechanistische und idealistische Behandlung der ideologischen Kontinuität, die Auffassung der Kunst als Instrument der menschlichen Verständigung [!], das Unvermögen, die objektive soziale Genesis der betreffenden Ideologie zu erkennen, das Hinabgleiten zum idealistischen Subjektivismus«.[26]

Natürlich läßt sich der Vorwurf der Spontaneität auf ästhetischem Gebiet besonders leicht vertreten. Dieses Phänomen hat die Entwicklung von Kunst und Literatur seit jeher nicht nur begleitet, sondern ermöglicht. Rosa Luxemburg, die die Freiheit im politischen Bereich als »die Freiheit des anders Denkenden« definierte, betrachtete diese Definition im Bereich von Kunst und Literatur als selbstverständlich.

KAUTSKY, BERNSTEIN UND EISNER

Auch Kautsky betonte die Freiheit künstlerischer Entfaltung. Auch Kautskys Freiheitsbegriff in der Kunst wurde später hart kritisiert. In seiner Autobiographie stellte er es noch einmal ausdrücklich fest:

»Die geistige Produktion braucht unbeschränkte Freiheit. Das war meine Ansicht nicht nur 1883, ich verfocht sie auch 1902 in meinen Vorträgen über die soziale Revolution, wo ich schrieb: ›Kommunismus in der materiellen Produktion, Anarchismus in der geistigen, das ist der Typus der sozialistischen Produktionsweise‹.«[27]

Kautsky wandte zu dieser Zeit seine Aufmerksamkeit dem ästhetischen Bereich zu, allerdings mit einer anderen Zielrichtung. Er gebrauchte den Begriff ›ethisch-ästhetisch‹ bei der Auseinandersetzung um die politische Linie des *Vorwärts*. Er stellte die ›ethisch-ästhetische‹ der ›ökonomisch-historischen‹ Denkweise gegenüber und suchte nachzuweisen, daß der *Vorwärts* als Zentralorgan der Partei infolge der ›ethisch-ästhetischen‹ Denkweise die Durchsetzung eines sozialistischen Bewußtseins behindere. Eisner wurde mit fünf anderen Redakteuren im Oktober 1905 gekündigt.

Die Auseinandersetzung zielte ins Grundsätzliche nicht nur der sozialdemokratischen Pressepolitik, sondern der ideologischen und psychologischen Wandlungen um 1900. Die theoriebezogene Etikettierung ›Abwehr des Neukantianismus‹ erfaßt davon nur einen Teil. Die Auseinandersetzung griff über die marxistische Theoriediskussion hinaus und ist ebensowenig mit dem Etikett ›Abwehr des Revisionismus‹ zu fassen. Die Gesprächspartner einschließlich Mehrings betonten, daß es hier nicht um den Revisionismus gehe. Eisner hatte im *Vorwärts* den Revisionismus scharf kritisiert.

Kautskys Polemik im *Vorwärts* und in der *Neuen Zeit* läßt erkennen, wie genau er die ethisch-voluntaristischen Impulse um 1900 wahrnahm, wie intensiv er die Neigung zum ästhetisch-gefühlhaften Verständnis des proletarischen Kampfes beobachtete. Charakteristisch ist seine Kennzeichnung der beiden Haltungen als »Denkweisen«, d. h. als unterschiedliche Artikulation des politischen (sozialistischen) Bewußtseins. Er kämpfte für das historisch-ökonomische Denken, das, wie er bemerkte, die Phänomene im Ganzen der gesellschaftlichen Prozesse plaziere und nicht nur Oberflächeneindrücken und -stimmungen überlasse. Er kämpfte gegen die in der ethisch-gefühlhaften Denkweise angelegte Verwischung des spezifisch Sozialistischen, gegen Gemeinsamkeiten mit bürgerlichen Radikalen, Philanthropen, Sozialreformern und Reaktionären. Auf die journalistische Praxis bezogen, aber generell gemeint war sein Resümee:

»Diese Andeutungen dürften genügen, zu zeigen, wie auch dort, wo die vorwiegend ethische Denkweise sich nicht zu einer besonderen Theorie und Taktik im Gegensatz zur ökonomisch-materialistischen verdichtet hat, wo sie vielmehr Sache des Instinktes und Gefühls ist und nicht im geringsten beabsichtigt, zur marxistischen Theorie und Taktik in revisionistischen Widerspruch zu treten: wie auch dort diese ethische Denkweise in Gegensatz zur ökonomisch-materialistischen geraten muß in der *journalistischen Praxis*, durch verschiedene Bewertung der Tagesereignisse, durch Vernachlässigung der sozialistischen Aufklärung, die durch Appelle an die moralische Entrüstung zurückgedrängt wird, durch steigende Verständnislosigkeit und Abneigung gegenüber der Erörterung innerer Parteifragen, endlich durch Überschätzung der Kraft und des guten Willens der ›ethischen‹ Schichten der Bourgeoisie.«[28]

In seiner Artikelserie *Debatten über Wenn und Aber* wehrte sich Eisner im *Vorwärts* (Aug./Sept. 1905) dagegen, mit dem Gefühlssozialismus zusammengebracht zu werden, trat aber für ethische Gesinnung ein. Ethisches Denken bilde ohnehin festen Bestandteil des Sozialismus. Wenn der aktuelle Weckruf »*Mehr* Idealismus« laute, so bedeute das »mehr ›Ethik‹«. Eisner schrieb:

> »Über die ökonomischen Zusammenhänge denkt heute schon jeder Banklehrling nach, jeder Professor doziert sie als die Seele der Erkenntnis — diese Wahrheit braucht man wahrhaftig nicht immer aufs neue zu entdecken. Kautsky aber ringt noch immer mit den Ideologen, die Marx zu erledigen hatte; zwar sind sie ausgestorben, aber Marx hatte ihnen noch siegreiche Schlachten geliefert.«[29]

Kautskys Erfolg gegenüber der *Vorwärts*-Redaktion dürfte stark dazu beigetragen haben, daß von einer Intensivierung der Bemühung um ästhetisch-literarische Aktivitäten in der Partei in der Folgezeit noch weniger die Rede sein konnte. Der Vorwurf, ›ethisch-ästhetisch‹ zu denken, wog schwer, auch und gerade bei denjenigen, die die sozialistische Tendenz intensiver in der Literatur vertreten sehen wollten. Autoren wie Preczang und Otto Krille blieben auf sich angewiesen, genauer: auf Förderung von ›außerhalb‹, zumeist bürgerlicher Seite; sie milderten bald ihren klassenkämpferischen Ton. Der Arbeiterdichter Alfons Petzold (1882–1923) beklagte sich später, daß ihm bürgerliche, nicht sozialistische Zeitungen zum Durchbruch verholfen hätten. Der 1906 gegründete Zentralbildungsausschuß, der zum Koordinator einer gestrafften Bildungsorganisation wurde, gab kaum Impulse für die von der Partei bisher offengelassenen Bereiche publizistischer und ästhetisch-literarischer Praxis. Die der Gründung dieser Institution vorausgehende ›Goethebund-Debatte‹ 1905 in Bremen brachte zwar eine wichtige Konfrontation zwischen Linksradikalen — Heinrich Schulz, Wilhelm Pieck u. a. — und Reformisten — etwa Friedrich Ebert — auf kulturellem Gebiet, aber kein konstruktives Programm für Kunst und Literatur.[30]

Was den Sprecher des Revisionismus, Eduard Bernstein, anbetrifft, so stand er in seiner Verurteilung der ästhetisierenden Proletariatsromantik Kautsky nicht nach. Seine von Kant her verfolgte ethische Tendenz — von Kautsky und Rosa Luxemburg heftig kritisiert — grenzte sich deutlich von jeder Literarisierung ab und betonte Rationalität und Nüchternheit (allzu große Nüchternheit, wie Kautsky meinte).

Auch Bernstein wies den Vorstoß von Heinz Sperber für eine spezifisch proletarische Literatur zurück. Er hielt das Proletariat für zu nüchtern dafür und die Gefahr, mit der Tendenz, auf welcher eine sozialistische oder proletarische Literatur gründen müßte, ins bloß Didaktische zu verfallen, für zu groß. Doch stellte sich Bernstein nicht gegen eine allgemeine Tendenz in der Literatur:

»Es gibt Tendenz und Tendenz. Tendenz im großen ethischen Sinn, ›Tendenz‹, die umfassende Strebungen, erhabene Gedanken oder von Rechtsvorstellungen getragene Ziele zum Ausdruck bringt, haben die bedeutendsten Dichterwerke. Alle ins Kleinliche, ins Besondere gehende Tendenz dagegen ist Gift für die Kunst, wobei es ganz gleich ist, ob es sich etwa um Verherrlichung von dynastischen Interessen oder von Parteiinteressen handelt. Stets ist mit solcher Tendenz die Verführung verbunden, ins Deduzieren oder Dozieren zu verfallen, wobei es mit dem freien künstlerischen Gestalten zu Ende ist.«[31]

Wie schwer es fällt, Revisionismus im Bereich des Ästhetischen dingfest zu machen, ist oft bemerkt worden. Ohne große Mühe läßt sich von Bernsteins Äußerungen der Bogen zu Engels' Kritik an Minna Kautskys Tendenzroman schlagen, wozu angemerkt sei, daß Bernstein mit Engels in London engen Austausch pflegte.

Auch zu Lukács läßt sich hier schon ein Bogen schlagen, vor allem zu dessen Ausführungen 1945 über die Tendenz: »Was ist Tendenz? In einem oberflächlichen Sinn irgendeine politische, gesellschaftliche Bestrebung des Künstlers, die er mit seinem Kunstwerk beweisen, propagieren, illustrieren will. Es ist interessant und charakteristisch, daß Marx und Engels überall da, wo von einer derartigen Kunst die Rede ist, sich ironisch über derartige Machwerke äußern. Mit einer besonders scharfen Ironie dort, wo der Schriftsteller, um die Wahrheit irgendeines Satzes oder die Berechtigung einer Bestrebung zu beweisen, der objektiven Wirklichkeit Gewalt antut, sie verzerrt (siehe besonders Marxens kritische Bemerkungen über Sue). Aber Marx verwahrt sich auch bei großen Künstlern gegen die Tendenz, ihre ganzen Werke oder einzelne Gestalten für den unmittelbaren und direkten Ausdruck ihrer eigenen Ansichten zu benützen und damit den Gestalten die echte Möglichkeit zu entziehen, ihre Fähigkeiten — den inneren und organischen Gesetzen der Dialektik ihres eigenen Seins folgend — bis zum letzten auszuleben.«[32]

In der *Einführung in die ästhetischen Schriften von Marx und Engels* hob Lukács wie Bernstein und andere Sozialisten vor 1914 eine allgemeine von der bloß didaktischen Tendenz ab. Der Bogen zu Lukács wird dadurch nicht aufgehoben, daß dieser Anfang der dreißiger Jahre gegen die literarischen Anschauungen der Vorkriegssozialdemokratie, vor allem Franz Mehrings, polemisierte. In seiner Ablehnung des »ärarischen Naturalismus« stand Lukács Mehrings Anschauungen nicht so fern, wie er vorgab.

In eine andere Richtung wiesen Eisners Postulate einer neuen Literatur. Er berührte sich darin mit Clara Zetkin, die ebenfalls die Bindung an die Klassik als notwendig erachtete. Zur Naturalismus-Debatte 1896 bemerkte Eisner, daß die Partei zwar im Moment einen Kompromiß mit der bürgerlichen »Übergangskunst« geschlossen habe, jedoch eine »Parteikunst im höchsten Sinne« ersehne. Er kritisierte die philisterhaften Vorwürfe gegen Edgar Steiger, bemerkte aber, daß auch Steiger mitten auf dem Weg stehen bleibe. Eisner machte deutlich:

»Wo aber eine große Kulturbewegung sich in einer Partei kristallisiert, und die moderne Form jeder Kulturbewegung ist die Partei, da muß die Kunst Parteikunst sein. Hier ist die Partei nicht ein ablösbares Etikett, sondern die Essenz jedes fortschreitenden Geistes. Der Dichter, der in der Kulturbewegung steht, kann nichts anderes sein als der Parteimann, er ist als solcher nicht schon Künstler, aber er ist noch weniger ein Künstler universalen Stils, wenn das Parteiblut nicht in ihm pulsiert. Die Partei der Zukunft muß auch den Dichter der Zukunft gebären, sofern sie sich als eine Kulturbewegung versteht.«[33]

Eisner hielt später an einer solch dezidierten Stellungnahme nicht fest. In seinem Kommentar zur Parteikunst 1913

— nach der ›Sperber-Debatte‹ — betonte er in Anknüpfung
an Mehrings Herausgabe des Marx-Freiligrath-Briefwechsels »das Eigenrecht der ästhetischen Probleme und die in
sich ruhende Selbständigkeit der Kunst«.[34] Doch zeigen
seine Äußerungen der Zwischenzeit, etwa bei der Debatte
über die geeigneten Formen der sozialistischen Agitation
auf dem Parteitag 1908[35], ein viel intensiveres Engagement
an publizistisch-literarischer Aktivierung, als es in der Partei üblich war. Die *Fränkische Tagespost*, die er als Chefredakteur (1907–1910) modernisierte und zu einem »Organ
weltpolitischer Aufklärung«[36] zu machen suchte, bot solchen
(umstrittenen) Aktivitäten Raum. Hier fanden später Arbeiterdichter wie Karl Bröger (1886–1944) Förderung, hier
veröffentlichte Otto Wittner vor 1914 eine für die Arbeiter
berechnete Fortsetzungsreihe über die Geschichte der deuschen Literatur.

CLARA ZETKIN

Anders als Rosa Luxemburg suchte die mit ihr befreundete Clara Zetkin eine Verbindung zwischen der Emanzipation der proletarischen Massen und dem Entstehen einer
proletarischen Literatur herzustellen. Als Herausgeberin der
Gleichheit (bis 1917) wurde Clara Zetkin unter den führenden Sozialdemokraten zum einzigen ernsthaften Förderer
schreibender Arbeiter und Arbeiterinnen. Besonders im Hinblick auf die Erziehung der proletarischen Jugend nahm sie
sich didaktischer Literatur an, wobei ihr Heinrich Schulz,
entgegen seinem öffentlichen Eintreten für die Neutralität
der Jugendliteratur, unter dem Pseudonym Ernst Almsroth
einige Hilfe leistete.[37] Später stieß Edwin Hoernle (1883 bis
1952) zu ihr, der selbst auch Gedichte und Erzählungen
schrieb.

Offensichtlich war Clara Zetkins Begeisterung für eine
proletarische Literatur um die Jahrhundertwende besonders
intensiv, genauer: ihre Überzeugung, daß man bereits vom
Beginn einer Renaissance der schönen Literatur sprechen
könne, die nun vom Proletariat her erfolge. In dem ihr

eigenen gefühlsgeladenen Stil wertete sie die Gedichte des
jungen Arbeiters Otto Krille als beispielhaft für das Neue.
Im Vorwort zu Krilles Gedichtband *Aus engen Gassen*
(1904) pries sie die Art und Weise, wie der Autor die Heroisierung des Arbeiters betreibe. (»Zwingender noch als
die leibliche Sorge treibt [den trotzigkühnen Rebellen] die
innere Glut des prometheischen Funkens in den Kampf, das
Raunen und Rauschen geistiger Kräfte, die empor zur Sonne
drängen.«) Krilles Gedichte seien nicht gereimte Leitartikel,
sondern »farben- und duftreiche, saftgeschwellte Früchte
eines sehr starken dichterischen Talents« und vermittelten
tiefe Empfindungen und Gedanken. Clara Zetkin pries deren
Tendenz mit der Feststellung, daß Krille auf dem Boden der
revolutionären Weltanschauung seiner Klasse stehe, »und
dafern er eigene künstlerische Werte geben wollte, mußte
diese Weltanschauung ihr Inhalt sein. So ist die Tendenz
seiner Gedichte innere Notwendigkeit, die mit unwidersteh-
licher Gewalt zur Gestaltung drängte.«[38]
Mit dieser Definition der Tendenz von der inneren Notwendigkeit und der Ausdruckssuche eines kämpferischen
proletarischen Lebensgefühls her entfernte sich Clara Zetkin
von dem allegorisierenden Denken der sozialistischen Autoren im 19. Jahrhundert. Ihre Betonung des Gefühlsmäßig-
Vitalen korrespondierte mit vielen Bemühungen um eine
Erneuerung der Kunst um 1900. Bei ihr ging es um den
Neuanfang unter proletarischem Vorzeichen:

»Für den künftigen Literaturhistoriker, welcher den geschichtlichen Bedingungen des künstlerischen Werdens und Blühens in
ihren vielverschlungenen feinen und feinsten Verästelungen und
Zusammenhängen nachspürt, wird die proletarische Dichtkunst
unserer Jahrzehnte unschätzbares Forschungsmaterial sein. In ihm
findet er Anfänge einer Renaissance der schönen Literatur, der
die Entwicklung meiner Ansicht nach langsam und mit vielen
Umwegen, aber unaufhaltsam zustrebt. Eine Renaissance, die
untrennbar mit dem kulturellen Aufsteigen des Proletariats verbunden ist, das neue, vollsaftige, kerngesunde Schöpfer dichterischen Reichtums schafft und in dem Sozialismus eine einheit-
liche, in sich geschlossene Welt- und Lebensauffassung gibt, deren

keine großzügige Kunst zu entraten vermag. Auch das messianische Zeitalter der Kunst kommt mit dem Schwerterklang des proletarischen Emanzipationskampfes. Die zeitgenössischen proletarischen Dichter sind seine Vorläufer, seine Propheten. Verheißungsvoll künden Otto Krilles Gedichte einen künftigen Frühling der Kunst.«[39]

In seiner Rezension des Gedichtbandes äußerte sich Mehring sehr freundlich über diese begeisterte und ermutigende Betrachtungsweise. Allerdings schrieb er die Rezension auf die dringende Bitte Clara Zetkins hin, die beklagte, daß Krille in der Parteipresse totgeschwiegen werde, und erwiderte mit ihr zugleich eine scharfe Abfertigung von Buch und Vorwort durch den bürgerlichen Kritiker Julius Bab.[40] Damit ist recht genau die Konstellation bezeichnet, aus welcher Mehrings positive Stellungnahme zu den literarischen Aktivitäten von Arbeitern zu dieser Zeit erwuchs. Es ging um die Abwehr bürgerlicher Literatureinflüsse auf das Proletariat, um die Verteidigung der ›proletarischen Öffentlichkeit‹ sowie um die Zurückweisung ungerechtfertigter bürgerlicher Kritik. Mehrings Stellungnahme verstand sich nicht als Ermutigung einer neuen Ästhetik oder Literatur über die Dokumentation proletarischen Lebens und Kämpfens hinaus.

In dem Brief, in dem Clara Zetkin Mehring um eine Rezension bat, rückte sie die Gefahr der Verbürgerlichung durch die neuen Kunsttendenzen in den Vordergrund: »Unsere Blätter loben über den grünen Klee jeden bürgerlichen Dichter, der einmal geruht, etwas in Arbeiterfreundlichkeit oder Zukunftsduselei zu lingklangeln. Sie haben kein Wort der Erwähnung für Gedichte, die aus urkräftigem proletarischem Leben hervorwachsen und lebendige Zeugen des Kulturgehalts des proletarischen Klassenkampfes sind. Fast alle Leute, die in unseren Reihen literarisch etwas verstehen oder literarisch gefirnißt sind, sind in ekelhaftester Weise ›verkunstwartelt‹. Sie haben kein Verständnis dafür, daß das Proletariat auch auf künstlerischem Gebiete die bürgerliche Kultur nicht bloß übernehmen und weiterwursteln kann, sondern mit der ›Umwertung aller Werte‹ beginnen muß. Sie wollen das Proletariat ästhetisch verbürgerlichen, statt die neuen kulturellen

Kräfte zu lösen und zur Entfaltung selbständigen Lebens zu bringen.«[41]

Clara Zetkin verlieh der Beunruhigung über die Auswirkungen der ästhetischen Wandlungen seit dem Ende des 19. Jahrhunderts im Proletariat beredten Ausdruck. Das Etikett »verkunstwarteln« kennzeichnete einprägsam die in der Zeitschrift *Der Kunstwart* betriebene Auszahlung der ästhetischen Strömungen der Jahrhundertwende in abgegriffener Münze. Was die von Ferdinand Avenarius (1856–1923) repräsentierten »ethischen Idealisten im gebildeten Mittelstand«[42], wie sie sich selbst bezeichneten, an geistig-kulturellen Reformen anstrebten, bedeutete häufig nur eine ästhetische Kompensation für ihre politische Entmündigung.

Am politischen Ziel ihrer Kritik ließ Clara Zetkin keinen Zweifel. Andererseits bewegte sie sich mit ihren Äußerungen zu einer proletarischen »Umwertung aller Werte« (Nietzsche) selbst in der Nähe kulturrevolutionärer Konzepte bürgerlicher Autoren. Dem Argwohn gegenüber der kulturellen Verbürgerlichung des Proletariats Ausdruck zu geben, war eine Sache; eine andere — schwierigere — Sache war es, die ästhetische Artikulation des Proletarischen wirklich aus ›genuin‹ proletarischen Elementen zu entwickeln. Denn zweifellos wies die um 1900 virulente Definition des ›genuin‹ Proletarischen, die bei Clara Zetkin anklingt, selbst schon stark ins Ästhetische und Subjektive.

Über die Gefahren dieser Definition mochte sich die Sozialistin selbst im klaren sein. Es ist bezeichnend, daß sich ihre Begeisterung über die ästhetischen Möglichkeiten des Proletariats nach den von Kautsky 1905 gegen die »Ethisch-Ästhetischen« geführten Angriffen merklich abschwächte (wobei auch die allgemeine Enttäuschung nach dem Scheitern der russischen Revolution 1905 mitgespielt haben mag). Wie im Zusammenhang mit dem Theaterstück von Lu Märten zitiert, hielt sie an der ästhetisch-gefühlshaft durchwirkten Bestimmung des Proletarischen auch später fest. Das läßt sich bis in die revolutionäre Zeit nach 1917 verfolgen, als ihr Enthusiasmus über die spontane politische Artikulation der proletarischen Massen mit besonderer Stärke durchbrach. Doch formulierte sie kein entsprechendes ästhetisches Programm. Wenn sie 1904 bereits den Beginn der Renaissance der Kunst aus Arbeiterhand verkündet hatte, so verschob sie 1911 in *Kunst und Proletariat*, ihrem Beitrag zur ›Sperber-Debatte‹, den Beginn der Renaissance in die Zukunft, jenseits des Kapitalismus, auf »jene Insel der Seligen«, in die sozialistische Gesellschaft.[43] Zu dieser Zeit fanden die von Kautsky häufig vorgebrachten Argumente der kommerziellen Abhängigkeit der Kunst genauere Reflexion. Clara Zetkin pries und ermutigte die Bemühungen der Arbeitersänger und Arbeiterdichter bei der Herausbildung eines sozialistischen Kunstverständnisses, betonte jedoch zugleich die vom Kapitalismus gesetzten Grenzen einer eigenständigen proletarischen Kunst. Offensichtlich vermied sie aber eine direkte Zurückverweisung von Heinz Sperber und seines im *Vorwärts* vorgebrachten Vorstoßes zugunsten einer proletarischen Literatur.

DIE ›SPERBER-DEBATTE‹

Angesichts der festgefahrenen Meinungen in der deutschen Partei verwundert es kaum, daß der Anstoß zu einer neuen Diskussion über die Möglichkeiten proletarischer Literatur von außen kam. Die sogenannte Sperber-Debatte[44] entzündete sich 1910 an den Artikeln des holländischen Dramatikers Herman Heijermans (1864–1924), der mit sozialen Stücken bekanntgeworden war. Seine Beiträge erschienen unter dem Pseudonym Heinz Sperber im *Vorwärts*.

In dem Artikel *Kunst und Industrie*[45] nahm Sperber bekannte Feststellungen auf: daß die Kunst im Kapitalismus zur Ware geworden sei, jedoch durch den Einbezug des Volkes die Chance neuer Entfaltung erhalte. Diese Auffassung gehörte zum Repertoire zahlreicher bürgerlicher Kritiker um 1910. Sperber spitzte sein Plädoyer für eine Überwindung der Kommerzialisierung der Kunst auf die Frage zu:

»Wenn das Volk, um es näher und deutlicher auszudrücken, wenn der Teil des Volkes, der unsere Lebensanschauung hegt, etwas von seinem Kampf, seiner Überzeugung, seiner Glut, seinen Idealen in den heutigen Theatern fände, würde dann die Hilfe hysterischer reicher alter Jungfern oder mäcenatenhafter Börsianer nötig sein?«[46]

Daran schloß die Aufforderung des Autors an, schon jetzt mit dem Aufbau einer proletarischen Kunst zu beginnen:

»Wenn wir an unsere eigene Zukunft glauben, müssen wir annehmen, daß wir nicht nur in Zukunft eine eigene und gesunde Kunst, eine sozialistische Kunst, entstehen sehen werden, sondern daß wir schon jetzt daran arbeiten. Nur der gepriesene biblische Gott schuf die schöne Welt aus totalem Nichts in sechs, vermutlich, Achtstundentagen. Seitdem ist das nicht mehr geglückt, und auch wir werden keine Zukunftsdinge schaffen, ohne Steinchen für Steinchen die Grundlagen gelegt zu haben.«[47]

Eine tendenziöse Kunst« werde notwendig: »Wir müssen durch den sauren Apfel der Tendenz hindurch.« Sperber wertete die Kunst der Vergangenheit ab, die zwar auch Tendenz gehabt habe, aber damit zum gegenwärtigen Kampf nichts beitrage. Gegen die Bindung des ästhetischen Verständnisses von Sozialisten an die Klassik nahm er generell Stellung. (Die Kritik der Kommerzialisierung der Kunst im Kapitalismus zog allerdings in einem seiner Beiträge die Feststellung nach sich, nur das Proletariat vermöge das künstlerische Erbe adäquat zu bewahren.) ›Tendenz‹ und ›Klasseninstinkt‹ bildeten Schlüsselworte der Diskussion. Sperber orientierte seine Argumente nicht an einem vorgegebenen historisch-politischen Bewußtsein, sondern an der im proletarischen Kampf ausgebildeten spontanen Entscheidungskraft. Im proletarischen Klasseninstinkt lokalisierte er den Maßstab für die Beurteilung der aktuellen Kunst: »Man hat dem modernen Proletariat (selbstverständlich nicht zu verwechseln mit dem Mann ›mit der schwieligen Faust‹!) keinen Unterricht ›von oben herab‹ zu geben, sein Klasseninstinkt betrügt es selten — es wäre denn, daß der Klassenstandpunkt eine Phrase sei!«[48]

Der holländische Dramatiker stand mit seinem Postulat einer Kunst aus dem »Fühlen und Wollen« des Proletariats innerhalb der von Kautsky als ethisch-ästhetisch bekämpften Tendenzen keineswegs allein. Die Tatsache, daß er seine Ansichten im zentralen Parteiorgan Vorwärts vertrat, ließ die Debatte jedoch heftig werden — wenn auch die Erwiderungen von Friedrich Stampfer auf der Rechten bis zu Mehring auf der Linken wenig Neues brachten.

»Genosse Sperber tut — vielleicht unabsichtlich — dasselbe, was die heutigen Stilrichtungen aller Art tun«, bemerkte Lu Märten im Zusammenhang der Debatte. »Sie machen die Richtung, ehe der Weg garantiert ist. Sie geben Programme statt eines Stils. Eine Empfindung für eine Idee, statt einer tatgewordenen Idee, das heißt: Kunst selbst.«[49] Lu Märten war insofern ein kompetenter Beurteiler, als sie selbst an den aktuellen ästhetischen Erneuerungsideen Anteil hatte. (»Vor der Arbeiterseele, die reden soll, ist der größte Künstler ein Dilettant. Diese Seele muß sich ihrer selbst erst bewußt werden, eher wird sie keine vollkommene Gestalt gewinnen.«[50]) Ihre Kritik lief darauf hinaus, daß Sperber bei seiner Konzeption einer proletarischen Kunst nicht revolutionär genug denke und die Wandlung in den Kunstformen zu wenig reflektiere.

Sperber sagte in der Tat mehr über die Notwendigkeit antibürgerlicher Gesinnung im Bereich der Kunst als über neue künstlerische Formen aus. In manchen seiner Äußerungen läßt sich die Mischung aus ›Wesensprojektion‹ und Technikoptimismus erkennen, die, von der Architektur angeführt, in den Jahren vor dem Ersten Weltkrieg allgemeine Resonanz fand. Der Begriff ›proletarisch‹, den er zentral stellte, stützte sich auch auf das Werk- und Technikdenken, nicht nur auf das Klassenbewußtsein.[51]

HEINRICH STRÖBEL

Unter Sperbers Diskussionsgegnern lieferte Heinrich Ströbel (1869—1945) die überlegtesten Beiträge. Ströbel — ein Gegner Eisners in der *Vorwärts*-Redaktion, der von 1900 bis 1917 angehörte, bevor er ebenfalls wie Eisner zur USPD überging — nahm in der Kritik der ›ethisch-ästhetischen‹ Stilisierung des Proletariats verschiedene Argumente Mehrings und Kautskys auf. Er umriß die aktuelle Verschiebung des Interesses von ›sozialistischer‹ zu ›proletarischer‹ Kunst

und legte die Fragwürdigkeit der vielbeschworenen Kategorie ›proletarisch‹ dar. Weder die proletarische Herkunft
noch der proletarische Geist konstituierten von vornherein
den proletarischen Dichter. Im Anschluß an Kautsky bemerkte Ströbel:

> »Wir wissen, daß die politische Klassenlage an sich nicht mehr
> auslöst als die *Empfänglichkeit* für die sozialistische Weltan-
> schauung. Es müssen aber erst ganz besondere politische Um-
> stände und eine intensive sozialdemokratische Propaganda hinzu-
> kommen, um den dunklen politischen Instinkt in modernes
> Klassenbewußtsein zu verwandeln. [...] Nicht der Instinkt der
> ungeschulten Massen ist der sichere Kompaß des Klassenkampfes,
> sondern die politische Einsicht der zu kritischem Denken, zu
> scharfem Prüfen erzogenen Arbeiterklasse. Nur diese Erziehung
> vermag zu verhindern, daß das sozialistische Proletariat nicht
> das Opfer ähnlich plumper Demagogie wird, wie das antisemitisch
> irregeführte Kleinbürgertum oder der pfäffisch gegängelte Teil
> der ›christlichen‹ Arbeiterschaft.«[52]

Eine wichtige Feststellung, wenn man an das Verhalten
der Arbeiterschaft beim Ausbruch des Ersten Weltkrieges
denkt. Allerdings verzichtete auch Ströbel darauf, über die
Forderung nach kritischem politischen Denken hinaus ein
Konzept zu entwickeln — oder zumindest zu fordern —, mit
dem die psychologischen und soziologischen Veränderungen
der Zeit als eine Herausforderung gerade an das kritische
Denken beantwortet worden wären.

Nur auf literarischem Gebiet entwickelte Ströbel eine
eigene Stellungnahme. Im Gegenzug zum gefühlshaft-ethi-
schen Impuls machte er die von Kautsky und Mehring auf
die Klassik zurückbezogene allegorisch-geschichtsphiloso-
phische Idealisierung des Proletariats nicht mit. Literatur
war für Ströbel, der zur Zeit des Naturalismus erwachsen
wurde, nicht mehr ›ideale‹ Gesinnung. Er fragte ausdrücklich: »Haben wir Sozialdemokraten [...] Ursache, dem
Dichter zu grollen, der uns zeigt, daß Proletarier auch nur
Menschen sind?« Er erkannte den »ehrlichen Realismus«
bürgerlicher Schriftsteller an. Der realistische Dichter zeige,
»daß der einzelne Mensch nicht schrankenlos irgendwelchen

Idealen und sittlichen Grundsätzen leben kann, sondern mit jeder Faser verwachsen ist mit dem gesellschaftlichen Boden, in dem er wurzelt«.[53]

Ströbel betrachtete den ›echten‹ Dichter als Verbündeten des Proletariats, auch wenn er kein Verständnis für die Bestrebungen des Proletariats zeige. Gerade der echte Dichter sei selten oder fast nie das, was man einen Bourgeois nenne. »Oder man zeige uns doch, wo in Tolstoj, in Zola, in Ibsen der Bourgeois steckt! Oder auch in Gerhart Hauptmann, in Dehmel oder, um gar ein paar Junker zu nennen, in Wilhelm von Polenz oder Detlev v. Liliencron!«[54] Eine bezeichnende Aufzählung. Mehring hätte einige dieser Autoren gewiß nicht als Beispielfälle herangezogen.

Andererseits hob Ströbel die Möglichkeit des bürgerlichen Intellektuellen, ›sozialistisch‹ zu schreiben, ausdrücklich hervor. Dazu betonte er die Bedeutung des Begriffs ›sozialistisch‹ gegenüber dem unbestimmten ›proletarisch‹. Die »sozialistische Weltanschauung« sei keineswegs an proletarische Herkunft oder proletarische Existenz gebunden. Er ging bis zu der Feststellung: »Das Individuum von bürgerlicher Abstammung, das sich aus den das Gros des Bürgertums beherrschenden bourgeoisen oder auch kleinbürgerlichen Vorurteilen heraus zur sozialistischen Weltanschauung durchgerungen hat, kann die proletarische Weltanschauung viel reiner vertreten als mancher Proletarier, der im Trosse mitläuft.«[55]

Diese an Kautsky angelehnte Feststellung relativierte bereits einen Großteil der Einstufungen von Arbeiterliteratur und proletarischer Literatur, die das ›genuin‹ Proletarische in Herkunft und Existenz des jeweiligen Autors verabsolutierten, Einstufungen, die sich bis weit in die zwanziger Jahre hinein erhielten.

Karl Liebknecht

Obgleich sich Karl Liebknecht an den genannten Debatten nicht beteiligte, steht er mit den dabei berührten Problemen in engem Zusammenhang: Liebknecht war derjenige revolutionäre Sozialist in der deutschen Partei, der die ethisch-ästhetischen Impulse der Jahrhundertwende theoretisch und praktisch im intensivsten verarbeitete und dabei auch die Rolle der Kunst zu bestimmen suchte. Das in den letzten Jahrzehnten gepflegte Bild des revolutionären Praktikers und Propagandisten Liebknecht, der wenig theoretisches Interesse besaß, ist in dieser Hinsicht zurechtzurücken.[56] Seine Definition und Plazierung der Kunst läßt sich nicht von seiner Verarbeitung ethisch-ästhetischer Tendenzen trennen, die in den Jahren unmittelbar nach seiner Ermordung noch nicht verschleiert wurde.

Natürlich wäre bei einer so impulsiven Gestalt zu fragen, ob man unbedingt von ›Verarbeitung‹ sprechen muß, — ob Liebknecht nicht eher selbst als Träger einer neuen, ethisch geprägten aktivistischen Gesinnung zu bezeichnen ist. Beides dürfte zutreffen; es ist nicht die geringste von Liebknechts Leistungen, daß er lange vor dem Ersten Weltkrieg damit begann, auf die neuen politischen und geistigen Strömungen der Gegenwart mit neuen, aus der Gegenwart gewonnenen Mitteln zu antworten. Neben seinen antimilitaristischen Kampagnen ist vor allem seine — von der Partei beargwöhnte — Förderung einer selbständigen Jugendarbeit zu nennen, aus der ein wesentlicher Teil der revolutionären Kader nach 1916 hervorging.

Gewiß hat sein erster Biograph, dem noch viele Dokumente zu Verfügung standen, Liebknechts religiös-enthusiastische und ethisch-gefühlshafte Gesinnung vereinseitigt.[57] Jedoch zeigen Liebknechts Äußerungen als Politiker, daß er nicht nur ein sattelfester Kenner und Verehrer der Bibel war, sondern den Ernst religiöser Forderungen und Einsichten direkt in die Bewertung des aktuellen politischen Geschehens hineinnahm. Von den Worten über die Weltgeschichte als Weltgericht 1910 spannt sich der Bogen bis zu seinem Artikel *Trotz alledem!* am Tage seiner Ermordung, in dem er 1919 den Weg des Proletariats mit der Passion Christi verglich. »Meine Herren«, rief er 1910 im Preußischen Landtag aus, »wir wissen, daß das Wort wahr ist, daß die Weltgeschichte das Weltgericht ist, und Sie werden vor diesem Weltgericht Rede und Antwort zu stehen haben; und es wird die Posaune des jüngsten Gerichts, die Posaune des Volksgerichts, meine Herren, Ihnen bös in den Ohren tönen.« Liebknechts letzte Botschaft an das Proletariat am 15. Januar 1919 lautete:

»Noch ist der Golgathaweg der deutschen Arbeiterklasse nicht beendet — aber der Tag der Erlösung naht. [...] Unter dem Dröhnen des herangrollenden wirtschaftlichen Zusammenbruchs werden die noch schlafenden Scharen der Proletarier erwachen wie von den Posaunen des Jüngsten Gerichts, und die Leichen der hingemordeten Kämpfer werden auferstehen und Rechenschaft heischen von den Fluchbeladenen. Heute noch das unterirdische Grollen des Vulkans — morgen wird er ausbrechen und sie alle in glühender Asche und Lavaströmen begraben.«[58]

Der weite Bogen, der solche Feststellungen über die Jahre hinweg verband, hob sich über bloße Rhetorik hinaus. Er kennzeichnet ein Geschichtsdenken, in welchem die deterministischen Elemente den dramatischen Platz machen, in welchem keine selbsttätige Aufwärtsbewegung vorausgesetzt, sondern die Niederlage in all ihrer Schwere einbezogen wurde. Liebknecht fürchtete sich nicht vor der Niederlage, genauer: vor dem Eingeständnis der Niederlage von Proletariern 1919 (die er kommen gesehen hatte), weil er ihr eine Dialektik zumaß, in welcher der Sieg ›trotz alledem‹ beschlossen lag. Die Niederlage machte einen Teil seines ›dramatischen‹ Weltbildes aus; gewisse Parallelen zum Denken Rosa Luxemburgs, mit der bis 1914 kaum engere Berührung gehabt hatte, sind nicht zufällig. Noch einen Tag vor ihrer Ermordung — ebenfalls am 15. Januar 1919 — wies sie auf die »niederschmetternde Niederlage« 1848 hin und fügte hinzu, daß die heldenmütige Aktion des Pariser Proletariats »der lebendige Quell der Klassenenergie für das ganze internationale Proletariat geworden« sei.[59]

Liebknecht begann seine theoretischen Studien um 1907, als er auf der Festung Glatz wegen der Schrift *Militarismus und Antimilitarismus* in Haft war. Nach der Entlassung 1909 fand er erst

Frank Trommler wurde 1939 in Zwickau geboren, studierte an der FU Berlin, in Wien und München, wo er 1964 mit einer Arbeit über den österreichischen Roman promovierte. 1967–1969 lehrte er als Gastdozent an der Harvard University, seit 1970 ist er Professor für neuere deutsche Literatur an der University of Pennsylvania, Philadelphia. Er veröffentlichte neben der Studie ,Roman und Wirklichkeit' (1966) zahlreiche Abhandlungen zur modernen deutschen Literatur, u. a. über Exil- und Nachkriegsliteratur, politisches Theater, Literatur und Kulturpolitik der DDR.

guten Buchhandlung.

---

bei anderem Gefängnisaufenthalt erneut Zeit für eine Vertiefung und Systematisierung seiner Theorie: als er 1916 wegen seiner Antikriegsdemonstration ins Zuchthaus Luckau mußte. Hier entstand die aus der Liebknecht-Überlieferung bisher ausgelassene, erst vor kurzem wieder aufgelegte Schrift *Studien über die Bewegungsgesetze der gesellschaftlichen Entwicklung*, die 1922, von Rudolf Manasse herausgegeben, im bürgerlichen Kurt Wolff Verlag erschien. Das Manuskript ist unabgeschlossen und wäre von Liebknecht im vorliegenden Zustand wohl nicht veröffentlicht worden, gewährt aber um so mehr Einblick in Liebknechts Denken. Ein wichtiges Kapitel, die Kritik an Marx' Wertlehre, kam 1918/19 im *Archiv für Sozialwissenschaft und Sozialpolitik* (Bd. 46) zum Abdruck.

In der Vorbemerkung zu den *Studien* grenzte Liebknecht sein Unternehmen nachdrücklich von Marx' Theorie ab: es suche »eine mehr konstitutive, konstruktive Theorie, ein System zu entwickeln – im Unterschied von der Marxschen Theorie, die nur einen Zeitgedanken, wenn auch einen ungemein fruchtbaren gibt«.[60] Anders als Rosa Luxemburg sagte Liebknecht einem Großteil der marxistischen Argumentation ab; seine Systematik gründete auf dem um 1900 von Bergson beeinflußten Synthesestreben, in dem sich Evolutionsdenken und aktivistisch-revolutionäre Impulse durchdringen. Marx' Methode determiniere, so Liebknecht, die gesellschaftliche Entwicklung als statische Abfolge verschiedener ökonomisch bedingter Stationen (Feudalismus, Bürgertum, Kapitalismus, Sozialismus). Demgegenüber müsse man die gesellschaftliche Entwicklung als dynamischen Prozeß sehen, der durch den Überschußcharakter menschlichen Lebens, durch den »Höherentwicklungstrieb«, vorangebracht werde. Die »wirtschaftlichen Verhältnisse« seien »nicht kausal für die *Bewegung* – der Anstoß kann höchst mannigfaltig sein –, sondern für die *Universalität* und *Dauerhaftigkeit* des Bewegungs*fortschritts:* ohne sie würde ein Entwicklungsansatz in der Luft schweben, eine nur vorübergehende Einzelerscheinung bleiben«. (100) Liebknecht wies die Basis-Überbau-Theorie, die zumal in Engels' Modifikationen »so unbestimmt, so allgemein« geworden sei, »daß sie ihr charakteristisches Gepräge verliert« (102), zurück und stellte fest, die materialistische Geschichtstheorie genüge nicht zur Erfassung der menschlichen Verhältnisse, da sie entscheidende organisatorische und psychisch-geistige Elemente der »Überschußsphäre« außer acht lasse. (»Im Grunde genommen, ist die ganze Trennung von Ideologie und Ökonomie unhaltbar. Jede Ideologie

hat ihre ökonomische Basis und Wirkung; jede Zelle der Ökonomie hat ihre ideologische Seele. Ideologie gehört zu allen Sphären, Ökonomie gehört zu allen Sphären.« 90)

Viele von Liebknechts Argumenten gegenüber dem von der
Sozialdemokratie offiziell vertretenen Marxismus lassen sich in
entsprechender Form auch bei anderen sozialistischen Kritikern zu
Beginn des 20. Jahrhunderts finden, etwa bei Eisner in seiner
Auseinandersetzung mit Kautsky. Weiter ging Liebknecht zweifellos bei seinem Versuch, den ethisch-gefühlshaften Antrieb, der
im Marxismus der II. Internationale nur am Rande stand, unter
Hereinnahme ökonomischer Elemente zu systematisieren und für
die revolutionäre Aktion fruchtbar zu machen. Hierbei ergeben
sich Berührungspunkte mit der Konzeption Aleksandr Bogdanovs
(1873–1928) und Antonio Gramscis (1891–1937), wenngleich
Liebknechts Entwurf hinter deren Werken zurücksteht.

»Höherentwicklungstrieb«: diesem aus seiner Organismusvor-
stellung entwickelten Begriff ordnete Liebknecht die wesentlich-
sten Elemente seiner ethisch-aktivistischen Weltanschauung unter. Eine wichtige Voraussetzung bildet seine Reflexion der dar-
winschen Lehre, mit welcher die Bewährung an der jeweiligen
Herausforderung der Umwelt theoretisch konstitutiv wird (mit
der »zweckmäßigen eigen-angetriebenen, spontanen Einwirkung
auf die Umwelt«, 221). Ziel des »Höherentwicklungstriebes« ist
Harmonisierung und Vervollkommnung, was den endgültigen
Ausgleich von Individuum und Gesellschaft einschließt. Für
spezifische gesellschaftliche Entwicklungsperioden schrieb Liebknecht den Massen eine eigene Einsicht zu: »So entsteht in den
Krisen der Gesellschaftsentwicklung die Erhebung der Massen-
Einsicht bis zur Erkenntnis des Gesellschaftsbedürfnisses, der
Massenethik bis zur Preisgabe der individuellen Sonderinteressen
für das Allgemeininteresse, bis zur Bereitschaft, sein ganzes
Selbst dafür aufzuopfern, die Erhebung des Massenmutes zum
Heroismus, der Massenkraft und Zähigkeit bis zum Gigantischen,
zur Unüberwindlichkeit.« (41)

In dem Konzept der agierenden Masse berührte sich Liebknecht mit anderen Beobachtern und Politikern seiner Zeit. Seine
Politik als Revolutionsführer setzte dieses Vertrauen in Massen-
erkenntnis und Massenwillen voraus, das sich nicht zufällig
häufig in ästhetischen Begriffen artikulierte.

Liebknechts Darlegung des »Höherentwicklungstriebes«
umgreift die Kunst als integrierenden Bestandteil. Kunst ist

eine prinzipiell universale und gesellschaftliche Erscheinung. Indem sie dem »Vollkommenheitsbedürfnis« dienen, »sind Ästhetik, Ethik, Religion und alle reinen Ideologien, überhaupt alle geistig-psychischen Komplementärerscheinungen als Utilitarismus, das ›Schöne‹, das ›Gute‹ als das Nützliche aufzufassen«. Diese Phänomene dienten »der Tendenz nach diesem Triebe, der Stärkung der Individuen und der Gesellschaft im Kampf ums Dasein und um den Fortschritt«. Ihre Aufgabe sei utilitaristisch, »aber utilitaristisch höchsten Stils: diese Nützlichkeit ist zugleich reiner Idealismus. Sie erfüllen ihre Aufgabe auf verschiedene Weise, mit verschiedenen Mitteln, die wir als mehr oder weniger ideal anzusetzen gewöhnt sind und nach denen ihr Verhältnis zum Utiliterarismus oft beurteilt wird, obwohl sie dafür belanglos sind. Wenn z. B. Lessing als Endzweck der Kunst ›Vergnügen‹ betrachtet (Laokoon II), so drückt dies in anderer Weise die enbiotische, komplementäre, harmonisierende, idealutitaristische Aufgabe aus.« (112)

Liebknecht konstatierte eine ›höhere‹ Organisationsfunktion der Kunst, um Bogdanovs Terminus zu gebrauchen. Bei der psychischen Beeinflussung des Einzelnen und der Herstellung eines Gemeinschaftsgefühls wies er der Kunst eine besondere Rolle zu, arbeitete jedoch nicht wie Bogdanov eine speziell für das Proletariat berechnete Theorie aus. Seine Definition der ästhetischen Empfindung folgte der Tradition deutscher Kunstreligion, bezog Inspiration aus der klassischen Literatur, noch mehr aber wohl aus der klassischen Musik (Bach, Beethoven). Nicht Schilderung von Erscheinungen sei Aufgabe der Kunst, sondern Einwirkung auf den seelischen Zustand des Empfangenden, dem der schaffende Künstler als Schöpfer, Gestalter, Erzieher, Erwecker gegenüberstehe. Ziel der Kunst sei »nicht Einwirkung auf den Intellekt, sondern Erhebung des Empfangenden in höhere Sphären, und zwar intellektuell, ästhetisch, moralisch, im Denken, Vorstellen und Fühlen, in seinem ganzen inneren Wesen, seine Versetzung in einen anderen geistig-psychischen Aggregatzustand« (250). Gegen L'art-pour-l'art- und Tendenz-Konzept wandte sich Liebknecht

gleichermaßen. Er sah alle wahre Kunst als Tendenzkunst an: das Ästhetische sei nicht ohne ethische Verpflichtung denkbar, gehe aber nicht darin auf. Während
alles Gute schön sei, sei nicht alles Schöne gut. Dem Ästhetischen müsse, weil es einen »anderen geistig-psychischen
Aggregatzustand« herstelle, ein eigener Spielraum bleiben.

Diesen Spielraum gestand Liebknecht auch zeitgenössischen
Autoren zu, wie seine Briefe aus der Haft bezeugen. Insofern
expressionistische Schriftsteller sein Verlangen nach geistig-
psychischer Erhebung befriedigten, schränkte er die Kritik ihrer
mangelhaften Analyse gesellschaftlicher Verhältnisse ein, wie im
Falle von Fritz von Unruh (1885–1970), über dessen Drama *Ein
Geschlecht* (1916) er bemerkte: »Über den Folgen erkennt [Unruh]
nicht die Ursachen, erkennt nicht die sozialen Wurzeln des
Furchtbaren, das ihn umklammert, nicht die Kraft, die sie aus-
rotten kann. Dieses Werk ist das Drama der aus dem Wahne
von der Göttlichkeit ihrer eigenen Weltordnung gerissenen
Bourgeoisie. Doch durchbrodelt revolutionär gärender Geist die
ungemein konzentrierte und intensive Gestaltung. Warten wir, ob
dieser Dämmerung der Tag folgt.«[61]
Über die Prosaskizze *Diesterweg* (1918) von Gottfried Benn
(1886–1956) ließ Liebknecht Franz Pfemfert (1879–1954) die
Worte zukommen: »Bei aller Abstrusität der Form – sie impo-
niert mir; – ein Stück tiefsten Expressionismus – alles Sein und
Geschehen ausschließlich und unbedingt nur in der Spiegelung
erfaßt, die es in der Seele Diesterweg findet; im Schatten, den
es in die Höhle seines Innern wirft – nach Platos großem Bilde.
An Hamsuns Auflösung der Welt in Stimmung und Empfindung
gemahnend, auch in der Eindringlichkeit der Schilderung ihm
verwandt ... Bakunin bekam ich leider nicht. Danke Pfemfert
und grüße beide.«[62]
Liebknecht argumentierte wie ein Expressionist, auch wenn er
sich immer wieder auf die Klassik bezog: »Gerade die Entfernung
von der Wirklichkeit, die Erhebung über sie, ihre Vertiefung,
Steigerung, Intensierung, ihre Konzentration z. B. auf einzelne
spezielle psychische Erscheinungen, ihre Symbolisierung usw.,
kurz: gerade das Entwirklichungswerk der Kunst verleiht ihr die
Macht, den Menschen ins Reich der höchsten Leidenschaften, in
die Welt der kühnsten Phantasie, in die Sphäre des Wahren,
Guten und Schönen zu tragen, zu zwingen; gerade in ihrer

Suggestiv- und Ekstatisierungskraft, die auf den Empfangenden höchst real wirkt, ja, bis zu einer gewissen Grenze sein Inneres um so realer zu gestalten vermag, je irrealer die Darstellung des Kunstwerkes ist, liegt die Größe und Bedeutung der Kunst und ihr einziger Maßstab.« (252)

Wenn je eine Ehe von Expressionismus und Klassik geplant wurde, so geschah das hier. Im Zentrum stand die Kunst als das »Allgemein-Menschliche«, »das eine Wirklichkeit ist, ja *die* dauernde, bleibende eigentlichste Wirklichkeit, der Kern und Urgrund aller Wirklichkeit in allen schwankenden Zeit-Bedingtheiten und Augenblicks-Bedingtheiten.« (99) Zeugen der Verbindung waren Dostojewskij auf der einen und Lessing auf der anderen Seite. Neben Liebknechts Begeisterung für Dostojewskij[63] steht, wenn auch in Distanz, seine Verehrung für Lessing. Liebknecht orientierte sich an dessen Wirkungsästhetik, vor allem in der Hochstellung des Tragischen. Er zog eine deutliche Grenze zwischen dem Tragikomischen und dem Tragischen. Das »subjektiv Tragikomische«, d. h. »die intellektuell-sentimental-gemischte, zugleich objektive und subjektive alles verstehende, alles verzeihende Betrachtungsweise« wertete er als »die höchste Stufe der Objektivität«, die dem Menschen zugänglich sei. Doch gestand er ihm weniger Wirkung als dem Tragischen zu, insofern sich dieses »auf den Boden des frischen, blutwarmen, normal-menschlichen Lebens, auf einen entschlossen anthropozentrischen Standpunkt stellt und die elementaren Regungen des Mitleids und der Furcht, der Ur-Richtgefühle unvermischt für seine Zwecke nutzt«. Hierauf folgt der entscheidende Satz, mit dem Liebknecht das Tragische dem »Höherentwicklungstrieb« zuordnete: »Das Tragische fördert innere und äußere Aktvität — in der Richtung des Vollkommenheitsbedürfnisses. Das Tragikomische wirkt minder intensiv und neigt eher zu einer Förderung der Passivität.« (254)

Daß Liebknecht — nicht nur in der Kunst — mehr dem Aufrütteln und Aktivieren als dem Verstehen und Sanktionieren zuneigte, bedarf keiner Erläuterung. Dennoch war er kein Anwalt von Haß, Gewalt und Blutvergießen. In seinem Denken kommt dem Gedanken des Opfers große Bedeutung zu, auch wo er von der Revolution spricht. Bereits vor dem Krieg äußerte er, für sie müsse das Opfer gebracht werden: »Und du mußt die Opfer dazu hergeben — Opfer, aus denen der Menschheit Segen sprießt . . .«

Die Ereignisse des 15. Januar 1919, die Ermordung von Liebknecht und Rosa Luxemburg, geben zu dieser Gesinnung einen bewegenden Kommentar. Es wirft ein letztes, besonders intensives Licht auf Liebknechts Gedanken von Tragik und Opfer, wie genau er beim Wort genommen wurde, und wie bald sein und Rosa Luxemburgs Schicksal zu einem der großen politischen Symbole wurde, die aufrüttelten und aktivierten. Die Geschichte des Sozialismus in den zwanziger Jahren läßt sich nicht ohne dieses Symbol schreiben. Seine Bedeutung ist in dem Vorwurf zu erkennen, der den deutschen Kommunisten oft gemacht wurde: daß sie weniger von einem eigenen Programm lebten als von dem Prestige Sowjetrußlands und dem der großen Toten.

Das Echo von Liebknechts ›Trotz alledem!‹ — einst Freiligraths Bekenntnisformel in der Revolution 1848 — wirkte weit in die zwanziger Jahre hinein. Das Gedenken an sein und Rosa Luxemburgs Schicksal bestärkte das dramatische Geschichtsdenken, das er selbst gepflegt, und zog aus der Niederlage (den Niederlagen) die Gewißheit des kommenden politischen Sieges. Unter dem Motto *Trotz alledem!* entfesselten Piscator und Felix Gasbarra die erfolgreichste politische Massenrevue der zwanziger Jahre, eine Dokumentation der Periode 1914—1919 bis hin zur Revolution und zum Mord an den beiden. Die Revue entwickelte das revolutionäre ›Dennoch‹ aus der Dramatik des tatsächlichen Geschehens.

3. Exkurs über die russische Entwicklung

DIE AUFNAHME DER RUSSISCHEN LITERATUR IN DER SPD

Am Beginn des Jahres 1907 bekam Rosa Luxemburg den Roman *Die Mutter* (1906) zu lesen, in dem Maksim Gorkij Erfahrungen der russischen Revolution von 1905 an der heldischen Gestalt einer Frau, Pelageja Nilovna, exemplifizierte. In einem Brief an Kostja Zetkin äußerte sie ihr Urteil darüber:

»Neulich wurde mir ein Manuskript von Gorki gebracht, sein neuester ›sozialer‹ Roman, von dem sich seine Freunde eine ganze ›Revolution‹ in der Kunst versprechen, ich sollte die Sache beurteilen. Ich muß sagen: ich war stark enttäuscht; es ist ein Tendenzroman, ja direkt ein ›Agitationsroman‹ von grellster Sorte; ich fand keine Spur von Talent und von echter Kunst. Armer Gorki, dem sein Faden der ›Lumpen‹-Kunst ausgegangen ist und der sich zwingt, Sozialdemokrat zu sein! Der Roman wird im ›Vorwärts‹ als Feuilleton erscheinen, ich las ihn russisch.«[64]

Die Verurteilung dieser literarischen Agitation steht im Einklang mit Rosa Luxemburgs ästhetischen Auffassungen. Sie bedeutet nicht, daß die Sozialistin, die als bedeutendste Kennerin der russischen Literatur in der Sozialdemokratie galt, andere Werke Gorkijs ebenfalls ablehnte. Besonders in den letzten Kriegsjahren, die sie im Gefängnis verbrachte, gab sie der Hochschätzung dieses Schriftstellers Ausdruck. Am Ende ihres Überblicks über die russische Literatur, *Die Seele der russischen Literatur* (1918, als Einleitung zu der von ihr übersetzten *Geschichte meines Zeitgenossen* von Vladimir Korolenko gedacht), stellte sie Gorkij (1868 bis 1936) und Korolenko (1853–1921) als Repräsentanten zweier literarischer Generationen in Rußland nebeneinander.

Bei ihrer Abwertung der Agitation in Gorkijs Roman berührte sich Rosa Luxemburg mit anderen Marxisten der Zeit. Ähnlich lautete das Urteil desjenigen russischen Marxisten, der mit seinen ideologischen und ästhetischen Beiträgen bei den führenden Sozialdemokraten großes Ansehen genoß und in der Sowjetunion bis Anfang der dreißiger Jahre als Vater der marxistischen Ästhetik verehrt wurde: Georgij Plechanov (1856–1918). Er warf Gorkij vor, in der *Mutter* bloß Prediger der Ideen des revolutionären Marxismus zu sein, also zu viel die »Sprache der Logik« und zu wenig die »Sprache der Bilder« zu sprechen. (Dieses Urteil lenkte später bei der Einführung des sozialistischen Realismus, in dem Gorkijs Roman als Vorbild fungiert, besonders viele Pfeile gegen Plechanov.[65])

Gorkijs Buch wurde in der deutschen Sozialdemokratie »weder literaturtheoretisch ausgewertet, noch als künstlerische Anregung empfunden«.[66] Nur die holländische sozialistische Schriftstellerin Henriette Roland-Holst (1869 bis 1952) hatte in der *Neuen Zeit* bereits vor Erscheinen der *Mutter* auf Gorkijs Plädoyer für den positiven, vorbildlichen Helden hingewiesen. Sie erkannte die Bedeutung der neuen Heldengesinnung für die Abkehr von der in der russischen Literatur, vor allem bei den Narodniki, allzu häufigen Apologie der Passivität. Und sie sah, daß Gorkij über die in seinem Frühwerk thematisierte individuelle Rebellion der Vagabunden und Zigeuner hinauszielte.[67]

Es war nicht zuletzt diese Rebellion, die Gorkij nach 1900 zu dem in der deutschen Arbeiterpresse meistgelesenen russischen Autor machte. Gorkij wurde unter deutschen Sozialdemokraten nicht diskutiert, sondern gelesen. Mit dem Ruhm seiner Prosa über die Bosjaki, die Barfüßler und Vagabunden, die er als »ungewöhnliche« Menschen den »erbärmlichen kleinbürgerlichen Typen«[68] entgegenstellte, hielt zu dieser Zeit nur der von Leonid Andreevs (1871 bis 1919) Erzählungen mit, in denen sich Sozialkritik mit einem melodramatischen Nihilismus paart. Ohnehin dominierte in den Beiträgen der sozialdemokratischen Presse neben der skandinavischen die russische Literatur, deren sozialkritisch-realistische Tendenz sich im 19. Jahrhundert fest etablierte. Weltanschauung, Atmosphäre und Milieu dieser Literaturen wirkten auf deutsche Arbeiterleser offenlichtlich besonders anziehend.[69]

Eine intensive theoretische Auseinandersetzung über einen russischen Autor ergab sich nur im Falle von Leo Tolstoj, vor allem nach seinem Tod 1910, als sich sozialdemokratische Publizisten aufgefordert sahen, Nähe und Distanz dieses vielverehrten, vielgefeierten, vielgeschmähten Mannes zum Proletariat darzulegen. Tolstojs Einfluß war in Deutschland seit Ende des 19. Jahrhunderts überragend geworden, hatte bereits den Naturalismus mitgeprägt und erreichte um 1900 seinen »absoluten Höhepunkt«.[70] Dabei verlagerte sich das Interesse der Kritik zunehmend vom Schriftsteller zum Moralisten und anarchistischen Ethiker. Für die zahllosen Entwürfe einer kulturellen

Erneuerung vom einfachen Volk und einfachen Leben her lieferte Tolstoj entscheidende Anregungen, und seine Schrift *Was ist Kunst?* (1898) übertrug diese Impulse auf das Gebiet der Kunst. Tolstojs kompromißlose Distanzierung von den zivilisatorischen, industriellen, wissenschafts- und marktgebundenen Errungenschaften der Moderne machten auf die Zeitgenossen, die ihre Entfremdung angesichts dieser Erscheinungen zu artikulieren suchten, tiefen Eindruck. Er stimulierte eine neue Form des gesellschaftlichen Protests, dessen Erneuerungsprogrammatik nicht aus den organisatorisch, wissenschaftlich und überindividuell ausgerichteten Elementen des Sozialismus, sondern aus den seelischen und gefühlshaften Kräften des Individuums (oder einfacher Gemeinschaften) erwuchs.

Diese anarchistische Einstellung stieß bei vielen Sozialdemokraten auf Widerstand, besonders bei den orthodoxen Marxisten. Die Auseinandersetzung um Tolstoj berührte sich eng mit der Debatte um ethisch-ästhetische und historisch-ökonomische Denkweise. Die orthodoxen Marxisten, die die historisch-ökonomische Argumentation nicht von ethisch-ästhetischen Gesichtspunkten verdunkelt sehen wollten, andererseits aber die ästhetisch-künstlerische Leistung Tolstojs in seinen großen Werken anerkannten, trennten zumindest den ethischen Utopisten vom Künstler. Ähnlich Plechanov, Rappoport, Kautsky tat es Mehring in seinem Gedenkartikel 1910, wo von dem »Gegensatz zwischen dem gewaltigen Dichter, der uns so viel, und dem religiösen Sonderling, der uns so gar nichts zu sagen hatte«[71], die Rede ist. Rosa Luxemburg, weniger um die Einhaltung der Orthodoxie auf diesem Gebiet bekümmert, war vor allem an dem aufrüttelnden, befreienden Künstler mit dem großen sozialen Verantwortungsgefühl interessiert; über die unsensible Abwertung Tolstojs bei einigen deutschen Sozialisten geriet sie in heftigen Zorn.[72] Starken Eindruck machte ihr die Verurteilung der modernen Kunst in Tolstojs *Was ist Kunst?*, vor allem sein Postulat, man solle eine neue, dem Volk verständliche Kunst schaffen, anstatt das Volk zur (dekadenten) modernen Kunst zu erziehen.[73]

Auch Lenin, dessen kurze Tolstoj-Artikel in Deutschland unbekannt blieben und erst Jahrzehnte später als unübertroffene Beispiele marxistischer Literaturwissenschaft hingestellt wurden, gab seiner seit jeher gepflegten Bewunderung des Künstlers Tolstoj Ausdruck. Vor allem pries er die brillante Verlebendigung des russischen Bauerntums. Durch Tolstojs Mund habe die Masse des russischen Volkes gesprochen, die »bereits die Machthaber des heutigen Lebens haßt, jedoch noch nicht bis zum bewußten, konsequenten, bis zum Ende gehenden, unversöhnlichen Kampf gegen diese Herren durchgedrungen ist«.[74] Andererseits hielt Lenin mit der Kritik an Tolstoj nicht zurück, und in einem Brief an Gorkij bemerkte er 1911, Tolstoj könne für seinen ›Passivismus‹, seinen Anarchismus, seinen Populismus, seine Religion nicht vergeben werden.[75]

Für die Einordnung von Tolstojs Beitrag zum Sozialismus ist Lenins Artikel *L. N. Tolstoi und seine Epoche* vom selben Jahr aufschlußreich, insofern sich dieser mit Wertungen berührt, die Mehring im Hinblick auf Heine, Freiligrath und Tolstoj als Schriftsteller traf, die dem wissenschaftlichen Sozialismus jeweils vorausgegangen seien. (»Das reichste Leben ist der Literatur allemal beschieden, wenn die Ökonomie und die Politik noch nicht mündig geworden sind, einen historischen Umschwung herbeizuführen, der sich gleichwohl schon mit hundert Zungen anmeldet.«[76]) Zur Begründung zitierte Lenin Marx' Wort, »daß die Bedeutung der kritischen Elemente im utopischen Sozialismus im umgekehrten Verhältnis zur geschichtlichen Entwicklung steht«. Lenin folgert im Hinblick auf Tolstoj:

»Je mehr sich die Tätigkeit der sozialen Kräfte entfaltet, die dem neuen Rußland ›Gestalt geben‹ und eine Erlösung von den sozialen Heimsuchungen der Gegenwart bringen, je bestimmteren Charakter die Tätigkeit dieser sozialen Kräfte annimmt, desto rascher verliert der kritisch-utopische Sozialismus ›allen praktischen Wert, alle theoretische Berechtigung‹. Vor einem Vierteljahrhundert konnten die kritischen Elemente der Lehre Tolstois, *trotz* der reaktionären und utopischen Züge des Tolstoianertums, manchen Bevölkerungsschichten in der Praxis ab und zu Nutzen

bringen. Während der letzten, sagen wir, zehn Jahre, konnte das
nicht mehr der Fall sein, weil die geschichtliche Entwicklung von
den achtziger Jahren bis zur Jahrhundertwende weit vorangeschritten war. In unseren Tagen aber [...] stiftet jeder Versuch,
die Lehre Tolstois zu idealisieren, seinen ›Verzicht auf Widerstand‹, seine Appellation an den ›Geist‹, seine Mahnungen zu
›sittlicher Selbstvervollkommnung‹, seine Doktrin des ›Gewissens‹
und allumfassender ›Liebe‹, seine Predigt für Askese, Qietismus
usw. zu rechtfertigen oder zu mildern, den unmittelbarsten und
größten Schaden.«[77]

Wie bei den meisten Kritikern der ethisch-ästhetischen
Denkweise wurde von dieser Kritik die Verehrung für den
großen Schriftsteller Tolstoj nicht beeinträchtigt. Stärker als
jene betonte Lenin jedoch den Erkenntniswert, der in Tolstojs Darstellung für die russische Arbeiterklasse stecke:

»Durch das Studium der künstlerischen Werke Leo Tolstois
wird die russische Arbeiterklasse ihre Feinde besser kennenlernen,
bei Prüfung der *Lehre* Tolstois aber wird das ganze russische Volk
begreifen müssen, worin eigentlich seine Schwäche bestand, die
es ihm unmöglich machte, das Werk seiner Befreiung zu Ende
zu führen. Wer vorwärts schreiten will, muß das begreifen.«[78]

LENIN

Mit diesen Hinweisen auf Lenins Artikel rücken Erscheinungen ins Blickfeld, die mit der Entwicklung in Deutschland nicht direkt verbunden waren. Ihre Erwähnung ist an
dieser Stelle jedoch ratsam, da sie später, vor allem im Stalinismus nach 1930[79], für deutsche Sozialisten Bedeutung
gewannen, und sei es auch nur, wie im Falle von Lenins
spärlichen Bemerkungen zur Literatur, durch eine Interpretation, die mit den ursprünglichen Intentionen und Zielen
oft willkürlich umging. Neben den Tolstoj-Artikeln besaß
Lenins Beitrag *Parteiorganisation und Parteiliteratur* (1905)
bei der Ausarbeitung des sozialistischen Realismus in den
dreißiger Jahren und nach 1945[80] großes Gewicht. Der Artikel kam zum erstenmal 1924 in der Zeitschrift *Arbeiter-
Literatur* auf deutsch zum Abdruck.

Hier seien nur die wichtigsten Züge des Artikels *Partei-organisation und Parteiliteratur* herausgehoben[81], in dem Lenin seine Forderung nach parteigebundener sozialistischer Agitations-literatur begründete. Mit dem revolutionären Geschehen wurde es 1905 den russischen Sozialdemokraten möglich, ihre Agitation legal zu veröffentlichen. Lenin war besorgt, daß dabei die bürger-lichen Intellektuellen und Literaten die publizistische Parteiarbeit verwässern würden, und programmierte die parteiliche Aussage im Zusammenhang mit der organisatorischen Bindung der Schrift-steller sowie der Publikations- und Vertriebskanäle an die So-zialdemokratie. Mit der Trennung von den »bürgerlich-krämer-haften Literaturverhältnissen« werde eine von Gewinnsucht und Karriere freie Literatur geschaffen werden können, die *offen* mit dem Proletariat verbunden sei. Der häufigst zitierte Satz lautet: »Die literarische Tätigkeit muß zu einem *Teil* der allgemeinen proletarischen Sache, zu einem ›Rädchen und Schräubchen‹ des einen einheitlichen, großen sozialdemokratischen Mechanismus werden, der von dem ganzen politisch bewußten Vortrupp der ganzen Arbeiterklasse in Bewegung gesetzt wird. Die literarische Betätigung muß ein Bestandteil der organisierten, planmäßigen, vereinigten sozialdemokratischen Parteiarbeit werden.«[82]

Angesichts der vorangegangenen überaus restriktiven Presse- und Kulturpolitik des Zarismus bedeutete die Forderung nach organisatorischer Zusammenführung von Agitatoren und politisch aktivem Proletariat mit Hilfe von Literatur eine wichtige poli-tische Chance, bei der eine genaue Definition dieser Literatur weniger ins Gewicht fiel. Es ist bezeichnend, daß sich der Termi-nus ›partijnost‹, mit dem sich die Vertreter einer parteilichen Ästhetik später auf Lenin beriefen, in dem Artikel *Parteiorgani-sation und Parteiliteratur* nicht findet. Dagegen findet sich die Befürwortung eines gewissen künstlerischen Freiraums: »Kein Zweifel, das literarische Schaffen verträgt am allerwenigsten eine mechanische Gleichmacherei, eine Nivellierung, eine Herrschaft der Mehrheit über die Minderheit. Kein Zweifel, auf diesem Gebiet ist es unbedingt notwendig, weiten Spielraum für die persönliche Initiative und individuelle Neigungen, Spielraum für Gedanken und Phantasie, Form und Inhalt zu sichern.«[83]

Die von Lenin geübte Kritik an bürgerlichen Schriftstel-lern machte den Artikel bei Autoren wie Johannes R. Becher willkommen, die Ende der zwanziger Jahre die bürgerlichen Schriftsteller aufforderten, sich an die Seite des Proletariats zu stellen. In der Zeitschrift *Die Linkskurve*, dem Organ des Bundes proletarisch-revolutionärer Schriftsteller, erschien der Aufsatz in einer gekürzten Form, die diese Ausrichtung erkennen läßt (H. 2, 1929). Insgesamt allerdings finden sich in der zweiten Hälfte der zwanziger Jahre nicht allzuviele direkte Bezüge.[84] Wohl ging Lenins Definition und Unterscheidung von Agitation und Propaganda in die Gründung der Agitpropabteilungen als Teil der Parteiorganisation Mitte der zwanziger Jahre ein. Seine Anweisungen für die Agitation wurden 1929 in einem Sammelband zugänglich gemacht.[85] Doch rückte Lenins Artikel erst mit Stalins Unterordnung der gesamten Literatur- und Kulturpolitik unter die Aufsicht der Partei in den Vordergrund. Man entnahm ihm die Legitimation für diese Parteiaufsicht und wandte ihn generell auf Literatur und Kunst an.

Bis Anfang der dreißiger Jahre standen Lenins Äußerungen zu ästhetischen Fragen im Hintergrund, nachdem sie 1925/26 vorübergehend propagiert worden waren. K. A. Wittfogels theoretische Beiträge 1925 in der *Roten Fahne* stellten einen einsamen Vorstoß dar, Lenins Ansichten für eine proletarische Kulturpolitik in größerem Stil fruchtbar zu machen.[86] Auch der stärker praxisbezogene Aufsatz *Leninismus in der deutschen proletarischen Kulturbewegung* (1925) von Johannes Resch, dem Pädagogen und Leiter der Proletarischen Volkshochschule Remscheid, blieb isoliert.[87]

Lenin programmierte eine sozialistische Kultur, in der die »*Entwicklung* der besten Vorbilder, Traditionen und Ergebnisse der *bestehenden* Kultur *vom Standpunkt* der marxistischen Weltanschauung und der Lebens- und Kampfbedingungen des Proletariats in der Epoche seiner Diktatur«[88] stattfinden würde. Er grenzte diese Kultur von allen Versuchen ab, »eine eigene, besondere Kultur auszuklügeln, sich in eigenen, abgesonderten Organisationen abzukapseln«[89], was aktuell auf den Proletkult gemünzt war, aber von Lenin in späteren Äußerungen generell gegen alle Bemühungen ausgesprochen wurde, eine selbständige »Proletarierkultur«[90] zu schaffen, mochte sie auch noch so kämpferisch sein. Insofern führte die Abkapselung einer proletarisch-revolutionären Literatur Ende der zwanziger Jahre, die mit heftigen Angriffen auf bürgerliche Literatur und Ästhetik einherging, von Lenins Vorstellungen über sozialistische Kultur ab. Bei der Kritik, die man Anfang der dreißiger Jahre in der UdSSR gegen die Schriftstellerorganisation RAPP richtete — deren Linie die Deutschen folgten — wog der Vorwurf besonders schwer, unleninistisch operiert zu haben.

Ein Extrem in der entgegengesetzten Richtung stellte die später in der DDR unter ständiger Berufung auf Lenin vorgebrachte Erhöhung des (bürgerlichen) kulturellen Erbes dar. Wenn Lenin 1920 postulierte, die proletarische Kultur müsse die »gesetzmäßige Weiterentwicklung jener Summe von Kenntnissen sein, die sich die Menschheit unter dem Joch der kapitalistischen Gesellschaft, der Gutsbesitzergesellschaft, der Beamtengesellschaft erarbeitet hat«[91], so stand dies in engem Zusammenhang mit den immensen Aufgaben des sozialistischen Aufbaus. Es ging um die effiziente Organisation dieses Aufbaus, nicht um eine Verklärung der eigenen Aktivitäten mit Hilfe literarischer Reminiszenzen. Lenins Legitimation lag in der Revolution. Er sprach nicht von einer ›Erfüllung des Erbes‹ im Sozialismus. Es ist ein Konzept, das sich in der deutschen Sozialdemokratie entwickelte.

Lenin maß der Beschäftigung mit der etablierten Kunst und Literatur viel Bedeutung bei, jedoch sind seine Äußerungen über ästhetische Dinge relativ kurz. Lunačarskij hat darauf hingewiesen, daß sich Lenin, der alle Formen von Dilettantismus haßte, nur ungern grundsätzlich zu Fragen der Kunst äußerte, auch wenn seine ästhetischen Vorlieben und Abneigungen sehr intensiv ausgeprägt waren[92], vor allem seine Abneigung gegen den Futurismus.

Daß Lenin auch später dem Künstler im Bereich der Partei Vorschriften gemacht hätte, ist anzunehmen. Doch ist bisher nur *ein* geschmacksbestimmter Eingriff Lenins von 1921 bekannt, als er den Stellvertreter Lunačarskijs im Volksbildungskommissariat, M. N. Prokrovskij, aufforderte, »diese Futuristen nicht öfter als zweimal jährlich *und nicht mehr als 1500 Exemplare zu drucken*«. Lenin fragte: »Lassen sich denn keine hoffnungsvollen *Anti*-Futuristen finden?«[93] Lenin soll später — nach Aussage von Krupskaja — seine Haltung gegenüber den Futuristen geändert haben.

Bogdanov und die Grundlagen des Proletkult

Mit seinem Konzept der Kulturrevolution schob Lenin die Ansicht beiseite, das Proletariat müsse erst eine eigene Kultur erarbeiten, bevor es die Macht zu ergreifen und zu halten vermöge. Er ging von den im Kapitalismus vorhandenen Techniken und Errungenschaften aus, als er die Entwicklung einer sozialistischen Kultur programmierte. »Statt des Schlagwortes ›erst dann, wenn‹ trat eine pausenlose politische, wirtschaftliche und kulturelle Aufbauarbeit in den Vordergrund des Geschehens.«[94] In seiner Kritik am Proletkult, dessen Erziehungsaktivitäten Lenin im einzelnen guthieß, gewann die von ihm seit langem geführte Auseinandersetzung mit den ethisch-ästhetischen Tendenzen im Sozialismus exemplarische Formulierung. Dabei sei nicht übersehen, wie stark diese Tendenzen bis über 1930 hinaus Erscheinungsbild und Selbstverständnis der Arbeiterschaft prägten, unter kämpferischem wie unter reformistischem Vorzeichen.

Die Weichen für die Auseinandersetzung wurden zu Beginn des Jahrhunderts gestellt, als Plechanov gegen die religiös-mystisch orientierten Konzepte des ›Gottbildnertums‹ im russischen Sozialismus polemisierte. Es ging um die Stellungnahme gegen den von deutschen Philosophen inspirierten Empiriomonismus von Aleksandr Bogdanov, dem Begründer und Organisator des Proletkult.

Lenin, der zunächst Plechanov gedrängt hatte, gegen Bogdanov — den anzugreifen er aus politischen Gründen zögerte, und mit dem er trotz der ›Häresie‹ zu einem gewissen politischen Ausgleich kam — ausführlich Stellung zu nehmen, gewann die orthodoxe Marxistin Ljubov Akselrod für diese Aufgabe, die

1904 den polemischen Artikel *Eine neue Variation des Revisionismus* schrieb. In seiner 1908 verfaßten Schrift *Materialismus und Empiriokritizismus* berührte sich Lenin nach dem Urteil zeitgenössischer Kritiker mit vielen bereits von Plechanov und Akselrod geäußerten Gedanken.[95] Das Werk, bis weit in die zwanziger Jahre hinein wenig beachtet, wurde ebenfalls im Stalinismus kanonisiert.

Lifšic rückte in seiner Arbeit *Karl Marx und die Ästhetik* von 1933 Bogdanovs Ansichten in die Nähe des von Georges Sorel formulierten sozialen Mythos.[96] Bogdanov zielte jedoch weit über einen heroisierend-bildhaften Mythos des Proletariats hinaus. Er entwarf unter Rückgriff auf den klassischen Empirismus und in Auseinandersetzung mit dem Empiriokritizismus von Mach und Avenarius in den drei Bänden seines *Empiriomonismus* das Konzept einer konstruktiven Organisationswissenschaft (»Tektologie«), die die revolutionäre Veränderung aus einem breit gesteuerten Bewußtwerdungsprozeß der Arbeiterklasse konzipiert. Bogdanovs Abweichung von Marx beginnt dort, wo er die Klassendifferenzierung nicht aus dem Besitz der Produktionsmittel, sondern aus dem Besitz der organisatorischen Erfahrung herleitet. Daraus erfolgt seine Einschätzung der Revolution als Sozialisierung der organisatorischen Erfahrung durch ideologische Erziehung der Arbeiterklasse.[97] Indem Bogdanov das soziale Bewußtsein nicht vom sozialen Sein abhängig, sondern mit ihm identisch sah, rückte für ihn die Erringung der geistigen Macht durch die Arbeiterklasse in den Vordergrund — vor die Erringung der politischen Macht.

Der besonderen Rolle, die Bogdanov dem Bewußtsein zuschrieb, entsprach sein Interesse an der Kunst, die er als wichtiges soziales Organisationsmittel definierte. Bei dieser Definition ging er weit zurück, nahm die Theorie Ludwig Noirés von der Entstehung der Sprache aus der kollektiven Arbeit und die Forschungen Karl Büchers (*Arbeit und Rhythmus*, 1896) über den Ursprung des Arbeitsliedes auf, die auch Plechanov beschäftigten. Während Plechanov vor allem an der Tatsache der materialistischen Wurzel der Kunst interessiert war, lenkte Bogdanov die Aufmerksamkeit darauf, daß das Arbeitslied, jene ursprüngliche ›erste‹ Kunstäußerung, ein Organisationsmittel der kollektiven Anstrengungen dargestellt habe. Durch Arbeitslied und Kampflied sei die »Einheitlichkeit der Stimmung« geschaffen worden, der »Zusammenhang des *kollektiven Gefühls*, die Grundbedingung eines einheitlichen Vorgehens im Kampfe«. Bogdanov folgerte mit Bezug zur Gegenwart: »Das war gewissermaßen die vorbereitende Organisation der Kräfte des Kollektives für die ihm bevorstehende schwierige Aufgabe.«[98]

Die Forderung für die Gegenwart lautete: Kameradschaftliche Zusammenarbeit im Betrieb, »Neugewinnung des zwischenmenschlichen Connex«, proletarische Klassensolidarität.[99] Bogdanov betonte, daß der Marxismus nicht von dieser Bemühung entheben könne: »Für mich ist es bis jetzt ein interessantes psychologisches Rätsel geblieben, warum ich in der marxistischen Literatur keinen sichtbaren Ausdruck dafür gefunden habe, daß die Ideologie oder die geistige Kultur im Leben der Gesellschaft, der Gruppen und Klassen eine organisierende Funktion ausübt. Wird nämlich der historische Materialismus *ohne* diese Konzeption genommen, so erhalten wir eine für diejenigen äußerst wunderliche und unlogische Setzung, die sich als Lebensaufgabe die Entwicklung des Klassenselbstbewußtseins, d. h. der Kollektiv-Ideologie, vorstellen.«[100]

Bogdanov gab damit einer Beobachtung Ausdruck, die zahlreiche Kritiker des orthodoxen Marxismus in dieser Periode aussprachen. Auf die Gemeinsamkeiten mit Konzepten, die Antonio Gramsci später im Hinblick auf die Herstellung eines proletarischen Massenbewußtseins ausarbeitete, kann hier nur hingewiesen werden.[101]

Um literarische Hervorbringungen kümmerte sich Bogdanov selbst nicht intensiv, doch ebnete er der Förderung proletarischer Literatur in Rußland den Weg. Mit dem Revolutionserlebnis 1905 wuchs das Interesse an ihr sprunghaft. Was sich als kämpferisches, offensives Bewußtsein bei den »proletarischen Dichter-Anfängern«[102] manifestierte, sah Bogdanov später in der auch in Deutschland verbreiteten Schrift *Was ist proletarische Dichtung?*, die 1918 während der Konstituierung der Proletkultorganisationen erschien, als wichtige Vorstufe zur proletarischen Kultur an. Er forderte, von der Dichtung des Ich endgültig zur Dichtung des Kollektivs überzugehen, wobei allerdings offenblieb — und das betrifft sein Konzept generell[103] —, wie der Übergang von der Individual- zur Kollektiverfahrung im einzelnen zu bewerkstelligen sei. (Daß er diesen Übergang durch den »tiefen ästhetischen Affekt« gewährleistet sah, bei dem sich

der Mensch als Individuum »vergißt«[104], läßt die Anregungen erkennen, die er vom ästhetischen Denken Schopen-
hauers und Wagners erhielt.) In der Praxis des Proletkult
spielten die bereits vor 1914 vielbeschworenen Motive der
ins Mythische gehobenen industriellen Arbeitswelt eine
große Rolle.[105] Der Technikkult, mit dem das siegreiche
Proletariat die Zukunft gleichsam herbeizwingen sollte, erreichte in dem bis dahin industriell zurückgebliebenen Rußland enorme Ausmaße.

Die Berührungen mit Themen und Entwicklungen in
Deutschland wird im folgenden noch deutlich werden. Bei
Arbeiterdichtern, proletarischen Jugendführern, sozial engagierten Intellektuellen und Künstlern finden sich Entsprechungen zu manchen von Bogdanovs Aussagen und
Forderungen, wenn auch ohne deren wissenschaftliche Begründung. Seine Kritik an der ›bloßen‹ Agitationsliteratur,
die dem Lebens- und Kampfgefühl der Proletarier, zumal
der jüngeren, nicht voll gerecht werde, enthält bezeichnende
Argumente zum Verständnis der proletarischen Literatur
zwischen 1910 und 1925 (bei deren Interpretation allerdings die politischen und gesellschaftlichen Unterschiede
zwischen Rußland und Deutschland berücksichtigt werden
müssen). Entscheidend ist darin der Geist des gemeinsamen,
nicht von oben auferlegten Aufbaus, der Schaffung einer
neuen Gesellschaft, ein Geist, der die Konfrontation mit
dem Alten bereits voraussetzt und zu Neuem, Eigenem
weiterschreitet. In dem 1918 erschienenen Artikel *Kritik
der proletarischen Kunst* schrieb Bogdanov:

»In unserer gegenwärtigen proletarischen Poesie dominiert
stark der agitatorische Charakter. Es gibt Tausende von Gedichten,
die zum Sieg im Klassenkampf aufrufen und Hunderte von Erzählungen, in denen das Kapital und seine Anhänger entlarvt werden.
Das muß sich ändern. Der Teil darf nicht zum Ganzen werden. Die
allseitige Vertiefung des Lebens ist wahrlich viel schwieriger als
die Attacke zum Durchbruch durch feindliche Linien; und für den
Sozialismus ist sie ganz besonders notwendig, weil nur das allseitige Verständnis des Lebens, seiner konkreten Kräfte und
seiner Entwicklungswege eine Stütze für eine allumfassende praktische Schöpferkraft im Leben selbst sein kann.«

Bogdanovs Kritik einer Literatur der bloßen Konfrontation rührte an grundsätzliche Probleme der sozialistischen Literatur:

»Die Reduzierung der Poesie auf Agitation wirkt sich negativ auf ihren künstlerischen Gehalt aus, der im wesentlichen auch ihre organisierende Kraft ist. Die Poesie zeichnet sich in immer stärkerem Maße durch Eintönigkeit aus — wie soll man bei Tausenden von Wiederholungen noch von Originalität reden können? Die Folge ist, daß die mitfühlende Anteilnahme der Massen als Verbindungsglied zum Poeten abstumpft.

Die agitatorische Verengung der künstlerischen Idee drückt sich auch darin aus, daß Kapitalisten und ihnen nahestehende' bürgerliche Intellektuelle so geschildert werden, als ob sie *persönlich* böse, unberechenbar, grausam usw. seien. Eine solche Auffassung ist naiv und widerspricht der kollektivistischen Denkmethode. Es geht überhaupt nicht um persönliche Eigenschaften dieses oder jenes Bourgeois, wie man auch nicht gegen einzelne Personen das revolutionäre Gefühl und die revolutionäre Anstrengung richten darf. Die Sache dreht sich vielmehr um Klassenpositionen, der Kampf wird gegen ein soziales System, gegen Gruppen, die mit diesem verbunden sind, geführt.«[106]

So dezidiert kam das Ganze des gesellschaftlichen Systems als Thema literarischer Aktivität nur selten zu Wort. Bogdanovs Überlegungen reichen weit über die aktuelle Situation von 1918 hinaus. Sie fanden nach einer erneuten Welle agitatorischer Literatur Anfang der dreißiger Jahre Nachfolge. Bogdanov wies auf Autoren des 19. Jahrhunderts hin, die nach 1930 besonders hochgestellt wurden, etwa Puškin, Lermontov, Gogol, Nekrasov und Tolstoj. Von ihnen gelte es zu lernen. Unter den modernen Künstlern solle man sich von solchen leiten lassen, »die dem Geist des Proletariats nahestehen wie z. B. Andreev, Balmont und Blok, und nicht von solchen, die dem Proletariat fernstehen und noch dazu in ihrem Schaffen unbeständig sind.«[107]

Der Hinweis auf die dreißiger Jahre rückt bereits das spätere Feindklischee von »Bogdanov und Co.« (Lenin) in ein entsprechendes Licht. Die Differenzen zur Literaturauffassung im Stalinismus bleiben auch ohne dieses Etikett sicht-

bar genug. »Die Kunst organisiert die Kräfte der Menschheit ganz unabhängig von den Aufgaben, die sie sich stellt«,
lautet Bogdanovs vielumstrittene Formulierung.

»Es ist nicht notwendig, der Kunst praktische Aufgaben auf-
zudrängen; das wäre für sie eine schädliche und überflüssige
Beengung; der Künstler ist nur dann imstande, seine Gestalten
harmonisch zu organisieren, wenn er frei, ohne Zwang, ohne
Beeinflussung schafft. Es wäre aber sinnlos, der Kunst zu ver-
bieten, politische oder sozialkämpferische Motive zu ergreifen;
der Inhalt der Kunst ist das ganze Leben, ohne Einschränkungen
und ohne Verbote.«[108]

Die von Bogdanov definierte Organisationspotenz der
Kunst *kann* politisch wirksam werden, muß es nicht. Seine
empiriomonistische Fixierung auf die »Grundmetapher« als
Ursprung der sprachlichen und gesellschaftlichen Organisierung der Erfahrung stieß bei Lenin auf heftige Ablehnung.

Der Vorwurf des Unpolitischen traf Bogdanovs Konzept
der Organisationspotenz von Kunst auch später.[109] Es hieß,
die spezifischen Organisations- und Agitationsaufgaben
müßten im aktuellen Klassenkampf direkt angegangen werden. Ohnehin hätten sich die Proletkultvertreter zumeist
nicht der »Organisation lebender Bilder« im Sinne Bogdanovs gewidmet, sondern der Widerspiegelung der gesellschaftlichen Wirklichkeit in künstlerischen Bildern.[110] Zugleich hieß es aber auch, Bagdanovs Konzeption sei auch
nach Liquidierung des Proletkult höchst einflußreich geblieben. Er habe die theoretische Prämisse für die »formalistischen Strömungen in der Kunst vor allem für den Abstrak-
tionismus und die Abkehr vom sozialen Inhalt« geliefert.[111]
Man lastete seiner Konzeption die nicht abbildenden Kunsttendenzen in der Sowjetunion an. Bogdanovs eigene Kritik
an der modernen Kunst und sein Hinweis auf die Literatur
des 19. Jahrhunderts zählten daneben nicht. Man suchte zu
bestätigen, daß die Abbildung moderner Kunst mitsamt
Montage, Abstraktion und Verfremdung mit falschen erkenntnistheoretischen Prämissen gekoppelt sei.

PLECHANOV

Kein Theoretiker hat die Überlegungen zu einer marxistischen Ästhetik bis Ende der zwanziger Jahre so stark dominiert wie Georgij Plechanov. Angesichts seines Menschewismus und der mit der Revolution stimulierten agitatorischen Literatur hat es spätere Beurteiler bisweilen erstaunt. Mit gewisser Logik vollzog sich dann allerdings nach 1930 die Wendung gegen ihn: man arbeitete nun an einer Unterordnung der Literatur unter die spezifischen Belange der Partei bzw. der Sowjetunion. Plechanov hatte ein solches Vorgehen abgelehnt.

Wenn Plechanov die Propagierung von Tendenzliteratur bei radikalen Demokraten wie Černiševskij (1828—1889) und Dobroljubov (1836—1861) kritisierte und den ökonomischen Determinismus als politische Kraft vor alle literarische Agitation stellte, gab er auf seine Weise der Entwicklung Ausdruck, die in der SPD nach 1890 zur Vernachlässigung der literarischen Agitation führte. In seinen ästhetischen Arbeiten ging er über Mehrings Reflexionen hinaus. Kautsky schätzte ihn sehr hoch.[112]

Bei seiner Kritik an Gorkijs *Mutter* stellte Plechanov die Unvereinbarkeit heraus zwischen der »Sprache der Logik«, die er dem politischen Agitator, und der »Sprache der Bilder«, die er dem Künstler zuordnete. Diese Unvereinbarkeit machte ihm selbst zu schaffen: indem er Kunst als Widerspiegelung gesellschaftlicher Kämpfe wertete, geriet er mit der von Kant übernommenen Trennung des ästhetischen Empfindens von Nützlichkeit und Moral in Widerspruch. Er schränkte diese Trennung auf das Individuum ein, das dem Kunstwerk genießend gegenübertritt,[113] und wies sie für die Gesellschaft bzw. Klasse zurück, da das Kunstwerk, um entstehen und wirken zu können, auf seine gesellschaftliche Verwertbarkeit (Nützlichkeit) in einem sehr weiten Sinne angewiesen sei.

Über die Abgrenzung von ästhetischen und agitatorischen Elementen in der Kunst heißt es bei Plechanov: »Das Kunstwerk offenbart sich in Bildern oder Tönen und wirkt auf unser *kontemplatives Vermögen* und nicht auf die *Logik,* und ebendeshalb ist da kein ästhetischer Genuß vorhanden, wo der Anblick eines Kunstwerkes nur Erwägungen über den Nutzen der Gesellschaft erzeugt; in diesem Falle ist nur ein *Surrogat* des ästhetischen Genusses vorhanden: das Vergnügen, das diese Erwägung verschafft. Da uns aber ein künstlerisches Bild auf diese Erwägungen bringt, entsteht eine psychologische Aberration, dank der wir eben dieses *Bild* für die Ursache unseres Genusses ansehen, während er in Wirklichkeit durch die von ihm hervorgerufenen *Gedanken* verursacht wird und folglich in der Funktion unseres *logischen Vermögens* wurzelt und nicht in der Funktion unseres *Anschauungsvermögens.*« Plechanov stützte sich hierbei auf Kants Unterscheidung von Verstand und Kontemplationsvermögen und fügte verdeutlichend hinzu: »Der wirkliche Künstler wendet sich nämlich immer an diese letztere Fähigkeit, während das tendenziöse Werk sich stets bemüht, in uns Betrachtungen über den allgemeinen Nutzen hervorzurufen, das heißt auf unsere Logik einwirkt.«[114]

Mit der Fixierung der Kunst auf das kontemplative Vermögen negierte Plechanov, der sich zur zeitgenössischen Kunst meist ablehnend verhielt, wichtige künstlerische Tendenzen, die sich im 19. Jahrhundert, vor allem im Naturalismus, unter Vermischung von kontemplativen und logischen Elementen herausbildeten. Darin berührte er sich mit anderen Marxisten der Jahrhundertwende. Was bereits im Hinblick auf Mehring dargelegt worden ist, gilt auch für Plechanovs Verhältnis zu Kant: daß es nur im Zusammenhang mit dem Kampf gegen ethisch-ästhetische Strömungen der Jahrhundertwende voll einsichtig wird. In den Worten eines sowjetischen Interpreten: »Gerade im Kampf gegen die subjektive Soziologie erschien Plechanov die Kantsche Idee von der prinpiziellen ›Interesselosigkeit‹ des subjektiven ästhetischen Urteils und der individuellen ästhetischen Wertung als Grundlage und Voraussetzung für eine echte ›Allgemeinheit‹ dieses Urteils und dieser Wertung ihrer ›überpersönlichen‹ und ›übersubjektiven‹ Bedeutung naheliegend.«[115]

Wie andere Marxisten wollte Plechanov von der Kunst die großen progressiven Ideen einer Epoche dargestellt sehen. Er lieferte wichtige Argumente gegen die Verabsolutierung sowohl des L'art-pour-l'art-Prinzips als auch der Agitationsforderung in der Kunst. Auf ihn beriefen sich die meisten Richtungen der bewegten sowjetischen Kunstszene in den zwanziger Jahren. Selbst die RAPP unter Leopold Averbach nahm Plechanov für ihre klassenbewußt-tendenzielle Literatur in Anspruch.[116] Als man nach 1930 in der Verbindung mit der Kritik an Deborin Plechanov ›entthronte‹ und die Literaturtheorie an Lenin orientierte[117], nahm auch Lunačarskij teil, einst Plechanovs Schüler und von ihm scharf kritisiert. Mit der Entstalinisierung wurde in der Sowjetunion »Plechanovs Problem von der Stellung einer nicht reglementierten Kunst im sozialistischen Gesellschaftssystem«[118] wieder diskutiert.

Gorkij und Lunačarskij

Wenn von der zeitgenössischen Kritik an Gorkijs *Mutter* die Rede war, so muß angesichts der späteren Kanonisierung des Romans als Vorbild für den sozialistischen Realismus auch noch die andere Seite zu Wort kommen. Das Heroische dominiert in dieser oftmals niederdrückenden Schilderung des Proletariats nicht so uneingeschränkt, wie oft behauptet: Gorkij hielt ›das Menschliche‹ an der Heldin, der Mutter Pelageja Nilovna, immer sichtbar. Doch hob sich das Buch auch damit stark von früheren Darstellungen proletarischer Lebensverhältnisse ab, vom Verharren in der Passivität, das Gorkij zu Beginn des Jahrhunderts in der russischen Literatur angriff. Auf welche Weise Gorkijs Tendenz zum Heroisieren auf die jüngeren Intellektuellen Rußlands wirkte, hat Lunačarskij in differenzierter Weise festgehalten. In einem Rückblick bemerkte er 1922, Gorkij, den man den »Sturmkünder« nannte, habe »nicht einen einzigen Typ geschaffen, der ganz die reifende, scharf revolutionäre Tendenz wiedergegeben hätte«, habe »nicht eine einzige Situation geschildert, die voll und ganz für die damalige, fortschrittlich genannte Jugend annehmbar« gewesen wäre. »In ihm war viel mehr bittere Trauer als

Freude, und nicht umsonst hat er sich ›Gorki‹ (der Bittere) genannt. Aber tiefes Sehnen nach Freiheit, tiefes Sehnen nach dem Wagnis, Sehnsucht, ein Ende zu bereiten jenen Kasematten, in welche Intelligenz und Volk getrieben wurden, tiefes Vorahnen der Revolution, die wie ein Sturmvogel über dem finsteren Chaos des damaligen Alltages Rußlands schwebte, machten — neben seiner künstlerischen Kraft — Gorki zum Beherrscher der Gedankenwelt seiner Zeit.«

Lunačarskij wertete Gorkijs Werk — Dramen und Prosa — als wichtigen Schritt über Čechov (1860–1904) hinaus. Im selben Atemzug betonte er die Bedeutung Hauptmanns für die russische Jugend, erwähnte dessen Dramen *Einsame Menschen* und *Die Weber* und fügte hinzu: »Und endlich in der ›Versunkenen Glocke‹ erhebt er sich, teilweise gestützt auf die Ideen und Emotionen Nietzsches, sehr hoch in der Richtung, nach der die Seele der fortschrittlichen russischen Jugend drängte. Im Namen dieser Jugend sprechend, mit der ich dann wuchs und reifte, und die später, indem sie sich dem fortschrittlichen Proletariat anschloß, den großen Akt der russischen Geschichte vollbrachte, kann ich sagen, daß wir dem Heroismus zustrebten.«[119]

Die Nennung von Nietzsche im Zusammenhang mit dieser Tendenz um 1900 bedarf kaum der Erläuterung. Sie reflektiert zugleich Lunačarskijs eigene Einstellung in dieser Zeit. Das Streben zum Heroismus begleitete ihn weit über die Russische Revolution hinaus, äußerte sich auch in der überschwänglichen Begeisterung für Carl Spitteler (1845 bis 1924), den Verfasser der symbol- und mythosgesättigten Versepen *Prometheus und Epimetheus* (1880/81) und *Olympischer Frühling* (1900–1906), in deren großen Figuren Lunačarskij die über Nietzsche hinausweisende Verbindung von Individualismus und Sozialismus zu finden hoffte.[120]

Ob Nietzsche, der schon 1900 weite Teile der russischen Intelligenz faszinierte, Gorkij beeinflußt hat, ist umstritten.[121] Gorkij entwickelte eine eigene Form der Heroisierung. Er bewunderte Rostands *Cyrano de Bergerac* mit den Worten: »Es ist unwahr. Aber es ist schön.« Im selben Jahr,

1900, schrieb er an Čechov seine Einstellung zum Realismus, d. h. seine Absage an den ›kritischen‹ Realismus, wie er ihn später nannte, und sein Eintreten für Verschönerung und Stilisierung:

> »Wissen Sie, was Sie tun? Sie bringen den Realismus um. Und Sie werden ihn bald umgebracht haben — endgültig, für lange. Diese Form hat ausgelebt — das ist eine Tatsache. Selbst nach der unbedeutendsten Erzählung von Ihnen erscheint alles grob, als wäre es nicht mit der Feder, sondern geradezu mit der Axt geschrieben... Wirklich, es ist eine Zeit ausgebrochen, die des Heroischen bedarf: alle wollen Aufrüttelndes, Lichtes, etwas, wissen Sie, was nicht wie das Leben ist, sondern höher, besser und schöner. Es ist unbedingt nötig, daß die jetzige Literatur anfängt, das Leben etwas zu verschönern, und sobald sie damit begonnen haben wird — wird sich auch das Leben selbst verschönern, d. h. werden die Menschen schneller und lichter zu leben anfangen.«[122]

Hier wäre das Verhältnis von Bitterkeit und heroischer Projektion bei Gorkij genauer zu untersuchen. Es muß jedoch bei dem Hinweis bleiben, daß, als der von Lunačarskij apostrophierte Heroismus nach 1930 wieder zum Tragen kam und Gorkij als vorbildlicher Dichter auftrat, von Bitterkeit offiziell nicht die Rede war.

Gorkij machte selbst auf die Bedeutung des Bildhaft-Großen, des Vor-Bildlichen aufmerksam[123], ein um die Jahrhundertwende besonders markantes Phänomen. Er stellte fest, die Typisierung des Gegebenen sei um das Gewünschte und Mögliche zu erweitern, damit sich »jene Romantik« ergebe, »die dem Mythos zugrundeliegt und höchst nützlich dadurch ist, daß sie ihn ein revolutionäres Verhältnis zur Wirklichkeit erwecken läßt, ein die Welt praktisch veränderndes Verhältnis.«[124]

Für Gorkij berührte sich der Gedanke kultureller Erneuerung immer mit der Heroisierung des Volkes, mit der Stilisierung von Lebensformen, in denen ›das Menschliche‹ besonders deutlich hervortritt. Je geringer die Menschen, um so größer die Möglichkeiten des Menschlichen. Auch Hauptmann und Käthe Kollwitz machten das an Proletariern

sichtbar. Gorkijs Darstellung der russischen Barfüßler stimulierte die Phantasie; der eigentliche ›soziale Fall‹ trat
zurück. Berühmtheit erlangte Satins Monolog in Gorkijs
Nachtasyl (1902). Satin ruft aus: »M-ensch! Einfach groß-
artig! So erhaben klingt das! M-men-sch! Man soll den Menschen respektieren! Nicht bemitleiden ... nicht durch Mitleid
erniedrigen soll man ihn ... sondern respektieren!«[125]

In seinem großen kulturkritischen Essay *Die Zerstörung
der Persönlichkeit* (1909), dem noch Johannes R. Becher Anfang der zwanziger Jahre für seine Wendung zum Kommunismus hohe Bedeutung zusprach, stellte Gorkij die Bemühung um Wiederherstellung und Erhöhung des Menschen
heraus:

> »Die feinfühligsten Seelen und scharfsinnigsten Geister der
> Gegenwart erkennen allmählich die Gefahr: sie sehen den Zerfall
> der Kräfte des Menschen, sprechen einstimmig von der Notwen-
> digkeit, das ›Ich‹ zu erneuern und aufzufrischen, und weisen ihm
> einmütig den Weg zur Quelle der lebendigen Kräfte, die fähig
> ist, den erschöpften Menschen wiederzubeleben und zu stärken.
> Walt Whitman, Horace Traubel, Richard Dehmel, Verhaeren und
> Wells, A.   France und Maeterlinck — sie alle haben beim Indi-
> vidualismus und Quietismus angefangen und gelangen einmütig
> zum Sozialismus, propagieren aktives Handeln und rufen den Men-
> schen mit lauter Stimme auf, mit der Menschheit zu verschmel-
> zen.«[126]

In seiner Polemik gegen Dekadenz und Kleinbürgertum
formulierte Gorkij geläufige Vorwürfe. Das von Lunačarskij
charakterisierte »Sehnen nach dem Wagnis, Sehnsucht, ein
Ende zu bereiten jenen Kasematten, in welche Intelligenz
und Volk getrieben werden«, war allgemein. Gorkij umriß
die Vision des neuen Menschen mit Worten, die sich mit
Clara Zetkins Berufung auf Wagner berühren:

> »Wir möchten — das ist der natürliche Wunsch eines Gesun-
> den — die Menschen gesund, kühn und schön sehen; wir spüren,
> daß die geistige Energie unseres Volkes, wenn sie entwickelt und
> organisiert ist, das Leben der Welt auffrischen und den Beginn
> des allgemein-menschlichen Festes der Vernunft und der Schön-
> heit beschleunigen kann.«[127]

Der Essay *Die Zerstörung der Vernunft* entstammt der Periode 1908/09, als Gorkij in Capri in engem Austausch mit Lunačarskij und Bogdanov stand und sich dem ›Gottbildnertum‹ zuwandte. Zeugnis dieser Aktivitäten, die sich auf Gründung und Aufrechterhaltung einer bolschewistischen Parteischule konzentrierten, stellt Gorkijs Erzählung *Eine Beichte* (1908) dar, die die Frage einer Versöhnung von Christentum und Marxismus zum Thema hat. Im ›Gottbildnertum‹, wie es vornehmlich Lunačarskij formulierte, kam die ethisch-ästhetische Denkweise der Zeit zu besonders prägnanter Ausformung, unter starker Betonung des gefühlhaft-religiösen Aspekts. Während man in späteren Jahrzehnten von einer ›Humanisierung‹ des Marxismus gesprochen hat, so handelte es sich hier, wie Isaac Deutscher angemerkt hat, um seine ›Deifizierung‹. Doch versuchte Lunačarskij zu zeigen, daß sein ›Gott-Suchen‹ keinerlei Glauben an eine übernatürliche Kraft oder Idee bedeute. »Ich predigte«, sagte er, »eine tragische und aktive Religion ohne eine Spur von ›Glauben‹ oder ›Mystizismus‹.«[128]

Hereinnahme des Tragischen bei gleichzeitiger Zuordnung von »tragisch« und »aktiv«, das wirkt nicht unbekannt. Lunačarskij, überaus produktiver Schriftsteller und Autor zahlreicher symbolistischer Dramen[129], stellte es selbst in den Kontext, als er nach der Oktoberrevolution auf sein Verhältnis zu Lenin zu sprechen kam. Er bemerkte:

»Gewiß stimmten Lenin und ich in unserem Wesen nicht überein. An alle Probleme ging er als Mann der politischen Tat heran, mit einer immensen geistigen Verwegenheit, als Taktiker und — in der Tat — als politisch genialer Führer, während meine Haltung die des Philosophen war, oder, um es genauer zu sagen, des Dichters der Revolution. Für mich war die Revolution ein unentrinnbar tragisches Drama in der weltweiten Entwicklung des menschlichen Geistes zum ›allumfassenden Geist‹, dem größten und entscheidenden Akt im Prozeß des ›Gott-Schaffens‹, die eindrucksvollste und unzweideutigste Tat in der Verwirklichung der Zielsetzung, die Nietzsche so treffend formulierte, als er sagte: ›Es gibt keinen Sinn in der Welt, doch wir sollten ihr einen Sinn verleihen.‹«[130]

Lenins Verhältnis zu den Initiatoren der Parteischule in Capri war aufs äußerste gespannt, um 1908/09 kam es zum vorübergehenden Bruch. Ihn machten nicht zuletzt die Menschewisten notwendig, die daraus Kapital schlugen, daß die philosophischen Abweichler vom Marxismus, die ›Gott-Sucher‹ und Empiriokritizisten, meist Bolschewisten waren. Das wirft ein weiteres Licht auf die Feststellung, daß das Etikett ›Revisionismus‹ für die ethisch-ästhetischen Impulse zu Beginn des 20. Jahrhunderts nicht zureicht. Diese Impulse hatten starken Anteil an der politischen Aktivierung im Vorfeld der Revolution. Lunačarskij, der Bogdanovs Proletkultaktivitäten unterstützte, ohne sich als Volkskommissar für Erziehung ganz zu verpflichten, rechtfertigte 1918 in seiner Schrift *Die Kulturaufgaben der Arbeiterklasse* die von ihm und seinen Freunden vor 1914 eingenommene Haltung mit den Worten:

»Vor dem Kriege haben nur wenige Sozialdemokraten die Wahrheit, die so unumstößlich Spencer bewiesen hat, erkannt, nämlich: daß sogar die beste *geistige* Bildung nur in unbedeutender Weise auf den Willen einen Einfluß hat, wenn daneben die Organisation des *Gefühls*lebens nicht vor sich geht. *Die ethische und die ästhetische* Erziehung der jungen Generation des Proletariats im Geiste des sozialistischen Ideals ist eine absolute Notwendigkeit. Tausendmal recht hat Rosa Luxemburg, wenn sie sagt, daß ohne das klare Verständnis für diese Aufgabe der proletarischen Selbsterziehung wir uns schwerlich vom Fleck rühren werden.«[131]

Anders als Rosa Luxemburg bezog Lunačarskij in die proletarische Selbsterziehung den Aufbau einer proletarischen Kultur ein. Mit Bogdanov förderte er z. B. Fedor I. Kalinin (1883—1920), der, aus der Arbeiterschaft stammend, zu einem wichtigen Vertreter der von Proletariern selbst geschaffenen Kunst wurde. Dem Ersten Weltkrieg gingen mit dem Aufschwung der Arbeiterbewegung in Rußland verschiedene Aktivitäten auf dem Gebiet der proletarischen Literatur und des Arbeitertheaters voraus, die von russischen Sozialisten in Westeuropa ermutigt wurden. Es erschienen eine Reihe von Sammelbänden mit Arbeitergedichten. Gorkij leitete den *Ersten Sammelband proletarischer*

Schriftsteller (1914) mit grundsätzlichen Bemerkungen über dichtende Arbeiter ein.[132] Das russische Arbeitertheater, dessen Ursprünge vor der Jahrhundertwende liegen, entwickelte sich in vielen Gruppen, vor allem in Petersburg.[133] An diese Aktivitäten schlossen dann ab 1917 viele der Theater- und Chorzirkel sowie der Studios des Proletkult an, in denen Arbeiter einen eigenen und eigenwilligen politisch-kulturellen Erziehungsprozeß in Gang setzten.

4. Die ethisch-ästhetischen Impulse

Seit jeher — spätestens seit der (englischen) Romantik — haben ästhetische Erwägungen die Kritik an der industriellen Gesellschaft genährt. Für die Marxisten wurden diese Erwägungen zu einer Quelle steter Auseinandersetzung. Denn die Marxisten stellten sich nicht gegen die industrielle Gesellschaft, wiesen ihr vielmehr für die Entstehung des Sozialismus eine spezifische Funktion zu. Mit dieser Haltung zogen sie sich häufig selbst den Vorwurf der Kunstfeindlichkeit zu, den man gemeinhin gegen den Kapitalismus erhob. Die deutsche Entwicklung ist dafür exemplarisch. In Frankreich und England kam es seltener zu einer solchen Kritik. Die ästhetischen Impulse ordneten sich direkter der antikapitalistischen Politik zu. Nicht von ungefähr nahm man in Deutschland mit dem Ende des Jahrhunderts aus diesen Ländern wichtige Anregungen auf.

Hier sei nur die Wirkung von John Ruskin (1819–1900) und William Morris (1834–1896) angeführt. Zwar gewannen beide Reformer Beifall vor allem für die Erneuerung des Kunsthandwerks. Doch schon ihre Betonung der Arbeitsfreude als notwendiges Ziel der Umstrukturierung der Arbeitsverhältnisse reicht in die sozialpolitische Sphäre hinein. Wenn man Morris immer wieder als Gegner der Maschinenarbeit hingestellt hat, so ist man ihm nicht gerecht geworden. Morris machte deutlich, daß weniger die Maschine als das Ausbeutungssystem für den Mangel an Arbeitsfreude verantwortlich sei. Morris engagierte sich in seinen Essays, die Raymond Williams zu recht über seine

sozialromantische Dichtung stellt[134], nachdrücklich im Kampf
gegen den Kapitalismus. Zentral standen ästhetische Erwägungen:
daß für den zu erkämpfenden Sozialismus die Kunst das Ideal
des vollen, freien und vernünftigen Lebens setze, und daß der
Kunst bei diesem Kampf eine entscheidende Rolle zufalle. Morris
wollte nicht eine kapitalistische Verwaltungs- und Produktions-
maschinerie von einer sozialistischen abgelöst sehen, sondern
erstrebte eine Gesellschaft mit wirklich humanem Ausgleich der
Interessen. Mit der Ablehnung des Utilitarismus und Mechanizismus und dem Eintreten für naturhaft unentfremdetes Leben vertrat er eine am Ende des 19. Jahrhunderts überaus anziehende
Position.

DIE HOCHSTELLUNG DER KUNST · DER JUNGE LUKÁCS

Für den Umbruch um 1900 ist die Terminologie noch
wenig entwickelt, wenn man von dem — inzwischen ent-
leerten — Begriff des Imperialismus absieht. Helmuth Pless-
ners verallgemeinernder Terminus »ethisch-ästhetische Revolution um 1900«[135] hat einiges für sich; zumindest rückt
er die breite Wirkung der ethisch-ästhetischen Impulse ins
Zentrum, die sich von Schriftstellern, Künstlern und Architekten bis zu Politikern, Unternehmern, Sozialisten, Anarchisten, Jugendbewegten, Freiluftaposteln, Vegetariern,
Bohemiens, Antisemiten, Nietzschejüngern und Fidus-Be-
wunderern erstreckt.[136] Natürlich ist damit nicht die ganze
Spannweite der Veränderungen erfaßt, zu denen auch die
Entwicklungen in den Publikationsmedien und in der Repro-
duktionstechnik (mit dem enormen Anwachsen des Bildmaterials) gehört. Diese Bereiche werden jetzt langsam erschlossen.

Von dem gesellschaftlichen Strukturwandel, mit dem diese
Veränderungen übereingingen, läßt sich hier nur in äußerster Abkürzung sprechen, in Anknüpfung an die Analyse
der ›großen Depression‹ 1873—1896 durch Hans Rosenberg,
der die Verunsicherung des Bürgertums im Zusammenhang
mit der Industrialisierung am Ende des 19. Jahrhunderts
dargelegt hat. Die Intensität, mit der sich der Wandel in
Deutschland vollzog, ist viel erörtert worden; seit Thorstein

Veblens Studie *Imperial Germany and the Industrial Revolution* (1915) hat man die Unterschiede zur Industrialisierung in Frankreich und England herausgearbeitet, wo sich ein politisch selbstbewußtes Bürgertum etablierte.[137] In Deutschland erlangte der Staat auf die rasch und rigoros vollzogene Industrialisierung besonderen Einfluß, wobei die Feudalstruktur weitgehend erhalten blieb. Man ist so weit gegangen, Deutschland als erstes Entwicklungsland zu bezeichnen, als erstes Land, in dem die Rezeption von Orientierungen, Verhaltensmustern, Organisationsformen und Techniken, die in anderen Gesellschaften entwickelt wurden, eine zentrale Rolle im Modernisierungsprozeß spielte, und hat auf die dementsprechend heftige Reaktion der Deutschen aufmerksam gemacht, die sich aus vielen ideologischen und kulturellen Quellen speiste.[138] Es ergab sich die Feststellung, daß sich das deutsche Bürgertum mit dem Kapitalismus arrangierte, aber anti-industriegesellschaftlich dachte, das heißt eine »Liquidierung der die Gesellschaft demokratisierenden, die Stabilität des Systems in Frage stellenden Effekte des industriellen Kapitalismus«[139] anstrebte.

In der Formel von der ›Überwindung des 19. Jahrhunderts‹ vereinigten sich die Affekte gegen Mechanismus, Liberalismus, Positivismus, Naturalismus und Wissenschaft.[140] Dazu gesellte sich ein romantischer Antikapitalismus, der die Versöhnung der Klassen in einer ursprünglichen, echten, unentfremdeten Volksgemeinschaft anstrebte und oftmals Kapitalismus und Marxismus als einander bedingende Phänomene gemeinsam verurteilte. Das verunsicherte Bildungsbürgertum, dessen Kunst- und Kulturpflege oft nur den Mangel an gesellschaftspolitischem Einfluß kompensierte, öffnete sich den aufkommenden aktivistisch-voluntaristischen Strömungen, die eine ›Vereigentlichung‹ des Lebens anzielten, zumeist eine gesellschaftliche Erneuerung von der ästhetischen Sphäre (oder Denkweise) her.

Julius Langbehn (1851—1907), der einflußreichste Repräsentant dieses Denkens, begann sein Buch *Rembrandt als Erzieher*, von dem schon im Erscheinungsjahr 1890 über 60 000 Exemplare verkauft wurden, mit dem Hinweis auf die besondere Rolle des Ästhetischen für das Selbstverständnis der Gegenwart:

> »Das Interesse an der Wissenschaft und insbesondere an der früher so populären Naturwissenschaft vermindert sich neuerdings in weiten Kreisen der deutschen Welt; es vollzieht sich ein merklicher Umschwung in der betreffenden allgemeinen Stimmung, die Zeiten, in welchen ein angesehenes Mitglied der Naturforscherversammlung zu Kassel diese allen Ernstes für das ›Gehirn Deutschland‹ erklären konnte, sind vorüber. Man glaubt nicht mehr so recht an diese Art von Evangelium. Man ist einigermaßen übersättigt von Induktion; man durstet nach Synthese; die Tage der Objektivität neigen sich wieder einmal zu Ende und die Subjektivität klopft dafür an die Türe. Man wendet sich zur Kunst!«¹⁴¹

Bei Langbehn, dessen Wirkung auf weite Kreise intensiver — und gefährlicher — war als die Nietzsches, lassen sich einige der zitierten Gedankengänge Wagners wiederfinden. Die von jenem angedeutete Ästhetisierung der Politik ist beträchtlich vorangeschritten. Zugleich ist der Grad der Konfusion, mit dem Langbehn die »Kunstpolitik« als »innerste«, d. h. »eigentlichste« Politik propagierte, um Entscheidendes stärker. (»Insofern die Politik selbst schon eine Kunst ist, erscheint die Kunstpolitik sozusagen als eine Kunst in zweiter Potenz oder als eine Kunst der Künste...«¹⁴²) Zahlreiche Zeitgenossen kritisierten dieses »Herumfahren mit der Stange im Nebel« (C. Gurlitt), verschlossen sich aber dem Phänomen der Ästhetisierung nicht, für das Langbehn wichtige Stichworte lieferte.

›Vereigentlichung‹ des Lebens: das Wort ist monströs, doch gibt es gerade damit Auskunft über die am Ende des 19. Jahrhunderts anhebenden Tendenzen. Lunačarskijs von Nietzsche übernommener Satz stellt nur eine von zahllosen Maximen zur existentiell-ästhetischen Wendung dar¹⁴³: »Es gibt keinen Sinn in der Welt, doch wir sollten ihr einen Sinn verleihen.« Der Griff zum Ästhetischen, mit dem sich eine ethische Sinngebung verbinden sollte, hatte sich bereits zuvor im 19. Jahrhundert abgezeichnet. Die nun einsetzende tatbezogene Aktivierung ging allerdings weit darüber hinaus, in dem Maße, wie auch die Intellektuellen und Künstler ihre Außenseiterstellung intensiver erfuhren als zuvor. Naturalismus und Positivismus wurden als unzureichend für die Selbstvergewisserung in der modernen Welt angesehen. Man wollte das bloß Mechanische, Oberflächliche, Naturalistische übersteigen und die zunehmend abstrakter und anonymer werdende gesellschaftliche Konfliktstruktur in eine Ordnung umformen, in der die individuelle Daseinsführung in einem gefühlsmäßig wahrnehmbaren Ausgleich mit dem Allgemeinen stehen würde. Die Kunst sollte Beliebigkeit und Zufälligkeit ablegen, sollte neue, tiefere Weltaneignung ermöglichen: jenen Ausgleich mit dem Allgemeinen. Mit der einst von Hegel konstatierten Freiheit der Kunst in der Moderne gaben sich Künstler und Publikum weniger denn je zufrieden. Intensiver denn zuvor trugen sie der Kunst auf, Sinnträger zu werden, Universalität sichtbar zu machen. Man sprach der Kunst Repräsentanz für Gesellschaftliches zu, das man damit zugleich überdeckte und verhüllte.

Auch Georg Lukács' Abwehr des Naturalismus und Positivismus und sein Konzept vom repräsentativen Charakter der Kunst im Zusammenhang der Lebenstotalität bildete sich zu dieser Zeit heraus. Wie bei Gorkij waren die Wirkungen auf die sozialistische Ästhetik intensiv, auch wenn sie erst nach 1930 voll zur Geltung kamen.

Bei seiner Analyse der Entfremdung des Intellektuellen in der Gegenwart stellte Lukács unter dem Einfluß von Georg Simmel und dessen *Philosophie des Geldes* (1900) die materialistische Kritik an den Produktionsverhältnissen als »kultur- und wertphilosophisch ergänzungs- und vertiefungsbedürftig«[144] hin. In Auseinandersetzung mit Simmel und Max Weber reflektierte Lukács das »allgemeine Schicksal der Kulturinhalte« in ihrer Fetischisierung in der Gegenwart und projizierte eine kulturelle Erneuerung aus der »Gestaltung der Seele«.

Dabei klingt ein tragischer Unterton an, der sich in vielen Zeugnissen der Periode findet, nicht zuletzt bei Max Weber, dessen Abhandlung *Die protestantische Ethik und*

der Geist des Kapitalismus 1904/05 publiziert wurde.
Neben den Schriften Werner Sombarts bot dieses Werk bürgerlichen Beobachtern eine Grundlage für die Einschätzung
des Kapitalismus nicht nur als ökonomisches System, sondern als Kultureschatologie. Man sprach vom »Geist« des
Kapitalismus, der mehr bedeute als eine bloße Begleitung
ökonomischer Aktivität. Man lokalisierte Rationalität, Abstraktion und Entfremdung als diesem »Geist« zugehörig.
Man betrieb eine heroische Selbststilisierung gegenüber diesen ›unvermeidlichen‹ Erscheinungen.[145]

Bezeichnenderweise griff Lukács zur Tragödie als Schlüssel-
phänomen, um das Verhältnis von Wirklichkeit und jeweils
geltenden Kulturwerten zu definieren. Das geschah theoretisch
und literarhistorisch in der 1908/09 ungarisch verfaßten *Ent-
wicklungsgeschichte des modernen Dramas*, aus welcher 1914 in
Max Webers Zeitschrift *Archiv für Sozialwissenschaft und Sozialpolitik* der Aufsatz *Zur Soziologie des modernen Dramas* erschien. Das geschah literaturkritisch in der Auseinandersetzung
mit zeitgenössischer Dichtung, etwa mit den Dramen von Paul
Ernst, der eine bezeichnende Wandlung vom sozialistischen Journalisten zum restaurativ-klassizistischen Dichter durchmachte. Bei
Lukács' Beschäftigung mit der Tragödie berührte sich zu dieser
Zeit der Aufweis, daß sich ihre Möglichkeiten ständig verringer-
ten, mit lebhaftem Interesse an aktuellen Erneuerungsversuchen.
Auf der einen Seite die Nivellierung in der Gegenwart: »Demokraten, die ihre Forderung nach gleichem Recht für alle Menschen
klar zu Ende dachten, bestritten auch immer die Daseinsberechti-
gung der Tragödie.«[146] Auf der anderen Seite die Bemühung um
die Form als Bemühung um das »Wesen dieser Zeit«, wie sie
Georg Lukács bei Paul Ernst konstatierte: »Weil diese Zeit im
wirren Gewirbel rasend sich nicht vom Fleck bewegen will, muß
er seinem rein gewordenen Selbst auch den kanonischen Gang
verleihen: er muß sein Leben zur Geschichtsphilosophie umformen. Die Werke anderer schaffen nur eine schöne, aber schmutzig
schillernde Oberfläche aus dem Wirrsal der Zeit und ein bloßes
Ornament aus ihren Krankheiten.«[147]
Wieviel von Lukács Antinaturalismus, seinem Kampf gegen
subjektive Formen der Wirklichkeitswiedergabe hier bereits fixiert
ist, kann nur angedeutet werden, ebenso wie seine ethisch bestimmte Hochstellung von Literatur im Geschichtsprozeß.[148] Es ist

aufschlußreich, daß Ernst Bloch (geb. 1885), mit dem Lukács vor dem Ersten Weltkrieg bekannt wurde, bereits im Hinblick auf dessen aus der Kulturkritik erwachsene Tragödienkonzeption Bedenken anmeldete, Bedenken, die manches vorausnahmen, was Bloch in der Expressionismus-Debatte der dreißiger Jahre gegen Lukács vorbrachte. In dem 1915–1917 geschriebenen *Geist der Utopie* verwies Bloch auf die Möglichkeit, »daß die große Tragödie in diesem Zeitalter der Gottferne und des darin wirksamen heroischen Atheismus am echtesten erwachsen kann«, und wandte sich dagegen, daß Lukács die Erscheinungsformen gegenwärtigen Lebens von vornherein aburteilte, »daß die Leere des äußeren Lebens kraftlos sein müsse, daß also das Menschenfeindliche, zum mindesten aber das Schlammartige, Gallertige, Unberechenbare, beliebig Steckenbleibende, falsch Komplizierte, launisch, bösartig Fortunahafte und Intermittierende des äußeren Kausalnexus schlechterdings als einfach und wahllos Alogisches übersehen werden dürfe.«[149]

Bloch gab schon hier zu verstehen, daß der geschichtsphilosophische Rigorismus (Pessimismus) nicht zu weit getrieben werden dürfe. Er pochte darauf, daß die Gegenwart — auch in ihrer »Leere« — nicht kraftlos sein müsse und entsprach damit dem Denken vieler Expressionisten und bewußt ›moderner‹ Schriftsteller, die ihre ästhetischen Experimente als Teil eines kulturellen Neubeginns ansahen, so sehr sie auch noch mit dem ›Alten‹ verbunden waren. In *Erbschaft dieser Zeit* (1935), seiner Abrechnung mit der ideologisch-kulturellen Entwicklung in Deutschland seit dem Ende des 19. Jahrhunderts, verschaffte Bloch dieser Differenzierung mit der Frage Raum: »Trägt das untergehende Bürgertum, eben als untergehendes, Elemente zum Aufbau der neuen Welt bei, und welche sind, gegebenenfalls, diese Elemente? Es ist eine rein mittelbare Frage, eine des diabolischen Gebrauchs; als solche ist sie bisher, wie es scheint, vernachlässigt worden, obwohl sie durchaus dialektisch ist. Denn nicht nur im revolutionären Aufstieg oder in der tüchtigen Blüte einer Klasse, auch in ihrem Niedergang und den mannigfaltigen Inhalten, die gerade die Zersetzung freimacht, kann ein dialektisch brauchbares ›Erbe‹ enthalten sein.«[150] Dieser Gedanke erhielt polemische Zuspitzung in Blochs und Hanns Eislers Erwiderungen auf Lukács Verurteilung des Expressionismus, die 1934 unter dem Titel ›Größe und Verfall‹ *des Expressionismus* in der Zeitschrift *Internationale Literatur* erschien.

Die Frage nach der Bewertung der vom Bürgertum seit Ende des 19. Jahrhunderts ausgehenden kulturellen Neuerungen gehört immer noch zu den heißen Eisen. Die Ästhetisierung der Politik ist als ein wichtiger Schritt auf dem Wege zum Faschismus analysiert worden, und man hat zu recht betont, wie wenig eine bloße Untersuchung der Forminnovationen den verderblichen Einflüssen aus der ästhetischen Sphäre gerecht zu werden vermag. Dafür soll der pauschale Hinweis auf die Äußerungen von Georg Lukács und Walter Benjamin (1892—1940) nach 1930 genügen. Lukács schrieb mit *Zerstörung der Vernunft* (1954) eine in sich konsequente Darstellung des wachsenden Irrationalismus in der deutschen Philosophie und vermittelte Einsichten über die geistige Vorbereitung des Faschismus aus der Lebensphilosophie der Jahrhundertwende. Mit allem Nachdruck deutete er die ideologischen Prozesse als Teil der politischen Entwicklung in Deutschland.

Aber auch Lukács ließ in der Einleitung von 1962 zur Neuausgabe seiner *Theorie des Romans* (1914/15) keinen Zweifel daran, wie ambivalent die ethisch-ästhetischen Impulse zu Beginn des 20. Jahrhunderts tatsächlich waren. Er selbst partizipierte an dem »Umschwung« um 1900, jenem Streben nach »Inhaltlichkeit«, »Weltanschauung«, »Synthese«[151], mit dem die Zeitgenossen ihre Erneuerungshoffnungen in Krieg und Revolution hineintrugen. Er ließ seine *Theorie des Romans* mit der Analyse Tolstojs und dem Ausblick auf Dostojevskij in der Erwartung münden, diese Schriftsteller kündigten bereits eine »neue Welt« an, nicht nur neue literarische Formen. Auch Lukács konzentrierte sich nach seiner Wendung zum Sozialismus in der ungarischen Revolution auf eine »geistige Revolutionierung«[152], wie er damals schrieb, auf die Schaffung eines neuen Geistes der Brüderlichkeit, einer neuen Moral. Was er 1934 Max Adler zum Vorwurf machte — »die Erziehung des Menschen zum Zentralproblem der sozialen Revolution« erhoben zu haben[153] —, hatte er mit seiner ethischen Revolutionsorientierung selbst ähnlich praktiziert. 1911 schrieb er: »Es scheint, als entbehre der Sozialismus jener religiösen Kraft, die fähig ist, die ganze Seele zu erfüllen, wie sie das Ur-christentum auszeichnete.«[154]

Demgegenüber drückte sich Benjamin 1914 schon zuver-sichtlicher aus, als er Religiosität und Gemeinschaftsbildung mit dem Aufbruch der Jugend zusammenbrachte: »Nirgends so wie in der Jugend kann die Religion die Gemeinschaft ergreifen und nirgends kann der Drang nach ihr konkreter sein, innerlicher, durchdringender. Denn der Bildungsweg der jungen Generation ist sinnlos ohne sie. Er bleibt leer und qualvoll ohne die Stelle, an der er sich gabelt zum ent-scheidenden Entweder — Oder. Diese Stelle soll einer gan-zen Generation gemeinsam sein und dort steht der Tempel ihres Gottes.«[155]

Die Begriffe ›Gemeinschaft‹, ›Religion‹ (›Religiosität‹), ›Jugend‹ unterlagen der Ästhetisierung, erlangten Signal-wirkung für eine Wandlung des Lebensgefühls, wurden selbst zum Programm. Nicht um spezifische politische und gesellschaftliche Ziele stritt man, sondern um Anteilnahme an weltanschaulichem Denken allgemein, wie es sich in Ben-jamins Worten andeutet: um eine Anteilnahme an dem generellen Entschlußdenken ›Entweder — Oder‹, dessen In-halte vage blieben und das erst im spezifischen geschicht-lichen Moment, zunächst durch Krieg, dann durch Revolu-tion, konkretisiert wurde.

Erst Krieg, dann Revolution — in beidem sind die Spuren der Aufbruchsgesinnung tief eingegraben, in beidem be-trachteten viele ihre Teilnahme als Verwirklichung des Pro-testes gegen die bisherige Welt, den sie seit langem unter ethisch-ästhetischen Aspekten gespeichert hatten.

Mit dieser Feststellung sollen die tatsächlichen politi-schen Entscheidungen und Aktivitäten auf der Linken und in der Arbeiterschaft nicht verwischt werden, so wenig wie die Manipulation von seiten der imperialistischen Macht-haber und Unternehmer in den verschiedenen Ländern so-wie die Kriegsgesinnung der deutschen und österreichischen Führung. Der Blick richtet sich hier vor allem auf die In-tellektuellen, die ihre gesellschaftliche Marginalposition in dezisionistisch-voluntaristischen Entwürfen zu überwinden suchten und gerade mit der Verschwommenheit ihrer Postulate einen starken Einfluß auf die Zeit ausübten. Dabei bleibt vieles im Psychologischen und Gefühlshaften, ist aber deshalb nicht weniger wichtig für das Verständnis der Gemeinschafts- und Entscheidungsgesinnung, von der die Arbeiterschaft, vor allem die Arbeiterjugend, nicht unberührt blieb. Auch davon sprach Clara Zetkin, als sie im Rückblick die Rechtstendenz der Intellektuellen vor dem Ersten Weltkrieg analysierte und mit dem Wort eines der Vorkämpfer des Imperialismus, Cecil Rhodes, kennzeichnete: »Den Imperialismus oder die Revolution!«[156] Rhodes meinte, man solle den Imperialismus unterstützen, sonst komme die Revolution. Zahlreiche Intellektuelle hielten sich mit derselben Entschlossenheit erst an das eine, dann an das andere.

INTELLEKTUELLE · ANARCHISTEN · HEINRICH MANN

Heinrich Mann (1871—1950) ist der bedeutendste deutsche Schriftsteller dieser Periode, der die Rechtstendenz, die er bei seinen literarischen Anfängen in den neunziger Jahren zunächst selbst mitgemacht hatte, nicht nur scharf kritisierte, sondern auch mit alternativen gesellschaftspolitischen Anschauungen konfrontierte. In seinem großen Essay *Das Bekenntnis zum Übernationalen,* in dem er 1932 gegen Nationalismus und Nationalsozialismus Stellung nahm, bemerkte er rückblickend: »Die neue Wendung des Geistes um 1900 verdient Achtung, solange sie Forschung ist und der Erkenntnis neue Quellen öffnet.« Aber er fügte hinzu, aktuelle Erfahrungen verarbeitend: »Sie hat keinen Anspruch auf Nachsicht, sobald sie dem Denken andere Mittel des geistigen Erlebens entgegenhält. Diese nennt man Gefühl oder Ahnung, es bleibt aber immer das Nichtdenken.« Heinrich Mann kritisierte intensiv das Denken des 19. Jahrhunderts, das mit seiner Verflachung daran Schuld trage, daß die Abwehr der Vernünftelei auch gleich die Vernunft getroffen habe. Die »Wiedereinführung des Irrationalen« sei zur Vorbedingung des Nationalismus geworden, der mit dem Ersten Weltkrieg nicht zur Ruhe, sondern weiter in Schwung gekommen sei. »Er kann nicht früher zum Stillstand kommen als beim Abschluß des irrationalen Zeitalters. Denn es hat ihn zu seinen Taten erst reif gemacht; und es dauert, es dauert —!«[157] Heinrich Mann nahm an, daß das Zeitalter des Irrationalen gegen 1940 ablaufen werde. Es dauerte in Europa fünf Jahre länger, fünf grausame Jahre, und auch dann brach es nicht mit einemmal ab.

Auch Heinrich Mann gehörte eine zeitlang zu den Verehrern von Nietzsche. Auch er hatte an den Bemühungen teil, den Intellektuellen eine neue Stellung über den Parteien und Gruppeninteressen zu schaffen, als Wegweiser, Führer und Richter ihres Zeitalters. Sein Pathos in *Geist und Tat* (1910) befeuerte viele der Expressionisten, die sich zu Verkündern der Welterneuerung berufen fühlten. Seine Kennzeichnung des Literaten erhöhte ihre Selbsteinschätzung:

»Seine Natur: die Definition der Welt, die helle Vollkommenheit des Wortes verpflichtet ihn zur Verachtung der dumpfen, unsauberen Macht. Vom Geist ist ihm die Würde des Menschen auferlegt. Sein ganzes Leben opfert der Wahrheit den Nutzen. Die Erscheinungen löst er auf, vermag das Große klein zu sehen und im Kleinen das durch Menschlichkeit Große: dergestalt, daß ihm Gleichheit zur letzten Forderung der Vernunft wird.«[158]

Schon diese idealisierende Kennzeichnung wich allerdings von den nach 1900 in Deutschland geläufigen Auffassungen ab. Heinrich Mann sah die Hochstellung der Geistigen nur gerechtfertigt, wenn diese sich zugleich mit dem Volke gegen die Macht verbündeten. Das war in Deutschland besonders prekär. Heinrich Mann übte scharfe Kritik daran, daß hier die Geistigen seit Jahrzehnten für die »Beschönigung des Ungeistigen«, für die »sophistische Rechtfertigung des Ungerechten«, für ihren »Todfeind, die Macht« eingetreten seien. In manchen seiner Argumente schloß er an Heine an. Manche Formulierungen wirken als Bestätigung von dessen skeptischen Überlegungen, etwa wenn es über Deutschland heißt: »Die Abschaffung ungerechter Gewalt hat keine Hand bewegt. Man denkt weiter als irgendwer, man denkt bis ans Ende der reinen Vernunft, man denkt bis zum Nichts: und im Lande herrschen Gottes Gnade und die Faust. Wozu etwas ändern. Was anderswo geschaffen, hat man in Theorien schon überholt.«[159]

Heine wie Heinrich Mann, beide Verehrer der Französischen Revolution, orientierten sich am politischen Denken Frankreichs. Heine blieb jedoch kritisch gegenüber den französischen Verhältnissen. Heinrich Mann verehrte nicht nur die Französische Revolution, sondern auch die französische Demokratie. Von ihr erhielt seine Kritik der deutschen Verhältnisse ihre Basis, er brauchte ihren Glanz, sah darum von den politischen Nachteilen und sozialen Ungerechtigkeiten im Nachbarland ab. Er brauchte das idealtypische Bild des Zusammengehens von Volk und Intellektuellen in demokratischen Bahnen, jenes Desiderat im politischen Denken Deutschlands um die Jahrhundertwende, Desiderat, wie Heinrich Mann zu bedenken gab, auch bei großen Teilen der Sozialdemokratie. Bezeichnend, daß sich sein eigenes ›Erlernen‹ der Demokratie um 1905 in ethisch-ästhetischem Geist vollzog; man hat bei ihm vom »erotisch-politischen Erlebnis der Demokratie«[160] gesprochen, und in der Tat suchte er die von Rousseau, Voltaire und Zola empfangenen Impulse in diesem Sinne weiterzugeben. Demokratie als ethisch-ästhetisches Erlebnis, als Erlebnis der Klarheit des Geistes und des Fühlens, der Menschlichkeit im Zusammenleben — Heinrich Manns Essays und Romane der Zeit sprechen eine deutliche Sprache.

Als Ludwig Rubiner (1881–1920) mit dem Artikel *Der Dichter greift in die Politik* (1912) in der Zeitschrift *Die Aktion* Signale für einen aktivistischen Expressionismus setzte, übernahm er die Kontrastierung mit Frankreich, zumal mit der französischen Politik, die »den Menschen hebt, einen kaufmännischen Angestellten zu einem europäischen Schriftsteller macht, die (ewig erstrebenswerte) Kunst der Konzentration in die Menge bringt«.[161] Das Ästhetisch-Gefühlshafte rückte ganz ins Zentrum, zumal mit dem von Rubiner und anderen Expressionisten emporgehaltenen Kriterium »Intensität«. Rubiner definierte: »Intensität ist Symptom für das bewußte Handeln im Geist.«[162] Dieses Handeln sei bei den französischen Politikern verwirklicht: »Sie steigern. Sie haben ihre gegenwärtigen Privatwünsche im Herzen (gleichviel ob aus Schurkismus oder Notlage) und ihre Intensität steckt die Luft in Brand.«[163] Von Zola schrieb Heinrich Mann wenig später, während des Ersten Weltkrieges: »Literatur und Politik hatten denselben Gegenstand, dasselbe Ziel und mußten einander durchdringen, um nicht beide zu entarten. Geist ist Tat, die für den Menschen geschieht; — und so sei der Politiker Geist und der Geistige handle.«[164]

Für die Möglichkeiten der Einflußnahme der Geistigen auf die Politik beriefen sich jüngere Zeitgenossen selbst wiederum auf Heinrich Mann, etwa Franz Pfemfert, der Herausgeber der *Aktion,* der 1913 schrieb: »Uns fehlt in der Politik Heinrich Mann. Er, der große Künstler, könnte der politische Erwecker sein. Denn er besitzt die Elastizität des Geistes, das klare, schonungslose Wort, das mitreißen und umstürzen kann.«[165] Man setzte auf die ethisch-ästhetischen Impulse. Der ästhetisierende Kult um die Jugend, die als stärkste Kraft für die Begründung der neuen Welt gefeiert wurde, spielte auch hier eine große Rolle. Ebenfalls 1913 kommentierte Pfemfert das Treffen der deutschen Jugendbünde auf dem Hohen Meißner, das als Gegenfeier zur Jahrhundertfeier von 1813 mit ihrem militärischen und hurrapatriotischen Charakter konzipiert war[166], mit den Worten: »Es klingt schön ›Ans Vaterland, ans teure, schließ dich an‹. Schön klingt auch: ›Die Internationale, das soll die Menschheit sein.‹ Jedoch auf dem Hohen Meißner haben diese Klänge zu schweigen! Weder ›international‹ noch ›national‹: *jung* sollt ihr sein, das Recht dieses Jungseins sollt ihr euch erringen.«[167]

Heinrich Mann und Hoher Meißner: im Nebeneinander dieser Namen zeigt sich die Ambiguität der Aufbruchsgesinnung radikaler Intellektueller in überspitzter Form. Das Verbindende lag nicht nur in der Abgrenzung von der vorhandenen gesellschaftlichen Ordnung. Es lag auch in der ästhetisch-gefühlshaften Erhöhung von Geist und Lebensgefühl, die die junge Generation nach 1910 zusammenband wie kaum eine zuvor. Von hier aus wird

Pfemferts Erklärung zum Abdruck des Artikels *Republika-
nisches Heldentum* (1912) von Charles Péguy (1873—1914)
in der *Aktion* verständlich. Sie lautet: »Ein Vertrauensmann
der revolutionären Massen, und ein Dichter. Wir haben die
Ehre, die Ersten zu sein, die in Deutschland eine Arbeit
dieses Dichters veröffentlichen, dem Politik nicht mehr ver-
ständig geschäftsmäßiger Beruf, sondern ein Rauschen des
Blutes ist.«[168]

Davon legte Péguy im Schlußsatz des Artikels Zeugnis
ab: »Das Wesentliche, das Entscheidende, das, worauf es
ankommt, ist nicht, daß die oder jene Politik triumphiere,
sondern daß in jeder Ordnung die Dinge, in jedem System
die Mystik nicht verschlungen werde von der Politik, die
aus ihr hervorgegangen ist.«

Die Verbindung zu Péguy und dem Kreis um die *Cahiers
de la Quinzaine,* in dem Georges Sorel die Rolle eines
Mentors spielte, bedürfte genauerer Darstellung, wie überhaupt die über die nationalen Grenzen hinausreichenden
Aspekte der Erneuerungsgesinnung (und ihres Schwankens
zwischen Rechts und Links).[169] Die auch von Heinrich
Mann und Romain Rolland (1866—1944) vor dem Ersten
Weltkrieg gefeierten Gefühlsimpulse bildeten wichtige Elemente des ›Clarté‹-Geistes, unter dessen Vorzeichen französische und deutsche Intellektuelle nach 1918 wieder Brü-
ken zueinander schlugen.

Die Unterschiede zu den völkisch-romantischen Konzepten und den ersten umfassenden Manifestationen der Lebensphilosophie in Deutschland[170] lassen sich nicht übersehen — so wenig wie die begrenzten Wirkungen in der
Politik. Begrenzt war schon das gemeinsame Engagement
vieler deutscher Künstler, Schriftsteller und Intellektueller
beim Kampf gegen die ›Lex Heinze‹ Ende der neunziger
Jahre gewesen[171], kaum zu vergleichen mit der Heftigkeit,
mit der die französischen Intellektuellen im Dreyfus-Skan-
dal Stellung nahmen und politische Identifikation suchten.[172]
Der Kampf gegen die ›Lex Heinze‹ hatte auch eine begrenzte
Kooperation mit der Sozialdemokratie ergeben, vorwiegend
mit reformistischen, der modernen Kunst gegenüber aufge-

schlossenen Führern wie Georg von Vollmar. Die Zusammenarbeit mit dem reformistischen Flügel wurde eine Zeitlang intensiver[173], geriet aber in offenen Gegensatz zum Willen der Parteiführung. Vom ›Akademikerparteitag‹ 1903 in Dresden ist bereits die Rede gewesen.

Kurz nach diesem Parteitag und seiner gegen die Akademiker gerichteten Entschließung veröffentlichte Heinrich Mann in Maximilian Hardens Zeitschrift *Die Zukunft*, die den Zorn der SPD-Führung auf sich lenkte, eine harte Kritik an der Partei. Er nahm den Vorwurf auf, den Jean Jaurès gegenüber der unrevolutionären Selbstgerechtigkeit der deutschen Sozialisten erhoben hatte, und führte aus:

»Nicht darf, wie in der von Bebel gegen Jaurès gerühmten Monarchie, die Diplomatie dem Adel, die Verwaltung dem Corpsstudenten, die Offiziersstellen wieder dem Adel und eine ›erstklassige‹ Behandlung den Reichen vorbehalten sein. Die deutsche Sozialdemokratie sieht von diesen Bedingungen allzuleicht ab; bei ihr ist von Gleichheit so bedauerlich wenig die Rede wie von Freiheit. Ihre Art, zu sein, und ihre Kraft, zu wirken, hängen zusammen mit der Kasernenzucht. [...] Die Intellektuellen, die sich ihr irrtümlich anschließen, stößt sie zurück.«[174]

Heinrich Manns Kritik an der SPD unterschied sich insofern von derjenigen anderer Schriftsteller der Zeit, als sie sich mit einer zunehmend bewußten demokratischen Einstellung verband. Bedenkenswert bleibt die Tatsache, daß dieser Autor die Anregungen für seinen Weg zur Demokratie nicht von der deutschen Sozialdemokratie, sondern vom ›Erbfeind‹ Frankreich erhielt. Am ehesten dürften sich Linien zu solchen Sozialisten ziehen lassen, die wie Eisner, den Heinrich Mann später zu einem Vorbild erhob, aus der Rückwendung zu Kant und kantischen Vorstellungen Inspiration zogen und sowohl auf Demokratisierung wie auf Zusammenführung von Intellektuellen und Volk drängten. Die — zu dieser Zeit wohl nicht bewußt an Kant reflektierte[175] — Wendung Heinrich Manns zu ethischen Postulaten trifft sich in der Substanz mit der Kritik am historischen Materialismus auf seiten von Neukantianern, welche »Ethik und Recht«, die »Wirklichkeit des Normativen, in der die Freiheit der sittlichen Entscheidung definiert ist«, nicht »zur relativen Bedeutungslosigkeit eines bloßen ›Epiphänomens‹ herabsinken lassen« wollten.[176] Heinrich Mann betrachtete diese Erscheinungen gleichfalls als zentral für produktive Veränderungen in Gesellschaft und Politik. Seine Bemühungen um das politische Engagement der Intellektuellen verstanden sich nicht aus der Einsicht in die als unaufhaltsam prognostizierte gesellschaftliche Entwicklung, vielmehr aus einem praktisch-ethischen Willen zur Erziehung, d. h. zur Durchsetzung der naturrechtlich begründeten humanistischen Ideale. Seine eigenwillige Darstellung des Proletariats und des ›revolutionären‹ Helden im Roman *Die Armen* (1917) läßt sich ohne diesen Hintergrund ebensowenig erfassen wie seine ›Geistpolitik‹ in der Revolution und den folgenden Jahren bis hin zur Zeit des Exils.

Auf seiten der Sozialisten blieben die Äußerungen über eine intensivere Zusammenarbeit mit den Intellektuellen vor dem Ersten Weltkrieg vereinzelt. Unter den grundsätzlichen Darlegungen, die von Kautsky abwichen und die neueren Entwicklungen einbezogen, ist am ehesten die Schrift *Der Sozialismus und die Intellektuellen* von Max Adler (1873–1937) zu nennen. Adler nahm kantische Anregungen auf und schloß an die Diskussionen im Austromarxismus an. Er suchte darzulegen, daß

»der ökonomische Appell an das Intelligenzproletariat, das heißt die Berufung auf ökonomische Interessen, welche die geistigen Arbeiter ebenso in das Lager des Sozialismus führen müßten wie die industriellen Arbeiter, von sehr zweifelhaftem propagandistischen Werte ist, abgesehen davon, daß dabei ganz mißverstanden wird, wie der Sozialismus auch bei den Lohnarbeitern mit seinen ökonomischen Forderungen durchaus nicht eine bloß materielle Verbesserung ihres Loses anstrebt.«[177]

Dem stellte Adler den Appell an die Kulturinteressen der Intelligenz entgegen. Der Appell beruhte auf der Begründung des sozialen Seins und des Sozialismus aus dem menschlichen Bewußtsein und nicht aus der Analyse der Produktionsverhältnisse. In ihrer Kritik wandte die *Neue Zeit* ein, daß Adlers Appell nur auf diejenigen wirke, die schon überzeugt seien.[178] Adler fand jedoch mit seinem Konzept in der Folgezeit, vor allem nach dem Ersten Weltkrieg, viel Resonanz.

Bis dahin hielten die (nicht sehr zahlreichen) linken Schriftsteller auf Distanz von der SPD. Heinrich Mann nahm die Kritik an den Parteifunktionären, die sich vom Leben und Denken der Arbeiter entfernen, in die ab 1906 entstehende Konzeption des *Untertan* hinein (1914 beendet). Franz Pfemfert beschäftigte sich in den Leitartikeln der *Aktion* verschiedentlich mit der Sozialdemokratie, deren revolutionäre Tradition er durchaus von der aktuellen Erscheinung zu trennen wußte. Er ließ keinen Zweifel daran, daß die SPD längst Teil des wilhelminischen Staates geworden sei und weder eine Revolution machen noch einen Krieg verhindern werde. Pfemfert gab zwar den Plan aus der Gründungsperiode der *Aktion* auf, eine »Große deutsche Linke« unter linksliberalem (und intellektuellem) Vorzeichen zu sammeln[179], hielt aber an der Distanz zu Partei und Parlamentarismus fest.

Die Aufmerksamkeit galt dem Anarchismus, der seit den neunziger Jahren mit der von John Henry Mackay beförderten Renaissance von Max Stirner und dessen Schrift *Der Einzige und sein Eigentum* in der Intelligenz — in der Bohème[180] — viel an Boden gewonnen hatte. Von der Kritik der ›Jungen‹ und der ›Unabhängigen Sozialisten‹ an der SPD Anfang der neunziger Jahre lassen sich Kontinuitäten zur späteren Kritik an der Partei erkennen. Mit zunehmender Enttäuschung darüber, daß die antibürgerliche Gesinnung von der Sozialdemokratie nicht ›kämpferisch‹ genug vertreten wurde, wandten sich Schriftsteller den Randschichten der Gesellschaft zu, den Vagabunden und Arbeitslosen, den Bettlern und Prostituierten. Ihnen war das Antibürgerliche auf die Stirn geschrieben. Mit ihnen suchte man einen Begriff von ›Volk‹ zu etablieren, der nicht affirmativ war.

Eine zentrale — und legendäre — Figur für den deutschen Anarchismus war Senna Hoy, dessen Blatt *Kampf. Zeitschrift für gesunden Menschenverstand* (1904/05) häufig beschlagnahmt wurde. Rubiner und Pfemfert spielten bei der Verbreitung anarchistischer Gedanken eine wichtige Rolle. Sie bekannten sich zu Bakunin, Proudhon und Krapotkin (1842 bis 1921), allerdings blieb der Einfluß des a-sozialen Stirner in der deutschen Intelligenz wesentlich bestimmender.[181]

Inzwischen ist die Bedeutung von Erich Mühsam (1878 bis 1934) für die Aktivierung der Schriftsteller in dieser Periode besser einsehbar geworden, des versatilen, mit Gustav Landauer (1870–1919) und Fritz Brupbacher befreundeten Anarchisten, des Verehrers von Heinrich Mann und Förderers von Kabarett und ›Rinnsteinkunst‹, der als Herausgeber (und Autor) von *Kain* und anderen Zeitschriften zu einem hellsichtigen Kritiker der Schwächen der deutschen Sozialdemokratie wurde. Mühsam, der gegen den Marxismus, aber für den Klassenkampf Stellung bezog, nahm aus seiner Kritik nur Rosa Luxemburg aus. In seiner fiktiven Ansprache zum SPD-Parteitag 1913 postulierte er:

»Die Wahrheit, daß Sozialismus in werktätigem Beginnen erarbeitet werden muß, durch praktische Reorganisation der Produktion und der Zirkulation, in dem Sinne, wie der Sozialistische Bund es vorhat, – diese Wahrheit wird am ehesten von einem Publikum verstanden werden, das noch außerhalb Ihrer Parteidisziplin steht, das noch nicht von den stereotypen Schlagworten Ihrer Wahlaufrufe um die Kritik geredet ist. (Große Unruhe.) Mein ideales Auditorium wäre die hier mit einiger Verachtung behandelte unorganisierte Arbeiterschaft (Gelächter), wären die Opfer der von Ihnen seit fünfzig Jahren erfolglos bekämpften kapitalistischen Gesellschaftsordnung, die Arbeitslosen aus Haß und Ekel, die Verbrecher, Landstreicher, Vagabunden – und vielleicht auch die jungen Studenten, die noch unverdorben von parteikluger Zeitungslektüre ein leidenschaftliches Sehnen nach Freiheit und Menschenglück in sich tragen: kurz alle, die Brachland sind für Ideale und revolutionäre Gedanken.«[182]

Das Plädoyer wirkt nach den Erneuerungsprogrammen, die sich in den sechziger Jahren auf die studentische Jugend und die gesellschaftlichen Außenseiter bezogen, vertraut. Allerdings blieb Mühsam nach seiner grausamen Ermordung im KZ 1934 lange vergessen.

Auch Landauers Schicksal trägt die furchtbare Markierung des Mordes – 1919 durch Regierungssoldaten nach dem

Fall der Münchener Räterepublik. Landauer war bereits den ›Unabhängigen Sozialisten‹ verbunden gewesen und besaß mit dem ›Sozialistischen Bund‹ und der Zeitschrift *Der Sozialist* eine eigene Wirkungsbasis. Anders als die Vertreter des von Stirner beeinflußten Individualanarchismus bejahte er den Sozialismus als Ziel, lehnte jedoch den Marxismus ab.

In seiner Programmschrift *Aufruf zum Sozialismus* (1911) heißt es dazu: »Die ganze Lehre ist falsch und hält nicht Stich und Faden, und als wahr und wertvoll bleibt nur die Beherzigung übrig, die, in England und anderswo, schon lange vor Karl Marx eingeschärft worden ist: man dürfe bei Betrachtung der menschlichen Geschehnisse die eminente Bedeutung der wirtschaftlichen und gesellschaftlichen Zustände und Umwandlungen nicht verkennen.«[183] Landauer attackierte den »Wissenschaftsaberglauben« und die Realitätsverfehlung der Sozialdemokraten, ihren Bürokratismus und ihre Gebundenheit an den Kapitalismus. Er verstand Sozialismus nicht als Gesellschaftsordnung, die erst nach der Entfaltung der Produktivkräfte im Kapitalismus historisch möglich werde; vielmehr war für ihn der Sozialismus »in jeder Form der Wirtschaft und Technik möglich und geboten«. Sozialismus bedeute eine intellektuelle Bewegung für alle, nicht nur für eine spezifische Klasse, eine Bewegung außerhalb des Staates und gegen ihn. Proletariat und Klassenkampf spielten keine entscheidende Rolle.

Mit seinen Forderungen nach einer neuen Sammlung des Volkes in Gemeinschaften sowie nach Rückkehr zum einfachen, gemeinschaftlichen Landleben berührte sich Landauer mit vielen auch auf der Rechten propagierten Auffassungen der Zeit, andererseits trat er für eine Erziehung zum Geistigen ein (Sozialismus als »Wiedererfüllung mit Geist«) und nahm gegen die Rechtstendenzen Stellung.[184]

Landauer widmete sich der Erforschung der Mystik, verfaßte ein zweibändiges Werk über Shakespeare, arbeitete über Goethe, Hölderlin, Börne und Walt Whitman und förderte und beeinflußte Expressionisten wie Georg Kaiser (1878–1945). Sein Bekenntnis zu den ethischen und ästhetischen Wurzeln gesellschaftlicher Erneuerung fand viel Widerhall. An die Marxisten gewendet, schrieb er im *Aufruf zum Sozialismus:* »Wir sind Dichter; und die Wissenschaftsschwindler, die Marxisten, die Kalten, die Hohlen, die Geistlosen wollen wir wegräumen, damit das dichterische Schauen, das künstlerisch konzentrierte Gestalten, der Enthusiasmus und die Prophetie die Stätte finden, wo sie fortan zu tun, zu schaffen, zu bauen haben; im Leben, mit Menschenleibern, für das Mitleben, Arbeiten und Zusammensein der Gruppen, der Gemeinden, der Völker.«[185]

In Landauers Bekenntnis bildet die Durchdringung von Leben und Literatur ein zentrales Ferment. Für die Verbindung der anarchistischen Bewegung in Deutschland mit verschiedenen Formen kulturradikaler Organisationen (Freidenkern, Freireligiösen etc.) gab Landauer mancherlei Impulse. Er war ein lebenslanger Förderer der Volksbühnenbewegung; seine Zeitschrift *Der Sozialist* vermittelte poetische Beispiele und theoretische Anregungen für einen engeren Einbezug der Kunst in die gesellschaftliche Erziehung.

Der Appell an das Individuum, sich selbst zu befreien — seit jeher Element des Anarchismus —, ließ sich bei der Gefühlsorientierung vieler Zeitgenossen leicht in Literatur umsetzen. Die vor dem Ersten Weltkrieg entstehende proletarische Bekenntnisliteratur wurde davon ermutigt. Der politische Klassenkampfgedanke trat in den Hintergrund; das Selbstbekenntnis als Proletarier verstand sich zugleich als Äußerung eines neuen Volks-Bewußtseins, als Beitrag zu einer Erneuerung der Gesellschaft und Kultur aus ›natürlichen‹ Quellen. Manche gefühlsgeladenen Motive und Bilder der Selbstbefreiung, die in proletarischen Gedichten, Sprechchören und Massendramen bis Ende der zwanziger Jahre verwendet wurden, erhielten zu dieser Zeit ihre erste Formulierung.

Als Beispiel für die Überlegungen auf seiten der Anarchisten über eine proletarische Kunst, die über die Klassenkonfrontation hinausweist, sei aus dem *Jahrbuch der freien Generation für 1910* das folgende zitiert: »Das Proletariat muß sich zur Aufgabe stellen, eine Kunst zu leisten, die von derjenigen der herrschenden Minorität wesentlich abweicht und die ein verborgenes, doch in vielen Köpfen schon aufkeimendes Ideal offenbart, ein Ideal des In-sich-vertiefens, des Zusammenwirkens und kulturellen Emporschwingens. Sie soll ein Organ ihrer eigenen Entwicklung sein, eine Verbrüderung zwischen allen Menschen herzustellen und Gefühle zu schaffen, die in ihrem wesentlichen Teil universell sind. So erklärt es sich, daß die Kunst der Arbeiterschaft keine Klassenkunst ist, sondern eine ins Allgemeine führende Kunst und im Spiel das Fühlen, Denken und gemeinsame Wollen der ganzen Menschheit mit hineinlockt. Darum müssen solche Werke volkstümlich sein, da allgemeine Gefühle eben dadurch allgemein sind, daß sie in jedem Einzelnen den Willen zur Tätigkeit wecken, das Gemüt zur Vereinigung und den Verstand zur Vorwärtsbewegung reizen.«[186]

DIE NEUEN BILDMYTHEN

Mit dem Begriff ›ethisch-ästhetisch‹ bezeichnete Karl Kautsky eine allgemeine, dem Marxismus entgegenwirkende Denkweise, ging aber auf das Ästhetische, das sich um 1900 so nachdrücklich bemerkbar machte, nicht genauer ein. Nur die gesellschaftspolitische Ausstrahlung dieser Denkweise deutete er an, zumindest im Rahmen der Partei. Das Phänomen entzog sich den geläufigen marxistischen Kategorien. Es wurde in der Tat zu einem entscheidenden Problem für den Marxismus im 20. Jahrhundert.

Die Spuren dieses Denkens reichen weit über die Literatur hinaus. Es umschließt eine generelle Wandlung im Verhältnis zur Literatur. Schon Levin Schücking stellte fest, daß die Literatur seit der zweiten Hälfte des 19. Jahrhunderts ihre Schlüsselstellung im ästhetischen Bereich an die visuellen Künste verlor.[187] Arnold Hauser hat den Vormarsch des Visuellen im letzten Kapitel seiner *Sozialgeschichte der Kunst und Literatur* unter dem Titel »Im Zeichen des Films« behandelt. Studien über den literarischen Expressionismus kommen ohne die Erwähnung des Visuellen nicht aus.[188] Im folgenden sollen, ausgehend von den Entwicklungen und Problemen in der Arbeiterbewegung, einige allgemeine Hinweise auf die verschiedenen Formen der Umorientierung gegeben werden.

An erster Stelle gebührt der neuartigen Stilisierung von Arbeit und Arbeiter Erwähnung. Sie gehört zu der neuen

›Beleuchtung‹ der Arbeits- und Produktionssphäre sowie der sozialistischen Bewegung um 1900, von der gesprochen worden ist. Auch sie entzieht sich nicht Marx' Kritik am ersten Satz des Gothaer Programms (»Die Arbeit ist die Quelle alles Reichtums und aller Kultur«), in der er feststellte, die Bürger hätten sehr gute Gründe, der Arbeit übernatürliche Schöpfungskraft anzudichten, »denn gerade aus der Naturbedingtheit der Arbeit folgt, daß der Mensch, der kein anderes Eigentum besitzt als seine Arbeitskraft, in allen Gesellschafts- und Kulturzuständen der Sklave der anderen Menschen sein muß, die sich zu Eigentümern der gegenständlichen Arbeitsbedingungen gemacht haben«.[189] Jedoch erschöpft sich die angedeutete Entwicklung nicht in dieser Kritik: *das* gerade machte sie zu einem solchen Problem für Sozialisten.

Für die Stilisierung von Arbeit und Arbeiter um 1900 gibt es kaum ein gewichtigeres ästhetisches Zeugnis als die Bilder und Skulpturen von Constantine Meunier, die von vielen Zeitgenossen als gewaltige Schöpfungen gefeiert wurden. Meunier schloß an eine breite Tradition der Arbeitsdarstellung in Frankreich an und war stark dafür verantwortlich, wenn Belgien am Ende des 19. Jahrhunderts als Zentrum der Begegnung von Industrie und Kunst gepriesen wurde. Die Ausstrahlung nach Deutschland war groß, nicht zuletzt auf die Arbeiterbewegung. Bezeichnend für die Identifikationsmöglichkeiten, die Meuniers vielgerühmte und vielabgebildete Werke gewährten, ist die Würdigung in der *Neuen Zeit* 1905:

»Meunier steht fest auf dem Boden der Wirklichkeit. Er läßt *Menschen* durch ihre *Tätigkeit* zu uns reden mit so gewaltigem Ausdruck, daß die abstrakte Sprache der Allegorie, die gewöhnlich das Thema: ›Industrie, Bergbau, Handel und Verkehr, Landwirtschaft‹ verherrlicht, uns tot und schemenhaft erscheinen würde, wenn sie sich hier hören ließe.

Das erste der vier großen Reliefs aus dem Denkmal der Arbeit heißt: die Industrie. Und wie stellt sie der Künstler dar? Nun, nicht wie sie so manches Mal schon — besonders von Preußenkunst — versinnbildlicht worden ist, als allegorische Figur mit einem Maschinenrad oder sonstigem Abzeichen in der Hand, im übrigen aber in den Wolken schwebend — nein! — es sind ja Menschen, die schaffen und wirken, nachdem Prometheus die ängstliche Gottheit bestohlen hat; und Menschen zeigt uns Meunier bei der Arbeit, vor dem Feuer, dem nicht mehr göttlichen Feuer des Hochofens. Da stehen die harten Gestalten damit beschäftigt, das rohe glühende Eisen in dem Menschen nützliche Formen zu verwandeln. Welche Kraft in den Körpern, den Armen, den Händen, die sich dem Ofen entgegenstrecken; jeder Muskel gespannt, die Blicke geschärft, Energie und Kraft und Gewandtheit in jedem Zuge, in jeder Bewegung zum Ausdruck kommend.«[190]

Die Absage an die im 19. Jahrhundert gebräuchlichen Formen der Allegorisierung ist eindeutig. Der Kritiker wandte sich nachdrücklich gegen die »Preußenkunst«, gegen die in der Periode der Reichsgründung offiziell gewordene Ornamentierung und Allegorisierung, welche Bahnhöfe, Maschinen und Ausstellungshallen nicht weniger als Buchillustrationen, Plakate und Gebrauchsgegenstände überzog.[191] Entgegen der Einbindung der Phänomene der Industrialisierung in die vorgegebenen Geschmacksmuster plädierte er für Naturtreue und Einfachheit. Er betonte: »keine Allegorie, sondern Menschen, Arbeiter«. Seinem Plädoyer lag die Auffassung zugrunde, daß das öffentliche, vom wilhelminischen Staat protegierte Bild von Arbeit und Arbeiter abstrakt sei, und daß demgegenüber nun ein Bild entwickelt werde, das auf der Basis tatsächlicher Beobachtung beruhe — mit viel stärkeren Identifikationsmöglichkeiten.

Das bedeutete auch zugleich ein Abrücken vom offiziellen Menschenbild der Sozialdemokratie, das den Arbeiter als Mitglied der Klasse in einer geschichtsphilosophischen Dynamik definierte und seine Daseinsformen mit Hilfe politisch-wissenschaftlicher Zuordnungen, nicht mit Hilfe von Erlebnisdokumentation und -stilisierung erfaßte. Es bedeutete ein Abrücken vom politisch-allegorischen Bewußtseinszusammenhang, gab der Identifikation im ästhetischen Einfühlen Raum. Die neue Heroisierung — der Arbeiter mit den gespannten Muskeln, dem geschärften Blick, vom Feuer des Hochofens angeleuchtet — speiste sich aus anderen, politisch nicht festgelegten Assoziationen, und auch die Figur des ›Riesen Proletariat‹ gewann andere Proportionen. Auch hier geschah Allegorisierung, allerdings auf die Sinnsphäre des Menschlichen, Echten, Ursprünglichen bezogen. Man konstatierte, das Menschliche offenbare sich im Arbeiter klarer als irgendwo sonst, und beim ›eigentlich‹ Menschlichen als kämpferischem und schöpferischem Status berief man sich ebenso auf Goethes »Denn ich bin ein Mensch gewesen, und das heißt ein Kämpfer sein« wie auf Wagners Vision von dem zu verwirklichenden schönen und starken Menschen.

Im allgemeinen tendierten die Künstler zur Darstellung von Figuren, die noch nicht im kapitalistischen Produktionsprozeß anonymisiert sind. Bei Meunier überwiegen Bilder simpel-handwerklichen Daseins. Auch der Hochofenarbeiter läßt noch den Funken des Prometheus aufleuchten, im Gegensatz zum Fließbandarbeiter, bei dem sich die Heroisierung selbst widerlegt (oder in die Groteske umschlägt wie in Charlie Chaplins späterem Film *Modern Times*). Bis heute ist der Bauarbeiter — mit Kran und Kelle der Inbegriff des Arbeiters, der etwas Sichtbares, Ganzes aufbaut — bevorzugtes Thema der individualisierenden Arbeiterdarstellung geblieben.

Die Vereinfachung des Proletarischen zum Volkhaften und exemplarisch Menschlichen erwuchs häufig genug aus kulturpessimistischen Vorstellungen. Vieles war zugleich antikapitalistisch und antisozialistisch. Im antisozialistischen Sinne — die Arbeitermassen zugunsten des arbeitenden Volkes abwertend — argumentierte beispielsweise die nationalsoziale Schriftstellerin Gertrud Bäumer (1873–1954) in dem grundsätzlichen Artikel *Dichtung und Maschinenzeitalter*. Der Vermassung stellte sie die Besinnung auf das »organisch Echte, bodenwüchsig Starke« entgegen. In ganzen literarischen Gruppen oder Parteien wachse aus dem Gegensatz zur Technik »eine neue Freude an den *primitiven* Arbeits- und Daseinsformen«.[192]

Andererseits aber ging von der Monumentalisierung des Arbeiters, wie sie Meunier darbot, unbezweifelbar ein Ge-

fühl der Stärke, der Selbstvergewisserung aus, das der
Arbeiterbewegung zugutekam. Es ist am prägnantesten von
der kommunistischen Literaturkritikerin Gertrud Alexander
(1882–1967) formuliert worden. In einem Rückblick wies
sie darauf hin, sie sei vor dem Ersten Weltkrieg durch
Meuniers Gestalten zu einem Artikel angeregt worden, der
sie in die sozialistische Journalistik einführte. Sie schrieb:

>Ich stand schon im sozialistischen Lager, nicht nur durch das
Studium sozialistischer Literatur, sondern auch durch Teilnahme
an Versammlungen und an der Heimarbeiterkampagne. In die
sozial erregte Atmosphäre dieser Zeit fiel eine Ausstellung der
Werke des belgischen Plastikers Constantine Meunier im Kunst-
salon Cassirer. Seine monumentalen Gestalten, die in dramatischen Reliefs und in Einzelfiguren den Bergmann als Helden der
Arbeit zeigten, begeisterten mich. Sie brachten gerade in ihrem
Realismus den Adel zum Ausdruck, den die Arbeit dem Menschen
verleiht (heute würde ich sagen, daß Meunier mit ihm schon den
sozialistischen Realismus vorausnahm).«[193]

Ein solcher Sprung in die dreißiger Jahre ist schon bei
der Behandlung Gorkijs begegnet. Die Verschönerungs- und
Stilisierungspostulate besaßen ihre Basis im ästhetischen
Umbruch um 1900.

Natürlich stellt sich die Frage, wie stark solche ästhetischen Impulse Eingang in die Arbeiterschaft fanden, wie
weit sie tatsächlich die politische Identifikation beeinflußten,
wer sich ihrer im einzelnen bediente. Immerhin aber lassen
die zitierten Bemerkungen von Otto Rühle die Freiräume
erkennen, die der Phantasie der Arbeiter offenblieben, auch
und gerade wenn sie kämpferisch veranlagt waren und
nicht nur Parteigelder einsammeln wollten. Das gilt vor
allem für die jungen Arbeiter, die sich am ehesten für Bild,
Zeitung und Buch interessierten. Deshalb seien die Anregungen, die von der Kunsterziehungsbewegung seit den
neunziger Jahren ausgingen, auch in diesem Bereich nicht
von vornherein beiseitegeschoben; der Einfluß von Lang-
behns Maxime, den häßlichen Alltag mit ästhetischen Elementen zu durchdringen, reichte sehr weit.[194] Unübersehbar
sind die Auswirkungen der Herstellung von billigen Repro-

duktionen. Die Zeugnisse für die ›ästhetische Welle‹ um 1900 reichen von den Farbdrucken in Ferdinand Avenarius' Zeitschrift *Der Kunstwart* und denen im sozialdemokratischen *Wahren Jacob* bis zu den zahllosen Bildern in Zeitungen, Zeitschriften und Büchern sowie auf Einzelblättern und Plakaten.

Eine erste grundsätzliche Auseinandersetzung mit den Folgen der Massenreproduktion, die manches berührt, was Benjamin 1936 in seinem Essay *Das Kunstwerk im Zeitalter seiner technischen Reproduzierbarkeit* reflektierte, unternahm der nationalsoziale Politiker Friedrich Naumann 1902 in der Rede *Kunst und Volk*. Naumann ging von der Feststellung aus, noch nie sei eine Zeit so von Bildern überschwemmt worden wie die gegenwärtige. Jedoch stünden die Massenhaftigkeit der Reproduktionen und die Fortschritte der Vervielfältigungstechnik einer künstlerischen Erfassung der Dinge entgegen. Er beschrieb die Wirkung alter Bilder, etwa von 1848, als davon verschieden, gebrauchte jedoch nicht das Wort ›Aura‹, sondern ›Seele‹: »Damals nämlich gehörte zur Entstehung jedes Bildes noch eine menschliche Seele. Diese Seele ist heute ausgeschaltet.«[195] Im Gegensatz zu Benjamin, welcher der Kunst der Gegenwart um so größere Wirksamkeit zuspricht, je mehr sie sich auf Reproduzierbarkeit einrichte, hielt Naumann daran fest, daß eine Vertiefung der künstlerischen Empfindung möglich sein müsse. Sein Interesse galt der seelischen Durchdringung einer Situation, eines Gegenstandes, und das könnten Massenproduktion und Fotografie[196] nicht genügend liefern.

Aufschlußreich sind Naumanns Hinweise auf die kommerzielle Manipulation der Bilderflut. Er bemerkte: »Wir stehen am Beginn einer ästhetischen Monopolentwicklung. Schon heute sind August Scherl und Kommerzienrat Kröner in Stuttgart von unberechenbarem Einfluß auf die künstlerische Gesamtbildung. Wer hier etwas bessern will, der wende sich an diese Adressen!« Davon gelte vieles für die Dichtkunst mit, die Vermittlungskanäle seien z. T. dieselben. »Außer den Wochenblättern kommt vor allem die Reclamsche Universalbibliothek in Betracht. Man kann rundweg sagen: Was mehr als 20 Pf. kostet, wird von der Masse nicht gelesen.«[197]

Naumanns Beobachtungen erlangten später noch mehr Aktualität, als sich das Kino in einem Siegeszug ohnegleichen zum primären Medium der Unterhaltung für die

Massen entwickelte. Dieser Vormarsch geschah im wesentlichen auf Kosten des Theaters, und auch im Konsum der
billigen Kolportageliteratur in Fortsetzungen will man einen
Rückgang gesehen haben. Das Jahr 1908 erschien als
Wendepunkt. »Seitdem müssen die Theaterdirektoren zu-
sehen, wie von Jahr zu Jahr ihre Häuser mehr veröden,
und wie die Abtrünnigen in Scharen zu den Lichtspiel-
theatern strömen. [...] Trotz der herabgesetzten Eintritts-
preise, die die der Mittelplätze im Kino nicht übersteigen,
nimmt die durchschnittliche Besucherzahl bei klassischen
Schauspielen und Lustspielen von Jahr zu Jahr ab. Die Mehrzahl empfindet heute anders und steht den Klassikern fremd
gegenüber.«[198]

Hier änderte sich nicht nur der literarische Geschmack,
etwa im Sinne der Debatten um klassische und moderne
Stücke zur Zeit des Naturalismus. Hier änderte sich ästhetische Perzeption überhaupt. Die der Literatur zugehörige
allegorisch-intellektuelle Bezugnahme machte unmittelbarer
Aufnahme von Bildern Platz, die zudem im Film bis Ende
der zwanziger Jahre ohne gesprochene Sprache abliefen und
mit den Montagetechniken von D. W. Griffith (1875–1948)
und Sergej Ejzenštein (1898–1948) neue künstlerische
Ausdruckformen entstehen ließen. Bereits vor dem Ersten
Weltkrieg waren sich Zeitgenossen über die Veränderung
im klaren:

»Einmal ist an Stelle der intellektuellen Perzeption eine
mehr vom Gefühl bestimmte Anpassung getreten; die Wirkungen
gehen ausschließlich durch die Sinne und nicht durch den Geist,
und das ist für musikalisches Empfinden die günstigste Vorbedingung, und zum andern bietet die ungenauere Ausdrucks-
weise der Oper und der Filmdramen eher die Möglichkeit, an alle
die verschiedenen Gefühle zu appellieren, die in den Zuschauern
jeweils am stärksten sind. Sie lassen mehr mögliche Deutungen
zu, und in einem Zeitalter, in dem einzelne Kulturelemente so
diffus sind und von einem einheitlichen Fühlen, von gemeinsamen großen Ideenströmungen, die alle Welt zugleich ergreifen,
gar keine Rede sein kann, sind derart verwaschene Begriffe, wie
Oper und Kinodrama, vielleicht die einzig möglichen Mittel-
punkte, um die sich die Massen scharen können.«[199]

Für das Publikum dominierten Ansicht und Aufsicht; es verlor die Einsicht. Film- und Opernspektakel (später: Revuen) lieferten eine Vielzahl von visuellen und musikalischen Erscheinungen — und zunächst nur das. Die Tatsache der mehrfachen Auslegungsmöglichkeit der Bilder war symptomatisch. Hier trat eine Entwicklung in den Vordergrund, welche die Auflösung politischer, sozialer und geistiger Loyalitäten beförderte. Die neuen Bildmythen waren keineswegs unpolitisch, nur ließen sie sich in verschiedenen Zusammenhängen höchst verschieden gebrauchen. Es hing sehr davon ab, wer sie in die Hände bekam.

An dieser Erscheinung gingen Sozialdemokraten nicht ganz ohne Aufmerksamkeit vorüber. Allerdings setzten sie im allgemeinen die Attitüde fort, die sie auch der Kolportageliteratur gegenüber einnahmen: Kampf dem Schmutz und Schund durch Vorauswahl und Bildungsarbeit, nicht durch Ankurbelung einer eigenen Produktion. Nur auf dem Gebiet des Massentheaters regten sich erste Anzeichen von Initiativen. In der *Neuen Zeit* konstatierte der Kritiker Franz Förster die Verwandtschaft von Masseninszenierungen Max Reinhardts (1873—1943) und der Bild- und Bewegungsdramaturgie des Films. Er nannte als Beispiele *Ödipus* und *Jedermann* sowie *Das Mirakel* von Karl Gustav Vollmoeller (1878—1948), das 1912 zu einem (Massen-) Welterfolg wurde:

»Gerade das letztere ist ein Schulbeispiel. Handlungen, Geschehen, Bewegungen *ohne Worte;* nur kurze Aufschreie, Stöhnen wie beim alten japanischen Drama, aber ein an sich zwar schon altes neues Moment wird wirksam: die Psyche der Masse äußert sich in den bloßen Massen*rhythmen.* Gerade in der erschütternden Wirkung der Massen*bewegungen* liegt beim ›Mirakel‹ das Schwergewicht. Aber auch die unbestrittenen Erfolge der *Reformtänze* der Duncan, Villamy und anderen, die eigentlich *getanzte Dramatik* sind, haben in derselben Quelle ihre Ursache.

Hier angelangt, wird uns auf einmal die tiefe Wirkung des *Kinodramas* auf Menschen mit einfacher Bildung klar. Denn das Geschehnis, die bewegte Handlung ist ja die ureigenste Domäne des Kinos. Durch die rhythmischen Körperbewegungen, deren Wirkungen durch keine Sprache abgelenkt werden, löst es in uns starke Reflexbewegungen aus, die uns schließlich fortreißen. Fast kann man sagen, daß man ›impressionistisch‹ empfindet. Nicht mehr der geistige Gehalt im Bilde ist die Hauptsache, sondern daß man das flatternde, sprudelnde Leben erfaßt.«[200]

In diesen Beobachtungen ist bereits vieles von dem vorausgenommen, was sich nach dem Ersten Weltkrieg in Massenaufführungen, Sprech- und Bewegungschören äußerte. Zentrale Bedeutung kam den Massen und den Möglichkeiten ihrer Stimulierung, Erhitzung zu. Ansätze zum Revolutionären zeichneten sich ab, Gefühle gemeinschaftlicher Macht, ästhetisch konsumierbar.

Auch in diesem Bereich war Verinnerlichung möglich. Naumann stellte es schon 1912 fest, als er den Massenaufführungen der Bildungsanstalt von Emile Jaques-Dalcroze (1865—1950) in Hellerau bei Dresden beiwohnte. Seine Beschreibung liest sich wie eine Anleitung für sozialistische Aufführungen der zwanziger Jahre:

»Das Größte, was uns die Schulspiele geboten haben, ist *die lebendige Anschauung der Masse.* Ich dachte immer: wenn Bebel hier wäre, so möchte ich neben ihm sitzen, um zu merken, ob er begreift, wie sehr diese Spiele zu seinem Lebensideal gehören! Das werden diejenigen, die kein Massengefühl in sich haben, überhaupt nicht verstehen. Es gibt aber auch sicher viele Sozialisten, die das nicht ahnen.

Solange nämlich Sozialismus nichts ist als eine Menge von Gesetzen und Tarifen, hat er mit Kunst überhaupt nichts zu tun, sicherlich nichts mit Musik. Die Sache wird aber anders, sobald man den Sozialismus als einen seelischen Zustand erfaßt. Dann ist er ein Gemeinschaftswirken der vielen auf Grund einer Gemeinschaftsstimmung, ein Zergehen des Einzelmenschen in den Gesamtmenschen, ein gewolltes Hingeben der Besonderheiten für das allgemeine Ziel. Sozialismus in diesem Sinn ist nichts Parteipolitisches, sondern etwas viel Tieferes, eine Art von Moral, von Erziehung, von Lebensstil.«[201]

Nichts lag Bebel ferner, als den Sozialismus auf diese Weise zu definieren. Aber zahlreiche andere Sozialisten, besonders jüngere, sprachen sich in der revolutionären

Periode nach 1918 in ähnlichem Sinne aus, im Versuch, dem Sozialismus gleichsam die Aura zurückzugewinnen, die er nach und nach verloren hatte. Das ›Augusterlebnis‹ beim Ausbruch des Krieges 1914 lieferte für den Einbezug des Seelischen ein Richtmaß, wie es verfänglicher nicht gedacht werden konnte.

Das Bild vom Proletariat wurde zunehmend ohne Bezug zum kapitalistischen Ausbeutungsprozeß oder zur Partei verwendet. Diese Erscheinung nutzten und beschleunigten Kräfte auf der Rechten, einschließlich derjenigen, die sich eine Zeitlang dem Sozialismus zugerechnet hatten. Die wirksamste Formulierung lieferte Georges Sorel (1847 bis 1922) im Konzept vom Generalstreik *(Réflexions sur la violence,* 1908). Sorel machte deutlich: »Die Menschen, die an den großen sozialen Bewegungen teilnehmen, stellen sich ihre bevorstehenden Taten in der Gestalt von Bildern von Kämpfen vor, die sie des Sieges ihrer Sache versichern.«[202] Die sozialen Taten beruhten auf der Umsetzung dieser Bilder in soziale Mythen — um so wirksamer, je eindeutiger die Bilder Ausdruck des Lebenswillens seien. Sorel zog eine Linie von der Französischen Revolution, die sich als umstürzendes Ereignis erst mit den militärischen Siegen der Franzosen in den Köpfen verankert habe, zum künftigen Generalstreik des Proletariats, den er als Kriegshandlung verstand. In ihm werde sich das moralisch noch nicht korrumpierte proletarische Element gegen die abgelebte bürgerliche Kultur und das liberale Gesellschaftssystem durchsetzen.

Mit Sorel rückt zugleich die intellektuelle Perspektive in den Vordergrund. Feststeht Sorels Wirkung auf Intellektuelle zu Beginn des 20. Jahrhunderts. Lukács hat selbst geäußert, daß er damals in seiner Auffassung der sozialen Wirklichkeit wesentlich von Sorel beeinflußt worden sei.[203] Mit seiner Mythisierung politischer Bilder kam Sorel der Kontemplation und Verinnerlichung ebenso wie dem Verlangen nach großen Taten entgegen. Eine bezeichnende Charakterisierung lautet: »Man hat ihn als Vagabunden der Welt der Ideen gezeichnet, als einen großen sinnenden

Betrachter, immer der gewaltsamsten Geschichte zugewandt, als einen Habitué des Theaters, der sehr wohl weiß, daß nichts, was auf der Bühne geschieht, ihn aus seiner Geruhsamkeit reißen wird.«[204]

Das galt und gilt nicht nur für Sorel, der später Lenin *und* Mussolini als Beispiel für das von ihm Angekündigte auf den Schild hob. Es bildet immer wieder Teil intellektueller Tätigkeit, Teil der Tätigkeit von Intellektuellen angesichts des Geschichtsprozesses, wie sie seit Ende des 19. Jahrhunderts zunehmend registriert und kritisiert worden ist. Erinnert sei an Lafargues Kritik gegenüber Zolas schriftstellerischer Praxis als Beobachter, als Manipulator von Bildern, und an Lukács' Analyse des modernen Künstlers, der, von der direkten Teilnahme ausgeschlossen, nur noch mit Oberflächendetails umgehe, nicht mehr aus dem Ganzen geschichtlicher Wirklichkeit argumentiere.

Andererseits läßt sich auf Ejzenštein, den Schöpfer revolutionärer Filme der zwanziger Jahre verweisen, der mit Zustimmung verfolgt und rekonstruiert hat, wie der Pionier der Filmmontage, D. W. Griffith, um 1910 für seinen optischen Stil mit Montage, Parallelmontage und Großaufnahme wichtige Anstöße von den Romanen Charles Dickens' erhielt. Wie also von der Literatur ein sehr legitimer Einfluß auf die Eroberung der visuellen Medien ausging und Griffith bei seiner Verteidigung von Großaufnahme und Montage gegenüber der Kritik betonen konnte, der Unterschied zu Dickens' Schreibweise sei gar nicht so groß; er, Griffith, schreibe »Romane in Bildern«.[205] Was Ejzenštein aus dieser Technik entwickelte, ist bekannt. Er ging vom Bild-Denken aus, war zunächst Bühnenbildner, bezog als Theaterregisseur Massen in die Inszenierung ein, bis er dann im Film das geeignete Medium für die Darstellung revolutionärer Massen fand und in *Panzerkreuzer Potemkin* 1925 sein klassisches Werk schuf.

Im Zusammenhang mit den visuellen Entdeckungen von Griffith zu Beginn des Jahrhunderts muß allerdings auch Ejzenšteins Distanzierung erwähnt werden. Sie betrifft, abgesehen von direkter Zurückweisung reaktionärer Elemente in Griffith' Werk, dessen Stehenbleiben bei Ansicht und Aufsicht: »Griffith bleibt überall beim nur *Darstellenden* und *Gegenständlichen* stehen und bemüht sich nirgends, durch *Gegenüberstellung* der Bildausschnitte zum *inneren* Sinn und zum *Bildlichen* vorzudringen.« Er sei letztlich unfähig, »Erscheinungen wirklich sinnvoll zu abstrahieren, das heißt aus der Mannigfaltigkeit historischer Fakten die *verallgemeinernde Deutung* einer historischen Erscheinung *herauszuarbeiten.*« Letzteres nahm Ejzenštein für die sowjetische Filmkunst in Anspruch. Sie liefere Einsicht. Ejzenštein sprach vom Bildausschnitt als »*ideologischem Inschrift-Zeichen*« und suchte in der »*Gegenüberstellung der Bildausschnitte die Entstehung eines neuen qualitativen Elementes*, eines neuen *Bildes*, eines neuen *Begriffes*« zu ermöglichen.[206] Damit machte er sich die Reproduzierbarkeit zunutze, verharrte nicht in der bloßen Verinnerlichung, Durchseelung von Bildern, wie es zu Beginn des 20. Jahrhunderts geschah.

Sorels Argumentation über das Proletariat stützte sich darauf, daß ein Mythos nur mittels einfühlender Sympathie erschaut werden könne; er sei, wie jeder Ausdruck des schöpferischen Lebens, erfahrungstranszendent und rationalistischen Erwägungen unzugänglich.[207] Die Lehrmeister dafür waren Nietzsche und Henri Bergson (1859–1941) mit ihrer Hochstellung von Mythen und Bildern als Ausdrucksformen des Lebens. Das kann hier nur erwähnt werden, ebenso die tiefgreifende Wandlung in Philosophie (Phänomenologie) und Ästhetik am Ausgang des 19. Jahrhunderts, die unter Wiederaufnahme Kants zum ›Intuitivismus‹ führten, zur Einfühlungs- und Erlebnisästhetik.[208]

Die großen Umbrüche in der Malerei und Literatur in dieser Zeit sind oft dargestellt worden. Im Bereich der Lyrik hat man von der »Rückkehr zur Bildlichkeit der Sprache«[209] gesprochen und den markanten Einfluß von Baudelaire und dem Symbolismus (Rimbaud, Mallarmé) aufgewiesen. Neben der Einfühlung rückte zunehmend die Verfremdung im Bildlichen in den Vordergrund, kontrastierend und mit höchst verschiedenen Folgen für die weitere Entwicklung der Kunst, jedoch verwandt in der Tendenz zur Verabsolutierung der Bildsphäre gegenüber der Realität. »Das Wort ›wie‹ verschwindet«, bemerkte Paul Claudel von Rimbaud, und im *Technischen Manifest der futuristischen Literatur* heißt es 1912: »Um alles zu umfangen und zu erfassen, was es an Flüchtigem und Unfaßbarem in der Materie gibt, muß man *engmaschige Netze* von Bildern oder Analogien bilden«; »*Es gibt keine Bildkategorien,* die vornehm, grob oder vulgär, übertrieben oder natürlich sind. Die Intuition, die sie wahrnimmt, kennt weder Vorliebe noch Voreingenommenheit. Der Analogie-Stil ist folglich unumschränkter Herr der ganzen Materie und ihres intensiven Lebens.«[210]

Die Futuristen, zweifellos die lärmendsten Propheten vom Vormarsch des Visuellen, ließen keinen Zweifel daran, daß mit der Verabsolutierung der Bildsphäre gegenüber der Realität keineswegs auf die Beeinflussung der Realität verzichtet werde, im Gegenteil, die Realität sollte sich der Bildsphäre angleichen. Im Rückblick ist es leicht, die Keime zur ästhetischen Politik des Faschismus zu erkennen. Dazu gehört die Überhöhung ebenso wie die Vernichtung des Intellektuellen, die Selbsterhöhung und Selbstvernichtung und zu letzterem der Ruf Filippo Tommaso Marinettis (1876 bis 1944): »Futuristische Dichter! Ich habe euch gelehrt, Bibliotheken und Museen zu hassen, um euch darauf vorzubereiten, die *Intelligenz zu hassen,* und ich habe in euch die göttliche Intuition wieder erweckt, diese charakteristische Gabe der romanischen Völker.«[211] Es war der Ruf nach Befreiung des Geistes von Logik und Wissenschaft zugunsten des engmaschigen Netzes von Bildern und Analogien — in dem man um so schneller und sicherer eingefangen werden konnte im politischen Fischfang der kommenden Jahrzehnte.

Die Intuition war auch die charakteristische Gabe eines germanischen Volkes. Der Mann, der hier das Netz zusammenzog, wußte über die Vorteile des Bildes gegenüber dem Gedruckten Bescheid. In *Mein Kampf* bemerkte Hitler, »daß die Masse der Menschen an sich faul ist, träge im Gleise alter Gewohnheiten bleibt und von sich selbst aus nur ungern zu etwas Geschriebenem greift, wenn es nicht dem entspricht, was man selber glaubt, und nicht das bringt, was man sich erhofft. Daher wird eine Schrift mit einer bestimmten Tendenz meistens nur von Menschen gelesen, die selbst dieser Richtung schon zuzurechnen sind. Höchstens ein Flugblatt oder ein Plakat können durch ihre Kürze damit rechnen, auch bei einem Andersdenkenden einen Augenblick lang Beachtung zu finden. Größere Aussicht besitzt schon das Bild in allen seinen Formen, bis hinauf zum Film. Hier braucht der Mensch noch weniger verstandesmäßig zu arbeiten; es genügt, zu schauen, höchstens noch ganz kurze Texte zu lesen, und so werden viele eher bereit sein, eine bildliche Darstellung aufzunehmen, als ein längeres Schriftstück zu lesen. Das Bild bringt in viel kürzerer Zeit, fast möchte ich sagen auf einen Schlag, dem Menschen eine Aufklärung, die er aus Geschriebenem erst durch langwieriges Lesen empfängt.«[212]

Kapitel V
Die Entstehung der Arbeiterdichtung

1. Schreibende Arbeiter nach 1900:
Autobiographie und Prosa

Mit den Veränderungen, die sich in den literarischen Zeugnissen von Arbeitern in der Zeit der Jahrhundertwende abzeichneten, ging eine bedeutsame Wandlung in ihrer Rezeption überein. Die literarischen Äußerungen fanden — sehr zum Unterschied von der vorhergehenden Zeit — steigende Beachtung und Unterstützung auf bürgerlicher Seite, bei Journalisten, Sozialwissenschaftlern, Schriftstellern und Reformern. Ihre prekäre Plazierung ist von vornherein erkennbar: nicht mehr als Teil der geläufigen politischen Allegorisierung, aber auch nicht als bloße Kopie aktueller bürgerlicher Literatur. Der Standort läßt sich nicht allein mit Kategorien wie Revisionismus oder Reformismus erschließen, sondern muß im Zusammenhang der gesamten Umorientierung gesehen werden, mit der Anpassung oder Nichtanpassung der Gesellschaft an Industrialisierung, Großstadt, Massendasein, vor allem aber mit dem Drang zahlreicher Proletarier, dies auf eigene Faust mit Hilfe sprachlich-literarischer Formulierung anzugehen.

Das Streben nach individueller, ins Allgemeine zielender Dokumentation proletarischen Lebens und Denkens konnte in der Partei nur als Randerscheinung, nur als Bestätigung eines längst Gewußten verstanden werden, kaum als eine Erscheinung mit selbständigen politischen und ästhetischen Ansprüchen. Sobald diese Ansprüche für sich Anerkennung fanden, setzten Vorbehalte ein, auch wenn sich die Autoren nachdrücklich an sozialistischen Zielen orientierten. Nur wenige autobiographische Schriften erhielten die Unterstützung der Partei, im allgemeinen solche, die das in der

Parteipresse geläufige Thema ›Wie ich zur Sozialdemokratie kam‹ auf eindrucksvolle Weise abhandelten. Exemplarisch ist der Fall der österreichischen Arbeiterin Adelheid Popp (1869–1939), deren *Jugendgeschichte einer Arbeiterin von ihr selbst erzählt* 1909 anonym mit einem Vorwort von August Bebel erschien. Das Buch hatte großen Erfolg in der Arbeiterschaft und wurde darin nur von Bebels eigener Autobiographie erreicht, deren Lektüre für viele Leser der einer Geschichte der Sozialdemokratie gleichkam, was offensichtlich für die stilistische Trockenheit entschädigte. Rosa Luxemburg hob hervor, daß Bebels geistige Lebensgeschichte mit der Entwicklung der deutschen Sozialdemokratie gleichbedeutend sei, empfand das Werk privat allerdings als langweilig und »abgeschmackt«.[1]

Wertung und Auswertung der autobiographischen Äußerungen von Arbeitern nach 1900 sind seit jeher debattiert worden.[2] Die Argumente blieben sich ziemlich gleich: Das Pro und Contra gegenüber ihrem wissenschaftlichen Gebrauch als Dokumentation des Arbeiterdaseins, das Pro und Contra gegenüber ihrer Einschätzung als Literatur und das Pro und Contra gegenüber ihrer Bewertung als eigenständig proletarische oder sozialistische Literatur. Zweifellos steht diese Literatur historisch nicht isoliert. Die Tradition von Arbeiterautobiographien reicht, vorwiegend im Ausland, zurück bis zu den *Mémoires d'un ouvrier rouennais* (1836) von Charles Noiret, der *Autobiography of a Working Man* von Alexander Sommerville, dem Buch *Aus einer Fabrikstadt. Schicksale und Erfahrungen eines Fabrikarbeiters* (1853) von Carl Neumann, den *Mémoires d'un compagnon* (1854) von Agricol Perdiguier. Zum historischen Kontext gehört auch die seit dem Vormärz entwickelte Beschreibung und Dokumentation des proletarischen Daseins von seiten bürgerlicher Beobachter, die damit soziale Veränderungen zu bewirken versuchten, etwas, das die Kathedersozialisten seit den siebziger Jahren aufnahmen und — auf literarische Weise — die Naturalisten in den achtziger Jahren und das der ›Verein für Sozialpolitik‹ nach 1900 breiter unterstützte.[3] Das Interesse von Sozialforschern wie Max Weber,

Werner Sombart, Heinrich Herkner und Alfred Weber umschloß autobiographische Zeugnisse von Arbeitern; ihre Untersuchungen der proletarischen Lebensbedingungen wirkten wiederum auf die wenigen Sozialisten zurück, die zu dieser Zeit genauere Analysen unternahmen, wie etwa Otto Rühle, der im Vorwort zu seiner Schrift *Das proletarische Kind* (1911) die Anregung würdigte, die er von Sombarts »kleinen, feinen Studie« *Das Proletariat* (1906) empfangen habe, ein »ästhetisch wie sozialpsychologisch in gleichem Maße reizvolles Werkchen«.[4] (Rühles Zuwendung zur Kulturgeschichte des Proletariats — 1930 erschien der erste und einzige Band seiner *Illustrierten Kultur- und Sittengeschichte des Proletariats* — erhielt zu dieser Zeit wichtige Anstöße.) Schließlich muß die Vorliebe für literarische Äußerungen vom ›Volk‹ und über das ›Volk‹ erwähnt werden, die sich mit der Umorientierung um 1900 bemerkbar machte und für die zumeist die Heimatliteratur zum Ventil wurde.

Aufschlußreich für das Interesse an literarischen Äußerungen von Arbeitern ist Max Webers Kommentar von 1909, als er vor einer »lediglich Mitgefühl und nebenher eine Art belletristischen Aufsehens erregende Ausbeutung«[5] der Arbeiterautobiographien warnte und die Notwendigkeit sozialwissenschaftlicher Auswertung betonte. Aber auch Weber schloß eine philologische Analyse nicht aus. Ohne Zweifel spielten ästhetische neben politischen Erwägungen bei Anregung, Entstehung und Verbreitung dieser Literatur eine wichtige Rolle.

Keines der Werke läßt sich im Rang mit dem autobiographisch fundierten Roman *Pelle, der Eroberer* (1906 bis 1910 geschr., dt. 1912) von Martin Andersen-Nexö gleichsetzen, der vieles von der deutschen Arbeiterbewegung einbezieht und eine Zeitlang zur politischen Bewußtseinsbildung junger Arbeiter gehörte. Breitere Resonanz erhielten vor allem die von Paul Göhre (1864–1928) herausgegebenen und im Eugen Diederichs Verlag erschienenen Autobiographien von Arbeitern, zumal diejenige, die keine direkten Bezüge zur Sozialdemokratie aufwies: *Denkwürdigkeiten*

und Erinnerungen eines Arbeiters (1903) von Carl Fischer
(1841—1906). Diesem Band konnte Göhre bald zwei andere, die er aus Fischers umfangreicher Niederschrift zusammengestellt hatte, folgen lassen: *Denkwürdigkeiten und
Erinnerungen eines Arbeiters. Neue Folge* (1904) und *Aus
einem Arbeiterleben. Skizzen* (1905). Göhres Eingriffe in
das Manuskript mögen auch politische Reflexionen betrof-
fen haben, doch zeigt Fischers Beschwerdebrief an Eugen
Diederichs, daß ihm Göhres Engagement für die SPD sehr
zuwider war. (»Daß ich grade zu ihm ging, das hatte er
wieder bloß allein seinem Buche zu verdanken aber am
allerwenigsten dem, daß er Sozialdemokrat geworden
war.«[6])

Der breiten, fast sensationellen Publizität von Fischers
erstem Erinnerungsband dürfte Göhre mit seinen Hinweisen
auf das Ursprüngliche, Volkhafte des Werkes erfolgreich
vorgearbeitet haben. Im Vorwort machte er darauf aufmerksam, daß bisher die Lebensbeschreibung eines Mannes
aus dem Volke fehle, »eine Lebensbeschreibung mit dessen
Welt, der Welt des Volkes, in dem der Einzelne viel weniger Individualität, vielmehr nur Teilerscheinung der großen
Masse ist«.[7] Die Worte sind nicht unbekannt: Göhre war
im Jahr 1900 vom ›Nationalsozialen Verein‹ Friedrich
Naumanns zur SPD übergewechselt und brachte einige der
dort gepflegten Anschauungen ein. (Naumann regte selbst
die Chronik einer Arbeiterfamilie an: *Arbeiterschicksale* von
Franz Louis Fischer, 1906.) Einige Zeit vor Gründung des
Vereins war Göhre mit der Schrift *Drei Monate Fabrikarbeiter und Handwerksbursche* (1891) hervorgetreten, einer
aufsehenerregenden, mehrmals übersetzten Dokumentation
über das Leben des Proletariats in Chemnitz.

Der evangelische Theologe Göhre hatte 1890 den Kandidaten-
rock »an den Nagel gehängt« und war, nach einigen Tagen des
Umherstreichens in Herbergen, für drei Monate Fabrikarbeiter
geworden. Sein Bericht umfaßt Arbeitssuche; Dasein der Arbeiter
in Fabrik, Organisation und Familie; Bildungsbetrieb und Ver-
gnügungen; Einstellung zur Sozialdemokratie, zu Religion und
Wissenschaft. Entsprechend dieser den Naturalismus ernstzuneh-

menden sozialen Forschung hatte die konservative Berliner *Kreuzzeitung* festgestellt: »Man denke sich: im Deutschen Reiche gibt es eine Bevölkerungsschicht, die in ihrem Denken und Fühlen so von ihren Volksgenossen abgesondert ist, daß es einer abenteuerlichen *Expedition wie in das Innere Afrikas,* und eines großen ›Reisewerks‹ bedarf, um etwas Authentisches über sie zu erfahren. Dieselbe gegenseitige Entfremdung und Unfähigkeit, einander zu verstehen, bestand im vorigen Jahrhundert in Frankreich unter den verschiedenen Ständen, und dies war es, was den Ausbruch der Revolution so überraschend machte.«[8]

Fischer war von Göhres Schrift angeregt worden. Er beschrieb sein schweres Leben als ungelernter Arbeiter in der zweiten Hälfte des 19. Jahrhunderts. Im Jahr 1841 als Sohn eines kleinen Bäckers geboren, ging er auf Wanderschaft in Deutschland und geriet in die Mühle der Ausbeutung, die ihn bis zum Alter nicht mehr freigab. Die längste Zeit (1869–1885) verbrachte er in einem Stahlwerk in Osnabrück, danach nahm er Arbeit in der Abkocherei der Osnabrücker Eisenbahnwerkstätte an. Fischers Bericht wertete der sozialdemokratische Redakteur und Schriftsteller Franz Diederich (1865–1921) als »Dokument menschlichen Elends, ein Dokument des Kulturelends im neunzehnten Jahrhundert«, als »Schatzkammer an Material zum Verständnis der Anfänge der deutschen Industrie und der Lage ihrer Arbeiter in den sechziger und siebziger Jahren«, einer inzwischen abgeschlossenen Epoche.[9]

Diederich lenkte den Blick auch auf Fischers Aufbegehren gegen die sozialen Zustände. Das schoben bürgerliche Rezensenten zumeist beiseite. Sie fanden besonderen Gefallen an der urtümlichen, unprätentiösen Sprache, die an Luthers Bibelübersetzung geschult war, und an Göhres Ansicht, daß hier ein »Dichter ohne Kunst« aus der Mitte des Volkes emporgestiegen sei.

Die zahlreichen bürgerlichen Pressestimmen zu Fischers Buch sind exemplarisch für die Hoffnungen auf eine Erneuerung der Kultur aus dem Volk. Ihre antiintellektuelle Tendenz kam in den Seitenhieben gegen den Naturalismus zum Ausdruck, bei Ferdinand Avenarius ebenso wie in der *Neuen Rundschau.* Der Rezensent dieser Zeitschrift deutete auf Traditionen des 19. Jahr-

hunderts zurück: »Bildung ist die wiedergewonnene Naivität:
sagt Berthold Auerbach in einem glänzenden Paradox.« Der
Artikel endet: »Die Tausende von Seiten, in denen der moderne
Naturalismus krampfhaft versuchte, der Wirklichkeit habhaft zu
werden, erscheinen neben diesen farbigen, saftvollen Schilderungen arm und leer und besagen kaum mehr als unbeschriebenes
Papier.«[10] Wilhelm Hegeler konstatierte, daß Fischer zwar nicht
an Gorkij heranreiche, stellte aber die Frage, »ob der Mann, der
ein Buch von solcher Ursprünglichkeit und anschauender Kraft,
in diesem lebendigen Fluß der Ereignisse [schreibe], die doch nie
durch sich selbst, sondern immer als Symbole der dahinter liegen-
den Menschlichkeiten wirken, ob dieser Mann nicht ein Genie
sei? Nun, in einem Punkt ist er gewiß ein Genie. In der Kraft
des voraussetzungslosen Schauens.«[11] Man sah von den empören-
den sozialen Inhalten ab und hielt sich an die scheinbar reine
Erlebensdokumentation, eine Art Volksphänomenologie. Paul
Ernst ging, wie üblich, ins Grundsätzliche und diskutierte Möglichkeiten und Hindernisse einer Verjüngung der Literatur von
seiten der Arbeiterklasse, allerdings mit äußerster Skepsis gegenüber dem Zug zur Populärwissenschaft in der SPD, die seinem
Konzept des Ursprünglichen im Wege stand.[12] Doch auch der
sozialdemokratische Literaturkritiker Otto Wittner rückte die
Namen Gorkijs und Fischers einander nahe und verknüpfte damit
die Hoffnung auf das Entstehen einer proletarischen Kunst.[13]

Die folgenden von Göhre herausgegebenen Autobiographien von Arbeitern erreichten bezeichnenderweise nicht
mehr die Verkaufsziffern von Fischers Erinnerungen. Hier
dominierte — in weniger kraftvollem Stil, aber mit nicht
weniger gewichtigem Inhalt — die Bindung des Autors an
die Sozialdemokratie. Moritz Theodor William Bromme
(1873—1926), der die *Lebensgeschichte eines modernen
Fabrikarbeiters* (1905) verfaßte, Wenzel Holek (1864—1935)
mit dem *Lebensgang eines deutsch-tschechischen Handarbeiters* (1909) und Franz Rehbein (1867—1909) mit *Das Leben
eines Landarbeiters* (1911) sahen ihr Dasein mehr oder
weniger stark von der Begegnung mit der organisierten
Arbeiterbewegung geprägt.
    Dafür ist bei der neueren Beschäftigung vor allem Brom-
mes Buch gelobt und herausgestellt worden. Bromme ver-

faßte seinen Lebensbericht in Kenntnis von Fischers Darstellung überwiegend in einer Lungenheilanstalt. Schon sein Vater hatte für seine Parteitätigkeit schwere Nachteile in Kauf nehmen müssen. Bromme selbst erlebte Repressalien, Lohnkürzungen und Entlassungen aufgrund seiner Parteiarbeit und seiner Kritik an den Arbeitsverhältnissen. Er dokumentierte, teilweise mit Zahlen, die Lebensweise von Proletariern am Ende des 19. Jahrhunderts, die ruinösen Folgen der Akkordarbeit in der Industrie, die trostlosen Freizeitvergnügen, die Sexualmoral, die rücksichtslose Führung der Betriebe. Zugleich legte er von erstaunlichen Bildungsbemühungen Zeugnis ab, von politischem Widerstandswillen und politischer Zuversicht.

Ähnliches findet sich im Werk von Rehbein, einem Landarbeiter, dem im Alter von 28 Jahren von einer Dreschmaschine der rechte Arm ausgerissen wurde. Rehbein schlug sich danach mühsam durch, engagierte sich aktiv in der Sozialdemokratie, stieg zum Redakteur auf. Sein Buch war die erste größere sozialdemokratisch orientierte Prosadarstellung des Landarbeiterlebens aus eigenen Erfahrungen in Pommern und Holstein, an Landarbeiter adressiert. Die konservativen *Preußischen Jahrbücher* lehnten das Werk in seiner politischen Tendenz ab, stellten es in seinem Stil und seiner Anschaulichkeit jedoch über den *Armen Mann im Tockenburg* von Ulrich Braeker (der bezeichnenderweise 1910 in einer Neuausgabe erschien). Auch hier beeindruckte wie bei Fischer und Bromme der nüchterne Realismus, das Absehen von allem »Transzendentalen«: »Es ist ein ganzes wirkliches Leben mit seinem Erdgeruch, das vor uns ausgebreitet wird.«[14]

Bevor auf die Frage der Rezeption eingegangen wird, sei noch Wenzel Holeks *Lebensgang eines deutsch-tschechischen Handarbeiters* erwähnt, für den ebenfalls die Lektüre von Fischers *Denkwürdigkeiten* entscheidende Anregungen vermittelte.

Unter welch schweren Bedingungen die Niederschrift dieses Buches erfolgte, dokumentierte der Herausgeber Göhre in der Einleitung mit einem Brief, in dem Holek seinen Tagesablauf als

Schaufler und Kohlenschieber in einer Dresdener Glasfabrik schildert. Holek wechselte seit seiner Jugend zwischen Böhmen und Sachsen hin und her, war Harmonikaspieler und Ziegelformer, Arbeiter im Tiefbau, in Zucker- und Glasfabriken, war Agent, Lagerhalter, Redaktor und Kaufmann und stieg später — was im 2. Band *Vom Handarbeiter zum Jugenderzieher* (1921) geschildert ist — zum Erzieher auf. Früh schloß er sich der Arbeiterbewegung an; über das Nebeneinander von deren tschechischem und deutschem Zweig gibt er interessante Aufschlüsse. Holek erfuhr seine Erziehung durch die Parteiarbeit, allerdings blieben seine Lebensverhältnisse überaus schwer. Arbeitslosigkeit und Familienschwierigkeiten trieben ihn als Vierzigjährigen fast zum Selbstmord. Er schließt das Buch mit der Schilderung einer Massendemonstration in Aussig 1904, von der er stolz auf die Entwicklung der Arbeiterbewegung zurückblickt, zugleich aber auch wehmütig darüber, daß er das in seiner Jugendzeit noch nicht hatte erleben können.

Daß die von Göhre edierten Autobiographien keine breite Wirkung in der Arbeiterschaft erzielten, ist seit jeher festgestellt und von Mehring in der Rezension von Holeks Buch vor allem aus Aufmachung und Preis begründet worden. Mehring kontrastierte den Preis für das Buch (mehr als drei Mark) mit dem Preis für die Erinnerungen von Adelheid Popp, der nur eine Mark betrage. Schon das stemple Holeks Bericht als »ein Buch für die Bourgeoisie« ab. Aber auch Göhres »ästhetische Verseichtbeutelung des modernen Proletarierloses« im Vorwort ärgerte den Marxisten. Göhres Aussage, das Buch mache keine Propaganda für die Sozialdemokratie, sondern sei völlig objektiv, gebe zu falschen Schlüssen Anlaß; Göhre könne »von der Genossin Popp lernen, wie man ›vollkommen objektiv‹ sein und doch für die Partei Propaganda machen kann, ohne sich einem anderen ›Vorwurf‹ auszusetzen als dem ›Vorwurf‹ der Bourgeoisie«.[15]

Mehring brachte in seiner Kritik Objektivität und Parteipropaganda zur Kongruenz, indem er das Thema auf den Weg des Einzelnen zur »Höhe des proletarischen Klassenkampfes« eingrenzte. Das wurde in späterer Zeit weiterentwickelt. Im Gegensatz zu späteren sozialistischen Theoretikern aber erwartete Mehring von der Darstellung dieses Inhalts keine ästhetischen Qualitäten. Er hielt daran fest, daß sich Kunst unabhängig vom sozialistischen Kampf entfaltet habe und entfalte, und daß ihre Funktion bestenfalls die eines Bündnispartners sei, der seinen eigenen Gesetzen folge.

Mehrings Hinweis auf Adelheid Popps Buch korrespondierte mit deren Einschätzung der *Jugendgeschichte einer Arbeiterin*. Sie rückte darin ihre Person in den Hintergrund, betonte die Stellvertretung für die Klasse. Sie bemerkte, sie habe die Schrift zu dem Zwecke verfaßt, anderen Arbeiterinnen Mut zu machen, dieselben Wege zu betreten. Ihr Aufstieg führt, aus der Sicht der Parteifunktionärin geschildert, geradlinig aus traurigsten Familienverhältnissen über Lektüre, Bildungseifer und Agitationstätigkeit zur verantwortlichen Stellung in der österreichischen Partei. Der Leser bekommt Einblick in die üblen Lebensumstände der Arbeiterinnen innerhalb und außerhalb der Fabrik. Die Objektivität ihrer Schilderung sah die Autorin mit deren unkünstlerischem Charakter übereingehen.

Demgegenüber trennte Göhre Objektivität vom politischen Charakter der Äußerungen und rechnete sie als ästhetische Größe, als einen auch vom bürgerlichen Publikum nachvollziehbaren Wert. Damit verschaffte er der autobiographischen Prosa von Arbeitern eine Rechtfertigung über das Thema ›Wie ich zur Sozialdemokratie kam‹ hinaus. Was Rechtfertigung war, mochte auch als Motivation gelten: die Wirkung von Göhres Tätigkeit als Herausgeber läßt sich, was Arbeiter betrifft, mehr in deren Ermutigung, auch einmal zur Feder zu greifen und das eigene Dasein schreibend zu analysieren, definieren als in allgemeiner politischer Ermutigung. ›Göhre‹ wurde zu einem Signalwort, es bedeutete — über die Partei hinaus — die Bemühung um proletarische Selbstzeugnisse.

In diesem Zusammenhang ist eines der ersten Programme proletarischer Dokumentationsliteratur zu nennen, von dem sich zu späteren Aktivitäten auf diesem Gebiet eine Brücke schlagen läßt. Das Programm findet sich in einer der von

Adolf Levenstein herausgegebenen Sammlungen proletari-
scher Selbstzeugnisse, die neben den von Göhre betreuten
Bänden um 1910 am meisten Aufmerksamkeit erhielten.
Das Programm wurde vom Eberhard Frowein Verlag am
Schluß von *Proletariers Jugendjahre* (1909) abgedruckt. Es
lautet:

>Richtlinien des Verlages.
1. Der Verlag sieht seine vornehmste Aufgabe darin, beschei-
dene Bausteine zur Erkenntnis unserer sozialen Zustände mit
beitragen zu helfen.
2. Aus dieser Erkenntnis heraus geht er durchaus von psychologischer Basis aus, um den Weg zur Seele des Menschen, die so
scheu verschlossen liegt, zu finden.
3. Die Methode wurde durchweg angewandt, die Arbeiter selbst
zu Worte kommen zu lassen, um an Hand ungeschminkten Tatsachenmaterials zu beweisen, wie unsere technische Kultur den
Arbeiter teilweise erdrückt, teilweise aber auch schlummernde
geistige Kräfte freimacht.
4. Der Verlag wendet sich vornehmlich an die mit sozialem
Herzen, die Verständnis haben für den Willen der Zeit, Menschen richtig zu bewerten.«[16]

Ein ähnliches Konzept stand auch hinter dem 1910 von
Rudolph Broda und Julius Deutsch veröffentlichten Band
Das moderne Proletariat. Eine sozialpsychologische Studie,
in dessen Anhang eine große Anzahl von Arbeitern zu
Wort kommt. Die Herausgeber beschäftigen sich eingehend
mit den auch anderswo immer wieder betonten Schwierigkeiten, Arbeiter zum Schreiben zu bringen. In ihrem Resümee wiesen sie auf die Tendenz zum künstlerischen Gestalten hin:

>Was wir gesammelt haben, will *nicht als Kunstwerk* gewertet
sein. Es war *nicht unsere Absicht, Talente zu entdecken*, sondern
vielmehr die, Arbeiter über Arbeiter zum Reden zu bringen. Das
ist uns, wie wir glauben, in ziemlich genügendem Maße gelungen.
Wenn als Nebenvorteil dabei auch hier wieder zutage trat, wie
viele Kräfte, wie viele literarische Talente in der Arbeiterklasse
schlummern, so gereicht es uns zur Freude und ist an sich eine
bedeutsame Tatsache zur Beurteilung des modernen Proletariats.«[17]

Umstritten waren besonders die Unternehmungen von Adolf Levenstein, einem Autodidakten, der in seiner Heimat Finnland als Werkmeister in der Textilindustrie gearbeitet hatte, danach in Deutschland verschiedene Tätigkeiten ausübte, die ihn in Kontakt mit zahlreichen Arbeitern brachten.[18] Levenstein, ein Sozialdemokrat, veröffentlichte in dem Band *Proletariers Jugendjahre* die Lebensberichte mehrerer Arbeiter in ihrer urspünglichen, teilweise unbeholfenen Diktion. Viel Raum gewährte er den Erzählungen des Kanalarbeiters Max Brockelmann über seine Jugend in Masuren, einem düsteren Gemälde von Dorfarmut und Einsamkeit. Das Buch schloß an die Sammlung von Arbeiterbriefen *Aus der Tiefe* (1908) an, die Levenstein in Verbindung mit einer Fragebogenaktion[19] über das Seelenleben von Arbeitern, hauptsächlich Textil- und Bergarbeitern, zusammengestellt hatte. An dieser Sammlung beanstandete die zeitgenössische Kritik den Anspruch des Typischen, zumal Levenstein dem Bergarbeiter Max Lotz für seine schwülstigen und hochtrabenden literarischen Ergüsse allzuviel Platz eingeräumt habe. Am besten schnitt die ebenfalls von Levenstein im Frowein Verlag edierte Sammlung *Arbeiter-Philosophen und -Dichter* (1909) ab, in der einige Skizzen, Gedichte und ein dramatischer Versuch enthalten sind.

Sowohl Max Weber wie Heinrich Herkner machten auf die enge Bindung der Gedichtautoren an die Sprache Schillers aufmerksam; beide Kritiker zeigten sich von den Prosaskizzen des westfälischen Maschinisten Karl Kühler beeindruckt.[20] Kühler beschreibt in *Streik* das schwierige Dasein des Streikagitators, dessen Beispiel die Arbeiter aus mangelnder Kraft und Solidarität nicht folgen, und der entlassen wird. In *Bekehrt* steht ein junger Arbeiter im Mittelpunkt, der angesichts der Ausbeutung einsieht, daß der Eintritt in die Partei unumgänglich und richtig ist.

Levenstein kümmerte sich auch um malerische Versuche von Proletariern und veranstaltete 1910 in Berlin eine ›Arbeiterdilettanten-Kunstausstellung‹.[21]

Daneben gab es andere Förderer ›schreibender Arbeiter‹, etwa in der Zeitschrift *März*, welche die proletarische Selbstaussage für ein eindeutig bürgerliches Publikum kultivierten und entsprechende Texte auswählten.

Für die katholische Arbeiterbewegung ist besonders das Wirken von Carl Sonnenschein hervorzuheben, dessen Haltung zur Arbeiterfrage von Friedrich Naumann beeinflußt war. Sonnenschein, der sich auch der Annäherung von Arbeitern und Akademikern widmete, förderte literarische Äußerungen von Proletariern; er betätigte sich führend im ›Volksverein für das katholische Deutschland‹ (Zentrale Mönchengladbach), in dessen Publikationen Heinrich Lersch (1889—1936) eine erste Chance als Lyriker bekam.[22] Förderung von der katholischen Arbeiterbewegung erfuhren auch die proletarischen Autoren Ludwig Kessing (1869—1940), Christoph Wieprecht (1875—1942) und Otto Wohlgemuth (1884—1965).

Als sich ein Rezensent, wahrscheinlich Adelheid Popp, 1909 im *Kampf*, der Zeitschrift der österreichischen Sozialdemokratie, mit dem Band *Arbeiter-Philosophen und -Dichter* von Levenstein beschäftigte, formulierte er eine milde Kritik, milde im Vergleich zur Reaktion anderer Sozialdemokraten. Er fragte, warum die vorgelegten Schreibproben gleich zu einem Buch zusammengefügt würden, das, vor allem wegen des hohen Preises, die Arbeiterschaft doch kaum erreiche. »In der Arbeiterpresse würden sie weit mehr Verbreitung finden und es würden in den Arbeiterdichtern und -dichterinnen nicht Hoffnungen erweckt, die sich dann oft nicht erfüllen. Enttäuschungen sind recht hart zu tragen.«[23] Der Rezensent empfand die Hoffnung auf literarische Anerkennung als legitim, lenkte aber die Aufmerksamkeit ganz auf die Arbeiterpresse als den gemäßen Ort der Aussprache. Ein Buch gelange doch nur an das bürgerliche Publikum.

Allerdings bestand in den Parteiorganen wenig Bereitschaft, sich dieser Aufgabe anzunehmen. Clara Zetkins Bemühungen wurden schon erwähnt, sie druckte in der *Gleichheit* Selbstzeugnisse von Arbeiterinnen ab, von Anna Moosegard, Wilhelmine Kähler und anderen. Ebenso förderte Adelheid Popp solche Darstellungen.[24] Das meiste

Interesse fand sich offensichtlich bei der proletarischen Jugend, deren Zeitschrift *Arbeiter-Jugend* Proben veröffentlichte und die Leser zu eigenen Versuchen aufforderte. Doch sei auch eine Zeitung wie das *Hamburger Echo* genannt, die in ihrer Jugendbeilage auf Arbeiterdichtung einging.

Auf dem Parteitag 1912 kam die Vernachlässigung dieses Bereichs der Parteiarbeit zur Sprache, als man die Parteipresse und ihr Feuilleton kritisierte. Was in der *Neuen Zeit* an Maßnahmen vorgeschlagen wurde, trug den Stempel des Reformismus. Im Bericht heißt es:

>»Die Genossen, denen der Unterhaltungsteil anvertraut ist, müssen Entdecker werden, man muß vorhandenen Talenten in der Arbeiterschaft Anregung und Gelegenheit zur Betätigung geben.« Diese Aufforderung verband sich mit dem bezeichnenden Postulat: »Die oberste Forderung, die an das Arbeiterfeuilleton gestellt wird, muß dahin gehen, die ästhetischen Werte zu heben, die die Umwelt des Arbeiters bietet: Arbeitsvorgang, Arbeitsfeld, Arbeitsmittel, Aufenthalt (die moderne Groß- und Fabrikstadt), den Kampf der Arbeiter ums Dasein und um den Aufstieg auf der gesellschaftlichen Stufenleiter.«[25]

Dieser Ansatz entsprach den ästhetischen Impulsen, gegen die sich die Parteiführung wandte, denen sie aber, wie die ›Sperber-Debatte‹ 1910—1912 zeigt, keine literarisch-publizistische Alternative entgegenstellte. Der Ansatz verwies auf die vor allem in der Lyrik anwachsende Tendenz, das proletarische Bekenntnis aus der gefühlshaften Durchdringung von Lebenssituationen hervorgehen zu lassen.

Aus dieser Zeit datiert das Herausdestillieren eines spezifisch ›Proletarischen‹, das keine Parteimarkierung trägt und damit besonders in den revolutionären Jahren nach dem Ersten Weltkrieg als Gefühls- und Bekenntnistopos vielerlei politische Verwendung erfuhr. Es bildete die Grundsubstanz für den Begriff ›Arbeiterdichtung‹, der nicht nur auf die Poetisierung proletarischen Daseins zielte, sondern auch die proletarische Herkunft als Vorbedingung einer solchen literarischen Darstellung anzeigen sollte. Dieser Ansatz, seit jeher umstritten, behielt Ausstrahlungskraft bis zur Gegenwart, zumal dort, wo nun mit viel Aufwand nachgewiesen wurde, daß viele Arbeiterdichter gar keine richtigen Arbeiter gewesen seien, eher Kleinbürger, Deklassierte, Depravierte etc. Das war schon vor dem Ersten Weltkrieg von bürgerlichen Sozialforschern konstatiert worden.

Bei seiner Beschäftigung mit proletarischen Selbstzeugnissen kritisierte bereits Max Weber die »beliebte Vorstellung«, das »Durchempfinden« und »Erleben« sei auf diesem Gebiet die letzte Instanz des Erkennens. Er sprach den von Proletariern formulierten Empfindungen vor allem Dokumentationswert zu und beurteilte die Annahme, sie könnten als Basis einer eigenen proletarischen Kultur dienen, voller Skepsis:

> »Mit ganz besonderer Vorsicht würde dabei an den Versuch heranzutreten sein, spezifisch ›proletarische‹ Empfindungsrichtungen herauszuschälen. Denn auch dieses Material bestätigte, wenigstens mir, wieder die alte Erfahrung, daß die Empfindungsweise des Proletariats zunächst ins Unbefangene und ›Vormärzliche‹ zurückübersetzten ›bürgerlichen‹ in den Grundlagen weit *ähnlicher* aussieht, als aprioristische Klassentheoretiker zuweilen glauben. Daß die aus der Art der materiellen Interessen unmittelbar rational folgenden Divergenzen der Vorstellungsinhalte deutlich hervortreten, versteht sich ja von selbst. Schon auf dem Gebiet derjenigen Vorstellungsweisen aber, welche weiter, zu den ›Gründen‹ der eigenen Klassenlage, dann zu den unmittelbaren Lebenszielen und Hoffnungen führen, zeigt sich die Art des ›Pathos‹ regelmäßig so wesensverschieden von derjenigen, die etwa einem konsequenten Marxisten in das Gehirn gedämmert sein müßte, daß man in Gefahr geraten kann, im Proletarier (und es handelt sich hier um *Partei*sozialisten) *nur* den ›Kleinbürger‹ in zufällig etwas modifizierter Interessenlage zu erblicken. Jedenfalls: es ist keineswegs einfach zu sagen, an *welcher* Stelle wirklich so etwas wie ein eigenes, selbständige Bahnen ziehendes, nach eigenen *neuen* Kulturwerten fragendes proletarisches Empfindungsleben sich äußert.«[26]

Der Hinweis auf das Kleinbürgerliche korrespondierte mit den Feststellungen anderer Beobachter. Max Weber ging hier nicht auf das Problem ein, inwiefern die Suche nach spezifisch proletarischen Empfindungsweisen überhaupt marxistisch sei, sowie auf die Frage, ob das, was den Ar-

beiter »seelisch dokumentiert«, überhaupt ohne Anklang an
bürgerliche Aussageformen und -inhalte bleiben konnte.[27]
Was die Beschäftigung mit proletarischen Selbstzeugnissen
nahelegte, war die Feststellung, daß eine gewisse, von Herkunft, Temperament, Ambition, Lektüre und äußeren Umständen vorgegebene Distanz zur ›klassischen‹ Fabrikarbeit
beim Artikulieren half. Alfred Weber macht 1912 darauf
aufmerksam, daß von gelernten Industriearbeitern keine
Autobiographien vorlägen. (»Nicht diese höhere Schicht
von Angelernten, [sondern] die Ungelernten sind es, die
uns von ihrem Leben noch irgend etwas zu erzählen wissen.«[28]) Wenn diese Beobachtung auch zu strikt gefaßt ist
und im Hinblick auf den politischen Antrieb zu kurz greift,
so beleuchtet sie doch die generelle Tendenz: daß sich ge-
lernte Industriearbeiter kaum gedrängt fühlten, ihr Dasein
schriftlich auszubreiten. Theodor Geiger ging diesem Schweigen später nach; er führte unter anderem den Lebensbericht
Ein Prolet erzählt (1930) von Ludwig Turek (1898–1975)
als Zeugnis an:

> »Ein Brausewind und politischer Abenteurer erzählt seine revo-
> lutionäre Odyssee. Wie er die Kriegsschauplätze des blutigen
> Klassenkampfes aufsucht, von der Ruhr nach Rußland eilt, ein
> echter Landsknecht der gewaffneten Revolution. Vom Arbeiter-
> schicksal ist kaum die Rede. [...] Es gibt solche Abenteurer wie
> Tureck; sie sind *ein* proletarischer Typus. Aber sie werden älter
> und kommen in ruhiges Fahrwasser. Das widerfährt auch Tureck.
> Aber von dem Punkt ab, wo diese Wandlung einsetzt, findet er
> sein Leben nicht mehr interessant genug, um darüber zu berich-
> ten. Er bricht ab. Wo das Dutzendschicksal der Arbeitsmenschen
> sich an ihm zu vollziehen beginnt, ist er sich selber nicht mehr
> würdiger Gegenstand literarischen Berichts, er versinkt im grauen
> Alleseins der Anonymität. Vom Abenteuer erzählt man – die
> Eintönigkeit des Arbeitsalltags trägt man stumm.«[29]

Den von Geiger apostrophierten proletarischen Typus
hatte schon Alfred Weber anvisiert, als er 1912 auf das
Berufsschicksal der ungelernten Massen zu sprechen kam
(wobei das von Geiger konstatierte revolutionäre Element
noch fehlte): »Nur, wo es zum eigentlich Vagabundären

ausgeprägt wird, und wo es dadurch einen Schimmer von Poesie und einen irgendwie *gewollten* Lebenston bekommt, erhält es auch etwas, was wie eine gewisse ganz schwache Kulturbedeutung aussieht.«[30] Alfred Weber konnte sich dabei auf die vorliegenden Arbeiterautobiographien berufen, die den wandernden ungelernten Arbeiter des 19. Jahrhunderts herausstellten. Dabei sei nicht übersehen, daß Industriearbeit auch um 1900 für einen großen Teil der deutschen Arbeiter noch etwas Neues bedeutete. Viele waren selbst noch Landarbeiter gewesen bzw. vom Land aufgebrochen und maßen Großstadt und Industrie an den ländlichen Verhältnissen.[31] Zugleich schrieb Weber unter dem Eindruck einer weitverbreiteten Abkehr der Literatur von der Großstadt, mit der zu Beginn des Jahrhunderts Vagabunden und vagabundisches Leben Beachtung fanden.

Davon legen die Bemühungen von Hans Ostwald (1873 bis 1940) um Dokumentation des Vagabundenlebens Zeugnis ab. Zu Ostwalds Werk *Vagabonden* (1900), das Schicksale und Lebensweise dieser Schicht darstellt, eine Lebensweise, zu der auch die häufig vergebliche Arbeitssuche gehört, hieß es in der *Neuen Zeit:* »Es müßte wunderlich zugehen, wenn nicht besonders die Arbeiter zu diesem Buche griffen; ist es doch Leben von ihrem Leben, das sie hier finden.«[32] Der Sozialdemokrat Ostwald erregte Aufsehen mit seiner Dokumentation der poetischen Zeugnisse des ›niederen‹ Volkes, *Lieder aus dem Rinnstein* (1903), worin er von den Liedern der mittelalterlichen fahrenden Leute zu den Versen des modernen Vagabunden eine Brücke schlug. Er schloß an die Popularität des Überbrettls (Kabaretts) an, die zu dieser Zeit stark war, ebenso an Vorlieben der Bohème und vor allem an die Wirkung von Autoren wie Hamsun und Gorkij (über den er eine Monographie verfaßte).

In dem von Ostwald durchleuchteten Terrain ergaben sich manche Berührungen mit der Literatur des ›romantischen Seelenvagabunden‹[33], der sich von Stadt und Industrie abkehrt und für einen Teil der bürgerlichen Jugend zum vorbildlichen ›Rebellen‹ wurde, und mit den Erfahrungen von (zumeist jungen) Proletariern, die ihre eigene Rebellion verfolgten.

Für die proletarische Literatur der zwanziger Jahre stellte die vagabundische Rebellion vor dem Ersten Weltkrieg einen wichtigen Anstoß dar. In der Vita von Autoren wie Albert Daudistel (1890–1955), Theodor Plievier (1892–1955), Adam Scharrer (1889–1948), Kurt Kläber (1897–1959), Max Barthel (1893–1975) und anderen bezeichnet der Schritt aus der Enge der Städte, der Fabriken, der gesellschaftlichen Konventionen auf die Landstraße und ins Wanderleben hinaus einen entscheidenden Durchbruch.[34] Er markiert besonders intensiv die anarchistische Tendenz und individuell-erlebnishafte Orientierung nach der Jahrhundertwende, die mit dem Denken der Sozialdemokratie wenig zu tun hatte und zu tun haben wollte.[35]

Als Lu Märten Anfang 1920 über die *Revolutionäre Dichtung in Deutschland* schrieb, man müsse deren formale Wurzeln *vor* den revolutionären Umbrüchen in die Analyse einbeziehen, nannte sie als Ausgangspunkt »nicht Schiller, nicht nur Hölderlin und nicht Zola oder gar Hauptmann —: er liegt in der noch immer unbekannten philosophischen, ethischen und sozialen Künstlerpersönlichkeit des Peter Hille.« Lu Märten erläuterte diesen keineswegs aus der Luft gegriffenen Hinweis auf den vagabundierenden Hille (1854 bis 1904): »Er ist der Bauer, der Revolutionär, der Umwerter des Wortes und der literarischen Form, gemäß einer befreiten Sinnlichkeit, Menschlichkeit und Freiheit, deren Wege, Länder und Städte erst zu bauen sind. Er ist es, dessen Stürme über die Gärten der offiziellen Dichtkunst und vor allem der ›Poesie‹ hinwegbrausen und sich nur niederlassen und zur Ruhe kommen in den wirren Kronen ungeheurer Wälder.«[36]

2. Die Gefühlspoetik der proletarischen Lyrik

Während die Prosa proletarischer Autoren nur sehr begrenzte Resonanz fand, erlangte proletarische Lyrik in der

Periode des Expressionismus, als man der Lyrik ohnehin starkes Interesse entgegenbrachte, größere Verbreitung und Anerkennung. Bis weit in die Jahre des Ersten Weltkrieges hinein wurden auch dabei überwiegend die Qualitäten der Ursprünglichkeit und Lebensnähe gewürdigt, die von den Rezensenten der Prosa Lob erhielten. Man hob den Dokumentationsaspekt hervor, und zwar nicht als Beiwerk, sondern als Kern der literarischen Aussage, als Zentrum der ästhetischen *als* einer gesellschaftlichen Aktivität. Gegenüber der allegorischen Haltung der überlieferten sozialistischen Lyrik nahm dieser Aspekt fast die Stelle einer neuen Poetik ein. Nachdrücklicher als bei der Prosa kamen subjektivgefühlshafte Elemente zum Zuge.

Als im Jahre 1910 anläßlich einer Freiligrath-Feier der Ruf nach einem neuen Freiligrath laut wurde, gab der sozialdemokratische Kritiker Rudolf Franz in der *Neuen Zeit* zu bedenken:

»Wir haben eine nicht geringe Zahl leidenschaftlicher Kampflieder, aber mit ihrem künstlerischen Werte sieht es im ganzen nur mäßig aus. Ein Freiligrath fehlt unserem Kampfe. Warum? Vielleicht liegt die Antwort in der Umkehrung: ein Kampf fehlt unseren Freiligraths. Wir haben gewaltige Kämpfe, aber von einem ›kriegerischen‹ Kampfe und damit von einer revolutionären Poesie im hergebrachten Sinne kann zur Zeit nicht gesprochen werden.«

Franz empfahl:

»Entweder müssen unsere Dichter, wenn sie Freiligraths werden wollen, die militaristische Fachsprache aufgeben, weil sie mit unserer Taktik nud sogar mit dem gegenwärtig aktuellen Teile unserer Theorie in Widerspruch steht, oder wir müssen uns gedulden, bis ›der wilde Sänger des letzten Krieges‹ kommt, was aber erst geschehen kann, wenn der ›letzte Krieg‹, wenn eine kriegerische Taktik da ist!«[37]

Das Unbehagen an der militaristischen Fachsprache richtete sich auf die Pathosformeln, die sozialistische Autoren wie Jakob Audorf oder August Geib im 19. Jahrhundert verwendet hatten. Rudolf Franz begründete das Unbehagen mit der Umorientierung der Parteitaktik auf ein »zähes, vielleicht viele Jahrzehnte langes Ringen um die Eroberung der wirtschaftlichen und politischen Macht auf gesetzlichem Boden«.

Wenn die Bedeutung der überlieferten Kampflieder geringer eingeschätzt wurde, so galt das nur eingeschränkt für Situationen echter Konfrontation, etwa bei Streiks oder bei den Auseinandersetzungen der Arbeiterjugend mit der Polizei, von der sie in ihrer organisatorischen Entfaltung behindert wurde. Bei der wichtigsten Kampfaktion zu Beginn des Jahrhunderts, dem Crimmitschauer Textilarbeiterstreik 1903/1904, entstanden ebenso wie beim Mansfelder Bergarbeiterstreik 1909 und den Demonstrationen in Berlin 1910 anonyme Streiklieder.[38]

Es ist bezeichnend, daß derjenige proletarische Autor, der zu dieser Zeit als einer der wenigen jene militanten Töne anschlug, die Franz vorläufig der Vergangenheit zurechnete, ganz im Banne der von Freiligrath geprägten Pathosformeln dichtete. Mit dem Gedicht *Du giltst als Lump, trotz alledem!* knüpfte Werner Möller (1888–1919), ein Arbeiter und Parteifunktionär in Barmen, an Freiligraths *Trotz alledem!* an. Die Schlußverse lauten:

> »Und dennoch, o, daß lodern möcht
> Aus deinem Aug' der Zornesbrand,
> Du giltst als Lump trotz alledem,
> Als Lump in deinem Vaterland.
>
> Ein Lump noch heut! Wie lange noch? —
> Der Hammer klingt, die Esse qualmt; —
> Wann hebst du deine Faust empor,
> Die diese morsche Welt zermalmt?
>
> O, laß ihn grollen durch die Welt,
> Den Schrei, den glutdurchbebten Schrei:
> ›Genug des Leids, genug der Schmach,
> Seht her, Tyrannen, ich bin frei!‹
>
> Laß eine neue Welt entsteh'n,
> Wo alle Knechtschaft ist verbannt;
> Wach auf, Prolet, dann bist du frei,
> Bist Herr in deinem Vaterland.«[39]

›Tyrann‹, ›Knechtschaft‹, ›Befreiung‹ — Möllers Rückgriff
auf die Formeln der sozialistischen Literatur des 19. Jahrhunderts macht deutlich, was Franz meinte. Sein Gedichtbändchen *Sturmgesang*, das 1913 im Selbstverlag erschien
und offensichtlich keine breitere Resonanz fand, legt die
Feststellung nahe, daß auch die radikalste revolutionäre
Gesinnung am Anfang des 20. Jahrhunderts nach neuen
literarischen Ausdrucksformen verlangte, sollte sie nicht an
den veränderten Lebensverhältnissen und -auffassungen
vorbeizielen. Mit den Worten eines Forschers in der DDR:
»Das Vokabular und die Bildsprache Möllers vermitteln ein
Bild der Welt, das unzeitgemäß geworden ist, weil in ihm
sowohl das Milieu der modernen kapitalistischen Industrie
als auch die soziale Differenzierung der Arbeiterschaft und
die anderen sichtbaren Folgen des Übergangs vom Kapitalismus der freien Konkurrenz zum Monopolkapitalismus
fehlen.«[40]

Worin sich das neue Vokabular und die neue Bildsprache
äußerten, ist am Beispiel von Heinrich Kämpchen angedeutet worden, bei dem sich alte und neue Aussageweisen
finden. Beherrschend sind überall impressionistische und
symbolistische Einflüsse. Bildhafte Situationen des Alltags
werden symbolisch vertieft. Es berühren sich die Poetisie-
rungstechniken so verschiedener Lyriker wie Detlev von
Liliencron (1844–1909) und Emile Verhaeren, des belgischen Symbolisten, der zu dieser Zeit häufig zusammen mit
Meunier genannt wurde.

Verhaeren, der wie Meunier die Lebensverhältnisse der Arbeiter im belgischen Industrierevier studierte, lieferte in den Bänden
Les campagnes hallucinées (1893), *Les villages illusoires* (1895)
und *Les villes tentaculaires* (1895) eine lyrische Dokumentation
des modernen Alltags, die weites Aufsehen erregte. Man pries
Verhaeren als den ersten Poeten, der die neue Welt der Industrie
mit neuen — symbolistischen — Formen anging. Besonderen Eindruck machte das Panorama der modernen Stadt in *Les villes
tentaculaires* mit Fabriken und Arbeitermassen, mit Hafen, Lärm,
Gestank und Rebellion. Sein revolutionäres Drama *Les aubes*,
zuerst 1897 im ›Maison du Peuple‹ in Brüssel aufgeführt, spielte
in den Konzepten des Massentheaters der Russischen Revolution

eine große Rolle.[41] Von Lenin ist bekannt, daß er zur Entspannung gern Verhaeren las.

Die Zeitgenossen stellten Verhaeren und Meunier nicht nur aufgrund ihrer Thematik, sondern auch ihres dokumentierenden und zugleich symbolisch erhöhenden Stils zusammen. Wilhelm Hausenstein (1882–1957), der sich vor 1914 intensiv proletarischer Kunstbestrebungen annahm, sagte darüber: »Die Worte Verhaerens sind wie eine dichterische Übersetzung der ›erzgeschmiedeten Gestalten‹ Meuniers. Beide, Verhaeren und Meunier, zeigen die bisher größten Möglichkeiten einer sozialistischen Kunst. Diese Kunst steht oberhalb der Agitation, auch oberhalb der künstlerischen. Verhaeren und Meunier sind zu weite, zu allgemeine Geister, als daß ihnen der immer notwendig enggespannte Rahmen der Agitation genügen konnte. Die beiden wollen etwas Größeres. Sie stellen einfach dar. Sie machen das Proletariat einfach künstlerisch sichtbar. Das ist ihre gewaltige Leistung. Sie zeigen, wie dies Proletariat, das die Welt umwälzt, gestaltet ist. Sie zeigen, wie es aussieht, wenn es arbeitet, wenn es schreitet, wenn es steht. Sie zeigen diesen neuen, entscheidenden Menschentypus. Indem sie ihn betrachten, wächst diesen Künstlern eine neue Anschauungsart, ein neuer Ausdruck, eine neue Form — eine neue Kunst zu.«[42] Die vielbeschworene Kunsterneuerung schien sich hier anzukündigen, mit einer Aussagebreite, die die Grenzen der Agitation sprengte, und mit einem neuen proletarischen Menschentypus, der sich über ›bloße‹ Tendenz hinaushob.

Franz Diederich, der sozialdemokratische Redakteur, der selbst stimmungshafte Gedichte verfaßte, hob hervor, daß Verhaeren die Wirklichkeit nicht naturalistisch abspiegele, sondern daß er Sehnsüchte und Leidenschaften des Proletariers in Bildern erschließe, die »allumfassend« seien, jedes für sich »eine Welt, die zum weitesten Fluge Raum gibt«.[43] Für die neue Bildersprache des Symbolismus blieb im Bereich der proletarischen Literatur Verhaeren, der zugleich inhaltlich fesselte, der wichtigste Repräsentant; Rimbaud (1854–1891) wirkte eher auf Autoren wie Georg Heym (1887–1912), Georg Trakl (1887–1914) und später Brecht ein.[44]

Übertroffen wurde Verhaerens Einfluß nur durch den von Walt Whitman (1819–1892). Ein Großteil der Autoren sah um 1900 dessen feierliche bilderreihenden Langzeilen als Schlüsselerlebnis für eine neue Weltbegegnung an.[45]

Die von Diederich 1911 herausgegebene repräsentative Lyrikanthologie *Von unten auf. Ein neues Buch der Freiheit* läßt die neue Gefühlspoetik bereits deutlich erkennen, sowohl in einigen Gedichten von Verhaeren, Dehmel u. a. als auch in der thematischen Anordnung (›Im Arbeitsjoch‹, ›Großstadt‹, ›Massenschritt‹, ›Sorgenglück‹, ›Opferblut — Heldengut‹, ›Unser die Welt!‹, ›Heilige Arbeit‹ etc.) und in den verbindenden Texten. (Z. B.: »Vom Qualenreich proletarischer Arbeit; vom Aufschrei des Schaffens in Nacht und Not um Licht und Glück; vom wachsenden Erwachen zum Bewußtsein der eigenen Kraft.«) Mit dem Einbezug aller großen freiheitlich gesinnten Autoren der Geschichte und Illustrationen von Delacroix, Kollwitz, Meunier und Fidus stellen die beiden Bände eine Art musée imaginaire zwischen Bastillesturm und Jugendstil dar. Der revolutionäre Sturmschritt wurde ästhetisch konsumierbar.

Unter den deutschen Lyrikern gaben Arno Holz und Richard Dehmel die wichtigsten Anregungen für proletarische Autoren. Einige in den neunziger Jahren entstandene Gedichte Dehmels wurden in der Arbeiterschaft überaus populär, etwa das später in Sprechchoraufführungen vielverwandte *Erntelied* (1895) und das Gedicht *Der Arbeitsmann* (1896), dessen erste Strophe lautet:

> »Wir haben ein Bett, wir haben ein Kind, mein Weib!
> Wir haben auch Arbeit, und gar zu zweit,
> Und haben die Sonne und Regen und Wind,
> Und uns fehlt nur eine Kleinigkeit,
> Um so frei zu sein, wie die Vögel sind:
>   Nur Zeit.«

Dehmel verlieh den Erneuerungshoffnungen eine beschwingte, gefühlshaft nachvollziehbare Formulierung, machte im Begriff des Proletariats den des Volkes sichtbar. Besondere Vorliebe hegte er für das Rezitieren vor Arbeitern, was ihm weitere Anerkennung einbrachte. Die Tatsache, daß Dehmel um die Jahrhundertwende von vielen als größter lebender deutscher Lyriker gefeiert wurde, verschaffte seinem Eintreten für proletarische Lyrik spezielles

Gewicht; er verwandte sich nicht nur für Expressionisten, sondern wurde auch für proletarische Autoren zu einem einflußreichen und geehrten Förderer.

Der von Dehmel angeschlagene Ton wirkte auf einen Autor wie Otto Krille ein, den Clara Zetkin vor 1905 als Zeugen einer proletarischen Kunstrenaissance pries. Krille entwickelte Optimismus und Selbstvertrauen des Proletariats aus der Interpretation spezifischer Daseinssituationen, verband Dehmels Erlebnispoetik mit Schillers Pathos. Bei dem Gedicht *Wahlversammlung,* das in dem Band *Aus engen Gassen* (1904) erschien, tritt der Unterschied zur früheren sozialistischen Lyrik deutlich hervor:

> »Das ist die Menge, Kopf an Kopf gedrängt!
> Schwarz füllt sie Saal und niedrige Tribünen.
> Ihr Murmeln wird zum brausenden Orkan;
> Und wie im Ährenfeld die Halme wogen
> So geht ein Auf und Nieder durch die Masse.
> Ist das ein Leib? Ein einzig grollend Meer?
> Wohl tausend Hände, tausend heiße Köpfe,
> Und tausend warme glüh'nde Menschenherzen
> Mit eignem Leid und eignem Freudenquell!
> Da ist der Greis, den Todesnähe küßte
> Und da ein Mann mit reifer Kraft und Glut,
> Ein Jüngling, frisch, mit flaumig-weicher Lippe,
> Im Blick Begeisterung und jugend-frohen Glanz.
> Dort sitzt ein alternd Weib und dort ein Mädchen,
> Und doch ist's nur ein Schrei und nur ein Lachen,
> Das oftmals in der Rede Fluß sich drängt,
> Das ist ein einz'ger Wunsch und eine Hoffnung
> Nach Rettung aus verstaubter Lebensöde.
> Ein Funke nur springt jetzt von Herz zu Herz,
> Und wie der Redner lauten Wortes endet,
> Da braust ein Sturm durch den erhitzten Saal;
> Wie Meeresbrandung hallt ein Donnerruf!
>
> Zukünft'ge Tage ziehen ihre Kreise.«[46]

In fünffüßigen reimlosen Jamben, die einen klassischen Ton anzielen, projiziert Krille den Sieg des Sozialismus vom spontanen Massenwillen des Proletariats her. Er macht das Proletariat als bewegte Masse sichtbar, in der man einen Moment lang Einzelgesichter unterscheiden kann. Schließlich formt sich das Bild des einheitlichen Massenwillens, das auf den kommenden proletarischen Aufbruch vorausdeutet.

Der optimistische Aufschwung eines erfühlten proletarischen Ich oder Wir bestimmt auch andere Gedichte des Bandes. Viel Erfolg hatten später Verse über den jungen Arbeiter, in denen die Knechtung in der Fabrik effektvoll mit dem Sehnen nach Frühling, Sonne und freiem Leben kontrastiert. Der *Gesang der Jungen*, der Krilles Band einleitet, wurde zu einem der populärsten Lieder der proletarischen Jugendbewegung. Seine erste Strophe bringt bereits Klänge, die weit über den Ersten Weltkrieg hinaus den lyrischen Haushalt von Tausenden mitbestimmten:

> »Wir sind der junge Staat, erzeugt
> Vom Proletarierweibe.
> Uns hat die Mutter Not gesäugt
> An ihrem dünnen Leibe.
> Aus elendsdunkler Hütte Schoß,
> Mit wunden Füßen, nackt und bloß,
> Sind wir emporgestiegen.
> Vor uns der sonnentrunk'ne Tag.
> Nun geht's hinein mit Schwerterschlag
> Zum Sterben oder Siegen.«[47]

Hier wird, wie bei Benjamin angedeutet, der Aufbruch selbst zum Inhalt und entwickelt seine eigene Schwerkraft, seine Faszination — in gefährlicher politischer Ambivalenz. »Höher locken soll uns die Kunst, wie schneeige Firnen zu reineren Lebensgefilden«, heißt es bei Krille an anderer Stelle. »Das kann sie nur, wenn sie anknüpft an unsere Ideale, welche aus unserem gesellschaftlichen Sein entspringen. Hier trennt sich aber unsere Ästhetik von der der bürgerlichen Klassen.« Krille belegte das mit einem Nietzsche-Zitat: »Jede Zeit hat in ihrem Maße von Kraft ein Maß auch dafür, welche Tugenden ihr erlaubt, welche verboten sind. Entweder hat sie die Tugenden des *aufsteigenden* Lebens: dann widerstrebt sie aus unterstem Grunde den Tugenden niedergehenden Lebens. Oder sie ist selbst ein niedergehendes Leben — dann haßt sie alles, was aus der Fülle, was aus dem Überreichtum an Kräften allein sich rechtfertigt. Die Ästhetik ist unablöslich an diese biologischen Voraussetzungen gebunden: es gibt eine Dekadence-Ästhetik, es gibt eine klassische Ästhetik — ein ›Schönes an sich‹ ist ein Hirngespinst, wie der ganze Idealismus.«[48]

Die heikle Verbindung von Vitalismus und Sozialismus fand in der Periode um den Ersten Weltkrieg große Verbreitung. Krille wurde zu einem Vorläufer: Clara Zetkin, deren Ansichten er nahestand, beklagte 1904, daß seine Gedichte in der Partei wegen ihrer Tendenzhaftigkeit auf Abwehr stießen. Die Konfrontation mit der »bürgerlichen Weltanschauungskunst«, von der Krille sprach[49], blieb in den folgenden Jahren eine Sache privater Initiative. Als nach der Enttäuschung über die russische Revolution von 1905 und der Kritik an den ethisch-ästhetischen Impulsen die Ermutigung fehlte, verlor Krilles lyrische Aussage an Kampfgeist. Auch die Arbeiterjugendorganisation, in welcher seine Verse neben denen anderer proletarischer Autoren später erfolgreich waren, entstand aus der Initiative von Einzelnen. Sie entwickelte sich in Deutschland später als in Belgien und Österreich — die erste Gruppe bildete sich 1903 in Offenbach —, und hatte gegen enorme Widerstände in der Partei und den Gewerkschaften zu kämpfen. Nicht zufällig trafen sich hier vor dem Ersten Weltkrieg die Aktivisten aus verschiedenen Lagern, wie Ludwig Frank und Karl Liebknecht.

Neben der Lyrik von Krille klang auch die von Ernst Preczang eine Zeitlang recht kämpferisch. Seine Gedichte (*Lieder eines Arbeitslosen*, 1902; *Im Strom der Zeit*, 1908) bieten ein weiteres Beispiel für den Wechsel von den etablierten Vorbildern sozialistischer Literatur zur neueren Poetik. Preczang stellte der kapitalistischen Arbeitsfron die Schönheit der Natur gegenüber, die er als Symbol einer künftigen, wahrhaft menschlichen Ordnung deutete.[50] Wie viele Zeitgenossen, die im Banne Darwins standen, stilisierte er die Natur zum umfassenden Bewegungsfaktor und plazierte die kommende Weltveränderung in ihre Hände, nicht in die der Partei.

In seinem Gedicht *Die Revolution*, das unmittelbar nach der gescheiterten russischen Revolution von 1905 entstand, feiert Preczang die Revolution als Kind der »Gebärerin Natur«, d. h. als untilgbar, als immer lebendig. Er beruft sich auf Freiligraths Revolutionsallegorie (»Sie spricht mit dreistem Prophezein: ... Ich war, ich bin — ich werde sein!«) und verlebendigt dann die Revolution als eine wilde Gestalt, welche die Welt erschüttert und in expressionistischem Tonfall herausschleudert:

> »Ich bin! ich bin! Sie zweifelten daran.
> Da zog ich mir die Eisenschuhe an.
> Die Fackel warf ich rasend in das Haus,
> Nun bricht die Lohe rot zum Dach hinaus.
> Mein Atem fliegt! Ich speie Tod und Glut,
> und in den Straßenrinnen schäumt das Blut.«[51]

Zunächst allerdings war für solche Verse kaum Resonanz vorhanden. Preczangs Gedichte der Folgezeit halten eine gedämpfte Tonlage.

In den Jahren vor dem Ersten Weltkrieg wurde dann die Thematik der Arbeit und des Arbeitens zur Quelle eines neuen, gefühlshaft vermittelten proletarischen Selbstbewußtseins. »Das ist es: Schilderung, niemals Erlebnis«, warf die ehemalige Wiener Arbeiterin Marie Pukl 1911 der bisherigen sozialistischen Lyrik vor. Sie erkannte deren politische Tendenz an, wandte aber ein: »Es sind fast immer Abstrakta, die den Vorwurf abgeben.« Sie fügte hinzu: »Die Romantik des Klassenkampfes wird heute als Phrase empfunden, heute wo der Kampf gleichbedeutend ist mit Verhandlung. Man ist auf ruhiges Wasser gestoßen und hat Muße gefunden, nach innen zu schauen.«[52]

Ob Muße das richtige Wort war, sei dahingestellt. Viele Zeugnisse sprechen dagegen. Dennoch zeigt auch das Beispiel von Alfons Petzold, dem österreichischen Arbeiterdichter, der als Arbeiter bis zum körperlichen Zusammenbruch (Lungen-Tbc) 1908 seinen Lebensunterhalt verdiente, wie stark das Bedürfnis nach individueller Ausdruckssuche war. Petzold wurde in der Wiener Arbeiterjugend zum Sozialisten, und dort fand er auch das erste Publikum für seine Verse.[53] Sein Durchbruch als proletarischer Lyriker wurde allerdings, wie er beklagte, nicht von sozialistischen, sondern bürgerlichen Zeitungen ermöglicht.[54] Bürgerliche Freunde unterstützten seine Heilaufenthalte.

In seiner Autobiographie *Das rauhe Leben* (1920) beschrieb Petzold eingehend den Übergang von der Schiller- und Freiligrath-Verehrung zur dokumentierenden, ästhetisch erhöhenden Lyrik. Er betonte den engen Zusammenhang dieser Umorientierung mit der Ausbildung sozialistischer Gesinnung. Die individuelle Erfahrung war jedoch grundlegend: »Die Veränderung in meiner Lebensanschauung, der neue Inhalt, den nun mein Dasein durch diese bekommen, machte sich auch bei meiner Arbeit in der Fabrik bemerkbar. Nicht mehr teilnahmslos wie früher, wo ich mir selbst nicht mehr war als eine Schraube oder ein anderer Maschinenbestandteil, sondern mit steter Aufmerksamkeit für alles, was um mich vorging, stand ich jetzt vor meiner Maschine. Jede Handbewegung hatte jetzt Bedeutung für mich, und ich suchte in allem Beziehungen zu meinem eigenen Leben und dem außerhalb der Fabrik zu entdecken. Ich trat in ein gewisses geistiges Verhältnis zu dem Stoff, den ich bearbeitete, zu der Maschine und allem anderen, das zu meiner Arbeit gehörte. Dadurch erhielt ich eine Mannigfaltigkeit neuer Begriffe, von denen ich früher keine Ahnung hatte und die mir das Gefühl eines wachsenden seelischen Reichtums gaben. Die Dinge wurden mir manchmal wie durchsichtig, und der Ausblick, den sie mir boten, reihte Erscheinung an Erscheinung, deren Häufung mein Weltbild klarer und klarer hervortreten ließ. Zur gleichen Zeit wie meine Verdammung gegen die bestehende Gesellschaftsordnung war auch die tätige Liebe zu den Leidensgefährten in mir erwacht.«[55]

Petzolds Verse entsprechen in vielem dieser Poetisierung, die zugleich Kompensierung ist und die Auflehnung gegen die Entfremdung im Ästhetischen, Phänomenologischen ableitet. In den Gedichten mischen sich klassenbewußte Aussagen mit einer aus dem romantischen Volkston gewonnenen Poetisierung des Daseins. Dazwischen drängen sich viele bittere Töne nach vorn, stärker als bei Karl Bröger, Heinrich Lersch und Max Barthel, Autoren, mit denen

Petzold von dem Kritiker Julius Bab Anfang der zwanziger
Jahre in einer für den Begriff ›Arbeiterdichtung‹ einflußreichen Schrift abgehandelt wurde.[56]

Prägnanteste Darstellung fand die Entwicklung der prole-
tarischen Lyrik vor 1914 in dem Artikel *Arbeiter und
Dichter* (1911) von Josef Luitpold Stern (auch: Josef Luit-
pold; 1886—1966), dem erfolgreichen Agitator, Schriftsteller
und späteren Leiter der Bildungszentrale der österreichischen
Sozialdemokratie. Stern veranschaulichte am Beispiel der
Gedichte von Kämpchen, Bröger, Krille, Preczang, Petzold,
Julius Zerfass (1886—1956) und Marie Pukl, die er von der
Lyrik Audorfs, Scheus und Kegels absetzte, die Maxime:
»Wir denken wohl den Sozialismus, aber wir erleben ihn in
uns noch zu schwach. Weil die Kraft zu erleben in uns nicht
gepflegt wird. Den Sozialismus in sich lebendig zu machen,
das ist die Aufgabe des einzelnen.«[57] Sterns literarisches
Resümee lautete 1911:

> »Tastend und ungelenk beginnen Audorf und Scheu, Kegel
> und Lepp, Hasenclever und Frohme. Die aufgeblähte Worthohl-
> heit des prahlerischen Liberalismus wird von ihnen zuerst auf-
> gegriffen und zu Bundesliedern und Kongreßbegrüßungen ›sinnig‹
> verarbeitet. Der Natur erinnert man sich in echt kleinbürgerlicher
> Lebensart nur an den hohen Festtagen und macht Ostergedichte,
> Pfingstlieder und Weihnachtsstrophen, natürlich gut parteigenös-
> sisch. Daneben werden der Staat, die Polizei, die Gegner verulkt
> oder man schildert das Elend recht sentimental und mitleider-
> weckend. Aber die Arbeiterbewegung wird breiter und ergreift
> den einzelnen immer mehr und mehr. Die liberale Ideologie wird
> überwunden. Die Kongresse verlieren ihre dekorative Einschät-
> zung. Der Arbeiter streift das Kleinbürgerliche ab, er beginnt,
> sich Seele zu erobern, er fängt an, sein eigenes Wesen zu festigen,
> er verulkt nicht mehr den Gegner, er bekämpft ihn, er will kein
> Mitleid, er setzt sein Recht durch, die kalendarische Festidee ver-
> sinkt vor seiner erwachenden Naturfreudigkeit, Ideen, die bisher
> nur unbestimmt und allgemein gewertet wurden, lenkt er ins
> Bestimmte und Besondere, den Sozialismus gestaltet er zum
> Erlebnis, den Feiergedanken der Demokratie führt er in den
> Werktag.«[58]

Der Sozialismus als antizipierende Erfahrung: dieses vor

und nach dem Ersten Weltkrieg immer wieder ausgesprochene Postulat macht die Wendung von Sozialisten gegen das aus dem 19. Jahrhundert überlieferte sozialistische Denken deutlich. Voraussetzung dazu bildete eine veränderte Annäherung an das Phänomen des Proletariats, von der Zweidimensionalität begrifflich allegorischen Denkens zur Dreidimensionalität sinnlich-gefühlshafter Wahrnehmung. Totalitäts- bzw. Parteikonzept machte dem Versuch einer gleichsam phänomenologischen Erfassung Platz. Damit wuchs für den Einzelnen die Gefahr der bloß gefühlshaft-ästhetischen Affirmation, aber auch die Chance für Aktualisierung und kämpferische Partizipation. Kunst und Literatur waren in den Augen Sterns dem Emanzipationsprozeß des Proletariats insofern förderlich, als sie die Selbsterfahrung des Proletariats, seiner Abhängigkeit ebenso wie seines Potentials, als eine gefühlshaft-spontane Erfahrung intensivierten. Hieraus seine Kritik an Audorf und Kegel: »Die Älteren schöpfen aus der Idee, die Jüngeren aus der Welt. Die Älteren reden von ihren Gefühlen, die Jüngeren zeigen sie. Die Älteren sprechen vom Streik, die Jüngeren lassen die Streikenden sprechen.«

Den Weg der Verinnerlichung wertete Stern positiv als einen Weg zur Wirklichkeit. Er erläuterte das an Versen von Julius Zerfass. Einige könnten, wie Stern bemerkte, »noch« von Audorf stammen:

»Erhebt die Wahrheit auf den Schild, pflanzt uns're Banner auf,
weil es für Menschenrechte gilt: wacht auf, wacht auf, wacht auf!
Wacht auf, wacht auf; zum Kampf bereit, das Schwert geschärft
zur Hand,
zeigt einmal, daß ihr Männer seid, daß Einigkeit euch band!«

Dazu Sterns Kommentar: »Dieser wirklichkeitsfremde Appell! Man wache auf und nehme ein geschärftes Schwert zur Hand, um Männlichkeit und Einigkeit zu posieren.« Mit dieser Reaktion ist die Abkehr vom politisch-allegorischen Bewußtseinsraum vollzogen. Der Proletarier steht für sich, muß sich seiner selbst und der kämpferischen Gemeinschaft immer neu versichern. So in Zerfass' *Proletarierlied*, das Stern zitiert, und dessen Schlußzeilen lauten:

>»Die Jahre geh'n um, wie die Jugend verweht,
wir haben gedarbt und haben doch nichts.
Ich bin ein Prolet und du ein Prolet,
wir bauen die Zukunft, sonst haben wir nichts.«[59]

Die prägnanteste lyrische Darstellung dieser Wandlung dürfte in dem Gedicht *Kerls, Arbeiterdichter!* von Max Barthel (1893–1975) zu finden sein, das in dem vor Kriegsausbruch entstandenen, von Stern betreuten August-Heft 1914 der Wiener Zeitschrift *Strom* erschien. Barthel hatte 1912 in der radikalen Zürcher Arbeiterjugendorganisation mit Willi Münzenberg (1889–1940) an einer Sammlung von »Arbeiterliteratur« gearbeitet, die 1913 erschien. Er war Kriegsgegner und schloß sich später den Spartakisten und Kommunisten an, für die er mit Edwin Hoernle Gedichte schrieb. Barthels Gedicht steht neben Versen von Lersch, Prosa von Petzold und dem Essay *Das neue Künstlergeschlecht*, in dem Bröger die »Arbeiterdichtung« als einen »selbständigen, ästhetischen Wertfaktor im Kunstschaffen unserer Zeit« bezeichnete.

Max Barthel: Kerls, Arbeiterdichter!

»Ja, wenn das Arbeiterverse wären! Pfui Teufel!
Da käuert die Bande das Gold von Heine und Herwegh zu Blech
Und dreht den armen Freiligrath links und rechts,
Guckt dann in die Zeitung, ob irgendwo etwas passiert,
Ob in England die Polizei einen Arbeiter erschossen,
Ob die Handschuhmacher in Dingsda noch streiken,
Und wie sich's verträgt mit Arbeit und Mehrwert,
Ob nicht ein Fettbauch — Gott geb es — verrecke,
Ob nicht das purpurne Rot der Freiheit aufflamme
Und sausend die gräuliche Notnacht zerbreche!

Ach ja, wir brauchen die Pauke — Bum, Bum, Bum —
Klingt ja so lieblich — dann reimt sich's ja auch.

Kerls, Arbeiterdichter! Weg mit dem Singsang!
Artikel der Leiden brauchen wir nicht in Versen!
Lebt ihr denn nicht das liebe Leben?

Seht ihr denn nicht verborgenen Sinn im allergeringsten?
Nichts ist so klein, daß es nicht Großes werde!
Ergründet und gestaltet!
Leiert nicht ewig die löblichen Lieder der Toten,
Laßt sie endlich schlafen: Sie haben die Ruhe verdient.
Singt lebendige Lieder!

Den will ich preisen,
Der mit dem Herzen singt menschlich und wahr.
Ist doch unser Dasein und Kämpfen Tragödie der Menschheit!
Singt neue Lieder, junge Lieder, singt wahr!«[60]

Die neue Erlebnispoetik läßt sich, wie die Beispiele zeigen, mit der ›Arbeiterdichtung‹ assoziieren, doch erschöpft dieser Terminus, zumal in seiner späteren Belastung, ihre Bedeutung nicht. Von ihrer Ausstrahlung nach Rußland legt ein 1912 in der Zeitschrift *Kievskaja mysl* erschienener Aufsatz, *Lyrik wird geboren* (russ.), von Lunačarskij beredtes Zeugnis ab. Er basiert auf Sterns Artikel *Arbeiter und Dichter* und suchte »die Gleichgültigkeit und Verachtung, die in russischen Zeitschriften der proletarischen Literatur gegenüber zum Ausdruck kam, zu bekämpfen«.[61] In fast allen Punkten schloß sich Lunačarskij eng an Sterns Ausführungen an und empfahl »dessen hohe Meinung von den künstlerischen Möglichkeiten der deutschen Arbeiterlyriker, die ungeachtet schwerster Lebensumstände dichterisch tätig waren, den russischen Kritikern als Vorbild für einsichtiges Verhalten.« Lunačarskij übersetzte das Gedicht *Arbeitspause* von Marie Pukl und *Lied* von Petzold als Beispiele talentierter Arbeiterdichtung und kündigte sogar an, in Kürze eine ausführliche Schrift über Petzold zu veröffentlichen. Lunačarskij billigte Sterns Ansicht, die deutsche proletarische Poesie habe sich in beeindruckender Weise entwickelt.

3. Arbeiterdichtung und ›Augusterlebnis‹ 1914 · Karl Bröger

Mit dem Datum August 1914 verknüpfen sich im allgemeinen andere Assoziationen als die an Barthels Verse.
Immerhin aber ist dieses Datum lange Zeit mit der Entstehung der Arbeiterdichtung in Zusammenhang gebracht
worden, genauer: mit dem, was man als Entstehung der
Arbeiterdichtung interpretiert hat.[62] Basis für diese Interpretation bildete das im ›Augusterlebnis‹ 1914 durchbre-
chende Konzept der Volksgemeinschaft, das in Gedichten
von Karl Bröger und Heinrich Lersch, um nur die meist-
zitierten Arbeiterdichter zu nennen, lyrischen Ausdruck
fand. Was Bröger in *Bekenntnis* und Lersch in *Soldaten-
abschied* formulierten, deklarierten später die Nationalsozialisten als Bekenntnis zu derjenigen Form von Volksgemeinschaft, die sie mit dem Dritten Reich aufbauen wollten —
unter dem Schein der Aufhebung des Klassenkampfes und
der Erhöhung des Volkes. Es war eines der eklatanten Beispiele dafür, wie sich die Nationalsozialisten politisch-
ästhetische Konzepte zunutze machten, unter mehr oder
weniger Zustimmung von Arbeiterdichtern wie Barthel
(mehr) und Lersch (weniger) und unter Ablehnung anderer
Arbeiterdichter wie Bröger, Preczang und Krille. Als Adolf
Hitler, der Weltkriegsgefreite, am 10. Mai 1933 die Worte
von Deutschlands ärmstem, aber getreuestem Sohn aus
Brögers *Bekenntnis* in seine Rede hineinnahm, befand sich
der Verfasser schon als »gefährlicher marxistischer Hetzer«
im KZ Dachau. Bröger war im März 1933 zum sozialdemokratischen Stadtrat in Nürnberg gewählt worden und hatte
die Aufforderung, der NSDAP beizutreten, abgelehnt. (Nach
fünf Monaten erreichten Freunde seine Freilassung.)[63] Preczang und Krille emigrierten in die Schweiz.

Die Erwähnung der Tatsache, daß der Kriegsausbruch
1914 sichtbar werden ließ, was sich in der europäischen
Gesellschaft seit langem aufgestaut hatte, enthebt nicht der

Feststellung, daß der Krieg den meisten Zeitgenossen als ein unerhörter Aufbruch und Umbruch erschien, als Ereignis, das die Fassungskraft überstieg und neue Denk- und Gefühlskategorien nötig machte. Plötzlich wußte man in Europa: Es geschieht Geschichte und wir nehmen daran teil. Es war zunächst dieses Gefühl der Teilhabe, das zählte, nicht der Weg, den die Geschichte nahm. Daß die Handlungen der Betroffenen zu diesem Zeitpunkt viel Ähnlichkeit mit den Handlungen davor und danach besaßen, läßt sich im Rückblick leicht konstatieren, verfehlt aber das leitende Gefühl, das gerade eine neue, andere, nie erlebte Sphäre zu berühren beanspruchte. Und ebenso läßt sich leicht im nachhinein konstatieren, daß die kritischen Raster, etwa die des Marxismus, sträflich vernachlässigt wurden — wenn die meisten doch gerade diese Raster zu übersteigen suchten.

Wie stark das Bemühen war, das Gefühl der Teilhabe zu formulieren, bezeugt die unerhörte Flut von Gedichten, die 1914 losbrach, am stärksten in Deutschland, aber ebenfalls gewaltig in Frankreich und England.[64] Man hat geschätzt, daß in Deutschland im August 1914 täglich etwa 50 000 Gedichte geschrieben wurden, etwa anderthalb Millionen im Monat, ungefähr drei Millionen bis März 1915, und daß sich die Zahl der Anthologien mit Kriegsgedichten im Laufe des Jahres 1915 auf etwa 450 belief.[65] Auch wenn von den 50 000 täglichen Gedichten im August 1914 ›nur‹ 100 Gedichte in der Presse gedruckt wurden, bleibt das Phänomen der poetischen Mobilisierung staunenswert. Es bleibt bedenkenswert als erdrückender Kontext zu den erhaltenen Kriegsgedichten zuvor bekannter und unbekannter Autoren. Die zeitgenössischen Beurteiler waren sich des Phänomens voll bewußt, und sie empfanden oft genug, daß die große Gleichheit, die man vom Krieg erwartete, zumindest bei der Poesie eingetreten sei, wenn kurzatmige und klischeereiche Kriegsgedichte von Dehmel, Holz und Hauptmann nicht viel besser klangen als solche von Müller, Schulze und Lehmann.

Wie gern sich Schriftsteller und Intellektuelle in den

Anfangsmonaten des Krieges geistig ›einebnen‹ ließen, ist
bekannt; es gilt auch für die anderen Länder, vornehmlich
Frankreich und England.[66] Unter den Tausenden befanden
sich Thomas Mann, Musil, Döblin, Arnold Zweig, Hofmannsthal, Freud und Max Weber ebenso wie H. G. Wells,
Emile Durkheim, Anatole France, Arnold Bennett, Paul
Claudel und Apollinaire. Überall vollzog man das Straf-
gericht an den anderen, endlich war ein Feind sichtbar geworden. Überall pries man den Krieg als Retter aus einer
niederziehenden Zeit der Isolation, des Verlusts der Werte
im Liberalismus und Kapitalismus. Die alte Hoffnung der
Künstler und Intellektuellen, im Volk, in der Gemeinschaft
aufzugehen, schien sich zu erfüllen, und in den begeisterten
Äußerungen läßt sich die Verschränkung von konservativen
und progressiven Elementen, von Ästhetizismus und revolutionärem Engagement erkennen, die bereits im 19. Jahrhundert einen Großteil der Intellektuellenpolitik charakterisierte. Unter den wenigen Ausnahmen befanden sich Heinrich Mann und Hermann Hesse, Karl Kraus und Franz
Werfel, Franz Pfemfert und der Kreis um die *Aktion*. Dazu
Einzelgänger, Outsider, Sozialisten und Anarchisten.

Die erschreckend genaue Prophetie vom Kriege, die Wilhelm Lamszus (1881–1965) in dem Buch *Das Menschen-
schlachthaus* (1912) geliefert hatte, korrespondierte, ähnlich
wie *Benkal, der Frauentröster* (1913) von René Schickele
(1883–1940), mit expressionistischen Kriegs- und Revolu-
tionsvisionen (etwa von Georg Heym), hatte aber nicht
allzuviel Wirkung. (Vgl. auch Gustav Janson, *Lügen. Geschichten vom Kriege*, 1912.) Es dauerte seine Zeit, bis der
Krieg, einmal im Gange, genauer auf seine Rechtfertigung
und Ziele hin analysiert wurde. Und auch dann war Literatur kaum der Ort, dies auszutragen. Als erster Ausdruck
der Distanzierung von hurrapatriotischem Lärm schien Karl
Kraus nur ein Schweigen derer möglich, die etwas zu sagen
hatten.

Nur langsam schälte sich bei einigen ein Realismus heraus, der sich dem tatsächlich Geschehenden öffnete, dem
wahrnehmbaren individuellen Leiden und Bewähren, der

Begegnung mit dem Tod. Am ehesten fanden Autoren wie Alfred Lichtenstein (1889–1914) und Wilhelm Klemm (1881–1968) Zugang, die mit Grotesken und ironischen Mitteln das überwältigende Grauen der Front zugleich zu enthüllen und sprachlich zu balancieren suchten. Ihnen läßt sich Otto Nebel (1892–1973) mit seinen dadaistischen Gedichtmontagen (*Zuginsfeld*, 1918/19) zuordnen. Andere formulierten direkt aus dem Gefühl heraus, was ihre Dokumentation häufig in eine bloße Mythisierung der Teilnahme übergehen ließ, gleichgültig, ob es sich nun um das Bergen von Verstümmelten und Toten oder um eine gefährliche Nachtpatrouille handelte. Diesem Ansatz entsprechen die meisten der Gedichte, die in der ersten Kriegsphase von nüchternen Rezensenten herausgehoben wurden.

Wie die Rezensenten betonten, war der Anteil von Arbeiterdichtern an dieser Form von Lyrik groß. Als Josef Luitpold Stern feststellte, daß viele Dichter durch den Krieg zu Verrätern an sich und dem von ihnen vertretenen »erwachenden Solidaritätsgefühl der Menschheit« geworden seien, nahm er davon einen Autor wie Bröger aus.[67] Ähnliches findet sich in der zu dieser Zeit mutigsten und kritischsten sozialistischen Zeitschrift, Julian Borchardts *Lichtstrahlen* (ab 1913), die mit dem Versagen der Sozialdemokratie bei Kriegsausbruch hart ins Gericht ging. (»Wer wollte leugnen, daß in den letzten Monaten vieles, vieles geschehen ist, was einem Zusammenbruch der sozialistischen Sache verzweifelt nahe kommt! Wahrlich, die große Zeit hat ein Zwergengeschlecht gefunden!«[68]) Edwin Hoernle, der spätere Spartakist und Kommunist, sprach in dem Artikel *Kriegsgedichte* (1915) über die kriegsbegeisterten bürgerlichen Schriftsteller ein scharfes Urteil. Er stellte ihnen Bröger gegenüber, von dem er sowohl den Band *Die singende Stadt*, 1914 vor Kriegsausbruch erschienen, als auch die Sammlung von Kriegsgedichten *Aus meiner Kriegszeit* (1915) behandelte. Hoernle konstatierte eine Kontinuität in der lyrischen Dokumentation proletarischer Erfahrungen, an die Bröger in der Kriegszeit habe anschließen können.

Das Debüt von Karl Bröger (Sohn eines Bauhilfsarbeiters; Arbeiter, Kaufmannslehrling, ab 1913 Redakteur der sozialdemokratischen *Fränkischen Tagespost*) wurde 1910 von dem Germanisten Franz Muncker ermöglicht. Die betreffenden, in den *Süddeutschen Monatsheften* abgedruckten Gedichte haben allerdings noch mehr mit Heideröslein, Renaissancegesinnung und Liebesschmerz als mit proletarischen Lebensverhältnissen zu tun.[69] In dem ersten, ebenfalls von Muncker betreuten Lyrikband *Gedichte* (1912) rückt dann das *Lied der Arbeit* an prominente Stelle. Der Band *Die singende Stadt* galt der Großstadt, suchte ihr, wie Bröger im Vorwort sagte, auch unter Arbeitern Freunde zu gewinnen. Der sozialdemokratische Redakteur Ludwig Lessen (1873–1943), der selbst realitätsnahe Gedichte über die Arbeit verfaßte (*Aus Tag und Tiefe*, 1911) und proletarische Literatur förderte, lobte das Fehlen von Pose und Pathos mit bezeichnenden Worten: »Diese Lieder, die von der Arbeit der großen Stadt singen, wollen in erster Linie zu denen reden, die diese Arbeit verrichten; sie wollen zeigen, ›daß dem Boden, der so viel Not und unverschuldetes Schicksal ausreift, doch auch die Kräfte schon entkeimen, die zum Aufbau einer neuen Gesellschaft notwendig sind‹ [...]; und immer ist der Ton so getroffen, daß er das anschlägt, was Tausende empfinden, in denen der Erlöserglaube durch die eigene Kraft webt und wirkt.«[70] Das Selbsterlöserische in Verbindung mit stilisierender Dokumentation der Arbeit: Brögers Verse erwuchsen einem lyrischen Voluntarismus, der im offiziellen Programm der Sozialdemokratie keine Stütze fand. Das vielzitierte Gedicht *Der Proletarier* schließt mit den Versen:

> »Am Ende geht er aus den Schranken,
> an nichts als nur an Hoffnung satt,
> und weiß, wie wenig er zu danken
> und wie viel er zu fordern hat.«[71]

Im Gedicht *Das Barrikadenlied* gab Bröger die Vision vom Kampf des Proletariats gegen die Monarchie und formulierte die Verheißung des Sieges: »Ein neuer Morgen kommt über die Barrikade.«

Hoernles Resümee lautete: »Vor allem fiel Brögers Begabung auf für knappe, rein gegenständliche Gestaltung. Stimmungen und Gedanken waren in kraftvolle Bilder gepreßt, hinter denen die Person des Dichters vollkommen verschwand. Die Kriegslieder verstärken diesen Eindruck. Gedichte wie: Der Schützengraben,

Samum, Ein Nachtgefecht, Der Tod von Arleux, geben in knappster, gegenständlicher Form alle Schrecken, Grauen, Spannungen
und den schroffen Wechsel der Empfindungen bei Angriff oder
Abwehr wieder. So konnte nur einer schreiben, der nicht nur ein
echter Dichter ist, sondern der auch im Felde dabei war und trotz
allem nie den kühlen Kopf verlor.« Hoernle sah etwas spezifisch
Proletarisches Gestalt geworden: »Wieder in anderen Gedichten
tritt die durch den Sozialismus geklärte Humanität des modernen
Arbeiters hervor, so in dem Gedicht *Gräber*, das den Untertitel
›Den Toten des Weltkrieges‹ trägt:

> Und willst du erfahren, wie viele es sind
> Frage den Wind!
> Den Wind, der über die Gräber jagt,
> der nicht nach deutsch, nach französisch fragt.
> Da — er schluchzt an dem hölzernen Kreuz vorbei:
> ›Franzosen — sieben und Deutsche — drei.‹

Die proletarische Auffassung vom Heldentum, das nicht im
Vernichten, sondern im Helfen und Retten besteht, spricht aus
Gedichten wie: Kameraden, Vier Männer und ein Held.«[72]

Hoernles Heraushebung spezifisch proletarischer Elemente
folgte dem seit Jahrhundertbeginn wirksamen Denken. Bemerkenswert ist, daß diese Elemente mit einer humanen
Bewährung im Krieg übereingehen konnten, und daß das
mit der Kritik am Versagen der Partei wenig zu tun hatte.
In Hoernles eigenem literarischen Werk stehen neben den
Fabeln, in denen er 1915/16 unter dem Pseudonym Oculi
eine satirisch eingekleidete Kritik des politischen Opportu-
nismus und ideologischen Fatalismus der SPD übte, Gedichte, in denen er in »knappster, gegenständlicher Form
alle Schrecken, Grauen, Spannungen« des Krieges erfaßte.[73]
Die Kritik an der Partei war eine Sache, die Begegnung mit
dem Krieg eine andere. Das manifestiert sich nicht zuletzt
darin, daß Hoernle an das Ende seines Artikels Brögers
Bekenntnis stellte. Zweifellos stimmten beide Autoren in
ihren politischen Auffassungen nicht überein. Aber die von
Bröger formulierte Erregung dürfte Hoernle im ersten Stadium des Krieges geteilt haben — mit vielen Sozialdemokraten, auch auf der Linken. Um diesem Phänomen nahe-

zukommen, bedarf es eines Blickes auf Brögers Verse selbst.

Das Gedicht *Bekenntnis*, im Dezember 1914 verfaßt, erschien im Januar 1915 im *Simplizissimus*. Seine Verbreitung wurde in der Periode des Krieges — und wohl überhaupt — von keinem anderen Gedicht übertroffen. Am 27. Februar 1917 erwähnte es Reichskanzler Bethmann Hollweg im Reichstag. Die besondere Wirkung der Verse dürfte sich daraus ergeben haben, daß Bröger den Entschluß des Proletariats, das Vaterland zu verteidigen, nicht als politische Kraftleistung heroisierte, sondern als Selbsterkundung verinnerlichte, individuell nachvollziehbar:

> »Immer schon haben wir eine Liebe zu dir gekannt,
> bloß wir haben sie nie mit einem Namen genannt.
> Als man uns rief, da zogen wir schweigend fort,
> auf den Lippen nicht, aber im Herzen das Wort:
>   Deutschland.
>
> Unsre Liebe war schweigsam; sie brütete tiefversteckt.
> Nun ihre Zeit gekommen, hat sie sich hochgereckt.
> Schon seit Monden schirmt sie in Ost und West das Haus
> und sie schreitet gelassen durch Sturm und Wettergraus.
>   Deutschland.«

Hierauf folgt die Mythisierung Deutschlands, verbunden mit der Projektion des Kriegsdienstes der Arbeiter als eines gemeinschaftlichen Liebesdienstes:

> »Daß kein fremder Fuß betrete den heimischen Grund,
> stirbt ein Bruder in Polen, liegt einer in Flandern wund.
> Alle hüten wir deiner Grenze heiligen Saum.
> Unser blühendstes Leben für deinen dürrsten Baum.
>   Deutschland.
> Immer schon haben wir eine Liebe zu dir gekannt,
> bloß wir haben sie nie bei ihrem Namen genannt.
> Herrlich zeigte es aber deine größte Gefahr,
> daß dein ärmster Sohn auch dein getreuester war.
>   Denk es, o Deutschland.«[74]

Die literarische Technik der anderen Gedichte Brögers läßt sich auch hier erkennen: ein aus dem (stilisierten)

Erlebnis entwickelter Appell. Entscheidend war die Schlicht-
heit im Umgang mit den großen Geschehnissen. Die *Neue
Zeit* lobte, daß sich bei Bröger kein »hurrabrüllender Talmi-
Heroismus«[75] kundtue. Bröger lieferte keinen ›Gott-strafe-
England!‹-Haßgesang, wie ihn Ernst Lissauer und viele
Lehrer, Beamte und Intellektuelle artikulierten, und postulierte keine Kulturreinigung mit Hilfe von Kanonen, wie
es Thomas Mann und andere berühmte Schriftsteller taten.
Er beschrieb die vom Kriege ausgelöste Stellungnahme des
Proletariats für die Volksgemeinschaft als einen Vorgang,
der sich nicht von selbst verstehe, über den man nachdenken
solle. Die Arbeiter waren ohne Gesang und Hurra fortge-
zogen, schweigend, wie Bröger betonte; nun war es an den
anderen, das Opfer für das Vaterland zu entgelten.

Man hat oft festgestellt, daß sich darin eine vergebliche
Hoffnung ausdrückte, eine fatale Hoffnung von Reformisten
auf die Möglichkeit einer unrevolutionären Umwandlung
der Gesellschaft. Jedoch bleibt die Tatsache bestehen, daß
Bröger zunächst Aspekte der Kriegsbeteiligung der deutschen Arbeiterschaft dokumentierte, die sich nicht allein mit
dem Stichwort Reformismus oder Verrat erledigen lassen.

Schon Arthur Rosenberg lenkte in seinem Werk *Entstehung
der Weimarer Republik* den Blick auf Engels' Ausführungen zur
militärischen Verteidigung Deutschlands, vor allem im Falle eines
Krieges mit Rußland und Frankreich: da Deutschland nicht nur
das Land der Hohenzollern, sondern auch der Sitz der stärksten
und am besten organisierten Arbeiterschaft der Welt sei, stelle
ein Angriff auf Deutschland zugleich einen Angriff auf die Existenz der sozialistischen deutschen Arbeiterklasse dar. Das Interesse der sozialistischen Internationale erfordere demnach den
Abwehrsieg Deutschlands. Allerdings müsse der Krieg in ein
Mittel zur Erkämpfung des Sozialismus verwandelt werden. »Von
den Gedanken der Altmeister des Sozialismus war in der deutschen Arbeiterschaft so viel lebendig«, heißt es bei Rosenberg,
»daß in einem Kriege Deutschlands mit dem russischen Zaren
und seinen Verbündeten die deutschen Arbeiter das Recht und
die Pflicht der Landesverteidigung hätten. Diese Tradition von
Marx und Engels wirkte in der Abstimmung der sozialdemokratischen Reichstagsfraktion am 4. August entscheidend nach.«[76]

Das Täuschungsmanöver der Reichsregierung, mit dem Schreckgespenst des Krieges gegen Rußland die Zustimmung der SPD-Fraktion zu bekommen, gelang. Doch sei als Motiv für die Billigung der Kriegskredite auch die Sorge bei Mitgliedern der SPD-Fraktion vor Repressivmaßnahmen der Regierung nicht übersehen.

In anderen Ländern der II. Internationale hatte sich die Bejahung der Landesverteidigung ebenfalls seit längerem angebahnt. Das vermindert nicht die Ernsthaftigkeit der sozialistischen Antikriegsagitation, jedoch wies Friedrich Adler darauf hin, daß die sozialistischen Parteien die Illusion, den Krieg verhindern zu können, genährt hätten, indem sie über der aktuellen Agitation gegen den Krieg die Frage nie voll beantworteten: »Welche Stellung nimmt die Sozialdemokratie ein, wenn er trotz allem ausbricht?«[77] Kautsky war sich 1911 über die Probleme im klaren gewesen: »Nichts fürchtet ein Volk mehr als eine feindliche Invasion [. . .] — kommt es unter solchen Umständen zum Kriege, dann entbrennt in der ganzen Bevölkerung auch einmütig das heiße Bedürfnis nach Sicherung der Grenze vor dem bösartigen Feinde, nach Schutz vor seiner Invasion. Da werden zunächst alle zu Patrioten, auch die international Gesinnten, und wenn einzelne den übermenschlichen Mut haben sollten, sich dagegen aufzulehnen und hindern zu wollen, daß das Militär zur Grenze eilt und aufs reichlichste mit Kriegsmaterial versehen wird, so braucht die Regierung keinen Finger zu rühren, sie unschädlich zu machen. Die wütende Menge würde sie selbst erschlagen.«[78] Und Lenin formulierte nach dem Krieg als Lehre: Wenn der Krieg einmal da sei, könnten die Arbeiterorganisationen, auch wenn sie sich als revolutionär bezeichneten, gegenüber der Parole der Vaterlandsverteidigung nichts tun.[79]

Will man den Nationalismus nicht naiv beiseiteschieben, muß man den Folgerungen Arthur Rosenbergs Gewicht zumessen, daß das Versagen der SPD bei Kriegsausbruch weniger in der Bejahung der Vaterlandsverteidigung als in der Bejahung des Burgfriedens zu suchen sei. Über letztere waren selbst die innenpolitischen Gegner erstaunt. Der Burgfrieden folgte, wie Rosenberg betonte, nicht aus der Lehre von Marx und Engels. Die Sozialdemokratie versäumte, für ihre Zustimmung zu den Kriegskrediten politische Konzessionen der Regierung einzubringen. Statt des-

sen ließ sie sich für die Folgezeit das Gesetz des Handelns
aus der Hand nehmen, besorgt um den organisatorischen
Weiterbestand. Diese Sorge führte in der Folgezeit um so
sicherer zur organisatorischen Spaltung.

Mit diesem Verhalten schlug mehr durch als die Ord-
nungsgesinnung der Parteiführung. Es rächte sich vor allem
auch der Mangel an Demokratisierung in der Partei. Die
von Bröger geschilderten Erfahrungen bezeugen, wie öffentliche Verhaltensformen von Arbeitern und Parteimitgliedern, die schließlich den Kurs der SPD ›von unten‹ mitbestimmten, sich aus anderen Quellen als denen der Partei-
überzeugungen nährten, aus Quellen des nationalen Gemeinschaftsdenkens, das mit der für die SPD nach 1871
verbindlichen Staatsloyalität in Wartestellung wenig zu tun
hatte. Der Hinweis auf Brögers überaus populäres Gedicht
ist in diesem Zusammenhang legitim, macht es doch stellvertretend den Bereich der individuellen Reaktionen sichtbar, der für die Bildung des Gemeinschaftsrausches 1914 so
viel Bedeutung besaß und damit auf die Parteipolitik zu-
rückwirkte. Die Kritik Otto Rühles an der Sozialdemokratie
bezieht sich nicht von ungefähr auf die Vernachlässigung
dieses Bereichs; er sprach von systematischer Perhorreszie-
rung der Psychologie auf seiten der Führer.[80] Ernst Bloch
verwies auf die »Unterernährung an sozialistischer Phantasie« und machte einsichtig, daß diese Unterernährung
nicht als Mangel ausgetragen wird, sondern auf Füllung
und Kompensation angelegt ist. Das hatte sich vor 1914
gezeigt und zeigte sich auch später wieder, als sich die
Nationalsozialisten in die Mobilisierung der sozialen Phantasie einschalteten.

Das Gemeinschaftskonzept, lange zuvor von Ferdinand
Tönnies in *Gemeinschaft und Gesellschaft* (1887) zu einer
Theorie verarbeitet, die in den letzten Jahren vor dem Krieg
starke Resonanz fand, strahlte mit den Ereignissen 1914
auch auf Arbeiter und Sozialisten aus. In ihm war für die
im 19. Jahrhundert etablierten allegorisch-politischen Bezüge
kaum noch Platz. Weder erschloß zu dieser Zeit der ge-
fühlsgeladene Begriff ›Deutschland‹ denselben Staat, den

einst Bismarck ›von oben‹ gegründet hatte[81], noch orientierte sich das Selbstgefühl vieler politisch bewußter Proletarier in gleicher Weise wie früher an der von diesem Staat geprägten sozialistischen Partei. Es eröffnete sich etwas Neues, bei dessen Aufbau die vielen Einzelnen nicht mehr ausgeschlossen schienen. Da es an einer etablierten demokratischen Praxis mangelte, wirkte diese Gelegenheit der Partizipation um so verführerischer. Die damit freigesetzte Energie war nicht ausschließlich im Nationalen fixiert, wohl aber darauf bezogen: die Vorstellung der lange überfälligen Neugründung Deutschlands ›von unten‹, vom arbeitenden Volk her, äußerte sich seitdem in vielerlei Formen und wirkte auch auf die Revolution 1918/19 ein.

Bis dahin wurde nicht nur deutlich, was Krieg bedeutete, sondern auch, wer am Krieg verdiente. Das Bild des arbeitenden Volkes erfuhr klarste Konturierung, die Klassenspannungen, Streiks und sozialen Unruhen nahmen nach 1916 stark zu. Dennoch richtete sich die Aufruhrgesinnung der Arbeiter, Angestellten und Bauern mehr gegen Staat und Verwaltung, die den Erwartungen der Bevölkerung nicht nachkamen, als gegen den Klassengegner, die Unternehmer. »Staatsverdrossenheit und Verwaltungskritik wuchsen auf beiden Seiten, bei den Besitzenden und bei den Abhängigen, wenn auch aus weitgehend entgegengesetzten Motiven; eine negative Anti-Verwaltungs-Koalition entstand; die immer weiter auseinanderklaffenden Erwartungen konnte der Staat trotz darauf abzielender Anstrengungen nicht überbrücken und vermitteln; er wurde schließlich zwischen ihnen zerrieben. Die [...] Klassenspannungen äußerten sich deshalb zu einem guten Teil als antistaatliches Ressentiment und antibürokratischer Protest.«[82] Von der Gemeinschaftsorientierung bei Kriegsbeginn sind die Bezüge zu dieser Anti-Staatsgesinnung nicht schwer zu verfolgen. Die Enttäuschung der Arbeiter darüber, daß ihr Opfer keineswegs entgolten worden war, ja sogar in tiefere Not geführt hatte, manifestierte sich nachdrücklich genug. Brögers Zeilen fanden von selbst ihre Antwort. Wenn dann die SPD 1918 die Verantwortung für den Staat übernahm,

ohne tiefgehende politisch-soziale Umwandlungen durchzuführen und ohne die Machtfrage grundsätzlich zu klären,
erwuchs der neuen deutschen Demokratie aus den unerfüllten Hoffnungen auf eine Volksgemeinschaft eine schwere
Hypothek.

Es gab durchaus Versuche, diese Hoffnungen auf die neue
Republik zu lenken, am stärksten in den sozialdemokratischen Jugendorganisationen. Eine Zeitlang wurde Bröger
deren prominentester Sprecher und Dichter. Sein autobio-
graphischer Entwicklungsroman *Der Held im Schatten* von
1919 legt Zeugnis davon ab, wie stark das Gemeinschafts-
erleben von 1914 weiterwirkte. Das Buch, die Geschichte
des Lumpenproletariers und Angestellten Ernst Löhner,
endet mit dem Ausbruch des Krieges. Löhner fühlt sich
nicht mehr als Einzelner: »Jedes persönliche Streben war
abgeschnitten. Mit Millionen stand er unter gleichem Stern
und Schicksal. Ihre Gedanken waren seine Gedanken, ihr
Ziel war sein Ziel.«[83] Brögers Zeit lief ab, als der von ihm
angeschlagene gefühlsbezogene Ton in der Phase ökonomischer Stabilisierung nach 1923 selbst bei der Jugend nicht
mehr ankam.

Doch behielten die Erlebnisse von Kriegsausbruch und
Frontkameradschaft bei großen Teilen der Bevölkerung ihre
politische Ausstrahlungskraft. Es fiel den Nationalsozialisten
nicht schwer, diese Erfahrungen gegen die bestehende parlamentarische Republik zu kehren. Es entstanden zahlreiche
›Entwicklungs‹- und ›Gemeinschafts‹-Romane.[84] Auch
sie arbeiteten der nationalen Rechten in die Hände.

4. Arbeiterdichtung, Industrie und Technik

Das Datum August 1914 gewann in der Tat schicksal-
hafte Bedeutung für die proletarische Literatur: mit ihm
erlangte sie unter dem Aspekt des Schicksalhaften breiteren
Widerhall. Mit dem Krieg erhielt ›Arbeiterdichtung‹ einen
spezifischen Umriß im nationalen Zusammenhang; in den
zwanziger Jahren versuchte man sich dann an Definitionen.
Sie ließen an deutscher Tiefe nichts zu wünschen übrig. Bei

den Nationalsozialisten vertiefte sich das zur Abgründigkeit.

Zunächst ergab sich jedoch, wo von Arbeiterdichtung die Rede war, die Assoziation an die Darstellung von Arbeitswelt, Industrie und Technik aus der Perspektive des Arbeiters. (Der ebenso assoziativ verstandene Terminus ›Industriedichtung‹ neutralisierte die Perspektive und damit auch den Aspekt des Schicksalhaften.) In der Arbeiterdichtung sah man die vielbeschworenen schwieligen Fäuste zu Ehren kommen, die rauchenden Schornsteine und glühenden Hochöfen, die Maschinen und Förderbänder, die rußgeschwärzten Gesichter von Arbeitern und Bergleuten. Damit verband sich das Gefühl der Teilnahme an der Gegenwart, d. h. ihrer mit viel Aufwand betriebenen, mitreißenden und zugleich abschreckenden Herstellung aus Kohle, Schweiß und Eisen.

Entwicklung, Erscheinungsformen und Wirkung der Industriethematik haben bisher in der Forschung nicht allzuviel Aufmerksamkeit erhalten, wofür die Gründe um so mehr in der Tatsache zu suchen sind, daß die Weichenstellungen auf diesem Gebiet vor 1914 noch nicht genügend aufgearbeitet wurden. Das von den meisten Expressionisten gezeigte Mißfallen an der Beschäftigung mit der modernen Industrie und Technik hat in seiner kulturpessimistischen Begründung weitergewirkt. Andererseits ist das Faktum der »verunglückten Rezeption der Technik« seitens der Vorkriegssozialdemokratie, wie es Benjamin konstatierte, noch immer nicht in seiner ganzen Tragweite erschlossen worden. Der Vorwurf Benjamins an den Positivismus der Sozialdemokraten, er habe »in der Entwicklung der Technik nur die Fortschritte der Naturwissenschaft, nicht die Rückschritte in der Gesellschaft erkennen« können[85], muß in jedem Falle bedeutend ergänzt werden, will man die sich daraus ergebenden Konsequenzen für die Entwicklung des Sozialismus in Deutschland und seine Niederlage gegen den Faschismus adäquat erfassen. Mit dem Vertrauen der Marxisten auf den technischen Fortschritt als Emanzipationskraft war es nicht getan, vielmehr kontrastierte damit eine oft pauschale Einstufung des Arbeitsprozesses als Ort bloßer (notwendiger) Entfremdung, eine Einstufung, die offensichtlich auf viele Arbeiter nicht so zwingend wirkte, wie man im 19. Jahrhundert angenommen hatte.

Einordnung und Disziplinierung der Arbeiter im Produktionsbereich waren vor 1914 stark, doch seien sie für diese Zeit nicht übertrieben. Ludwig Preller setzte erst mit der Kriegszeit einen großen Einschnitt an: die »behäbigere«, teilweise noch aus der Handwerkszeit überkommene Arbeitsweise der Vorkriegszeit wurde von einer wesentlich stärker durchrationalisierten Form ersetzt. Preller folgerte, »daß der erhöhte Grad betrieblicher Abhängigkeit der Arbeiter deren Streben nach Anerkennung ihrer Arbeitswürde innerhalb der Betriebe, vor allem aber ihrer Persönlichkeitswerte außerhalb des Betriebs einen nicht geringen Auftrieb verschaffte.«[86] Das Vordringen klassenkämpferischer Anschauungen sei von den Aktivitäten zur stärkeren Betriebsintegration der Arbeiter kontrapunktiert worden.

Über das letztere geben bereits vor 1914 eine Reihe von Werkszeitschriften Auskunft.[87] In diese Zeit fällt auch das Anwachsen der ›gelben‹ Werkvereinsbewegung. Eine Veröffentlichung der Arbeitgeber brachte 1912 den Gedanken der Werksgemeinschaft auf die bündige Formulierung: »Die Werksgemeinschaft soll dem Arbeiter eine neue geistige Heimat geben, indem sie ihn, der nach dem Willen der Sozialdemokratie nur der heimatlose und besitzlose Proletarier bleiben soll, wieder eingliedert in eine neue soziale Gemeinschaft, die ihm Existenzsicherung verschafft und den Erwerb von Eigentum und Besitz erleichtert.«[88]

Eine ähnliche Zielrichtung besaßen die Parolen der ›nationalen‹ bzw. ›deutschen‹ Arbeit. Sie sollten das Gefühl der Zugehörigkeit zu einer größeren sozialen Gemeinschaft vermitteln, in der, um noch ein Wort Benjamins aufzugreifen, Arbeit »eine politische Leistung«[89] darstellt, und zwar nicht bloß Dienst an einem abstrakten Fortschritt, sondern Herstellung *des* nationalen Fortschritts.

In alle diese Erscheinungen wirkten ›ethisch-ästhetische‹ Impulse hinein. Einiges weist bereits auf die spätere »ästhe-

tische Inszenierung«[90] der Arbeit voraus. Daneben standen
ernstzunehmende Bemühungen um Besserung der Arbeitsbedingungen. Zur Frage der Arbeitsmotivation ließen Sozialforscher wie Herkner und Alfred Weber Analysen an-
fertigen. Man suchte die ›Hebung der Arbeitsfreude‹ vom
Stadium der Diskussion in das der Praxis überzuführen.[91]

Doch genügt die Kennzeichnung von arbeitspsychologi-
schen Änderungen nicht, um das ganze Ausmaß der neuen
Impulse zu fassen. Sie bildeten Teil der deutschen Wirtschaftsexpansion, stimulierten verschiedene Wirtschafts-
zweige, förderten die Anerkennung von Industrie und Technik.

ETHISCH-ÄSTHETISCHE IMPULSE IN DER INDUSTRIE
WERKBUND

Einen wichtigen Durchbruch stellte die Gründung des
deutschen Werkbundes 1907 dar. Sie führte progressive
Architekten und Theoretiker wie Hermann Muthesius, Peter
Behrens und Walter Gropius mit Politikern des liberalen
und nationalsozialen Flügels wie Friedrich Naumann
und Repräsentanten der expandierenden Industrie, etwa der
AEG, zusammen. Die Tatsache, daß sich diese Institution
als Angriff auf den geschmacklos-protzigen Materialismus
des wilhelminischen Reiches betrachtete und man ihr mit
viel Mißtrauen begegnete, hat seit jeher eine schnelle Einordnung erschwert, und mit Grund: immerhin wurden in
diesem Umkreis, von den Leistungen des englischen Arts
and Crafts Mouvement ausgehend[92], die Basis zu der
modernen funktionellen Industrie-›Kultur‹ gelegt, die seit
den zwanziger Jahren, als das Bauhaus eine systematische
Entwicklung betrieb, in der Welt selbstverständlich geworden ist. Daß dafür Deutschland stark in den Mittelpunkt
rückte, ist zugleich ein Zeugnis für die Intensität des Umbruchs um 1900 in diesem Land, vor allem seine politischen
Aspekte: die Abkehr vom 19. Jahrhundert bedeutete hier
auch eine vom bisherigen politischen Selbstverständnis des
Bismarckstaates.

»Die Viktorianische Epoche«, hat Helmuth Plessner kommentiert, »die Zeit des deuxième empire und noch der Wilhelminismus in seinen Anfängen lebten mit der Industrie und ihren Kräften als einer Gegenwelt, die es zu zähmen galt und auf deren Einbau in die überkommene Gesellschaftsordnung es letztlich ankam. Mit dieser Vorstellung ist man um die Jahrhundertwende in der jungen Generation jedenfalls fertig.« Die neue Generation habe begriffen, daß es »um mehr gehen mußte als um die Erneuerung von Kunstgewerbe und Architektur. Ihr zeigte sich darin die große Möglichkeit der Wiedereroberung einer harmonischen Kultur« – unter nationalem Vorzeichen. Die Kreise um den Werkbund seien keine Nationalisten alter Prägung gewesen, hätten vielmehr gehofft, die »Unfertigkeiten und Unausgeglichenheiten« des Lebens in Deutschland »an den sozialpolitischen Aufgaben der Kultur zu überwinden.«[93]

Der ethisch-ästhetische Aspekt kam bei der Gründung des Werkbundes 1907 deutlich zur Geltung, wo es hieß: »Wenn sich die Kunst mit der Arbeit eines Volkes enger verschwistert, so sind die Folgen nicht nur ästhetischer Natur. Nicht etwa nur für den feinsinnigen Menschen, den äußere Disharmonien schmerzen, wird gearbeitet, nein, die Wirkungen gehen weit über den Kreis der Genießenden hinaus, sie erstrecken sich zunächst vor allem auf den Kreis der Arbeitenden selber ... die Kunst ist nicht nur eine ästhetische Kraft, sondern zugleich eine sittliche und endlich in letzter Linie auch eine wirtschaftliche.«[94]

Die vorgegebene Bescheidenheit hinsichtlich der wirtschaftlichen Auswirkungen der Kunst wich sehr bald einer selbstbewußten Einschätzung. Naumann hatte schon früher die Bedeutung der ästhetischen Erneuerung für die Stellung der deutschen Produkte auf dem Weltmarkt hervorgehoben: »Die Zukunft unserer Industrie hängt zu einem guten Teil von der Kunst ab, die unseren Produkten Wert gibt, und die tiefsten Bewegungen des Kunstempfindens in der Gegenwart sind in ihrer Eigenart bestimmt oder mitbestimmt von der Maschine.«[95] Auf der Jahresversammlung des Deutschen Werkbundes 1911, die – wie das Jahrbuch 1912 – unter dem Titel ›Die Durchgeistigung der deutschen Arbeit‹ stand, summierte Peter Jessen die inzwischen erreichten Erfolge und bemerkte voller Stolz: »Es ist kein Trugschluß, wenn wir zu hoffen wagen, daß aus dem hinreißenden wirtschaftlichen Aufschwung des deutschen Volkes eine eigene Kunst, ein deutscher Stil sich werde bilden können. Die Entscheidung über diese Zukunft wird nicht in den Kirchen oder bei den Höfen noch in den Palästen der Reichen fallen, sondern auf den Stätten der wirtschaftlichen und sozialen Arbeit.« Beide Aspekte, das Nationalbewußtsein im Zusammenhang mit der deutschen Industrie und die Kennzeichnung der Arbeitssphäre als Basis des kulturellen Aufschwungs gehörten in der Folgezeit zu den wichtigsten Argumenten bei der Programmierung einer neuen nationalen Gemeinschaft vom arbeitenden Volke her. In der sozialreformerischen Praxis — so weit sie sich durchsetzte — lag dafür die Bestätigung, und Jessen fügte mit gleichem Stolz hinzu: »Darum ist es nicht Kunstsport, nicht etwa bloße Heimatbündnerei, wenn wir das rasch wachsende Interesse an zugleich schlichten und gefälligen Fabrikbauten mit Spannung verfolgen. Nur in Deutschland erscheint eine eigene Zeitschrift für den Industriebau; schon haben vor ganz Europa unsere deutschen Baukünstler die Führung auf diesem jungen Gebiete, eine Reihe weitblickender Fabrikanten aus Nord und Süd hat glänzende Aufträge gegeben. In diesen Bauten wird die Industrie nicht nur ihre Kapitalkraft, sondern auch ihr soziales Wollen, die Fürsorge für Luft und Licht, für gesunde Arbeitsräume kennzeichnen. [...] Von der sozialen Arbeit des heutigen Deutschlands werden vor allem die rasch zunehmenden Kleinwohnungen, Arbeiterkolonien, Gartenstädte sprechen, weit besser als prunkvolle Versicherungspaläste.«[96]

Auch dafür hatte Naumann schon früher den zentralen Gedanken formuliert: Man müsse »sozialreformerisch sein, um wirtschaftlich sieghaft sein zu können«.[97] Was später auf weite Bereiche der Industrie ausgedehnt wurde, bezog Naumann zunächst auf das Kunstgewerbe. Hier setze das sozialistische Problem stärker ein als bei allen gewöhnlichen Massenfabrikationen. »Der kürzeste Ausdruck für die sozialistischen Probleme aber ist das Wort des Arbeiters: ich will, daß meine Arbeit meine Arbeit sei! Er will irgendwie am Schaffen und Erwerben seelisch beteiligt sein.« Es müsse gelingen, »diese Beteiligung herzustellen, ohne die Einheit, Ordnung und Leistungskraft des Betriebes im ganzen zu lockern und zu schwächen.«[98]

Wenn auch zahlreiche Gruppen nach 1900 soziale und ästhetische Erneuerungsideen für sich reklamierten, kam doch der Aussage von Hermann Muthesius spezielles Gewicht zu: »Die anfänglich rein kunstgewerbliche Bewegung wurde zu einer großen allgemeinen Bewegung, die die Reform unserer gesamten Ausdruckskultur zum Ziele hatte. Der künstlerische Geist, einmal angefacht, griff in die Nachbargebiete ein, suchte die Bühne, den Tanz, das Kostüm zu reformieren.«[99] Hier entstand eine Avantgarde, die den allegorischen, ornamentalen, rückwärtsgewandten Gestaltungsformen des 19. Jahrhunderts, die man nach 1871 ›wilhelminisch‹ zugerichtet hatte, Gegenentwürfe von höchst praktischer und gesellschaftspolitischer Bedeutung entgegenhielt. Muthesius erwähnte als großen Anreger ausdrücklich Julius Langbehn, der auf die Kunsterziehungsbewegung der neunziger Jahre eingewirkt und damit zur Durchdringung des Alltags mit ästhetischen Elementen beigetragen hatte. Andererseits grenzte sich der Werkbund in einer berühmtgewordenen Diskussion von der Heimatschutzbewegung ab, die sich ebenfalls auf Langbehn berief. Die Debatten waren recht hitzig, und es ist ausdrücklich festzuhalten, daß der Werkbund und seine ›Richtung‹ bis 1914 keineswegs allgemein anerkannt wurde. Noch erschienen Technik und Industrie den herrschenden Schichten und der Bürokratie des Reiches sowie großen Teilen des Bürgertums verdächtig. Auch hier lockerte dann der Krieg viele Barrieren, und die Tendenz zu Funktionalität und Sachlichkeit erhielt weiteren Auftrieb.

Angesichts dieser Entwicklung läßt sich abschätzen, was es bedeutete, daß die SPD die ethisch-ästhetischen Impulse nicht oder kaum in ihren Dienst stellte, was es bedeutete, daß sie als Großorganisation, die zur unentbehrlichen Institution im Deutschen Reich geworden war, sowie als Hüterin des Parlamentarismus und Verehrerin der Wissenschaft besonders intensiv mit dem Geist des 19. Jahrhunderts gleichgesetzt wurde. Es läßt sich erkennen, wo die Chancen einer sozialistischen Kulturerneuerung vom Proletariat her lagen, mit der sich im ersten Drittel des 20. Jahrhunderts politische Macht verband, darüber hinaus aber auch: wie begrenzt diese Chancen waren und auf welche Weise sie vergeben wurden.[100] Aus dem Jahre 1911 sei zu diesem Komplex Wilhelm Hausenstein zitiert, der bei der Frage der Reformierung der bildenden Künste zu der Schlußfolgerung gelangte: »Die Sozialdemokratie würde Ehre gewinnen, wenn sie bei einer künftigen Sozialpolitik der Kunst

ebenso die treibende Kraft wäre, wie sie es bei der Sozialpolitik des Industrieproletariats war und ist.«[101] Hausen-
steins Darlegungen zu Kunst und Kunstpolitik fanden bis
in die zwanziger Jahre hinein bei einem Zeitgenossen Beifall, der für die Entwicklung von Kunst und Kunstpolitik
im revolutionären Rußland die Verantwortung trug: Anatolij Lunačarskij.[102] Von ihm ist bereits die Feststellung
zitiert worden, nur wenige Sozialdemokraten hätten vor
dem Krieg erkannt, daß die ethische und ästhetische Erziehung der jungen Generation im Geiste des sozialistischen
Ideals organisiert werden müsse.

Max Eyth · ›Die Werkleute auf Haus Nyland‹
Zech · Engelke

In dem Jahrzehnt vor dem Ersten Weltkrieg, das den
Aufstieg des Werkbundes sah, entwickelten sich auch einige
Ansätze zu einer Literatur über Industrie und Technik.
Allerdings: auch hier wirkten die Bildmythen weit über die
Literatur hinaus. Literatur war Zusatz, Begleiterscheinung.
Die künstlerischen Innovationen fanden nach 1900 in
Deutschland vorwiegend in den visuellen und darstellenden
Künsten statt, darunter in Architektur und Formgebung.
Die Ausstrahlung der literarischen Expressionisten, die mit
nur wenigen Ausnahmen gegen eine gründliche Beschäfti-
gung mit der Technik eingestellt waren[103], beschränkte sich
auf literarische Zirkel.

Die Literatur zu Industrie und Technik ging eigene Bahnen. Sie sollte dazu beitragen, die Vorbehalte gegen die
technisch-industrielle Sphäre abzubauen, woran vornehmlich
Ingenieure und Werkbundmitglieder interessiert waren, zunehmend aber auch (junge) Arbeiter. Am Fall von Max
Eyth (1836–1906), der als schreibender Ingenieur große
Prominenz genoß und Vorbildwirkung ausübte, ist die
Prestigesuche besonders deutlich abzulesen. Die Klage, daß
das Bildungsbürgertum und vornehmlich die Juristen auf
das technische Schaffen herabsähen, machte sich vor dem
Ersten Weltkrieg bei vielen Luft.[104]

Die Unterschiede zur Technikbegeisterung der Futuristen — das *Manifest des Futurismus* erschien 1909 — sind unschwer zu erkennen. Dort handelte es sich um Intellektuelle, die sich unter der lautstarken Führung Marinettis über die europäischen Grenzen hinweg verständigten, vor allem in Italien, Frankreich, Rußland, Deutschland und England. Bezeichnenderweise war in Deutschland die Bewegung nicht allzu stark (*Sturm*-Kreis, Döblin u. a.). Hier geschah die Poetisierung der Maschine im allgemeinen nicht aus dem Impuls der Selbstbefreiung der Maler und Schriftsteller aus den Fesseln der gesellschaftlichen und ästhetischen Konventionen, sondern bildete Teil des Wandels im Verhältnis von Produktionsbereich und Gesellschaft: die Autoren waren (oder fühlten sich) zumeist der Produktionssphäre zugehörig. Das schließt Analogien zu den Texten der Futuristen nicht aus.[105]

»Die Welt, selbst die sogenannte gebildete Welt«, stellte Max Eyth kurz nach der Jahrhundertwende befriedigt fest, »fängt an zu erkennen, daß in einer schönen Lokomotive, in einem elektrisch bewegten Webstuhl, in einer Maschine, die Kraft in Licht verwandelt, mehr Geist steckt als in der zierlichsten Phrase, die Cicero gedrechselt, in dem rollendsten Hexameter, den Vergil jemals gefeilt hat.«[106]

Zur Definition der Technik schrieb Eyth 1904: »Technik ist alles, was dem menschlichen Wollen eine körperliche Form gibt. Und da das menschliche Wollen mit dem menschlichen Geist fast zusammenfällt und dieser eine Unendlichkeit von Lebensäußerungen und Lebensmöglichkeiten einschließt, so hat auch die Technik trotz ihres Gebundenseins an die stoffliche Welt etwas von der Grenzenlosigkeit des reinen Geisteslebens übernommen.«

Und zur Definition des Poetischen heißt es: »Poetisch ist, was unser Gemütsleben in Übereinstimmung bringt mit den Erscheinungen der Außenwelt. Poesie ist, was uns den geistigen Gehalt der uns umgebenden Körperwelt offenbart.«[107]

In Eyths Äußerungen ist nichts vom intellektuellen Pfeffer Marinettis zu finden, es ist schwere deutsche Kost, vor allem zum Verdauen gemacht. Eyth betrachtete die Einfühlung in die Phänomene der Technik als eine Selbsterhöhung.

Er betonte, daß in dieser Sphäre die »Poesie des Bildes« nicht weniger wirksam werde als in der Natur. Darüber hinaus aber sei hier die Partizipation am ›Werk‹ möglich, wie der zentrale Begriff der Zeit lautete.

Es wäre keine deutsche Bewegung gewesen, wenn man dazu nicht auch eine Philosophie entworfen hätte (Friedrich Dessauer, Eberhard Zschimmer), ein inzwischen abgeschlossenes Kapitel der Technikdiskussion.[108] So wenig wie diese — bei Zschimmer überaus nationalistisch gefärbten — Entwürfe überlebten Eyths Gedichte, Betrachtungen, Erinnerungen und Erzählungen (*Im Strom unserer Zeit. Aus Briefen eines Ingenieurs; Hinter Pflug und Schraubstock. Skizzen aus dem Taschenbuch eines Ingenieurs* u. a.).

Eine wichtige Stimme für die Anerkennung von Technik und Industrie als poetisches Subjekt war Naumann, der mit seinen Beschreibungen von Ausstellungen, Hochöfen und Maschinen selbst »volkswirtschaftliche Dichtung« verfertigte, wie es einmal genannt wurde.[109] In der zitierten Rede *Die Kunst im Zeitalter der Maschine* sprach er 1904 davon, daß ein Abend zwischen Dortmund und Bochum gerade so schön sein könne wie ein Abend hinter Agaven und Zypressen, wenigstens für das Auge, nicht immer für die Lunge. »Nur ist die Schönheit eine andere, sie enthält viel gebrochene Steifheit in sich, viel eckige Unmittelbarkeit, viel harte Mystik, wenn es erlaubt ist, vom Bilde der Eisenlandschaft in derartigen Tönen zu reden.«[110]

Die Industrielandschaft an der Ruhr wurde bald darauf zum bevorzugten Thema der Industriepoeten. Im Ruhrgebiet selbst blieben die Übergänge zur Heimatdichtung fließend; hier machte sich die Tradition der Bergarbeiterdichtung bemerkbar.

Exemplarisch war eine Kontroverse 1911 in Gelsenkirchen, als Theodor Kummer in einer Rede gegen den Schriftsteller Philipp Witkop polemisierte, der sich in einem Gedicht gegen die Heimat versündigt und geschrieben hatte:

> »Wie ich dich hasse, meine Heimat du!
> Wie ich von Kindesbeinen an dich hasse! —«

Kummer hielt dem verschiedene Poetisierungen der rauchig-rußigen Heimatlandschaft entgegen und konstatierte: »So hat also unsere Stadt und ihre Umgebung auch ihre Poesie, mitten in der Industrie.«[111]

Kummer wies auch auf den Band *Die Reisen Kunzens von der Rosen, des Optimisten* (1910) von Wilhelm Vershofen (1878 bis 1960) hin, einer Verherrlichung von Industrie und Arbeit, in der es in einem Gedicht über den Tod von Bergleuten, deren ehrend gedacht wird, in entlarvender Weise heißt:

> »Wir alle müssen, müssen siegen,
> Am Schreibtisch wir, Ihr in der Erde,
> Und tausend müssen röchelnd liegen,
> Auf daß die große Zukunft werde.«[112]

Lyrischer Imperialismus. Dieser Ton ist auch in Vershofens späterem Werk zu finden. Nicht zu unrecht wurde sein Roman *Der Fenriswolf* (1914) im Vorwort zu einer Volksausgabe 1922 als »*die* Dichtung des Finanzkapitals« bezeichnet. Der Roman soll dazu beigetragen haben, den Autor »für die praktische Wirtschaft zu gewinnen«.[113] Vershofen wurde 1919 Leiter des Verbandes deutscher Porzellangeschirrfabriken und 1924 Professor für Wirtschaftswissenschaften an der Handelshochschule Nürnberg.

Mit Vershofen ist bereits ein Mitglied der ›Werkleute auf Haus Nyland‹ genannt, die 1912 eine neue Form der künstlerischen Werkgemeinschaft begründeten, in der zur Vorbedingung gehörte, daß jeder seinen Beruf beibehielt. Neben Vershofen traten Josef Winckler (1881 bis 1966) und Jakob Kneip (1881–1958) als Kritiker, Poeten und Förderer von proletarischen Autoren hervor. In ihrer Zeitschrift *Quadriga* (1912–1914) erschienen die Beiträge anonym, gemäß der Werkgesinnung und mit deutlicher Spitze gegen den ›ästhetischen Ich-Kult‹ der Expressionisten. Diese Gegenstellung kam bei der Zeitschrift *Nyland* 1918 noch stärker zum Ausdruck. (In der *Nyland*-Anzeige des Diederichs-Verlages, des wichtigsten Verlages für Arbeiter- und Industriedichtung, wurde das erste Programm der Werkleute als »Synthese von Imperialismus und Kultur, Industrie und Kunst, von modernem Wirtschaftsleben und

Freiheit« summiert, über das man nun, 1918, hinaus-
gehe.[114])

Die Grundsatzäußerungen von Winckler und Vershofen
in der *Quadriga* lassen sich als ein vergröberndes Echo auf
die Aktivitäten des Werkbundes einordnen. Im Aufsatz
Kunst und Industrie nahm Winckler auf den Bund Bezug:
»Hier berühren sich unsere Wünsche nach Durchgeistigung
der schweren Industrie, sie in der Kunst zu erlösen aus der
rohen Formenplumpheit, dem Nur-Stofflichen«, und er ge-
lobte: »so wollen auch wir unser Teil beitragen zum Verständnis der gewaltigsten Lebensformen der Jetztzeit, der
Industrie und Technik, denn ihnen verdanken wir alles.«[115]
Dennoch findet sich in der *Quadriga* kaum etwas von den
ästhetisch innovativen Fragestellungen, die im Werkbund
von Gropius, Henry van de Velde, Muthesius oder Bruno
Taut diskutiert wurden.

Winckler machte sich zum Herold der Großindustrie. (»Wo
bleibt die künstlerische Inkarnation des organisatorischen Self-
mademan, des geld- und geistgewaltigen Unternehmers, des
Großkaufmanns und Konstrukteurs? des gesteigerten Arbeits-
menschen?«[116]) Er kritisierte die Maler Käthe Kollwitz (»Tendenziöse Mache«) und Hans Baluschek und die Schriftsteller Holz,
Schlaf und Zola (»ein Evangelium der Arme-Leute-Poesie, zwischen Mitleid und Jammer«). Wincklers *Eiserne Sonette* erschienen zuerst 1912/13 in der *Quadriga*. Sie trugen ihm zu recht den
Vorwurf ein, hier sei Whitmans demokratische Melodie zu groß-
sprecherischen Hymnen imperialistischer Gesinnung eingeschwärzt
worden.

Am weitesten entfernte sich davon das große lyrische Poem
Am Eingang steht von Karl Zielke, einem Autodidakten, Maschinenbauer und späteren Journalisten.[117] Es ist die Dokumentation
eines Großbetriebes aus der Perspektive des Arbeiters und endet
im Hymnus auf die Proletarier in allen Ländern, die durch die
Arbeit zu Herren der Welt werden. Offensichtlich gelangte Zielkes
Gedicht durch den sanften Druck von Richard Dehmel in die
Quadriga.[118] Dehmel wurde von den Werkleuten verehrt und
geehrt.

In diesem Zusammenhang ist die Korrespondenz zwischen
Dehmel und Winckler über Projekte zur Förderung von (Indu-

strie-)Dichtung aufschlußreich, die sie getrennt voneinander angekurbelt hatten. Dehmel gewann offensichtlich das Interesse Walther Rathenaus (1867–1922), er spricht von einer Unterredung mit ihm über »Beschaffung eines Kapitals zur Sicherung der poetischen Produktion und zur Einrichtung von Kongressen, aber zwischen Produzenten und *Konsumenten,* also um Gründung einer Koalition der hervorragendsten Autoren und Amateurs«.[119] Eine genauere Erforschung dieses Vorhabens wäre recht aufschlußreich, allerdings scheint es keine konkrete Gestalt angenommen zu haben.

Rathenaus Interesse überrascht kaum. Der weltläufige Direktor der AEG und Autor der Schriften *Zur Mechanik des Geistes oder Vom Reich der Seele* (1913) und *Von kommenden Dingen* (1917) galt als Repräsentant einer neuen Form von Wirtschaftsdenken, das dann in seiner von vielen Zeitgenossen als sozialistisch betrachteten und für die sowjetische Wirtschaftsplanung teilweise vorbildlichen Organisation der deutschen Kriegswirtschaft gipfelte. Rathenau förderte die Tendenzen zur Annäherung von wirtschaftlichen und seelischen Werten zu dieser Zeit – man würde es heute in Verbindung mit dem von E. H. Carr analysierten Umbruch im ökonomischen Denken um 1900 als Annäherung von Ökonomie, Politik und öffentlichem Bewußtsein bezeichnen, ein Prozeß, der eine Zeitlang ungewöhnliche Formen annahm, aber keineswegs abgeschlossen ist. Für die ungewöhnlichen Formen ist die Charakterisierung Rathenaus im *Mann ohne Eigenschaften* (Buch 1, 1930) von Robert Musil (1880–1942) aufschlußreich, wo er als Dr. Arnheim die Verbindung von »Seele und Geschäft« repräsentiert. (»Er war berüchtigt dafür, daß er in Verwaltungsratssitzungen die Dichter zitierte und darauf bestand, daß die Wirtschaft etwas sei, das man von den anderen menschlichen Tätigkeiten nicht absondern könne und nur im großen Zusammenhang aller Fragen des nationalen, des geistigen, ja selbst des innerlichsten Lebens behandeln dürfe.«[120])

Die Förderung proletarischer Talente von seiten der Werkleute geschah vor 1914 mit Maßen. Der einzige bedeutende Autor war Gerrit Engelke (1890–1918), dessen Gedichte *Dampforgel und Singstimme* im Frühjahr 1914 im letzten Heft der *Quadriga* (H. 8) gedruckt wurden. Auch dafür war Dehmel verantwortlich, der Engelke zuvor bereits an Paul Zech (1881–1946) empfohlen hatte. In dessen Zeitschrift

Das neue Pathos erschienen 1913 Engelkes erste Gedichte. Erst am Ende des Krieges ergab sich eine engere Verbindung der Werkleute mit Bröger, Barthel, Oskar Maria Graf (1894 bis 1967), Lersch und Petzold.[121] Von ihnen erschienen ab 1918 Beiträge in der Zeitschrift *Nyland*. Das bedeutete zu dieser Zeit eine gewisse Gruppierung, jedoch keine Gruppe.

Bei der vielkolportierten Auseinandersetzung zwischen Winckler und Zech darüber, wer die Lyrik der industriellen Welt in Deutschland begründet habe, konnte Zech mit Recht ins Feld führen, daß er die sozialen Kämpfe einbezogen habe. Auch Zech schlug in seinen Gedichtbänden *Das schwarze Revier* (1913) und *Die eiserne Brücke* (1914) den hymnisch-pathetischen Ton an. In einer Selbstrezension vom *Schwarzen Revier* bemerkte er 1913 in der *Aktion*: »Nicht in romantisch dudelnder Blaublümchenweise ist diese neue Welt zu besingen. Eine neue Gefühls- und Ausdrucksmöglichkeit muß geboren werden und äußert sich zuerst im pathetischen Affekt. Paul Zechs schwarzes Revier [...] ist nur ein Teilmotiv der großen Fuge, die lyrisch, balladisch, rhapsodisch das verkrampfte Erlebnis der Schwerindustrie umreißt und harmonisiert zum Weltgedicht.«[122]

Zech dokumentierte das Dasein des Industrieproletariats, das er in belgischen und westfälischen Berg- und Hüttenwerken genau kennengelernt hatte. In der Rezension finden sich auch die Worte: »Das schwarze Revier ist quasi eine Schaustellung vorhandener Figuren oder deren Geistigkeit und der Dichter wirft sich als ein Recommandeur in die Brust: seht, so sind die Menschen: der Hauer, der Kohlenbaron, der Agitator, die Streikbrecher. Und seht: das ist das ausgedeutete Geschick der Grubeneinfahrenden, der verschneiten Fabrikslast, der Arbeiterkolonie, der ahnungslosen Proletarierkinder.«

Zechs Verse geben eine solche Schaustellung. Sie sind bestimmt von expressionistisch aufgerauhten Bildern des Industriereviers, in deren Gegenständlichkeit sich der Autor einfühlt wie Rilke in die Dinge. Doch bricht er die Gegenständlichkeit auf, läßt sie als Last erkennen, die vom Proletariat getragen werden muß. Dafür sei sein Gedicht

Schiffswerft von 1914 zitiert, dessen Schlußzeile an Heyms Metapher vom ›Gott der Stadt‹ gemahnt:

»Wanderst du stromauf den Hafen entlang,
o, wie das dröhnt und stöhnt: Walzwerk und Werften,
Schornsteine und Schienen, Schuppen mit verschärften
Maschinen mitten in dem mörderischen Chorgesang.

Wie Brandung zischt des weißen Dampfers Gischt
aus den Kanälen und die Riesenkräne
donnern im Lastzug. Aus des Rauches Mähne
knattert ein Feuerwerk, das nie verlischt.

Schiffsrümpfe ragen schroffgereiht wie Klippen.
Ameisenwinzig klettert an den Stahlgerippen
die Sklavenbrut, der nie vor Absturz graust.

Tief unter ihnen hockt die Welt verschroben
und über ihnen, dunkelrot besonnt von oben,
ballt sich der Horizont wie eine Schlächterfaust.«[123]

Zech hielt an der strengen poetischen Form, vornehmlich dem Sonett, fest, wie es unter dem Eindruck Stefan Georges verschiedene der jüngeren Poeten taten. Damit forderte er — ähnlich wie Winckler — den verwunderten Kommentar Dehmels heraus, man habe den Eindruck, hier werde ein Auto in Form einer mittelalterlichen Postkarosse gebaut. Der in dieser Formbewußtheit wirksame Impuls bedarf kaum der Erläuterung: die unkonventionelle, vernachlässigte Industriethematik verlangte nach ebensoviel künstlerischem Engagement wie die Poetisierung anderer Lebensbereiche.

Bei den proletarischen Lyrikern finden sich ähnliche Überlegungen. Allerdings war ihr Stellenwert anders: wo sich die Anklage gegen die Arbeitsfron wesentlich schärfer aussprach, nahm der Stolz, neue, zukunftsweisende Stoffe zu behandeln, einen intensiveren Ausdruck an. Das eine hob das andere nicht auf, gab ihm vielmehr die Aura des Schicksalhaften. Die Anklage wurde mit der Selbsterhöhung kompensiert; die Selbsterhöhung wurde mit der Darstellung von Mühsal und Elend der Arbeit im Realistischen gehalten. Der Dokumentationswert dieser Haltung für Teile der deutschen Arbeiterschaft ist nicht von der Hand zu weisen, bedarf allerdings eingehenderer Untersuchung.

Der Stolz auf die neuen Inhalte läßt sich bei Lersch in vielerlei Abschattierungen (mitsamt Selbstzweifeln) verfolgen. Anfang der dreißiger Jahre schrieb er in dem Rückblick *Der Weg des deutschen Arbeiters zu seiner Dichtung:*

> »Die Dichter des Bürgertums sahen das Ende der Kultur nahen. In vornehmer Zurückgezogenheit weihten sie ihre Kunst der reinen Schönheit. Da, gegen 1910, tauchten in den Zeitschriften und Zeitungen Gedichte auf, die in ihren Versen kraftvoll und neuartig das Leben der Arbeit und der Arbeiter schilderten. In ganz kurzer Zeit konnte eine literarische Zeitschrift, die ›Lese‹, eine Spalte mit folgender Überschrift bringen: ›Wie es im Volke dichtet!‹ Da standen reihenweise Gedichte, in denen nicht nur der Fluch der Arbeit, sondern auch das Glück der Schaffenden zum Ausdruck kam. Maschinen bekamen ihr Lied, heldische Taten der Arbeiter fanden ihre Sänger.«[124]

Lersch wies auf Petzold hin, den er als »ersten Arbeiterdichter deutscher Zunge« bezeichnete, und pries die Gedichte von Bröger, Barthel und Alfons Paquét (1881–1944). Paquét habe »als erster im deutschen Schrifttum den Arbeiter als ›Held Namenlos‹ erkannt und gefeiert«. In der Tat machte Paquét (der vor dem Krieg für den Werkbund arbeitete) in der Nachfolge von Whitman und Verhaeren Arbeiter, Arbeitsstätten und industriellen Alltag in einem bis dahin in Deutschland nicht erreichten Ausmaß zum Thema lyrischer Darstellung (*Auf Erden*, 1908; *Held Namenlos*, 1912). Bei ihm läßt sich schon die Tendenz zum Chorischen erkennen, die in den zwanziger Jahren, als Piscator Paquéts *Fahnen* (1923) und das Stück *Sturmflut* (1926) inszenierte, bei vielen künstlerischen Aktivitäten des Proletariats ins Zentrum trat.

Lerschs besondere Verehrung galt Gerrit Engelke, dem »ersten Arbeitergenie«, dem »Neuschöpfer der Sprache des technischen Zeitalters«. Viele bewerteten Engelkes Gedichtband *Rhythmus des neuen Europa*, der 1921, drei Jahre nach seinem Tod als Soldat, von Jakob Kneip herausgegeben wurde, als beste Leistung der Arbeiterdichtung. Es war

sein als ursprünglich empfundener »Herzklang«, der Engelke
Verehrung (auch von Germanisten) eintrug, ein Pathos, aus
dem man noch lange Zeit »einen neuen Rhythmus, [...]
die ganze Seelenhaltung des deutschen Arbeiters«[125] abzulesen wußte. Die Grenzen dieses Talents umriß Dehmel mit
der Bemerkung: »Engelke hat nur einen Ton, das ist der
kosmische Klang.«[126]

Engelke wandte sich nur selten direkt der Sphäre von
Technik und Arbeit zu, gab aber mit dem »kosmischen
Klang« Anlaß zu emphatischer Identifikation und Inspiration *(Lokomotive, Die Fabrik, Der Tod im Schacht)*. Viel-
gerühmt waren die Verse aus *Lied des Kohlenhäuers*:

> »Wir wracken, wir hacken,
> Mit hängendem Nacken,
> Im wachsenden Schacht
> Bei Tage, bei Nacht —«[127]

Engelkes Verse berührten sich im allgemeinen mit der
menschheitsverbrüdernden Melodie Whitmans; an Politik
und Sozialismus zeigte er kein Interesse. Er hielt sich als
Schriftsteller in der ersten Kriegsphase zurück[128], wenn ihm
das seelische Erlebnis auch großen Eindruck machte. Später
richtete er Gedichte gegen den Krieg *(Buch des Krieges, An
die Soldaten des großen Krieges)*.

TECHNIK, KRIEG UND NATIONALISMUS · LERSCH

In seinem autobiographischen Roman *Hammerschläge*
(1930) hat Heinrich Lersch beschrieben, wie sehr ihm seit
jeher daran gelegen war, von politischen Organisationen
unabhängig zu bleiben. Das galt auch für die katholische
Kirche, in deren Umkreis er aufwuchs. Lersch wollte Zugehörigkeit ohne Organisation, Zugehörigkeit zu einem Größeren, das er mit Hilfe religiöser Assoziationen und ge-
fühlshafter Bilder faßte, und er sah seine Aufgabe als
Arbeiterdichter darin, diese Zugehörigkeit zu verkünden
und zu vertiefen. Bei Lersch läßt sich die soziale Entwurze-
lung und Isolation sowie die Hoffnung auf eine gefühls-

hafte Selbstbestimmung besonders klar verfolgen, die seit
den Jahren vor dem Ersten Weltkrieg in die Politik hinein-
wirkte, scheinbar unpolitisch und gerade deshalb so wirksam. Er machte die Dimension des Schicksalhaften auf folgende Weise sichtbar:

>Die Arbeiter mußten den Kapitalisten ihre Kirche und ihren
Gottesdienst aus den Händen reißen. Die neue Religion der Arbeit, die aus der Armut herausgewachsen war, war das die
unsichtbare Kraft, die die Massen gepackt hatte? Die Arbeiter, sie
gingen nicht freiwillig in die Fabriken; sie wurden gegangen;
die Kraft, die sie aus den Betten riß, trieb sie in die Räder hinein,
füllte sie mit den eisernen Gewalten von Motor und Walze,
Dynamo und Gasmaschine, Dampf, Preßluft, elektrischem Strom.
Darum waren sie so barbarisch und gefühllos gegen den einzelnen, auch gegen mich.<[129]

Hier wird die Sphäre der Technik und Arbeit sinnhaft,
ohne daß der Sinn genauer geklärt würde. Er ist je nach
Position auslegbar. Auf die Sinn*gebung* kommt es an, als
Akt der Abwehr gegen Mechanisierung, Rationalismus und
Entfremdung. Hier rückt wiederum der Erste Weltkrieg ins
Blickfeld. Er war es vor allem, der >einen die aufgeklärte
zivile Welt transzendierenden existential-politischen Wil-
len< erzeugte, >als dessen Instrument die technische Industrie wieder den >Sinn< empfängt, den man zuvor bestritt
und vermißte<.[130]

Es ist anzufügen: mit der Desillusionierung über die
Technik in den Materialschlachten und mit der Enttäuschung
über den Kriegsausgang trat für viele die Sinnlosigkeit um
so schärfer hervor. Der Krieg wurde zu einer Wasserscheide
für die verschiedenen Einstellungen zur Technik. Es lassen
sich grob zwei kontrastierende Haltungen verfolgen. Die
einen Zeitgenossen gelangten über eine romantisch-expres-
sionistische Phase hinweg zur Maxime einer nüchternen
Handhabung der Technik und industriellen Moderne, zu der
die Distanzierung von nationalen und völkischen Programm-
men gehörte. Die anderen griffen zu ebendiesen Programmen als >Gegenmittel< gegen die >Moderne<, die sie als
links verstanden.

In der Tat propagierte die ›Linke‹ die progressive Kultur der zwanziger Jahre in Deutschland, für die oft das — nicht allzu linke — Bauhaus stellvertretend genannt worden ist. Sie stand der parlamentarischen Demokratie nahe, wenn sie sich auch, enttäuscht über den Ausgang der Revolution, kaum dafür einsetzte. Mit dem unterschwelligen Rechtfertigungszwang ging die Tatsache überein, daß ihre Haltung gleichsam auf Flaschen gezogen und mit dem Etikett ›Neue Sachlichkeit‹ versehen wurde. Schon Joseph Roth, selbst eine Zeitlang zum Vertreter der literarischen ›Neuen Sachlichkeit‹ gestempelt und um 1930 bemüht, diese Assoziation abzuschütteln, stellte fest: »Es gab nur ein Land, in dem das Wort von der ›Neuen Sachlichkeit‹ erfunden werden konnte: Deutschland. Bei uns wurde (wie so oft im Laufe der Geschichte) ein Ziel, was bei den andern primäre Voraussetzung war. Wir sind das einzige Volk, dem die Sachlichkeit ›neu‹ erscheinen konnte.«[131]

Daß die nüchterne Behandlung von Technik und Industrieproduktion die Formen weltanschaulichen Engagements annahm, hatte viel mit der weltanschaulich-politischen Reaktion der anderen Zeitgenossen auf den Krieg zu tun. Diese verstanden Kriegsausgang und Revolution als den Einschnitt, mit dem sich Mechanisierung, Rationalismus, Entfremdung doppelt stark in Deutschland breitmachten, nun auf der Basis der parlamentarischen Demokratie, die sie im Krieg als Sache des rationalistisch-mechanistischen Westens bekämpft hatten. Jener Sinn war wieder verlorengegangen, der mit Kriegsbeginn Technik und Alltag durchdrungen und erhöht hatte. Trat nur die Technik ›nackt‹ in den Vordergrund, unter Verzicht auf jene Sinngebung, so bedeutete das sowohl eine Kapitulation gegenüber dem rationalistisch-mechanistischen Geist als auch eine Aufkündigung an das spezifisch Deutsche, an die Grundlagen des im Krieg neu entflammten nationalen Selbstverständnisses. Oswald Spenglers Dämonisierung der Technik hing mit seiner Diffamierung der Weimarer Republik als Firma eng zusammen. Nicht zu unrecht ist eine Zuordnung von antitechnischem und antidemokratischem Denken für diese Zeit

konstatiert worden. Die These, daß das antitechnische Denken eine gewichtige Funktion bei der Ablehnung des Staates
spielte, hat viel für sich: »Es wurde auch von Personen
geteilt, die gemeinhin als unpolitisch galten. Da sich jedoch
das Wachstum der Städte und die Errichtung neuer Fabriken
nicht verhindern ließen, wurde die Unzufriedenheit auf das
›System‹ übertragen, das solchen ›Frevel‹ duldete.«[132]

Die Aufkündigung jener Sinngebung wurde dann für
die Nationalsozialisten zur Zielscheibe heftiger — und erfolgreicher — Angriffe. Es ist charakteristisch, daß Hitler
sich nicht genugtun konnte, die deutsche Niederlage im
Ersten Weltkrieg *nicht* auf die ökonomische und militärische
Unterlegenheit des Landes zurückzuführen, sondern auf die
Schwäche im Bereich der »politischen, sittlich-moralischen
und blutsmäßigen Faktoren«.[133] Darauf bezogen sich auch
seine Hinweise auf die Mängel der deutschen Propaganda.
Mit anderen Worten, die Augustbegeisterung von 1914
war steckengeblieben. An ihrer Schwächung hatten die
Kräfte teil, die nach dem Krieg ins Zentrum traten. Hitler
mußte die Schuld an der Niederlage der mangelnden Weltanschauung, der generellen Dekadenz, den jüdisch-marxistischen Einflüssen etc. zuschieben, um den zweiten Versuch
Deutschlands, Weltmacht zu werden, zu rechtfertigen. Nur
solche Argumente konnten die Notwendigkeit einer Erneuerung Deutschlands ›von Grund auf‹ legitimieren.[134] In diesem Sinne schloß 1933 an 1914 an, suchten die Nationalsozialisten das Kriegserlebnis in Beton umzugießen, zum
Monument einer Sinngebung — die bereits geschlagen worden war.

»So schien der Mensch schon endgültig vor den Sachen
zu kapitulieren, als mit der *nationalen Volksbewegung*
unserer Tage eine plötzliche Wendung einsetzte«, hieß es
1934 in der Untersuchung *Mechanisierung des Lebens und
moderne Lyrik* im Vorwort. Hier ist das Resümee bereits
gezogen:

»Der entwurzelte Mensch einer mechanisierten Zeit findet in
dem wiedererwachten Erlebnis des Volkstums und der Scholle eine
neue Verankerung. Die Isolierung der Menschen voneinander hat

dem Willen zur Gemeinschaft, zur Volksgemeinschaft, Platz gemacht, und an die Stelle der alles beherrschenden Apparatur ist
wieder ein hohes Ziel in den Mittelpunkt des Volkslebens getreten: der innere und äußere Wiederaufbau Deutschlands. Allenthalben konzentrieren sich so die irrationalen Kräfte zu einem
entscheidenden Angriff gegen die moderne Rationalität, die den
Menschen im Zeichen höchster Vernunft an den Rand des Ab-
grundes geführt hat.«[135]

Lerschs Kriegsgedichte fanden zu dieser Zeit erneuten
Anklang. Neben der Erhöhung der Volksgemeinschaft pries
man die Gleichsetzung von Krieg und Arbeit. Im Gedicht
Die große Schmiede, das Lersch bald nach Kriegsausbruch
schrieb, heißt es:

> »Heute ist die ganze Stellung eine große Kesselschmiede,
> alles sind die alten Töne aus dem großen Arbeitsliede.
> Früh am Morgen, mit der Sonne, heulen her Granatenflüge.
> Das kracht auf den Felsenplatten, wie wenn man auf
> Eisen schlüge
> Dumpf knallt's auf; im steilen Bogen fliegt geschleudert
> eine Mine:
> Rangg — zersprungen. So das Stampfen einer großen
> Nietmaschine.
> In den Gräben, in den Sappen Picken, Schaufeln, Spaten
> scharren
> kreischend, wie auf blanken Scheiben festgespannte
> Riemen knarren.
> Der Gewehre Schießen ist das schnelle Klopfen vieler
> kleiner Hämmer,
> der Maschinengewehre Knattern ist der Ton der
> Luftdruckstemmer.«[136]

In Lerschs poetischer Gleichung von Krieg und Arbeit löst
sich die Technik aus dem ökonomischen und sozialen Kontext. Während die Arbeitsorganisation im Einzelbetrieb
immer wieder von politischen und ökonomischen Spannungen relativiert wird, entsteht mit dem Krieg eine Gesamt-
organisation von Aktivitäten, welche die Spannungen des
gesellschaftlichen Systems ausschließt. Diese Ausschließung
ermöglicht eine Stilisierung der Technik in überkommenen
Bildern des Heroischen und des Kampfes. Da ein großer

Teil der Zeitgenossen 1914 ohne spezifisches politisches Ziel
in den Krieg zog, voller Bereitschaft, das Neue, was immer
es sei, mit allen Fasern zu erfassen und mitzuerleben, vermochte die Stilisierung der Technik zu beeindrucken. Es
zeichnete sich die Möglichkeit einer Herrschaftsform ab, in
welcher Technik und gesellschaftlicher Gesamtwille zur
Kongruenz gebracht werden konnten, ohne daß man das
System demokratischer Entscheidungs- und Kontrollprozesse
übernehmen mußte.

Mit zunehmender Desillusionierung verlor dieses Denken
an Anziehungskraft, ab 1916 machten sich zahlreiche Anti-
kriegsaktivitäten bemerkbar. Andererseits brachte aber gerade das Erlebnis der Massen- und Materialschlachten eine
neue Haltung hervor, die für die Vorbereitung des Faschismus einflußreich wurde, ohne daß sie sich auf die Volks-
gemeinschaftsparole stützte. Sie hatte vielmehr elitäre Züge,
suchte sich von sozialen Bedingtheiten abzulösen. Ihr Symbol war der Arbeitersoldat, der Kriegsingenieur, für den,
wie Georg Lukács zu dieser Zeit bemerkte, entscheidend
sei, »daß nach dem Ziel und einer Rechtfertigung gar nicht
gefragt wird, sondern nur nach der Aufgabe, die zu erfüllen
ist«.[137]

Lukács gab diese Definition bejahend, bezog sich bei der
Charakterisierung dieses Helden auf Feststellungen, die Paul Ernst
in *Der Weg zur Form* über gewisse Formen des Rittertums getroffen hatte. Lukács wies auf die »Versachlichung« hin, auf die
»Disziplin, mit der die Einordnung des individuellen Heroismus
als Ziffer in eine Gesamtheit begann«, und auf die »klare und
kalte und bei den Kämpfern im Wesentlichen haßlose Gegner-
schaft, die die Vernichtung des Feindes anstrebt, ihm aber, im
Innersten, nicht feindlich-affekthaft gegenübersteht.«[138] Das
korrespondiert mit Analysen, die von einem anderen Autor später vorgebracht wurden: »Das Maß an Kampfsittlichkeit, deren
Grundgesetz zu allen Zeiten dasselbe bleibt, nämlich den Feind
zu töten, beginnt immer eindeutiger mit dem Maße identisch
zu werden, in dem der totale Arbeitscharakter verwirklicht werden kann«; »Der Blick ist ruhig und fixiert, geschult an der
Betrachtung von Gegenständen, die in Zuständen hoher Ge-
schwindigkeit zu erfassen sind. Es ist dies das Gesicht einer

Rasse, die sich unter den eigenartigen Anforderungen einer neuen Landschaft zu entwickeln beginnt und die der Einzelne nicht als Person oder als Individuum, sondern als Typus repräsentiert.«[139]

Ernst Jünger, von dem die Zitate stammen, ließ in der Schrift *Der Arbeiter* (1932) die ästhetische Wurzel dieses Konzepts noch deutlicher hervortreten als Lukács. Die metallisch-muskulöse Soldatengestalt ist ein aus dem heroischen Typus entwickelter Bildmythos. Die Technik wandelt die Physiognomie des Einzelnen; es entsteht eine weitere Variation des oft beschworenen ›neuen‹ Menschen des ›neuen‹ Zeitalters.[140] (Zu den Vorläufern gehört auch der »Kämpfer-Ingenieur« im Roman *Der Tunnel* von Bernhard Kellermann; die Arbeiter sind in dem Buch als gesichtslose Masse behandelt.)

Dieser Typus richtete sich gegen den Bürger als den Repräsentanten des 19. Jahrhunderts. Damit wirkte er nicht nur auf der Rechten attraktiv, sondern auch bei Intellektuellen, die zwischen den etablierten Parteien standen. In dem vom Futurismus mitgeprägten italienischen Faschismus fand er seine eigene Form, wie er ohnehin nicht nur auf den deutschen Militarismus festzulegen ist. Seine Nachfahren reichen in die technisch-militärischen Eliten der aufsteigenden Nationen unserer Tage hinein.[141]

Für die deutsche Situation wies schon Benjamin bei der Besprechung des von Jünger herausgegebenen Sammelwerkes *Krieg und Krieger* (1930) darauf hin, daß »die Tugenden der Härte, der Verschlossenheit, der Unerbittlichkeit [...] in Wahrheit weniger solche des Soldaten als des bewährten Klassenkämpfers« seien, und daß die von ihm gestützte Nation eine »Herrscherklasse« darstelle, »die niemanden und am wenigsten sich selber Rechenschaft schuldend, auf steiler Höhe thronend, die Sphinxzüge des Produzenten trägt, der sehr bald der einzige Konsument seiner Waren zu sein verspricht«. Auch das hat über die deutsche Situation hinaus Tragweite erhalten. Die Idee der Volksgemeinschaft stellte in diesem Umkreis eher eine Ablenkung dar. »Der Krieg in der metaphysischen Abstraktion, in der der neue Nationalismus sich zu ihm bekennt«, heißt es bei Benjamin, »ist nichts anderes als der Versuch, das Geheimnis einer idealistisch verstandenen Natur in der Technik mystisch und unmittelbar zu lösen, statt auf dem Umweg über die Einrichtung menschlicher Dinge es zu nutzen und zu erhellen.«[142] Im Nationalsozialismus diente dieses Denken dazu, die Kulturkritik an der ›nackten‹ Technik gegenstandslos zu machen; auch die Nationalsozialisten brauchten ja die Technik.

Für dieses Denken ließ sich ein Lyriker wie Lersch nicht einspannen, so blutrünstig einige seiner Kriegsgedichte ausfielen. Bei ihm wirkte die Desillusionierung tief. Im autobiographischen Poem *Mensch im Eisen* (1925), das er nach einer langen Pause der Besinnung schrieb, klagte er sich als Dichter des Krieges an:

> »Da kommen sie über mich, die Gemordeten, Geschlachteten,
> Hilfe!
> Sie bläken ihr zerschossenes Gesicht, sie schwingen ihre
> Prothesen, sie schlagen mich tot.
> Da kommen sie heran, auf einem Strom von Blut, breit
> wie der Rheinstrom,
> Hilfe! Granaten stecken in ihrer Brust, Bajonette baumeln
> in den Bäuchen,
> Hilfe! Mein toter Bruder führt sie an: Edgar, hilf mir!
> Die toten Freunde zu seinen Seiten, die Nachbarn,
> Schulkameraden in grellem Haß:
> ›Du Blutsänger, Morddichter, da sauf Blut!‹«[143]

Zu dieser Selbstanklage gehört auch Lerschs Umkehrung der Gleichung, daß Krieg gleich Arbeit sei: in dieser Gesellschaft sei Arbeit gleich Krieg. Während auf der Straße Antikriegskampagnen liefen, gehe unterdessen

> »die stille Schlacht ihren Gang: In Bergwerken, Eisenhütten, chemischen Fabriken, in Stahlwerken, Werkstätten, auf dem Pflaster der Großstädte fallen Tag um Tag, Stunde um Stunde, Minute um Minute die Soldaten der Arbeit. In jeder Stunde drei lebendige Menschen; werden erschlagen, erstickt, vergiftet, überfahren, verbrannt, verbrüht, sind tot, unrettbar tot und hinterlassen weinende hungernde Mütter und Kinder; kalt und herzlos opfert das Volk sich selber in zwanzigtausend Menschen jedes Jahr. [. . .] ›Nie wieder Krieg?‹ Immerfort Krieg, Krieg, Krieg! Blut fließt [. . .] vom Werk ins Werk, Blut klebt an Achse, Schiene, Brücke, Schiff, Haus, Brot, dein Kleid ist Blut.«[144]

Und doch findet sich im letzten Teil des Poems *Mensch im Eisen* wiederum eine hymnische Vision von der Rückkehr zur Maschine, der sich der Autor entfremdet hat, zum Werkvolk und zur Volksgemeinschaft — in manchem die Vorausnahme der Äußerungen von 1933.

Kapitel VI
Sozialistische Literatur
in den zwanziger Jahren

1. Zur Revolution 1918/19

Eine Revolution ohne Lied: so sah ein zeitgenössischer Beobachter die deutsche Novemberrevolution 1918. Kurz nach den Ereignissen stellte er fest, daß bei den Massenaktionen in Berlin kein Lied zu hören gewesen sei. Erst in den folgenden Tagen hätten einzelne kleine Gruppen die *Marseillaise*, die *Internationale* und *Wir sind die Arbeitsmänner* von Johann Most gesungen. »Ebenso fehlte es fast ganz an populären Revolutionsdichtungen. Was in Zeitungen an Gedichten erschien, war meist Reminiszenz aus dem Jahre 1848. Freiligraths *Republik* und *Revolution* herrschten vor, daneben Mackays *Kehre wieder über die Berge.*«[1]
In dem Mangel an revolutionärer Literatur spiegelt sich ein Zug der deutschen Revolution, den schon die Miterlebenden häufig verhöhnten, häufig beklagten: daß sie kaum sichtbar geworden war. Erst mit Beginn des Jahres 1919 radikalisierten sich die Kämpfe, wuchs das Bewußtsein, in einer Revolution zu stehen. Seit dieser Zeit ergaben sich — zögernde — Bemühungen, die Revolution kulturell-literarisch zu unterstützen, nicht bloß auszunutzen, und es entstanden Texte und Theaterstücke, in denen revolutionärer Geist nicht nur als expressionistisches Beiwort betrachtet wurde.
Der Mangel an revolutionärer Literatur beleuchtet die Situation in Deutschland vor dem 9. November 1918 mit ihrem Fehlen einer revolutionären Programmatik und macht die politische Ausrichtung der Massenaktionen seit 1916 sichtbar. Sie erwuchsen aus Ausbeutung, Hunger und Leiden, ihr Ziel war zunächst Beendigung des Krieges. Nicht

revolutionäre Rhetorik äußerte sich, sondern Anklage, Hohn und Spott. Man unterlief die strenge Zensur, machte sich Luft im Lied gegen den Krieg, gegen die Reichen, gegen die schlechte Versorgung. (Letzterer galten die zahllosen ›Marmelade‹-Lieder.) Auf die Melodie von »Hinaus in die Ferne« sang man:

> »Wir kämpfen nicht fürs Vaterland,
> Nicht für die deutsche Ehre.
> Wir bluten für den Unverstand,
> Für die großen Millionäre.«[2]

Oder in der verbreiteten Fassung:

> »Wir kämpfen nicht für Vaterland,
> Wir kämpfen nicht für Gott,
> Wir kämpfen für die Reichen,
> Die Armen gehn kapott.«[3]

Zahllos waren die Parodien auf patriotische Lieder, deren Melodien neue Texte unterlegt wurden, wie überhaupt der Parodie eine zentrale Funktion bei der Abkehr von den ›hohen Sprüchen‹ der Herrschenden zukam. Parodie und Witz schufen unmittelbare Erleichterung, brachten jedoch keine neue Zielsetzung.[4]

Die Desillusionierung der Arbeiterschaft betraf nicht nur das Verhältnis zu Militär und Regierung, sondern auch zur Sozialdemokratie und zu den Gewerkschaften, die mit ihrer Kooperation im Zeichen des Burgfriedens den Herrschenden zunehmend näherückten. Bereits kurze Zeit nach Kriegsausbruch war ein Flugblatt mit einer Parodie auf den bekannten *Sozialistenmarsch* von Max Kegel in Umlauf gekommen:

> »Auf Sozialisten, schließt die Reihen,
> Die Trommel ruft, die Banner weh'n.
> Wir woll'n uns neuen Zielen weihen:
> Die Monarchie soll neu erstehn!
> Der Schuß dem Ruß! Stoß dem Franzos'!
> Der Tritt dem Brit! Der Klapps dem Japs!
> Dem deutschen Volke sei's gegeben!
> Das ist das Ziel, das wir erstreben!
> Das nennt man jetzt den heilgen Krieg!
> Wir sind das Volk! Mit uns der Sieg!

Ihr ungezählten Millionen,
Aus Schacht und Feld, aus Stadt und Land,
Ihr seid nun Futter für Kanonen,
die schuf des Proletariers Hand!
Jetzt schießt man auf den Bruder gern,
Weil es der Wunsch der hohen Herrn!
Vernichtung vieler Menschenleben,
Das ist das Ziel, das wir erstreben,
Das nennt man jetzt den heilgen Krieg.
Mit uns das Volk! Mit uns der Sieg!«[5]

Das Flugblatt stammte vermutlich von einer sozialistischen Jugendgruppe. Junge Sozialisten, die infolge der Verbote des Reichsvereinsgesetzes schon in der Vorkriegszeit dem literarischen Medium aufgeschlossener gegenübergestanden hatten, beschafften sich dann auch Zugang zur pazifistischen Literatur, vornehmlich zu dem ›Tagebuch einer Korporalschaft‹ *Le feu* (1916; dt. Ausz. in *Die Weißen Blätter*, 1917, als Buch: *Das Feuer,* 1918) von Henri Barbusse (1873–1935) und dem Erzählungsband *Der Mensch ist gut* (1918) von Leonhard Frank (1882–1961).

Die vom Sekretariat der Sozialistischen Jugendinternationale unter Willi Münzenberg betriebene Publizistik umschloß Literatur, weniger in den berühmten elf Kriegsnummern der Zeitschrift *Jugend-Internationale* als in den Beilagen für Arbeiterkunst und -bildung zur Zeitung *Die Freie Jugend.* Allerdings erschienen diese Blätter in der Schweiz und mußten auf komplizierten Wegen nach Deutschland gebracht werden. Insgesamt blieb der Wirkungskreis von sozialistischer und antimilitaristischer Literatur begrenzt. An erster Stelle stand die Versorgung mit den so schwer erhältlichen Informationen über die tatsächliche Lage. Die Kritik an der SPD fand ab 1916 organisatorischen Ausdruck in der Arbeit für die Unabhängige Sozialdemokratische Partei (USPD; Gründung 1917) und die ›Gruppe Internationale‹ (1916) als Teil von ihr, später als Spartakusbund um Rosa Luxemburg und Karl Liebknecht.

Mit Edwin Hoernle lassen sich literarische und politische Kontinuitäten im Hinblick auf das Wirken der Jugendinternationale erkennen. Seine Revolutionsgedichte schließen im

Gefühlston an seine Kriegsgedichte an, ähnlich wie im Falle von Max Barthel[6], mit dem Hoernle 1919, als die revolutionäre Stimmung ihren Höhepunkt erreichte, in Gedichten »wetteiferte«.[7] Das spielte sich, wie Münzenberg festhielt, teilweise im Gefängnis ab — in erneuter Opposition zu einer neuen offiziellen Politik.

Von der Desillusionierung der Arbeiterschaft und der Herausbildung der Opposition um den späteren Spartakusbund hat Adam Scharrer in dem Roman *Vaterlandslose Gesellen* (1930), dem »ersten Kriegsbuch eines Arbeiters«, berichtet. Karl Retzlaw schildert in seinen Erinnerungen *Spartakus* (1971) die Passivität, mit der die Bevölkerung die Revolution hinnahm, und die Enttäuschung, welche die Arbeiter über die Handhabung der Revolutionsgewalt auf seiten der (Mehrheits-)Sozialdemokratie empfanden. Wie die proletarische Massenbewegung gegen das Bündnis der SPD mit dem Militär und anderen antidemokratischen Kräften schnell an Boden gewann, wie die Rätebewegung eine Zeitlang einer demokratisch-revolutionären Alternative zu diesem Bündnis nahekam, ist in der neueren Forschung breit dargestellt worden.[8]

Hier läßt sich nur auf einige Elemente hinweisen, die im Zusammenhang mit der Entwicklung in der Arbeiterschaft vor 1914 stehen, vor allem in Hinblick auf die nun direkt und politisch artikulierte Kritik an der Parteiorganisation. Wenn über die Rätebewegung gesagt wurde, daß sie »den durch Partei und Gewerkschaft abgesteckten politischen und organisatorischen Rahmen« durchbrachen und »gerade als Ausdruck der Kritik oder Negation der traditionellen Form einer institutionalisierten Massenbewegung« entstanden[9], so waren die Weichen bereits vor 1914 gestellt worden. Die Feststellung, daß die neuartige Massenbewegung »nicht nur eine Krise des bestehenden Herrschafts- und Gesellschaftssystems, sondern auch und vor allem der bestehenden Oppositionsformen«[10] deutlich machte, ist nicht erst abrupt für das Kriegsende anzusetzen. In den spontanen Aktionen wurde vieles ›aufgeholt‹, zumal in der Artikulierung der Interessen des Proletariats als politischer, in den Massenversammlungen und -demonstrationen unmittelbar sichtbarer Kraft. Die Referenz auf die Erfahrungen vor 1914 lag bei Auseinandersetzung mit der regierenden SPD ständig in der Luft. In der Kulturarbeit der (linken) USPD, die proletarischen Lebensformen galt, spielte sie eine besonders wichtige Rolle.

Zur Radikalisierung trug im Winter 1918/19 das Gefühl bei, daß die SPD an den staatlichen Machtstrukturen nichts ändere, schließlich die Gewißheit, daß sie sich unter Zuhilfenahme des Militärs gegen das Proletariat selbst wende. Für die überaus schwierige Nachlaßverwaltung des verlorenen Krieges mit all ihren sozialen, finanziellen und internationalen Problemen hielt sich die SPD im wesentlichen an die 1914 besiegte Politik. Das Bedürfnis nach Kontinuität überwog, Ebert machte nationale Politik unter Preisgabe der revolutionären Ansprüche der Arbeiterschaft. Die SPD vergab die Chance, die bisher gescheiterte Demokratisierung Deutschlands, für die nun von der Arbeiterschaft her die revolutionären Voraussetzungen entwickelt wurden, nachzuholen und mit einer Veränderung staatlicher und ökonomischer Machtstrukturen endgültig zu sichern. Ob die Chance real war, ist viel debattiert worden. Der Zeitpunkt für die Veränderung war Ende 1918. Für sie hatte die SPD kein Konzept. Ohne diese Veränderung dürften die spontanen, ›subjektiven‹ revolutionären Kräfte in einem modernen, auf Kontinuität fixierten Industriestaat allein zu schwach gewesen sein. Man hat zu bedenken gegeben, daß sich die demokratischen Revolutionen bisher immer in vorindustriellen Gesellschaften ereigneten und die Russische Revolution 1917 in einem vorwiegend agrarischen Land stattfand. In Deutschland bestanden Möglichkeiten, die mißlungene Revolution von 1918 als sozialistische nachzuholen, wenn auch unter sehr erschwerten Umständen. Die letzte Chance bot sich 1920 beim Generalstreik anläßlich des Kapp-Putsches, als zwölf Millionen Arbeiter die Arbeit niederlegten. Das revolutionäre Mandat wurde zurückgewiesen zugunsten der staatlichen und gesellschaftlichen Kontinuität.

Nicht nur ebnete die SPD-Führung in dieser Periode den antidemokratischen Kräften den Weg, sondern sie zeigte auch, wie die Revolution *nicht* zu machen sei. Die Nationalsozialisten stützten sich 1933 zwar auf eine Volksbewegung ›von unten‹, setzten aber alles auf die Eroberung des Staatsapparates. Von der ersten Minute an, als sie die Schlüssel in der Hand hatten, bemächtigten sie sich seiner, formten ihn um. Bezeichnend, daß sie ihr Werk als Revolution deklarierten. Das ging damit überein, daß sie ihr Mandat von der Volksgemeinschaftsthese von 1914 ableiteten. Damals hatte der Nationalismus das Klassenbewußtsein überspielen und trotz Wahrung der Besitz- und Herrschaftsverhältnisse den Begriff ›deutsche Revolution‹ ermöglichen können. Indem man das Jahr 1914 zum weltgeschichtlichen Kontrapunkt des Jahres 1789 erklärt hatte, war aus dem Begriff ›Revolution‹ »das Moment aktiven Herrschaftssturzes« verschwunden. ›Revolution‹ hatte sich zu einem Geschehen neutralisiert, »das den Charakter politischer ›Bewegung‹ hat und die Massen ergreift oder in sich hineinzieht«.[11] Vor den verhängnisvollen Auswirkungen dieser These hätte die SPD noch 1818/19 bewahren können. Indem sie zur Niederlage der proletarischen Seite beitrug, half sie bei der Diskreditierung von deren Revolutionsbegriff. Die Schlußfolgerung, die Zerstörungen betreffend, die jede Revolution mit sich bringt, ist mit noch einem ›hätte‹ verbunden: die sozialistisch-demokratische Revolution hätte gewiß vor den unvergleichlichen Zerstörungen bewahrt, welche die Nationalsozialisten mit ihrer selbstproklamierten Revolution in Deutschland und Europa anrichteten.

Diese sehr verkürzenden Hinweise sollen die kulturrevolutionären Bemühungen, die dem 9. November folgten, nicht herabstufen. Nur deren politische Grenzen sollen deutlich werden. Grundsätzlich lag in der Vision, die Revolutionierung der Gesellschaft auch ästhetisch-künstlerisch voranzutreiben, ein wichtiges Stimulans. Vor allem in der USPD sammelten sich die Kräfte, die diesen Weg auf breiterer organisatorischer Basis zu gehen suchten, unter Anknüpfung an viele vor 1914 entstandene, aber unver-

wirklicht gebliebene Vorstellungen. Spezifischer klassen-
kämpferisch äußerten sich Linkskommunisten (Kommunistische Arbeiterpartei Deutschlands, KAPD) und die Allgemeine Arbeiter-Union (AAU). Im Gründungsprogramm
der KAPD 1920, das gegen den Parlamentarismus und für
den Rätegedanken eintrat, wurde das Resümee von Erfahrungen gezogen, die vor 1914 lagen: »Die subjektiven
Momente spielen in der deutschen Revolution eine entscheidende Rolle. Das Problem der deutschen Revolution ist
das Problem der *Selbstbewußtseinsentwicklung des deutschen Proletariats.*«[12] Die KAPD polemisierte gegen die
Übernahme bürgerlicher Kunst- und Kulturwerte, die das
kämpferische Proletariat nur vom Wege abführten. Das
bedeutete zugleich eine Absage an die offizielle Kultur- und
Bildungsauffassung der SPD.

Karl Schröder (1885–1950), der 1920 die KAPD mitleitete
und Ende der zwanziger Jahre die Kulturarbeit der sozialdemokratischen Linken als Redakteur und Romancier mitformulierte,
schrieb in der Grundsatzbroschüre *Vom Werden der neuen Gesellschaft* (1920): »Die sogenannte Sozialdemokratie bewegte sich
als Partei, wie auch in sämtlichen anderen Ausdrucksformen und
Betätigungsarten, in Gewerkschaften und Genossenschaften wie
in Bildungs- und Erziehungsversuchen fast durchweg in kapitali-
stisch-bürgerlichem Gleise. Sie machte sich das kapitalistische
›Wissen ist Macht‹ zu eigen; und statt das Soziale zu lösen, statt
in Arbeitsgemeinschaften die proletarischen Eigenkräfte zu ent-
binden, fütterten ihre Lehrer und Agitatoren, selbst noch völlig
im Bann bürgerlicher Kultur, die Hungrigen und Verirrten mit
Brocken aus den Warenhäusern der alten Welt.«
Dem stellte Schröder das folgende entgegen: »Aus dem Wesen
der neuen Organisation, aus ihrer absoluten Gegensätzlichkeit
zur kapitalistisch-bürgerlichen Welt, zu ihrer Wirtschaftsweise
wie Ideologie, ergibt sich die zwingende Notwendigkeit, daß
unter die Aufgaben einer proletarischen Partei wie erst recht der
Räte selber gehört, daß sie von Anfang an sich zur Vorkämpferin
einer proletarisch-revolutionären Weltanschauung machen. Alles
was dazu gehört, *Proletkult* vor allem (so wie ihn Rußland auf-
faßt), ist kein Luxus, für den keine Zeit augenblicklich ist, sondern ist in einem Augenblick, in dem die ökonomischen Bedingungen zur Umwälzung da sind, gerade der *entscheidende*

Faktor für die Beschleunigung der sozialen Revolution. Das Problem der deutschen Revolution ist das Problem der *Selbstbewußtseinsentwicklung des deutschen Proletariats*. Der Kampf um die Macht, die Eroberung der Macht ist ein Teilstück dessen. Darum ist die volle Wucht auf jene Arbeit zu konzentrieren.«[13]

Schröder gebrauchte damit als einer der ersten im aktuellkämpferischen Zusammenhang die Formel ›proletarisch-revolutionär‹, die später von Schriftstellern im Umkreis der KPD benutzt wurde, allerdings ohne den Begriff ›Weltanschauung‹. Er signalisierte die Bemühung um eine umfassende Erneuerung der Lebensverhältnisse, die sich Anfang der zwanziger Jahre in vielen radikalen Gruppierungen manifestierte.

Die KPD wandte sich zunächst gegen den Einbezug von Kunst und Literatur in die revolutionäre Arbeit. Gertrud Alexander, die 1920—1924 das Feuilleton der *Roten Fahne*, des KPD-Organs, betreute, verteidigte im Sinne Mehrings die Pflege des kulturellen Erbes. Das bedeutet nicht, daß auf den Abdruck revolutionärer Gedichte verzichtet wurde. Aber erst die Vereinigung der KPD mit dem linken Flügel der USPD veränderte die Einstellung. Mit der Parole ›Heran an die Massen!‹ nach dem mißglückten Märzaufstand 1921 verband sich eine intensivere Bemühung um proletarische Kultur, im wesentlichen auf der von der USPD eingeschlagenen Linie.

2. Schriftsteller und Revolution

Wie wenig die deutschen Intellektuellen darauf vorbereitet waren, den Lauf der revolutionären Ereignisse zu beeinflussen, macht die betroffene Feststellung deutlich, die Hugo Ball (1886—1927) vor Kriegsende niederschrieb. Ball, einer der Initiatoren des Dadaismus, bemerkte im Vorwort zu einer Artikelsammlung aus der *Freien Zeitung*, die von der Schweiz aus demokratisch-revolutionäre Tendenzen vertrat (und zu deren Mitarbeitern Ernst Bloch gehörte): »Größere Gruppen, die zur Vernunft rufen konnten, fanden sich nicht, und das ist das Trostlose unserer heutigen Situation, daß wir jetzt, wo Niederlage und Not uns drängen, gezwungen sind, mit unzureichenden Mitteln und unter schärfster Zensur in wenigen Jahren das nachzuholen, was ganze Generationen versäumt und verabschiedet haben.«[14] In der Schrift *Zur Kritik der deutschen Intelligenz* (1919) griff Ball weit in die Geschichte zurück, bis zu Luthers Trennung der Reformation vom Humanismus und zur Reaktion der deutschen Philosophie auf die Französische Revolution, um die Wurzeln dieser Versäumnisse aufzudecken.

Ball lenkte die Aufmerksamkeit auf die Isolation und Abgehobenheit der Intellektuellen vom Volk, die vor 1914 allseits konstatiert, deren Überwindung unter demokratischem Vorzeichen aber nur von wenigen Schriftstellern wie Heinrich Mann postuliert worden war. Heinrich Mann gehörte nach Kriegsausbruch zu der Vereinigung, die in Deutschland gegen den Krieg zu agieren suchte: dem ›Bund Neues Vaterland‹, am 16. November 1914 gegründet, am 5. Februar 1916 offiziell verboten, 1918 wieder tätig. Zu seinen Mitgliedern — zumeist Intellektuelle — zählten u. a. Albert Einstein, Paul Cassirer, Wilhelm Herzog, Harry Graf Kessler, Andreas Latzko, René Schickele, Käthe Kollwitz. Die Wirkung des Bundes war allerdings recht begrenzt. Im letzten Kriegsjahr schloß er in seine Ziele den Sozialismus ein.

Die wichtigsten pazifistischen und antinationalistischen Aktivitäten spielten sich in der Schweiz ab, von wo sie nach Deutschland hineinwirkten.[15] Schriftsteller wie Schickele, Ludwig Rubiner, Stefan Zweig, Leonhard Frank waren in die Schweiz gegangen. Das Land stellte für europäische Pazifisten, Anarchisten und Sozialisten einen Hafen für unkriegerischen Austausch, freie Meinungsäußerung, Protest und Konspiration dar. In Zürich lebten Lenin und viele russische Emigranten, hier sammelte der Arzt Fritz Brupbacher Anarchisten um sich (seine Autobiographie *60 Jahre Ketzer* von 1935 gehört zu den witzigsten, respektlosesten und informativsten Zeugnissen über die europäische Linke bis 1933), hier gewann Willi Münzenberg als Organisator in der sozialistischen Jugendbewegung Erfahrungen

als Propagandist. Hier erschien die wichtigste deutsche Anti-
kriegszeitschrift *Die Weißen Blätter*, die, wie die Buchserie
›Europäische Bibliothek‹ (in der Barbusses *Feuer* herauskam), von Schickele betreut wurde. Hier entstand 1916 in
dem zunächst von Hugo Ball geleiteten ›Cabaret Voltaire‹
in Zürich der Dadaismus als internationale Künstler-
bewegung, aus der Anregungen für die politische Kunst
hervorgingen, etwa in Berlin.[16] Richard Huelsenbeck (1892
bis 1974), der neben Ball, Hans Arp (1886–1966), Tristan
Tzara (1896–1963), Emmy Hennings (1885–1948) und
anderen bei den Varieté-Abenden im ›Cabaret Voltaire‹
auftrat, brachte DADA in die deutsche Hauptstadt. Viele
der Aktivitäten entsprangen der Isolation und dem internen
Austausch von Intellektuellenzirkeln, vieles blieb ›in der
Luft‹.[17] Ball war sich über die begrenzte Ausstrahlung nach
Deutschland im klaren. Die Zerstörung intellektueller Rituale förderte neue Rituale zutage.

Andererseits reproduzierten sich die Rituale in Deutschland in besonders fragwürdiger Form. Während des Krieges sprach man hier von der Freiheit als »todesmutigem
Glauben an die Selbstbestimmung des Geistes durch Gedanke und Überzeugung statt seinem Geschobenwerden
durch Zufall, Umwelt und Vererbung«. Das gehörte keineswegs zur Antikriegsprogrammatik, sondern zur Definition
der ›Ideen von 1914‹. Ernst Troeltsch formulierte es 1916,
es folgte seinem nationalen Bekenntnis: »Das erste und
gewaltigste Erlebnis der Nation ist nun aber nichts anderes
als eben diese Entdeckung des Geistes selbst, der im Erleben
steckt, die Rückkehr der Nation zum Glauben an die Idee
und den Geist. Der Materialismus und die nahe verwandte
Skepsis fielen platt zu Boden.«[18] Die Projektion einer
Machtergreifung des Geistes faszinierte. Ihre Formulierung
lautete bei vielen Schriftstellern ähnlich, auch auf der Linken. Sie gewann auf ihre Weise in dem einflußreichen
Essay *Philosophie des Ziels* (1916) von Kurt Hiller (1885
bis 1972) Gestalt. Der Essay stellt nur allzu deutlich eine
Reaktion auf die ›Ideen von 1914‹ dar, wobei die Verfremdung an manchen Stellen von der exaltierten Sprache her-

rührt, nicht von einem grundsätzlichen Umdenken der Geistpostulate auf ihren realen politischen Wert hin.

»Nicht ›erkennen‹ will ich«, schrieb Hiller, »nicht ›gestalten‹ will ich, sondern — ich will. Doch auf die sarkastische Frage, was ich denn wolle (die mit Vorliebe von solchen gestellt wird, die ihrerseits gar nichts wollen), darf ich getrost die Antwort so lange schuldig bleiben, als die Würde des Wollens an sich bezweifelt wird.« Hiller definierte: »Der Geist ist die Kraft, die aufs Ganze geht; nicht mit blasierter Verschmähung alles Vorläufigen und alles Teilweisen, doch mit brennendem, bohrendem Blick hindurch durch das Vorläufig-Teilweise . . . zum Ganzen.« Der Abschluß lautet: »Seien wir der Geist! Sein Weg: lang, beschwerlich und voller Opfer; aber der einzige, den es zu schreiten lohnt. Seien wir der Geist; marschieren wir; mit irdisch-festem Fuß, — im Auge Unendlichkeit! Wartet nur wenige Tage; dann ruft die hellste Drommete: Der Friede ist geschlossen. Der Krieg beginnt.«[19]

Im Sturmschritt ging es hier vom Krieg über den Frieden zu erneutem »Krieg«. Bei der neuen Projektion der Machtergreifung des Geistes wurde die Militanz der Schriftsteller von 1914 kaum gebrochen. Auf diesem Boden erwuchs Hillers Konzept für den ›Rat geistiger Arbeiter‹, der am 10. November 1918 in Berlin gegründet wurde (neben anderen lose damit verbundenen Räten in München, Dresden, Hamburg, Leipzig und anderen Orten). Hiller wies darauf hin, daß sein Konzept bereits in der *Philosophie des Ziels* von 1916 enthalten sei.

Diese Aufbruchsgesinnung angesichts der historischen Ereignisse läßt sich auch in den Worten erkennen:

»Seit Jahren sehnte sich unsere Jugend nach neuer Synthese entgegen dem Spezialistentum, nach neuer Lebendigkeit entgegen der kalten Verstandesmäßigkeit. Nun war Synthese und Leben, Schaffen und Wirken da; Glaube und Realismus, Phantasie und praktische Pflicht fanden sich. Die große neue Aufgabe, diese Einigung tiefer und tiefer zu begründen und in den kommenden Tag hinüberzutragen, steht auf unsern leuchtenden Stirnen geschrieben, und kein Miß- und Kleinmut darf sie wieder von dort verlöschen, wie sehr auch das Gemeine und Ewig-Gestrige schon heute wieder in die Höhe strebt.«[20]

Das entspricht Formulierungen von 1918/19 und stammt doch ebenfalls aus Troeltschs Aufsatz über die ›Ideen von 1914‹. Natürlich soll hier nicht mit Zitaten die intellektuelle Geschichte des Ersten Weltkrieges abgekürzt werden. Aber der Vergleich gibt einigen Aufschluß über die Kontinuitäten im Denken, die vom Vokabular der ›Wandlung‹ — dem zentralen expressionistischen Begriff — allzuleicht verdeckt werden.

Besonders deutlich läßt sich das an dem im August 1914 gegründeten *Zeitecho* beobachten. Die kunstvoll aufgemachte Zeitschrift, die als ›Tagebuch der Künstler‹ fungieren sollte, widmete sich zunächst den ›Ideen von 1914‹. Später, ab 1915 wurde der Geist-Begriff nicht weniger häufig benutzt — jedoch von den Kriegsgegnern Kurt Hiller und Rudolf Leonhard (1884—1953). Letzterer hatte zuvor dem Kriegsenthusiasmus Tribut gezollt. Nun unterschied er mit Hiller den aktivistischen, kreativen Geist von dem ›deutschen‹ Geist der ›Ideen von 1914‹. Die Autoren bestritten, wie auch der spätere Herausgeber Ludwig Rubiner, einen Teil der Polemik gegen den Krieg aus der Verdammung seines Ungeistes. Der wahre Geist, »die Kraft, die aufs Ganze geht«, blieb somit unversehrt.

Leonhard berief sich später selbst auf die innere Wandlung, die seine Stellungnahme gegen den Krieg ermöglicht hatte.[21] Die Wandlung, die in den Dramen *Die Wandlung* (1917/18) von Ernst Toller (1893—1939), *Die Gewaltlosen* (1917/18) von Rubiner, *Die Menschen* (1918) von Walter Hasenclever (1890—1940) und in den Gedichten und Aufrufen von Johannes R. Becher (1891—1958), Karl Otten (1890—1940), Franz Werfel (1890—1945) und anderen Expressionisten beschworen wurde, bedeutete eine Umorientierung des Geistes und der Geistigen von der falschen zur richtigen Gesinnung, eine Erleuchtung in religiös-gefühlshafter Form. Dem entsprachen die weitgehend gestischen Sprachmittel, in Anrufungs- und Beschwörungsformeln (mitsamt Pausen in Gedankenstrichen und Ausrufungszeichen), dramatisch und lyrisch zugleich, in einem den Leser und Zuschauer einbeziehenden Gefühlsritual.[22]

Dabei ging es, vor allem im Falle von Becher, Werfel und Rubiner, keineswegs nur um die Einstellung zum Kriege. ›Wer seinen Sinn ändert, wird die Welt geändert haben‹ — hierfür beriefen sich die Schriftsteller vor allem auf Tolstoj. Rubiner suchte in dem Drama *Die Gewaltlosen* die These zu exemplifizieren, daß der bloße gestaltlose Wille des sich seiner selbst bewußt gewordenen Menschen alle Gewalt der Welt vernichtet. Das erschien vielen, welche die Verwirklichung des Geistes als Ziel alles Handelns hinstellten, als Quintessenz der Revolution. Unter Berufung auf Tolstoj polemisierten sie gegen jede Trennung des individuellen vom gesellschaftlichen (gemeinschaftlichen) Dasein und priesen den Sozialismus als einen »neuen Weg zur Seele«.[23]

Walther Rilla (geb. 1894), der Herausgeber der Zeitschrift *Die Erde*, verband 1919 mit der Idee der Revolution eine über das Ökonomisch-Soziale hinausgehende Befreiung: »Der wirtschaftliche Ausgleich zwischen allen Gliedern der Menschengemeinschaft, die Gewährung eines menschenwürdigen Daseins an jeden einzelnen, das ist Sozialismus oder Kommunismus oder Urchristentum — wie man will. Erst dann fängt der Mensch an, erst dann ist Platz für menschliche, nämlich ethische und keineswegs mehr ökonomisch-materialistische Wertungen, wenn jenseits von Geld und Gut, Reichtum und gesellschaftlichem Ruf, der Mensch nach seinen sittlichen Kräften, nach seiner geistigen Haltung Geltung bekommt.«[24] Rilla widersprach der Abkehr vom Marxismus, dem Verdruß über dessen ökonomisch-soziale Einseitigkeit, ließ aber auch Marx nicht für sich allein gelten. Er sah Geist und Wirtschaft, Liebe und Ökonomie des Zwecks zusammengehörig und plädierte dafür, Marx und Tolstoj zu verschmelzen.

Auch Becher erwähnte in dem Gedicht *Gruß des deutschen Dichters an die Russische Föderative Sowjet-Republik* das »Vermächtnis Tolstois«. Doch forderte er die russischen Revolutionäre auf, hart und unerbittlich zu sein. Angesichts der Erfahrungen mit der deutschen Revolution signalisierte das einen Ausbruch aus der Geistsphäre. Ihm verschaffte Rubiner in der Anthologie *Kameraden der Menschheit* (1919) umfassenderen Ausdruck mit Gedichten von Toller, Werfel, Leonhard, Hasenclever, Alfred Wolfenstein (1883

bis 1945), Paul Zech, Albert Ehrenstein (1886–1950) u. a.
In die Sammlung *Die Gemeinschaft* (1919) bezog Rubiner
das Manifest der Kommunistischen Internationale neben
Beiträgen von Marx, Barbusse und Lunačarskij ein.

Für die Partizipation an der Revolution blieb allerdings
nicht allzuviel übrig. Die Broschüre *An alle Künstler!* (1919)
mit Beiträgen von Becher, Kellermann, Eisner u. a. läßt die
Grenzen der Programme sichtbar werden. Die Revolution
war vom Kriegsende und von den hungernden und pro-
testierenden Massen ermöglicht worden. Um die sehr materiellen, sehr realen Forderungen in eine revolutionäre Politik
umzusetzen und die schließlich in Gang kommenden politischen Aktionen zu beeinflussen, fehlte es nicht nur am
politischen Bewußtsein, sondern auch an der Sprache. Die
expressionistische Formulierung der neuen Programmatik
war mitreißend. Seit der Jahrhundertwende hatten die Erneuerungsideen an Verve gewonnen. Aber hier setzte auch
die Kritik der Gesellschaft ein: die Expressionisten lösten,
so hieß es, die Programme vom ›realen‹ Dasein, machten
sie zum ästhetischen Selbstzweck.

Die ›Räte geistiger Arbeiter‹ hielten sich nur bis Mitte
1919; auch die Antinationale Sozialistenpartei (ASP) hatte
nur kurze Lebensdauer. In beiden Organisationen herrschte
Elitedenken vor, auch hinsichtlich der progressiven und klä-
renden Entwürfe zur Erziehungs-, Justiz- und Sexualreform.
Hiller sah den ›Rat der Geistigen‹ aus »eigenem Recht«
legitimiert[25], mit anderen Worten: die Intellektuellen besaßen als Träger des Geistes von vornherein das Mandat
zur Führung des Volkes. Franz Pfemfert, einst auch Förderer
der Politik der Geistigen, konnte in der *Aktion* nicht scharf
genug dagegen protestieren. Als einer der wenigen Schriftsteller war er im Laufe des Krieges, teilweise im Kontakt
mit Karl Liebknecht, zum Anhänger des Spartakusbundes
und der Ende 1918 gegründeten KPD geworden, die er dann
mit der KAPD links überholte. In den linkskommunistischen
Gruppen schlugen die Wogen antiintellektueller Gesinnung
hoch.[26] Die schärfsten Kritiker waren selbst Intellektuelle.
Sie verurteilten alles, was das Selbstbewußtsein und die

daraus erfolgende Aktion des Proletariats beeinträchtigen mochte.

In der KPD zeigte man sich den Intellektuellen gegenüber — bis etwa 1923[27] — im allgemeinen abweisend. Wie der Publizist Arthur Holitscher (1869—1941) überlieferte, der im ›Bund Neues Vaterland‹ gegen den Krieg Stellung bezogen hatte, lehnte Liebknecht in den Tagen vor der Revolution die Mitarbeit von Intellektuellen ab. Wenn es um die Aktion gehe, seien die Intellektuellen Ballast.[28]

Wie schwer es fiel, diese Einstellung zu korrigieren, mußte Holitscher selbst feststellen. Auch er nahm an der historischen tausendköpfigen Versammlung des Berliner ›Rates der Geistigen‹ am 19. November 1918 teil. Darüber ist in der *Vossischen Zeitung* ein Bericht überliefert, der — distanziert — einiges von den Umständen wiedergibt, unter denen man sich in dieser Zeit um die Annäherung von Intellektuellen und Arbeitern bemühte. Darin heißt es:

»Nachdem Eduard Bernstein sich über den Ursprung der Trennung von Arbeitern und Intellektuellen gedankenreich und unter einmütigem Beifall verbreitet hatte, trug zunächst Arthur Holitscher ein ›Essay‹ über den gleichen Gegenstand vor, indem er das Kapital anklagte, daß es diese Trennung verschuldet hat. Unter wachsender Unruhe der Arbeiter, die fürchteten, an diesem Abend unterdrückt zu werden, erklärte sich ein Literat für die Demokratie. Ein Student versicherte das gleiche, worauf ein Vertreter des Rates geistiger Arbeiter das verständige Programm dieser Gruppe vorlas. Als die Leute riefen: Was ist Bolschewismus? fand auf dem Podium keiner eine schnelle treffende Antwort, bis ein Arbeiter im Hintergrunde rief: Intellektuelle sind Mumpitz! Plötzlich ergriff ein Arbeiter das Wort und warnte vor allzu jungen, unerprobten Demokraten. Er schilderte die Bitterkeit, die er als Arbeiter empfunden habe, wenn die, die sich hier als Intellektuelle bezeichneten, früher von ihm abgerückt wären. Wer von Ihnen hat in früheren Zeiten dem Arbeiter aus innerer Neigung die Hand gedrückt, wer alten Frauen auf der Straße geholfen? Worte, Worte, Worte! sagte er wie Hamlet, sei das schöne Programm, das ihm die geistigen Arbeiter eben vorgelesen hätten.«[29]

Die Kluft war tief, blieb tief. Schon lange zuvor hatte

Kurt Eisner vor den Konsequenzen gewarnt. Für die Kooperation von Proletariat und Intelligenz wäre der Bereich
von Kunst, Erziehung und Wissenschaft geeignet gewesen.
»Es schwillt zwar das geistige Proletariat an, aber diese
Kraft liegt brach, verkümmert und wird nicht nutzbar gemacht für die Kulturbewegung des Proletariats«[30], schrieb
er 1908 in dem Artikel *Kommunismus des Geistes.* Eisner
schwebte die Bildung von Produzentenorganisationen in
den wissenschaftlichen und künstlerischen Bezirken vor,
für welche die Arbeiter dann die Konsumgenossenschaften
bilden würden. Seine Äußerungen fielen in die Zeit der Auseinandersetzungen um die ethisch-ästhetische Denkweise.
Er hatte das Bündnis der Intelligenz mit den proletarischen
Organisationen als Teil der notwendigen Demokratisierung
in Deutschland betrachtet. 1918 fügte er in einer bitteren
Anmerkung zu dem Artikel an, seine 1908 unter dem
Unmut der Parteitagsdelegierten vorgebrachten Gedanken
hätten nicht zum Ziel geführt. »Das Grundübel steckte in
der verdorrten Seele der Organisation.«[31] Die proletarische
Jugend habe zwar gegen den Widerstand der Partei solche
Ansätze aufgenommen, sei aber dann in den Krieg einge-
zogen worden.

    Eisner wußte am 7. November 1918 die Volksstimmung
sehr genau einzuschätzen und leitete in München die Revolution ein. Er gewann große Teile des (nicht sehr ausgedehnten) bayerischen Industrieproletariats und machte sich
sofort das Bürgertum (und Teile der SPD) zum Feinde. Im
Februar 1919 wurde Eisner erschossen, weil er als Verräter
an der deutschen Nation galt: er hatte als bayerischer Mi-
nisterpräsident auf dem Bekenntnis der deutschen Schuld
am Krieg eine versöhnliche Nachkriegspolitik aufbauen
wollen. Er vermochte glaubhaft zu machen — auch bei seinem mit Beifall aufgenommenen Auftritt auf dem Internationalen Sozialistenkongreß kurz vor seinem Tode —, daß
zur Veränderung der Geschicke Deutschlands und zur Reinigung von der Schuld der Vergangenheit »mehr gehört als
eine formelle Verwandlungskunst in puncto Staatsverfas-
sung und ein Démenagement von Potsdam nach Weimar,

und daß mit verbrauchten Menschen und verbrauchten Mitteln kein neues Leben geschaffen werden kann.«[32]

Mit dieser Haltung (die allerdings nicht ausreichte, um Bayern revolutionär umzuformen) gewann er die Verehrung Heinrich Manns, der ebenfalls vor dem Krieg die Demokratisierung Deutschlands als höchste Notwendigkeit verfolgt hatte. In seiner Gedenkrede auf Eisner sagte der Schriftsteller am 16. März 1919: »Er war der Mann der Wahrheit, daher der Haß derer, die sie fürchten. Daher auch die Achtung der Ehrlichen unter den Andersdenkenden, und sogar unserer bisherigen Feinde. Sie, die unsere ganze Revolution für eine Maskerade hielten, ihm glaubten sie. Eine reine Leidenschaft des Geistes ist unverkennbar. Man kann zweifeln an gewaltsamen Veränderungen des politischen Personals, und auch wirtschaftliche Tatsachen und Programme können so oder so verstanden werden. Unausweichlich, unwiderlegbar ist allein der Mensch, der Wahrheit spricht, dessen Blick und Atem Wahrheit sind.«[33]

In Heinrich Manns Würdigung des Revolutionärs Eisner läßt sich die Tendenz zur Selbststilisierung des Schriftstellers nicht verkennen. »Und so sei der Politiker Geist, und der Geistige handle!« schrieb er im Zola-Essay 1915. In demselben Essay arbeitete er aber auch gegen Thomas Mann die Einsicht heraus, daß Deutschland nur mit Hilfe der Demokratie seine unglückliche und gefährliche Machtpolitik abzustreifen vermöge. Heinrich Mann wies die Doppeldeutigkeit des Geist-Begriffes zurück, die bei Thomas Mann und den Verfechtern der ›Ideen von 1914‹ sichtbar geworden war. Wie Eisner verstand er den Geist im Sinne Kants als rationales, der Freiheit und der Entfaltung des Lebens verpflichtetes Denken, jenseits der Inhumanität.

Sowohl Eisner wie Heinrich Mann formulierten es als politische Lehre: die Geschichte Deutschlands sollte begriffen, sollte geistig verarbeitet werden. Dafür holte Heinrich Mann 1919 im Essay Kaiserreich und Republik weit aus, ging bis zu Krieg und Reichsgründung 1870/71 zurück. Fast ebenso grundsätzlich hatte er sich schon vor dem Ersten Weltkrieg im Untertan ausgesprochen, der Ende 1918 er-

schien und sofort zum Bestseller wurde. Aus der Geschichte
Deutschlands, die, in jeder Phase vom Untertan getragen,
zu maßlosem Machtanspruch geführt habe, entwickelte
Heinrich Mann die Notwendigkeit der Demokratie. Als
Träger der Demokratisierung betrachtete er nach dem Versagen des Bürgertums das Proletariat, lehnte jedoch den
Klassenkampf zugunsten der Erarbeitung der demokratischen Gesellschaft ab. Er warnte vor dem Radikalismus
links und rechts: »Die Freiwilligen von 1914 finden sich,
zahlreich und genauso begeistert, in den Heerscharen der
anderen Diktatur wieder.«[34]

Heinrich Mann appellierte speziell an die Intellektuellen
und die Jugend, die Wirklichkeit ernstzunehmen, mitsamt
der Geschichte. Sobald sie die Wirklichkeit aus den Augen
verlören, drohe »derselbe seelische Rückschlag, wie ihn ein
Wagner erfuhr, und mit ihm alle jene Revolutionäre, denen
ästhetische Entladung das erste ist, und die noch nicht
wissen, daß viel Arbeit, viel beherrschte Welt die Tiefe erst
schaffen muß, die sich entladen mag«.[35] Das traf in der Tat
auf die Situation 1919/20 zu, auch im Hinblick auf den
Beitrag Richard Wagners zur Ästhetisierung der Intelligenz
seit dem Ende des 19. Jahrhunderts. Mit 1919 setzte die
Enttäuschung ein. Die Revolution war vielen Schriftstellern
als Ausweg erschienen, als endlich gereifte Möglichkeit einer
Verbindung mit dem Volk. Alles Beliebige und Zufällige
würde zurücktreten, auch die Abhängigkeit vom bürgerlichen Publikationsmarkt. Die Bemühungen um proletarische
Kulturarbeit signalisierten etwas von der lang gehegten
Erwartung einer Erneuerung. Einen radikalen Neuanfang
proklamierten die Linkskommunisten bei ihrer Inanspruchnahme der Kunst für die Revolution. All das zog Schriftsteller und Intellektuelle an. Wo aber blieb die Revolution?
Indem viele nur die Orientierung des Geistes gewandelt,
aber den Absolutheitsanspruch aufrechterhalten hatten,
mußte ihnen die Nachkriegssituation bald als ungenügend
und desillusionierend erscheinen.

So kam es auch kaum zu einer literarischen Besinnung
über den Krieg, wenn man einmal von Ernst Jünger absieht,

dessen Schriften *In Stahlgewittern* 1920 und *Der Kampf als inneres Erlebnis* 1922 erschienen. Die Frage nach der tieferen Ursache des Krieges war durch den Vertrag von Versailles fast völlig verstellt. Man erkannte den Krieg als Feind, den es zu bannen galt. Aber man anerkannte ihn kaum als eine Konsequenz der deutschen Entwicklung; hier drohte schon die Dolchstoßlegende der Rechten. Von der Antikriegsliteratur während des Krieges führte kein Weg zu einer Literatur über den Krieg, zumindest nicht in den nächsten Jahren. Nur die Dadaisten, die den Krieg als den Zerstörer der etablierten kulturellen Konventionen ernstgenommen hatten, gelangten zu Ansätzen einer neuen, radikal gesellschaftskritischen Kunst.

Französische Schriftsteller hatten, so weit sie von Romain Rollands Antikriegsschrift *Au-dessus de la mêlée* (1915) erreicht und vom Enthusiasmus der ersten Phase geheilt wurden, ihre Literatur und politischen Aktivitäten bereits vor 1918 an der unverstellten Realität des Krieges ausgerichtet. Beispielhaft geschah das bei Henri Barbusse, der in *Le feu* (1916) nicht nur eine Dokumentation bot, die Ludwig Renn (geb. 1889) und Erich Maria Remarque (1898–1970) erst später aufnahmen, sondern daraus auch eine gewisse sozialistische Agitation hervorgehen ließ. Sowohl Barbusse wie Roland Dorgelès, Paul Vaillant-Couturier und Raymond Lefèbvre konzentrierten ihre Darstellung auf tatsächlich Erfahrenes, nicht auf eine im Geistig-Religiösen angesiedelte, hymnisch verlebendigte Wandlung. Diese Dokumentarliteratur (»témoignage«) setzte sich gleichsam ihre eigene Eschatologie in Entlarvung, Besserung, möglicherweise politischem Kampf.

Mit dieser Entwicklung verband sich die Linksschwenkung der von Barbusse, Lefèbvre und Vaillant-Couturier im Juli 1919 gegründeten ›Clarté‹-Bewegung. Die Bewegung, die die Intellektuellen zu internationaler Zusammenarbeit zu führen suchte und unter deutschen Schriftstellern zunächst viel Widerhall fand (Aufrufe in Schickeles *Weißen Blättern*, Wilhelm Herzogs *Forum*, Carlo Mierendorffs *Tribunal*), näherte sich der kommunistischen III. Internationale und stellte ein Reservoir für die 1920 gegründete Kommunistische Partei Frankreichs dar.[36]

In Deutschland dauerte es geraume Zeit, bis eine größere Anzahl von Autoren den Krieg in seiner Kraßheit und Grausamkeit als Wirklichkeit ›anerkannte‹, im psychologischen wie im literarischen Sinne. Das geschah unter dem Vorzeichen der Neuen Sachlichkeit mit viel Aplomb; Tausende und Abertausende empfanden Remarques Kriegsbuch *Im Westen nichts Neues* (1929) als befreiend. In einem Interview interpretierte Remarque diese Einstellung: »Es war nicht möglich, nicht erwünscht, nicht dringend, über den Krieg zu schreiben. Nur als ein Moment politischer Diskussion wurde er verdammt, verteidigt oder verherrlicht. Mit dem persönlichen Erlebnis des Krieges aber war besonders der junge Mensch unserer Generation noch längst nicht fertig. Es wirkte in ihm dumpf fort, es blieb ein undeutlicher Abdruck, ein Zustand der Unruhe, der Härte oder schwankenden Zügellosigkeit.«[37]

Der »seelische Rückschlag« der deutschen Schriftsteller setzte Mitte 1919 ein, zur Zeit des Versailler Vertrages, der dem Volk die Bedeutung der Niederlage Deutschlands voll zum Bewußtsein brachte. Bernhard Kellermanns Feststellung: »Revolutionär in seinem innersten Wesen, fordert der Schriftsteller die Verewigung der Revolution im geistigen Sinne«[38] kehrte sich gegen die Demokratie von Weimar, und die Nostalgie über die verfehlte Revolution wurde zum Eckstein des intellektuellen Bekenntnisses der zwanziger Jahre. Demgegenüber sprachen sich zugunsten der Unterstützung der Republik solche Schriftsteller aus, die wie Heinrich Mann gegen die Autoritäts- und Machtorientierung der deutschen Politik argumentierten. In Anerkennung der schweren Niederlage rangen sich selbst konservative Autoren wie Thomas Mann und Ernst Troeltsch zu dem Bekenntnis durch, Deutschland bedürfe nun der Demokratie.

An der Enttäuschung und Unzufriedenheit, die sich in den folgenden Jahren in der Akademikerschicht, aber auch bei Schriftstellern bemerkbar machte, hatte die wirtschaftliche Notlage großen Anteil. Wenn Thomas Mann in seinem Bekenntnis zur Demokratie, *Von deutscher Republik*, 1922 bemerkte, Ansehen und Verantwortung des Schriftstellers steige im demokratischen Staat, so sprach er als ein Arrivierter. Die »vermittelnde Intelligenz« dagegen fühlte sich in die Rolle des Außenseiters gedrängt, da sie infolge der schwierigen Marktlage geistiger Berufe Lebensstandard und gesellschaftliches Ansehen nicht mehr im Vorkriegsmaßstab aufrechterhalten konnte.[39] Parteienstaat und weltanschaulicher Pluralismus wurden ihr bevorzugtes Angriffsziel.

Ab 1920 galten die Zusammenschlüsse von Intellektuellen und Akademikern mehr und mehr der Linderung ihrer wirtschaftlichen Not, ein Phänomen, das nicht auf Deutschland beschränkt blieb.[40] Immerhin wies sogar der englische Innenminister Balfour im Völkerbund auf die bedrängte Lage der »geistigen Arbeiter Deutschlands« hin.[41] Erneut sprach man auf der Linken die Hoffnung aus, daß sich die proletarisierte Intelligenz zwangsläufig zur revolutionären Partei schlagen müsse.[42]

Der einzige deutsche Schriftsteller, der im Zusammenhang mit der Revolution bekannt, ja berühmt wurde und auch später das Interesse der Öffentlichkeit, einschließlich vieler Arbeiter, auf sich zog, war Ernst Toller. Mit seiner Beteiligung an der Münchener Räterepublik 1919[43], für die er wegen Hochverrats verurteilt wurde, und seiner fünfjährigen Festungshaft in Niederschönenfeld (bis 1924, wie Erich Mühsam) galt er in Deutschland und im Ausland als Beispiel eines unerschrockenen revolutionären Kämpfers. Doch prägte sich auch das von ihm selbst als Kommandant der Roten Garde erfahrene und im Drama *Masse Mensch* (1919/ 20) abgehandelte Dilemma des Revolutionärs ein, der vor der revolutionär ›erlösenden‹ Idee schuldig wird, wenn er Gewalt übt, der jedoch vor der Revolution schuldig wird, wenn er auf Gewalt verzichtet. Tollers Stücke errangen — von der *Wandlung* bis zum *Hinkemann* (1923) — großen Erfolg. Die Sprechchorszenen *Der Tag des Proletariats* und das Requiem *Den gemordeten Brüdern,* die Toller 1920 dem Andenken Karl Liebknechts und Gustav Landauers widmete, wurden in der Arbeiterschaft sofort aufgeführt und abgewandelt. In Sowjetrußland gehörten *Masse Mensch, Die Maschinenstürmer* (1922) und *Hinkemann* zu den meistgespielten ausländischen Stücken.[44] Lunačarskij, der 1926 einen Besuch Tollers in der UdSSR ermöglichte, stellte ihn als bedeutenden Schriftsteller heraus, nicht ohne kriti-

schen Hinweis auf Tollers pessimistische und ›intelligenz-
lerische‹ ›Haltung.[45] Toller, der auch bei dieser Reise stark
gefeiert wurde, stand Mitte der zwanziger Jahre in der
Gunst der Öffentlichkeit sehr hoch; daß er das nicht ohne
Eitelkeit genoß, bezeugt der Ausdruck ›Diva des Proletariats‹, den man auf ihn prägte.

3. Im Banne der Massen

Die revolutionären Lieder entstanden erst nach und nach.
Ihr Pathos entzündete sich nicht an der Ausrufung der
deutschen Republik durch Philipp Scheidemann. Eher schon
beflügelten die Aktionen von Karl Liebknecht, den man bis
dahin als tapferen Kämpfer gegen Krieg und Militarismus
verehrt hatte. Nach und nach sprangen vielerlei Initiativen
auf, welche die ›angefangene‹ Revolution auch im kulturellen Bereich voranbringen sollten. Das Postulat einer proletarischen Kultur fand breiten Widerhall, es verband sich mit
der Überzeugung, daß nun die Massen selbst zu Agierenden
würden. Insofern sich die Programme einer neuen Kultur
von früheren Entwürfen abhoben, stand in ihnen zumeist
die handelnde, zu Selbstbewußtsein erwachende Masse zentral. Diese Programme lösten sich nicht nur von dem geläufigen Parteidenken, sondern auch von dem von der Sozialdemokratie unter Bebel und Kautsky vertretenen objektiven Klassenbegriff. Die Bemühungen um eine revolutionäre proletarische Literatur und Kultur standen unter dem
Vorzeichen eines subjektiven Klassenbegriffs.[46]

REVOLUTIONSGEFÜHL UND REVOLUTIONSGEDICHT

Erste literarische Zeugnisse vom Revolutionserleben, die
zugleich revolutionär wirkten, entstanden im Winter 1918/
1919, vor allem mit dem Kampf der Kommunisten. Eine
größere Anzahl entstammt dem Stuttgarter Raum, wo Clara
Zetkin wirkte, wo Fritz Rück (1895–1959), Willi Münzenberg und Edwin Hoernle am Umsturz beteiligt waren (und
eine Zeitlang in Haft kamen). Zu ihnen gehörte Max
Barthel, den Clara Zetkin als proletarischen Poeten geför-

dert hatte. Im Verlag Spartakus in Stuttgart erschienen 1918 die Gedichtbändchen *Kerkerblumen* von Rück und *Aus Krieg und Kerker* von Hoernle. Rück sammelte seine Revolutionsgedichte 1920 in *Feuer und Schlacken,* Hoernle 1924 in *Rote Lieder,* jedoch erschienen die meisten Gedichte zuvor in Zeitungen oder Zeitschriften. Zu dieser Zeit nahm in Berlin Oskar Kanehl (1888–1929) als »flammender Revolutionsredner«[47] an der Revolution teil, er wurde Mitglied des Vollzugsrates der Arbeiter und Soldaten.

Barthels Verse folgen der in dem Gedicht *Kerls, Arbeiterdichter!* gewiesenen Poetik. Sie beziehen, wie schon die Gedichte im Kriege, viele idyllische und naturbezogene Motive ein. Verschiedentlich gelangen Barthel mitreißende Strophen, die ihn zum wichtigsten Revolutionslyriker machten, der in kommunistischen Blättern wie *Die Rote Fahne, Der Klassenkampf* und *Die Junge Garde* zu Wort kam. Sein leidenschaftlicher Lobpreis der Russischen Revolution, der ihn mit Karl Radek, Gorkij und Lenin zusammenbrachte, und sein Eintreten für die bewaffnete deutsche Revolution fanden bei dem aktivistischen Flügel der Arbeiterbewegung über Parteigrenzen hinweg Anklang, besonders bei den Jüngeren. Dabei hielt sich Barthel auf den verschiedenen lyrischen Stationen zwischen Idyllik und Hymnik stark an das Vokabular anderer Arbeiterdichter; Verklärung und Anklage der Arbeit, der modernen Industriesphäre spielen auch bei ihm eine starke Rolle. Das vielzitierte Gedicht *Die junge Garde* trägt das Pathos der schwieligen Faust vom Arbeitsbereich direkt in den Barrikadenaufbau hinüber. Erste und letzte Strophe lauten:

> »Den Donnergesang der Maschinen noch in den Ohren,
> Die Lungen vom Rauch der Schmiede schwer,
> Stoßen sie aus der Fabriken weitgeöffneten Toren.
> Wie ein Strom einmündet in das besänftigte Meer. [. . .]
>
> Zusammengeballt lauscht das Volk den stürmenden Reden.
> Von den Herzen und Hirnen fallen Demut und Krampf
> Und bersten in Aufruhr und Fehden:
> Barrikaden wachsen auf im Straßenkampf.«[48]

Die Stilisierung der Lyrik zur Dokumentation poletarischen Erlebens ist in Barthels Band *Arbeiterseele* (1920) besonders deutlich. Der Untertitel heißt ›Verse von Fabrik, Landstraße, Wanderschaft, Krieg und Revolution‹. Das umfaßt alle in Deutschland seit 1910 von Proletariern behandelten Motive, und Barthel nahm Gedichte von 1910–1914, die niemand hatte drucken wollen, mit hinein. Am Schluß stehen die Revolutionsgedichte als eine Art Krönung. Eindeutig manifestiert sich die Aufwärtsbewegung zur endlich gefundenen Gemeinschaft. Es ist nun die revolutionäre Gemeinschaft, das kämpfende Proletariat.

Ausdruck der auf die gemeinsame Gefühlserfahrung gerichteten politischen und lyrischen Haltung sind Barthels wohl berühmteste Verse in dem Gedicht *Die Stadt*:

> »Mich quält das tote Bücherwissen,
> Die laute Stadt aus Schweiß und Stein:
> Mein Herz will einmal hingerissen,
> Erhöht und überwältigt sein.«[49]

Das endlich erfahrene Gemeinschaftserlebnis vermag jedoch die Isolation kaum zu verdecken. Die Verse wurden in der Folgezeit nicht nur von sozialistischen Jugendgruppen rezitiert. Sie waren gleichermaßen von rechten und nationalsozialistischen Gruppen zu verwenden. In ihrer Thematik äußerte sich auch expressionistischer Einfluß. Barthels Gedicht *Aufbruch* berührt sich mit dem gleichnamigen von Ernst Stadler (1883–1914) nicht nur im Titel. Es finden sich darin die markanten Zeilen:

> »Wenn wir Proletarier die Städte durchschreiten,
> Sind uns alle Dinge untertan.
> Banken und Bahnhöfe flehen um Gnade an.
> Wir lassen sie lächelnd durch unsere Finger gleiten.«[50]

X   Die Zeitschrift *Die Junge Garde*, in der das Gedicht zuerst erschien, würdigte den Expressionismus als wichtige literarische Bewegung.[51]

Barthel widmete den Band *Arbeiterseele* Karl Radek »in brüderlicher Verbundenheit«. Das große Gedicht über die Revolution in Rußland, *Petersburg*, verfaßte er nach Radeks Schilderung der revolutionären Kämpfe um Petrograd.[52] Einzelne Gedichte waren für Clara Zetkin und Hoernle bestimmt, darunter heftige Anklagen wie *Noske träumt* oder *Spartakus*, worin es heißt:

»Bürgertum kreischt.
Eigentum! Stille? Sie sammeln und nehmen Partei.
Hoch die Regierung! Sie schießt mit gesetzlichem Blei!
Höhnisches Grinsen. Es ist Proletariat, das sich zerfleischt.«

Edwin Hoernle schlug einen ähnlichen Ton an, etwa in dem Gedicht *Wir schreien ...*, das 1919 in der *Jungen Garde* erschien:

»Wir schreien nach Frieden, wir schreien nach Brot —
Die Welt ist rot.
Uns fesselt die Kette, uns bindet der Strick,
uns peinigen Hunger und Mißgeschick,
uns mordet die Not.

Wir schreiten im Sturm, wir stehen allein,
wir beißen auf Stein —
Wir bahnen uns blutend aus Kerker und Graus
die leuchtende Straße ins Glück hinaus.
O Zorn schlag drein!«[53]

In Hoernles (nicht allzu zahlreichen) Gedichten ist der politische Bezug zur deutschen Revolution etwas direkter als bei Barthel formuliert.[54] Das bedeutet kein Herabschrauben der klischeereichen Gefühlssprache, vielmehr ein Eingehen auf die bisherige Niederlage der Revolutionäre. Barthel tendierte, nicht zuletzt mit dem Thema der Russischen Revolution, dazu, die Wirklichkeit zu überfliegen. Hoernle wich dem Thema der Niederlage nicht aus. Er formulierte auf seine Weise das ›Trotz alledem!‹ (»Tausend Liebknechte hat Deutschland!«, »Noch sind unsere Toten nicht tot!«), das sich auf Liebknechts und Rosa Luxemburgs Tod bezieht.

In diesen Zusammenhang gehört die wohl mitreißendste Schrift über die proletarische Revolution, Clara Zetkins *Revolutionäre Kämpfe und revolutionäre Kämpfer 1919*. Ihr Resümee bildet Freiligraths, von Liebknecht in seinem letzten Artikel in der *Roten Fahne* (15. Januar 1919) aufgenommenes Motto: »Ihr hemmt uns, doch ihr zwingt uns nicht — unser die Welt trotz alledem!«[55] In Clara Zetkins Zeitschrift *Die Kommunistin* wurde Liebknechts, Luxemburgs und Landauers gedacht. Fried-Hardy Worms flammender Appell *Proletkult* (»Belebt, beschwingt, voll lohender Seele müssen Versammlungen von Revolutionären sein«) erschien neben seinem Gedenkartikel *Totenfeier. Rosa Luxemburg zum Gedächtnis,* der in ähnlich flammender Sprache gehalten ist. (»Schmerzschrei, Kampfruf tost auf. Wir vernehmen Schwingenschlag der neuen Zeit. Dann poltern Erdschollen dumpf. Fußscharren. Staub springt uns an. Rot flammt der Himmel. Denn es will Abend werden.«[56])

Clara Zetkin stimmte in die Mythisierung ihrer ermordeten Freundin Rosa Luxemburg ein. Sie teilte deren Vertrauen auf die schöpferische Initiative der Masse. Von der Russischen Revolution sagte sie, die Bolschewiki hätten sie nicht »gemacht«: »Einem Gewitter gleich wäre sie elementar durchgebrochen, auch ohne die Bolschewiki und auch gegen sie, wenn sie sich ihr, gleich den Bruderparteien auf der Rechten, widersetzt hätten. Die Revolution wäre über sie ›zur Tagesordnung übergegangen‹. Sie bedurfte nur des Zusammenballens der revolutionären Kräfte, ihrer unbeirrten Orientierung auf proletarisch-sozialistische Ziele.«[57] In dieser Weise auf die geschichtsverändernde Kraft der Massen vertrauend, konstatierte sie: »Die wichtigste Frucht der proletarischen Klassenkämpfe, ihr historischer Sinn, ist nicht ihr jeweiliges praktisches, ›positives‹ Ergebnis. Es ist die steigende Sammlung, Zielklarheit und Tatbereitschaft der Habenichtse und Ausgebeuteten als Klasse. Es ist der gestärkte Wille zur Befreiungstat.«[58] Daß Clara Zetkin damit keinem blinden Aktionismus das Wort redete, zeigt ihre Opposition gegen die Märzaktion der KPD 1921.[59]

Die revolutionär erregte Maxime ›Trotz alledem!‹, die sich mit dem Andenken an Liebknecht und Luxemburg verknüpfte, behielt ihre Ausstrahlung. Ihre Gefahr: der abstrakte Appell an ein hohes revolutionäres Bewußtsein der Massen, das noch gar nicht da war. Doch galt dies durchgehend für die revolutionäre Literatur. Zudem kristallisierte sich in dieser Maxime ein Impuls, der insofern spezifische literarische Wirkung besaß, als er sich mit der Struktur der optimistischen Tragödie berührte. Piscator verschaffte ihm in der Inszenierung des Stückes *Die Kanaker* von Franz Jung

(1888–1963) Wirkung und rückte ihn einige Zeit später in der Massenrevue *Trotz alledem!* (1925) ins Zentrum.

Die Wirkung dieses dramatischen Impulses ist allerdings nur vom zeitgenössischen Horizont her zu erschließen. Anders als in der seit den dreißiger Jahren neu formulierten kommunistischen Geschichtsschreibung, die von der Revolution 1918/19 als einer bürgerlich-demokratischen Revolution spricht, welche in gewissem Umfang mit proletarischen Mitteln und Methoden durchgeführt worden sei, galt die Revolution den miterlebenden Sozialisten als eine gescheiterte proletarische Revolution. Das bedeutete, daß ein zentraler Antrieb zur Vollendung bzw. Wiederaufnahme der Revolution aus der Erkenntnis und Verarbeitung der proletarischen Niederlage herrührte, wobei vom Erfolg der Oktoberrevolution auf die baldmögliche zweite revolutionäre Etappe geschlossen wurde. Als sich die kommunistische Agitproparbeit der späteren Jahre an der bloßen Konfrontation mit dem Gegner, einschließlich der Sozialdemokratie, ausrichtete, verlor dieser Antrieb an Bedeutung.

Um eine proletarische Kultur

Auch wo 1919/20 Kunst- und Kulturarbeit in systematischerer Weise als Beitrag zur Revolution gefördert wurde, geschah es im Zeichen der Spontaneität. Die KAPD hob bei ihren Bemühungen um eine Fortsetzung des revolutionären Kampfes die Notwendigkeit der kollektiven Spontaneität und kollektiven Aktion hervor, während die Initiatoren im Umkreis der USPD das Erlebnis des Kollektiven als Basis kultureller Erneuerung beschworen. Dabei hielten die KAPD-Vertreter den Unabhängigen Sozialdemokraten vor, daß sie mit ihren Aktivitäten ins bürgerliche Lager zurückrutschten.[60]

Die USPD umfaßte heterogene Gruppierungen und Anschauungen, die sich in ständigem Disput befanden und die Handlungsfähigkeit der Partei einschränkten. Bei dem Disput übte die Berufung auf die erneuernde Kraft des Proletariats eine integrierende Wirkung aus. In dieser Berufung trafen sich Vertreter verschiedener theoretischer Richtungen,

die vom Attentismus der SPD abgerückt waren, teilweise
bereits vor 1914. Insofern sie bereits vor dem Krieg gegen
Bürokratie und Passivität (den ›Sumpf‹) der Partei oppo-
niert hatten, sahen sie nun die Stunde gekommen, jene
Aktivierung einzuleiten, die zuvor erstickt worden war.
Ähnliche Anstöße spielten auch bei der KAPD eine Rolle.

Der Aufruf *Um die proletarische Kultur*, den das Organ
der USPD(-Linken), *Die Internationale*, 1920 veröffentlichte,
gibt darüber Auskunft. Unter Bezugnahme auf den »internationalen Proletkult« heißt es: »Es gilt, das Selbstbewußtsein des Arbeiters zu stärken, der bürgerlichen Scheinkultur
unser eigenes proletarisches Denken und Fühlen entgegen-
zustellen. Die Übernahme der kulturellen Macht nach dem
Siege der Proletarier kann nur geschehen, wenn wir über
ein stark entwickeltes kulturelles Selbstbewußtsein verfügen. Wir müssen uns also vorbereiten auf diese Aufgabe,
und mag sie gerade in der heutigen Zeit noch so schwer
erscheinen, sie muß gelöst werden.«[61] Wenig später bezog
sich ein Artikel in derselben Zeitung ausdrücklich auf die
Bildungsarbeit vor dem Krieg, von der nur die Parteizentren,
vor allem Berlin, profitiert hätten. Überall sonst sei die
geistige Fortbildung Sache des Einzelnen gewesen und damit
steckengeblieben. Ein weiterer Vorwurf lautete: »Das ganze
Parteileben war dazu durchweg auf die rein agitatorische
Wirkung eingestellt«, und über die »Stellung der Führer-
schaft zur psychologischen Verfassung der Masse« hieß es:
»So manche Aktion mußte ergebnislos verpuffen, weil die
Leitung sich einfach nicht in die Lage der Massen hinein-
versetzen konnte; und schließlich ist doch die Stimmung
der Masse ein äußerst wichtiges Moment in der Beurteilung
der Gesamtsituation.«[62] Die Hoffnung auf Besserung richtete sich speziell auf die Jugend. Man stellte fest, die Kämpfe
der letzten Jahre hätten gezeigt, »daß das jugendliche Proletariat dennoch keiner solchen Lethargie verfallen ist, wie
die erwachsene Arbeiterschaft. Das Wehen des November-
sturms, und war er noch so schwach, hat es vermocht, die
jugendlichen Arbeiter und Arbeiterinnen bis in den heutigen Tag hinein in Bewegung zu halten.«[63]

Wie stark der Anteil der Jugend an den kämpferischen und kulturellen Unternehmungen der Zeit war, wird überall bestätigt. Darauf ist noch zurückzukommen. In der Diskussion nahm die Frage einen wichtigen Platz ein, wie sich die bürgerliche Kultur, die man überwinden wollte, eingrenzen lasse. Die USPD-Organe — die Tageszeitung *Freiheit* und die illustrierte Wochenschrift *Die freie Welt* — postulierten, das Proletariat müsse die Werte der bürgerlichen Kultur kennenlernen, um selbst Eigenes entwickeln zu können, und lenkten mit kritischen Kommentaren das Interesse der Leser auf klassische und moderne Kunst. Damit war Felix Stössingers Appell im ersten Heft der *Freien Welt* verbunden, die Zusammenarbeit der »Geistigen« mit dem Proletariat zu intensivieren. Stössinger betonte aber bald darauf, daß die Beschäftigung mit proletarischen Themen noch keine proletarischen Dichter mache:

> »Viele sogenannte proletarische Dichter und Maler gelten nur dafür, weil sich ihre Kunst mit proletarischen Stoffen beschäftigt, ihre Form, ihre Schreibweise ist aber absolut bürgerlich, d. h.: sie verwenden Formen, die aus der bürgerlichen Kultur, aus der bürgerlichen Wirtschaft emporgewachsen sind, während wir vielmehr annehmen, daß die proletarische, sozialistische Kunst auch ihre eigenen Formen haben wird und in ihnen ihre künstlerische Schöpferkraft beweisen wird.«[64]

Diese Unterscheidung — vielmals variiert — stimulierte und absorbierte zugleich einen Großteil der kulturpolitischen Auseinandersetzungen.

Für die Bemühungen um proletarisches Theater besaß sie besondere Aktualität. Die Gründung des ›Bundes für proletarische Kultur‹ 1919 durch Arthur Holitscher, Friedrich Natteroth, Bruno Taut, Gertrud Eysoldt, Max Barthel, Hans Baluschek, Alfons Goldschmidt, H. B. Herfurth, Rudolf Leonhard zusammen mit dem Theater ›Die Tribüne‹ und den Zentralarbeiterräten des Siemens-Konzerns in Berlin lieferte Anlaß zu heftigen Debatten über diese Problemstellung, besonders mit Theateraufführungen von Ernst Tollers *Wandlung*, die 1919 von Karl-Heinz Martin zu einem Höhepunkt expressionistischer Theatergeschichte gemacht wurde, sowie Herbert Kranz' Drama *Freiheit*, ebenfalls 1919 von Martin in Szene gesetzt.[65] Der Bund griff mit seinem Anspruch recht hoch. Im Gründungsaufruf, den Alfons Goldschmidt (1879—1940) in der von ihm geleiteten *Räte-Zeitung* abdruckte, hieß es, man wolle gegen die bestehende bürgerliche Kultur eine neue proletarische Kultur vorbereiten, die der zukünftigen Entwicklung des Sozialismus zugutekommen würde. Der Schluß des Aufrufs lautet:

> »Indem wir Unterzeichneten uns in erster Linie an die Betriebe, die Mutterzellen der neuen Gesellschaft, wenden, wollen wir damit erreichen, daß unser Bund und seine Veranstaltungen (künstlerische, politische und wissenschaftliche Referate, Musik, Tanz und Theateraufführungen, Arbeiterfeste, Ausstellungen usw.) in einem gefühlsmäßig gemeinsamen Erleben und Verstehen auf das Werk zurückstrahlen und vom Werk auf die Arbeiter. Diese Wechselwirkung proletarischen Kulturlebens wird hinausgetragen werden in die politischen und wirtschaftlichen Kampforganisationen, um die Revolution zu durchgeistigen und vorwärtszutreiben.«[66]

Das KPD-Zentralorgan *Die Rote Fahne* antwortete mit zwei Artikeln, in denen Tollers und Kranz' Dramen künstlerische Qualität bescheinigt, dem ganzen Unternehmen aber gegenrevolutionäre Wirkung nachgesagt wurde. Der Kritiker wies die Bezugnahme des Bundes auf den Proletkult nachdrücklich zurück. Der Aufbau einer neuen Kultur nach Eroberung der politischen Macht durch das Proletariat sei als revolutionäre Tat ganz anders zu bewerten als der Versuch, »innerhalb des alten, im Verfall begriffenen, der gewaltsamen Zerstörung geweihten kapitalistischen Ordnung eine embryonale neue Kultur realisieren zu wollen«. Kunst könne die Revolution, den Klassenkampf nicht ersetzen.[67]

Radikalere Antworten kamen von Linkskommunisten, die, teilweise in enger Berührung mit dem Protestdenken der Dadaisten, die Erhöhung der Kunst überhaupt als antirevolutionär verurteilten. Sie gingen über den Vorwurf, daß sich bei Toller und anderen Expressionisten doch nur wieder das bürgerliche Individuum bestätige, noch hinaus und verfolgten die These, daß sich revolutionäre Kunst erst in der Unterordnung unter das revolutionäre Ziel legitimiere; Piscator sprach von der »bewußten Betonung und Propagierung des Klassenkampfgedankens«. Sein Aufsatz *Über Grundlagen und Aufgaben des Proletarischen Theaters* faßte 1920 das neue Konzept in groben Zügen zusammen. Das Proletarische Theater solle als Betrieb mit den kapitalistischen Traditionen brechen und ein ebenbürtiges Verhältnis von Theaterproduzenten und -konsumenten schaffen, ein »gemeinsames Interesse und einen kollektiven Arbeitswillen«. Doch solle es auch auf die Schwankenden und Indifferenten einwirken und klarmachen, daß »in einen proletarischen Staat die bürgerliche Kunst und Art des ›Genießens‹ nicht mit hinübergenommen werden darf«.[68] In diesem Beitrag findet sich schon eine erste Definition verfremdender Darstellung im Dienst politischer Bewußtmachung.

Dieses Programm wurde im Herbst 1920 mit der Gründung des ›Proletarischen Theaters. Bühne der revolutionären Arbeiter Groß-Berlins‹ in die Tat umgesetzt. Piscator, Hermann Schüller (1893–1943) und die anderen Initiatoren bauten eine genossenschaftliche Mitgliederorganisation auf, um das Theater in der Arbeiterschaft zu verankern. Sie erreichten bis zum Verbot 1921 eine Zahl von 5–6000 Mitgliedern, die sich zumeist aus der Allgemeinen Arbeiterunion, den Syndikalisten und der KAPD rekrutierten.[69] An den Aufführungen des ›Proletarischen Theaters‹ übten KPD-Mitglieder Kritik, etwa Gertrud Alexander, die maßgebende Feuilletonredakteurin der *Roten Fahne*. Mit dem argument- und aktualitätsbezogenen Stil, der teilweise dem Kabarett nahekam, forderte Piscator die traditionelle, von Mehring zum Vorgriff auf den Sozialismus stilisierte Kunstauffassung heraus.

Piscator hatte sich eine Zeitlang mit dem Dadaismus assoziiert, dessen lautstarke Abwehr vom bisherigen Kunstbegriff nach 1916 ein Signal setzte. In diesen Umkreis gehörten bei Kriegsende in Berlin Wieland Herzfelde (geb. 1896), der mit dem Malik-Verlag einen beträchtlichen Teil der revolutionären Literatur förderte[70], John Heartfield (1891–1968, vor 1918: Helmut Herzfeld), der die Fotomontage als politische Waffe entwickelte, und George Grosz (1893–1959) mit seinen aggressiv entlarvenden Bildern und Karikaturen. Die dadaistische Provokation desavouierte die in der Kunst aufbewahrten hohen Aspirationen der proletarischen Revolution. Dort, wo die Überzeugung vorherrschte, die gesellschaftlichen Verhältnisse seien objektiv reif und die Revolution werde über kurz oder lang kommen, war der Widerstand gegen eine solche Haltung stark. Erst als sich generell die Einsicht durchsetzte, daß der Sozialismus in Deutschland nicht unmittelbar verwirklicht werden könne, gewann der Affront gegen die Ansicht von der hohen Funktion der Kunst breitere Resonanz.

Exemplarisch war 1920 die Auseinandersetzung zwischen Gertrud Alexander einerseits und Heartfield, Grosz und Julian Gumperz andererseits, die sich an einem Protest entzündete, den Oskar Kokoschka gegen die Beschädigung eines Gemäldes im Dresdner Zwinger durch Schießereien während des Kapp-Putsches erhob. Das ist als sogenannte Kunstlump-Kontroverse inzwischen aufgearbeitet worden.[71] August Thalheimer, der Chefredakteur der *Roten Fahne*, schloß diese Debatte mit Feststellungen ab, die sich — die Verschiedenheit der politischen und gesellschaftlichen Situation vorausgesetzt — mit der Kritik berühren, die Lenin zu dieser Zeit an Proletkult und Futurismus übte. Ziel des Proletariats sei es, bemerkte Thalheimer, »wie den *materiellen*, so auch den *kulturellen* Besitz, und den Schatz von lebendigen kulturellen Kenntnissen und Fähigkeiten in die neue kommunistische Gesellschaft hinüberzuretten«. Charakteristikum der Bourgeoisie sei es, mit dem »kostbaren Kulturerbe der Vergangenheit und den lebendigen Trägern der Kulturarbeit« zerstörerisch umzugehen. Die Losung der Vernichtung oder Ablehnung der Kunst der Vergangenheit, die sich ultrarevolutionär und antibürgerlich gebärde, sei bürgerlich. Das Proletariat kämpfe um den »kulturellen Wiederaufbau«.[72]

Die Bezugnahme auf den Proletkult bildete festes Element vieler künstlerischer Unternehmungen von Sozialisten (wobei nicht übersehen sei, daß der Begriff ›Proletkult‹ für proletarische Kulturaktivitäten auch ohne spezifische Referenz auf die russische Entwicklung gebraucht wurde). Bogdanovs Schriften *Was ist proletarische Dichtung?* und *Die Wissenschaft und die Arbeiterklasse* kamen 1919 bzw. 1920 nach Deutschland. Bogdanovs Darlegung der organisierenden Funktion der Kunst ermutigte eine kunstpolitische Praxis, die sich mit der Erzeugung proletarischen Kollektivgeistes direkt als Politikum verstand. Seine Ablehnung der Agitationsliteratur wurde von den Linkskommunisten nicht übernommen; sie bestanden auf der aktuell bezogenen Thematisierung des Klassenkampfes bei der Herstellung proletarischen Kollektivbewußtseins.[73] Nicht minder wichtig war allerdings die *Praxis* des Proletkults im revolutionären Rußland.

Theater und (öffentlich rezitierte) Lyrik spielten im Proletkult eine zentrale Rolle, doch legte man auch auf die visuellen Künste, Malerei, Skulptur und Graphik, großen Wert. Die Studios und Zirkel in den russischen Fabriken, Behörden und Arbeiterklubs wurden auf allen diesen Gebieten tätig. Überall faszinierte die gemeinschaftliche künstlerische und erzieherische Aktivität, mit der die Revolution im Arbeitsalltag selbst sichtbar zu werden schien. Die Künstler, zumal die Futuristen, sahen die Möglichkeiten gegeben, die Grenzen nicht nur zwischen Zuschauer und Akteur, sondern auch zwischen Leben und Kunst niederzureißen.

Über alle Vorwürfe hinaus, die vorhandene Kultur zerstören zu wollen – was Bogdanov nicht beabsichtigte, was als Vorwurf eher die Futuristen betraf –, gewann die Bemühung um die Bildwerdung der Revolution breite Unterstützung. In der Verherrlichung von Technik und Maschine äußerte sich das Vertrauen zum großen Sprung in die Moderne, zu dem das Agrarland Rußland ansetzte. Das umschloß die Bild- und Wortpropaganda der Futuristen, etwa mit den ROSTA-Fenstern, ebenso wie die von Whitman inspirierten Hymnen Aleksej Gastevs (1882–1941) auf die Maschine, den »Messias aus Eisen«. Daneben entfaltete sich das Massentheater[74], am ersten Jahrestag der bolschewistischen Revolution führte man in Moskau die *Pantomime der großen Revolution* und in Voroneš die *Verherrlichung der Revolution* auf, am 1. Mai 1919 in Petrograd die *III. Internationale*, am 1. Mai 1920 in Petrograd die *Hymne der befreiten Arbeit* und am 8. November 1920 den *Sturm auf das Winterpalais*. Vsevolod Mejerchold (1894–1940) proklamierte als Leiter der Moskauer

Theaterabteilung den ›Theateroktober‹, ein Programm zur Einbeziehung des Theaters in die revolutionäre Agitation und Propaganda. Visuelle und theatralische Formen erneuerten sich zu dieser Zeit, in wechselseitiger Wirkung dramatisierter Bilder und bildhafter Theaterszenen. Mit ihrer Massenwirkung war es die größte Manifestation der seit 1900 ausgreifenden ästhetischen Impulse im revolutionären Sozialismus.

Lenin, Trockij (1879–1940) und Bucharin (1888–1938) machten allerdings deutlich, daß die »Zivilisierung« der proletarischen Revolution ungleich viel mehr Probleme aufwerfe als ihre Heroisierung, auch wenn damit manches von dem Schwung verlorengehe. Außerdem beunruhigte der selbständige, auf ›das Proletariat‹ gestützte Organisationsstatus des Proletkult.[75] Er wurde dem Volkskommissariat für Aufklärung unterstellt und verlor 1921, dem Jahr der Einführung der Neuen Ökonomischen Politik (NEP) viel von seinem Einfluß. (Um das Verhältnis von Proletkult und den Erfordernissen der sowjetischen Kultur- und Erziehungspolitik der zwanziger Jahre nicht verzerrt wiederzugeben, sei hinzugefügt, daß der Anteil des Proletariats an der Gesamtbevölkerung während der Revolution höchstens 5 % betrug. 1930 war er erst auf etwa 10 % gestiegen.)

Genauere Nachrichten über die kulturellen Entwicklungen in Rußland gelangten mit den Veröffentlichungen Lunačarskijs, Bogdanovs und Keržencevs, vor allem in der *Russischen Korrespondenz* (1920–22), nach Deutschland. Dazu kamen Reiseberichte von Alfons Paquét, Arthur Holitscher, Max Barthel, Leo Matthias, Alfons Goldschmidt, Franz Jung, Wilhelm Herzog (im *Forum*) sowie Einzelartikel in Zeitungen und Zeitschriften. Vieles blieb Gerücht, vieles wurde mit den eigenen Programmen kultureller Erneuerung vermischt, so daß Vladimir Majakovskij (1893–1930), der Autor des beim III. Kominternkongreß in Moskau auf deutsch aufgeführten *Mysterium buffo* (1918), als »russischer Expressionistenbruder« gefeiert wurde.[76]

Zu den Massenaufführungen in Leipzig (1920–1924), die den Spielen in Petrograd am nächsten kamen[77], lieferte Ernst Toller ab 1922 Entwürfe. Mit knapp tausend Akteuren kamen in Leipzig vor etwa 50 000 Zuschauern 1920 der historische Spartakusaufstand, 1921 der Bauernkrieg *(Der arme Konrad)* und 1922 *Bilder aus der Französischen Revolution* zur Darstellung. Nach Tollers Skizzen wurde 1923 *Krieg und Frieden* und 1924 *Erwachen* einstudiert. In diesem vom Leipziger Arbeiter-Bildungs-Institut veranstalteten Spielen standen Sprech- und Bewegungschöre im Mittelpunkt. Der Appell galt *dem* Proletariat, über die Parteigrenzen hinweg.

Diesen Aktivitäten näherten sich dann die Kommunisten, nachdem sich Lenin auf dem III. Kominternkongreß 1921 gegen die »Offensivtheorie« gewandt hatte, d. h. gegen die geschlossene Gewaltanwendung zur Errichtung der Diktatur des Proletariats. Die KPD nahm die Parole der Einheitsfront an. Gegen Sinovjevs Kritik trat sie nach der Ermordung Rathenaus zusammen mit USPD und SPD in Demonstrationen für die Republik ein und schloß einige Bündnisse mit der SPD. »Ziel der Taktik sollte sein, Arbeiter und Arbeiterführer jeglicher politischen Richtung bei gleichzeitiger Wahrung des Kritikrechts der Kommunisten zu jedweder ›ernsten Massenaktion‹ zu verbünden, ›auch wenn sie nur von Teilforderungen ausgeht‹; wobei impliziert wurde, daß derartige Massenaktionen ›unvermeidlich allgemeinere und grundlegendere Fragen der Revolution auf die Tagesordnung stellen‹ und eine Steigerung der Teilforderungen ermöglichen können.«[78] Man vertraute, mit wechselnder Taktik zwischen Hoffnung und Enttäuschung, dem langen revolutionären Entwicklungsprozeß, den Rosa Luxemburg anvisiert hatte.

Für die kulturellen Aktivitäten der KPD dürfte, wie erwähnt, die Vereinigung mit dem linken Flügel der USPD Ende 1920 Anstöße gegeben haben. In der *Roten Fahne* hieß es 1921 anläßlich einer Würdigung von Bogdanovs Schrift *Die Kunst und das Proletariat*, daß für das Proletariat Kunstrichtungen auszuschließen seien, »die vermöge ihres ideologischen Ursprungs dieser Solidarität und dem proletarischen Gemeinschaftsgefühl verständnislos gegenüberstehen«. Der Kritiker hielt dem Expressionismus gegenüber dem Impressionismus zugute, das Typische an den Dingen darzustellen. In ihm zeigten sich Ansätze, mit denen das Ersehnte erreicht werden könnte, nämlich »Massen-kunst, Kunst aus der Masse und für die Masse.«[79]

Dieses Interesse entsprach der nach dem fehlgeschlagenen Märzaufstand 1921 ausgegebenen Parole ›Heran an die Massen!‹, die — nach den Ende 1921 verabschiedeten *Leit-sätzen zur Bildungsarbeit der KPD* — von der ersten Reichs-konferenz der KPD-Bildungsobleute 1922 aufgenommen wurde. Die Konferenz beschloß, das Bühnenspiel stärker in die Agitation zu integrieren.[80] Im selben Jahr wurde der Zentrale Sprechchor der KPD gegründet.[81] Dem Sprech-chorwerk *Großstadt* von Bruno Schönlank (1891—1965), das im Rahmen der ›Proletarischen Feierstunden‹ im Ber-liner ›Großen Schauspielhaus‹ unter Albert Florath zur Aufführung kam, gestand die *Rote Fahne* unter Einschrän-kungen zu, die Aufgabe gelöst zu haben, »den proletari-schen Sprechchören das revolutionäre Stück zu schaffen«.[82]

Gertrud Alexander warb in der *Roten Fahne* mit beschwören-den Worten für den Sprechchor: »Die Wirkung der kollektiven Leistung beruht auf den aus der Masse selbst quellenden wuch-tigen Kräften, die den Einzelnen fortreißen, stark machen und ihn doch verschmelzen mit allen Anderen. Der Sprechchor das sind: ich, Du, wir, Alle, Genossen, Proletarier. Wir haben *einen* Glauben, *eine* Gewißheit und *einen* Willen: Revolution. Und dort steht der Bürger. Und wir wollen etwas ganz anderes sein als er und wir wollen ihm dieses Andere, unsere Gewißheit ins Gesicht schleudern. Wir suchen nach Worten, wir suchen nach For-men dies zu tun.«[83] Die Ablehnung der These, daß es eine soziali-stische Literatur schon vor der Revolution geben müsse, hatte Gertrud Alexander schon vor 1914 nicht davon abgehalten, der künstlerischen Manifestation des Proletarischen Beifall zu zollen. Mit der revolutionären Situation zeigte sie sich davon um so mehr beeindruckt.[84] Sie deutete an, daß sich aus dem Sprechchor das revolutionäre Schauspiel entwickeln könnte.

Wo sich die Bemühung um Aktivierung der Massen organisatorisch verselbständigte, fühlte sich die Kommu-nistische Partei allerdings bald zur Abwehr veranlaßt. Das geschah in exemplarischer Weise bei der von Johannes Resch (1875—1961) aufgebauten ›Freien Proletarischen

Volkshochschule< in Remscheid, dem bis 1924 wichtigsten
Versuch einer proletarischen Erziehungs- und Kulturinstitu-
tion auf gemeinschaftlicher Grundlage. Ihre alljährlichen
proletarischen Volksfeste und Kulturtagungen zogen neben
der 1922—1924 genossenschaftlich betriebenen Bildungs-
und Produktionsstätte viel Aufmerksamkeit auf sich. Resch,
Pädagoge und KPD-Mitglied, machte die jährlichen Tagungen zu einer umfassenden Manifestation proletarischer
Gesinnung, die sich nach relativ >offener< Ausrichtung 1920
(>Weltenwende<) und 1921 (>Menschwerdung<) als Klassen-
kampfaktion verstand. Die Tagung 1922 lief unter dem
Motto >Entscheidung< ab, die Tagung 1923 wurde unter
dem Titel >Der Tag des Proletariats< zum Höhepunkt. Jeweils mit einem Massenschauspiel eingeleitet, brachten die
Tagungen Kundgebungen, Diskussionen, politisches Kabarett, Ausstellungen des proletarischen Kulturkartells und
Volksfeste.[85] Übergreifender Gedanke war, wie Resch es
nannte, die »Verselbständigung der Masse« von einem
»verantwortlichen Kern« her.[86] In den Ansprachen über das
Verhältnis von Proletariat, Kultur und Klassenkampf zeichnete sich eine auf deutsche Verhältnisse bezogene Entsprechung zu Proletkultentwürfen ab.[87] Nicht nur in der Sprache
schwingt noch viel vom expressionistischen Aufbruchsden-
ken mit. Beispielhaft sind die lyrischen Appelle an die
Masse, mit denen Kurt Kläber vertreten war, der in der
Bochumer >Freien Volkshochschule< eine vergleichbare Ge-
meinschaftskonzeption wie Resch verfolgte.[88] 1924 wurden
die Tagungen von der zentralen Polizeibehörde in Berlin
verboten.

Die Tatsache, daß die Remscheider für ihre Volkshochschule Autonomie auch gegenüber der Partei beanspruchten, forderte, wie im Falle des russischen Proletkult, scharfe
Kritik heraus. Die KPD warf Resch Syndikalismus vor. Er
hätte innerhalb der städtischen Volkshochschule weiter wirken sollen. Es kam zum Boykott der Tagungen. Resch
wurde aus der Partei ausgeschlossen.[89] Er beschrieb die
Differenzen sehr drastisch, bekannte sich nach wie vor als
Kommunist.

Resch hielt der Partei vor, sie wolle eine »Geistige Kinder-
bewahranstalt für Erwachsene«. Er kritisierte »die nahezu lücken-
lose Disziplin, die bis zum Kadavergehorsam und bis zum oft
unbewußten Opfer der eigenen Überzeugung« führe, »das un-
heimliche System gegenseitiger Überwachung und einer jedes
Vertrauen erschütternden Bespitzelung der eigenen Genossen«
und die »beinahe von religiöser Ehrfurcht genährte Überschätzung der Parteitaktik, die bis in die untersten Organe hinein
alles natürliche und instinkthaft-gesunde Empfinden in seiner
Wurzel zu vergiften« drohe.[90] Die Partei kenne, abgesehen von
Streik und Aktion, wesentlich nur zwei Formen des Klassenkampfes, die politische Rede und die politische Literatur. Resch
fügte hinzu: »Alles, alles Literatur. Aber das Werk fehlt, das
Werk, das dem einfachen Massenmenschen die Dinge der Wirklichkeit anschaulich begreiflich macht. Warum hat nicht jede
Stadt, jedes Städtchen ihr politisches Kasperltheater, das auf
den Straßen, in den Wirtschaften spielt? Wo stecken die kommunistischen Kabaretts und Kinos, die kommunistischen Volks-
schauspiele, die überall auftauchen und ihren hochwirksamen
Kampf führen?« Er fragte nach dem proletarischen Massenspiel,
dem kommunistischen Kindertheater, den proletarisch-kommu-
nistischen Schulen.[91]

Davon wurde später einiges verwirklicht. Resch, nach
1924 desillusioniert (wie viele andere), sprach sich für eine
spezifisch leninistische Kulturpolitik aus.[92] Doch blieb das
neben dem Beitrag von Wittfogel 1925 für lange Zeit ein
einsamer theoretischer Vorstoß.

MASSENTHEATER

Bei den Bemühungen um eine proletarische Kultur erlangte nach dem Ersten Weltkrieg das Massentheater besondere Bedeutung. Die damit verbundene ›proletarische‹
Wendung gegen das ›bürgerliche‹ (individualistische) Theater sollte die Wurzel nicht verdecken: die europäische
Theatererneuerung seit Ende des 19. Jahrhunderts, die Wagners Ideen vom Gesamtkunstwerk und von der Vereinigung
von Bühne und Publikum aufnahm, und die mit der Vision
vom Gemeinschaftstheater an dem Mythenschaffen teil-
hatte, das Nietzsche in der *Geburt der Tragödie* mit der

»Witterung für den erhöhenden Gemeinschaftsrausch unserer Gestaltungsepoche«[93] initiierte. Mejerchold hat auf die von Wagner empfangenen Anregungen ausdrücklich aufmerksam gemacht; vor ihm und mit ihm übertrugen die Symbolisten diese Anregungen auf das Schauspiel. Bekannt ist die Bedeutung von Adolphe Appia, Edward Gordon Craig, Georg Fuchs (*Die Schaubühne der Zukunft*, 1905; *Die Revolution des Theaters*, 1909) und Emile Jaques-Dalcroze für ein ans Kultische rührendes theatralisches Theater, das im Symbolismus und Expressionismus Ausformung fand.[94] Max Reinhardts Einbezug der Massen versetzte schon vor dem Krieg die Zeitgenossen in Erregung.

Auch die wichtigste Schrift zum Massentheater nach dem Krieg, *Das schöpferische Theater* (1918, dt. 1922) von P. M. Keržencev (1881–1940), verstand sich als Teil der umfassenden Theatererneuerung, die nun mit der Revolution ihren Auftrag und ihr Ziel gefunden habe. Keržencev, dessen Gedanken bereits mit der *Russischen Korrespondenz* nach Deutschland gelangten, rekapitulierte Evrejnovs Vermischung von Theater und Leben, die Anregungen durch Volksfeste in Westeuropa und Amerika, Romain Rollands Vorschläge für Massenszenen unter freiem Himmel und andere Ansätze, die sich nach der Jahrhundertwende gegen das »individualistische« bürgerliche Theater richteten, das den Zuschauer zur Passivität verdamme. In der Forderung, die Zuschauer am Geschehen zu beteiligen, ging Keržencev am weitesten. Er bemerkte:

»Wenn der Zuschauer künftiger Zeiten sich ins Theater begibt, wird er nicht sagen: ich gehe mir dieses und dieses Stück anschauen, er wird sich anders ausdrücken: ›ich gehe, an diesem und diesem Stück mitzuwirken‹, denn er wird wirklich ›mitspielen‹, wird nicht ein beobachtender und klatschender Zuschauer sein, sondern ein Mit-Schauspieler, der an dem Stück aktiv teilnimmt.«[95]

Keržencevs Vision vom Mitspielen der Massen in großen öffentlichen Spektakeln fasziniert. Sie ist allerdings im Rückblick nicht ohne den Hinweis auf spätere Verwirklichungen im Faschismus zu zitieren:

»Die typischen Schauspiele der Zukunft werden jedoch die unter freiem Himmel sein. Dort, wo es jetzt Plätze und Parks gibt, auf dem Marsfelde, in Hyde-Park, auf den Champs-Elysées wird man Amphitheater erbauen, die Hunderttausenden Zuschauern Platz gewähren werden. Hier werden einige Mal im Jahre Schauspiele aufgeführt werden, die den früheren Kampf der Arbeiterklasse verherrlichen, die Etappen der menschlichen Entwicklung darstellen oder wirkungsvolle Episoden des Klassenkampfes schildern.«[96]

Politisch ließ sich das auf verschiedene Weise verwenden, von Links *und* Rechts, entscheidend war die Ritualisierung öffentlicher Partizipation von Massen, die man schon vor dem Ersten Weltkrieg im Zusammenhang mit Massenchören und -tänzen und dem Film anvisiert hatte, und die dann nach den aufrührenden Geschehnissen in Krieg und Revolution stark anwuchs.

Keržencev wies zugleich auf die großen Möglichkeiten des Films für die »Massenaufklärung« hin. Der Film sei »ganz besonders dafür geeignet, in künstlerischen Bildern die technische Großartigkeit von Massenhandlungen, die grellen psychologischen Kontraste innerhalb eines Volkes, besonders in den stürmischen Epochen sozialer Konflikte, darzustellen«.[97] In diesem Sinne pries man Ejzenšteins Film *Panzerkreuzer Potemkin*, der 1926 nach Deutschland gelangte, mit seinen revolutionären Massenszenen als Vorbild proletarisch-revolutionärer Kunst.

Béla Balázs (1884—1949), einer der bedeutenden ungarischen Emigranten, ohne welche die kommunistische Kulturpolitik in den zwanziger Jahren in Deutschland nicht zu denken ist, stand längere Zeit im Banne des Massentheaters, bevor er zu einem der führenden Filmtheoretiker dieser Zeit wurde. Während seiner Tätigkeit als Bevollmächtigter für Theaterwesen in der ungarischen Revolution schrieb er über das *Theater des Volkes:* »Wenn wir dem Volk das Theater geben, so geben wir ihm bloß das von ihm geborene Kind zurück. Denn das Bühnenspiel war nicht die Erfindung einer einsamen Künstlerindividualität. Das Bühnenspiel entstand als die Offenbarung der Massenseele, und deshalb unterscheidet es sich von jeder anderen Kunst wie individuelle Aktion von der Revolution.«[98] Balázs' eigene Entwicklung vom Schriftsteller, der vor 1918 vor allem seine Isolation reflektierte[99], zum zeitweiligen Advokaten der Massenkunst, illustriert allerdings auch recht deutlich, wie stark der Anteil der »einsamen Künstlerindividualität« an der Entfaltung dieser Kunst im allgemeinen war. Künstler und Intellektuelle sahen, von der revolutionären Atmosphäre beflügelt, in der ästhetischen Sphäre die Möglichkeit der Vereinigung mit dem Volk, der Überwindung der Verunsicherung und Entfremdung. Dabei verflocht sich die existentielle Kompensation mit der ästhetischen Manipulation so eng, daß eine darüber hinausgehende politische Distanzierung oft sehr schwer fiel. (Sie war in den vorgebrachten Inhalten nur scheinbar schon enthalten.) Die Manipulation der Manipulatoren ist für die Darstellung des Verhältnisses von Ästhetik und Politik im 20. Jahrhundert ein besonders aufschlußreiches Kapitel.

Für die Massendarstellung gab das expressionistische Theater, etwa mit Kaisers *Gas* und Tollers *Masse Mensch*, wichtige Anregungen. Gegenüber der expressionistischen Massendarstellung bedeutete die Masse in den sich schnell ausbreitenden Sprechchören nicht mehr das den Einzelnen zerstörende Wesen, sondern das Subjekt der Erlösung. Richtungweisend wurde der symbolisch gestraffte und rhythmisierte Stil, den der Regisseur Leopold Jessner gegen Illusionismus und Dekorationsfülle durchsetzte. Für die meisten der in den zwanziger Jahren von proletarischen Organisationen — Sozialistische Arbeiterjugend, Kommunistischer Jugendverband, Internationale Arbeiterhilfe, Rote Hilfe, Freidenkerorganisationen, Parteien, Gewerkschaften etc. — aufgeführten Sprechchorwerke und Masseninszenierungen lieferte das expressionistische Wortoratorium als lyrisch-dramatische Mischform mit seiner tragischen Abwärtsbewegung und ins Erlösende zielenden Aufwärtsbewegung das Grundmuster. Dabei galt die Bemühung mehr dem rituellen und festlichen als dem rationalen und argumentierenden Aspekt. (Vgl. die Programme der ›Proletari-

schen Feierstunden‹.) Mit der Phase sich stabilisierender
ökonomischer und politischer Verhältnisse nach 1923 ließ
das allgemeine Interesse allerdings nach.

Karl August Wittfogel (geb. 1896), der mit Piscator eng
zusammenarbeitete, erteilte 1922, gestützt auf seine Erfahrungen aus den Leipziger Massenspielen, dem Massentheater für Laien rundweg eine Absage. Wittfogel plädierte
für das politische Kabarett- und Puppenspiel. Ihm könnten
sich kleine Gruppen mit weniger Aufwand widmen.[100]
Piscator machte später die Massen in seinem Theater vor
allem durch Filmeinschübe sichtbar. Für die Zusammenführung von Bühne und Zuschauerraum wurde zunächst
seine Inszenierung von Franz Jungs Stück *Die Kanaker*
1921 wegweisend. Jung vergegenwärtigte Revolte und
Niederlage des Proletariats ohne jede Beschönigung, um
einen politischen Neuanfang einzuleiten. Er machte die
Stärke der Konterrevolution klar, die Stärke des Kapitalismus, dem sich auch die technische Intelligenz im Kampf
gegen die Arbeiter anschließt. In einer Zwischenszene
treten die Figuren von Lenin und H. G. Wells auf, die
Lenins Weg zur Überwindung der Situation diskutieren.
Mit der entindividualisierenden Handlungsführung stellte
sich Jung in Gegensatz zu Dramen von Toller und anderen
Expressionisten, die den Einzelhelden bewahrten, sowie zu
Erich Mühsam, dessen Revolutionsdrama *Judas* 1921 in
Mannheim vor 5000 Arbeitern erfolgreich uraufgeführt
wurde. Über den Moment, da der Vorhang schließt, schrieb
die *Rote Fahne* anläßlich der *Kanaker:*

»Wir sind wieder im Leben und merken jetzt, daß wir eigentlich gar nicht weit vom Leben weg waren, die ganze Zeit über.
Das ist das grundlegend Neue an diesem Theater, daß Spiel und
Wirklichkeit in einer ganz sonderbaren Weise ineinander übergehen. Du weißt oft nicht, ob du im Theater oder in einer Versammlung bist, du meinst, du müßtest eingreifen und helfen, du
müßtest Zwischenrufe machen. Die Grenze zwischen Spiel und
Wirklichkeit verwischt sich dauernd.«[101]

Im Vorgang kollektiver Politisierung, bei welcher Spiel
in Wirklichkeit überzugehen scheint, erblickten viele einen

wichtigen Schritt zur neuen proletarischen Kunst. Wie stark die politische Wirksamkeit einer solchen Dramaturgie eingeschätzt wurde, bezeugen die Verbote, die über die meisten Dramen von Berta Lask (1878—1967) verhängt wurden. So geschah es mit dem zum ›Roten Münzertag‹ 1925 verfaßten Massenspiel *Thomas Münzer*, das vor 15 000 Arbeitern in Eisleben zur Aufführung kam, ebenso mit der epischen Szenenfolge *Leuna 1921*, die sofort nach Erscheinen 1927 verboten wurde, und mit dem 1927 vom ›Proletcult Cassel‹ aufgeführten ›Revuedrama‹ *Giftgasnebel über Sowjetrußland*. Als vordringliche Aufgabe der revolutionären Dichtung betrachtete es Berta Lask 1929, »durch Massendramen, Revuen und Sprechchöre die Massen zum bewußten Erleben ihrer selbst zu bringen«. Die Autorin erläuterte:

»Diese Massendichtung soll möglichst wirklichkeitsnahe Darstellung gegenwärtiger oder nahe zurückliegender politischer und wirtschaftlicher Kämpfe des Proletariats sein, klassenbewußte marxistische Tatsachenübermittlung in wuchtiger Form oder auch erdichtete Komposition auf diesem Gebiete. In diesen Massendichtungen darf der einzelne nicht durch so starke individuelle Prägung aus der Masse herausragen, daß er zum Helden alten Stils wird. Er darf wohl gezeichnet sein, aber mehr freskenhaft. Er muß ein Gesicht haben, aber nur in großen Umrissen. Massendichtungen und Aufführungen von epischer Breite, die ähnlich einem Naturgeschehen vor dem Zuschauer sich abrollen, sind notwendig für das um die Macht ringende Proletariat vor Eintritt der großen Entscheidungskämpfe, also heute in Deutschland.«[102]

Diesen Ansichten stand Johannes R. Becher lange Zeit recht nahe. Anrufung und Vergegenwärtigung der Masse bildeten auch für ihn seit dem Expressionismus ein wichtiges Motiv. In seinem Festspiel *Arbeiter. Bauern. Soldaten. Der Aufbruch eines Volks zu Gott* (1919) entfaltete er es noch ohne viel Rücksichtnahme auf die theatralische Verwirklichung. Neue kämpferische Ausformung fand es in der zweiten Fassung von *Arbeiter. Bauern. Soldaten*, die er ›Entwurf zu einem revolutionären Kampfdrama‹ nannte. Das Stück kam 1924 anläßlich einer proletarischen Kulturwoche in Magdeburg in einer Sprechchorfassung zur Aufführung, offensichtlich nicht allzu erfolgreich. Lu Märten kritisierte die ausgiebige Verwendung von Gesangschören.[103] Doch konzentrierte sich Becher stark auf die Arbeit mit Sprechchören. Er erwartete eine Zeitlang die politisch-revolutionäre Dramatik von der Sprechchorarbeit. In einem Brief an Oskar Maria Graf schrieb er: »Ich glaube, unser Drama wird aus dem Sprechchor hervorgehen. Das ist ein ganz anderes Gebiet als Mühsam und (Brecht) und hat seine bestimmte und meiner Ansicht nach größere Wirkung.«[104] Becher arbeitete selbst in dieser Richtung und versuchte Massendarstellung und Sprechchor mit Hilfe eines Lernprozesses zusammenzubinden, der in manchem bereits auf die Lehrtheaterkonzepte um 1930 vorausweist. Noch ließ allerdings der emphatische Begriff der Masse die theatralische Verwirklichung im unklaren. Becher postulierte zur »Aktivierung der Massen«: »Aber die z. B. inmitten des Zuschauerraums Auftretenden dürfen nicht als Fremdkörper wirken und dadurch das Meeting stören, dazu ist eben eine vorherige energische Durchpräparierung des ›Publikums‹ durch das Kunstwerk nötig, so daß die dann plötzlich aus den Massen Heraussprechenden auch wirklich spontane Sprachorgane sind. So etwas wie ›Publikum‹ dürfte es überhaupt nicht geben. Wir sind eine Kampfgemeinschaft. (Aber auch keine Überschätzung der Massenspontaneität, wie ich es selbst in der Einleitung zu ›Arbeiter, Bauern, Soldaten‹ getan habe, sondern straffe Führung, Durchpräparierung!)«[105]

Becher kultivierte die Begeisterung für die Masse in vielerlei Gestalt. »Dieses sich ›Entpersönlichen‹, ›Entwerden‹, das erst die wahre Persönlichkeit schafft«, schrieb er 1927 in der *Roten Fahne*, »ist ja ein Problem, das in den Erlösungslehren aller Völker eine große Rolle gespielt hat.« Und einige Zeilen weiter: »Ich spreche hier, wenn ich von anderen erzähle, über mich selbst. Die vollkommene Losgelöstheit der Intellektuellen vom Volk — das ist ihre Tragik, ihre Unfruchtbarkeit, ihr Untergang. Wer hier nicht den Weg zum Herzen des Volkes findet, der ist verloren. Volk? Ich spreche vom fortgeschrittendsten und kampfentschlossendsten Teil des Volkes, vom revolutionären Proletariat.«[106] Die theatralische Vision von der Vereinigung des Künstlers mit dem Volk, der einst Wagner Ausdruck gegeben hatte, war nach wie vor lebendig — nun mit dem revolutionären Proletariat als Volk.

Wie stark die Darstellung des Proletariats in dieser Weise erwartet wurde, bezeugt eine Kritik in der *Roten Fahne* an Tollers Stück *Hoppla, wir leben,* mit dem Piscator 1927 seine eigene Bühne eröffnete. Piscator hätte, so hieß es, mit einem »Werk vom Schlage des Leuna-Dramas von Berta Lask« beginnen sollen, in dem die Entscheidung für die proletarische Masse falle, nicht mit Tollers individualisierendem Drama des enttäuschten Gefühlsrevolutionärs.[107]

Im selben Jahr wies Gertrud Alexander von Moskau aus auf die russische Abkehr vom Massentheater und Zuwendung zum Theaterkollektiv hin,[108] eine Erscheinung, die mit der Gastspielreise des russischen Ensembles ›Die blaue Bluse‹ bei den deutschen Arbeitertheatergruppen tiefe Spuren hinterließ: die vom bürgerlichen Theater entwickelten, bereits von Piscator verwendeten Revue- und Kabarettformen waren nun auch offiziell für das proletarische Theater einzusetzen. Ihre Vorzüge lagen auf der Hand. Sie brauchten wesentlich weniger Aufwand als ein Drama, waren aktueller, politisch pointierter, vor allem aber: sie bedeuteten Abhilfe bei dem chronischen Mangel an Bühnenmanuskripten. Wie schwerfällig Massenszenen zu handhaben seien, belegte Franz Krey 1929 mit dem Hinweis auf das Massendrama von Rudolf Fuchs, *Aufruhr im Mansfelder Land,* bei einer Lenin-Liebknecht-Luxemburg-Feier (LLL-Feier) in Essen.[109] Andererseits kamen zu dieser Zeit aber auch schon Klagen darüber, daß die Arbeitertheatergruppen mit den ›Roten Revuen‹ zu viel Kabarett machten. Georg Pijet bemerkte, diese Form könne viele Probleme des Klassenkampfes nicht adäquat erfassen.[110]

Béla Balázs, der selbst Sprechchöre und Stücke *(1871. Die Mauer von Père la Chaise,* 1928) schrieb, aber nach und nach vom Massentheater abrückte, führte 1929 ein aufschlußreiches Interview mit Ejzenštein, das die von

Gertrud Alexander dargelegte Entwicklung bestätigte. Ejzenštein, dessen Filme ohnehin im Westen mehr Aufsehen
erregten als in Sowjetrußland, stimmte den Kritikern zu,
daß die Ausrichtung auf die Masse als Thema erschöpft
sei. Die ersten Filme seien noch in der Erregung des kaum
beendeten Bürgerkriegs entstanden. Sie hätten »Massen
gegen Massen« gestellt, »Ideen gegen Ideen, mit klarer und
einfacher Konstatierung, ohne auf das Persönliche und
Psychologische einzugehen. Dieses monumentale Bild hat
natürlich nicht sehr viel Variationen. So verschieden man
auch einen Barrikadenkampf darstellen mag: im wesentlichen
bleibt es dasselbe«. Nun aber gehe es um anderes, um den
sozialistischen Aufbau, auch den inneren Aufbau des
sozialistischen Menschen. Es gehe darum, »in Einzelschick-
salen, im Persönlichen, im Kleinen die Auswirkung der
großen sozialen Umwälzung zu zeigen«.[111]

SPRECHCHOR

Angesichts des Mangels an geeigneten Theaterszenen und
der Schwierigkeit, Szenen selbst zu erarbeiten, wandten sich
Anfang der zwanziger Jahre zahlreiche proletarische Gruppen zunächst der Rezitation kämpferischer Lyrik zu. Darüber hinaus griffen sie auf die Form der lebenden Bilder
zurück, die bereits im 19. Jahrhundert gebraucht worden
war, und stellten aktuelle Geschehnisse dar. Ein Sprecher
las oder rezitierte an der Bühnenseite aus Gedichten und
Erzählungen, und zu den Leseabschnitten wurden die jeweiligen Bilder als eine Art kommentierte Pantomime präsen-
tiert.[112] Große Verbreitung fand dann der Sprechchor mit
der chorischen Rezitation von Lyrik. Allerdings gab es nicht
allzu viele passende Gedichte. Im allgemeinen stützte man
sich auf Lyrik von Oskar Kanehl, Bruno Schönlank, Max
Barthel, Erich Mühsam und Johannes R. Becher. Die rezitier-
ten Gedichte galten dem Proletariat als kämpfender, dulden-
der und aufbegehrender Klasse, richteten sich kaum auf eine
Partei.

Zur Entwicklung des Sprechchors sei aus einer Untersuchung
von Klaus Pfützner zitiert: »Die ersten größeren Sprechchor-Auf-

führungen, die vor allem von sozialdemokratischen Gruppen veranstaltet wurden, hatten einen unerwarteten, geradezu sensationellen Erfolg; denn sie konnten bereits mit literarischen Vorlagen und künstlerischen Mitteln arbeiten, die die Spielgruppen, welche nur kürzere Gedichte chorisch gestalteten, noch nicht besaßen. Für die großen Feiern wurden jetzt spezielle Chorwerke geschrieben, die die primitiven Sprechchöre des Anfangs um neue Mittel bereicherten. So wurde das Chorwerk nicht durchgängig von der Masse des Chores gesprochen, sondern von einzelnen Sprechgruppen, die oftmals auch bestimmte symbolische Bedeutung hatten: der rote Chor stellte die Arbeiterklasse dar, der schwarze die Reaktion; oder es wurde in ›Chor der Jungen‹ und ›Chor der Alten‹, in ›Männerchor‹ und ›Frauenchor‹ geteilt. Die unterschiedliche Sprechweise dieser Teilchöre ergab neue Wirkungen und ihre primitive Symbolik erste Ansätze einer optischen Wirksamkeit des Sprechchores. Durch eine differenzierte Sprachgestaltung, die nicht selten an oratorische Formen erinnerte, suchte man dem Inhalt der lyrischen Vorlage zu entsprechen.«[113]

Nicht ganz ohne Einfluß dürften die chorischen Aufführungen geblieben sein, die in der Arbeitersängerbewegung seit langem etabliert waren, ebenso die chorischen Aufführungen im Bürgertum, etwa von Schillers *Lied von der Glocke*. Eine besonders umfangreiche Komposition, deren Text bereits 1872 in Johann Mosts Chemnitzer *Volksstimme* abgedruckt worden war, kam auf dem Jenaer Parteitag 1912 zur Aufführung: das Chorwerk *Die Hekatoncheiren* von Karl Weiser mit Musik von Ernst Elsäßer. Natürlich blieben viele der traditionellen Allegorien (Nacht-Licht, Winter-Frühling, Mai, Dämmerung, Morgenrot etc.) in Gebrauch. Ihre Spuren lassen sich überall verfolgen.[114]

Wilhelm Leyhausen, einer der bürgerlichen Initiatoren des Sprechchors vor dem Krieg, prophezeite dieser Form 1914 eine große Zukunft.[115] Sie faßte in der Jugendbewegung Fuß, setzte sich aber erst mit den sozialistischen Gruppen in breitem Stile durch.

Für die Entwicklung vom Sprechchor — abgestufte Kollektivrezitation politischer und lyrischer Texte — zum Sprechchorwerk — Massenvorführung mit mehreren Sprechgruppen und Solosprechern — ist vor allem das Wirken von Bruno Schönlank herauszuheben. Er schrieb die bekanntesten Chorwerke der zwanziger Jahre, von denen *Der ge-spaltene Mensch* 1927 einen Höhepunkt darstellte[116]: eine eindrucksvolle Umsetzung des Fließbandrhythmus ins Sprachliche (mit Anlehnungen an August Stramms ver-kürzende Worttechnik), eine Kritik von Industriearbeit, Arbeitslosigkeit, Kolonialausbeutung im Lichte der Ent-seelung und Entwürdigung des Proletariats, mit einem lei-denschaftlich warnenden Finale, einem Furioso, das abbricht und den Worten Raum gibt:

> »Gespaltener Mensch,
> Gespaltener Mensch,
> Wann findest du dich wieder?«[117]

Schönlank, der 1918 auf der Linken aktiv gewesen und der USPD beigetreten war, hatte in dem Chorwerk *Groß-stadt* (1922) den Inflationstaumel eingefangen, hatte das revolutionäre ›Trotz alledem!‹ aus der historisch konkret gegebenen Situation entwickelt, unter Einbezug des Mordes an Liebknecht. Allerdings wurde der Name Liebknechts bei der Aufführung nicht genannt, was ein späterer Rezensent der *Roten Fahne* als Einschränkung des revolutionären Charakters angriff.[118] In den folgenden Jahren der ökono-mischen Stabilisierung wich die pathetische Dennoch-Struk-tur einer generellen Beschwörung proletarischen Daseins, was weitgehend statisch wirkte, wenn es auch viele Inhalte der Arbeits- und Maschinenwelt eindrucksvoll erfaßte. Schönlank hielt an der revolutionären Perspektive in Chor-werken wie *Crimmitschau. Eine Erinnerung an Sachsens bedeutendsten Arbeitskampf 1903* und *Matrosen 1917* fest, aber er war sich über die Schwierigkeiten der Bemühungen bewußt, mit Hilfe von Sprechchorwerken, die auf sozialisti-schen Massenveranstaltungen aufgeführt wurden, das revo-lutionäre Gefühl vom Anfang der zwanziger Jahre unter gewandelten Verhältnissen zu bewahren. Der Einbezug von Bewegungschoreographie intensivierte zwar den dramati-schen Charakter, löste aber die inhaltlichen und organisa-torischen Probleme nicht.[119] Nach und nach verlor das, was man in den zwanziger Jahren als Sprechchorbewegung lebhaft diskutierte, den politisch aktivierenden Charakter. Schönlank hat in der Emigration 1935 Ziel und Mittel der Sprechchorbewegung zusammenfassend gekennzeichnet:

>»Mir und den vielen Tausenden, die sich in den Dienst dieser Bewegung stellten, war es nur zu klar, daß der Mensch nicht von Brot allein lebt, *daß die seelischen Kräfte bewegend und umgestaltend sind*, auch wenn sie nicht mit der Waage zu wägen oder in der Kartei zahlenmäßig zu erfassen sind. Wir spürten zu sehr die seelische Leere, die zu einer Einbruchsstelle für den Gegner werden konnte, wenn wir sie nicht auszufüllen verstanden.
>Der Weg vom reinen Sprechchor >Erlösung< [1920] bis zu dem Bewegungschor >Der gespaltene Mensch< war kein leichter. Waren in der Zeit der ersten Sprechchöre noch die Gefühlswelten der Masse stark genug, um durch das Wort allein gepackt zu werden, so verlangte eine spätere Zeit die Bewegung dazu. Das Wort mußte von sich aus zur Bewegung zwingen und durfte nicht aufgepfropft werden. Dazu verlangten die Sprechchöre immer neues Material, so daß kein Jahr verging, in dem ich nicht eine Sprechchorarbeit geschrieben habe. Allmählich ging die Bewegung über die Sprachgrenzen hinaus und wirkte befruchtend mit auf das zeitgenössische Drama.«[120]

Die seelische Leere, die nicht zur Einbruchsstelle für den Gegner werden sollte: Schönlank berührte eine zentrale Problematik der SPD in den zwanziger Jahren. Das Dilemma der >halben< Revolution blieb sichtbar. Was 1918/1919 nicht geleistet worden war, ließ sich durch kritisches und revolutionäres Gefühl nicht ersetzen, und auch die Erzeugung seelischen Engagements genügte nicht, wenngleich die Loyalitäten der verschiedenen politischen Gruppierungen in dieser Periode nicht unterschätzt werden sollten. Sprechchorarbeit rückte durchaus an politische Praxis heran, bedeutete nicht nur Probenarbeit für Aufführungen vor einem großen proletarischen Publikum, sondern auch Bekenntnis und kollektive Selbsterziehung. Doch half das über den Mangel an konkreten Inhalten nicht hinweg — mit den Worten eines Kritikers 1929: »Aufruhr war Aufruhr, Unterdrückung — Unterdrückung, Elend — Elend, Sieg — Sieg. Welcher Aufruhr? Welche Unterdrückung?

Welches Elend? Welcher Sieg? Das blieb ungesagt und un-
erkannt.«[121]

Für den oratorienhaften Charakter von Sprechchorwerken
setzte Ernst Toller mit den Chorwerken *Der Tag des Proletariats* und *Requiem den gemordeten Brüdern* den Ton.
Toller widmete sie dem Andenken Liebknechts und Landauers; in der Buchausgabe stellte er das dem Andenken
Kurt Eisners gewidmete Gedicht *Unser Weg* voran. Revolutionärer Geist bedeutete hier keine frisch-fröhliche Aggression gegen das Vorhandene, vielmehr eine beschwer-
liche Verarbeitung der bisherigen Niederlagen, aus der die
Kräfte für die Veränderung kommen sollten, wie immer
besiegelt und beschworen mit dem gemeinsamen Gesang
der Internationale. Der Opfergedanke, eng mit dem Expressionismus verbunden, wurde zu einer Art von dramatur-
gischem Ersatz, wofür als Beispiel das Chorwerk *Opferung*
(Uraufführung 1926) von Erich Grisar (1898–1955) genannt sei, der Toller nahestand. Darüber hinaus sollen hier
von einer Vielzahl von Autoren nur die Namen von Carl
Dantz (*Der Aufstieg*, 1927), Lobo Frank, Alfred Thieme,
Fritz Rosenfeld, Hermann Claudius, Karl Vogt, Adolf
Johannesson genannt werden. Vogt und vor allem Johannesson beschäftigten sich systematischer mit dem Sprechchor.[122] Karl Bröger schrieb für den Reichsjugendtag 1928
in Dortmund das Werk *Rote Erde*, wofür er in Bergwerken
Studien machte. Sie fanden jedoch in das — konventionelle —
Spiel kaum Eingang.

Zur Einschätzung des Sprechchors vor 1933 ist es notwendig, ihn als Medium kollektiver Agitation nicht nur mit
der Sprechchorbewegung zu identifizieren, die vorwiegend
von Arbeiterjugend, sozialistischen Jugendverbänden, Organisationen der SPD und der Gewerkschaften getragen
wurde. Als eine wirkungsvolle agitatorische Form fand er
überall Verwendung, von den Kommunisten bis zu den
Nationalsozialisten.

Eine erste breitere Kritik der chorischen Verklärung übte
Gustav von Wangenheim (1895–1975), der 1922 den
›Zentralen Sprechchor der KPD Groß-Berlin‹ übernahm, im

Chor der Arbeit (1923). Wangenheim suchte darin die führende Rolle der von Thalheimer und Brandler geleiteten KPD in der proletischen Einheitsfront zu demonstrieren und stellte den agitierenden Chor der KPD dem harmonisierenden Chor der Sozialdemokraten gegenüber. Die Behandlung der Arbeitssphäre geriet sehr verschieden:

»Sozialdemokraten:

       Hammerschlag auf Hammerschlagen
       Geht der Arbeit Melodie.
       Schlag — Schlag — Schlag — Schlag
       Brüder, zu den Freiheitstagen
       Führt der Arbeit Harmonie.

Kommunisten:

       Schlag — Schlag — Schlag — Schlag.
       Hammerschlag und Hammerschlagen
       Dröhnt durch Phrasennebeldampf
       Schlag — Schlag — Schlag — Schlag
       Zu den Arbeitsfreiheitstagen
       Führt allein der Klassenkampf.«[123]

Wangenheim durchbrach zudem die chorische Gestaltung mit Kabarettelementen, Songs und satirischen Dialogen, ein Vorgehen, das in der aufs Pathos fixierten Sprechchorbewegung nur sehr zögernde Nachfolge fand (bei Schönlank; Karl Ziak, *Ein Gedicht der Jugend,* 1927, u. a.). Wo es geschah, diente es im allgemeinen einer pointierteren politischen Kritik, wie im Falle von Otto Zimmermann, dem Leiter des Sprech- und Bewegungschors des Arbeiter-Bildungs-Instituts Leipzig. Zimmermann schloß Tanz, Satire und Lichtbild ein.[124]

Mit der seit Mitte der zwanziger Jahre in der KPD organisierten Abteilung ›Agitation und Propaganda‹ (Agitprop) wurden diese Techniken weiterentwickelt, stark beeinflußt vom bürgerlichen Kabarettheater, von Piscators politischen Revuen und vom Auftreten der sowjetischen ›Agitprop‹-Truppe ›Die blaue Bluse‹ 1927. Die proletarische Feier hatte hinter der aktuell politischen Agitation zurückzutreten; der schwer zu organisierende und selten aktuelle (große) Sprechchor machte beweglichen, operativen Sprechkollektiven

Platz. Die Agitpropgruppen »griffen zum Mittel des Sprechchores, um eine (wenn auch nicht riesengroße) Masse, ein organisiertes Kollektiv sprechen zu lassen, und weil sie sich — was damit verbunden war — bei ihren oft unter schwierigen Bedingungen abrollenden Auftritten (z. B. auf Straßen) damit eine viel größere Hörbarkeit verschafften«. Der Sprechchor war »ein Mittel unter anderen« (etwa Kurzszene, Gedicht, Song, Quodlibet und Moritat). »Er wurde dort eingesetzt, wo eine organisierte Masse, also z. B. die Partei, sprechen und wo etwas Wichtiges, z. B. eine Losung, mit besonderem Nachdruck verkündet werden sollte. Der Sprechchortext war keine formvollendete, schön gereimte und harmonisch rhythmisierte Dichtung, sondern die knappe, präzise Darlegung konkreter Argumente und Feststellungen oder der ebenso knappe und präzise Ausruf. Er mußte also, wollte er überzeugen, im Wesen sehr sachlich sein und hatte oft etwas von einem (guten!) Referat. Mitunter wurde direkt ein Referent einbezogen; öfter aber trug eine Sprechchorgruppe den Text gemeinsam vor, das heißt: zwar mit verteilten ›Rollen‹, aber im Prinzip kollektiv. Daraus leitete sich ein neuer Begriff ab: das Kollektiv-Referat.«[125]

Auch bei diesen Darstellungsformen suchte man die Distanz zwischen Bühne und Zuschauerraum zu eliminieren; bei den Agitationssprechchören (deren sich im Wahlkampf auch sozialdemokratische Gruppen bedienten) bemühte man sich mit schlagkräftigen Losungen um Einbeziehung der zuhörenden bzw. demonstrierenden Masse als Chor.[126] Mitsprechen als politische Partizipation.

Für die Bemühungen um chorisches Lehrtheater und Oratorien Ende der zwanziger Jahre[127] gingen von der Sprechchorbewegung Impulse aus. Das Gewicht lag nun auf Musik und Gesang, doch bildeten Sprech- und Sprechgesangpartien, in denen die Lehre vermittelt wurde, ein konstituierendes Element. Hanns Eisler, der mit der Agitproptruppe ›Das Rote Sprachrohr‹ zusammenarbeitete und 1930 für Brechts chorisches Lehrstück *Die Maßnahme* die Musik schrieb, betonte, daß die Musik keineswegs ins Musikalische führe, vielmehr den Text unterstreiche, den Rhythmus fixiere und das Gestische ermögliche. Eisler wollte den chorischen Vortrag »kalt, scharf und schneidend«: »Der Gesangschor ist in der ›Maßnahme‹ ein Massenreferat, der [sic] den Massen einen bestimmten politischen Inhalt referiert.«[128] Brecht hat für die *Mutter* (1932) nicht nur Chorpartien für Musik verfaßt, sondern, »um das ›Versinken‹ des Zuschauers, das ›freie‹ Assoziieren zu bekämpfen«, Texte für kleine Sprechchöre geschrieben, die, im Zuschauerraum plaziert, dem Zuschauer »die richtige Haltung vormachen, ihn einladen, sich Meinungen zu bilden, seine Erfahrung zu Hilfe zu rufen, Kontrolle zu üben«.[129]

Wie die aufsehenerregende Aufführung der *Maßnahme* im Dezember 1930 fand die Aufführung von Bechers Chorwerk *Der große Plan* 1932 mit Laienchören statt. Es war eine große Hymne auf den sowjetischen Fünfjahrplan als Beginn des neuen Zeitalters, montiert aus Massenchören und einzelnen Gesängen und Dialogen (letztere mit Stellungnahmen aus vielen Ländern). Becher verwertete dabei Anregungen vom Film. Allerdings hatte die Vorstellung in den Berliner Tennishallen in der kargen Inszenierung von H. W. Hillers — dessen *Thesen über einen dialektischen Realismus* (1931) sich auf Brecht bezogen — nur mäßigen Erfolg.

Daß sozialdemokratische Gruppen das große Sprechchorwerk auch in dieser Zeit weiterpflegten, sollte erwähnt werden. Dabei machten sich, wie bei dem ›Sozialistischen Festspiel‹ *Wir!* von Hendrik de Man und dem Komponisten Ottmar Gerster, Einflüsse des Lehrtheaters bemerkbar. Das Werk, das am 1. Mai 1932 in Frankfurt aufgeführt wurde, entwickelte den geläufigen Feierhymnus ›Aus Nacht zum Licht‹ mit Sprech-, Sing- und Bewegungschören, mit Film- und Diaprojektion weiter. De Man wies auf die lehrhafte Stellungnahme des großen Sprechchors hin, der die Masse des Proletariats darstelle und riet, »die Regie sollte diesen großen Sprechchor so aufstellen und so verwenden, daß die Zuhörer sich sozusagen von selbst mit ihm identifizieren«.[130]

Die gewandelte politische Atmosphäre nach 1923 entzog auch der revolutionären Lyrik einen Großteil ihrer Wirkungsmöglichkeiten. Die aufrüttelnden Verse von Barthel, Hoernle, Kanehl, oft gesprochen und gesungen, traten in den Hintergrund. Kurt Kläber, der Anfang der zwanziger Jahre selbst revolutionäre Gedichte in der *Jungen Garde* veröffentlicht hatte, konstatierte es 1929 mit Mißbehagen. Ein Teil seiner Bemühungen um die Entwicklung der proletarisch-revolutionären Literatur — er war Mitgründer des Bundes proletarisch-revolutionärer Schriftsteller (BPRS) — galt einer Kampflyrik, die an die früheren Leistungen anknüpfte. Es seien Dichtungen gewesen, »die mehr Leben und Feuer in manche Versammlung brachten als die feurigste Rede eines Funktionärs«.[131]

Besonders wirkungsvoll verstand es Oskar Kanehl, den Aufruf zu revolutionärer Aktion in knappen, appellhaften Zeilen zu komprimieren. Er hatte schon vor dem Krieg mit der Kritik der bürgerlichen Gesellschaft in seiner Zeitschrift *Wiecker Bote* (1913/14) Aufsehen erregt. Der direkte Appell an die (Spontaneität der) Masse entsprach Kanehls linkskommunistischer Einstellung; er stand Pfemfert nahe und wurde bald zu einem scharfen Kritiker der KPD *(Völker hört die Zentrale)*. Kanehl wollte seine Verse nicht als Kunst, sondern ausschließlich als Kampfmittel verstanden wissen, vereinfachte darin die gesellschaftlichen Widersprüche zum schroffen Gegenüber von Proletariat und Bürgertum, Arm und Reich (vgl. *Der Prolet; Der Bürger*, im Gedichtband *Steh auf, Prolet*, 1920). Das Ausschalten von Differenzierungen, Erwägungen, Reflexionen geschah bewußt, es wurde zur Vorausnahme der kämpferischen Konfrontation im sprachlichen Mitvollzug. Kanehl lehrte nicht, sondern trieb an und forderte — »als sei die Unterdrückung durch einen einmaligen Akt der spontanen Arbeitsniederlegung aufkündbar«.[132] So heißt es in *Aufforderung zum Streik:*

»Laßt die Hämmer ruhn.
Laßt die Räder stillestehn.
Laßt die Feuer niederbrennen.
Löscht das Licht.
Stört die Bequemlichkeit der Müßiggänger.
Sperrt ihrer Speisekammern Zufuhr.
Verfaulen soll die Ernte, die euch nicht ernährt.
Kohle die euch nicht wärmt, mag unter Tag verwittern.
Der Schornstein der nicht euretwegen raucht, zusammenstürzen.
Seht hin.
Der Bürger baut auf eurer Arbeit Boden.
Sein Haus ist reich. Sein Bett ist weich. [...]
Fluch jedem Hammerschlag für Bürgerbrut.
Fluch jedem Schritt in ihre Sklaverei.
Fluch ihrem Dank. Fluch ihrem Judaslohn.
Euer ist die Erde.
Heraus aus den Betrieben!
Auf die Straße!«[133]

Kanehls Verse repräsentieren mehr als die seiner Zeit-
genossen zugleich Sprache des kampfbereiten Proletariats
und Suggestion des tatsächlichen Kampfes. Das Wir, das
Kanehl herstellte, wurde im Mitvollzug gewonnen, *war* der
Mitvollzug als Teil des proletarischen Kampfes, von vorn-
herein auf das Mitsprechen angelegt und nicht als lyrische
Evokation wie bei Leonhard, Otten oder Rubiner. Kanehls
Wer fragt danach? beginnt mit den Zeilen:

»Proletarier erschlagen. Wer fragt danach?
Proletarierwitwen. Wer fragt danach?
Proletarierkinder verwaist. Wer fragt danach?
Die hungern und frieren und verrecken auf der Straße.
Proletarier erschlagen. Wer fragt danach?«

Das Gedicht schließt:

»Proletarier erschlagen? *Wir* fragen danach.«

Die Vorliebe der Sprechchorgruppen für Kanehl ist verständlich: er machte das Fragen nach dem Schicksal des
Proletariers zum kämpferischen Akt, gab den Sprechchoraufführungen den Charakter politischer Entscheidung.
Damit ging die — oft recht primitive — Schwarz-Weiß-

Zeichnung überein, die mit den bildhaften Vereinfachungen bei George Grosz korrespondierte, der Kanehls Verse illustrierte. Damit ging auch die zunehmende Abstraktheit seiner Lyrik überein, die vollends 1923/24 zutagetrat.

Am meisten Verbreitung fand, mit Melodie versehen, Kanehls Lied *Junge Garde* (1921), das mit den Strophen beginnt:

> »Wir sind die erste Reihe.
> Wir gehen drauf und dran.
> Wir sind die junge Garde.
> Wir greifen an.
>
> Im Arbeitsschweiß die Stirne.
> Der Magen hungerleer.
> Die Hand voll Ruß und Schwielen.
> Spannt das Gewehr.«

Es wurde ein populäres Kampflied des Kommunistischen Jugendverbandes und der Roten Jungfront, aber auch — mit Textänderungen — ein Lied der Nationalsozialisten.[134] Die Tatsache solcher Übernahmen ist viel diskutiert worden, zumal in den Jahren vor 1933, als sich die Kampfsituation häufig auf das Gegenüber von Kommunisten und Nationalsozialisten zuspitzte. Zweifellos genügt eine Gegenüberstellung der verschiedenen Textfassungen nicht, um das Phänomen zu erhellen, war es doch gerade das Argument der Nationalsozialisten, daß ein Text wenig wert sei, wenn sich das Lied doch stehlen lasse. In diesen Zusammenhang gehören die vielkolportierten Worte: »Wenn ihr nur das habt, was man euch klauen kann, so habt ihr nicht viel.« Damit zeichnen sich zugleich die Grenzen der lyrischen, musikalischen und chorischen Agitation ab, die Anfang der zwanziger Jahre auf der Linken entwickelt wurde.

Ein gewichtiger Teil der Lieder, die im Dienste der revolutionären Gruppen Popularität erlangten, basierte auf der ›Gesangskultur‹ des Krieges. Bewegendes Element war die Förderung kämpferischen Gemeinschaftsempfindens, auch wenn, wie bei dem besonders bekannten *Leunalied*, eine private Episode besungen wurde. Wolfgang Steinitz hat die in verschiedenen Fassungen überlieferten Lieder (revolutionäre) Arbeitervolkslieder genannt.[135] Unter ihnen gingen das *Leunalied* (»Bei Leuna sind viele gefallen«); das *Büxensteinlied* (»Im Januar um Mitternacht / Ein Spartakist stand auf der Wacht«); *Auf, auf zum Kampf; Auf, roter Tambour, schlage ein; Im Ruhrgebiet da liegt ein Städtchen; Es zog ein Rotgardist hinaus* und *Der kleine Trompeter* aus Kriegsliedern und *Wer will mit gegen die Orgesch ziehn* wohl aus einem ›Landsknechtlied‹ der bürgerlichen Jugendbewegung hervor. Auch hier ›stahlen‹ die Nationalsozialisten, sei es mit Textveränderungen, sei es mit völlig neuem Text. Die Erinnerung an die vormaligen Soldatenlieder dürfte die Verbreitung gefördert haben.[136] Daß es hierbei um ein wesentlich mündliches Phänomen ging, das in der Atmosphäre von Demonstration und Gegendemonstration gesehen werden muß, bestätigt die Zurückhaltung der Herausgeber von Arbeiterliederbüchern. Sie nahmen diese Lieder erst spät — oder gar nicht — auf.

Daneben entstanden andere Kampflieder, die neben den alten Liedern der Sozialdemokratie — *Arbeitermarseillaise, Sozialistenmarsch, Wir sind die Arbeitsmänner* u. a. — gesungen wurden. Man übernahm einiges aus dem Ausland, etwa das französische *Lied der jungen Garden* oder den *Schwedischen Jugendmarsch,* am meisten aber aus dem revolutionären Rußland. Die berühmten Lieder *Brüder, zur Sonne, zur Freiheit* und *Unsterbliche Opfer, ihr sanket dahin* brachte der Dirigent Hermann Scherchen aus russischer Kriegsgefangenschaft mit. Er schrieb die Melodien aus dem Gedächtnis nieder, dichtete den Text nach und machte sie als Leiter des Berliner ›Schubert-Chors‹ der deutschen Arbeiterschaft bekannt.[137] Bis Mitte der zwanziger Jahre war das Liedrepertoire, in dem die *Internationale* weit an der Spitze rangierte, bei Sozialdemokraten und Kommunisten nicht sehr verschieden. Die Bezugnahme galt dem Proletariat, nicht der Partei. Ein wichtiger Faktor stellte die Zugehörigkeit von Sozialdemokraten und Kommunisten zum Deutschen Arbeiter-Sängerbund dar. Die Kommunisten, seit längerem in der Opposition, formten 1931 die ›Kampfgemeinschaft der Arbeitersänger‹.

Ende der zwanziger Jahre waren die Kommunisten, zumal mit den Agitproptruppen, ungleich aktiver in der Schöpfung und Nutzung des kämpferischen Liedes als die Sozialdemokraten. Während die Solidaritätsaufrufe und militärischen Kampfformeln, die in zahlreichen Liedern der alten Sozialdemokratie im Zentrum standen, Nachfolge fanden, traten an die Stelle der Verbindungen mit ›Geist‹ und ›Wissen‹ die Bezugnahme auf die aktuellen Ereignisse, auf Revolution, Konterrevolution und ihre Opfer in Deutschland, auf den Sieg der Revolution in Rußland. Die Lieder lassen sich in den Inhalten nicht von ihrer Funktion als Marschgesang oder als Stimmungsmacher bei Versammlungen ablösen. Zunächst und vor allem vermittelten sie das Gefühl der Anteilnahme am politischen Kampf. Der Sänger, »also der politisch schon überzeugte Aussageempfänger«, redet sich ständig selbst an und gerät dadurch in einen verstärkten emotionalen Gegensatz zur kapitalistischen Umwelt. »Zu einem wesentlichen Teil handelt es sich demnach bei diesen Appellen um Selbstsuggestionen.«[139] Es existierten Parteibeschlüsse, nach denen auf jeder Parteiversammlung gemeinsam ein Lied gesungen werden sollte.

Wo Lyrik für kollektives Singen und Sprechen gebraucht wurde, hatte sie fraglos am meisten Wirkung. Gewisse Identifikationsmöglichkeiten bot die Lyrik der Arbeiterdichter bis 1923, solange man den Erlebnis- und Gefühlswerten zentrale Bedeutung für die ›Selbstaussage‹ des Proletariats einräumte.[140] Kurt Kläber bemühte sich Anfang der zwanziger Jahre darum, die Identifikationsmöglichkeiten stärker ins Kämpferische zu lenken, sowohl mit eigenen, stark vom Expressionismus beeinflußten und religiös überhöhten Versen, in die er seine Erfahrungen als Bergarbeiter einbrachte[141], als auch mit Kritik und Förderung der Arbeiterdichtung, etwa in *Junge Menschen*, der wohl bedeutendsten und weltoffensten Jugendzeitschrift der zwanziger Jahre, die Walter Hammer mit Knud Ahlborn 1919–1927 herausgab. Wichtigstes Zeugnis stellt das von Kläber 1922 edierte Sonderheft *Arbeiter-Dichtung* dar, das die schwere Aufgabe verfolgte, »die Jugend und die arbeitenden Mas-

sen wieder gegenseitig näher zu bringen — sie zusammen-
zuführen«.[142]

In der Zeit nach 1923 ist die vom Arbeiterjugend-Verlag
der SPD veranstaltete Serie von Gedichtbändchen, die auch
Autoren wie Toller einschloß, für die Resonanz der Arbeiterdichtung in der Arbeiterjugend repräsentativ, vor allem
der von Bröger aus über tausend Einsendungen zusammen-
gestellte schmale Band *Jüngste Arbeiterdichtung* (1925).
Vom revolutionären Fieber war darin weniger zu spüren,
um so mehr von der Konsolidierungsphase der Weimarer
Republik. Es ging vor allem um das proletarische und sozialistische Bekenntnis, das in den Kultur- und Jugendorganisationen der Sozialdemokratie gepflegt wurde.

Doch entstand zu dieser Zeit ohnehin nur wenig kämpferische Lyrik. Wo sie sichtbar wurde, trug sie den Impuls
der revolutionären Jahre weiter. Das läßt sich bei Kläber
erkennen, dessen Gedichte in der *Roten Fahne* wie im linksradikalen Organ *Der Syndikalist* erschienen, ebenso bei
Kurt Huhn (geb. 1902; *Kampfruf*, 1923), bei Hans Lorbeer
(geb. 1901; *Gedichte eines jungen Arbeiters*, 1925) und
Johannes R. Becher.

Becher hatte sich nach seinem Bekenntnis zur KPD 1923
(der Eintritt erfolgte 1919) nachdrücklich für die Agitation
ausgesprochen, jedoch brachten seine Gedichte während der
zweiten Hälfte der zwanziger Jahre vor allem eine emphatische Verlebendigung proletarischer Massen und eine immer
noch expressionistisch überhöhte Durchdringung von Stadt,
Technik und Arbeitssphäre. Er sprach davon, daß er »am
Gedicht der Massen« arbeite, denn es sei »einer kommenden Menschensprache erster Lebenslaut«.[143] Sein Gedichtband *Die hungrige Stadt* (1927) ist das bewegende Zeugnis
eines Intellektuellen, der, fasziniert vom technischen Gesicht
und abgestoßen vom ausbeuterischen Charakter des Kapitalismus, den Sturm der Massen heraufzurufen sucht, welcher Klärung schafft, ihn selbst mitreißt und endgültig
erlöst.[144] Im Gedicht mit dem Titel *Sturm der Massen* sind
die meisten Elemente dieser leidenschaftlichen (Selbst-)Ver-
kündigung enthalten. Hier heißt es:

»Die ganze Welt erdröhnt vom Schwingen
Der Hämmer und der Bohrmaschinen Chor.
Am Berghang singt's. Durch das metallene Singen
Stößt Schuß auf Schuß ein Sprengkommando vor.

Hier fliegen ganze Länder auf, dort teilen
Die Meere sich, hier wölbt sich stark ein Damm.
Er biegt den Fluß zurecht. Und Inselreiche steigen
Voll Duft und marmorblank aus abgrundtiefem Schlamm.
[. . .]
O neue Zeit, Motoren brausen.
Es tönt ein Ruf, Ruf einer großen Schlacht.
Die Sterne zittern, aufgescheuchter Haufen.
Der Mond wird schal. Elektrisch glüht die Nacht.

*

Sind es noch Menschen, die aus Gruben, Schächten
Jetzt steigen und im Dunkel sich verlieren?
Wie todgehetzte Tiere sind sie, lechzen.
Die Arme hängen lang. Sie gehen wie auf Vieren.
[. . .]
Hier sitzen drei. Dort sitzen tausend, tausend,
In allen Winkeln sitzen sie, stumm wie ein Grab.
Ihr Blut durchbraust das große Räderbrausen.
Ein Körper nackt: ihr einzig Gut und Hab . . .

Sie sammeln sich auf Plätzen. Welche Zeit
Hat solche Massen je gesehn? Die Straßen stoßen
Wie Adern schwarzes Blut die Massen aus und ein:
Die Frierenden, die Hungernden, die Arbeitslosen.

Die Massen singen laut: ›Aus unserem Blut
Sind alle Schätze dieser Welt gemacht.
Seht hin, der Bogenlampen kühle Glut
Sie hat des Bergmanns rauhe Hand entfacht!

Seht hin: aus unserem, unserem Schweiß,
Der wahrlich bitter schmeckt, ist jedes Glück geronnen.
Mit unseren Knochen, krumm und heiß,
Wird Krieg verloren oder Krieg gewonnen.

Wacht auf, wacht auf! Wie stinkend Feuer brennt
Die Not uns aus und kein Erlöser wird uns sein!
Nicht Gott, nicht Kaiser, Präsident –
Ihr müßt euch selbst, ihr müßt euch selbst befrein!« [. . .]145

Das Gedicht schwingt weit aus, mündet in den Ruf zur letzten Schlacht. Seine zentrale Botschaft stammt von Marx: die Selbstbefreiung des Proletariats. Sie entwickelt sich auf bezeichnende Weise: im spontanen Erkenntnisprozeß der Massen. Die Ausbeutung in den Fabriken und die Massengräber des Krieges sind Antrieb genug. Von einer Partei ist nicht die Rede. Becher spricht in diesem Band von der Klassenschlacht, von »Masse ist Macht«, von den Arbeiterbonzen der Sozialdemokratie, von Krieg und Aufruhr. In dem Jubiläumsgedicht *Zehn Jahre Sowjetunion* ist es der Führer (Lenin) und die Masse, im Motiv expressionistisch: die Zeile »Er, die Massen« kehrt leitmotivisch wieder. Beide Erscheinungen, »Er«, und die »Masse«, sind ästhetisch konzipiert, ästhetisch projiziert, wie die Vergegenwärtigung des proletarischen Kampfes allgemein. Die reale, geschichtliche Bewegung speist sich in den Gedichten im wesentlichen aus der autobiographisch begründeten Auffassung einer großen Wandlung: mit dem Durchschauen des Klassencharakters des Krieges und der Ausbeutung im Kapitalismus werde in den Massen der revolutionäre Impuls freigesetzt. Über die autobiographische Begründung dieser Auffassung ließ Becher im Band *Die hungrige Stadt* (vgl. die Einleitung ›Mit aufgekrempelten Ärmeln‹) sowie in anderen literarischen Äußerungen der Zeit keinen Zweifel.

Demgegenüber wurde die Lyrik von Lorbeer und Emil Ginkel (1893–1959), deren Kläber sich speziell annahm, viel stärker von der Tradition der dokumentierenden Arbeiterdichtung bestimmt, wenn auch in kritischer Distanzierung. Das Autobiographische ist in der Arbeiterexistenz der beiden Autoren vorgegeben. Es wird nicht politisch-geschichtsphilosophisch ins Allgemeine überhöht. Es ist generelle Erfahrung, individuell wahrgenommen. Ginkel beschließt das Gedicht *Ich will!* in *Pause am Lufthammer* (1928):

> »Ich bin nur Hebel, Hebel;
> bin nicht werkverbunden.
> Ich setze aus. Ich setze an.

> Noch haben sich die Massen nicht zum Kampf gefunden,
> noch schleichen dumpf die langen, grauen Stunden,
> wo nicht ein Handschlag wird für uns getan . . .
>
> Du rührst nicht, Zweifel! Du wirst an mir still!
> Ich wurde, bin! Ich schreite aus! Ich will!«[146]

An die Beschreibung der Ausbeutung, der Entfremdung schließt Ginkel eine Art Selbstagitation an. Der voluntaristische Aufruf summiert viele Gedichte recht abrupt. Insgesamt aber hält sich Ginkel mehr an die Dokumentation vorgegebener Realität als Lorbeer, wenn er den Arbeitsalltag und die Position des revolutionären Proletariers auch nicht so stark vom Subjektiven her durchdringt wie Walter Bauer (geb. 1904) in *Stimme aus dem Leunawerk* (1929) und Wilhelm Tkaczyk (geb. 1907) in dem von Becher herausgegebenen Band *Fabriken — Gruben* (1932).[147]

In seinem Überblick *Jüngste Arbeiterdichtung*, der 1929 in der vom Leipziger Arbeiter-Bildungs-Institut publizierten Zeitschrift *Kulturwille* erschien, konzedierte Christian Zweter dem Lyriker Ginkel ausdrücklich eine gewisse Überlegenheit gegenüber anderen: »Als ich unlängst einiges über Emil Ginkel schrieb, fragte ich mich manchmal: Warum eigentlich bist du von diesen fehlerhaften, groben Versen so gepackt? Heute, nachdem ich viele Stunden über anderer Arbeiterdichtung gesessen habe, weiß ich die Antwort wieder ganz genau. Weil Ginkel mehr Kraft hat als die anderen, mehr Natürlichkeit und Eigenart, weil er eindringlicher als die vielen sauberen Verse der anderen zeigt, was und wie Arbeiterdichtung sein kann und sein soll.«[148] Zum Abdruck kamen auch Verse von Franz Krey, Walter Bauer und nicht weiter bekanntgewordenen Autoren. Erwähnt, jedoch nicht veröffentlicht wurden Gedichte von Helmut Weiß (Dresden) und Willi Brandt (Kiel).[149]

Zu dieser Zeit grenzten kommunistische Autoren im BPRS die proletarisch-revolutionäre Lyrik von der Arbeiterdichtung ab. Sie setzen deren gefühlvoll stilisierende und dokumentierende Aussage mit den Ansichten der SPD gleich, was der Polemik ein weites Feld eröffnete. Immerhin wies Becher dieser Literatur, als er 1930 *Die drei Wurzeln der proletarisch-revolutionären Literatur* skizzierte, einen wichtigen Platz zu. Er nannte sie neben den ›Klassikern‹ (Hauptmann, Gorkij, Nexö u. a.) und dem Expressionismus. Er erwähnte Lersch, Bröger, Engelke, Barthel, verwies auf die Kriegsbegeisterung, die Zuwendung Barthels und Schönlanks zur Revolution sowie ihr ›Abspringen‹. Im Anfangsstadium habe sich die proletarisch-revolutionäre Literatur teilweise aus dem Expressionismus, teilweise aus der Arbeiterliteratur gespeist.[150]

Den größten Massenerfolg als Lyriker hatte in der zweiten Hälfte der zwanziger Jahre Erich Weinert (1890–1953). Er entwickelte aus der vom Kabarett und Bänkelsang der Vorkriegszeit herkommenden Tradition eine Form des öffentlichen Gedichtvortrags, deren Wirkung als politisches Kampfinstrument keineswegs geringer einzuschätzen ist als die gesprochene und gesungene Lyrik der revolutionären Periode. Man kann nicht anders, als von einem ›Phänomen‹ Weinert zu sprechen — ohne damit andere Vertreter satirischer Agitation wie Slang (= Fritz Hampel, 1895–1932) zu übergehen —, da dieser Sprechdichter mehr als alle anderen proletarisch-revolutionären Schriftsteller zu einer Institution wurde, die tatsächlich politische Bedeutung gewann, zumal in den letzten Jahren vor 1933, als die öffentlichen Auseinandersetzungen höchste Wellen schlugen. Weinerts Wirkung ist nur mit der des politischen Theaters zu vergleichen, doch erreichte er mit den ›Weinert-Abenden‹ auch ein Publikum, das den Agitproptruppen im allgemeinen verschlossen war. Mit seinem Auftreten in mehr als 2000 Veranstaltungen bis 1933 gewann die Sache der Kommunisten innerhalb und außerhalb der Partei eine in Deutschland ungewöhnliche satirisch-provokative Seite, die ihr im aktuellen und intellektuellen Nahkampf viele Vorteile verschaffte.

Weinert, der der KPD 1929 beitrat, nachdem er sich ihr seit Mitte der zwanziger Jahre genähert hatte, reflektierte die von der ökonomischen und politischen Konsolidierung der deutschen Gesellschaft ausgelöste Abkehr von »Barrikadenhymnik« und »Proletkult-Ekstatik« genau.[151] Die Berührung mit der Satire Kurt Tucholskys war lange Zeit intensiv, später verpflichtete sich Weinert dem parteilichen Bekenntnis sehr nachdrücklich, ohne jedoch die enge Literaturpolitik gegen Intellektuelle, Mitläufer, Abweichler und Bürgerliche mitzumachen, die im Bund proletarisch-revolutionärer Schriftsteller Ende der zwanziger Jahre vorherrschte.[152] Charakteristisch ist seine Äußerung:

>Was die Hörerschaft betrifft, so wünschte ich mir immer am liebsten ein Auditorium, das nicht aus klassenbewußten Genossen besteht. Denn es lag mir nicht daran, den Starken das Evangelium der Kraft zu predigen; ich sah eine viel wichtigere Aufgabe darin, tief in all diejenigen sozialen Schichten zu dringen, die von unserer Propaganda sonst nicht erreicht wurden.«[153]

Thematisch wandte sich Weinert den sozialen Problemen der Arbeiter erst zur Zeit der Wirtschaftskrise zu. Im allgemeinen überwog die Aufklärung über politische und gesellschaftliche Mißstände, mit starkem Anteil der Satire. Weinert indoktrinierte nicht, sondern führte sein Publikum zur Mitarbeit, was, wie er zugab, an viele Arbeiter große Anforderungen stellte. Er betonte jedoch zugleich, er habe selbst gelernt:

>erstens eine Sprache [zu] sprechen, die mit der proletarischen Terminologie Wurzelverwandtschaft hat (das bedeutet nicht etwa Vulgarisierung), und zweitens immer demjenigen Thema Gestalt zu geben, das jeweils im Herzen der Arbeiterschaft lebendig aktuell war. Bei dieser Gelegenheit erkannte ich auch, daß die Verteidiger der Proletkult-Dichtung, die nur in >proletarisch< übertünchtem Literaturdeutsch sich manifestierte, die Intelligenz und Fassungsfähigkeit des proletarischen Hörers unterschätzt hatten.«[154]

Ein aktuelles Thema stellte etwa die im Blutbad endende Arbeiterdemonstration am 1. Mai 1929 in Berlin dar. Die Verantwortung für 33 Tote und viele Verwundete fiel auf den sozialdemokratischen Polizeipräsidenten Zörgiebel. Weinert und Hanns Eisler schufen wenige Stunden danach das Kampflied *Der Rote Wedding*, das mit dem Vierertakt-Marschrhythmus überaus populär wurde. Weinert übertrug die Ereignisse aber auch in satirische Verse. Es entstand das Gedicht *Das Wunder vom 1. Mai 1929*:

»Die Schupo stand voll Todesmut
Im Kampf mit den roten Verbrechern;
Die schossen nämlich in toller Wut
Von allen Löchern und Dächern.
Doch die Schupo stand und wankte nicht.
So steht es im Polizeibericht.
Viel tausend Kugeln sausten vorbei,
 Doch die Polizei
 Blieb ruhig dabei
Und machte höflich die Straße frei.

Da sprach der Kommandeur von Berlin,
Man hörte die Stimme beben:
Nun müssen wir doch die Pistolen ziehn,
Sonst bleibt kein Schupo am Leben!
Doch bitte schießt nicht auf Menschen! Ihr wißt,
Daß ein Schreckschuß ebenso wirkungsvoll ist.
Nun schoß man ein Schüßchen oder zwei.
 Und die Schießerei
 War bald vorbei.
So vornehm benahm sich die Polizei.

Und als man dann das Schlachtfeld besah,
Da waren viel Tote zu melden;
Und hundert Verwundete lagen da.
Da haben die Schupohelden
Den letzten Rest ihrer Mannschaft gezählt.
Und siehe — kein einziger Schupo fehlt!
Hundert Proleten in einer Reih!
 Von der Polizei
 War keiner dabei!
Das war das Wunder vom ersten Mai.«[155]

Natürlich fanden solche Verse im Druck weiteste Verbreitung. (Später kamen Schallplatten dazu.) Gedichte von
Weinert, Slang, Tucholsky und anderen Autoren gehörten
zum festen Bestandteil kommunistischer, sozialdemokratischer und linksbürgerlicher Zeitungen und Zeitschriften,
von den satirischen Blättern *Der Knüppel, Eulenspiegel*
(kommunistisch) und *Lachen links* (sozialdemokratisch) und
Tageszeitungen wie *Die Welt am Abend, Berlin am Morgen*
bis zu solchen publizistischen Institutionen wie der später

von Carl von Ossietzky geleiteten *Weltbühne* und der von Willi Münzenberg geschaffenen *Arbeiter-Illustrierte-Zeitung (AIZ)*.

Eine besonders wirkungsvolle Variante entwickelte die *AIZ* mit der Zuordnung von aktuellem Foto und dazu verfaßtem politischen Gedicht, wie überhaupt die Verbindung von literarischem Text und visuellem Arrangement in den zwanziger Jahren in höchst imaginativer Weise erweitert wurde. Die erste systematische Zuordnung von Bild und lyrischem Text im Dienst revolutionärer Propaganda hatte in Rußland Majakovskij mit den ROSTA-Fenstern ausgearbeitet, den Großplakaten mit politischen, militärischen und wirtschaftlichen Tagesthemen, die 1919 bis 1922 von der Russischen Telegraphen-Agentur (ROSTA) und einer Abteilung des Volkskommissariats für Aufklärung (Glavpolitprosvet) herausgegeben wurden. Die — gemalten und kopierten, nicht gedruckten — Bildfolgen verzahnen sich auf diesen Plakaten untrennbar mit Majakovskijs aktuell agitierenden Versen; die künstlerische Form entsteht synkritisch, aus zwei Künsten.[156] Auch Heartfields Fotomontagen leben aus der Verzahnung von Bild und (Schlagwort-)Text. Louis Aragon rückte Heartfield und Majakovskij einander nahe.[157]

In dem *AIZ*-Band von Bild-Gedicht-Montagen, *Rote Signale* (1931), verwies man auf die Gefahren der ›bloßen‹ Fotografie: sie entlarve nicht nur, sondern verdecke auch. Es gehe darum, nicht nur Bilder zu bringen, sondern Ursachen und Wirkungen zu enthüllen, »wie es bei den großen Reportagen der Fall ist«. Gewisse Bilder verlangten *mehr* als eine Unterschrift: »Sie scheinen erst dann etwas Ganzes zu werden, wenn sie durch ein Gedicht so hervorgehoben werden, wie sie es verdienen.« In politischen Termini: »Die A-I-Z zieht es vor, in jedem Bild, jedem Wort die Welt so zu zeigen, wie sie wirklich *ist*, wie sie sein *könnte*, wie sie sein *wird*!«[158]

Auch hierin ist die nur allzu oft übersehene Notwendigkeit der Erläuterung und Plazierung der visuell-ästhetischen Elemente ausgesprochen, die sich seit Ende des 19. Jahrhunderts in den Vordergrund schoben. Angesichts der von Heartfield entwickelten Fotomontage verlor der literarische Text keineswegs seine Funktion. Darauf wies Piscator bei der Verteidigung seiner theatralischen Verbindung von Film, Bild, Bühne und Text immer wieder hin. In überzeugender Weise bedienten sich Tucholsky (*Deutschland, Deutschland über alles!*, 1929) und Brecht (*Kriegsfibel*, 1955) der Zuordnung von Fotografie und Gedicht. Brecht pries 1931 die Pionierrolle der *AIZ* auf sozialistischer Seite, übersah aber keineswegs, daß der größte Teil des alltäglichen Bildmaterials von der bürgerlichen Presse manipuliert werde.[159] In der Tat ist die ›marxistische Emblematik‹, die man in den Bildgedichten Brechts auf ihre allegorischen Elemente und ästhetischen Traditionen hin bis zurück zur Barockemblematik analysiert hat[160], in Verbindung – oder Kontrast – zu setzen mit ähnlichen Unternehmungen auf gegnerischer Seite. Auch das Durchschaubarmachen ist der Manipulation zugänglich.

Einige der bekanntesten Lieder und Gedichte von Brecht erlangten vor 1933 ihre Popularität durch Theater und Film. Während die satirischen Songs der *Dreigroschenoper* die sozialen Barrieren übersprangen, wurden Chöre und Lieder aus den Stücken *Die Maßnahme* (1930) und *Die Mutter* (1931/32) Bestandteile der kommunistischen Propaganda. Besonders schnelle Verbreitung fand das *Solidaritätslied* (»Vorwärts und nicht vergessen . . .«), das Brecht für den sozialkritischen Film *Kuhle Wampe* (Musik: Hanns Eisler, Regie: Slatan Dudow) schrieb, der 1931 gedreht und 1932 nach hartem Kampf mit der Zensur gezeigt wurde. Brecht beteiligte sich selbst auch bei der Verbreitung politischer Lieder, neben Ernst Busch, Hanns Eisler, Helene Weigel und anderen. Mit Weinert arbeitete er 1931 für die ›Rote Revue‹ der Berliner ›Jungen Volksbühne‹ *Wir sind ja soo zufrieden*. Bei dieser Gelegenheit wurde das *Lied vom SA-Proleten* – eine frühe Fassung des *Liedes vom SA-Mann* – erstmals publizert.[161]

Über die Vorteile des Gedichts gegenüber Artikel und Referat in der Massenagitation dieser Zeit besaß Weinert eine sehr dezidierte Meinung. Er resümierte 1934:

»Was die Verständlichmachung unserer Meinung betrifft, so schien mir das Gedicht, besonders das satirisch-analysierende, einen gewissen Vorrang vor dem Referat zu besitzen. Das Gedicht ermöglicht es, die Stimmung des Tages in eine kürzere Formel zu fassen, das Thema in übersichtlicher Gedrängtheit und die politische Quintessenz unmißdeutbar darzustellen. Dieser Vorteil fiel besonders gegenüber solchen Hörern ins Gewicht, die eine geringe politische Schulung hatten. Ich habe die Hörer immer beobachtet, und es ist mir aufgefallen, wie schwer es ihnen oft fiel, die geistigen Elemente eines Referats zu verbinden, besonders, wenn es in abstrakter Thesensprache gehalten wurde, und wie hingegen das Gedicht weit unmittelbarer wirkte, da es ja die scheinbar zusammenhanglose Vielfalt der Tagesereignisse im kleinsten Raum, wie in einem Brennpunkt, zu sammeln vermochte.«[162]

Die Berichte über die Massenagitation in den letzten Jahren der Weimarer Republik bestätigten diese Einschätzung nur allzu nachdrücklich. Was Weinert, Ernst Busch und zahlreiche Agitpropkollektive bei kommunistischen Massenveranstaltungen an politischer Wirkung ausübten, kann im Gegenüber zu der hier von Weinert vorsichtig behandelten Praxis des politischen Referats nicht so leicht überschätzt werden. Die Praxis des politischen Referats war bei den Kommunisten stark von abstrakter Thesensprache durchzogen, eine Tatsache, die dazu beitrug, den ›eigentlich‹ politischen Teil der Veranstaltung oft zu einer Antiklimax des Vorangegangenen zu machen: die Begeisterung wich, wenn nach Weinerts Vortrag der politische Redner zunächst eine Vielzahl zuvor verabschiedeter Parteibeschlüsse und Moskauer Direktiven vortrug (im allgemeinen als ›die Stopfgans‹ gefürchtet). An den agitatorischen Erfolgen der nationalsozialistischen Gegner hatte die ungehinderte rhetorische Entfaltung der Redner großen Anteil.

4. Die Prosa

POLITISCHE PLAZIERUNG

Für das öffentliche Erscheinungsbild sozialistischer Literatur und Agitation am Ende der Weimarer Republik dürften die bisher behandelten ›Ereignisformen‹ Lied, Vortrag, Theater etc. mehr Bedeutung besessen haben als die gedruckte Prosa. Diese Aussage bestimmt sich aus der zu dieser Zeit besonders intensiven Verlagerung der politischen Auseinandersetzungen in Demonstrationen, Versammlungen usw., ein Phänomen, ohne dessen Analyse der

propagandistische Aufstieg der Nationalsozialisten kaum zu
verstehen ist. Wenn auch das gedruckte Wort in dieser
Periode gesellschaftliche und politische Bewußtseinsprozesse
in starkem Maße beeinflußte und die Bildung der jeweiligen
Öffentlichkeit der Parteien — auch der Arbeiterschaft allgemein — förderte, so weisen doch viele Anzeichen darauf
hin, daß für einen großen Teil der Entscheidungen die
visuell und akustisch erfahrbare Präsentation in der Öffentlichkeit noch wichtiger wurde. Der zweifache Gebrauch des
Begriffs ›Öffentlichkeit‹ läßt sich in diesem Zusammenhang
nicht vermeiden: einmal handelt es sich, vereinfacht gesagt,
um die spezifische Öffentlichkeit der jeweiligen Partei oder
Organisation, zum anderen um die bürgerlich vorgegebene
Öffentlichkeit, auf deren Gewinnung und Beherrschung sich
die propagandistischen Aktivitäten speziell konzentrierten.[163] Letzteres gilt uneingeschränkt nur für den Faschismus; es bezeichnet seine politische Aufgabenstellung im
Unterschied zu der der sozialistischen Bewegung, doch
ergibt sich für die Forschung die bereits von Ernst Bloch
berührte Frage, inwieweit die Nationalsozialisten an deren
politisch-agitatorische Praxis anknüpften, und schließlich:
inwieweit die zersplitterte sozialistische Bewegung nach dem
Ersten Weltkrieg diese Aufgabenstellung selbst immer ern-
ster nahm (nehmen mußte).

Die bisherigen Darlegungen dürften gezeigt haben, wie
nachhaltig diese Entwicklung vom Umdenken in der Periode
des Ersten Weltkrieges und der revolutionären Ereignisse
bestimmt wurde. Das Erlebnis der neuen Kollektivgesche-
nisse und Bildmythen war mit dem Jahr 1923 keineswegs
abgeschlossen. Es wirkte danach weiter, in zunehmend bewußter Rückbindung an die zwischen 1914 und 1923 gemachten Erfahrungen. Nicht nur in den Romanen bezog
man sich Ende der zwanziger Jahre immer wieder auf die
Kämpfe des Krieges und der Revolution, sondern auch in
der Politik. Mit dieser Rückbindung ergab sich eine Art
Maßstab für die Intensität öffentlicher Erfahrung, die dann
in der ökonomischen und politischen Krisensituation um
1930 wieder eingeholt wurde, nun allerdings in stark mani-

pulierter Form. Die Zeichen setzte der Faschismus; im Zentrum stand die Manipulation der Massen, bei der man die politische Bewegung selbst als das wichtigste Propagandainstrument einsetzte.

Wie stark die Kriegs- und Revolutionseindrücke bei sozialistischen Autoren fortwirkten, läßt sich besonders klar bei Johannes R. Becher erkennen. Bei seiner lyrischen und theatralischen Vergegenwärtigung des Proletariats als Masse, die erwacht und kämpft, stellte er selbst die Rückbindung heraus. Becher ging es um Aufarbeitung historischer Erfahrung, die er poetisch stilisierte. Dabei erhielt auch die Prosa ihre Chance, als Provokation und Kompensation individueller Anteilnahme, zugleich als diejenige Gattung, die den Aspekt der Dokumentation am nachdrücklichsten zur Geltung bringt. Bechers Roman *Levisite oder Der einzig gerechte Krieg* (1926) wurde kein episches Meisterwerk, aber mit seiner an den Greueln des Ersten Weltkrieges anknüpfenden Vision eines neuen Gaskrieges zu einer eindringlichen Antikriegsmahnung. Auch dieser reportagehaft entwickelte Roman ist vom ›Massenthema‹ geprägt: Becher stellte die Arbeiterschaft als riesiges Kollektiv dar, das leidend und kämpfend die neue historische Kraft verkörpert, in der der einzelne aufgeht. Es blieb nicht bei der Ästhetisierung der Masse. Becher schilderte eine Versammlung in dieser Weise:

»Ein Trompetenstoß.
Elektrisch zuckt's in den Gliedern . . .
Das Meeting beginnt.
Ein Sprechchor, tausend Genossen und Genossinnen, donnert empor.
›Der Erste Mai!‹
Dann: Alle singen.
Ist dies Gesang noch!? Es ist ein Stimmenstrom, eine Riesenklangwoge, die sich hebt und senkt, die aufsteigt, anschwillt, in Millionen von Stimmenlichtern blinkend, jäh und steil sich überschlägt, dann ruhig wieder und gewaltig ihres Weges dahinzieht . . . Nur die letzte Strophe: die Stimmen verstärken sich, es schlägt auf: hart, gehackt, rhythmisch: als eine eiserne Brandung.

Durch einen Schalltrichter wird verkündet: ›Ein amerikanischer
Genosse spricht!‹
Zwei Arme schwingen, zwei Fäuste ballen sich: jetzt wächst die
Menschengestalt übermenschengroß heraus aus der Tribüne.
›Wir amerikanische Genossen, wir grüßen dich, deutsches Prole-
tariat!‹«[164]

Wo hier die Faszination lag, ist unschwer auszumachen.
Die Ästhetisierung der Politik schloß auch die Partei ein, in
einer aufschlußreichen Stilisierung zum allgewaltigen Apparat, zu dem sie dann in den dreißiger Jahren unter Stalin
tatsächlich wurde:

»Millionenäugig war dieser Kampfkörper. Das Gehirn: ein
einziger Erfahrungs- und Willensapparat, über Millionen Muskeln, Arme, Herzen, Nervenbündel gebietend. Jede Schraube an
diesem lebendigen Mechanismus war fest angezogen, jeder Teil
bis auf den letzten Grad seiner Leistungsfähigkeit ausgenützt
und gespannt ...«[165]

Die Einstufung von Bechers Buch *Levisite* fiel seit jeher
nicht schwer: es brachte dem Autor eine Anklage wegen
Hochverrats ein, die eine erfolgreiche Gegenkampagne von
Schriftstellern und Intellektuellen auslöste. Das Werk wurde
zu einem Symbol kämpferisch-oppositioneller Literatur in
Deutschland, und die Kampagne förderte die Zusammenarbeit von Schriftstellern auf der Linken.[166]

Verbote trafen auch andere Prosawerke, die sich mit Krieg
und Revolution beschäftigten. Damit sei von vornherein die
Bedeutung dieser Gattung in der politischen Auseinandersetzung festgehalten. Noch 1929 war der von Kurt Kläber
1925 veröffentlichte Band von Erzählungen, *Barrikaden an
der Ruhr*, beschlagnahmt, der lange Zeit für eine proletarisch-revolutionäre Prosaliteratur als vorbildlich galt. Für
ihn setzten sich u. a. Gerhart Hauptmann, Alfred Kerr, Hermann Hesse, Thomas Mann, Käthe Kollwitz ein. Das 1925
erschienene Antikriegsbuch von Bruno Vogel (geb. 1898)
Es lebe der Krieg! fand nach seinem Verbot ebenfalls prominente Fürsprecher (Fritz von Unruh, Thomas Mann, Kurt
Hiller, Helene Stöcker u. a.). Gegen Vogels Erzählungen
brachte man den berüchtigten Unzuchtsparagraphen in An-

schlag: Vogel hatte, an die Groteskdichtung vor 1920 an-
knüpfend, die Entsetzlichkeit des Krieges bis in obszöne
Details hinein verfolgt — eine Abrechnung, wie sie in solcher Treffsicherheit von der Welle der Kriegsliteratur Ende
der zwanziger Jahre nur selten erreicht wurde.[167] Große Wirkung trotz des Verbotes erlangte auch das Reportagebuch
Hamburg auf den Barrikaden (1923) der russischen Schriftstellerin Larissa Rejsner (1895—1926), »wohl das künstlerisch gelungenste Buch einer werdenden proletarischen Dichtung,«[168] dem vorgeworfen wurde, es verfolge »unter dem
Deckmantel einer historischen Darstellung den Zweck, den
Angehörigen der K.P.D. eine Instruktion für den kommenden Bürgerkrieg zu erteilen«.

Zwischen 1930 und 1933 nahmen die Verbote zu, es war
die Periode, da man sich auf kommunistischer Seite dem
Problem der Massenliteratur zuwandte. Der zu dieser Zeit
geschaffene ›Rote Eine-Mark-Roman‹ sollte ein Gegengewicht zu den billigen Romanen der Verlage Ullstein und
Scherl darstellen. Mit dieser Lenkung traten zugleich grundsätzliche Probleme hinsichtlich Gestaltung und Rezeption
der sozialistischen Agitationsliteratur in den Vordergrund.
Kurt Kläber, der die ›Eine-Mark-Roman‹-Reihe betreute,
nannte diese Probleme 1930 in der *Linkskurve* beim Namen.
Ihn beunruhigte nicht nur der relativ begrenzte Kreis des
Publikums, das als Käufer in Frage kam, sondern auch die
Einstellung dieses Publikums zur Prosaliteratur. Kläber
führte aus:

»Als was betrachtet nun ein großer Teil dieser 1 bis 2 Millionen den proletarischen Roman? Aus alten Vorurteilen als nichts
besonders Wichtiges. Nur als eine vom Bürgerlichen ins Proletarische übertragene Art von Unterhaltungsliteratur. Sie sind
also nicht davon unterrichtet, wie wir den proletarischen Roman
betrachten, auch betrachtet haben wollen, als eine proletarische
Kampf- und Agitationsliteratur. Gerade dieses Vorurteil bedingt
aber, daß diese Arbeiter den proletarischen Roman ablehnen, wie
sie alles ablehnen, was mit dem Odium der Unterhaltung behaftet
ist. Ein zweiter und gar nicht so unwichtiger Teil dieser übrig gebliebenen Käuferschichten sieht den proletarischen Roman wieder
viel zu stark als ein Sammel- und Besitzobjekt. Kleinbürgerliche

Anhängsel und Erbschaften, deren äußerliche Zeichen Bücherschränke aus imitierter Eiche mit geschliffenen Glasfenstern sind. Aus diesen Gründen kaufen diese Käufer auch kaum das billige, broschierte Buch. Sie wollen gebundene Bücher. Erstens sehen sie hinter den Glasfenstern besser aus, zweitens kann man sie außer den Kindern vielleicht auch noch den Kindeskindern vererben.«[169]

Kläber ging an dieser Stelle nicht auf die Presse als Verbreitungsform sozialistischer Agitationsliteratur ein. Damit wäre, was die Rezeption der Prosa von Autoren wie Willi Bredel (1901–1964), Hans Marchwitza (1890–1965) oder Klaus Neukrantz (1895–1941) anbelangt, die Beurteilung nicht so negativ ausgefallen. Mit der Presse fanden zudem viele ausländische, vor allem russische und amerikanische Prosawerke den Weg zum proletarischen Leser und erzeugten das Gefühl einer internationalen Literatur über die politische Emanzipation des Arbeiters. Andererseits hielt Kläber an der spezifischen Funktion des individuell verbreiteten proletarischen Romans fest, die vom Zeitungsroman nicht wahrgenommen werden kann: Kläber wollte diesen Roman zugleich als Identifikationsobjekt verstanden wissen, als sichtbares Medium der politischen Meinung, das ein Arbeiter dem anderen — mit rot unterstrichenen Stellen — weitergeben konnte.

Man kann Kläbers Hoffnungen auf Abbau der Distanz gegenüber dem sozialistischen Agitationsroman zugutehalten, daß den Unternehmungen des BPRS bis zur Machtübernahme Hitlers nicht genügend Zeit zur Entfaltung und Klärung blieb. Doch läßt sich schon an der Entwicklung ab 1931 ablesen, daß das vorliegende Konzept des proletarischen Massenromans innerhalb der Partei und bei den Verantwortlichen an Unterstützung verlor. Es stellte um 1930 eine Etappe in der Formung einer parteilichen Literatur dar und hing eng mit der proletarisch-kulturrevolutionären Bewegung in der Sowjetunion nach 1928 zusammen, die Stalin 1931/32 abbrechen ließ. Bezeichnenderweise ging keiner der veröffentlichten ›Eine-Mark-Romane‹ genauer auf die Auseinandersetzung mit dem Faschismus ein, die zu dieser Zeit in Deutschland dominierte und in den ›Ereignisformen‹, wie erwähnt, ihren Niederschlag fand. Gegner war vor allem die Sozialdemokratie.

Über das Interesse, das den Büchern entgegengebracht wurde, gibt Kläbers Hinweis auf deren Funktion als Identifikationsobjekte kommunistischer Gruppen Aufschluß.[170] Mit den Büchern verband sich nicht zuletzt Hoffnung und Selbstverständnis der Arbeiterkorrespondenten, die — nach der offiziellen Etablierung dieser Bewegung 1924 — Ende der zwanziger Jahre als Repräsentanten der proletarisch-kulturrevolutionären Welle in den Vordergrund der Aufmerksamkeit rückten. Willi Bredel hatte als Arbeiterkorrespondent Erfahrungen gesammelt, in ihm sah man *den* Prototyp des neuen proletarisch-revolutionären Arbeiter-schriftstellers verkörpert.

Lange Zeit war proletarische Prosa, abgesehen von der der Arbeiterkorrespondenten, in der KPD kaum gefördert worden. Davon zeugt die Bemerkung Alfred Kurellas Anfang 1931, daß die »Entdeckung« und Heranziehung von »Arbeiter-Schriftstellern« wie Adam Scharrer, Theodor Plievier, Albert Hotopp (1886–1941), Ludwig Turek (1898 bis 1975), Hans Lorbeer, Willi Bredel, Hans Marchwitza, Paul Körner(-Schrader) (1900–1962) und Emil Ginkel »nicht als das Resultat planmäßiger Bemühungen gebucht werden« könne. Sie seien »vielmehr ›von selbst‹ gekommen«, und man habe sie »dann oft aus vorwiegend verlegerischen Gründen ›lanciert‹.«[171] Mochte Kurella diesen Punkt um der geforderten besseren Literaturplanung willen leicht überspitzen, so traf er doch, was die Partei anging, den Sachverhalt in seinen Grundzügen. Es läßt sich, in gewisser Vergröberung, feststellen, daß diejenigen Autoren, die in den zwanziger Jahren ›proletarische Prosa‹ veröffentlichten — Prosa, welche die Kämpfe der Arbeiter aus deren Perspektive behandelte — entweder linkskommunistisch oder anarchistisch eingestellt waren, d. h. in einem kritischen Verhältnis zur KPD standen. Die Wurzeln ihres Konzepts vom Proletariat und vom Gebrauch der Literatur im proletarischen Kampf reichten in die Zeit vor 1914 zurück, in der die Kluft zum offiziellen Parteidenken aufbrach.

Hier seien nur die Namen von Franz Jung, Albert Daudistel, Theodor Plievier, Adam Scharrer und — mit Einschränkung — Kurt Kläber genannt[172], Autoren, die man zu dieser Zeit herausstellte. Ihre anarchistischen Neigungen, ihr Vertrauen in die Spontaneität sind nicht zu übersehen. In ihren Prosawerken findet sich die Stilisierung des Proletariats zum Kollektiv, zur leidenden und kämpfenden Masse in vielfältiger Abwandlung. In einigen Büchern, etwa in Daudistels Revolutionsroman *Das Opfer* (1925), spielt die Figur des proletarischen Selbsthelfers eine wichtige Rolle: der anarchistische Einzelkämpfer, der die Masse führt (deren Schwäche dann sehr deutlich gemacht wird). Wie sehr auch der Einzelgänger als spezifisch proletarisch empfunden werden konnte, zeigt die Resonanz auf Ludwig Tureks autobiographische Simpliziade *Ein Prolet erzählt* (1930).

AUSLÄNDISCHE EINFLÜSSE

Mit der ›anarchistischen Substanz‹ stehen die ausländischen Einflüsse in enger Beziehung. Überaus große Wirkung übte Jack London (1876—1916) mit seinen Schilderungen von Trampdasein und proletarischer Rebellion aus. Von dem Vagabunden- und Wanderleben vor dem Ersten Weltkrieg, das die Autoren aus eigener Erfahrung kannten und thematisierten, ist die Rede gewesen. Franz Jung betrachtete Jack London 1920 als richtungweisenden proletarischen Erzähler, dessen Schriften »durchweg den Rhythmus kollektiven Geschehens« enthielten und große Bedeutung für die Zukunft besäßen, »so wenig Kunstqualität im alten Sinne einzelne von ihnen auch enthalten mögen«.[173] Londons Roman *Die eiserne Ferse* (1907) wurde 1922 übersetzt. Man empfand seine Darstellung der leidenden und kämpfenden amerikanischen Arbeiter zu dieser Zeit als höchst aktuell. Die *Rote Fahne* druckte das Werk 1923 in Fortsetzungen ab.[174]

Neben Londons Einfluß wirkte der von Upton Sinclair am stärksten.[175] Sinclairs aggressiv sozialkritische Bücher, die der Malik-Verlag mit Einbänden von John Heartfield in großen Auflagen herausbrachte, galten als vorbildliche sozialistische Literatur. Höchste Anerkennung fanden — auch hier wieder mit ästhetischen Einschränkungen hinsichtlich des journalistisch-agitatorischen Stils — *Der Sumpf* (1906) und *Jimmy Higgins* (1919), daneben wurde Sinclairs Traktat über den abhängigen Status des Schriftstellers im Kapitalismus, *Die goldene Kette oder die Sage von der Freiheit der Kunst* (1928), zu einer vielzitierten Quelle.

Beim Fehlen des engagierten Zeitromans in Deutschland — im allgemeinen betrachtete man nur Heinrich Mann und Leonhard Frank als rühmliche Ausnahmen — gewann der angelsächsische Import besonderes Gewicht. Manche Autoren, die wie Lion Feuchtwanger (1884—1958) selbst an der Entwicklung des deutschen Zeitromans erfolgreich beteiligt waren, konstatierten eine generelle Verlagerung des Interesses auf den angelsächsischen Realismus. Die französische Literatur verliere, bemerkte Feuchtwanger 1927, mit ihrer Betonung formaler und psychologischer Aspekte stark an Terrain.[176]

Doch erscholl gerade zu dieser Zeit der Ruf nach einem deutschen Zola, der den sozialkritischen Roman aus genauer Tatsachenkenntnis entwickle.[177] Mit Zola assoziierte man zudem das mutige Eintreten des Schriftstellers in der politischen Auseinandersetzung. Man suchte die Tendenz zu Reportage und Dokumentation, die nach 1925 unter den Auspizien des Begriffs ›Neue Sachlichkeit‹ breitere Unterstützung fand, im Hinblick auf Zola für die große Romanform fruchtbar zu machen. Aufschlußreich für die Einschätzung der Autoren und Stile ist die Bemerkung gegenüber Plievier, die ihn der endgültigen Konzeption von *Des Kaisers Kuli* (1928) näherbrachte: seine Aufgabe könnte wohl darin liegen, »große zeitgeschichtliche Romane zu schreiben, also nicht ›der deutsche Jack London plus Upton Sinclair‹ zu werden, sondern der deutsche Emile Zola«.[178] Plievier verfolgte diesen Weg nach seiner Emigration in die Sowjetunion weiter. Als man ihm — nicht Willi Bredel — die Darstellung der Schlacht von Stalingrad übertrug, verfaßte er das Buch *Stalingrad* (1945) aus einer riesigen Dokumentation von Interviews, Augenzeugenberichten und Reportagen, in längeren Passagen mit direkter Zitatmontage.

Die Kommentare, die Egon Erwin Kisch (1885—1948) nach 1925 zu Zola abgab, klingen jedoch zunehmend distanziert. Kisch steuerte in seinen Reportagen eine stärkere Parteilichkeit an, mit der er die Tatsachen, die zunächst einer Art Selbstlauf der Wahrheit überantwortet waren, bewußter auf die politischen Notwendigkeiten, d. h. die Erfordernisse des proletarischen Kampfes ausrichtete.

Die Kritik an der mangelnden Parteilichkeit Zolas schob sich Ende der zwanziger Jahre häufig über die Diskussion der von ihm gebrauchten literarischen Technik. So bemerkte ein kommunistischer Kritiker zu dem Roman *Brennende Ruhr* (1928) von Karl Grünberg (1891—1972), er ersetze »uns vollkommen den Schrei nach Zola: Brennende Ruhr — über die Millionenansammlung werktätiger Menschen im engsten Arbeitsherzen Europas brechen die Auswirkungen jenes gemeinsten Aufstandes wildgewordener Soldatenbestien und großagrarischer Peitschenschwinger unter der Führung Kapp-Lüttwitz herein und zwingen nicht nur den einen oder den anderen ›Helden‹ sich zu entscheiden — sondern die ganze werktätige Bevölkerung dieser armen schwarzen Arbeitserde mit letzter Hingabe aller Kräfte zu einer geeinten Faust zusammenzuballen.«[179] Grünberg hatte den Roman durchaus in der Tradition Zolas aus der Verbindung von genau recherchierter Tatsachendokumentation und fiktiver Handlung mit psychologisierten Einzelhelden erarbeitet.[180] Der Vergleich mit Marchwitzas Darstellung desselben Ereignisses — der Auswirkungen des Kapp-Putsches im Ruhrgebiet — macht diese Position deutlich.[181] In Marchwitzas Buch *Sturm auf Essen* (1930) ist die Masse der Bergarbeiter der Held, die Perspektive stark autobiographisch, die Figurenzeichnung grob und ganz auf den proletarischen Lebensbereich bezogen.

Viel Interesse richtete sich auf den neueren, nach der Revolution entstandenen russischen Roman. Sein Einfluß auf die sozialistische Literatur in Deutschland ist vielfach belegt[182], jedoch noch nicht ausführlich im literarischen

Gesamtzusammenhang analysiert worden. Ohnehin erhebt sich die Frage, ob und wie sich die politische und die literarische Bezugnahme auf die Sowjetunion und die tatsächliche Übernahme ästhetischer Formen voneinander scheiden lassen. Wenn in den zwanziger Jahren vom proletarischen Roman die Rede war, verwies man vielfach auf Autoren wie Aleksandr Serafimovič (1863–1949), Vsevolod Ivanov (1895–1963) oder Fedor Gladkov (1883–1958), und es gab Stimmen, welche die Existenz der sowjetrussischen Literatur als starkes Hindernis für die Entstehung einer proletarisch-revolutionären Literatur in Deutschland ansahen. Die aus Rußland übernommene Literatur könne sich leichter durchsetzen, sowohl kommerziell als auch politisch und ästhetisch. Andor Gabor (1884–1953) schrieb 1927:

»Da die deutsche Arbeiterklasse allem, was irgendwie auf Sowjetrußland Bezug hat, die allergrößte Beachtung schenkt, versorgen die deutschen Zeitungen, Zeitschriften und Verlage die Leser fast ausschließlich mit russischer Belletristik. Das ist einfacher, bequemer und billiger. Erzählungen und Romane sowjetischer Schriftsteller, die dem deutschen Leser sehr geistesverwandt, wenn auch vom Inhalt her fremd sind, finden reißend Absatz, zumal sie oftmals dem Leser schon bekannt sind, bevor sie als Übersetzung herauskommen. Wozu soll man also mit Manuskripten deutscher proletarischer Schriftsteller, die einer gründlichen Durchsicht bedürfen, Zeit verlieren.« Das Ergebnis sei: »Der Berliner Arbeiter, der russische Belletristik liest, ist über die Bauernbewegung in Sibirien während des Bürgerkrieges bedeutend besser unterrichtet als über die Ereignisse in München, Stuttgart und Halle.«[183]

Die neue russische Prosa setzte sich literarisch in Deutschland ab 1925 durch. Larissa Rejsners erfolgreicher Band *Hamburg auf den Barrikaden* (dt. 1925) berührt sich mit Kläbers Erzählungen *Barrikaden an der Ruhr*. Ihre Reportagen über den russischen Bürgerkrieg *(Die Front)* wurden von Kisch als vorbildlich gepriesen und neben John Reeds *Zehn Tage, die die Welt erschütterten* gestellt.[184] In der Tat verstand es die Autorin, über der Schilderung der Masse die Differenzierung von Einzelhelden und -geschehnissen nicht zu vernachlässigen. Im allgemeinen tendierten die

Darstellungen von Revolution und Bürgerkrieg zur Stilisierung und Mythisierung der proletarischen Massen. Neben Ivanovs Erzählung *Panzerzug 14—69* (1921), Jurij Lebedinskijs Roman *Eine Woche* (1923) und Aleksandr Neverovs Roman *Taschkent, die brotreiche Stadt* (1923) gewann das proletarische Epos *Der eiserne Strom* (1924) von Serafimovič breiten Widerhall. In dem Zug einer bolschewistischen Partisanenarmee mit einem riesigen Familientreck entlang dem Schwarzen Meer gewinnt der Aufbruch und Kampf des Proletariats heldische Dimensionen. Das Volk ist der Held, eine typische Stelle lautet: »Tausende, Zehntausende von Menschen marschieren. Und es gibt keine Kompanien, keine Bataillone, keine Regimenter mehr — es gibt nur ein geschlossenes Ganzes, namenlos, ungeheuer. Mit zahllosen Schritten schreitet es, mit zahllosen Augen blickt es, mit zahllosen Herzen schlägt nur ein einziges, unermeßlich großes Herz.«[185] Kläber bezeichnete das Werk, das 1925/26 in der KPD-Presse abgedruckt wurde, als »besten Roman, der in Rußland erschienen ist«, als eine »unübertreffbare . . . prächtige Mischung von Reportage und Tatsachenbericht — diese gute Art, etwas flüssig und lesbar hinzuwerfen, noch dazu so hinzuwerfen, daß man sich daran begeistern kann«.[186]

Den größten Erfolg errang 1927 Fedor Gladkov mit dem Roman *Zement* (1925), der die zweite Phase der Revolution zum Thema hat, die Industrialisierung und die Suche nach neuen Lebensformen im Sowjetstaat. Vorbild für zahllose Aufbau- und Betriebsromane, steht das Buch bei allem revolutionären Pathos in der Nachfolge Gorkijs und beleuchtet auch individuelle Probleme und Gestalten. Stärkere Individualisierung und Psychologisierung findet sich auch in dem Bürgerkriegsroman *Die Neunzehn* (1927) von Aleksandr Fadeev (1901—1956).

Für die Einschätzung der literarischen Wirkung der russischen Autoren sei allerdings wiederholt, daß sie sich nur schwer aus der generellen Bezugnahme auf Sowjetrußland herauslösen läßt. Gabor faßte es 1927 in die Worte: noch keiner der neuen Schriftsteller habe bisher »die Größe jener

›russischen Titanen‹ erreicht, an die man im Ausland gewöhnt ist. Das spezifische Gewicht ist folglich Sowjetrußland selbst. Der Schleier der Zukunft macht die wirkliche
Bedeutung des russischen Gegenwartsschriftstellers aus, eine
Bedeutung, die weit über seine persönliche Größe hinaus-
geht.«[187]

Die Werke: zwischen Dokumentation und Heroisierung

Proletarische Prosa, proletarischer Roman: diese in den
zwanziger Jahren so oft beschworenen Begriffe sind und
bleiben vage und müssen in dieser Eigenschaft reflektiert
werden. Die Diskussionen kreisten darum, daß es nicht genüge, die proletarische Masse zu thematisieren. Proletarische
Kunst bedeute eine inhaltlich *und* formale Absage an die
bürgerliche Kunst, an deren Individualismus und Psycho-
logismus. Man hoffte, eine Ausdrucksform zu entwickeln,
die nicht in überkommenen ästhetischen Regeln verankert
sei, sondern sich als Teil der gesellschaftlichen Umwandlung
legitimiere. Allerdings blieb es zumeist bei der Thematisierung der (kämpfenden) Masse; der Terminus proletarisch-
revolutionär bezeichnet die parteiliche Determination,
knüpft aber deutlich an die vor 1923 entwickelten Vorstellungen an. Das von Lenin verwandte Wort ›sozialistisch‹
war in Deutschland bei den Sozialdemokraten, nicht bei den
Kommunisten in Obhut.

Franz Jung, in der Diskussion 1919/20 sehr engagiert,
schrieb die ersten bedeutenden Romane und Erzählungen,
in denen die Massenkämpfe der revolutionären Periode nach
1918 Gestalt erhielten. Trotz aller Enttäuschungen über den
Gang der Revolution verpflichtete er sein Schreiben dem
Gemeinschaftsgedanken, suchte proletarisches Bewußtsein
zu entwickeln. Seine zumeist im Gefängnis oder in der Illegalität entstandenen Romane *Die Rote Woche* (1921),
Arbeitsfriede (1922), *Die Eroberung der Maschinen* (1923)
und die Erzählung *Proletarier* (1921) stellen nicht eigentlich
›Beschreibungen‹ (mit Unterhaltungswert) dar, sondern
epische Vergegenwärtigungen des proletarischen Kampfes

in Deutschland, die sich ständig zum Abstrakten, Modell-
haften öffnen, womit politische Reflexion ermöglicht werden
soll. Der Einzelheld, der eine allzu einfache Identifikation
erlauben würde, verflüchtigt sich zugunsten des Kollektivs.
Die Identifikation ergibt sich eher aus der Zuordnung des
Lesers zum »neuen Rhythmus« der Geschehnisse, zur Ein-
gliederung in die kämpfende Gemeinschaft.

Obwohl Kurt Kläber in den zwanziger Jahren nicht allzuviel Prosa publizierte — neben *Barrikaden an der Ruhr* die
schmalen Sammlungen *Empörer! Empor!* (1925) und *Revolutionäre* (1925) sowie den Roman *Passagiere der III. Klasse*
(1927; der Roman *Bergleute* kam nicht zum Abdruck[188]) —,
wurde er nach 1925 für zahlreiche Zeitgenossen zum Repräsentanten kämpferischer proletarischer Literatur, die sich
von der Arbeiterdichtung abhob. Ihm gelang in kurzen
Erzählungen eine suggestive Verlebendigung von Proletariern, die durch verschiedene Ereignisse das Empörende ihres
Daseins wahrnehmen und zur Aktion schreiten, zu einer
Aktion, welche die Kraft der Gemeinschaft, des Kollektivs,
der Masse sichtbar macht, auch wo von Niederlagen die
Rede ist. Kläber sprach von Niederlagen, folgte der historischen Bewegung, die man in Deutschland bald in eine
andere, hoffnungsvollere Richtung zu lenken hoffte. Seine
Figuren sind typisiert, der Ton ist berichtend.

Eine charakteristische Passage der Erzählung *Eine Frau geht*
macht den Moment lebendig, in dem eine Proletarierfrau, Mutter
Mellicher, aus ihrer Isolation heraustritt und sich den Demonstrierenden anschließt. Es heißt: »Mit jedem Gesicht, das sie groß
und ängstlich anstarrte, kam sie ihnen näher. So viel Unglückliche
und Hungrige gab es also. Soviel Hunderte, ja soviel Tausende
standen neben ihr, klein und unglücklich, betrogen und verlassen,
und wurden zertreten von ihrem Leben. [...] Und sie empfand
auch plötzlich, daß in diesem gewaltigen Aufmarsch der Hungernden noch Kraft war. Da gingen nicht nur Menschen, die das Leben
zerbrochen hatte oder noch zerbrach, es war Wucht in ihnen,
Gewalt. Es kam aus dem Aufstampfen der Füße. Aus dem
Wiegen der Körper, und sie wurde stärker, je größer der Strom
der Marschierenden anschwoll. Das machte sie selber auch muti-

ger. Das ließ sie den Kopf noch höher heben. Das feuerte sie an. Das hob sie über ihre kleine Armseligkeit hinaus. O, sie kannte sich kaum noch. Sie lief nur. Sie marschierte mit. Und sie tauchte und zerfloß in diesem Strom, als wäre sie schon ewig mit ihm verbunden und verschwistert gewesen.«[189]

Es ist der Moment einer individuellen Befreiung, einer Erhöhung des Lebensgefühls durch das Eintauchen in den Strom des Proletariats. Dieser Moment stellt einen zentralen Topos der proletarischen Literatur der zwanziger Jahre dar, ebenso in Gedichten, im Theater, im russischen Film zu verfolgen.

Ein Schriftsteller, der ihn wie Kläber aus einer stark atmosphärischen Schilderung hervorgehen ließ, ist Anna Seghers (geb. 1900). Ihre frühen Erzählungen bis zum Band *Auf dem Wege zur amerikanischen Botschaft* (1930) und ihr preisgekröntes Buch *Aufstand der Fischer von St. Barbara* (1928) geben einer solchen instinktiven Zuordnung zum proletarischen Kampf Raum. Was Klaus Herrmann 1927 über Kläber schrieb, gilt auch für ihre Darstellung: »Er braucht nicht mehr, wie einst Gogol und Tolstoi, die Details des Milieus zu beschreiben: er lebt ja darin, atmet darin, und so wird, durch ganz wenige Andeutungen nur, das Milieu, werden die Menschen lebendig, grobschlächtig, mit blitzartig erhellenden Licht- und Schattenreflexen, wie die Holzschnitte Masereels, und so ungeheuer eindringlich, daß wir wissen: anders können sie gar nicht sein.«[190] Das widerspricht nicht der auch bei der Seghers zu beobachtenden Tendenz, das Proletarische in ein allgemein Humanes zu stilisieren. Die Autorin wies später selbst auf die Anstöße hin, die sie in den zwanziger Jahren von der Lektüre Dostoevskijs empfing, und sprach von einem »revolutionären Herauswühlen, in Bewegung gehen des menschlichen Schicksals, etwas durch und durch Unkleinbürgerliches«.[191] Dieses Herauswühlen geschah im politischen Kampf. Es war nicht blind an die Partei gebunden, sondern folgte der geschichtlichen Bewegung, von der die Partei einen Teil darstellte.

Auch die Ausweitung zu einem großen Figurenspektrum,

die Kläber in *Passagiere der III. Klasse* vornahm, besitzt in
Anna Seghers' späterem Werk Entsprechungen. Sie ging
den Weg zum ›Kollektivroman‹, in dem eine Grundsitua-
tion anhand von zahlreichen Gestalten durchdiskutiert wird,
konsequent weiter. Bei Kläber ist es nur eine Schiffsüber-
fahrt, bei Anna Seghers weitet sich die Bühne ins Aktuell-
Politische der Kämpfe Anfang der dreißiger Jahre. Das
Grundmuster läßt sich bis zu ihren späteren Romanen in
der DDR erkennen, in denen eine riesige Anzahl von
Figuren — nicht immer gut unterscheidbar — vor den Augen
des Lesers vorüberzieht *(Die Entscheidung*, 1959; *Das Vertrauen*, 1968).

Auch Anna Seghers sprach von Niederlagen. Sie tat es
ausgiebiger als andere sozialistische Schriftsteller, und sie
tat es auch in der Zeit, da im Bund proletarisch-revolutionärer Schriftsteller, dem sie angehörte, das Bewußtsein von
Stärke und baldigem revolutionären Sieg propagiert wurde.
Im *Aufstand der Fischer von St. Barbara* nahm sie das in
den zwanziger Jahren entwickelte Motiv von der gescheiterten Rebellion auf, aus der jedoch Hoffnung hervorgeht,
in dem berühmten Eingangsbild: »Aber längst, nachdem die
Soldaten zurückgezogen, die Fischer auf der See waren, saß
der Aufstand noch auf dem leeren, weißen, sommerlich
kahlen Marktplatz und dachte ruhig an die Seinigen, die er
geboren, aufgezogen, gepflegt und behütet hatte für das,
was für sie am besten war.« Die Niederlagen, die Anna
Seghers nach 1930 von *Die Gefährten* (1932) und *Der
Kopflohn* (1932) bis zu *Die Toten bleiben jung* (1949)
behandelte[192], wogen demgegenüber schwerer, in ihnen
manifestierte sich die Geschichte Deutschlands und der
Arbeiterbewegung, und wo sie im Exil Hoffnung auf die
Solidarität der Menschen aussprach, Optimismus, daß sich
der Einzelne in seiner Menschlichkeit bewähren könne, geschah es vor dem Hintergrund dieser Niederlagen.

Anna Seghers eignete sich nach 1930 auch Reportage-
und Montageformen an, recherchierte Bücher wie *Der Weg
durch den Februar* (1935), *Die Rettung* (1937) und *Das
siebte Kreuz* recht intensiv. Als Georg Lukács diese Formen

angriff, verteidigte sie deren Verwendung mit guten Argumenten. Doch hielt sie sich im Gebrauch dieser Technik zurück. Ihr »Herauswühlen, in Bewegung gehen des menschlichen Schicksals« geschah auf einem epischen Terrain, von dem aus jenes »Innerste im Menschen« jederzeit zugänglich blieb.

Etwas von dieser stetigen Ausrichtung am Menschlichen läßt sich auch in der Prosa Hans Marchwitzas verfolgen, der die zahllosen niederdrückenden Situationen des kämpfenden (und nicht kämpfenden) Proletariats nicht aussparte. Gewiß ist Anna Seghers diesem ehemaligen Bergarbeiter und Autodidakten an stilistischem Können, an Überschau und Einfallsreichtum weit überlegen, doch gehört er an dieser Stelle erwähnt.

Marchwitza brachte von vornherein genaue Kenntnisse des Milieus ein, als er Ende der zwanziger Jahre den Topos vom kämpferischen Kollektiv am Thema des Ruhrkampfs 1920 entwickelte. Mit den stark autobiographischen Romanen *Sturm auf Essen* (1930), *Schlacht vor Kohle* (1931) und *Die Kumiaks* (1934) hat er eine bedeutsame Dokumentation der Situation der Bergarbeiter an der Ruhr in den ersten Jahrzehnten des 20. Jahrhunderts geliefert.

Marchwitza bezog Reportageelemente ein, doch wurde schon erwähnt, daß er nicht wie Grünberg ein Exemplar des aus vielen Segmenten montierten Zeitromans anstrebte, wie er sich Ende der zwanziger Jahre auch in Deutschland herausbildete. Das Bild der Masse setzt sich bei ihm aus einer Vielzahl grob gezeichneter Einzelgestalten zusammen; der Schritt von der Empörung zur Aktion verschmilzt die Vielen zum Kollektiv. Indem die proletarische Perspektive beibehalten wird, entsteht eine »relativ geschlossene Erzählatmosphäre«. Alfred Klein kommentierte: »Auf dem Hintergrund der Bedenken, des Zögerns und des Abwartens, des stummen Duldens und der Gutgläubigkeit, des Unverständnisses für die gesellschaftlichen Zusammenhänge und der Verwechslung von Freund und Feind erscheinen die politische Weitsicht und vor allem die sich darauf gründende moralische Größe der Vorkämpfer [...] erst in ihrer ganzen Tragweite, auf dem Hintergrund der Zweifel an der Richtigkeit des Widerstandes gegen die herrschende Ordnung und der überwundenen Todesangst die Erfordernisse des dem Proletariat aufgezwungenen Klassenkampfes erst in ihrer ganzen Unabdingbarkeit und Härte.«[193] Der Umschlag ins Heroenklischee ist hier nicht allzu fern, doch hat Klein die Aufmerksamkeit nicht zu unrecht auf Anna Seghers kurze positive Erwähnung von Marchwitzas *Kumiaks* im Briefwechsel mit Lukács gelenkt, wo sie davon spricht, daß die kommunistische Kritik den Schriftstellern, die ein unbekanntes Stück Wirklichkeit bewußt machen, mit künstlerischem Gefühl und nicht dogmatisch gegenübertreten solle.[194]

Marchwitza verfügte nur über wenige (konventionelle) Stilmittel. Er verarbeitete in den dreißiger Jahren Anregungen von Gorkij und vermochte, indem er sich an die eigenen Erfahrungen im Ruhrgebiet hielt, zumindest bis zum Erinnerungsband *Meine Jugend* (1947) ein Stück deutscher Wirklichkeit bewußt zu machen.

Was das Heroenklischee betrifft, so läßt sich seine Ausformung nur von Fall zu Fall und Situation zu Situation voll beurteilen. Bevor man im sozialistischen Realismus offizielle Muster kreierte, gab es viel Wildwuchs. Prägend waren in jedem Falle die seit 1900 entwickelten Bildmythen, die auf eine Verjüngung des Proletariers zielten und mit der Russischen Revolution den durchdringend blickenden, straffen und starken Muskelmann in den Vordergrund rückten. Seine Zeit kam für die deutschen Kommunisten, als sich nach der sowjetischen NEP-Politik Ende der zwanziger Jahre das Interesse wieder auf spezifische proletarische Eigenschaften konzentrierte, in scharfer Abgrenzung zum Individualismus und zur Dekadenz des Bürgertums und seiner Intellektuellen. Das nach dem Krieg immer neu aktualisierte Bild der proletarischen Masse hatte an der — im Jugendkult der zwanziger Jahre generell betriebenen — Verjüngung teil: nun ging es um die kommunistisch orientierte kämpferische Masse zum Unterschied von der der Sozialdemokraten, die, wie man sagte, ohne Zweck und Ziel die Plätze verstopfe und in der der Einzelne doch bloß an seine Geranienzucht denke.

Über diese forcierte Konzeption gibt Bechers Einleitungsaufsatz zur *Linkskurve* 1929 Auskunft. Becher eröffnete die Zeitschrift mit den Worten:

»Aus den Reihen der proletarisch-revolutionären Literatur kommen sie: ganze, tolle Kerle, die vor Unruhe brodeln und ihre Sätze hinhauen, daß die Sprache platzt, und die wiederum so diszipliniert sein können und sachlich bis ans Herz hinan, daß sie nüchterne Berechnungen aufstellen und ihre Worträume durchkonstruieren wie Maschinenbauer.

Das wichtigste Ereignis auf dem Gebiet der Literatur ist die Entstehung einer proletarisch-revolutionären Literatur, einer Literatur, die die Welt vom Standpunkt des revolutionären Proletariats aus sieht und sie gestaltet. Sie ist der Aufstand gegen die Welt, so wie sie heute ist, der Ruf nach durchbluteten Gehirnen und nach dem Breitschulterigen.

Der bürgerliche Dichter von heute: er degradiert die Kunst zu einem harmlosen Gesellschaftsspiel, er liegt faul und verspielt an der großen Heerstraße, er kann nicht Schritt halten. Er hat darauf verzichtet, Geschichte mitzuschaffen.«

Auch hier ist Bechers Ästhetisierung der Politik sichtbar. Sie bildete Teil der Energien, die zu dieser Zeit den BPRS in gewisser organisatorischer Selbständigkeit von der Partei wachsen ließ (unter getreuer Ausrichtung auf deren linke Taktik und Sozialfaschismus-These). Sie förderte das Bewußtsein, eine neue, nun endgültig nicht mehr bloß ästhetisch verankerte Literatur zu schaffen. Sie führte dem BPRS auch Breitschulterige aus der Arbeiterkorrespondentenbewegung zu. Allerdings waren es weniger diese Arbeiterautoren als einige der professionellen Schriftsteller, die vorgaben, nun eine neue Literatur hervorzubringen.

Bechers Drang zu markigen Bildern korrespondiert mit der Heroisierung in proletarisch-revolutionären Werken. Die Heroisierung sollte Identifikation herstellen, d. h. eine ästhetisch vermittelte Einstimmung in die kommunistische Politik. Sie richtete sich am »realitätsgerechten, Ich-starken, allzeit vorbildlich arbeitenden Genossen« aus, »der in fester Zuversicht auf die kommende Revolution hinter offensichtlichen Niederlagen die künftigen Siege erblickt«.[195] Hauptfiguren wie Max Grothe in Grünbergs *Brennende Ruhr*, Melmster in Bredels *Maschinenfabrik N & K* (1930) oder Fritz in dem vom Redaktionskollektiv der *Roten Fahne* (K.olectiv) verfaßten *Die letzten Tage von . . .* (1931) sind die positiven Helden, die Bechers Ruf nach dem Breitschulterigen entsprechen.

Die Tatsache, daß sich der ästhetische Charakter dieser Projektionen deutlich abhebt, heißt nicht, daß diese von vornherein ›ästhetisch‹ empfunden wurden. Sie fügten sich durchaus in das spezifische Konzept von Dokumentation und Reportage ein, dem die politische Aussage überantwortet wurde. Die seit Mitte der zwanziger Jahre in Kunst und Literatur dominierende Strömung fand ja ihre Legitimation im Faktischen bzw. in der Behauptung des Faktischen; die dabei entwickelten stilistischen Modelle boten auch für kommunistische Schriftsteller die Basis. In Abgrenzung von sozialdemokratischer Arbeiterdichtung wurde betont, daß sich auf der nur gefühlshaften Annäherung an das Proletarische keine neue Literatur bauen lasse. Was immer das Neue an der ›Neuen Sachlichkeit‹ bedeutete — in jedem Falle erschien das Postulat ›Zu den Fakten‹ im Gegensatz zu den ideellen und emotionellen Aufschwüngen der vorhergehenden Periode gültig und fruchtbar. Die Frage war für Kommunisten lange Zeit nicht, *wie* die Fakten geboten wurden, sondern *welche* Fakten geboten wurden. Becher, der die Montage in *Levisite* selbst benutzt hatte, pries 1929 im Vorwort zu Grünbergs *Brennende Ruhr* die Reportage als »die Avantgarde, den ersten Vorstoß einer kommenden Dichtung in ein neues Diesseits«. Die zu dieser Zeit intensive Distanzierung von bürgerlichen Schriftstellern — einschließlich solcher Pioniere der modernen Stilmittel wie James Joyce (1882–1941) und Alfred Döblin (1878 bis 1957) — war primär politisch motiviert und summierte sich, was die Literatur betrifft, im Vorwurf, es würden die falschen Fakten ins Zentrum gestellt bzw. die Grundfragen der gesellschaftlichen Wirklichkeit überhaupt versäumt. Wenn Autoren wie Joyce, Dos Passos (1896–1970) und Döblin ihre Legitimation als Schriftsteller von der Forderung herleiteten, daß die moderne Wirklichkeit neuer Darstellungsformen bedürfe, so lautete die Kritik der Kommunisten, daß sie in der Beliebigkeit der Bilder und Zufälligkeit der Situationen hängenblieben. (Döblins Roman *Berlin*

Alexanderplatz, 1929, erregte besonderen Unwillen; man warf dem Autor vor, er habe Lumpenproletarier als *das* Proletariat ausgegeben.)

Einen der wichtigsten Beiträge zu diesen Fragen lieferte 1930 Bernard von Brentano (1901—1964), der zu dieser Zeit eng mit Brecht befreundet war und in vielem an ihn anknüpfte. Ausgangspunkt seines Essaybandes *Kapitalismus und schöne Literatur* ist die gegen die nur ästhetisch verankerte Kunst gerichtete These: »Der Schriftsteller muß wissen, was gespielt wird. Also muß er, wenn das nicht offenkundig ist, sondern verborgen, wie in unsern Zeiten es in Erfahrung zu bringen suchen. Das genügt.«[196] Brentano plädierte dafür, daß der Schriftsteller es in Erfahrung bringe, *bevor* er schreibe.[197] Doch könne diese Kenntnis mit Hilfe der Literatur erreicht werden: »Von Tag zu Tag mehr kann ich mir eine echte Literatur überhaupt nur noch als Rede und Antwort vorstellen; genau gesagt, als einen öffentlichen Vortrag der Herausforderung, bei dem die Schriftsteller nur die Beauftragten des Objekts sind. Sie ergreifen den Stoff und suchen ihn durch Darstellung zum Reden zu bringen.«[198]

Knapper läßt sich die Alternative kaum umreißen: einmal die vorgegebene Wahrheit, welche die literarische Aufbereitung der Tatsachen steuert, zum andern die Wahrheit, die im ästhetischen Prozeß erarbeitet wird. War es tatsächlich eine Alternative? Oder gehört beides untrennbar zusammen? Die Tatsache, daß sich dazu in der *Linkskurve* nur Hinweise und keine Diskussionen finden, bedeutet nicht, daß diese Fragen kein Gewicht besaßen. Von den Schriftstellern, die ihre Dokumentation aus einer vorgegebenen Wahrheit anordneten, schieden sich andere, die den ästhetischen Prozeß gerade um des Wahrheitspostulats willen nicht vorfixiert sehen wollten. Für die *Linkskurve* war von vornherein zugunsten der ersteren entschieden. Dem standen andere Positionen gegenüber, sei es im Umkreis um Brecht, sei es, um bei der Prosa zu bleiben, bei dem berühmtesten Tatsachenautor der Zeit, bei Egon Erwin Kisch. Er wurde mit den Reportagebänden *Der rasende*

Reporter (1924), *Hetzjagd durch die Zeit* (1926), *Wagnisse in aller Welt* (1927), *Zaren, Popen, Bolschewiken* (1927), *Paradies Amerika* (1930) zum Symbol für das unnachsichtige Durchleuchten dessen, »was gespielt wird«. Kisch, der sozialistische Journalist, machte die Erkenntnis der Fakten für den Klassenkampf nutzbar, aber er lehnte es ab, Propaganda zu fabrizieren. An den Auseinandersetzungen in der *Linkskurve* nahm er nicht teil.

Unter den Autoren von Tatsachenromanen, die in diesem Zusammenhang zu nennen wären, sei Ernst Ottwalt (1901 bis 1940?) hervorgehoben, der in *Denn sie wissen, was sie tun* (1931) das deutsche Justizsystem durchleuchtete. So nachdrücklich Ottwalt in diesem Werk die Tatsachen zur Geltung brachte, so wenig lieferte er reportagehafte Agitation. Er schrieb einen Roman, der seine Aussage aus einem satirischen Erzählmodell in der Nachfolge Heinrich Manns und Sinclair Lewis' *(Babbitt)* entwickelt. Was Ottwalt 1932 Lukács' Angriffen auf die Reportageliteratur entgegenhielt — daß es auf die Anknüpfung an die Realität ankomme und nicht auf den ästhetisch konzipierten »Gesamtprozeß«[199] — löste er in seinem Werk ein, zumal in der Auseinandersetzung mit dem Nationalsozialismus. Er veröffentlichte nach dem autobiographischen Bericht *Ruhe und Ordnung* (1929), in dem er die Aufrechterhaltung des Frontgeistes von seiten der Nationalsozialisten als politische Gefahr für die Gegenwart diagnostizierte, 1932 die Schrift *Deutschland erwache! Geschichte des Nationalsozialismus* und im Exil Auszüge aus dem Roman *Erwachen und Gleichschaltung der Stadt Billingen* über den Weg einer deutschen Kleinstadt in den Faschismus.[200]

Neben Kisch und Ottwalt bedürfte es der Erörterung weiterer Autoren, um die Position in der Prosa deutlicher zu umreißen, auf die Anna Seghers mit der Forderung, der Schriftsteller müsse ein Stück Wirklichkeit bewußt machen, zielte. Hier seien nur die Namen von Franz Carl Weiskopf (1900–1955), Ludwig Renn, Gustav Regler (1898–1963), Theodor Plievier, Rudolf Braune (1907–1932), Ernst Glaeser (1902–1963) genannt. Ihnen ging es um die Bewußtmachung von Wirklichkeit, um die Durchleuchtung dessen, was sie konstituiert, und dessen, was sie verzerrt. Einige waren auf diesem Weg zu sozialistischen Überzeugungen gekommen, und sie bemühten sich, das Publikum mitzuziehen. Mit ihrer Resonanz auch bei bürgerlichen Lesern unterschieden sich ihre Bücher von Werken wie *Maschinenfabrik N & K* von Bredel oder *Barrikaden am Wedding* (1931) von Neukrantz, die als Identifikationsobjekte für die kommunistische Öffentlichkeit ihre eigene Funktion besaßen. Während ›das Tatsächliche‹ bei Kisch und Ottwalt von verschiedenen Seiten her zugänglich war, gleichsam dreidimensional, wurde es bei einem Buch wie *Maschinenfabrik N & K* gleichsam zweidimensional, nur in *einer* Weise zugänglich, im Sinne einer Allegorie, die das Wissen über ihre Bedeutung voraussetzt und zugleich bestätigt. Diese Haltung minimalisiert die ästhetische Reaktion so stark wie möglich; der allegorische Charakter wird nicht mehr als solcher wahrgenommen. Die Kritik an einem solchen Werk ist zunächst und vor allem eine der (politischen) Bedeutung, d. h. an der kommunistischen Politik und Agitation zur Zeit des Vormarsches der Nationalsozialisten.

5. Das wichtigste Publikum: die Jugend

Bei der Frage, wer im einzelnen die revolutionären Lieder gesungen, die Sprechchöre gesprochen und am politisch-revolutionären Theater teilgenommen habe, herrscht seit jeher wenig Zweifel darüber: es war in besonderem Maße die Jugend. Man hat auf die Arbeiterjugend und die verschiedenen proletarischen Jugendgruppen nach 1919 hingewiesen und die Organisationen der Sozialistischen Arbeiterjugend (SAJ) und des Kommunistischen Jugendverbandes (KJVD) herausgestellt. Jedoch ist bisher nur wenig geschehen, diesen Aspekt im Zusammenhang mit den kulturellen und literarischen Aktivitäten der sozialistischen Bewegung genauer herauszuarbeiten. (Ebenfalls fehlen Aufschlüsse über die Aktivitäten in der Arbeiter-Turn- und

Sportbewegung sowie in den Gewerkschaften und Freidenkerverbänden.) Die Beteiligung der Jugend muß hier zumindest skizziert werden, wenn auch vorerst nur sehr allgemeine Hinweise möglich sind.

Ein erster Hinweis gilt der Tatsache, daß die sozialistische
Bewegung, wie sie sich in Deutschland unter marxistischem
Einfluß herausbildete, dem ›Konzept Jugend‹ in der Partei
Ablehnung entgegenbrachte. Innerhalb des etablierten Klas-
senkampfdenkens lenkte die Annahme einer eigenständigen
Kraft ›junge Generation‹ nur ab. Generationskonflikte wur-
den von der Parteiführung unterdrückt. Und in der Tat war
in der Arbeiterschaft für den von der bürgerlichen Jugend
nach 1900 erhobenen Schlachtruf ›Jugend gegen Alter‹ kein
Platz. »Der pathetische Kampf zwischen Schule und Eltern-
haus«, bemerkte Theodor Haubach, »den die freideutsche
Jugendbewegung in den ersten Jahren ihres Bestehens als
eigentliches Lebenselement in sich trug, nahm sich vom
Standpunkt der Proletarierjugend doch ganz anders aus.
Gewiß hatte auch das Arbeiterkind Spannungen im Eltern-
haus zu erdulden und zu überwinden, aber diese Spannungen konnten niemals sich so sehr steigern, wie es im Kampf-
bereich der freideutschen Jugend geschah, da die instinktive
Erkenntnis der gemeinsamen Not proletarische Eltern und
proletarische Kinder immer wieder, und sei es auch zwangs-
weise, zusammenführte.«[201]

Wenn sich dennoch vor dem Ersten Weltkrieg, von der
Partei und den Gewerkschaften nur zögernd anerkannt (und
vom Staat mit ständigen Verboten eingeengt), die Arbeiterjugendbewegung in selbständiger Form herausbildete, so
bedeutete dies um so mehr ein Zeugnis für die politischen,
gesellschaftlichen und psychologischen Wandlungen in dieser Zeit, denen die Sozialdemokratie zunächst nur ihre
traditionellen Denkweisen entgegenstellte. Karl Liebknecht
und die Parteilinke übten in der Folgezeit auf die Entstehung des radikalen Flügels der Arbeiterjugendbewegung
starken Einfluß aus, banden ihn aber organisatorisch nicht
fest an sich. Der linke Flügel der Jugend setzte sich von dem
vorherrschenden Konzept um die 1909 gegründete Zeit-

schrift *Arbeiterjugend* (bis 1933) ab, das proletarische Bildung und Unterhaltung zum Ziel hatte, und wurde zu einem wichtigen Kader für die revolutionären Aktionen.[202] Spätestens 1916 war die Spaltung vollzogen, die 1918 zur Gründung der ›Freien sozialistischen Jugend‹ (ab 1920 ›Kommunistische Jugend Deutschlands‹, KJD), 1919 zur Gründung des (sozialdemokratischen) ›Verbandes der Arbeiterjugendvereine‹ und der ›Sozialistischen Proletarierjugend‹, die der USPD nahestand, führte.

Die Mitgliederzahlen für 1920 sind angesichts der rund fünf Millionen junger Arbeiter in Deutschland nicht gerade eindrucksvoll, doch bedürfen sie genauerer Interpretation im Hinblick auf Gewicht und Ausstrahlung der Gruppen. Nach kommunistischer Darstellung besaßen Mitte 1920 ›Freie sozialistische Jugend‹ ca. 20 000, ›Sozialistische Proletarierjugend‹ ca. 10 000, ›Verband der Arbeiterjugendvereine‹ ca. 30 000 Mitglieder.[203] Nach sozialdemokratischer Darstellung gehörten zum ›Verband‹ Ende 1920 ca. 75 000 Jugendliche, gemäß dem Jahresbericht von Erich Ollenhauer, der neben August Albrecht Sekretär des Verbandes war.[204]

Die Kommunistische Jugend, durch die 1919 gegründete ›Kommunistische Jugendinternationale‹ (KJI) eng mit dem Geschehen und den Direktiven im revolutionären Rußland verbunden, verfolgte einen ausschließlich politischen, organisationsbetonten Kurs. Demgegenüber lag bei der sozialdemokratischen Arbeiterjugend der Akzent anfangs auf der Vorstellung von der Eigenständigkeit der Jugend, ihrer (un-)politischen Unabhängigkeit. Sie knüpfte an die Kultur- und Bildungsarbeit vor 1914 an, in welcher Literatur und Theater aufgrund des Verbotes politischer Betätigung eine wichtige Rolle gespielt hatten, suchte dieser Arbeit jedoch unter dem Einfluß der bürgerlichen Jugendbewegung (Freideutsche Jugend) einen spezifisch jugendlichen Geist zu verschaffen. Zum Symbol dieser Bemühung, die auf die Schaffung des Sozialismus als gemeinschaftlicher Lebensform zielte und sich in vielen Variationen gegen das Denken der Vorkriegssozialdemokratie richtete, wurde der 1. Reichsjugendtag des ›Verbandes der Arbeiterjugendvereine‹

Deutschlands‹ 1920 in Weimar, dem sich andere Reichsjugendtage anschlossen, 1921 in Bielefeld, 1923 in Nürnberg, 1925 in Hamburg und 1928 in Dortmund.

Das Programm von 1920 gestalteten die rund 2000 Jugendlichen teilweise gegen die Parteianordnungen. Bezeichnend für den in der Folge vielbeschworenen ›Geist von Weimar‹ waren die Worte des neunzehnjährigen Erich Ollenhauer, der bei der Kranzniederlegung vor dem Goethe- und Schiller-Denkmal ausrief: »Wir sind Arbeiterjugend, emporgewachsen aus der Not des Proletarierlebens, aber trotzdem lebt in uns der Geist eines Goethe und Schiller«, und die Ansprache von Karl Bröger im Nationaltheater, in dem 1919 die Nationalversammlung die Weimarer Republik konstituiert hatte. »Die Jugend will mehr als je auf sich selbst gestellt sein [...] Jugend ist ihr eigener Anfang«, sagte Bröger, betonte aber: »Das unterscheidet die Bewegung der deutschen Arbeiterjugend von der bürgerlichen Jugendbewegung, daß wir bewußt und wirkend mitten im Leben stehen. Nur wer in der Masse bleibt, wird die Masse formen. Das aber ist unsere Aufgabe, der Masse Gesicht zu geben.«[205]

Neben den Reden und Versammlungen widmeten sich die Teilnehmer Tanz, Spiel und Gesang. Von Weimar ging die enthusiasmierende Wirkung des Liedes aus, das Hermann Claudius und der Begründer des Hamburger Arbeiterjugendchors, Michael Englert, 1916 geschrieben hatten:

> »Wann wir schreiten Seit’ an Seit’
> und die alten Lieder singen,
> und die Wälder widerklingen,
> fühlen wir, es muß gelingen:
> Mit uns zieht die neue Zeit!« [...]

Das Lied, von den Hamburgern eingeführt, wurde zu einer Art Hymne der Arbeiterjugend.

Die Entwicklung kurz nach Kriegsende zeigt bereits die Distanz zwischen kommunistischer und sozialdemokratischer Jugendarbeit in der Folgezeit an, auch wenn sich die Sozialistische Arbeiterjugend (SAJ) um 1923 vom ›Geist von Weimar‹ teilweise entfernte und um 1930 in starkem Maße links stand und die kommunistische Jugend 1921 von der »sektiererischen Ansicht, der politische Tageskampf allein sei wichtig für die Bewußtseinsbildung«[206], Abstand nehmen mußte. Die mit der »Wendung zu den Massen« des III. Kominternkongresses 1921 und dem Programmentwurf des III. Weltkongresses der KJI in Moskau 1922 verbundene Aufmerksamkeit für die Pflege der Literatur und Kunst[207] rückte 1923/24 wieder in den Hintergrund. Die Agitproptruppen des KJVD Ende der zwanziger Jahre stellten einen Teil der Parteiorganisation dar. Die Ausrichtung der Bildungsaktivitäten an der Parteiarbeit schloß die Ausbreitung eines spezifischen Jugendkultes aus, doch existierten einige Publikationen, welche die ›Sprache der Jugend‹ redeten. Dafür ist die Zeitschrift des KJVD, *Die Junge Garde,* aufschlußreich, mehr noch die Zeitschriften für die Jüngeren: bis 1923 *Der junge Genosse,* 1924—26 *Jung-Spartakus,* ab 1926 *Die Trommel,* die als die ›Zeitung der Arbeiter- und Bauernkinder‹ firmierte. Die *Trommel* gliederte sich wie die *Junge Garde* ein der Arbeiterkorrespondentenbewegung entsprechendes Netz jugendlicher Korrespondenten an. Die Zeitschrift gibt Aufschluß über die kulturellen Aktivitäten, über die Resonanz des russischen Films etc.

Die sozialdemokratische Jugendarbeit hielt demgegenüber wesentlich stärker an Elementen des Gemeinschaftsdenkens fest, in oft recht schwärmerischer Ausrichtung am künftigen Sozialismus. Die Interpretation des Sozialismus als neue Lebensform, zu der schon in der Gegenwart, vor allem von der Jugend, der Grund gelegt werden müsse, unterschied sich nachdrücklich vom marxistischen Programm der Vorkriegsjahre. Ohne Zweifel assimilierte die Sozialistische Jugend dabei viele bürgerliche Konzepte, zumal die beliebte Konfrontation mit ›dem Bürger‹ in kulturschwärmerischen statt in klassenkämpferischen Kategorien. Der Begriff ›Kultursozialismus‹ signalisiert, in welchem Maße die ethisch-ästhetischen Impulse durchschlugen.[208]

Doch sei die politische Bedeutung der Gefühlskomponente nicht übersehen. Wenn der Sozialdemokratie der zwanziger Jahre vorgeworfen wurde, sie habe ebendiese Komponente zu ihrem Schaden unterschätzt, so zwingt der Blick auf die

SAJ und die Jungsozialisten (die Parteijugend über 18 Jahren) zu einem differenzierteren Urteil: in diesen Gruppierungen am Rande des von Organisation und Verwaltung beherrschten Parteiapparats wurden diese Probleme immerhin erörtert — mit welchem Resultat, ist eine andere Sache. So ist etwa die Anziehungskraft des ›Konzepts Jugend‹ nicht ohne Rückbezug auf den Krieg zu erklären, mit dem man die bisherigen Anschauungen, auch vom Sozialismus, aufs stärkste erschüttert sah. In diesem Zusammenhang stehen die Bemühungen nach 1920, mit Hilfe des spezifisch jugendlichen, also von der Verantwortung am Krieg freien Elementes eine Erneuerung des Sozialismus zu erreichen. Der etablierte Sozialismus war jedenfalls im Urteil der Zeitgenossen von der Verantwortung am Krieg nicht frei. Viele assoziierten ein Versagen auch des theoretischen Marxismus, wofür der Erfolg der Revolution im rückständigen Rußland, in einem vom Marxismus gerade nicht projektierten Zusammenhang, Argumente lieferte.

Die Auseinandersetzungen der Jungsozialisten gewannen exemplarischen Charakter für die Einschätzung des zu erkämpfenden Sozialismus. Eine wichtige Weichenstellung bedeutete 1923 die Trennung des nationalen und reformistischen Flügels (der Hofgeismarer) vom klassenkämpferisch-linken Flügel (den Hannoveranern). Bei der 3. Reichskonferenz 1925 in Jena fiel die Entscheidung mit einem öffentlichen Streitgespräch zwischen Hermann Hettner, dem ›rechten‹ Autor von *Sozialismus und Nation* (1925) und Max Adler, dem Mentor der ›Linken‹, zugunsten der marxistischen Richtung.[209] Davon wird noch kurz im Zusammenhang mit der sozialdemokratischen Kulturpolitik die Rede sein.

Die Bezugnahme auf die Sowjetunion vermittelte den Aktionen und der Selbsteinschätzung der kommunistischen Jugend wichtige Anhaltspunkte, während die SAJ, ohne diese Referenz völlig beiseitezuschieben, der Überzeugung anhing, im Hinblick auf die sozialistischen Lebensformen Eigenes produzieren zu müssen. Das äußerte sich bis in Kleidung und Umgangsformen hinein, vor allem aber in

vielerlei Formen von Gemeinschaftsveranstaltungen, mit
denen die Gegensphäre zur Welt des Bürgers faßbar werden sollte, erlebbar als ein Stück Vorausnahme des Sozialismus. Literatur bekam insofern politische Funktion, als sie
diese Gegensphäre etablieren half. Agitation trat bis Ende
der zwanziger Jahr zugunsten der Selbstsuggestion zurück
(vgl. die Zeitschrift *Arbeiterjugend*), wobei zumeist zur
kritischen Literatur des Bürgertums oder zur Arbeiterdichtung gegriffen wurde, mit den Möglichkeiten der chorischen
Aufbereitung der Werke. Gemäß dem Gemeinschaftscharak-
ter dieser Jugendkultur trat der Roman gegenüber Theater
und Lyrik zurück. Allerdings müssen auch die finanziellen
Schwierigkeiten berücksichtigt werden; Romane waren für
viele junge Arbeiter einfach zu teuer. Für die enorme Laien-
spielbewegung der zwanziger Jahre lagen die Wurzeln
schon vor 1914. Gegen den konservativen ›Bühnenvolks-
bund‹ stellten sich viele Unternehmungen. In der Berliner
Volksbühne entfaltete sich eine lebhafte Opposition, die
zur Einrichtung von Sonderabteilungen führte. Um sie ent-
brannte später der Kampf zwischen sozialdemokratischen
und kommunistischen Jugendlichen.[210] Die Theaterkollek-
tive nach 1930, die sich der sozialistischen Stücke, etwa der
von Friedrich Wolf (1888–1953) annahmen, waren stark
von den Jüngeren getragen.

Einer eigenen Erörterung bedürften die generellen Impulse, die von den Gemeinschaftsformen und der Erneuerungsideologie der Jugendbewegung ausgingen und auf die
Aktivitäten von Sozialisten und Kommunisten, zumal im
kulturellen Bereich, nicht nur ›geistig‹ einwirkten, sondern
auch personell, durch den Übergang von Freideutschen zum
Sozialismus. Für letzteres ließen sich an prominenten Beispielen Karl August Wittfogel, Alfred Kurella (1895–1975)
und Walther Victor (1895–1971) nennen, die später verschiedene Richtungen einschlugen. Die Aufsätze von Wittfogel, dem erfolgreichen kommunistischen Wortführer bei
vielen intellektuellen Debatten in der Weimarer Republik,
in *Die Junge Garde, Vivos Voco* und anderen Blättern zu
Beginn der zwanziger Jahre geben Aufschluß über diesen

Übergang; die kritische Anteilnahme an der weiteren Entwicklung der Freideutschen läßt sich bis 1923 erkennen.[211] — Das gilt auch für Kurella[212], dessen ›Offener Brief an den Führerrat der Freideutschen Jugend‹ mit dem Titel *Deutsche Volksgemeinschaft* (1918) überaus aufschlußreich für Kurellas spätere gesellschaftspolitischen und ›nationalliterarischen‹ Vorstellungen im Exil und dann in der DDR ist. Das in den sechziger Jahren prominente Konzept der ›sozialistischen Menschengemeinschaft‹ hat, abgesehen von der Ausarbeitung bei linken Sozialdemokraten der Weimarer Republik, in den Gemeinschaftsvorstellungen der Jugendbewegung eine wichtige Quelle.[213] — Walther Victor, der lange Jahre das Feuilleton des sozialdemokratischen *Sächsischen Volksblattes* in Zwickau betreute, das, wie Siegfried Jacobsohn in der *Weltbühne* feststellte, »beste Feuilleton einer sozialistischen deutschen Tageszeitung«, und zum linken SPD-Flügel um Paul Levi, Max Seydewitz und die Zeitschrift *Der Klassenkampf* gehörte, hat in der höchst informativen Autobiographie *Kehre wieder über die Berge* (New York 1945) unter anderem über Jugendbewegung und Sozialismus berichtet. Victor schilderte das Vakuum im deutschen Sozialismus 1918, gab aber auch eine scharfe Abrechnung mit dem Versagen der Jugend in der revolutionären Auseinandersetzung.

Daß dieses Versagen in vielen Denkhaltungen der Jugendbewegung vorgegeben war, ist oft ausgesprochen worden, vor allem auf sozialistischer Seite. Daran änderte wenig, wenn nun dort, wo bisher ›die Jugend‹ als Subjekt und Objekt der Erneuerung apostrophiert worden war, ›das Proletariat‹ eingesetzt wurde. Die Übertragung der Zielwerte läßt sich bis in die Arbeiterdichtung verfolgen, die ja zeitlich mit der Entfaltung der Jugendbewegung zwischen 1910 und 1923 übereingeht und die im Drang zur Natur, zum Wandern und Vagabundieren von Anfang an ein Motiv mit der Jugendbewegung teilte. Bei Barthel und Lersch läßt sich beispielhaft verfolgen, wie sich der Enthusiasmus jeweils ein entsprechendes Objekt sucht. Fritz Hüser hat viel vom »Lebensgefühl der Jugendbewegung« in der Arbeiterdichtung nachgewiesen und besonders auf Kurt Kläber und Erich Grisar aufmerksam gemacht.[214]

Während die SAJ in Deutschland lange Zeit kultur-schwärmerischen Tendenzen Raum gab, orientierte sich die sozialistische Jugend in Österreich von vornherein stärker am Klassenkampf, ohne die Pflege von Lied, Sprechchor, politischem Theater und anderen literarischen Formen zu vernachlässigen. Otto Felix Kanitz, der langjährige Obmann des ›Verbandes der Sozialistischen Arbeiter-Jugend Deutsch-österreichs‹ und Organisator dieser Aktivitäten, legte auf die Feststellung Wert, daß »sozialistische Kultur erst nach dem vollendeten wirtschaftlichen und politischen Siege der Arbeiterklasse möglich« und »proletarische Kulturarbeit daher nur als wertvolle Waffe im Klassenkampf zu betrachten« sei.[215] In Österreich durchdrang die klassenkämpferische Ausrichtung tatsächlich die Praxis. Der Einfluß der bürgerlichen Jugendbewegung machte sich weniger bemerkbar. Im wesentlichen bildeten Max Adlers Erziehungskonzepte die Grundlage für die von Kanitz organisierte praktische Arbeit. Natürlich ging es auch hier um Herstellung von Solidarität und Gemeinschaftsgefühl. Adler betonte die Notwendigkeit »sozialistischer Gefühlsbildung«, da Weltanschauung und Wille in hohem Maße gefühlsmäßig und nicht verstandesmäßig bedingt seien, vor allem bei jungen Menschen. Adlers Buch *Neue Menschen. Gedanken über sozialistische Erziehung* (1924) faßte die Kritik an der Jugend- und Erziehungspolitik der II. Internationale sowie der bürgerlichen Jugendbewegung zusammen, es stellte die Aufwärtsbewegung zu immer höheren Stadien der Kultur in der Form des Klassenkampfs ins Zentrum. Das Buch hatte auch in Deutschland breite Resonanz.

Mit Feiern, Demonstrationen, Sprechchor- und Theaterunternehmungen knüpfte die sozialistische Jugend in Österreich an das von Victor Adler am Ende des 19. Jahrhunderts etablierte Interesse an der ästhetischen Selbstdarstellung der Sozialdemokratie an.[216] Dabei fand die Arbeiterdichtung Eingang, mehr noch die kämpferische Literatur. Für die Zeit um 1930 bemerkte Bruno Kreisky: »Wir haben damals nicht nach der Parteizugehörigkeit der ›proletarischen Lyriker‹ gefragt. Die ›3 Minuten Gehör‹ von Kurt Tucholsky und die ›3ِ Tage‹ von Erich Weinert, das Brechtsche ›Lied von der Solidarität‹, obwohl es sich eigentlich um kommunistische Gebrauchslyrik handelte, waren bei unseren Feiern ebenso am Programm wie bei den Veranstaltungen der ›Proletkultgruppen‹.«[217]

In Österreich waren diese ›Proletkultgruppen‹, d. h. die Agitproptruppen des ›Kommunistischen Jugendverbandes‹ (KJV) wesentlich schwächer vertreten als in Deutschland, gemäß der geringen Bedeutung der Kommunisten in diesem Land. Kanitz organisierte für den Wahlkampf 1930 erstmals einheitlich uniformierte und zentral geleitete Spiel- und Propagandatruppen, die ›Blauen Blusen‹ (rund 10 000 Teilnehmer), die mit Sprechchören, Rezitationen, Litaneien, Couplets und szenischen Darstellungen viel Erfolg hatten.[218] Daneben entstand das politische Agitationstheater der ›Roten Spieler‹.

Um 1930 wandte sich auch die deutsche sozialistische Jugend viel intensiver der Agitation mit Theater, Demonstrationen und Sprechchören zu. Aber das half nicht, das von der SPD unter der Jugend seit langem verlorene Terrain zurückzugewinnen. Ohnehin entfremdete die Partei die jungen Sozialisten mit zahllosen personellen und organisatorischen Maßregelungen, die ihren »makabren Schlußakt« 1933 fanden, als der Parteivorstand im Berliner Jugendkonflikt den Rest seiner Autorität dazu benutzte, den Übergang der Berliner SAJ in die Illegalität zu unterbinden.[219]

In dieser Periode wirkte der militante ›Kommunistische Jugendverband‹ für Jugendliche, die aktiv gegen den Nationalsozialismus kämpfen wollten, attraktiver, abgesehen davon, daß die KPD von der politischen Desorientierung der arbeitslosen Jugend in der Weltwirtschaftskrise profitierte. Aber auch die Kommunisten konstatierten 1935, daß sie in ihrer Politik gegenüber der Jugend große Fehler gemacht hätten, die den Faschisten zugutegekommen seien. Auf dem VII. Weltkongreß der Komintern, der die Taktik gegenüber dem Faschismus der Kritik unterzog, führte Georgi Dimitrov aus:

>Der Faschismus siegte auch deshalb, weil es ihm gelang, in die Reihen der *Jugend* einzudringen, während die Sozialdemokratie die Arbeiterjugend vom Klassenkampf ablenkte, das revolutionäre Proletariat aber nicht die notwendige Erziehungsarbeit unter der Jugend entfaltete und dem Kampf für ihre besonderen Interessen und Forderungen nicht die genügende Aufmerksamkeit zuwandte. Der Faschismus setzte bei dem unter der Jugend besonders scharf ausgeprägten Drang zur Kampfaktivität an und zog einen beträchtlichen Teil in seine Kampftrupps. Die neue Generation der männlichen und weiblichen Jugend hat nicht die Schrecken des Krieges mitgemacht. Sie verspürt am eigenen Leibe die ganze Schwere der Wirtschaftskrise, der Arbeitslosigkeit und des Zerfalls der bürgerlichen Demokratie. Bedeutende Teile der Jugend, die keine Perspektiven für die Zukunft sahen, waren für die faschistische Demagogie besonders empfänglich, die ihnen für den Fall des Sieges des Faschismus eine verlockende Zukunft ausmalte.<[220]

6. Ästhetische Neuerungen

>Meine Zeitrechnung beginnt am 4. August 1914< — mit diesen Worten eröffnete Erwin Piscator 1929 sein Buch *Das Politische Theater*. Dieser Blick zurück auf den Ersten Weltkrieg ist zum Verständnis der zwanziger Jahre unabdingbar. Die Tatsache, daß er mit zunehmender zeitlicher Distanz stärker wurde, ist nur scheinbar paradox. Es ist ein Phänomen, das den Psychologen ebenso interessieren mag wie den Literaturhistoriker; das zitierte Interview mit Remarque über die Wurzeln seines Erfolges als >Kriegsautor< läßt erkennen, wie real es war. (Allerdings gingen von Bestsellern weniger Gefahren aus als von dem in der Krise wiedererweckten Frontgeist der Nationalsozialisten.) Angesichts dieser Rückwendung sollte auch der Einschnitt, den man im allgemeinen mit dem Ende der Inflation 1923 ansetzt, nicht überschätzt werden. Die ästhetischen Tendenzen, die sich danach durchsetzten, weisen in vielerlei Form in die Periode des Krieges zurück. Vor allem wurde in der

zweiten Hälfte der zwanziger Jahre die von den Dadaisten
vorgebrachte Kritik an der Hochstellung der Kunst nach-
geholt, die sich im Expressionismus mit vielumstrittenen
Mitteln noch einmal erneuert hatte.

DADAISMUS UND POLITISCHE KUNST

Wie tief die Wandlung ging, sprach der ›Prophet des
Expressionismus‹, Wilhelm Worringer, nach dem Kriege
selbst aus. Worringer, der dem Expressionismus vor 1914
mit dem der ›Einfühlung‹ entgegengesetzten Begriff ›Abstraktion‹ ein hohes Selbstbewußtsein und eine würdige
Ahnenreihe in der Geschichte der Kunst verschafft hatte,
verhehlte seine Desillusionierung nicht. Er sprach 1921
vom »tragischen Als-Ob«, das nun sichtbar werde und zu
Ende komme. Er verwies selbst auf die Dadaisten:

»Die haben ja aus dem verzweifelten Lachen über diesen
Fiktionentrug so etwas wie eine Theorie, ja eine Religion gemacht. Spotten ihrer selbst und der Kunst und wissen leider nur
zu gut, wie und warum. Schindluder treiben sie mit der Kunst,
um dem Bürger die Augen endlich darüber zu öffnen, daß sie nicht
mehr da ist und daß er vor einer Attrappe opfert. Aber das ist ja
nicht jedermanns Sache.«[221]

Es war gewiß nicht jedermanns Sache, die großen Hoffnungen auf eine Erneuerung der Kultur, die sich in vielen
ethisch-ästhetischen Programmen seit Ende des 19. Jahrhunderts niedergeschlagen hatten, mit einem Lachen weg-
zublasen. Es war nicht leicht, weder für die Vertreter der
›Einfühlung‹, um Worringers populären Terminus für die
Expressionistengegner und Klassizisten zu gebrauchen, noch
für die Vertreter der ›Abstraktion‹, die sich um die Ver-
geistigung der Welt bemühten, bei der die ›Einfühlung‹
hinter aller Verfremdung doch wirksam wurde.[222] Um so
stärker wirkte die Provokation der Dadaisten, die offensichtlich nicht mehr antraten, den Tempel der Kunst zu
reinigen, wie es schon oft unter Zustimmung der Herrschenden geschehen war, sondern die die Augen der Zuschauenden reinigten und demonstrierten, daß da kein Tempel
mehr war.

Die Frage, ob damit etwas wirklich Neues geschah oder nur der von Hegel konstatierte, wenn auch nicht gebilligte Zustand der modernen Kunst selbst zu ihrem Thema wurde, läßt sich nicht in wenigen Worten erledigen. Sicher ist, daß die von Hegel aufgewiesene Freistellung des Künstlers von einem »besonderen Gehalt und einer nur für diesen Stoff passenden Art der Darstellung«[223] mit dem Dadaismus in einer bislang nicht gekannten Weise hervortrat. Von Hegels Mißbilligung ist die Rede gewesen wie von der der nachfolgenden Generationen. Worringer äußerte sich 1921 resigniert, angerührt vom abendländischen Untergangsgefühl, bot jedoch eine Art Kompromiß an:

»Die Kunst hat einmal im Text gestanden — mitten drin —, heute steht sie unwiderruflich am Rande, und alle gegenteiligen Behauptungen beruhen auf einer unbewußten Fiktion. Bejahen wir also ruhig die Kunst in diesem Randdaseinsstadium, nehmen wir die Künstler ruhig als Spezialisten eines heute nicht mehr lebensnotwendigen und reichsunmittelbaren Schöpfertums und schätzen wir sie unter dieser Einschränkung nicht weniger, aber tun wir ihnen nicht mehr das Unrecht an, ihnen die ganze Last überlebter Kunstideologien aufzubürden, die nur zu einer gegenseitigen Heuchelei oder zu einem fragwürdigen Fiktionenspiel führen kann.«[224]

Das bedeutete ein Ja für die Anerkennung und Förderung der Kunst — aber als Randerscheinung. Damit konnten sich viele in der Folgezeit kaum abfinden, nur schwer die Künstler, noch schwerer aber die Herrschenden, welche die Repräsentation der Kunst brauchten, zumal nach 1930. Die Dadaisten reagierten heftiger, sie schoben den Kompromiß beiseite, wenn auch nicht auf die Dauer. Ihnen schrieb Benjamin »eine rücksichtslose Vernichtung der Aura ihrer Hervorbringungen« zu, »denen sie mit den Mitteln der Produktion das Brandmal der Reproduktion aufdrücken«. Die bewußte Vernichtung der Aura des Kunstwerks: damit war die Tabuzone berührt, vor der sich einst Heine zurückzog. Im Jahre 1916, angesichts der Erschütterungen eines Weltkrieges, fiel die Barriere. Doch trug der Schwung die Reiter, welche die Abgründe mit Interesse registrierten, bis

zum anderen Ufer des Bodensees, hin zur erneuten Anerkennung der Kunst. Benjamin führt den Gedanken weiter:
»Das durch den Dadaismus provozierte soziale Verhalten
ist: Anstoß nehmen. In der Tat gewährleisteten seine Kundgebungen eine recht vehemente Ablenkung, indem sie das
Kunstwerk zum Mittelpunkt eines Skandals machten. Dieses
Kunstwerk hatte vor allem *einer* Forderung Genüge zu
leisten: öffentliches Ärgernis zu erregen. Aus einem locken-
den Augenschein oder einem überredenden Klanggebilde
wurde es zu einem Geschoß. Es stieß dem Betrachter zu. Und
es stand damit im Begriff, die taktile Qualität, die der Kunst
in den großen Umbauepochen der Geschichte die unent-
behrlichste ist, für die Gegenwart zurückzugewinnen.«[225]
    Der Protest fungierte als Aussagestruktur, er schloß die
Verinnerlichung und damit den gewohnten Kunstgenuß aus.
Die angegriffenen Inhalte wurden ästhetisch nicht erhöht.
Einerseits ermöglichte das ein Avantgarderitual, zu dem
Ball notierte: »Die vollendete Skepsis ermöglicht auch die
vollendete Freiheit. Wenn über den inneren Umriß eines
Gegenstandes nichts Bestimmtes mehr geglaubt werden
kann, muß oder darf, – dann ist er seinem Gegenüber ausgeliefert und es kommt nur darauf an, ob die Neuordnung
der Elemente, die der Künstler, der Gelehrte oder Theologe
damit vornimmt, sich die Anerkennung zu erringen vermag.«[226] Das nahm fast die hegelsche Formulierung von der
Kunst als freiem Instrument auf, das der Künstler »nach
Maßgabe seiner subjektiven Geschicklichkeit in bezug auf
den Inhalt, welcher Art er auch sei, gleichmäßig handhaben
kann«.[227]
    Andererseits ergab sich die Möglichkeit, die Verweige-
rung der Verinnerlichung in eine politisch-gesellschaftliche
Stellungnahme überzuführen, was die lange Zeit als niedrig
angesehene Didaktik zum Partner des ästhetischen Gestus
aufwertete. Hierbei wurde wieder Raum für die Anerkennung der Zweckformen, mit der man sich in Deutschland
so schwertat – als hätte Heine nie gelebt.
    Die beiden Haltungen zwischen Avantgarde und Politik
schlossen einander nicht aus. Das zeigte sich 1918 ebenso

wie späterhin, bei Unternehmungen, die mit den in der modernen Kunst entwickelten Mitteln der Selbstreflexion politische Reflexion fördern sollten, etwa bei Brecht. Doch gingen Huelsenbeck, der einige der Dada-Riten von Zürich nach Berlin mitgebracht hatte, und Raoul Hausmann (1886 bis 1971) bald andere Wege als die Brüder Herzfelde, die am 31. Dezember 1918 der einen Tag zuvor gegründeten KPD beitraten.

Es ist aufschlußreich, wie Wieland Herzfelde die politisch provozierenden satirischen Zeitschriften des Malik-Verlages, *Jedermann sein eigener Fußball* und *Die Pleite*, einschätzte, die 1919 durch Straßenverkäufer, einen Dada-Marsch mit Musik und, als die Straßenverkäufer Repressalien befürchteten, durch Vertrauensleute in Betrieben an den Mann gebracht wurden. Harry Graf Kessler (1868–1937), der zu dieser Zeit mit Heartfield, Grosz und Johannes R. Becher (neben vielen anderen) Umgang hatte, berichtete von Herzfelde: »Grosz wird Hauptmitarbeiter und will zum Beispiel eine Serie ›Der schöne deutsche Mann‹ veröffentlichen. Als ihr gemeinsames Hauptziel bezeichnete Herzfelde, ›alles, was den Deutschen bisher lieb gewesen sei, in den Dreck zu treten‹, das heißt alle abgelebten ›Ideale‹, um freie Bahn und frische Luft zu schaffen.«[228] Und wenig später: »Dann war Wieland Herzfelde bei mir und brachte mir die zweite Nummer seiner Zeitschrift, die jetzt ›Die Pleite‹ heißt. Die Karikaturen von Grosz sind blendend, namentlich Ebert als Monarch im Klubsessel: ein Meisterwerk. Der literarische Gehalt dagegen zentnerschwer, das gerade Gegenteil von dem, was ich erwartet hatte: eine Sammlung von Manifesten, Kreischen und Pathos statt Witz und Farbe. Herzfelde sagt, seine Freunde und Mitarbeiter (Spartakisten) wollten es so, hätten gegen den leichten Ton der ersten Nummer revoltiert.«[229]

Kurze Zeit danach brachte Herzfelde Berichte vom Wüten des weißen Terrors, den er am eigenen Leibe erlebte (vgl. *Schutzhaft*, 1919). Sie ließen Witz und Farbe tatsächlich wenig Raum. Die Erfahrungen des Frühjahrs 1919 intensivierten die Politisierung — die allerdings, wie Kurt Tucholsky anläßlich des Prozesses gegen George Grosz und Genossen wegen Beleidigung der Reichswehr 1921 melancholisch-ironisch konstatierte, bei einem Angriff von außen wenig selbstsicher, wenig ›politisch‹ vertreten wurde.[230]

Es blieben Aktionen von Künstlern. In der politischen

Zielsetzung lief der Anspruch mit, die Kunst neu zu verankern. Piscator bemerkte im Rückblick: »Lange Zeit bis in das Jahr 1919 hinein waren Kunst und Politik zwei Wege, die nebeneinander herliefen. Im Gefühl war zwar ein Umschwung erfolgt. Kunst war nicht mehr imstande, mich zu befriedigen. Andererseits sah ich noch immer nicht den Schnittpunkt beider Wege, an dem ein neuer Begriff der Kunst entstehen mußte, aktiv, kämpferisch, politisch. Zu diesem Umschwung im Gefühl mußte noch eine theoretische Erkenntnis hinzutreten, die alles das, was ich ahnte, klar formulierte. Diese Erkenntnis brachte für mich die Revolution.«[231] Der Krieg hatte die alten Konventionen zerbrochen, mitsamt denen der Kunst. Die Revolution, auch die vorerst geschlagene, ermöglichte Kunst: indem sie eine neue Verankerung schaffte.

George Grosz, der bereits vor dem Krieg ein mehrbändiges Werk *Von der Häßlichkeit der Deutschen* geplant hatte (das er in gewisser Weise auch realisierte), griff noch weiter aus. Er erhoffte sich etwas künstlerisch Neues, etwas, was seiner Verehrung für Brueghel, Bosch und Grünewald entsprach. »Er hat einen Ekel vor der Malerei«, notierte Kessler nach einem Gespräch im Atelier von Grosz, »vor der Zwecklosigkeit der bisherigen Malerei; will etwas ganz Neues mit malerischen Mitteln oder, richtiger, etwas, was die Malerei früher geleistet hat (Hogarth, religiöse Malerei), was ihr aber im 19. Jahrhundert verlorengegangen ist. Reaktionär und revolutionär, eine Zeiterscheinung.«[232] Hierfür bot die »blutige Pose« (Ball) der Welt einen Einstieg. Grosz arbeitete daran, die blutige Pose hinter den heroischen Emblemen der kapitalistischen Gesellschaft zu entlarven. Die Entlarvung jener seit langem verfolgten Häßlichkeit schuf neue Embleme, visuell nachzuvollziehende, zu erobernde Argumente im politischen Kampf. Es ging um eine neue Annäherung an das Wirkliche, die den Mitvollzug des Zuschauers forderte, nicht mehr die Versenkung. Das galt auch für die Fotomontagen von John Heartfield. Günther Anders setzte den Prozeß des ›Erfindens, um (die Wahrheit) zu finden‹ von der bloßen Propaganda ab: »Jene

zum Zwecke der Meinungsfabrikation und der Enthusias-
musproduktion hergestellten Kriegsmontagen sahen ihr
Ideal darin, so zu montieren, als sei nicht montiert worden:
also zu fälschen. Aus den Nähten des Pseudofotos quillt die
Lüge und das schlechte Gewissen.«[233]

PISCATOR

Auch Piscator lernte zu montieren, lernte, den Mitvollzug
der theatralischen Montage zum künstlerischen und zugleich
politischen Kern der jeweiligen Veranstaltung zu machen.
Grosz spielte im Programmheft zur Aufführung von *Die
Abenteuer des braven Soldaten Schwejk* (1928), zu der er
die Bühnenbilder lieferte, ironisch auf seine und Heartfields
Erfindung der Fotomontage 1916 an, mit dem Zusatz:
»Jedenfalls setzte Erwin die Photo-Montage sinngemäß in
den Bühnenrahmen ein, montierte den alten Kulissenzauber
glatt um und gab der Bühne wieder jene Lebendigkeit und
Geschehnisfülle, die das richtige Theater haben muß.«[234] In
seinem Grundsatzartikel *Über Grundlagen und Aufgaben
des Proletarischen Theaters* führte Piscator aus, das Proletarische Theater könne fast jedes bürgerliche Stück in der
Weise behandeln, daß es den Klassengedanken stärke und
die revolutionäre Einsicht in die historischen Notwendigkeiten vertiefe.

»Solche Stücke würden zweckmäßig durch ein Referat eingeleitet, damit Mißverständnisse und falsche Wirkung unmöglich
gemacht werden. Unter Umständen kann man an den Stücken
auch Veränderungen vornehmen (der Personalkult des Künstlers,
der damit verletzt wird, ist ja konservativ) durch Streichungen,
Verstärkungen gewisser Stellen, eventuell durch Hinzufügung
eines Vor- und Nachspiels, das dem Ganzen zur Eindeutigkeit
verhilft. Auf diese Weise kann ein großer Teil der Weltliteratur
der revolutionären proletarischen Sache dienstbar gemacht werden, ebenso wie die gesamte Weltgeschichte zur politischen Propagierung des Klassenkampfgedankens benutzt wurde.«[235]

Darin ist bereits ein wichtiger Teil von Piscators Dramaturgie, am »Seienden das Sein-Sollende aufzuzeigen«, angedeutet. Sie beeinflußte in den zwanziger Jahren nicht nur

Regisseure, sondern auch die Dramatiker selbst. Für die Theaterarbeit zeichnete Piscator schon den später von Brecht ausgearbeiteten Verfremdungseffekt als schauspielerische Technik vor. Als Voraussetzung einer Gemeinschaft von Bühne und Publikum nannte er »eine völlig neue Einstellung der Darsteller zum Thema des darzustellenden Stückes. Er darf nicht mehr wie bisher indifferent über seiner jeweiligen Rolle stehen, noch darin ›aufgehen‹.« Wie der Kommunist in der Versammlung müsse der Schauspieler »jede seiner Rollen, jedes Wort, jede Bewegung zum Ausdruck der proletarischen, der kommunistischen Idee werden lassen«, und derart müsse »jeder Zuschauer lernen, wo immer er ist, was immer er spricht und tut, ihm den Ausdruck zu verleihen, der ihn unverkennbar zum Kommunisten stempelt«. Geschicklichkeit und Talent brächten das nicht zustande.[236]

Piscator bemerkte später, daß er zu dieser Konzeption, die kurzer, revueartiger Vorlagen bedurfte, durch die mitspielenden und zuschauenden Arbeiter angeregt worden sei. Waren die ersten Einakter 1920 im ›Proletarischen Theater‹ (*Der Krüppel* von Carl Julius Haidvogel, *Vor dem Tore* von Andor Gabor und *Rußlands Tag* von Lajos Barta) in einem aggressiven Kabarettstil gehalten, der den dramatisch steigernden Dialog beiseite rückte zugunsten der Explikation bildhaft komprimierter Szenen, so basierten die Stücke von Franz Jung, die, wie Piscator bemerkte, »am weitesten politisch vorstießen und auch in ihrem Aufbau eine neue Linie zeigten«[237], auf einer Abfolge dramatischer Bildsequenzen, die den politischen Appell ›produzierten‹.

In der Zeitschrift *Der Gegner*, die, zunächst von Karl Otten und Julian Gumperz herausgegeben, mit dem Jahrgang 1920 zum wichtigsten Organ revolutionärer Literaturpolitik wurde (Malik-Verlag), ist 1921 dokumentiert, daß Jungs *Wie lange noch* »fünf Mal in Berlin (u. a. am Reichskongreß der Metallarbeiter), je einmal in Spandau und Eberswalde« gespielt wurde und *Die Kanaker* bereits »vom Internationalen Bund der Kriegsbeschädigten« und »von der Belegschaft der A.E.G.« vorbestellt sei.[238] Aufgeführt waren außer den genannten Einaktern bereits *Die Feinde* von Gorkij und *Prinz Hagen* von Upton Sinclair.

An der Durchsetzung dieser Theaterpraxis im politischen

Laientheater der zwanziger Jahre war Karl August Wittfogel maßgeblich beteiligt. In seiner Programmschrift *Grenzen und Aufgaben der revolutionären Bühnenkunst* (1922)
plädierte er für die kritisch-satirische Puppenbühne, die keinen großen Aufwand erfordere, für den Sketch und den
personenarmen Einakter, wofür er im Telefonspiel *Der
Flüchtling* (1922) ein wirkungsvolles, häufig aufgeführtes
Beispiel gab. Sein Vorschlag lautete: »Mehrere derartige
knappe Einakter, unterbrochen durch Rezitationen und Musik, wären übrigens als Programm für ein wirklich gutes
und wirklich revolutionäres Kabarett sozusagen das Natur-
gegebene.«[239] Damit zeichnete Wittfogel bereits den Weg
vor, den die Agitproptruppen später nahmen. Weitere Anregungen gaben die im bürgerlichen Theater zu dieser Zeit
höchst erfolgreichen Revueformen.[240]

In seinen ersten Stücken *Rote Soldaten* (1921) und *Der Mann,
der eine Idee hat* (1922) entwickelte Wittfogel Kommunismus und
Revolution weniger aus der Handlungsstruktur als aus einer
»Idee«. Gegenüber diesem expressionistisch-idealistischen Ansatz
fand er mit dem kabarettnahen, auf Improvisation und Verfremdung gegründeten Werk *Wer ist der Dümmste?* (1923) zu einer
Form des Lernspiels, das die Erfahrungen des ›Proletarischen
Theaters‹ erfolgreich verwertete. Das Stück errang bei proletarischen Spielgruppen großen Erfolg, Upton Sinclair erreichte
sogar in New York seine Aufführung. Noch 1932 griff Gustav
von Wangenheim darauf zurück und erarbeitete mit dem Schau-
spielerkollektiv ›Truppe 31‹ eine neue Fassung, die im Februar
1933 aufgeführt wurde.

Die Klage, daß es zu wenige Lernspiele gebe, durchzieht die
zwanziger Jahre, vor allem die Aktivitäten der Jugendgruppen.
Vieles, was Ende der zwanziger Jahre als Lehrtheater angekurbelt
wurde, ist vor diesem Hintergrund zu sehen. Nicht zufällig übernahm Wittfogel die Leitung der öffentlichen Diskussion, die Ende
1930 nach der Uraufführung von Brechts Lehrstück *Die Maßnahme* in Berlin stattfand.

Den Durchbruch der Revue- und Kabarettformen in der
kommunistischen Agitation erzielten Piscator und Gasbarra
1924 mit der *Revue Roter Rummel,* die von der KPD zur
Reichstagswahl bestellt worden war. Hier traten Musik,

Chanson, Akrobatik, Schnellzeichnung, Sport, Aussprache, ˥
Bildprojektion und Dialogszene in den Dienst sozialistischer
Propaganda. Das Arbeiterpublikum zeigte sich begeistert,
und bald nahmen kommunistische Jugendgruppen die Idee
der ›Roten Revue‹ auf, die dem Mangel an Texten für das
politische Theater abhelfen konnte. Die nach 1925 gegründeten Agitproptruppen bauten diese Form innerhalb der
Parteiorganisation weiter aus.

Das an der Bildmontage orientierte dramaturgische Kon- ✕
zept wandte Piscator 1924 bei seiner Inszenierung von
Alfons Paquéts ›Dramatischem Roman‹ *Fahnen* erstmals in
großem Stil auf das Theater an. Die Inszenierung in der
Berliner Volksbühne wurde wegweisend für seinen histo-
risch-dokumentierenden Stil in den Produktionen von Paquéts *Sturmflut* (1926), Ehm Welks *Gewitter über Gottland*
(das 1927 besonders viel Aufruhr verursachte und Piscators
Bruch mit der Volksbühne auslöste), Tollers *Hoppla, wir
leben* und Aleksej Tolstojs *Rasputin* (beide 1927) sowie der
erfolgreichen Schwejk-Bearbeitung 1928 (an der Brecht großen Anteil hatte), Leo Lanias *Konjunktur* (1928) und
Walter Mehrings *Der Kaufmann von Berlin* (1929). Das
waren alle vielbeachtete Großproduktionen, denen man mit
dem Terminus Piscator-Stil gerecht zu werden versuchte.
Piscator-Stil: das umschloß die tiefgreifende Umarbeitung,
ja Umstrukturierung der Stücke, die Einbeziehung von
dokumentarischem Material (mittels Projektor und Film),
die Simultanbühne, die Einblendung von Statistiken und
Geschichtszahlen als Teil der dramaturgischen Didaktik, das
umschloß konstruktivistische Bühnenbauten und eine
schwerfällige Apparatur, den Einsatz vieler Statisten, die
Heraufbeschwörung von Skandalen, den Verbrauch großer
Geldsummen und schließlich — den Bankrott. Der Eindruck
auf das zum Teil bürgerliche Publikum war entsprechend
stark. Hier wurde Anstoß erregt, um Benjamins auf die
Dadaisten gemünztes Wort aufzugreifen, und zwar nicht
nur im Bürgertum: hier berührten sich Politik und Avantgarde in exemplarischer Weise. (Im *Kaufmann von Berlin*
begann sich schließlich die technische Apparatur zu ver-

selbständigen, worauf Piscator nach dem Bankrott seiner
Bühne wieder an die einfachere und politischere Aufführungspraxis des Proletarischen Theaters anknüpfte.)

Im Gegensatz zu Brecht hielt Piscator am direkten Bezug
auf aktuelle Geschehnisse fest; für seine Dramaturgie blieb
die Niederlage der Revolution 1918/19 ein Fixpunkt. Die
erwähnte ›Historische Revue‹ *Trotz alledem!*, die er und
Gasbarra zum KPD-Parteitag 1925 erarbeiteten, stellte die
teilweise filmische Dokumentation der Jahre 1914—1919
bis hin zur Revolution und zum Mord an Liebknecht und
Luxemburg dar. Aber auch die von ihm betreuten Produktionen auf dem Theater machten, wie es Asja Lacis (geb.
1891) nannte, die »Idee« sichtbar, »daß die kommende
sozialistische Revolution auf den Schultern der früheren
revolutionären Prozesse steht«.[241] Piscators besondere Leistung war es, in einer Zeit der Entleerung der originär
›theatralischen‹ Dramatik die dramatischen Qualitäten der
Geschichte, die von zahlreichen Zeitgenossen gespürt und
ausgesprochen wurden, in Bühnenwirkung überzuführen
und zugleich am bühnenmäßig Vorgegebenen die historischen Qualitäten aufzuzeigen.

In der historisch-politisch begründeten Ausrichtung Piscators an der Totale liegt auch ein wichtiger Unterschied zur
Theaterarbeit von Mejerchold im revolutionären Rußland.
Lange vor Piscator hatte der Russe, dessen Experimente mit
dem antiillusionistischen Theater, mit der Commedia dell'
arte und Elementen des ostasiatischen Theaters auf den
Beginn des Jahrhunderts zurückgingen, in der Inszenierung
von Majakovskijs *Mysterium buffo* die Segment-Globus-Bühne benutzt, welche die Welttotalität symbolisierte. Doch
war Mejercholds Konstruktivismus im folgenden grundsätzlich an der Totalität des Theatralischen orientiert, in einer
bis dahin ungekannt virtuosen Kombination statischer und
dynamischer Elemente, in deren Zentrum der Schauspieler
stand. Piscator vernachlässigte hingegen den Schauspieler.[242]
Während sich Mejercholds Totalität voll im theatralischen
Vollzug erschloß, ließ Piscators Totalperspektive die wissenschaftliche, außerästhetische Grundlage immer erkennen,

mit der sich stets auch zugleich die Entbehrlichkeit des Theaters andeutete. Überspitzt gesagt: Mejercholds Theater machte die gelungene Revolution sichtbar, indem es sich als das durch die Revolution befreite Theater darstellte; Piscators Theater machte die niedergeschlagene Revolution als Voraussetzung sichtbar, indem es sich als ihrer künftigen Vollendung dienstbar hinstellte.

Die Dramaturgie der optimistischen Tragödie, die in Piscators Produktionen angelegt war, wurde von Friedrich Wolf vor allem im Stück *Die Matrosen von Cattaro* (1930) aufgenommen. Im Stück *Bauer Baetz* (1932) lieferte Wolf die Tragödie eines Kleinbauern und ließ sie als Modell des sozialen Kampfes auf der Bühne diskutieren. Wolf arbeitete um 1930 eng mit Piscator zusammen (Aufführung von Wolfs *Tai Yang erwacht* 1931); seine Begegnung mit Vsevolod Višnevskij (1900–1951) wurde 1932 für dessen Revolutionsstück *Optimistische Tragödie* bedeutsam.[243] Als Piscator 1931 in die Sowjetunion ging, verschaffte er dieser Dramaturgie bei seinem großen Filmprojekt nach Anna Seghers' *Aufstand der Fischer von St. Barbara* neue Aussagekraft. Er wich — wie schon früher so oft — von der literarischen Vorlage ab und ließ die Geschichte einer gescheiterten Revolte in ein monumentales ›Trotz alledem!‹ münden. (Von Piscators Affinität zum tragischen Modell zeugt noch seine bahnbrechende Inszenierung von Rolf Hochhuths Stück *Der Stellvertreter* 1963.)

Die Betonung des Inhaltlichen blieb für Piscators Vorgehen maßgebend, so stark er auch an der technischen Erweiterung der bildhaften Vermittlung — der Theatermontage — arbeitete. In diesem Punkt formulierte er sogar eine Kritik an Ejzenštein, dessen Film *Panzerkreuzer Potemkin* 1926 gewaltigen Eindruck machte. Piscator kritisierte Ejzenšteins Äußerung, dieser Film habe die Aufgabe, die Massen zu elektrisieren, aufzurütteln. Wäre wirklich nur das die Aufgabe eines revolutionären Dramas, entgegnete Piscator, so wäre diese Wirkung ebensogut durch die Gestaltung eines Boxkampfes, eines Wettrennens, einer beliebigen militärischen Parade zu erzielen. Das politisch-

proletarische Theater aber dürfe nicht nur an die primitiven
Gefühle appellieren, es müsse die geistigen Energien der
Massen in Bewegung setzen. Piscator berief sich auf die
marxsche Philosophie als Basis seines eigenen Vorgehens:

>Wir wollen nicht bloß enthusiasmieren, wir wollen Klarheit
und Erkenntnisse vermitteln: wir fangen daher immer wieder
von vorne an, durch die Herausarbeitung der geschichtlichen
Wahrheit, durch die Aufrollung aller Probleme in ihren großen
Zusammenhängen und ihre Verfolgung bis zur letzten Konsequenz den Massen die Unentrinnbarkeit des von uns gezeichneten
Schicksals und den einzigen Weg zu seiner Überwindung zu zeigen. Ich sehe den prinzipiellen Fehler des ›Potemkin‹-Films darin,
daß Eisenstein sich damit begnügte, eine Revolte auf einem Schiff
zu zeigen, statt diesen Vorfall in Beziehung zu allen Kräften der
Revolution von 1905 zu setzen. In der Aufrollung der großen
Zusammenhänge ist das Theater dem Film weit überlegen. Gerade
die Verbindung von Bühne und Film, von epischer Schwarzweiß-
kunst und der Dramatik des gesprochenen Wortes und des drei-
dimensionalen Menschen, scheint mir das wesentlichste Mittel zur
Erreichung dieses Zieles.«²⁴⁴

Der Vorwurf klingt nicht unbekannt. Er bedeutet, vereinfacht: Ejzenštein zeige nur eine Episode, gerate in den
Bereich der Zufälligkeit und Beliebigkeit, der mit der Erwähnung von Boxkampf, Wettrennen und militärischer
Parade umrissen ist. Das Theater, das gegenüber der bloßen
Bilderfolge des Stummfilms (mit Zwischentexten) das gesprochene Wort zur Verfügung habe, gelange in den Händen Piscators von der bloßen Aufsicht zur Einsicht. Es gehe
darum, aus der Vielfalt historischer Fakten die verallgemeinernde Deutung der gesellschaftlichen Situation herauszuarbeiten.

Diese Belehrung klingt deshalb nicht unbekannt, weil
Ejzenštein sie, wie zitiert, selbst benutzte, um seinen Film
von dem des großen Vorbilds D. W. Griffith abzusetzen.
Ejzenštein warf Griffith vor, er sei unfähig, »Erscheinun-
gen wirklich sinnvoll zu abstrahieren, das heißt aus der
Mannigfaltigkeit historischer Fakten die *verallgemeinernde
Deutung* einer historischen Erscheinung *herauszuarbei-
ten*«.²⁴⁵

Diese Belehrung ist angesichts moderner Kunst immer wieder vorgebracht worden. Zeitkritiker und engagierte Künstler haben auf die Gefahr der Zufälligkeit und Beliebigkeit hingewiesen, die seit dem Naturalismus so offenkundig geworden ist.[246] Immer wieder hat man die Kunst um jene Klafter tiefer zu verankern gesucht, mit denen man das Nicht-mehr-Beliebige assoziiert, und wenn Piscator gegen Ejzenštein mit Postulaten operierte, die Ejzenštein später selbst gegen andere gebrauchte, so bildet das nur einen kleinen Ausschnitt aus dem im 20. Jahrhundert doppelt intensiv geführten Kampf um die Herausarbeitung von »Wahrheit« (Piscator) mit Hilfe der Kunst.

BRECHT

In dem aufschlußreichen *Gespräch mit George Grosz* hat Brecht seine Annäherung an die politische Kunst reflektiert. Er sagt darin:

»Ich glaube nicht, Grosz, daß Sie eines Tages aus unbezwinglichem Mitleid mit einem Ausgebeuteten oder aus Zorn gegen einen ausbeutenden Mann eine unbezwingliche Lust verspürten, mit einer Feder etwas dies Betreffendes auf Papier zu zeichnen. Ich denke mir, daß Zeichnen eine Unterhaltung für Sie war und die Physiognomien von Leuten Gelegenheit dazu. [...] Ich unterschätze nicht die Lust am Protest, die Sie gereizt haben mag, gerade jene Leute, die sich als Elite der Menschheit vorkamen und die darauf angewiesen waren, Elite zu sein, da nur einer Elite solche Schweinereien erlaubt sein können, als faktische Schweine darzustellen. Es war im protestantischen Sinn keine Wahrheit herauszubringen, wenn man etwa einen proletarischen Typus auf seine elementare Form brachte. Der Proletarier hatte keinen Grund, anders sein zu wollen, als er ist. In der ungeheuren Anstrengung, die ihm seine bloße Existenz kostete, nahm er einfach von selber seine wahrhaftigste Grundform an. [...] Die Stellung der Kunst ist in unseren Tagen die Ihre: der Typus, den Sie als Objekt lieben, kann ihnen nicht gefallen als Publikum. Ihre politische Feindschaft gegen die Bourgeoisie kommt nicht daher, weil Sie Proletarier, sondern weil Sie Künstler sind. Ihre politische Stellung (die ich, wie Sie sehen, anders als Sie, als sekundär betrachte) ist Ihre Stellung zum Publikum (nicht Ihre Stellung zu Ihrem Objekt).«[247]

Brecht verwies auf die hohe Bedeutung des Wahrheitsan-
spruchs, betonte jedoch, daß dessen Funktion an die Selbstrealisierung des Künstlers gebunden sei. Selbstrealisierung
im künstlerischen Vollzug oder generellen Mitvollzug blieb
Brechts zentrale Thematik, am unmittelbarsten artikuliert
in den Lehrstücken seit Ende der zwanziger Jahre. Das war
zugleich die Zeit, da sich Brecht wieder von Piscator entfernte, von dem er Entscheidendes lernte, und sich auf
seinen eigenen Weg einer »wirklichen Revolutionierung des
Theaters« machte. Die Ausgrenzung dieses »wirklichen
Revolutionierens« geschah auch hier mit Hilfe des Vorwurfs
der Beliebigkeit und des Naturalismus:

»Die Requirierung des Theaters für Zwecke des Klassenkampfes bietet eine Gefahr für die wirkliche Revolutionierung
des Theaters. Es ist kein Zufall, daß diese Requirierung nicht
von der Produktion, sondern von der Aufmachung (Regie) her
erfolgte. Diese künstlerische Mittel usurpierenden Klassenkämpfer
mußten von Anfang an zu neuen Mitteln (Jazz und Film) greifen
und konnten zu keiner Revolutionierung des Theaters selbst vordringen. Die politisch verdienstvolle Übertragung revolutionären
Geistes durch Bühneneffekte, die lediglich eine aktive Atmosphäre
schaffen, kann das Theater nicht revolutionieren und ist etwas
Provisorisches, das nicht weitergeführt, sondern nur durch eine
wirklich revolutionierte Theaterkunst abgelöst werden kann.
Dieses Theater ist ein im Grund antirevolutionäres, weil passives,
reproduzierendes.«[248]

Brecht ließ den Namen Piscators aus, als er davon sprach,
dieses Theater müsse auf die politische Revolution warten,
um die Vorbilder zu bekommen. Piscators Theater gab ihm
vor allem als Experimentierbühne Anregungen — in seiner
Dramaturgie hatte er schon zuvor der Tragödienform fern-
gestanden. Dem entsprach sein besonderes Interesse für
das japanische Theater; seine ersten Schritte mit dem Lehrtheater erfolgten in enger Anlehnung daran.
Kurt Weill (1900—1950), der die Schuloper *Der Jasager*
zum Muster einer Einübung in die Operndarstellung erklärte, wirkte daran mit, die Selbstreflexion der Kunst gegenüber der gesellschaftlichen Wirklichkeit in abstrakten

Modellen voranzutreiben, bei denen sich die Lehre zunächst als dieser Prozeß der Selbstreflexion darstellte. Die musikalische und chorische Erneuerungsbewegung Ende der zwanziger Jahre übte auf Brecht, der mit Paul Hindemith, Weill und Hanns Eisler zusammenarbeitete, große Anziehungskraft aus. Zu dieser Zeit wurden die *Dreigroschenoper* (1928) und *Aufstieg und Fall der Stadt Mahagonny* (1929/30) mit ihrer satirisch-musikalischen Entlarvung der kapitalistischen Gesellschaft zu großen Erfolgen; zugleich bedeuteten sie wichtige Stufen bei der Konzeptualisierung des epischen Theaters.[249]

Weill übertrug die Formen des Lernspiels auf die Musik, Brecht entwickelte seine Thesen zum »Funktionswechsel des Theaters«. Weill stellte fest: »Gerade im Studium besteht der praktische Wert der Schuloper, und die Aufführung eines solchen Werkes ist weit weniger wichtig als die Schulung, die für die Ausführenden damit verbunden ist.«[250] Brecht wandte sich gegen das herkömmliche Konsumententheater: »Nicht jeder Hereingelaufene kann, auf Grund eines Geldopfers, hier ›verstehen‹ in der Art von ›konsumieren‹. Dies ist keine Ware mehr, die jedermann auf Grund seiner allgemeinen sinnlichen Veranlagung ohne weiteres zugänglich ist. Das Stoffliche ist zum Allgemeingut erklärt, es ist ›nationalisiert‹, Voraussetzung des Studiums; das Formale, als die Art der Benutzung, wird in Form von Arbeit, eben von Studium, ausschlaggebend.«[251] Beim Experiment der Schuloper entschieden sich, wie Weill berichtet, Brecht und er dafür, zu dem japanischen Stück *Tanikô* zumindest den Begriff ›Einverständnis‹ hinzuzunehmen, damit der Knabe zeigen kann, »daß es gelernt hat, für eine Gemeinschaft oder für eine Idee, der er sich angeschlossen hat, alle Konsequenzen auf sich zu nehmen«.[252] Damit war ein ›Inhalt‹ gegeben, und zwar das Lernen des Einverständnisses, für Inhalte einzutreten. Im Hinblick auf Brechts folgende Lehrstücke, die als Einübungen in Haltungen und Denkformen zu verstehen waren, zeigte das einen Moment lang ihren Marxismus im Embryonalzustand.

Auch in der *Maßnahme* wird Einverständnis angezielt. Es ist zum einen das Einverständnis eines jungen Revolutionärs mit seiner Tötung, die angesichts der Gefährdung der revolutionären Arbeit von vier Agitatoren notwendig wird; die Gefährdung hat der junge Genosse durch sein falsches Verhalten heraufbeschworen, er ist verwundet und zur Belastung geworden. Zum anderen ist es das Einverständnis des Parteigerichts, vor dem sich die vier Agitatoren nach der Rückkehr von China, dem Schauplatz der Handlung, verantworten. Das Einverständnis kommt jeweils nicht gefühls-, sondern verstandesmäßig, einer revolutionären Notwendigkeit entsprechend, die als Lehre des Stückes zu gelten hat. Es ist eine schwierige Lehre, sie entwickelt sich im Mitvollzug der Beteiligten: »Der Zweck des Lehrstückes ist also, politisch unrichtiges Verhalten zu zeigen und dadurch richtiges Verhalten zu lehren.« Brecht fügte hinzu: »Zur Diskussion soll durch diese Aufführung gestellt werden, ob eine solche Veranstaltung politischen Lehrwert hat.«[253] Dieser Zusatz ist wichtig. Er zeigt, wie ernsthaft Brecht diese Theater-Praxis mit der politischen Arbeit um 1930 zu verbinden suchte. Aber er zeigt auch, wie Brecht diese Theaterpraxis zugleich auf ihren Wert für die politische Arbeit hin testen wollte. Es war Experiment; die Diskussion nach der Aufführung bildete einen integrierenden Bestandteil.

Es verwundert allerdings nicht, daß die Wirkung der *Maßnahme* bei dem politisch aufgewühlten Publikum von 1930, das in der Septemberwahl neben dem Anwachsen der KPD den enormen Aufstieg der NSDAP beobachtet hatte, nicht auf der Experimentierhaltung beruhte, sondern vornehmlich darauf, daß es eine Manifestation der Kommunisten war, die auf dem Gebiet des Theaters etwas Eigenes boten, das schon im Falle Piscators sowohl Arbeiter wie intellektuelle Avantgarde hatte Anteil nehmen lassen. Diese Demonstration[254] war es auch, die Kurella, der die ausführlichste Kritik des Stückes auf kommunistischer Seite verfaßte, »als Ganzes« guthieß. Im Inhaltlichen jedoch rechnete er Brecht und Eisler vor, wie sehr dieses Stück vom realen politischen Kampf der Gegenwart abgehoben sei. Sie hätten ein künstlich begrenztes »Manövriergelände« aus Stückchen der Wirklichkeit hergestellt, welches den darzustellenden Ideen anpaßten. Der Kommunismus sei für die Autoren eine Idee, er bestehe in der »Lehre der Klassiker«. Sie übersähen den ständigen Wechselprozeß von Erkenntnis und Änderung. Brecht sehe nicht — und darin sei er der typische bürgerliche Intellektuelle, der sich der Partei anschließe —, »dass der Kommunismus ebenso sehr eine historisch bedingte konkrete Kampfbewegung einer Klasse ist und dass man auch die Wissenschaft des Kommunismus nicht verstehen kann, ohne sich in diese konkrete Kampfbewegung einzugliedern oder sie zum mindesten vollkommen zu kennen und bei der Betrachtung und Lösung jedes Problems der Revolution praktisch mit einzubeziehen«.[255]

Kurellas Antwort auf Brechts Frage nach dem Wert dieses
Stücks für die politische Arbeit lautete demnach: der verallge-
meinernden, abstrahierenden Deutung revolutionärer Probleme mit
Hilfe des künstlerischen Modells — um Ejzenšteins Worte anklingen zu lassen — waren über die Demonstration hinaus enge
Grenzen gesetzt. Kurella schob die Tatsache beiseite, daß Brecht
die abstrahierende Deutung nicht (nur) vorführen, sondern von
den Mitwirkenden erarbeiten lassen wollte. Darin wurde er
Brechts Beschäftigung mit dem Lernspiel nicht gerecht, die im
größeren Zusammenhang mit der von Piscator und Wittfogel
inaugurierten Theaterpraxis stand und sich in manchem mit der
Aufklärungsarbeit von Agitproptruppen berührte. Dennoch muß
Kurella, der zu dieser Zeit als wichtiger Vermittler zwischen KPD
und Intellektuellen fungierte, als ein ernstzunehmender Zeuge
für die Neigung der Zeitgenossen gelten, das spezifisch Experi-
mentelle beiseitezuschieben. Das geschah von links bis rechts
(wo man Brecht besonders scharf angriff). Im gleichen Zusammenhang steht Kurellas Hinweis auf die Probleme der Adaption und
des Lernens, die den bürgerlichen Intellektuellen bei der Annäherung an den Sozialismus beschäftigten.

Brecht wertete die »Versuchsanordnung« des Lehrstücks
offensichtlich sehr hoch. Er wollte die Zuschauer hereinneh-
men, d. h. die alte Hoffnung auf »Theatralisierung« des
Zuschauers erfüllen und ihn zum Beteiligten machen, allerdings nicht mehr durch gefühlshaftes Aufgehen in der neuen
Gemeinschaft, sondern durch kritische Mitarbeit am kritischen Spiel. Mit dieser Ausrichtung Brechts zu dieser Zeit
geht überein, daß er den von der Partei gebotenen Korrekturen *politischer* Art recht bereitwillig entgegenkam. Wenn
auch im Zusammenhang der *Maßnahme*-Aufführung die
spezifische Funktion der Arbeitersängerbewegung für das
Proletariat hervorgehoben wurde, so ist doch die Verwandtschaft mit dem Experimentdenken in der modernen Literatur
nicht zu übersehen, demzufolge das literarische Werk seine
Genese selbst mitreflektiert und nicht Identität vermittelt,
»ohne zugleich die Darstellung der Idealität für das We-
sentlichere zu erklären«.[256] Die politisch-ideologische Dimension von Brechts »Versuchsanordnung« läßt sich immer
wieder mit Kategorien begründen, welche die politisch-

ideologische Relevanz ins Experiment plazieren — ihre ›Praxis‹ bleibt eben die des künstlerischen bzw. intellektuellen Experiments. Brecht selbst *wollte*, wie zitiert, die *Maßnahme* als Experiment betrachtet wissen, was nicht von vornherein impliziert, daß er die »proletarische Dialektik« als »das allgemeine Lehrziel« fixierte.[257]

Die politische Demonstrationswirkung der *Maßnahme*-Aufführung in Berlin 1930/31 mit Ernst Busch, Helene Weigel, Alexander Granach u. a. ist also nicht mit dem Erfolg von Brechts Lehrexperiment gleichzusetzen; ohnehin näherten sich die Aufführungen mit der chorisch begleiteten Opferung des jungen Genossen stark dem Rituellen. Ernst Busch bemerkte später, es sei »kein Theaterstück, sondern ein Oratorium, ein Podiumsstück«. (»Ich spielte die Rolle des Jungen Genossen, mit dem alle Mitleid hatten.«)[258] Der kommunistische Kritiker Durus (Alfréd Keményi, 1895 bis 1945) gestand den hohen Lehrwert zu und begrüßte die »kollektive Produktionsberatung« (Wittfogel) danach, ging jedoch vom Vorwurf des bloß Konstruierten, aus dem sich falsche Schlüsse und Lehren ergäben, nicht ab.[259] Dem entsprach Kurellas Vorwurf, Brecht gelange zu einer Position des Rechtsopportunismus. Wenn Brecht 1930 auch eher eine allzu übereilte Revolutionspsychose kritisiert haben dürfte, so lassen die Reaktionen innerhalb der Partei die Grenzen erkennen, die einer Theatralisierung von Handlungsanleitungen in der politischen Praxis gesetzt waren.

In dem folgenden ›Lehrstück‹ *Die Mutter* (1931), das Brecht mit Slatan Dudow (1903–1963), Hanns Eisler und Günther Weisenborn (1902–1969) nach Gorkijs Roman verfaßte, geschieht die Aufdeckung der »tieferen Zusammenhänge« mit Hilfe eines Bühnenmodells, das sich von der Abstraktion der *Maßnahme* stark entfernt, ebenso von dem im »großen Stil« entfalteten Modellstück über den Kapitalismus, *Die heilige Johanna der Schlachthöfe* (1930), mit dem Brecht zugleich Schillers romantische Tragödie »zurücknahm«. Der Lernprozeß wird vor den Augen des Zuschauers vorbildlich und mit vielen realistischen Elementen vollzogen. Die Mutter Pelagea Wlassowa gewinnt Einblick in

die gesellschaftliche Wirklichkeit und wird zum bewußt
handelnden Revolutionär. Für den Vorwurf der Realitäts-
ferne blieb mit dem Rückgriff auf das Proletarierleben bei
Gorkij wenig Raum, allerdings bildete auch hier den Schauplatz nicht die gegenwärtige Situation in Deutschland, sondern eine demgegenüber rückständige Gesellschaft, in der
schon Lesenlernen einen Ausbruch aus der bisherigen gesellschaftlichen Fesselung symbolisiert. Gorkijs Mythisierung
der zum Kampf erwachenden Mutter verlagerte sich. Nun
rückte der Reiz des Lernens, die Schönheit des erwachenden
politischen Bewußtseins ins Zentrum, so daß das gesellschaftliche Erkennen als ein revolutionäres Verhalten sichtbar wurde und zum Nachvollzug aufforderte. Die Durchdringung der Wirklichkeit war sensueller Vorgang, erwuchs
nicht mehr dem negativen Beispiel. Damit kehrte Brecht zu
einer erstaunlichen Anerkennung des Konkreten und Realen
zurück, insofern es den politischen Kampf aus der Perspektive des Proletariats betraf. Hierzu gehört seine befriedigte
Feststellung, daß »die Arbeiter auf die feinsten Wendungen
der Dialoge sofort reagierten und die kompliziertesten Voraussetzungen ohne weiteres mitmachten«, während »das
bürgerliche Publikum nur mühsam den Gang der Handlung
und überhaupt nicht das Wesentliche« begriff.[260] Dieses
Ineinssetzen mit dem als Publikum entdeckten Proletariat
bildete gleichsam eine Kompensation für die an anderer
Stelle gezeigte Abstraktionstendenz. »Den für die proletarische Sache kämpfenden Arbeitern Deutschlands und
insbesondere den kämpfenden Frauen« heißt die Widmung
des Stückes, das 1932 am Todestag von Rosa Luxemburg
uraufgeführt wurde und, wie Brecht ebenfalls mit Befriedi-
gung vermerkte, etwa 15 000 Berliner Arbeiterfrauen erreichte. Die Widmung macht deutlich, daß sein Interesse
weit über die »Versuchsanordnung« hinausging. Es galt nun
in besonderem Maße dem Proletariat.

Die *Mutter* nimmt innerhalb seiner Theaterarbeit eine
extreme Position ein, zu der Brecht später Abstand hielt,
ohne sie für brennende politische Stellungnahmen auszuschließen. Nach 1936 erarbeitete er das Konzept der Ver-

fremdung, mit dem der Zuschauer befähigt werden soll, sich von der geläufigen Sehweise zu befreien und eine Perspektive zu gewinnen, mit der er »die tieferen Zusammenhänge« der Wirklichkeit, d. h. ihre realen Widersprüche erfassen kann. Brecht zielte auf eine durchgehend aktive Einsichtnahme, mit der sich der Zuschauer ganz auf die Widersprüche in der vorgegebenen Wirklichkeit zu konzentrieren vermag. Einsichtnahme bedeutete Einsichtnahme in die Veränderbarkeit der Wirklichkeit.

Kapitel VII

Die Parteien und die literarische Praxis

1. Auf der Suche nach einer marxistischen Ästhetik

Der von der kaiserlichen Regierung zur Verfügung gestellte Eisenbahnwagen, der Lenin durch Deutschland hindurch der Stätte der Revolution näherbrachte, ist zum unbeabsichtigten Symbol für etwas geworden, was die Kriegs- und Revolutionsperiode stark geprägt hat: den engen Aufeinanderbezug von Deutschland und Rußland. Wie die Führer der Russischen Revolution in der Folge eine zeitlang auf die deutsche Revolution bau.n, so hofften die Revolutionäre in Deutschland auf ein Überspringen des ›russischen Funkens‹ auf ihr Land. Sehr bald nach dem Krieg wurden beide Länder vom Westen als ›Proletarier‹ einander zugeordnet, und sie reagierten mit bilateralen diplomatischen und anderen Abkommen. Während die Sozialisten in anderen Staaten die Russische Revolution mehr oder weniger als Stimulans für ihre Aktionen ansahen, waren sie in Deutschland in direktem Kontakt damit, sowohl in Kritik wie in Zustimmung, und nur in Deutschland reichte die Identifikation so weit, daß bei Kommunisten so etwas wie ein schlechtes Gewissen über das Ausbleiben der eigenen Revolution entstehen konnte, dessen sich die sowjetischen Genossen mit einigem Geschick bedienen konnten.

Zunächst war das allgemeine Interesse an den russischen Ereignissen groß. Es manifestierte sich in den Hilfsaktionen (Nansenhilfe etc.) und kam auch der Gründung der Internationalen Arbeiterhilfe (IAH) durch Willi Münzenberg zugute, dem für den deutsch-russischen Austausch wichtigsten Organisator der zwanziger Jahre. Es waren Unternehmungen, die sich zugleich gegen Verzerrungen und Entstellungen der westlichen Berichterstattung über Sowjetrußland richteten, wie man es zu dieser Zeit nannte.

In den Jahren nach der revolutionären Phase konstatierten Zeitgenossen eine gewisse Wandlung. Die mit der vorläufigen Stabilisierung des Kapitalismus in Deutschland erfolgende Wendung zum Westen wurde Ende der zwanziger
Jahre zu einem wichtigen Politikum. Mit ihm rückten die
Angriffe der Kommunisten auf die westlich orientierte
Sozialdemokratie in den größeren Zusammenhang der — für
die Komintern verbindlichen — sowjetischen Außenpolitik,
mit der Stalin sein Konzept vom ›Sozialismus in einem
Lande‹ abzusichern suchte.[1]

»Seit 1924 herrscht die westliche ›Einstellung‹«, bemerkte
Alfons Paquét 1925 über den Wechsel der äußeren Kursrichtung. Paquét hatte mit seinen Berichten über das revolutionäre Rußland viel zur Popularisierung der Geschehnisse
im Osten beigetragen. Nun resümierte er in seinem Essay
Zwischen West und Ost:

> »Die östliche Kursrichtung begann bei uns mit der Aufnahme
> religiös-philosophischer Gedanken und Stimmungen, die aus dem
> Schatz der Romantik den Weg zur russischen Form gefunden
> hatten und unterbaute sich aus den universalen, sozial-idealisti
> schen, kriegsrevolutionären Losungen der kommunistischen Inter
> nationale, ohne aus dem Bereich der Passivität und des Un
> schöpferischen hinaus zu gelangen. Das änderte sich auch nicht, als
> plötzlich die Ideologie von Rapallo einen Weg der Aktivität
> anzubahnen schien. Diese Art der östlichen Einstellung ist auf
> Enttäuschungen gestoßen. Die letzte Ursache der Schwierigkeiten
> war sicherlich die Ungeduld, mit der sich wirtschaftliche Appetite
> mit verfrühten Deutungen aus der Literatur und aus dem Partei
> wesen vermischten.«[2]

Paquét zielte auf wirtschaftliche, politische und kulturelle
Aspekte. (Die militärische Zusammenarbeit der beiden Länder zu dieser Zeit war geheim.) Er verlieh der vorübergehenden Ernüchterung Mitte der zwanziger Jahre Ausdruck, die auch von Sowjetrußland selbst, vor allem mit
den Nachrichten über die halbkapitalistische NEP-Periode,
gefördert wurde; weniger Aufmerksamkeit fand die 1924

einsetzende Abwendung der Russen von Europa, hin nach
Asien, besonders China.

Mit dem Abflauen der Revolutions- und Bürgerkriegs-
gesinnung und den ersten Maßnahmen, den neuen sowjetischen Staat ökonomisch und politisch zu konsolidieren,
hatte man im kulturellen Bereich die hohen Erwartungen
zurückgeschraubt.[3] In Rußland war seit Jahrhundertbeginn
ein großer künstlerischer Aufbruch sichtbar geworden, in
dem sich wie kaum anderswo bildhafte, theatermäßige und
literarische Elemente verschränkten. Er fand nun mit den
politischen Veränderungen eine gewisse soziale Fundierung,
doch ging weder von der (abwartenden) Haltung der Intellektuellen gegenüber der Revolution noch von den Aktivitäten der zahlreichen künstlerischen Gruppen jener umfassende Impuls aus, der die Revolution über die schwierigen
Folgejahre hinweg im ästhetischen Bereich als Tor in ein
neues Zeitalter hätte erscheinen lassen können. Damit ist
nicht gesagt, daß dem kulturellen Bereich nicht genügend
Aufmerksamkeit zukam. Im Gegenteil, mehr als in anderen,
höher entwickelten Ländern sah man in der Kultur den Hebel
für die Überwindung der bestehenden Zustände; Kultur
erhielt in dem zurückgebliebenen Land eine fast überdimen-
sionierte Aufgabe zuerteilt. Wenn in dieser Situation von
Lenin, Trockij und Bucharin (der zunächst dem Proletkult-
gedanken nahegestanden hatte) ein nüchterner Blick gefordert wurde, so schwang dabei immer die Vorstellung einer
zu errichtenden sozialistischen Kultur mit, die, um ihrem
Namen gerecht zu werden, mehr sein müsse als eine spontan verwandelte bürgerliche Kultur. Vorerst gelte es, um
den Anschluß nicht zu verlieren, sich die vorhandene Kultur, die zugleich Technik und Administration umschließe,
anzueignen. (Auch Bogdanov, nüchterner und wissenschaftlicher als der gefühlvolle Pädagoge Lunačarskij, hatte die
materielle Struktur der Gesellschaft für seine »Organisation
der Gefühle und des Wissens« nachdrücklich in Rechnung
gestellt.)

Abgesehen von Lenins Artikel *Lieber weniger, dafür aber
besser* und Bucharins Vortrag *Proletarische Revolution und*

Kultur, die dieser Haltung 1923 Ausdruck verliehen, sind die Äußerungen von Trockij und Aleksandr Voronskij (1884—1943) repräsentativ für die nüchterne, vom gesellschaftlichen Gesamtzusammenhang ausgehende Bestandsaufnahme auf dem Gebiet von Literatur und Kunst.

Voronskij, dessen Sammlung der politisch verschieden ausgerichteten Schriftsteller um die Zeitschrift *Rotes Neuland (Krasnaja Nov',* ab 1921) von Gorkij unterstützt wurde, zog, ebenfalls 1923, folgende Bilanz: »Eine proletarische Kunst in dem Sinne, wie die bürgerliche Kunst existiert, gibt es bei uns nicht; der Versuch, die Kunst der proletarischen und kommunistischen Schriftsteller als proletarische Kunst hinzustellen, die selbständig und der bürgerlichen Kunst entgegengesetzt ist, weil diese Schriftsteller und Dichter in ihren Werken die Ideen des Kommunismus darstellen, dieser Versuch ist naiv und beruht auf einem Mißverständnis. Denn in Wirklichkeit gibt es bestenfalls eine Kunst, die in ihrer Gesamtheit organisch mit der Kunst der Vergangenheit verbunden ist, ihre Nachfolgerin ist eine Kunst, die man den neuen Anforderungen der Übergangszeit der Diktatur des Proletariats anzupassen versucht. Die ideologische Färbung verändert die Lage der Dinge nicht im geringsten und gibt nicht das Recht, diese Kunst der Kunst der Vergangenheit prinzipiell als eigenständigen kulturellen Wert gegenüberzustellen: Es handelt sich nur um eine Anpassung besonderer Art.« Voronskij berief sich auf Lenins Äußerung, während der Übergangszeit sei besonders in Rußland »die bürgerliche Kultur für den Anfang ausreichend«, und ließ darauf Trockijs Feststellung aus dem kurz zuvor erschienenen Band *Literatur und Revolution* (1923) folgen: »Die Grundlage der Diktatur des Proletariats ist nicht die produktivkulturelle Organisation der neuen Gesellschaft, sondern die kämpferisch-revolutionäre Ordnung für den Kampf um diese Gesellschaft.«[4]

Trockij legte sich in *Literatur und Revolution,* speziell in dem Kapitel *Proletarische Kultur und proletarische Kunst,* mit den Vertretern einer proletarischen Kulturideologie an, indem er, ähnlich Lenin, den Versuch, die proletarische Kultur ›aus der Retorte‹ herzustellen, scharf kritisierte. In seiner von Lenin unterschiedenen Konzeption der Übergangszeit blieb für die Entwicklung einer neuen Kultur allerdings kein Platz. Um so mehr betonte Trockij die im wesentlichen durch die proletarische Intelligenz zu vollziehende »kritische Aneignung der allernotwendig-

sten Elemente der bereits vorhandenen Kultur durch die zurückgebliebenen Massen«, mit der Hinzufügung: »Es läßt sich keine
Klassenkultur hinter dem Rücken einer Klasse errichten.«[5] Die
von Mehring und anderen Repräsentanten der Vorkriegslinken
vertretene Überzeugung, die Möglichkeiten der aufzubauenden
sozialistischen Kultur dürften nicht von spontan-dilettantischen
Versuchen um proletarische Kultur verdunkelt werden (man diagnostizierte solche Unternehmungen als bürgerlich), fand neue,
erweiterte Formulierung. Damit ging die ebenfalls von Mehring
ausgesprochene Feststellung überein, der Aufstieg des Proletariats
könne nicht in eine direkte Analogie mit dem der Bourgeoisie
gesetzt werden. (»Die flache, rein liberale Methode der formalen
geschichtlichen Analogien hat nichts mit Marxismus zu tun. Es
gibt keine materielle Analogie in den Kreisbahnen der Bourgeoisie und derjenigen der Arbeiterklasse.«[6])

Die positive Haltung gegenüber der Intelligenz, die Trockij mit
Bucharin teilte, stützte sich auf die Einsicht, daß das Land allein
vom Proletariat her nicht aufzubauen sei. Bucharin forderte die
Herausbildung einer neuen (technischen) Intelligenz, die über
»die guten Eigenschaften der alten russischen Intelligenz *im Sinne
der marxistischen Vorbildung*, der Weite des Horizonts, der theoretischen Analyse der Ereignisse, *jedoch mit amerikanischem,
praktischem Einschlag*« verfüge.[7] Für den kulturellen Bereich
prägte Trockij den Begriff des ›Weggenossen‹ bzw. ›Mitläufers‹,
der dem Intellektuellen eine begrenzte Funktion bei der Vermittlung und Erweiterung der vorhandenen Kultur zuwies. Trockij
lieferte die zu dieser Zeit wichtigste Analyse zum Verhältnis von
(literarischen) Intellektuellen und Revolution. Wo er sich über
die Möglichkeiten der revolutionären Kunst äußerte, ging er
ebenfalls über einen Großteil der geläufigen Aussagen hinaus,
indem er die soziale Situation der Künstler und ihr »Kultur-
milieu« genauer reflektierte. Zugleich machte er auf die Probleme
aufmerksam, denen sich die proletarischen Autoren in einer neuen
Periode nach den revolutionären Jahren gegenübersahen, und
akzeptierte die Bewertung proletarischer Dichtung als »wichtige
kulturhistorische Dokumente«.[8]

Als Kriterium revolutionärer Kunst erkannte Trockij nicht
proletarische Gesinnung oder proletarisches Fühlen an, sondern
die Haltung zur Revolution. Die »Freiheit des Künstlers zu seinem Gegenstand« sollte als Vorausbedingung ästhetischer Leistung erhalten bleiben, und er formulierte für die Partei: »Unsere
Kunstpolitik kann und soll in der Übergangsperiode darauf ge-

richtet sein, den verschiedenen künstlerischen Gruppierungen und Strömungen, die sich auf den Boden der Revolution gestellt haben, die Möglichkeit zu geben, den wahren historischen Sinn der Zeit zu erfassen und ihnen allen kategorisch das Kriterium vorzulegen: *für* die Revolution oder *gegen* die Revolution, – so wird ihnen auf dem Gebiete der künstlerischen Selbstbestimmung völlige Freiheit gelassen.«[9]

In seiner Auseinandersetzung mit den verschiedenen Formen künstlerischer Selbstbesinnung, etwa bei Sergej Esenin (1895 bis 1925), Boris Pilnjak (1894–1937), Majakovskij und den Futuristen, brachte Trockij allerdings sehr nachdrücklich den kritischen Topos zur Geltung, daß die ästhetischen Formen und Bilder in Beliebigkeit zerflatterten, anstatt den »historischen Sinn der Zeit« sichtbar zu machen. Trockij, am Ganzen der Erscheinungen als dem gültigen Sinnbezug orientiert, hielt den modernen Künstlern entgegen: »Man kann die Revolution weder begreifen noch aufnehmen oder gestalten, auch nicht partiell, wenn man sie nicht ganz sieht, mit ihren objektiven geschichtlichen Aufgaben, die für die leitenden Kräfte der Bewegung zu Zielen werden. Wenn das fehlt, so fehlt auch die Achse, fehlt die Revolution, sie zerfällt in Episoden und Anekdoten, heroische oder Unheil verkündende. Man kann aus ihnen mehr oder weniger kunstgerechte Bilder zusammenstellen, aber man kann nicht die Revolution wieder aufleben lassen, oder gar sich mit ihr aussöhnen: wenn ihre unerhörten Opfer und Entbehrungen ziellos waren, so ist die Geschichte ... ein Narrenhaus.«[10] Zeigt die abschließende Folgerung auch, wie stark Trockij ein fragender Intellektueller geblieben war, so stand er doch zu dieser Zeit mit seinem aus der bürgerlichen Ästhetik ›verlängerten‹ Synthesestreben in gewisser Distanz zur künstlerischen Avantgarde.

Die vom gesellschaftlichen Gesamtzusammenhang ausgehende Analyse bestimmte die Bemühungen um eine marxistische Ästhetik. Dabei kam der russischen Ästhetiktradition seit Belinskij (1811–1848) mit ihrer Zuordnung von Einzelnem und Ganzem nicht weniger Bedeutung zu als einigen ›Ableitungen‹ von Marx und Engels her, deren spezifische Äußerungen zu Literatur und Kunst jedoch noch weitgehend unbekannt waren. Zentral stand das Problem, die Detailformen und die generelle Aussage eines literarischen Textes in einem mit dem Marxismus übereingehenden System miteinander zu verbinden. Man konstatierte, daß Literatur sui generis sei, aber die Furcht, ihre formale Qualität gegenüber ihrer gesellschaftlichen Aussagefunktion zu verabsolutieren, war groß. Im Zweifelsfall stellte man das letztere über das erstere.[11] Das Dilemma der Zuordnung hat sich erhalten, auch über die Periode des Stalinismus hinweg, in der man vorgab, es überwunden zu haben.

Immerhin konnte man 1932, als der sozialistische Realismus verkündet wurde, auf einige Werke zurückgreifen, in denen sich das Gewicht des Allgemeinen in einzelnen Helden repräsentativ manifestierte. Das geschah, abgesehen von Gorkijs *Mutter*, im Bürgerkriegsroman *Čapaev* von Dmitrij Furmanov (1891–1926), vor allem aber in dem Roman *Die Neunzehn* (1927) von Aleksandr Fadeev, in dem ein Kollektiv von Kämpfern zum ›Helden‹ des Bürgerkriegs wird, bei jeweiliger individueller Entwicklung zu einem Charakter. Einen Fixpunkt bildete auch hier die Vorstellung vom »neuen, schönen, starken und guten Menschen«, die Gorkij und andere Sozialisten um die Jahrhundertwende in ihre Zukunftsvision einbezogen hatten. Fadeevs Verknüpfung von Parteilichkeit und psychologischer Beschreibung galt im sozialistischen Realismus als vorbildlich. Allerdings blieb, trotz des Rückbezuges auf Tolstoj, das Problem bestehen, wie man den Helden realistisch schildern und zugleich als vorbildlich herausstellen konnte. Auch dieses Problem erhielt sich über den Stalinismus hinweg.

Ob nun diese Romane, die zusammen mit Gladkovs *Zement* (1925) weithin bekannt wurden, repräsentativ für die russische Literaturentwicklung der zwanziger Jahre waren, ist viel debattiert worden. Hier kann die Frage nur angedeutet werden, mit dem Hinweis darauf, daß ein großer Teil der ästhetisch innovativen Literaturbewegung in der NEP-Phase 1921–1928 keineswegs Optimismus ausstrahlte, keineswegs positive Helden sichtbar machte und keineswegs an Tolstoj und die Vorstellung vom umfassenden Kunstwerk anschloß. Der Roman wurde erst wieder in den dreißiger Jahren zum zentralen Genre; zunächst dominierten von Zamjatin (1884–1937) bis Majakovskij, von Pilnjak bis Tretjakov (1892–1939) Detaildarstellung, Dokumentation, Montage und andere Formen, die sich der formalen Synthese widersetzen.

Unbestritten ist hingegen die Tatsache, daß sich 1927 eine Wendung anbahnte, die mit Stalins Konzept vom ›Aufbau des Sozialismus in einem Lande‹ und der Inaugurierung des ersten Fünfjahrplans 1928–1932, der die Kollektivierung der Landwirtschaft einschloß, die Situation von Literatur und Ästhetik stark beeinflußte. Im Zusammenhang mit der Frontstellung gegen die Dominanz der bürgerlichen Intelligenz im Erziehungswesen und die Ausbreitung der Regierungsbürokratie entstand, oft recht spontan, eine radikal-proletarische Massenbewegung, für die der Terminus ›Kulturrevolution‹ adäquat ist, obwohl sie in ihrer Hypostasierung des spezifisch Proletarischen keineswegs Lenins Auffassung von Kulturrevolution entsprach. Die spätere sowjetische Geschichtsschreibung hat den kulturrevolutionären Charakter dieser 1932 von Stalin abgebrochenen Bewegung zugunsten der Ausschließlichkeit von Parteiinitiativen heruntergespielt[12], woraus sich im Bereich von Literatur und Ästhetik manche schiefen Frontstellungen ergaben. Die Partei ließ zwar nicht die Zügel aus der Hand, doch entwickelte sich vieles, wie im Falle der proletarischen Schriftstellerorganisation RAPP, in gewisser Selbständigkeit, wurde gleichsam eine Waffe, ein Mittel bei der Ausschaltung der rechten Opposition, allerdings nur so lange, als sich Stalin Nutzen davon versprach. Das Ende kam abrupt 1932. Die Partei löste RAPP und andere proletarische Organisationen auf.

Über den vorübergehenden Charakter der kulturrevolutionären Bewegung geben zahlreiche Zeugnisse der folgenden Periode Auskunft, die teilweise an Äußerungen vor 1928 anknüpfen. Selbst von Voronskij, den man 1927 endgültig ausgeschaltet hatte, finden sich Programmpunkte in den Konzepten zum sozialistischen Realismus wieder. Seine Worte aus dem zitierten Artikel von 1923 sind überaus aufschlußreich für die Kontinuitäten in der sowjetischen Literaturdiskussion, die man 1932 wieder aufnahm — in einer, wie vielfach überliefert ist, Atmosphäre des Aufatmens, zumal unter den ›Mitläufern‹:

»Ohne auch nur im geringsten etwas gegen die amateurhafte Aktivität der gegenwärtigen proletarischen Gruppen und Zirkel unternehmen zu wollen, muß man die Vereinigung der kommunistischen Schriftsteller und der ihnen Nahestehenden auf einer breiteren Grundlage als der gegenwärtigen als wünschenswert betrachten. Anstelle der wirren Theorien über die proletarische Kultur und Kunst muß einer solchen Vereinigung die Kulturpolitik zugrunde gelegt werden, unter deren Zeichen die Partei im ganzen ihre Arbeit leistet.«[13]

Die Bildung eines einheitlichen sowjetischen Schriftstellerverbandes unter der Aufsicht der Partei 1932 ist hier programmatisch vorweggenommen. Gorkij, Voronskijs früherer Förderer, setzte sich um 1930 gegen die Auswüchse der proletarischen Literaturbewegung ein und trug viel zur Bildung des einheitlichen Schriftstellerverbandes bei, dessen Galionsfigur er wurde. Selbst in der RAPP bildeten sich Fronten, als sich ihre Führung um Leopold Averbach weigerte, die Literatur auf bloße Agitation für Tagesaufgaben einzuschränken. Im August 1930 spaltete sich die Gruppe ›Litfront‹ ab, die ebendiese Agitation, emotional aufgeladen und voller Schlagkraft, propagierte. Dazu gehörte der Rückgriff auf Lenins frühen Aufsatz *Parteiorganisation und Parteiliteratur*, den man gegen die »Plechanovsche Orthodoxie« ausspielte.[14] Im allgemeinen orientierten sich die Romanciers, die der RAPP-Linie folgten, am traditionellen Realismus.

Wie sehr der Wind 1932 der proletarisch-kulturrevolutionären Bewegung entgegenblies, zeigte sich nicht zuletzt in der Zurückdrängung des Terminus ›proletarisch‹, der in Deutschland mit dem Zusatz ›-revolutionär‹ gebraucht wurde. Statt dessen galt nun die Ausrichtung am Ganzen der gesellschaftlichen Wirklichkeit (die wieder unter historischem Aspekt betrachtet wurde), d. h. am Ganzen der sowjetischen Gesellschaft. Dafür stellte der Terminus ›sozialistisch‹, zumal in der Verbindung ›sozialistischer Realismus‹, weniger eine Definition als ein Symbol dar. Viele

Schriftsteller verstanden ihn als Zeichen einer weniger eingeschränkten Literatur.

Lenins Äußerungen zur sozialistischen Kultur, nach 1927 beiseitegeschoben, wurden nun um so höher gestellt. Die Etablierung des Marxismus-Leninismus als offizielle Lehre enthielt auch diesen Aspekt. Daß Lenin sich nach der Revolution scharf gegen eine ›Proletarierkultur‹ ausgesprochen hatte, ließ sich nun wieder mit der Kulturpolitik voll verbinden.[15] Dagegen blieb die Verdammung Trockijs, den Stalin 1926 ausgeschaltet hatte, erhalten. Trockijs Ablehnung einer ›Proletarierkultur‹ zugunsten der Aufarbeitung und Weiterentwicklung der kulturellen Tradition, die ihn Ende der zwanziger Jahre zum bestgehaßten Kritiker der kulturrevolutionären Bewegung machte, wurde als generelle Feindschaft gegen die sozialistische Kultur etikettiert. Indem man sich auf Trockijs Aussage konzentrierte, eine sozialistische Kultur könne in der Übergangzeit nicht entstehen, verwischte man die spezielle Zielrichtung seiner Kritik. Das führte Anfang der dreißiger Jahre zu den komplizierten literaturpolitischen Manövern, welche die Ablehnung einer ›Proletarierkultur‹ zugunsten der sozialistischen Weiterentwicklung der kulturellen Tradition mit einer gegen Trockij gerichteten Schlachtordnung verbinden sollten.

Im deutschen Umkreis läßt sich das beispielhaft bei Georg Lukács verfolgen, der die agitatorische ›Proletarierkunst‹ der Kritik unterwarf, andererseits aber die Argumente gegen Trockij übernahm. Am eigenständigsten ging 1931 Karl August Wittfogel vor, als er, teilweise im Rückgriff auf Lenin, den Begriff der proletarischen Kampfkultur vom mechanistischen Beiklang zu reinigen und als eine eigene, positive und im politischen Kampf notwendige Äußerungsform zu rechtfertigen suchte.[16] Doch blieb dieser Ansatz, der für die aktuelle Konfrontation mit der Propaganda des Nationalsozialismus wichtige Möglichkeiten andeutete, unausgearbeitet.

Wittfogels Hauptbeitrag *Zur Frage einer marxistischen Ästhetik*, der 1930 in Fortsetzungen in der *Linkskurve* erschien, entstand aus der Abrechnung mit den Vorkriegslinken (Franz Mehring, Rosa Luxemburg), die zu dieser Zeit in den Vordergrund rückte und in Stalins Brief an die Zeitschrift *Proletarskaja Revolucija* 1931 gipfelte. Wittfogel entwickelte seine Ansichten in der Polemik gegen den ›Statthalter‹ dieser Linken, den Kommunisten August Thalheimer, der mit der Gründung der KPO ›rechte‹ Opposition zur Linkspolitik der KPD betrieb. Thalheimer hatte kurz zuvor in der von Eduard Fuchs betreuten Edition der Werke Mehrings eine Auswahl von dessen literaturkritischen Schriften herausgegeben und in der Einleitung die bereits 1920 in der ›Kunstlump-Kontroverse‹ ausgesprochene Auffassung vertreten, daß das Proletariat unter den Verhältnissen des kunstfeindlichen Kapitalismus und des aktuellen politischen Kampfes noch keine neue Kunst hervorbringen könne.[17] Das stellte, zumal mit der Aktualisierung Mehrings, eine Herausforderung der proletarisch-revolutionären Literaturbewegung dar und verursachte eine dementsprechend heftige Reaktion. Wittfogel erwiderte:

»Von den halb- und ganztrotzkistischen Entmutigern und Pessimisten unterscheiden wir uns nicht dadurch, daß wir etwa die bisherigen künstlerischen Leistungen der Sowjetunion bereits für das letzte Wort der Diktatur hielten. Das sind sie gewiß nicht. Allein wir sehen in jenen Leistungen die Frühform einer sehr großen Kunst, die durchaus noch während der Epoche der Diktatur, noch vor der höheren Phase des Kommunismus sich ausgestaltet.«[18]

Wittfogels hochgestimmte Versicherung — auf die Sowjetunion, nicht auf Deutschland bezogen — entsprach der offiziellen Abschirmung der kulturrevolutionären Aktivitäten. Dennoch ist zu recht bemerkt worden, daß ihn in seinen Überlegungen zur marxistischen Ästhetik weniger von Thalheimer trennte, als er vorgab. Wittfogel teilte mit jenem nicht nur Zitate von Hegel und Marx, nicht nur eine ähnliche Einschätzung von Naturalismus, Expressionismus und Neuer Sachlichkeit, sondern auch ein grundlegendes Interesse: »Wittfogel will ›die von Lenin herausgearbeitete Kernstruktur der Marxschen Philosophie‹ aufrechterhalten, Thalheimer will die ›wissenschaftliche Überlegenheit der historisch-materialistischen Methode‹ nachweisen, die ›allgemeine Formel des historischen Materialismus‹.«[19]

Über diese Nähe war sich diejenige Autorin, die in den zwanziger Jahren die wichtigste marxistische Herausforderung der offiziellen marxistischen Aussagen zur Kunst in Deutschland formulierte, im klaren. Lu Märten, die schon in der ›Sperber-Debatte‹ 1912 das Wort ergriffen hatte, wandte sich nicht nur gegen die geläufige Projektion einer inhaltlich als proletarisch definierten Kunst, sondern auch gegen die — durch Berufung auf Hegel gestützte — Intention, Kunst und speziell Literatur zum Ausdrucksträger des Sozialismus machen zu wollen, wie sie bisher Ausdrucksträger des Bürgertums gewesen sei.

In ihrer Untersuchung *Wesen und Veränderung der Formen (Künste). Resultate historisch-materialistischer Untersuchungen* (1924), deren geringe Resonanz nicht zuletzt zu Lasten der schwerverständlichen Sprache ging, lautet eine der zentralen Feststellungen, der Sozialismus oder die Ideologie der Massen könne in keinem Wesensinhalt durch Künste dargestellt werden; seine überlegenste Form sei zunächst die Theorie, der »sprachgewordene Gedanke selbst«. Nach Lu Märten ist Kunst nicht der Ausfluß eines besonderen Schönheitssinnes, vielmehr die Ausdrucksform jeweils spezifischer Zwecke. Erst wenn sich der Zweck im Laufe der Zeit verdunkle, entstehe das Konzept der ›Kunst an sich‹, ein abgehobenes, mit den Produktionsverhältnissen inkongruentes Konzept. Die Autorin polemisierte dagegen, daß man dieses Konzept in den Sozialismus ›hinüberzuretten‹ versuche, und stellte dem die Neubesinnung auf Marx' Definition von Kunst als spezifischer Form der Produktion entgegen. Nur aus der Besinnung auf den Mechanisierungsprozeß, auf die modernen Erscheinungsformen von Material und technischer Produktion, lasse sich eine den Zwecken der neuen Gesellschaft dienende Kunst entwickeln. Sie kündige sich im Film bereits an. Die Schrift *Wesen und Veränderung der Formen (Künste)* liefert für diese These den historischen und systematischen Unterbau, indem sie an Architektur, Musik, bildender Kunst, Kunstgewerbe und Literatur vieler Kulturen nachweist, wie Mittel und Werkzeuge alle Formen bedingen — bis hin zur modernen Maschinenkultur, in der das geistigpersönliche Element der Arbeit verdrängt werde, das dann, spezialisiert und isoliert, in der Künstlerarbeit auftauche.

Lu Märtens Aufsatz *Kunst ur: Proletariat* (1925) enthält die zu dieser Zeit in Deutschland wohl weitreichendste Aussage über die Notwendigkeit, revolutionäre Kunst nicht am überlieferten Kunstbegriff, sondern am aktuellen Stand der technischen Entwicklung zu messen. Das zielte in die Richtung der in den zwanziger Jahren in der Sowjetunion diskutierten Produktionsästhetik, deren Argumente nach 1930 über Tretjakov an Brecht und Benjamin vermittelt wurden. Lu Märten plädierte dafür, »sich von der Zwangsvorstellung ›Kunst‹ überhaupt« loszumachen und postulierte: »Statt all des Phrasengewäsches, das in Arbeiterkreisen über Kunst verredet wird, wäre es praktischer und das Selbstbewußtsein erregender, Diskurse über die *Logik der Maschinen* zu halten — was sie können und gut können unter gewissen Voraussetzungen und was sie nicht können. Die Gesetze der Qualität und Materialbedingtheiten, davon heute noch die wenigsten Menschen eine Ahnung haben, einmal zur Sprache zu bringen und ähnliches. Alles Dinge, die den Arbeitern und jedem Menschen, der über die Dinge in der Welt zu denken begonnen, näherliegen, als ein Bild zu verstehen.«[20] Lu Märten verneinte die Möglichkeit proletarischer Kunst in der Gegenwart. Tendenzkunst sei als Mittel des Klassenkampfes relativ bedeutungslos geworden.

In ihrem 1931 von der *Linkskurve* (H. 5) zur Diskussion gestellten Artikel *Zur Frage einer marxistischen Ästhetik*, einer Zusammenfassung ihrer Überlegungen, erwiderte Lu Märten die Angriffe von Wittfogel, der sie wiederum im folgenden Heft hart attackierte und ihre Position als »trotzkistisch« verurteilte. Daß Wittfogel mit seinem Entwurf zu einer marxistischen Ästhetik im wesentlichen reagierte, d. h. auf den rechten und linken ›Gegner‹ in den eigenen Reihen fixiert war, ist kaum zu bezweifeln.[21] Sein Konzept vom proletarischen Kunstwerk, das die gesellschaftliche Totalität erfassen soll, sowie der leninsche (von Stalin erneuerte) Terminus ›Parteilichkeit‹ gehören in diesen Zusammenhang, obwohl Wittfogel mit seinem Synthesestreben nicht allzu weit von dem Trockijs entfernt war.

Wenn Lu Märten darauf drängte, neben der Literatur die anderen Kunstarten stärker zu beachten, die Faktoren der Produktion und die Vielfalt der modernen Medien in die ästhetischen Überlegungen einzubeziehen und den geläufigen ›bürgerlichen‹ Kunstbegriff generell in Frage zu stellen, so lag darin eine Herausforderung an jegliche Repräsentativkunst, ob unter bürgerlichem oder sozialistischem Etikett. Die Vernachlässigung von Lu Märtens Beitrag zur modernen Ästhetik hängt mit dieser Herausforderung eng zusammen.

Andererseits läßt sich Wittfogels und Lukács' Kritik an der literarischen Praxis des BPRS nicht allein von generellen ästhetischen Überlegungen her einordnen. Nicht weniger gewichtig ist die Auseinandersetzung mit der aktuellen politischen Wirklichkeit und dem Problem ihrer literarischen Erfassung von seiten kommunistischer Autoren. Wittfogel bezeichnete die proletarisch-revolutionäre Phase am Ende der Serie *Zur Frage einer marxistischen Ästhetik* als notwendiges Durchgangsstadium, mit dem Vorbehalt: »Selbstgefälliges Hängenbleiben der proletarisch revolutionären Künstler auf der Stufe neuer Stoffwahl und alter Formen oder noch nicht gefundener neuer Formen mag sehr radikal aussehen, ist aber ebenfalls falsch, hemmt die Entwicklung, die zwar diese Phase durchlaufen, aber eben wirklich: durchlaufen muß.«[22] Schärfer kritisierte Lukács 1931 die Romane Willi Bredels. Was in seiner Rezension unter der Kritik an den formalen Schwächen der Darstellung verborgen wurde (zu wenig psychologische Entwicklung, zu viele Stereotypen und Klischees etc.), trat in seiner Erwiderung auf Otto Gotsches Verteidigung von Bredel klar hervor: Lukács rechnete mit der spontan-proletarischen Bewegung in der Kulturpolitik ab, wobei er sogar von »spontan-rückständigen Ansichten« sprach und den Gebrauch der Terminologie »der russischen Spontaneitäts-Anbeter« verurteilte.[23] Wenig später folgte der Essay *Tendenz oder Parteilichkeit?* (*Linkskurve*, H. 6, 1932), in dem Lukács die Orientierung des Schriftstellers am Ganzen der gesellschaftlichen Bewegung postulierte; der spontan-subjektiven Tendenz stellte er unter dem Motto der ›Parteilichkeit‹ die dialektische Erfassung des Gesamtprozesses gegenüber.

Wenn auch die kritische Einstellung von Lukács, der 1930/31 in Moskau arbeitete und Rezensionen für die

Moskauer Rundschau schrieb, in direktem Zusammenhang mit der neuen, von Stalin inspirierten sowjetischen Kulturpolitik gewürdigt werden muß[24], so dürfen doch die Erfahrungen nicht übersehen werden, die er als steckengebliebener Revolutionär gemacht hatte. In den revolutionären Jahren 1919–1923 hatte er sich einen grundsätzlichen Umbruch der Kultur vom Proletariat her erhofft. Seine Mitwirkung an der ungarischen Revolution mit dem Ziel einer »geistigen Revolutionierung« war keineswegs eine Episode gewesen. Er hatte sich Mitte der zwanziger Jahre zutiefst umbesinnen müssen, als klar wurde, daß die sozialistische Revolution außerhalb Rußlands zunächst gescheitert sei. Er war von seiner Schrift *Geschichte und Klassenbewußtsein* (1923) abgerückt und zu der Anerkennung der Stabilisierungssituation gelangt, Stabilisierung im Kapitalismus, aber auch in Sowjetrußland, wo Stalin die internationale Revolution zugunsten des Konzepts vom ›Sozialismus in einem Lande‹ in den Hintergrund rückte. 1926, im Jahr von Stalins Ausschaltung der Linken, versicherte sich Lukács in dem wichtigen Aufsatz *Moses Hess und die Probleme der idealistischen Dialektik* des philosophischen Konzepts der ›Versöhnung‹, d. h. Hegels ›Versöhnung‹ mit der Realität im Gegensatz zum revolutionären Utopismus von Fichte und Moses Heß.[25] Im selben Jahr veröffentlichte Lukács in der *Tat* den aufschlußreichen kurzen Artikel *L'art pour l'art und proletarische Dichtung*, in dem er den bürgerlichen Autoren den Weg zwischen der Scylla L'art-pour-l'art und der Charybdis Tendenzkunst hindurch zu weisen suchte — in Richtung auf eine realistische proletarische Kunst, die sich mit den besten Beispielen der bürgerlichen Kunst vergleichen sollte. Seine ernüchterten Feststellungen spitzten sich auf die Frage zu: »Was kann aber dagegen die proletarische Revolution für die Entwicklung der Kunst bieten?« Lukács antwortete: »Zunächst sehr wenig. Und für den proletarischen Revolutionär, für den Marxisten ziemt es nicht, die wirklich vorhandenen Möglichkeiten utopisch zu übersteigern.«[26] Das war nicht allzu weit von Feststellungen russischer Beobachter entfernt, und Lukács empfahl für die Auseinandersetzung mit den übersteigerten (bürgerlichen) Hoffnungen auf eine völlig neue Kunst Trockijs Buch *Literatur und Revolution*.

Im Jahr 1931 stand Lukács in der Front gegen Trockij, auch wenn er die proletarische Literatur teilweise mit Argumenten kritisierte, die Trockij zehn Jahre zuvor gebraucht hatte. Die Trennung lag im Politischen: Lukács gehörte zur Rechten, seine Zeit kam wieder, sobald Stalin die linke Politik der Komintern stoppte. Durch die ›Blum-Thesen‹ 1928, in denen sich Lukács für die Zusammenarbeit mit den Sozialdemokraten und für eine bürgerliche Demokratie als nächstes Ziel der Kommunisten in Ungarn stark machte, exponierte er sich zur Zeit der linken Taktik in gefährlichem Maße. Es folgte 1929 der Rückzug in Ästhetik und Philosophie. Seine Entscheidung für Stalins Politik aber war gefallen. Damit ging die endgültige Zuwendung zu einem synthetischen, bewahrenden Realismuskonzept überein, das er in den dreißiger Jahren im Rückgriff auf Marx, Engels und Lenin vertiefte.

Die proletarisch-revolutionäre Literatur bedeutete eine Herausforderung dieses Konzepts. Sie schien in der kapitalistischen Klassengesellschaft keiner Legitimation zu bedürfen, während sie im sozialistischen Staat von vornherein nur ein Übergangsstadium repräsentieren konnte. Lukács dürfte jedoch seinen Weg sogar bestätigt gesehen haben. Was er seit den frühen Auseinandersetzungen mit dem Naturalismus an Oberflächlichkeit, Subjektivität und Beliebigkeit an der modernen Kunst kritisiert hatte, schien sich hier zu bestätigen: eine Verkennung der Wirklichkeit in ihrem dialektischen Zusammenhang infolge der Fixierung auf eine spontane Konfrontationsprogrammatik. Als Politiker benutzte Lukács die Mittel der Literaturkritik, um die Spontaneität und Subjektivität dieser Haltung herauszustellen[27], und als Ästhetiker wertete er die Tatsache der falschen politischen Einsicht als Argument dafür, daß diese Darstellungsformen die Realität nicht adäquat durchdringen könnten, zumindest nicht besser als die traditionellen Formen. An der letztgenannten Auffassung hielt er im weiteren fest. So bemerkte er in *Der große Oktober 1917 und die heutige Literatur* (1968), der zentralen Abrechnung mit ›seinem‹ Stalinismus im Bereich des Ästhetischen, daß es bei diesen Dingen um »Stellungnahmen zu Lebensalternativen« gehe, »nicht bloß um die Wahl zwischen wirksamen Ausdrucksformen«. Lukács illustrierte das mit dem Hinweis: »Es ist nämlich durchaus möglich, mit inneren Monologen, Zeitblenden und dem Kult des Absurden eine Apologie der Stalin-Zeit zu schreiben, so wie es schon in den dreißiger Jahren Werke gab, die die ›neue Sachlichkeit‹, die Montage und andere Modeströmungen in den Dienst der damals offiziellen Literatur gestellt haben.«[28] Lukács führte allerdings keine Beispiele an.

Wo von Überlegungen zum Realismus die Rede ist, sollte schließlich auch die jeweils aktuelle Einschätzung der politischen Realität nicht übergangen werden. Das zielt im Falle von Lukács auf seine nachdrückliche Affirmation von Stalins Politik, innerhalb derer ihm nicht allzuviel Luft für seinen eigenen Weg blieb, aber auch auf seine von der Linkstaktik der Komintern unterschiedene Einschätzung des Faschismus, wozu Wittfogel Anfang der dreißiger Jahre Anstöße gegeben haben mag. Zur Linkstaktik der Komintern gehörte die beim XI. EKKI-Plenum 1931 vertretene Auffassung, daß in den »Methoden der Klassenherrschaft zwischen der sogenannten bürgerlichen Demokratie und dem Faschismus« kein wesentlicher Unterschied zu erkennen sei.[29] Hieran ließe sich in der Tat nur schwer eine Realismusdiskussion anschließen (wenn auch die Komintern auf diesem Plenum die »revolutionäre Ungeduld« der KPD rügte, die den Faschismus als Wegbereiter der proletarischen Revolution ansah).

Die realistische Analyse des Faschismus blieb zumeist eine Sache von Sozialisten, die außerhalb der beiden großen Parteien standen. Sie suchten eine Einheitsfront der Arbeiterschaft gegen den Nationalsozialismus herzustellen. Erwähnenswert ist, daß es Thalheimer war, der im Rückgriff auf Marx' Charakteristik des Bonapartismus im *Achtzehnten Brumaire* die bedeutsamste Analyse der nationalsozialistischen Bewegung und Diktatur vor 1933 lieferte.[30] Daneben ist vor allem Trockij zu nennen, der das Phänomen des Nationalsozialismus wesentlich klarer einschätzte als die Komintern und die ihr angeschlossene KPD. Seine Analysen fanden weit über den Rahmen der ›Trotzkisten‹ hinaus bis in die Kreise der linksliberalen Intelligenz Widerhall.[31]

2. Die sozialdemokratische Kulturpolitik

Ein Großteil der sozialistischen Literatur der zwanziger Jahre ging aus Einzelinitiativen hervor, in denen sich der Schwung der revolutionären Jahre noch eine Zeitlang erhielt, bis bewußt aufs neue daran angeknüpft wurde. Die Parteien, Gewerkschaften und politischen Verbände waren Förderer, aber nicht unbedingt Initiatoren. Besonders in den ersten Jahren griffen die Initiativen über Parteigrenzen hinweg, orientierten sich an einem stark gefühlshaften Begriff von Proletariat. Das währte über die Mitte der zwanziger Jahre hinaus, bis die Kommunisten auch auf der (sub-)kulturellen Ebene eine organisatorische Trennung anstrebten. Von einer Kulturpolitik in beiden Parteien zu sprechen, macht aber auch bis zu diesem Zeitpunkt eine Unterscheidung nötig, wobei betont sei, daß das Wort ›Kulturpolitik‹ nur einen sehr vagen Terminus darstellt, um die kulturelle Politik bzw. die jeweilige Funktionalisierung kultureller Elemente zu kennzeichnen.

Die Unterscheidung ergibt sich aus der ungleichen Haltung der beiden Parteien zur Weimarer Republik. Während sich die SPD trotz des Verlusts der Regierungsverantwortung 1920 mit dem neuen Staat identifizierte und das selbstverschuldete Defizit an Demokratisierung und Sozialisierung nachholen zu können glaubte, stellte sich die KPD in eine grundsätzliche Opposition, ohne allerdings größere Alternativprogramme zu entwickeln, die über den Hinweis auf das sowjetische Beispiel hinausgingen. Was daraus für das Selbstverständnis der jeweiligen Organisation folgte, ist bereits im Hinblick auf die Jugendverbände — Sozialisti-

sche Arbeiterjugend (SAJ) und Kommunistischer Jugendverband (KJVD) — skizziert worden. Allerdings läßt sich
eher vom KJVD auf die KPD insgesamt schließen als von
der SAJ auf die SPD. Denn die straffe Einordnung der
Jugend in die Parteiarbeit wurde von der KPD konsequenter
als von der SPD betrieben. Mit dem Linksruck Ende der zwanziger Jahre opponierte die SAJ, wenngleich weniger grundsätzlich als die Jungsozialisten und der linke Parteiflügel,
gegen die Initiativelosigkeit und Bürokratisierung der Parteiführung.

Trotzdem bezeichnet auch das die Lage in der Sozialdemokratie: die geistigen und kulturellen Initiativen entstanden am Rande des von Organisations- und Verwal-
tungsarbeit beherrschten Parteialltags und stützten sich nur
bedingt auf die Masse der traditionell orientierten, diszipli-
nierten Parteimitglieder. Wie wenig eigene Konzepte für
die Kulturarbeit bereitstanden, läßt sich am Zentralorgan
Vorwärts ablesen[32]; mehr Profil besaß die Schul- und Bildungspolitik, wenn sie auch insgesamt gegenüber der nationalen Rechten in der Weimarer Republik nicht sehr erfolgreich war. Schul- und Bildungspolitik hatte schon vor 1914
das Hauptinteresse der SPD angezogen, und man braucht
nur auf einen Mann wie den Staatssekretär Heinrich Schulz
hinzuweisen, will man Kontinuitäten zur Zeit vor 1914
sichtbar machen. Nach einer gewissen Radikalisierung nach
dem Krieg schwand der persönliche Einsatz, und für die
Zeit bis 1928, solange eine wirtschaftliche Erholung zu
spüren war, schließen die Beschreibungen des durchschnitt-
lichen SPD-Mitgliedes, zumeist eines gelernten Arbeiters
oder kleinen Beamten, an manche Beobachtungen von vor
1914 an. Otto Rühle sprach von der »Bequemlichkeit, In-
differenz, Philisterei« und führte aus: »Sie haben das Gefühl, ihre Lebensbahn zu einem gewissen Abschluß gebracht zu haben, ziehen den Genuß dem Kampfe, die Be-
häbigkeit der Aufregung vor und scheuen das Neue aus
Angst, daß es ihnen das wohlvertraute Alte streitig machen
könnte.«[33] In dieser Haltung war auch ein gewichtiger Teil
der sozialdemokratischen Festkultur verankert, die sich dem

Repräsentationswert von Kultur und Kunst verpflichtete. Hier schlug im Begriff Kultur das Gefühl von Besitz durch, das Gefühl, etwas zu erwerben, an etwas Anteil zu haben, das, solange keine wirtschaftliche Krise drohte, der Sozialdemokratie und dem neuen Staat zugute kam.

Die spezifische politische Loyalität des gelernten Arbeiters oder kleinen Beamten ist unter diesen Umständen nicht am Maßstab einer Massen- oder Kampfkultur zu messen.[34] Das dürfte, solange die wirtschaftliche Stabilisierung anhielt, auch für einen großen Teil der kommunistischen Arbeiter gelten, von denen Arthur Rosenberg sagte: »Die Mehrheit der kommunistischen Arbeiter in Deutschland war im Grunde zwischen 1924 und 1928 genauso von der Stimmung der Legalität und Stabilisierung angesteckt wie die Arbeiter der SPD. Auch die kommunistischen Arbeiter, zumal wenn sie Beschäftigung hatten, wollten ihre Ruhe. Die radikalen Festreden und die Filme von Sowjetrußland gehörten zu ihrem täglichen Behagen, aber verpflichteten zu nichts.«[35]

Allerdings ist hinzuzufügen, daß die KPD auch bis zu diesem Zeitpunkt schon bedeutend mehr ungelernte Arbeiter umfaßte, auch wesentlich mehr jüngere als die SPD. Die Differenzen machten sich dann in der Weltwirtschaftskrise nachdrücklich bemerkbar. Wo immer Betriebe ihren ›Stamm‹ an Arbeitern zu halten suchten, traf es die Ungelernten besonders hart, am härtesten aber die politisch Agierenden. So verlor die KPD ihre Basis in den Betrieben. Unter ihren Mitgliedern zählten 1928 62,3 % als Betriebsarbeiter, 1930 nur 32,2 % und 1932 nur noch 11 %.[36] Damit war sie ihrer entscheidenden Kampfmittel beraubt, ihre Aufrufe zum Generalstreik verhießen wenig Wirkung. Aber auch die Schwäche der anderen war um 1930 offenkundig: »Die Massenarbeitslosigkeit zerstörte die Macht der Arbeiterklasse auf dem Arbeitsmarkt. Als einzelne wie auch in ihren Organisationen waren die Arbeiter den Gesetzmäßigkeiten der wirtschaftlichen Kontraktion, d. h. den praktisch kaum anfechtbaren Entscheidungen des Arbeitgebers in Hinsicht auf Beschäftigungs- und Verdienstmöglichkeiten, restlos ausgeliefert. Die Angst vor der Arbeitslosigkeit übte somit einen außerordentlich starken disziplinierenden Zwang auf sie aus, akzentuierte aufs schärfste ihre kollektive und persönliche Unterordnung im Betrieb.«[37]

Die Unterschiede in der Agitationspraxis der Arbeiterparteien gewinnen von hier aus schärfere Kontur. Die Radikalisierung der KPD-Agitation nach 1928 ging mit der Verschiebung auf den Schauplatz Straße überein, wobei auch die enorme Mitgliederfluktuation (sowohl in der KPD wie in der RGO, der kommunistischen Revolutionären Gewerkschafts-Opposition) eine wichtige Rolle spielte. Während in der von der KPD inaugurierten Kampagne für die entschädigungslose Enteignung der Fürsten 1926 beide Parteien noch ähnliche Mittel einsetzten, machte sich später der Unterschied deutlich bemerkbar. Die SPD, 1928—30 Regierungspartei, geriet zu dieser Zeit in die Defensive. Der von ihr gepflegte Stil rationaler Überzeugung und der Appell an die hohen Gefühle, an Gerechtigkeitsempfinden, Moral und Sauberkeit, verloren ihre Wirkung.[38]

In diesem Zusammenhang gebührt — erneut — der terminologischen Entwicklung Beachtung, und zwar beim Gebrauch der Worte ›Proletariat‹ und ›proletarisch‹ sowie ›sozialistisch‹. Die Verschiebung zugunsten des letzteren nach 1923/24 läßt sich nicht übersehen; leider fehlen darüber noch ausführliche Studien.[39] Der Übergang von ›proletarischer‹ zu ›sozialistischer‹ Jugend ist nur *ein* Zeugnis für einen umfassenderen Vorgang, der das Selbstverständnis der Arbeiter in der SPD betraf. Der Terminus ›Sozialistische Jugend‹ verweist auf gesellschaftspolitische Ziele, nicht auf die Herkunft. Bei der sozialen Differenzierung verloren vor allem ›Proletariat‹ und ›proletarisch‹ ihre appellative Kraft; die niedrige Einstufung als Paria der Gesellschaft wurde wieder deutlicher sichtbar, und diese Einstufung wollten viele nicht mehr für sich gelten lassen. Die Assoziation von ungelerntem Arbeiter und Proletarier wirkte häufig als Barriere.

Demgegenüber hielten sich die Kommunisten an das Begriffsfeld ›Proletariat‹, mit dem zugleich die Berufung auf eine kämpferische Gemeinschaft anklang. ›Proletariat‹: darin machten sie Symbolwerte fest, die auf eine revolutionäre Kraft von unten her deuteten. Diese revolutionäre Ausrichtung — schließlich gegen die SPD gerichtet — gab dem Begriff neues Gewicht. Auf die Literatur wandte man den Terminus ›proletarisch-revolutionär‹, nicht ›sozialistisch‹ an.

Natürlich blieb in der auf das Gesamtgesellschaftliche zielenden Begrifflichkeit des Wortes ›sozialistisch‹ vieles von den vor 1914 in der SPD entwickelten Anschauungen erhalten. An der neuen Ausrichtung am gesellschaftlichen Ganzen — und das bedeutete nun: bürgerliche Demokratie — entzündeten sich jedoch langwährende Debatten. Nach 1923 sammelte sich die Linke und suchte die Ernüchterung über das Scheitern der Demokratisierung und Sozialisierung zum Ausgangspunkt neuer Initiativen zu machen. Der linke Flügel hielt der Parteiführung vor, es sei eine Illusion zu glauben, das Konzept eines Volksstaates lasse sich in einer nach wie vor von Klassengegensätzen beherrschten kapitalistischen Gesellschaft durchsetzen. Man müsse vielmehr den Klassenkampf intensivieren, dürfe ihn nicht hinter Demokratie und Staatsinteresse hintanstellen, wie das Bürgertum, das ihn weiterverfolge, suggeriere. Die SPD sei zu vertrauensselig im Hinblick auf die Demokratie. Die Linke um Max Seydewitz, Kurt Rosenfeld und Heinrich Ströbel nannte ihr Organ *Der Klassenkampf,* und Max Adler, der theoretische Mentor, stellte sich im Einleitungsartikel gegen »eine verschwommene Kulturkämpferei [...], die nicht mehr weiß, daß alle Kulturideen in der bürgerlichen Welt lügenhaft werden müssen, weil ihre mit Worten behauptete Allgemeinheit an dem Klassengegensatz scheitert«.[40] Im Zusammenhang mit der Ausrichtung am Klassenkampf bedeutete das die Absage an die Neutralität von Kunst und Kultur. Die sozialdemokratische Linke, bemüht, der SPD wieder den Charakter einer *Bewegung* zurückzugeben, betrachtete den Kampf in der kulturellen Sphäre als wichtigen Beitrag dazu.

Das richtete sich im besonderen Maße gegen die Volksgemeinschaftskonzepte, für die nach Kriegsende vor allem die Parteirechte eingetreten war (die aber auch späterhin eine Rolle spielten[41]). Die Zeitschrift *Die Glocke* hatte schon während des Krieges das Thema des Kultursozialismus aufgegriffen, in Korrektur der ›bloßen‹ Bindung an die marxistische Theorie und zugunsten der durch Kunst zu weckenden Gefühlswerte.

In der *Glocke* finden sich nicht nur Stellungnahmen zur neueren Kunst und Literatur, einschließlich der Arbeiterdichtung, sondern auch zur Verknüpfung von Marxismus und klassischem Erbe im neuen Staat. Hier berief man sich am 9. November 1918 auf Richard Wagners Schrift *Die Kunst und die Revolution* als Anregung für eine Revolutionierung unter Einschluß der Kunst[42]; hier plädierte man im folgenden Jahr unter dem Motto *Marx und Goethe* für eine Ergänzung der marxistischen Analyse ökonomischer Verhältnisse, d. h. für das »Positive«, etwas, »was den Menschen *höher* hebt, was ihn erst eigentlich zum ›Menschen‹ macht«.[43] Solchen Gedankengängen stand Thomas Mann nicht allzu fern, als er 1928 bei seinem Vortrag *Kultur und Sozialismus* einen »Bund und Pakt der konservativen Kulturidee mit dem revolutionären Gesellschaftsgedanken« anvisierte, eine Begegnung von Marx und Hölderlin, und feststellte, die »Politisierung der Volksidee, die Hinüberleitung des Gemeinschaftsbegriffes ins Gesellschaftlich-Sozialistische würde die wirkliche, innere und geistige ›Demokratisierung‹ Deutschlands bedeuten«.[44]

Der Topos der ›Ergänzung‹ des Sozialismus mit kulturell-gefühlshaften Elementen läßt sich auch in den Reden des ersten sozialdemokratischen Kultusministers Konrad Haenisch verfolgen. In diesem Zusammenhang steht das Wort von »einem neuen deutschen Menschentyp, den wir für die großen Aufgaben der Zeit brauchen«.[45] Solche Formeln behielten auch in späteren Jahrzehnten auf der Rechten und Linken noch ihre Anziehungskraft.

In dem programmatischen Sammelband *Der Geist der neuen Volksgemeinschaft*, der 1919 Beiträge von Gustav Radbruch, Arnold Metzger, Karl Korsch, Max Scheler, Wichard von Moellendorff, Peter Behrens, Kasimir Edschmid, Arnold Zweig, Friedrich Stampfer, Hermann Schüller und anderen vereinigte, hieß es im Vorwort: »Denn die Reform wird keine Früchte tragen, wenn sie nicht eine Reform an Haupt und Gliedern bedeutet, wenn keine *kulturpolitischen* Taten geschehen, welche das Volk an den Geist heranziehen, der übergreifend hinter allen Aufgaben der Gegenwart steht, gleichgültig, ob sie religiöser, intellektueller oder wirtschaftlicher Art sind. Die Revolution wird das Große vollbringen: den Geist und das Volk mit der Politik zu versöhnen.«[46]

Von solcher Versöhnung war in der Folgezeit nicht mehr

die Rede.[47] Wohl aber von ›Gemeinschaft‹. Dieses von
Gustav Radbruch in den ›Jungsozialistischen Leitsätzen‹
und auf dem ersten sozialdemokratischen Kulturtag 1921
in Dresden eingehend behandelte Motto begleitete im folgenden die kulturpolitische Arbeit vieler Sozialdemokraten.
Es beherrschte Radbruchs einflußreiche Schrift *Kulturlehre
des Sozialismus* (erstmals 1922), prägte die Hoffnung auf
die Jugend und durchdrang auch die Annäherung an die
Klassik, für die Radbruch Goethes *Wilhelm Meister* als
repräsentativ hinstellte. Radbruch wollte die werdende sozialistische Kultur nicht als Proletkult mißverstanden wissen, »der an die Stelle bürgerlich-individualistischer Kultur
zu treten und diese zu ersetzen bestimmt wäre«.[48] Neben
der Gemeinschaftskultur würden die überkommenen Werte
individualistischer Kultur weiterleben und sich weiterent-
wickeln.

Diese Ausrichtung läßt sich auch bei den anderen Reformisten der Zeit verfolgen, welche die lange aufgespeicherten
ethisch-ästhetischen Impulse für die sozialistische Bewegung
fruchtbar zu machen suchten, etwa Hendrik de Man (*Der
Sozialismus als Kulturbewegung; Zur Psychologie des Sozialismus*, beide 1926) und Eduard Heimann (*Die sittliche
Idee des Klassenkampfes*, 1926). Das gilt ebenfalls für Hermann Heller, der in Leipzig mit Gertrud Hermes und Paul
Hermberg neue Methoden der Erwachsenenbildung erarbeitete, die weithin ausstrahlten.[49] Hellers öffentlicher Disput mit Max Adler 1925 ist in seiner Bedeutung für die
Scheidung zwischen ›nationalem‹ und ›klassenkämpferischem‹ Flügel schon erwähnt worden. Gemeinsam ist diesen Sozialisten die Kritik des Menschenbildes der Sozialdemokratie, des im 19. Jahrhundert entwickelten Bildes von
dem »bis zur völligen Kulturlosigkeit entmenschten« Proletarier, der dann im Augenblick der Befreiung plötzlich voller
Kultur dastehen werde. Heller sah die ›Menschwerdung‹ des
Arbeiters als vordringliche Aufgabe an; der Arbeiter müsse
wissen, »daß man Mensch nur wird in einer nationalen
Kulturgemeinschaft, wenn auch gewiß durch die wirtschaftlichen Verhältnisse mitbestimmt«.[50] Die von der Sozial-

demokratie theoretisch so stark vernachlässigten Elemente des Gefühlshaften und Irrationalen müßten politisch gebunden werden. Hellers Plädoyer galt, teilweise in Anlehnung an Otto Bauer, der »nationalen sozialistischen Kulturgemeinschaft«.

Demgegenüber betonte Max Adler, der 1908 in *Marx als Denker* die humanistische Seite im Marxismus herausgehoben hatte, daß die ›Menschwerdung‹ nur im Klassenkampf geschehen könne. Adler bezog, beispielsweise in der Schrift *Neue Menschen* (1924), die psychologische Komponente in die Politik ein, doch entwickelte er das vom Marxismus her. Nach der Veröffentlichung von Marx' frühen Manuskripten konnte er Anfang der dreißiger Jahre darauf hinweisen, er habe die geistige Einheit des marxschen Werkes (frühe und spätere Schriften, humanistische und ökonomische Arbeiten) seit langem erkannt und ins Zentrum gerückt.[51]

Für die Kultur- und Bildungsarbeit der SPD brachte die Zeit allgemeiner Ernüchterung nach 1923 die wichtigsten Initiativen, teilweise in Aufnahme und Fortsetzung von Bemühungen der USPD (etwa mit Anna Siemsen, 1882 bis 1952) und KAPD (Karl Schröder). In der hier notwendigen Abkürzung sei allerdings angemerkt, daß eine Darlegung allein im Hinblick auf die Parteirichtung der tatsächlich geleisteten Arbeit nicht voll gerecht würde. Was um 1924 geschah, sollte gerade verschiedene Strömungen zu einer Verstärkung der Kulturarbeit zusammenbinden. (Dazu kamen auch Anregungen der österreichischen Sozialdemokratie.) *Kulturwille* hieß der Titel der 1924 gegründeten Zeitschrift (bis 1930), die unter der Leitung von Valtin Hartig zum zentralen Organ dieser Arbeit wurde, und dieser Titel faßt Stärke und Schwäche recht genau zusammen. So konstatierten Kritiker oft genug: der Wille zur Kultur sei ja schön und gut, aber mit Willen allein könne man eine sozialistische Kultur nicht aufbauen.

Die Zeitschrift *Kulturwille* wurde zum wichtigsten Vermittler sozialistischer Kultur- und Literaturaktivitäten, fördernd, kritisierend und dokumentierend, wie es außer *Die Neue Bücherschau*

keine andere linke Zeitschrift zwischen 1924 und 1930 gemacht
hat. Das geschah mit viel Offenheit den verschiedenen sozialistischen Strömungen gegenüber und schloß auch die Kommunisten
von Becher bis Piscator ein, was nicht heißt, daß die Redaktion
alles hätte gelten lassen. Jedoch hielt sie sich im allgemeinen von
der Kommunistenfurcht der SPD-Parteiführung fern. Ein Großteil
der Berichterstattung galt ohnehin der Arbeit in den Kulturkar-
tellen, den ebenfalls nach 1924 bedeutsamen Dachorganisationen
der lokalen proletarischen Kulturverbände; an erster Stelle standen die Aktivitäten in Leipzig und Berlin. Die Hefte waren nach
Schwerpunktthemen redigiert (z. B. 1929: Rosa Luxemburg/Karl
Liebknecht; Yankeeland; Das Revolutionslied; Demokratie und
Parlamentarismus; 40 Jahre Maifeier; Wandern; Krieg dem
Kriege; Proletarische Festkultur; Wohnen und Bauen; Proletarische Dichter; Die Welt im Buch); sie wären einer eingehenderen
Analyse wert.

Der Herausgeber der Zeitschrift, das Arbeiter- und Bil-
dungsinstitut in Leipzig, bildete die für die kulturellen
Initiativen zentrale Institution der SPD und Freien Gewerkschaften. Das ABI veranstaltete 1924 mit großem Aufwand
in Leipzig eine Arbeiterkulturwoche, mit der sich das Konzept der ›dritten Säule‹ manifestieren sollte: kulturelle
Aktion als dritte Säule der sozialistischen Bewegung neben
der politischen und wirtschaftlichen (gewerkschaftlichen)
Organisation, ein in den zwanziger Jahren vielfach, auch in
der Sowjetunion diskutiertes Konzept. Die Initiatoren ver-
teidigten sich gegen den Vorwurf, den Rückgang des politischen Einflusses der SPD in den vorangegangenen Jahren
nun im ästhetischen Bereich kompensieren zu wollen. Sie
rechtfertigten die Kulturarbeit als Nachholen in einem von
der SPD in Vor- und Nachkriegszeit vernachlässigten Gebiet, zugleich als Mittel zur Gewinnung weiterer Schichten
für die Partei — mit deutlicher Distanz gegenüber einer ausschließlich proletarischen Programmatik.[52] Gegen die Kritiker in den eigenen Reihen bemerkte Erich Winkler 1925 in
der *Tat*, in der die Kulturwoche im einzelnen dokumentiert
ist:

»Zuerst muß sich das Bild einer neuen Ordnung aufs stärkste
in den Köpfen verankert haben, ehe der Bau zu errichten ist, und

jede politische Einflußnahme ist zwecklos, mit der nicht einhergeht die gleichzeitige Eroberung von Bildung, Wissen und Kultur. Mögen jene Bangemacher einsehen, daß der politische Rückschlag nicht die Ursache im Anwachsen der Kulturbewegung hat, sondern daß gerade die Kulturbewegung neue Kraftquellen für die politische Tätigkeit, die Primat bleiben wird, schaffen muß.«[53]

Winklers Polemik wirft ein Licht auf die Schwierigkeiten, die sich den neuen Initiativen in der SPD in den Weg stellten. Es läßt sich erkennen, wie stark die Partei die Vorkriegspolitik fortsetzte, wie stark sich die Ausrichtung an Organisation und Bürokratie erhalten hatte. Die (nicht immer so) neue Kulturarbeit bedeutete vielen eine Abweichung, ein Luxus oder bloß ein Ausweichen vor den Organisationsaufgaben. So erlitt auch der von Hugo Marx und anderen sozialdemokratischen Intellektuellen ausgehende Versuch, einen Sozialdemokratischen Intellektuellenbund aufzubauen, Schiffbruch. Der Bund gelangte über zwei Tagungen 1926 und 1928 hinaus kaum zu politisch wirksamer Arbeit.[54]

Dagegen stellte die Gründung des ›Sozialistischen Kulturbundes‹ eine wichtige Konsolidierung dar, ohne allerdings die Kritik zu beseitigen. Die erste größere Veranstaltung des Bundes war 1926 eine Kulturtagung in Blankenburg unter dem Titel ›Sozialismus und Kultur‹, und auch diese Tagung, auf der u. a. Adolf Braun, Anna Siemsen, Leo Kestenberg, Kurt Löwenstein, Marie Juchacz sprachen, zog die Widerstände auf sich. Immerhin bekräftigten die Kulturpolitiker Heinrich Schulz und Alexander Stein (1881 bis 1942) die Notwendigkeit der ›dritten Säule‹ für die politische Arbeit der SPD.

Stein, der Sekretär des Reichsausschusses für sozialistische Bildungsarbeit, bezog sich ausdrücklich auf Max Adlers Wort: »Kein Sozialismus als Feiertagspredigt, keine Kulturarbeit als Sonntagsvergnügen, sondern Kulturarbeit als notwendiger, integrierender Bestandteil unserer politischen und wirtschaftlichen Arbeit überhaupt.« Stein schloß eine Bemerkung an, die für die Zeit nach 1923, als es an tiefgreifenden politisch-sozialen Konflikten mangelte, symptomatisch ist: »Man spricht von einem Helldunkel in der Bewegung, von einem Alltagsgrau. Es ist rich-

tig, manchmal packt einen die Verzweiflung, weil es so grau ist
in unserem Alltag. Dann tragen Sie doch Licht und Farbe in
diese Arbeit hinein, suchen Sie doch den von der Tagesfron
niedergedrückten Proletariern wieder den Glauben an die neue
Gesellschaft zu geben, der mehr bedeutet als bloß der Kampf um
diese oder jene kleine Verbesserung. Viktor Adler, der unvergängliche Lehrmeister nicht nur der österreichischen, sondern auch
der deutschen Sozialdemokratie, hat einmal gesagt: ›Wähler zu
gewinnen ist nützlich und notwendig, aber Sozialdemokraten zu
erziehen ist nützlicher und notwendiger!‹«⁵⁵

Stein bedauerte, daß die Partei viele Repräsentanten der
Gegenwartskultur nicht in genügendem Maße anzuziehen vermöge, ein von Max Adler in der Tat häufig vorgebrachter Ge-
sichtspunkt. Die in diesem Zusammenhang wichtigsten Äußerungen stammen von Anna Siemsen, die wohl überhaupt als die
profilierteste Kulturpolitikerin und Literaturkritikerin auf dem
linken Flügel der SPD gelten kann. Anna Siemsen verband die
soziologische Analyse des Künstlers in der Gegenwartsgesellschaft
mit dem Postulat, die modernen Medien ihrer großen Bedeutung
entsprechend in die Parteiarbeit einzubeziehen; damit werde
dem Künstler ein Weg aus der Abhängigkeit vom kapitalistischen
Markt gewiesen und sein Gestaltungsvermögen einer großen
Aufgabe zugänglich gemacht.⁵⁶ Für die Partei aber gelte: ihre
Agitationsmethoden seien veraltet. Anna Siemsen erläuterte das
auf der Tagung 1926 mit dem Hinweis auf ein Bild in einer
englischen Arbeiterzeitschrift: »Dort steht: ›Unsere Methoden
sind veraltet‹ unter dem Bilde des lebhaft redenden Redners vor
leeren Stühlen; ein einziger Arbeiter sitzt in einer Stellung
absoluter Gleichgültigkeit und absoluten Degagements da. Seine
Stellung drückt aus: ›Rede du was du willst, ich höre doch nicht
mehr zu.‹ Die Arbeiter, will dies Bild sagen, gehen nicht mehr
in die politischen Versammlungen, sondern gehen ins Kino, und
sie haben den Radiofunk, sie haben die Illustrierte Zeitung, und
durch diese Zeitung werden sie künstlerisch und werden sie
politisch beeinflußt. Diese Tatsachen müssen wir, wenn wir von
Kulturpolitik und wenn wir von Kunst reden, aber auch wenn wir
von politischer Agitation sprechen wollen, in Betracht ziehen.«⁵⁷

Der ›Sozialistische Kulturbund‹ widmete dem Problem ›Film
und Funk‹ 1929 eine eigene Tagung in Frankfurt.⁵⁸ Allerdings
hatten sich die politischen Fronten in der Zwischenzeit vertieft,
und die Linke war auf der Tagung nicht mehr vertreten. Die
Beiträge von Heinrich Schulz, Siegfried Nestriepke, Siegfried

Marck, Leopold Jessner, Ernst Heilmann u. a. manifestierten genau das unverbindliche Repräsentationsdenken, das Anna Siemsen überwinden wollte.

Insgesamt vermochte sich die SPD in den zwanziger Jahren nicht zu einer modernen Medienpolitik durchzuringen. Die vor 1914 etablierten Denkweisen blieben trotz neuer politischer Verantwortung weitgehend erhalten, wovon die sozialdemokratische Presse fatales Zeugnis ablegt. Ihre begrenzte und wenig erfolgreiche Modernisierung Mitte der zwanziger Jahre geschah eher aus finanziellen Gründen als aus der Einsicht, daß die Mehrzahl der Parteimitglieder die Zeitungen zwar brav kaufte, aber nicht las, da sie völlig reizlos waren.[59]

Ein weiteres Stiefkind stellte der Film dar, obwohl in der revolutionären Phase verschiedentlich die Vergesellschaftung der bürgerlichen Filmgesellschaften gefordert worden war. Zur wichtigsten Unternehmung wurde die 1922 von den Gewerkschaften und der SPD gegründete ›Volks-Lichtbühne‹, die später der ›Film- und Lichtspieldienst‹ ablöste. Die ›Volks-Lichtbühne‹ führte u. a. Kurzfilme von Arbeitersportfesten, vom proletarischen Gesundheitsdienst, vom 8. Internationalen Jugendtag sowie den IAH-Film *Die Rote Armee* vor und produzierte die Spielfilme *Die Schmiede* (1924) und *Freies Volk* (1925) von Martin Berger.[60] Im Umkreis der SPD-Linken entstand 1929 Werner Hochbaums Film *Brüder* über den Hamburger Hafenarbeiterstreik von 1896, einer der wenigen — aber weithin unbeachteten — Filme mit proletarischen Sujets und Helden, die mit Piel Jutzis *Hunger in Waldenburg* (1928) und *Mutter Krausens Fahrt ins Glück* (1929) im selben Atemzug genannt werden können. Ejzenšteins Einfluß ist unverkennbar. — Neben der KPD und Künstlern und Autoren wie Heinrich Mann, Käthe Kollwitz und Leonhard Frank hatte die SPD-Linke Anteil an der Gründung des ›Volksfilmverbandes‹ 1928, der eine Intensivierung proletarischer Filmarbeit herbeiführen sollte. Allerdings gelangte der Verband in eine Sackgasse, als für die proletarische Besucherorganisation das spezielle Filmangebot ausblieb.[61] (Die sowjetischen Filme waren auch in kommerziellen Kinos zu sehen.)

Bald nach der Eröffnung des Unterhaltungsrundfunks 1923 gründeten Gewerkschaften, Sozialdemokraten und Kommunisten 1924 den Arbeiter-Radio-Klub in Berlin, dem sich Klubs in vielen anderen Städten anschlossen. Die Arbeiter-Radiobewegung vermochte das Interesse an dem neuen Medium — vor allem durch Anleitung zum Eigenbau von Empfängern — in der Arbeiterschaft stark zu fördern, erlangte jedoch nur wenig Einfluß auf die Programmgestaltung der Sender. Der Arbeiter-Radio-Bund spaltete sich 1928; linke Sozialdemokraten und Kommunisten gründeten den Freien Radio-Bund. Seine Zeitschrift *Arbeitersender* übte scharfe Opposition gegenüber den etablierten Institutionen und Programmen. Hier wurden auch Prinzipien der proletarischen Radioreportage und des proletarischen Hörspiels erarbeitet.[62]

1928 war der Zeitpunkt, an dem die kommunistische Opposition in verschiedenen der etablierten proletarischen Kulturverbänden zur Tat schritt, entweder sich als Opposition institutionalisierte, eine (vorübergehende) Sezession wie im Deutschen Arbeiter-Sängerbund einleitete oder, wie es im Deutschen Arbeiter-Theater-Bund geschah, die Leitung eroberte. Die prominentesten Auseinandersetzungen ereigneten sich während der zwanziger Jahre um die Berliner Volksbühne, in der Piscator 1924—1927 inszenierte.[63] Für das proletarische Laientheater, seit langem in unpolitischem Vereinstheater erstarrt, brachte die Politisierung Ende der zwanziger Jahre eine starke, auch formale Belebung. Die Einzelvereine differierten in ihren politischen Positionen; die Bundeszeitschrift *Arbeiterbühne*, 1930/31 *Arbeiterbühne und Film*, wurde zu einem Organ der kommunistischen Agitationspolitik. Der von Erich Mühlenweg gegründete sozialdemokratische Arbeiter-Laienspiel-Verband vermochte dem von Arthur Pieck geleiteten Arbeiter-Theater-Bund Deutschlands (so der Name ab 1928) keine große Konkurrenz zu machen.[64]

Demgegenüber fand die 1927 durch die sowjetische Truppe ›Die blaue Bluse‹ belebte Agitpropbewegung bei linken sozialdemokratischen Gruppen, zumal SAJ-Mitgliedern und Jungsozialisten, Widerhall. Agitproptruppen — wie die erfolgreichen, 1927 in Dresden gegründeten ›Roten Ratten‹ — entstanden vor allem in Sachsen und Thüringen, in denen die Parteilinke stark war.[65] Hier ergaben sich auch Verbindungen zu Wiener Gruppen.

Die sozialdemokratische Linke, die sich teilweise um die Zeitschrift *Der Klassenkampf* sammelte, verfolgte mit der klassenkämpferischen Ausrichtung eine Änderung der Agitationsmethoden.[66] Im *Klassenkampf* analysierte Fritz Schiff 1929/30 unter der Rubrik ›Kulturumschau‹ die Möglichkeiten der verschiedenen Sparten Film, Zeitungsroman, Buch (Buchgemeinschaft), Theater (Volksbühne), Musik, bildende Kunst, Fotografie, Radio, Grammophon, Malerei etc. Das geschah ohne die radikale Offensivgesinnung, die zu dieser Zeit die Kommunisten bewegte; wie Anna Siemsen 1930 in einem Artikel über Mehring deutlich machte, suchte man im Bereich des Literarischen die Bindung an die große künstlerische Überlieferung des Bürgertums zu halten.[67] Anna Siemsen, die 1924 mit den *Literarischen Streifzügen durch die Entwicklung der europäischen Gesellschaft* in Mehrings Fußstapfen getreten war, wies auf den Wandel im Verhältnis zur Klassik hin, betonte aber, daß damit deren Würdigung nur in einen breiteren Rahmen gestellt worden sei. Die historisch weit ausgreifenden *Streifzüge* lassen diesen breiteren Rahmen erkennen, sie betonen die Bedingtheit der Literatur durch gesellschaftliche Gegebenheiten, machen jedoch das Bekenntnis zu einer spezifischen Partei nicht zum künstlerischen Kriterium. Anna Siemsen propagierte eine ›offene‹ Auffassung von Agitation: »Auch unsere Versammlungstechnik, auch unsere Agitation, soweit sie den Menschen leidenschaftlich erfaßt, steht schon in den Grenzen der Kunst — leidenschaftserfüllte Rhetorik ist Kunst. Infolgedessen ist die Kunst, richtig erfaßt und richtig begriffen, das einzige Mittel, die große Menge der Menschen zu erfassen und von einer politischen Wahrheit zu überzeugen, zu überzeugen auf dem Wege durch ihre Leidenschaft und durch ihren Willen.«[68]

Mit diesem operativen Konzept der Kunst befand sich Anna Siemsen in Distanz zum kommunistischen Agitationskonzept, aber auch zu der in der SPD geläufigen Auffassung. In der literarischen Praxis gewann davon nur wenig Gestalt. Die Kritik am sozialdemokratischen Feuilleton, die 1929 im *Klassenkampf* geübt wurde, war schneidend, doch blieb es bei Vorschlägen hinsichtlich von Autoren (u. a. Bruno Vogel, Erich Kästner, Walther Victor, Max Herrmann-Neiße, Alfred Polgar, Béla Balázs).[69] Eine Sammlung geschah nicht. Das vom Reichsausschuß für sozialistische Bildungsarbeit herausgegebene Rezensionsorgan *Bücherwarte*, das 1926 recht erfolgversprechend begann, erlangte mit seinen Informationen für Arbeiterbibliotheken wenig Profil. Hier lief auch eine deutliche Abgrenzung zu ›bloß‹ agitatorischen Werken kommunistischer Herkunft mit. Die von proletarischen Freidenkerkreisen gestützte und von dem Leipziger Verleger und Schriftsteller Arthur Wolf edierte Zeitschrift *Proletarische Heimstunden* (ab 1925: *Heimstunden. Proletarische Tribüne für Kunst, Literatur und Dichtung*) hatte sich nicht lange halten können.[70] Immerhin waren hier zwischen 1923 und 1927 Kurt Kläber, Bruno Vogel, Albert Daudistel, Oskar Maria Graf, Slang (Fritz Hampel), Hermynia zur Mühlen, Ernst Toller, Henri Barbusse, Max Barthel, Johannes Schönherr und andere Autoren im Umkreis der sozialistischen Bewegung zu Wort gekommen.

Am intensivsten bemühte sich auf der SPD-Linken Karl Schröder um sozialistische Literatur, als Romanautor wie als Leiter der sozialdemokratischen Buchgemeinschaft ›Der Bücherkreis‹. Im Einflußgebiet der Sozialdemokratie existierten zwei Buchgemeinschaften, beide 1924 gegründet, der ›Bücherkreis‹, in engerer Bindung an die Partei, während die ›Büchergilde Gutenberg‹, von Bruno Dreßler gegründet und geleitet, zum traditionsreichen Bildungsverband der deutschen Buchdrucker gehörte. Der Gilde war mit einem weitverzweigten Netz von Vertrauensleuten sowie einem sehr gediegenen, fast preziösen Druck ein wirklicher Einbruch in die Arbeiterschaft gelungen[71], sie hatte schnell über die Angehörigen des Druckgewerbes hinaus Publikum gewonnen und sich von 5000 Mitgliedern 1925 auf 85 000 Mitglieder 1932 vergrößert. Der Bücherkreis umfaßte etwa die Hälfte. Das Programm war international, wobei die Gilde, in der zunächst Ernst Preczang als Lektor wirkte, mehr Erfolg hatte, vor allem mit dem ›großen Fang‹ B. Traven[72], dann mit Andersen-Nexö, Jack London, Oskar Maria Graf, Vicente Blasco Ibañez, Upton Sinclair, Arnold Zweig, Sinclair Lewis u. a. Ein Teil der Autoren veröffentlichte auch im Bücherkreis. Beide Buchgemeinschaften bewegten sich Ende der zwanziger Jahre aus einer gewissen Kulturbehäbigkeit heraus, die Gilde mit dem Lektoratswechsel von Preczang 1927 zu Johannes Schönherr und 1929 zu Erich Knauf (1895—1944), einem publizistisch und organisatorisch gewandten Vertreter der Parteilinken (Ça ira, 1929), der Bücherkreis mit dem Wechsel 1928/29 von Friedrich Wendel, der auch eine Zeitlang den Wahren Jacob leitete, zu Karl Schröder.

Mit Schröders Lektorat erhielt der Bücherkreis ein stärker klassenkämpferisches Profil, hier erschienen zwischen 1929 und 1932 Bücher u. a. von Adam Scharrer und Franz Jung (aus dem Umkreis der KAPD), von Max Barthel, Pierre Hamp, Oskar Wöhrle, Erich Grisar, Helmut Wickel (I.G. Deutschland, 1932) und Schröder selbst. (Zwei seiner Romane brachte 1928 und 1932 die Gilde heraus.) Eine wichtige Rolle spielte die seit 1930 vierteljährlich herausgegebene Zeitschrift Der Bücherkreis mit ihren Sonderthemen wie Film und Funk, russische, polnische und angelsächsische Literatur, Wirtschaftskrise und — besonders aufschlußreich und kritisch — Ende 1930 über den Nationalsozialismus. Außerdem gab Schröder Schreibversuchen von Arbeitern Raum.

Bezeichnend für Schröders Literaturkonzept ist die Kritik, die er 1928 am Begriff ›Arbeiterdichtung‹ übte. Er schlug für die zu schaffende klassenkämpferische Literatur den Terminus ›proletarische Literatur‹ vor, da darin »der Klassenbegriff, der Angriffsgeist, die Neugestaltung einer Welt« mitschwinge. Bei »Arbeiter-Klassendichtung« bestehe die Gefahr, »Partei und Klasse gleichzusetzen und den Begriff wieder ganz zu verengen«.[73] Zweifellos klingt darin die an der Masse, am Proletariat als geschichtsmächtiger Kraft orientierte Einstellung nach, die Anfang der zwanziger Jahre von der KAPD vertreten wurde. Sie ist in Schröders Romanen durchweg zu verfolgen und bildet zugleich die Basis für seine Kritik an den etablierten Arbeiterparteien SPD und KPD, die 1932, als Schröder ideologischer Führer der ›Roten Kämpfer‹ wurde[74], auch politischen Ausdruck fand.

Mit dieser Kritik dürften Schröders Romane, die zwischen 1928 und 1932 erschienen, die wohl klarste erzählerische Analyse der Krisenjahre aus sozialistischer Perspektive darstellen. Vor Erik Regers *Union der festen Hand* (1931) schuf Schröder in *Aktien-Gesellschaft Hammerlugk* (1928) ein Buch, das die Mechanismen kapitalistischer Wirtschaft am Beispiel eines Werkes sichtbar machte, aber bewußt für die Arbeiterschaft bestimmt war und ihre Sache vertrat; in dem zweibändigen Roman *Familie Markert* (1931) analysierte der Autor sehr hellsichtig das deutsche Kleinbürgertum, seine Reaktion auf die Krise und seine Neigung zum Nationalsozialismus; in *Der Sprung über den Schatten* (1928) lieferte er die exemplarische Darstellung eines Intellektuellen, der zum Proletariat findet, und in dem daneben literarisch wohl gelungensten Buch *Die Geschichte Jan Beeks* (1929) verfolgte Schröder den Lebensgang eines Proletariers, der sich radikalisiert, in der deutschen Revolution engagiert, als Anarchist weiterkämpft und untergeht. Schröder, in seinem nüchternen Stil der Neuen Sachlichkeit verbunden, berührt sich in diesem Buch stark mit Döblins zur gleichen Zeit entstandenen Roman *Berlin Alexanderplatz* (1929), besonders in der Vergegenwärtigung der Großstadt Berlin und der Massendemonstration (auf die das Schlachthofmotiv folgt). Die Beziehung von Schröder und Döblin sowie ihrer Romane bedürfte einer eingehenderen Untersuchung.

Schröder strebte zum großen Zeitroman. 1927, bevor er seinen ersten Roman veröffentlicht hatte, schrieb er: »Erste Ansätze zu einem neuen, künstlerisch-schöpferischen Gesellschaftsroman, einem Roman aus dem Geist der aufsteigenden, selbstbewußt werdenden Klasse, finden sich in Deutschland erst nach dem Kriege bei Dichtern wie Jung, Daudistel, Barthel, Becher, Traven u. a. Der neue Gesellschaftsroman, der ein Gesamtbild der Zeit geben will, kann nur geschrieben werden aus tiefster soziologischer Erfassung des Klassencharakters unserer Epoche, aus der Erkenntnis des Absinkens der bürgerlichen Gesellschaft. Er wird nur indirekt noch moralische Anklage sein, sonst aber lebendiges Hinauswachsen über die bürgerliche Welt, schöpferische Gestaltung neuen Klassen- und Gesellschaftsbewußtseins, neue gesellschaftliche Tat.«[75]

Wenn Schöder in den folgenden Jahren keine Zeit fand, dieses Konzept zu realisieren, so sagt das zunächst ebensoviel über die Periode wie über ihn selbst aus. Immerhin hat Schröder den Arbeiterlesern mit seinen schnell hintereinander entstandenen Romanen erstaunlich klar wichtige Phänomene der Zeit vor Hitlers Machtergreifung nahegebracht. Sein 1932 in der Gilde erschienener Roman *Klasse im Kampf* nimmt als literarisches Dokument über die Entzweiung der deutschen Arbeiterklasse und als Appell zur Einheitsfront gegen den Nationalsozialismus eine besondere Stellung ein. Daß ein Teil der Diskussionen und Erlebnisschilderungen nur unvollkommen literarisiert wurde, läßt sich nicht übersehen — es ist der Preis, den Schröder für die aktuelle literarische Wirkung zu zahlen hatte.

Schröder, der dem Kampf gegen den Nationalsozialismus seit jeher verpflichtet gewesen war, ging nach 1933 in Deutschland in den Widerstand, kam dafür 1937 ins Zuchthaus und dann ins Konzentrationslager.[76]

Die SPD-Linke ist mit ihrem Beitrag zur Kultur- und Agitationsarbeit bisher nur wenig gewürdigt worden. Die Gründe sind offensichtlich. Weder die Parteiführung, die ihr mit großem Mißtrauen gegenüberstand und sie aus ihrer passiven Abwartehaltung heraus oft des Kommunismus verdächtigte, noch die Kommunisten hatten großes Interesse daran, daß sie Beachtung erhielt. Zweifellos fand die Linke beim aktiven Teil der SPD-Anhänger Beachtung, und hierin lag der Hebel, den ihr Führer, Paul Levi, für eine klassenkämpferische Aktivierung zu nutzen suchte. In der Berufung auf Rosa Luxemburg blieb man in der Partei, bei der Masse, um von hier aus, nicht in einer Splittergruppe, zu wirken. Das Scheitern dieser Politik gehört in das Kapitel der Niederlage der deutschen Arbeiterbewegung am Ende

der Weimarer Republik. Auch in diesem Falle fehlte eine
politische Alternative. Die schließlich 1931 erfolgte Gründung der Sozialistischen Arbeiterpartei (SAP) zwischen den
beiden großen sozialistischen Parteien hatte bei den Massen kaum Erfolg; die Leistung dieser Partei — zu deren
Führung auch Anna Siemsen gehörte[77] — liegt vor allem
in dem auf die Einheitsfront zielenden Kampf gegen den
Nationalsozialismus.

Die Kommunisten, die in dieser Periode mit der Parole
der ›Einheitsfront nur von unten‹ die SPD zu erschüttern
suchten, waren wesentlich schärfere Kritiker der SPD-Linken. Dieser Flügel repräsentierte einen besonders eklatanten
Beweis gegen die These der Komintern, die Sozialdemokratie sei eine sozialfaschistische Partei und als solche der
wichtigste Gegner der KPD. Die von den Kommunisten
vertretenen Argumente faßte Ernst Thälmann auf dem
KPD-Parteitag 1929 zusammen: »Das kennzeichnet am
besten die Rolle der linken Sozialdemokraten, die nicht nur
unser stärkster Feind innerhalb der Arbeiterklasse, sondern
auch der stärkste Hebel des Sozialfaschismus ist. Wir müssen aber anerkennen, daß sie durch ihre heuchlerischen,
scheinradikalen Phrasen den Abmarsch der sozialdemokratischen Arbeiter zum Kommunismus ungeheuer aufhält.«[78]
Das Verdikt hat sich in dem Schweigen über die SPD-
Linke erhalten. Die Tatsache, daß die Kommunisten nach
dem Umschwung der Taktik Positionen zum Thema Sozialismus und Kultur vertraten, die sie zuvor bei der SPD-
Linken scharf abgelehnt hatten, änderte daran nichts. Im
Gegenteil.

Doch muß betont werden, wie wenig die SPD mit ihrer
längst erstarrten Taktik für den Kampf gegen den Nationalsozialismus gerüstet war. Es verwundert kaum, daß die
Parteispitze schließlich auch die einzige sozialdemokratische
Organisation, welche die Straßenauseinandersetzung mit
den Nationalsozialisten, besonders der SA, mit voller Kraft
aufnahm, als Konkurrenten empfand: das 1924 gegründete
Reichsbanner Schwarz Rot Gold, das man der Parteirechten
zurechnete. Nach der Septemberwahl 1930 bemühte sich

das Reichsbanner unter dem Motto ›Vom Gegner lernen‹ darum, die geschickte Massenagitation der Nationalsozialisten zu erwidern.[79] Das erbrachte mit der Gründung der ›Eisernen Front‹ größere Erfolge; über den Hintergrund geben Julius Lebers Aufzeichnungen einige Aufschlüsse.[80]

Die von dem Propagandaberater der ›Eisernen Front‹, dem Exilrussen Sergej Čachotin, zusammen mit Carlo Mierendorff vertretenen Thesen verdeutlichen die Elemente des Propagandakrieges gegen die Nationalsozialisten: 1. die Demonstration von Macht und Stärke, um Gegner und Unschlüssige einzuschüchtern, 2. der Gebrauch der immer gleichen Symbole und Parolen für die Massen, 3. die Betonung des Gefühlsmäßigen in den politischen Entscheidungen, der Appell an die Emotion statt an die Logik. Dazu gehörten Massendemonstrationen, aber auch politische Kabarettstücke, Kampflieder und antifaschistische Spott- und Drohverse.[81] Das Symbol der drei Pfeile war im Propagandakrieg mit den Nationalsozialisten sehr wirkungsvoll.

Die Unfähigkeit der Parteiführung, sich solcher Dinge in adäquatem Maße zu bedienen, wirkte nach einem bedeutsamen Stimmungsaufschwung in der ersten Hälfte des Jahres 1932 besonders lähmend. Bezeichnend ist das Schicksal, das der von Čachotin und Mierendorff für die Funktionäre im Lande verfaßten Broschüre *Grundlagen und Formen politischer Propaganda* 1932 widerfuhr: die Parteiführung ordnete an, sie einzustampfen.[82]

3. Die kommunistische Kulturpolitik

Auch für die kommunistische Kulturpolitik brachte die Ernüchterungsphase nach 1923/24 (als die KPD eine zeitlang verboten war) einen deutlichen Wandel. Mit der Linksorientierung der Partei und der verstärkten Ausrichtung auf die Sowjetunion verlor sich das Selbstverständnis einer Kulturbewegung, das noch bis 1923 — in Fortsetzung von USPD-Tendenzen — kommunistische Aktivitäten mitbestimmt hatte. Die 1925 propagierte Orientierung an Lenin wurde, bis auf Wittfogels Artikel, nicht im Sinne der lenin-

schen kulturrevolutionär n Vorstellungen systematisiert. Es
blieb in den folgenden Jahren bei der Zentralisierung von
Agitation und Propaganda. (»Während die Agitation auf
einige wenige Leitgedanken sich konzentrieren muß, die
zum Hebel der Aktion der Massen werden sollen und somit,
in tagtäglichem Kampfe, unermüdlich dem Bewußtsein des
kämpfenden Proletariats eingeprägt werden müssen, hat die
Propaganda die Aufgabe, diese Aktionsparolen, diese
Schlagworte der Taktik in Einklang zu bringen mit dem
allgemeinen strategischen Plan der Partei, sie zu begründen durch eine erschöpfende Analyse der politischen Ge-
samtlage und der sich daraus ergebenden Entwicklungs-
tendenzen.«[83])

Die Komintern, in die die KPD organisatorisch und ideologisch fest eingebunden war, errichtete einen speziellen
Apparat zur Steuerung von Agitation und Propaganda, der
sich der politischen und organisatorischen Leitung zuordnete. Die Agitpropabteilungen veranstalteten die für den
jeweiligen Kampf wichtigen Kampagnen, Ausstellungen
und Schulungen. Sie koordinierten die Arbeit der Agitproptruppen, die ab 1927 in großer Anzahl aufgebaut wurden. Ebenfalls 1926/27 wurde die ›Marxistische Arbeiter-
schule‹ (MASCH) gegründet, die zunächst in Berlin, später
in 30 weiteren Städten vorwiegend ökonomische und politische Elementarschulung für Arbeiter betrieb, aber auch
Literatur, Fotografie und Sprachen einbezog. (Zu den Lehrern in Berlin gehörten Becher, Lask, Kläber, Heartfield,
Balázs, Märten, Gasbarra, Adolf Behne, Hanns Eisler u. a. –
Ab 1931 erschien die von Hermann Duncker herausgegebene Schulungszeitschrift *Der Marxist*. Mitarbeiter waren
Hans Günther, Jürgen Kuczynski, Wittfogel u. a.)

Bei der Publikation des Sammelbandes von Lenins Äußerungen zu Agitation und Propaganda 1929 vermerkte die
Inprekorr (die von der Komintern publizierte *Internationale
Presse-Korrespondenz*): »Es ist hier der erste Versuch gemacht worden, dem Agitprop-Ressort, dessen Bedeutung
von fast allen Parteileitungen unterschätzt wird, eine solide
Grundlage zu geben.«[84] Für diese Unterschätzung finden

sich zahlreiche Zeugnisse. Die Agitationsarbeit wurde von vielen Kommunisten als allzu glatt angesehen. Ohne Zweifel verlangte diese Arbeit spezielle Talente. Wenn sich die KPD von dem in der Sozialdemokratie gepflegten Kulturverständnis distanzierte, so verschaffte das nicht von selbst ein neues Konzept jenseits des Vorwurfs der Bürgerlichkeit. Dazu kam die enorme Fluktuation der Parteimitglieder, die eine kontinuierliche Aufbauarbeit erschwerte. Der Kontinuität stand nicht zuletzt der häufige Wechsel der politischen Taktik entgegen, ein Wechsel, mit dem die Komintern und die KPD-Führung die Parteimaschinerie zugleich verunsicherten und an sich banden. Die jeweilige Taktik war wichtiger als die gründliche Entwicklungsarbeit der Parteimitglieder zu Eigenverantwortung.

Das Agitpropkonzept, auf dem V. Weltkongreß der Komintern 1924 eingeleitet, brauchte eine gewisse Anlaufszeit.[85] Am wichtigsten wurde für die deutsche Entwicklung der XI. KPD-Parteitag 1927. Mit der gegen die SPD gerichteten Entschließung ›Der Kampf gegen die Kultur- und Schulreaktion‹ wies man die Parteimitglieder an, in den kulturellen Massenorganisationen wie dem Arbeiter-Theater-Bund (ca. 600 000 Mitglieder) oder dem Arbeiter-Sängerbund (ca. 375 000) tätig zu werden. Man beschloß eine Verstärkung der Massenagitation durch Film, Lichtbild und Schallplatte sowie durch Gründung von Agitproptruppen.[86] Die 1928 nach dem VI. Kominternkongreß verfolgte Politik gegen die Parteirechte und die Einheitsfront ist im Hinblick auf die proletarischen Kulturverbände erwähnt worden: Wo nicht, wie 1928 im Arbeiter-Theater-Bund, eine Übernahme gelang, zielte man auf die Spaltung der jeweiligen Arbeiterorganisation, bis hin zu den Sport- und Freidenkerverbänden. 1929 vereinigte man in der Interessengemeinschaft für Arbeiterkultur (IFA) alle kommunistischen Kulturorganisationen und -kartelle. Die IFA, über deren Arbeit die *IFA-Rundschau* Auskunft gibt, trat selbst als Veranstalter von Kundgebungen, Theatervorstellungen, Diskussionen, Ausstellungen und Lehrgängen auf.

Die Parallelgründungen schafften der KPD eine starke

organisatorische Mehrbelastung und verzehrten viele Energien. Sie lassen das häufig diskutierte Dilemma der Kommunisten in der Weimarer Republik erkennen, »daß eine wirkliche Einheitsfronttaktik auf die Dauer die Gefahr mit sich brachte, in der Zusammenarbeit mit dem stärkeren Partner zu sehr das eigene Profil zu verlieren, während eine jeden Kontakt mit der SPD ablehnende Politik der KPD in die Isolierung führte«.[87] Nach 1928 wurde die Linkstaktik von der Erwartung einer revolutionären Situation begleitet. Darin ging die KPD nach Meinung von Arthur Rosenberg nicht fehl, der davon sprach, daß in den Jahren 1929 und 1930 wie 1923 alle Elemente einer großen Volksrevolution gegen das herrschende System vorhanden gewesen seien. Jedoch betonte Rosenberg im selben Atemzug, die Partei habe keinen Plan zur Gewinnung der Massen und keinen Weg für die Zukunft gehabt: »Die KPD betrieb seit 1928 eine lärmende Agitation, die ganz auf die Bedürfnisse utopisch-radikaler Erwerbsloser eingerichtet war. Den Arbeitern im Betrieb, die doch immerhin auch noch existierten, den Angestellten, den Intellektuellen und Mittelschichten bot die Partei nichts.«[88]

Im Hinblick auf den Bund proletarisch-revolutionärer Schriftsteller, der 1928 im Zuge der organisatorischen Verselbständigung kommunistischer Kulturaktivitäten gegründet wurde, ist bereits von der Fixierung der Wirklichkeit auf ein zweidimensionales literarisches Modell die Rede gewesen. Die ›Eigenwelt‹, die sich in den Romanen von Bredel oder Neukrantz erkennen läßt, existierte als Teil einer größeren Allegorie im Denken vieler Kommunisten. Sie existierte als Teil einer Wirklichkeitsprojektion, deren Zweidimensionalität der Glaubensvergewisserung zugute kam, aber eben auch eine »Wahrnehmungsverengung« bedeutete, »die nur die an das eigene Lager unmittelbar angrenzende Nachbarschaft noch erfaßt und die ganze übrige Gesellschaft mit abstrakten Analysen überzieht, durch die keine Erfahrung oder unmittelbare Wahrnehmung mehr dringt«.[89] Man hat dabei von »Lagermentalität«[90] gesprochen. Zugleich müssen allerdings auch andere Aspekte politischer

Anschauung genannt werden, welche die Fixierung auf das jeweilige »Lager« modifizieren. Schon Wilhelm Reich und Ernst Bloch stellten die Notwendigkeit heraus, über den Aspekt der Konfrontation von Kommunisten und Faschisten hinauszugehen und die Übergänge in den Fronten zu prüfen, um die Niederlage auch in diesem Bereich zu erhellen.[91] Bereits vor Hitlers Machtergreifung zielten Analysen auf diese Übergänge in der Agitation. Die Ablösung der kommunistischen Agitation von den klassenmäßigen Institutionen wurde als besondere Gefahr diagnostiziert. Heinz Paechter schrieb: Wenn »die Verbindung zwischen der Form der Partei und dem Inhalt ihres Kampfes durch nichts als den guten Willen oder auch nur guten Glauben der Mitglieder und Anhänger garantiert wird, dann gibt es keine Notwendigkeit mehr dafür, daß gerade diese eine Partei die Erlöserfunktion vollziehen muß«. Das zielte auf die Fluktuation vornehmlich der Erwerbslosen von der einen zur anderen Partei. Paechter verallgemeinerte: Das Proletariat, das nicht mehr mit materiellen Institutionen an seine Partei gebunden sei, könne sich der Partei mit der stärksten Symbolik überliefern. »Es kann die Elite wechseln, der es vertrauen will. Es überliefert dieser Elite vertrauensvoll eine Macht, ohne sich die demokratische Kontrolle vorzubehalten.«[92] Wie einfallsreich die Faschisten in dieser Situation zu operieren vermochten, bedarf kaum der Hervorhebung. Mit nationalen, völkischen und gemeinschaftlichen Ideologien besetzten sie die Stellen, die von der »unterernährten sozialistischen Phantasie« (Bloch) freigelassen worden waren. Zwar konnten die Kommunisten mit dem Hinweis auf die Sowjetunion, vor allem in der Weltwirtschaftskrise, positive Vorstellungen vermitteln. Aber darin lagen auch Nachteile: es war die Sowjetunion, nicht Deutschland. Mit der Unterordnung unter die Komintern hatte die KPD eigene grundsätzliche Erwägungen über die nationale und kulturelle Erneuerung und die sozialistischen Lebensformen stark eingeschränkt.

Wenn kommunistische Kulturpolitik dennoch bis Anfang der dreißiger Jahre einen Widerhall fand, der über den Umkreis der Parteimitglieder weit hinausreichte, so waren dafür vor allem die Impulse und Aktionen von Willi Münzenberg und seinen Organisationen verantwortlich. Auch Münzenberg machte viel Agitationspolitik, auch er hielt sich in starkem Maße an die Linie der Komintern. Aber er verstand es, mit seinen bis 1918 in der Schweiz gesammelten Erfahrungen in Publizistik und Agitation, seiner engen Berührung mit Lenin und seiner langjährigen Ausrichtung auf die Jugend ein Propagandakonzept zu entwickeln, das die modernen Massenmedien nicht nur einbezog, sondern kreativ nutzte. Er war der einzige Sozialist außerhalb der Sowjetunion, der die neuen Bildmythen in großem Stil in den Dienst der sozialistischen Bewegung stellte, der einzige Sozialist, der es vermochte, innerhalb des Kapitalismus und mit kapitalistischen Mitteln eine finanziell unabhängige Zentrale aufzubauen, die sich der Propagierung des Sozialismus widmete und damit für die ausländische Anteilnahme am Aufbau des sowjetischen Staates unschätzbare Dienste leistete.

Münzenbergs Geldmittel und Mitarbeiterstab waren keineswegs groß. Doch dürfte das gegenüber dem schwerfälligen Parteiapparat zur Flexibilität beigetragen haben, ebenso wie die Tatsache, daß Münzenberg den Mitarbeitern, einmal auf eine Aufgabe angesetzt, viel freie Hand und Verantwortung überließ. Von der Publizistik bis zu Film und politischem Theater erschloß er die meisten Agitationstechniken (wobei ihm die enge Verbindung mit der Sowjetunion zugute kam), die dann zum Teil von der Partei übernommen und organisatorisch ausgedehnt wurden. Häufig stieß dabei die traditionelle Versammlungsagitation der KPD mit einem modernen Werbungsstil zusammen, der ideologisch weniger ›rein‹, d. h. ritualistisch wirkte, aber eine große Anzahl politisch nicht organisierter Arbeiter und Intellektueller in den Bannkreis des Kommunismus zog. Hiermit hatte Münzenberg Erfolge auch in der Zeit zwischen 1924 und 1928, als die Politik in den Hintergrund trat. Es verwundert nicht, daß ihm die SPD besonders ablehnend gegenüberstand. Die Vorwürfe des SPD-Journalisten Eugen Prager gegen die

Machenschaften des Münzenberg-Konzerns 1929 vermochte Münzenberg in ›seiner‹ theoretischen Zeitschrift *Der Rote Aufbau* zu entkräften bzw. gegen die SPD zu kehren.[93] Immerhin hatte nur Münzenberg einen Pressekonzern geschaffen, der dem deutschnationalen Hugenberg-Konzern in der Massenbeeinflussung Vergleichbares entgegenzusetzen vermochte, allem voran die *Arbeiter-Illustrierte Zeitung* (AIZ), die zeitweise eine (reelle) Auflage von 300 000 erreichte.[94]

Münzenbergs Aufstieg wäre allerdings nicht in dieser Weise möglich gewesen, wenn er nicht mit der 1921 in Lenins Auftrag gegründeten Massenorganisation ›Internationale Arbeiter-Hilfe‹ (IAH), die 1931 in Deutschland 105 000 Mitglieder in 932 Ortsgruppen (neben Tausenden in ausländischen Sektionen) umfaßte, eine eigene politische Hausmacht aufgebaut hätte. Es war eine Gründung der Zeit vor 1923, als Hungerhilfe für Sowjetrußland entstanden, und dieser Ursprung blieb immer sichtbar. Im Zentrum der IAH stand die Aufgabe, »die proletarische Solidarität organisatorisch zu erfassen und in eine Organisation zu formen«[95], wie es in dem Rechenschaftsband *Solidarität* 1931 einleitend heißt. Organisation der proletarischen Solidarität bedeutete direkten Zugriff auf konkrete Probleme des Proletariats. Der organisierende und propagandistische Effekt ging gleichsam aus dem Tun selbst hervor, ohne Umweg über eine Partei. Ein Komintern-Rundschreiben von 1923 betonte: »Die Aktion hat aber auch eine politische Bedeutung für die deutsche Revolution selbst. Die sich praktisch auswirkende Aktion in Form der Übermittlung von Brot und Getreide wirkt auf den nicht politisch-geschulten, nicht kommunistisch organisierten, primitiv denkenden Arbeiter ermutigend und anfeuernd.«[96] 1931 hielt es Münzenberg ausdrücklich für falsch, die IAH, die sich längst nicht nur auf dem sozialpolitischen Gebiet, sondern auch bei der Kinderhilfe, an der ›Kulturfront‹ und in der Verteidigung der Sowjetunion fest engagiert habe, solle nur danach trachten, ›gute Aktionen‹ durchzuführen. Die Aktionen seien vielmehr Mittel zu dem Zweck, »den proletarischen Massenkampf zu unterstützen und zu fördern«.[97] Er forderte eine »straff organisierte Massenorganisation«.

Bei dem Mißtrauen gegen die Parteien, das in der Weimarer Republik — trotz oder gerade wegen der vielen Parteien — grassierte, bedeutete das nichts Neues. Trotzdem beunruhigte es. Münzenberg hielt sich in vielen ideologischen Deklarationen nahe an die KPD und Komintern, um Spannungen abzufangen — was nicht immer gelang. Diese Selbständigkeit, die er auch in seinen publizistischen Unternehmungen walten ließ, bildete jedoch Vorbedingung für die Effektivität der Solidaritätsaktionen, zumal im Zusammenhang mit Intellektuellen und Schriftstellern. Damit machte er sich schließlich den besonderen Ruf: mit der Fähigkeit, einen gewichtigen Teil der linken Intelligenz, die sich nicht mit der KPD oder SPD identifizieren konnte oder wollte, für große sozialistische Aktionen zu gewinnen. Von Anfang an hatte er sie herangezogen, hatte ein Vertrauenspotential geschaffen, auf das er rechnen konnte, auch wenn Ende der zwanziger Jahre zur offiziellen kommunistischen Position scharfe Kritik an den bürgerlichen Intellektuellen gehörte. Trotz der Undurchsichtigkeit, die seinen Unternehmungen oft nachgesagt wurde, sahen viele in ihm mehr Kontinuität verkörpert als in der von taktischen Kämpfen geschüttelten KPD. Nicht nur bei dem erfolgreichen ›Kongreß gegen koloniale Unterdrückung und Imperialismus‹ 1927 in Brüssel operierte er von Voraussetzungen aus, die man später als Volksfront bezeichnete.[98] Auf seinem wohl spektakulärsten ›Kongreß gegen Krieg und Faschismus‹ 1932 in Amsterdam saßen im Organisationskomitee u. a. Shaw, Gorkij, Frau Sun Yat Sen, Einstein, Heinrich Mann, Dos Passos, Upton Sinclair, Theodore Dreiser. Die Ankündigung war von Barbusse und Rolland unterzeichnet.

Schon Münzenbergs erste Propagandabroschüre *Helft Rußland in Not!* (1921) war vorbildlich in der Verbindung von Texten bekannter Autoren, Statistiken und Bildern. Der Aufbau der IAH mit Hilfe von Publizistik, politischen und unpolitischen Versammlungen, Filmen, Spendenaufrufen etc. bildete gleichsam einen propagandistischen Lernprozeß. 1925 faßte Münzenberg in seinem Beitrag *Erobert den Film* wichtige Erfahrungen zusammen. Hier finden sich die Worte: »Bis vor ungefähr zwei Jahren wurde das Bild von den Kommunisten fast gar nicht propagandistisch ausgewertet. Selten, daß in einem Buch oder irgendeiner Broschüre ein Bild zur wirksamen Unterstützung und Unterstreichung des Textes verwendet wurde. In keiner Tageszeitung, in keiner Jugendzeitung, in keiner Frauenzeitung wurde es benutzt. [...] Das Bild wirkt vor allem auf die Kinder, Jugendlichen, auf die primitiv denkende und empfindende, noch nicht organisierte indifferente Masse der Arbeiter, Landarbeiter, Kleinbauern und ähnliche Schichten. [...] Neben der Schaffung und dem Ausbau der illustrierten Arbeiter-Zeitung muß durch Photos, Karten, Bildersammlungen und ähnlichem das Bild in stärkster Weise für unsere Propaganda benutzt werden, besonders zur Popularisierung der Führer der kommunistischen Internationale, zur Zerstörung des Helden-Nimbus bürgerlicher Führer und militärischer Generäle, und vor allen Dingen bei der Aufklärung und Agitation über Sowjet-Rußland kann und wird das Bild unschätzbare Dienste leisten.«[99]

Viele Hoffnungen begleiteten die von Münzenberg inaugurierte Bewegung der Arbeiterfotografen, die mit Hilfe von Fotos und Fotomontage die bürgerlich vorgeprägte Optik der Massenmedien entlarven sollte. Die Zeitschrift *Der Arbeiterfotograf* unterstützte dieses Konzept, die Arbeiter zur eigenen Suche und visuellen ›Herstellung‹ der Wahrheit über ihre Position in der Gesellschaft zu aktivieren. Zugleich sollte damit auch eine Bildquelle für die *AIZ* entstehen, die sich nicht auf die offiziellen Bildagenturen stützen konnte und wollte. Allerdings ließen sich die Schwächen der Bewegung nicht übersehen, zumal da sich die Forderung nicht erfüllte, die Bildreportage von der Straße in die Betriebe zu verlegen. Der *Arbeiterfotograf* blieb die Betriebsreportage schuldig — ein Zeichen für die Isolierung der kommunistischen Arbeiterschaft von der Produktionssphäre.[100]

Auch Münzenbergs ausgedehnte Filmunternehmungen und die intensive Filmagitation der IAH können hier nur kurz erwähnt werden.[101] Sie bezeugen besonders deutlich seine Schlüsselstellung für den deutsch-sowjetischen Kulturaustausch, womit allerdings auch Konflikte verknüpft waren, vor allem wenn die Russen mit ihren Filmen im Westen Devisen verdienen wollten, er aber auf deren Nutzung als Propaganda zielte. Die IAH wurde zum Eigentümer der 1924 in Moskau gegründeten Filmgesellschaft ›Meschrabpom‹, die zwischen 1924 und 1931 insgesamt 241 Filme, zumeist für den russischen Markt produzierte.[102] Nach 1925 machte Münzenberg die Verleihfirma ›Prometheus‹ zum wichtigsten Partner und Konkurrenten im Westen. Mit der ›Prometheus‹ und einer geschickten Kampagne, an der u. a. Alfred Kerr und Paul Levi beteiligt waren, setzte er 1926 Ejzenšteins *Panzerkreuzer Potemkin* gegen die Zensur durch. Unter den von ihm selbst produzierten Filmen ragen der Dokumentarfilm *Hunger in Waldenburg* und der ebenfalls von Piel Jutzi gedrehte melodramatische Film *Mutter Krausens Fahrt ins Glück* (1929) hervor. Die sonstigen im Verleih von ›Prometheus‹ und ›Weltfilm‹ in Deutschland vertriebenen proletarischen Filme wurden nur wenigen Erwartungen gerecht, auch wenn die Partei die Bedeutung dieser Arbeit zunehmend betonte. Am meisten Aufmerksamkeit erhielt − auch auf seiten der Zensur, die die Vorführung lange blockierte − Slatan Dudows *Kuhle Wampe* (1930).

Der Erfolg der *Arbeiter-Illustrierte-Zeitung*, die Ende 1924 aus der zunächst *Sowjetrußland im Bild*, dann *Sichel und Hammer* benannten Informationszeitschrift der IAH hervorging, bestätigt die von Münzenberg 1925 geäußerten Feststellungen. In Verbindung mit Bild und Bildmontage gewann die Enthüllungspublizistik an Schlagkraft, zugleich ließen sich neue Bildmythen kreieren (etwa die Moskauer Metallarbeiterfamilie Filipow, siebenköpfig, gesund und glücklich)[103]. John Heartfields Fotomontagen gelangten mit der *AIZ* in hunderttausende (keineswegs nur kommunistische) Arbeiterhaushalte. Die Bildgedichte − u. a. von Tucholsky, Weinert, Slang, Kästner − sind erwähnt worden. Zum lebendigen Journalismus gehörte auch das Eingehen auf die Freizeitgestaltung des Arbeiters sowie auf die Bedürfnisse der Frauen. Münzenbergs 1931 geschaffener Frauenzeitschrift *Der Weg der Frau* gelang trotz der Krise sofort der Durchbruch, während die satirische Zeitschrift *Der Eulenspiegel* weniger erfolgreich war.

Neben der *AIZ* fand die Berliner Abendzeitung *Welt am Abend*, die Münzenberg 1926 übernahm, am meisten Resonanz. Die *Welt am Abend*, bald das populärste Arbeiterblatt Berlins − das Goebbels später vergeblich nachzuahmen suchte −, ist für die kulturpolitischen und propagandistischen Aktivitäten der Linken zwischen 1928 und 1932 die beste Informationsquelle (Feuilleton: Kurt Kersten). Daneben schuf Münzenberg 1931 das ebenfalls noch recht erfolgreiche Morgenblatt *Berlin am Morgen*, das Bruno Frei (geb. 1897) leitete. Sein Feuilletonchef war F. C. Weiskopf.[104]

(*Berlin am Morgen,* nur in Moskau vollständig erhalten, mit einer Filmkopie im Institut für Marxismus-Leninismus in Berlin, ist bisher noch nicht erschlossen; auch diese Zeitung enthält viele Informationen zur sozialistischen Kulturpolitik, zur proletarisch-revolutionären Literatur und deren Resonanz.) Die *Welt am Abend* veranstaltete erfolgreiche Matinéen mit bekannten Künstlern und Kabarettisten. Ab 1931 widmete sie dem Kampf gegen den Faschismus sowie den Diskussionen über die Einheitsfront viel Platz, veranstaltete sogar ein Preisausschreiben für einen Roman gegen den Faschismus und für die Einheitsfront.[105]

Mit diesen publizistischen Unternehmungen läßt sich eine Zeitung wie *Die Rote Fahne* kaum vergleichen. Als Parteiorgan war sie in ihrer Entfaltung stark begrenzt, ein offizielles Sprachrohr, das von Funktionären, nicht von den Massen gelesen wurde. Münzenberg brachte demgegenüber gute Journalisten zum Zuge und achtete auf ein gewisses politisches Gleichgewicht in den Redaktionen, d. h. auf Unabhängigkeit von der KPD. Bruno Frei erläuterte das im *Roten Aufbau* 1930: »Die weitere Entwicklung hat einen neuen Typus von Zeitungen für Arbeiter hervorgebracht. Zeitungen, die – um mit den von Kapitalisten als Ware verkauften Zeitungen konkurrieren zu können – ebenfalls Zeitungen sein müssen und nicht Bulletins, von Journalisten gemacht sein müssen und nicht von Funktionären. [...] Der Zeitungsleser will nicht, daß man mit ihm im Kommandoton spricht; er wünscht überhaupt so wenig als möglich direkt angesprochen zu werden. Die Möglichkeit, ihn zu beeinflussen, ist trotzdem sehr groß, nur muß diese Art der Beeinflussung zeitungsgemäß sein oder sie wird gar nicht sein.«[106]

Bei Münzenberg, der in Otto Katz (1893–1952; Pseudonym: André Simone) einen wichtigen Helfer besaß, fanden sich nach 1928 viele der originellsten sozialistischen Publizisten und Schriftsteller ein, zumal solche, die der KPD mißliebig geworden waren. Für die wurde der ›Münzenbergladen‹ zu einer wichtigen Auffangstelle.

Ähnlich dem Malik-Verlag von Wieland Herzfelde verfolgte der Neue Deutsche Verlag, den Münzenberg 1924 übernahm, eine unabhängige Publikationspolitik (etwa mit der *Illustrierten Geschichte der russischen Revolution,* der *Illustrierten Geschichte der deutschen Revolution*). Dazu gehörte auch die 1926 gegründete Buchgemeinschaft ›Univer-

sum-Bücherei für Alle‹, die 1931 fast 40 000 Mitglieder umfaßte.[107] Und ähnlich dem Malik-Verlag verzichtete der
Neue Deutsche Verlag auf eine systematische Förderung
proletarisch-revolutionärer Literatur. Von Münzenberg ist
überliefert, daß er von ›proletarischen‹ Dichtern als Repräsentanten zeitgenössischer Literatur nichts hielt und die
Versuche, eine spezifisch proletarisch-revolutionäre Literatur
der bürgerlichen gegenüberzustellen, lächerlich fand.[108]

Wieland Herzfelde gab dem Malik-Verlag in den zwanziger Jahren mit großen Ausgaben von Sinclair, Gorkij,
Tolstoj und anderen russischen Autoren ein unverwechsel-
bares Profil.[109] Er hatte sich 1928 gegen den Vorwurf der
Neuen Bücherschau zu verteidigen, junge revolutionäre
Schriftsteller nicht zu unterstützen. Er nannte unter den be-
gabten Jüngeren Herbert Becker, Werner Türk und Manfred
Hausmann. Unter den geprüften 1200 Manuskripten hätte
sich von diesen aber nichts gefunden.[110]

Demgegenüber entwickelte sich der Internationale Arbei-
ter-Verlag nach 1927 zu einem Förderer proletarisch-revolutionärer Literatur. Daran hatte besonders Kurt Kläber Anteil, der wichtigste Organisator publizistischer Unternehmungen, die auf die Etablierung einer proletarisch-revolutionären Literatur zielten. Er eröffnete 1928 im IAV eine
Reihe ›Arbeiterdichtungen‹, deren Einleitungsworte bereits
unter dem Titel ›Proletarisch-revolutionäre Dichtung‹ standen.[111] In diesen Umkreis gehört auch die von Johannes
R. Becher mitbetreute ›Proletarische Feuilleton-Korrespon-
denz‹, die 1927—1929 das Feuilleton kommunistischer Zeitungen mit Beiträgen, häufig von Arbeiterkorrespondenten,
belieferte.[112]

Der Rechenschaftsbericht *Solidarität* rühmte 1931 auch
die Impulse der IAH auf die Entwicklung des politischen
Theaters und der Agitproptruppen.[113] Gewiß spielte die
IAH eine Schrittmacherrolle, von den proletarischen bun-
ten Abenden, die Piscator in ihrem Auftrag inszenierte,
bis zu der ebenfalls von ihr organisierten Tournee der
sowjetischen Agitproptruppe ›Die Blaue Bluse‹ 1927. Die
IAH, deren bekannteste Agitproptruppe ›Kolonne links‹

war, trug viel auf dem Gebiet des Agitproptheaters bei, doch muß ihr Anteil mit der bald zentralen Agitproporganisation der KPD in einem größeren Rahmen gesehen werden. Der Kommunistische Jugendverband machte die ›Roten Revuen‹ nach Piscators ›Revue Roter Rummel‹ 1924 zu einer ständigen Einrichtung. Nach dem Vorbild der von Maxim Vallentin (geb. 1904) geleiteten ›1. Agitproptruppe des KJVD‹ wurden nach 1927 eine Vielzahl von Agitproptruppen aufgebaut.[114] Vallentins Truppe prägte in der Folgezeit unter dem Namen ›Das Rote Sprachrohr‹ die Entwicklung des kommunistischen Agitproptheaters; ihr Organ war die von 1929 bis Januar 1933 publizierte Zeitschrift *Das Rote Sprachrohr.*

Ab 1931 wuchs allerdings die Kritik an dem niedrigen künstlerischen und theoretischen Niveau, und sogar das *Rote Sprachrohr* stellte 1932 fest, daß der revolutionäre Anspruch der kommunistischen Agitpropbewegung zu kurzatmig sei, wenn sich ihre Texte und Parolen mit denen der anderen Parteien austauschen ließen: »Es ist klar, — diejenigen Szenen, die von SPD- oder Nazitruppen mit kleinen Änderungen übernommen werden können, sind schlechte Szenen. In solchen Szenen ist nicht die revolutionäre Betrachtungsweise, die Denk- und Kampfmethode des revolutionären Proletariats ausgedrückt worden, sondern ist unsere kommunistische Ideologie unorganisch aufgepfropft worden. Solche Szenen sind darum auch nicht geeignet, die Massen der Werktätigen für den Kommunismus zu gewinnen.«[115]

Wichtige Versuche, sich zu dieser Zeit mit Hilfe des Theaters an die nicht der KPD zugehörigen Schichten zu wenden und kommunistische Aufklärung statt Parolen zu bieten, stammten von Theaterleuten, die sich wie Friedrich Wolf und Piscator gegenüber der Agitpropbewegung einen gewissen Spielraum bewahrt hatten. Mit der Wendung der sowjetischen Kulturpolitik 1931/32 fand ihre Kritik ein offenes Ohr, besonders im ›Internationalen Revolutionären Theater-Bund‹. Piscator, der Präsident des IRTB, faßte die Kritik 1934 in der — für die internationale revolutionäre

Theaterbewegung der Zeit höchst aufschlußreiche — Zeitschrift *Das Internationale Theater* zusammen.[116]

Während Wolf 1932 vorwiegend Laiendarsteller im ›Spieltrupp Südwest‹ versammelte, gingen die Schauspielerkollektive von Piscator, Gustav von Wangenheim und anderen aus dem Berufstheater hervor (und hielten dessen Beziehungen zum bürgerlichen Publikum). In ihrer Arbeit kamen Erfahrungen der Studio- und Experimentierbühnen zum Tragen, die ab Mitte der zwanziger Jahre die Erstarrung des bürgerlichen Illusionstheaters hatten durchbrechen wollen. Der ›Gruppe junger Schauspieler‹ gelang 1928 mit *Revolte im Erziehungshaus* von Peter Martin Lampel (1894—1965) ein großer Erfolg, der für das sozialkritische Zeitstück zum Signal wurde. Als die Massenarbeitslosigkeit auch die Schauspieler erreichte, bot sich das Kollektiv — zumeist als selbständiges Wirtschaftsgebilde mit Gewinnbeteiligung — als rettender Hafen an. Ohne diese Kollektive, die nicht immer politisch ausgerichtet waren, läßt sich die Tätigkeit sozialistischer Autoren während der Krise nicht denken; sie blieben aktiv, als zahlreiche Agitproptruppen durch öffentliche Verbote in ihrer Tätigkeit eingeschränkt wurden und sich ein Teil des deutschen Theaters bereits dem nationalsozialistischen Einfluß zu beugen begann. Auch wenn sich Wolfs Drama *Die Matrosen von Cattaro* bei der Aufführung in der Berliner Volksbühne 1930 sofort durchsetzte, so rührte doch sein Massenerfolg von den Tourneen einiger Schauspielerkollektive her.[117]

Was die Literatur selbst betrifft, so ist vor einiger Zeit mit Recht wieder gefragt worden, ob sich die KPD auf diesem Gebiet wirklich stark engagieren wollte.[118] Ohne Zweifel handelte es sich hier nur um eine Randstrategie, die, von den kulturrevolutionären Impulsen der Sowjetunion genährt, der proletarischen Profilierung der KPD Ende der zwanziger Jahre zugutekommen sollte. Im Rahmen der Komintern sollte die auf der I. Internationalen Konferenz der proletarischen und revolutionären Schriftsteller 1927 in Moskau eingeleitete und 1928 in Anlehnung an die RAPP erfolgte Gründung des Bundes proletarisch-revolutionärer Schriftsteller die linke Politik der Kommunisten unterstützten. Zugleich betrachtete man die parteiliche Aufbereitung proletarischer und revolutionärer Verhaltensweisen als Prüfstein antibürgerlicher Gesinnung, was scharfe Reibungen mit verschiedenen linksbürgerlichen Autoren zur Folge hatte, welche die literarischen Bestrebungen bisher mitgetragen hatten. Bezeichnend war die heftige Kritik an Tucholsky, der in der *Front,* eine Zeitlang offizielles Organ des BPRS, mit den Worten zurückschoß: »Es gibt heute einen Snobismus der schwieligen Faust, der unerträglich geworden ist.«[119] Tucholsky hatte vor allem die »Viertel- und Halbintellektuellen« im Auge, »die in der Partei arbeiten«.

Das Herausstellen des spezifisch Proletarischen bedeutete für die Partei eine Taktik wie andere auch. Als sie nicht mehr opportun war, gab man sie auf und zog sogar in scharfer Form darüber her. Das geschah nach 1932, wurde aber bereits 1930 eingeleitet. Es entstanden Divergenzen über die Anwendung dieser Taktik in kapitalistischen Ländern, die bei der Vorbereitung der Charkower Konferenz proletarisch-revolutionärer Schriftsteller 1930 zutage traten.[120]

Zu dieser Zeit war die Arbeiterkorrespondentenbewegung, die Ende 1924 nach sowjetischem Vorbild gegründet wurde, ohnehin schon durch die Tatsache geschwächt, daß die Kommunisten kaum noch an den Zentren der Produktion vertreten waren. Diese Bewegung hatte lange Zeit das einzige Aktivum kommunistischer Literaturpolitik dargestellt, sie organisierte die Berichterstattung von Arbeitern »über die Zustände im Betrieb, im Arbeiterleben und im bürgerlichen Staat« für die kommunistische Presse.[121] Aus ihr gingen einige Schriftsteller hervor, die sich, wie Marchwitza, einen Namen machten. Sie ermöglichte langsame Talentschöpfung ebenso wie schnelle Talenterschöpfung — entscheidend war jedenfalls die praktisch-literarische Aktivität von Arbeitern, sich das Erlebte, Erschaute bewußt zu machen, so daß daraus Einsichten und Veränderungen hervorgehen konnten.

Johannes R. Becher, dessen Literaturpolitik zu dieser Zeit wenig selbständig war, gab in dem Ende 1931 in der *Linkskurve* publizierten Beitrag *Unsere Wendung* einer gewissen Rückbesinnung auf die politische Realität Raum. Allerdings läßt sich die mit dem Pathos einer Neuentdeckung postulierte Ausrichtung auf eine bessere Massenliteratur nur verstehen, wenn man sie vor dem Hintergrund der Isolierung der KPD-Politik sieht. Es überrascht kaum, daß die Literaturdebatten im BPRS, die vorangingen und bis Hitlers Machtübernahme folgten, nur wenig Bedeutung für diejenigen kommunistischen Zeitgenossen besaßen, die in der Publizistik längst den Weg zur Masse angetreten hatten. Indem die Disputanten nach 1930 stark damit beschäftigt waren, eine durch die Taktik der Komintern und KPD verursachte Isolation wieder rückgängig zu machen, konnten sie an den aktuellen politischen Kampf kaum neue Perspektiven herantragen.

Angesichts dieser Umstände verwundert die Sicherheit, mit der man in der DDR die entscheidende Phase der Herausbildung einer modernen sozialistischen Literatur in Deutschland in diese Zeit verlegt. (»Die Herausbildung einer modernen sozialistischen Literatur in den zwanziger und dreißiger Jahren ist der entscheidende Wendepunkt in der deutschen Literaturgeschichte des 20. Jahrhunderts; die wichtigste Voraussetzung dafür ist die Gründung der KPD als Sektion der Komintern und ihre Entwicklung zur Partei neuen Typus; [. . .] angesichts der Auswirkungen der imperialistischen Kulturkrise auf die bürgerliche Literatur wird festgestellt, daß die Entwicklung der sozialistischen Literatur der konsequenteste Weg zur Überwindung dieser Krise ist, daß die Parteinahme für die Arbeiterklasse die Voraussetzung schafft sowohl für künstlerisches Neuerertum, für die ästhetische Durchdringung des Epochenkonfliktes als auch für die Aufnahme der humanistischen Traditionen der nationalen wie der Weltliteratur; diese Entwicklung wird getragen von Schriftstellern bürgerlicher und kleinbürgerlicher Herkunft, die den proletarischen Klassenstandpunkt einnehmen und von Schriftstellern, die aus der Arbeiterklasse selbst hervorgehen; sie schlossen sich in der von der KPD geführten Literaturbewegung zusammen, deren organisatorisches Zentrum der 1928 gegründete Bund proletarisch-revolutionärer Schriftsteller darstellt.«[122])

Offensichtlich ist die Unterordnung unter die Partei das einzige Kriterium, sonst würde man nicht die Isolierungstaktik der KPD als großen historischen Aufschwung auch für die Literatur ausgeben. Wenn man schon den Rückzug von der Revolution in den zwanziger Jahren zu einem Vormarsch uminterpretiert, so sollte man diesen Vormarsch auch in seiner spezifischen Ausformung erfassen, nämlich mit der sich in dieser Zeit konsolidierenden Herrschaft Stalins. Die Umformung der Komintern 1928/29 vom innen- zum außenpolitischen Instrument Stalins und die von der KPD mit viel Willigkeit zur Unterordnung betriebene Agitation müssen auch in ihrer Hilfestellung für den Aufstieg der Nationalsozialisten betrachtet werden, bis hin zu der von den deutschen Kommunisten verfochtenen These vom Faschismus als unvermeidlichem Durchgangsstadium des Kapitalismus für den Sieg der proletarischen Revolution.[123] Dazu gehört die Auffassung von der »Volksrevolution« – nicht mehr Klassenrevolution –, die der Faschismus mit vorbereite, und die Gewißheit, mit der sich die KPD bereits als »Erben«[124] des zu erwartenden nationalsozialistischen Zerfalls betrachtete. (Vgl. den »roten Volksentscheid« 1931.[125])

Demgegenüber läßt sich die Herausstellung der ›Antifaschistischen Aktion‹ rechtfertigen, mit der die KPD 1932 die Isolation überwinden und an sozialdemokratische Arbeiter herankommen wollte. Zweifellos wurde ja im ›Fußvolk‹ der Kampf gegen die Nationalsozialisten ernstgenommen. Die Aktion zeigt, verspätet und vorübergehend, welche Wirkung eine politisch konzipierte Einheitsfront in der Arbeiterschaft gehabt hätte. Um so weniger überzeugt es, wenn Stalins Politik gegenüber dem Faschismus, die die furchtbare Niederlage der Linken mit heraufführte, sanktioniert wird. Das wird gerade denjenigen deutschen Kommunisten nicht gerecht, die sich nach Hitlers Machtübernahme tapfer gegen die Nationalsozialisten schlugen, ohne Aussicht auf Hilfe. Zehntausende gaben ihr Leben gewiß nicht dafür hin, daß man die Niederlage hinwegdisputiert, die ihren Untergang zur Folge hatte. Das Verdrängungssyndrom über die Ereignisse von 1933 ist offensichtlich immer noch stärker als viele der Einsichten von 1935. Als Element der Geschichtsschreibung bezeugt es den Rückzug aus der Verantwortung für die deutsche Geschichte. Damit hebt sich der vielfach wiederholte Anspruch, der Sieger der deutschen Geschichte zu sein, von selbst auf.

Allerdings, nur wenn vom Versagen der SPD 1914 und 1918 gesprochen wird, läßt sich die Niederlage der beiden deutschen Arbeiterparteien von 1933 einordnen. Hier liegt das besondere Gewicht des Geschehens, hier wurde das

Versagen der Arbeiterparteien besiegelt: wo die Hoffnungen vergeblich waren, die Führer der Arbeiterbewegung, besonders die Kommunisten, würden aus der Niederlage der SPD gegenüber der nationalen Rechten lernen. So verlor der deutsche Sozialismus nicht nur die Revolution, sondern er überließ dem Faschismus und Nationalismus das Feld. Das nimmt dem Bürgertum nichts von seiner Verantwortung für Hitler, sondern gründet auf dem Faktum, das jeder Sozialist für die Bewegung in Deutschland in Anspruch nimmt: daß sie mächtig war.

4. Bürgerliche Schriftsteller und proletarische Partei

Die Politisierung der Intelligenz in der Weimarer Republik ist ein bereits ›klassisches‹ Thema. Allerdings: allzu stark waren die Pendelausschläge hin zur Rechten in dieser Zeit, als daß ›Politisierung‹ als ein von vornherein mit Aufklärung und progressiver Haltung verbundenes Phänomen gewertet werden könnte. Das gilt vor allem für die ›vermittelnde Intelligenz‹, die Akademiker und Angestellten (deren Anteil an der Bevölkerung sprunghaft wuchs), die angesichts der Proletarisierung an den Volksgemeinschaftsideologien Halt suchten und, nachdem sich die sozialistischen Parteien weiterhin kaum um sie bemühten, an die Nationalsozialisten verlorengingen.[126]

Der Pendelausschlag nach rechts galt aber auch — gemäß der vor dem Ersten Weltkrieg angebahnten Entwicklung — für einen gewichtigen Teil der literarischen Intelligenz. Gewiß gab es in Deutschland kein *Manifest der faschistischen Intellektuellen an die Intellektuellen aller Nationen,* wie es Giovanni Gentile 1925 in Italien veröffentlichte.[127] Aber an Bewunderung für den Faschismus fehlte es nicht, auch nicht auf der Linken; Sorel blieb mit seiner Bewunderung für Lenin *und* Mussolini nicht allein. In den Deklarationen, Kritiken und Schriften der Intellektuellen dieser Jahre ist die bereits nach 1900 spürbare Ambivalenz zwischen rechts und links nicht zu übersehen. Aus der Verbindung von Elitismus und Sozialismus, Führerhoffnung und Gemeinschaftsgesinnung, Tatforderung und Romantik wurden politische Programme entwickelt, die in das geläufige Parteiengefüge nicht hineinpaßten und nicht hineinpassen sollten. Die Parteien waren häufig Zielscheibe von Aggression und Spott, ihr Zusammenwirken im Parlament wurde mit Mißtrauen, ja Verachtung verfolgt. Gegen die SPD (und USPD), in deren Nähe sich anfangs noch zahlreiche Intellektuelle als enttäuschte Kritiker eingeordnet hatten, richtete sich in der zweiten Hälfte der zwanziger Jahre besonders starke Kritik. Die Einwilligung der SPD zum Panzerkreuzerbau 1928 vertiefte die Kluft beträchtlich. Spätestens zur Zeit der Weltwirtschaftskrise zog, wie an der *Weltbühne* zu sehen ist[128], die KPD wesentlich mehr Aufmerksamkeit auf sich, ohne allerdings zum selbstverständlichen Repräsentanten zu werden. Das wachsende Interesse an der Sowjetunion ab 1928, als Stalin mit dem Fünfjahrplan zu einer neuen nationalen Phase des technischen Aufbaus und der radikalen Sozialisierung überging, kam nicht automatisch der KPD zugute.

In dem Verhalten gegenüber Parteien und Parteiensystem ist das Demokratieverständnis der deutschen Intellektuellen bereits im grundsätzlichen berührt. Die von Heinrich Mann vielmals behandelte Tatsache, daß die Demokratie in Deutschland nicht im Kampf errungen worden sei und mit der zaghaften Revolution kaum Wurzeln schlage, warf ihre Schatten. Die Weimarer Demokratie wurde entweder an den ethisch-ästhetischen Postulaten gemessen, die man vor 1914 formuliert und 1918/19 zu aktualisieren versucht hatte, oder, besonders natürlich auf der Rechten, von den Volksgemeinschaftsideen des Krieges her beurteilt. Dabei flossen manche Positionen ineinander. Elitismus und Tatgesinnung verband viele rechte und linke Gruppen, die dann um 1930 die Politik der nationalen Rechten und der Kommunisten zu beeinflussen suchten.[129]

Aus der Fülle der Gruppen und Zirkel dieser Zeit sei hier nur der Kreis um die Zeitschrift *Die Tat* erwähnt, der mit seinem antikapitalistisch getönten Nationalismus zum bekanntesten Sprecher einer breiten Intellektuellen- und Akademikerschicht wurde.

Der Tatkreis ging mit seinem nationalen Sozialismus, in dem der sozialistische und der nationale Impuls in einer ›dritten Front‹ zusammengeführt werden sollten, über die von den nationalen Propheten Spengler und Moeller van den Bruck gegebene Version des Sozialismus hinaus, die »nicht viel mehr als einen Kollektivismus der nationalen Volksgemeinschaft bezeichnete«.[130] Seit den revolutionären Ereignissen und dem Aufbau der Sowjetunion waren viele sozialistische Impulse auch von der Rechten — und auch von den Nationalsozialisten[131] — verarbeitet worden. Demgegenüber hatte der Mythos vom Arbeiter, den Ernst Jünger dem krisengeschüttelten Bürgertum entgegenhielt, nichts mit einer ökonomischen Umwälzung zu tun. Jüngers Mythos, von den Nationalsozialisten sehr bald okkupiert, leitete sich direkt vom Fronterlebnis her und war, wie erwähnt, ein rein ästhetisch konzipiertes Gebilde, genauer: Mißgebilde.

Die Verwurzelung der intellektuellen Linken der Weimarer Republik im ethisch-ästhetischen Denken des Jahrhundertbeginns hat vergleichsweise wenig Aufmerksamkeit erfahren.[132] Nur wenn die Wendung gegen den Liberalismus und Sozialismus des 19. Jahrhunderts einbezogen wird, die diesem Denken zugrundelag, lassen sich Irrtümer über das Demokratiepotential vermeiden; selbst Heinrich Manns Hinwendung zur Demokratie hatte sich mit stark ästhetischen Argumenten vollzogen. 1931 allerdings wurde es deutlich ausgesprochen: als Gottfried Benn (1886—1956) bei seiner Heinrich-Mann-Rede den Ästheten feierte, den »Meister, der uns alle schuf«, machte Werner Hegemann im *Tagebuch* nachdrücklich darauf aufmerksam, daß Heinrich Mann im Unterschied zu anderen nicht im Ästhetischen steckengeblieben sei, sondern sich längst zum Politiker entwickelt habe.[133] Hegemann lobte die Klarheit, mit der sich dieser Autor beispielsweise für die sozialen Belange der Schriftsteller einsetze (Pensionsgesetz; Urheberrechtsschutz auch in der Sowjetunion etc.). Kurt Hiller, um die Schaffung der Einheit der Linken bemüht, schlug Heinrich Mann 1932 sogar — in einer wenig geschickten Kampagne — zum Kandidaten für das Amt des Reichspräsidenten vor.[134]

Heinrich Mann stand mit seiner Analyse der Vermassung und Versachlichung der deutschen Gesellschaft seit dem

Kriege und der damit verbundenen Warnung vor dem nihilistischen Irrationalismus und Faschismus nicht allein. Klarer aber als andere Schriftsteller hatte er schon vor 1914 im *Untertan* die Verhaltensweisen des Bürgertums aufgezeigt und vermochte nun die neue ›sachliche‹ Wirtschaftsgesinnung im historischen Kontext zu plazieren. Ihm entging nicht, daß die größte Gefahr in der Anerkennung der vorgeblichen ›Sachlichkeit‹ lag, d. h. im Gewährenlassen und damit Sanktionieren der kapitalistischen, schließlich faschistischen Interessen.[135] Andererseits aber zog Heinrich Mann die Argumente für eine Überwindung der Situation, wozu die Kräftigung der Demokratie durch die Einigung der Linken gehörte, nicht aus marxistischem, sondern aus kantisch-ethischem Denken. Er blieb den moralischen Postulaten, die er bereits vor 1914 unabhängig von der Sozialdemokratie entwickelt hatte, weitgehend verhaftet.

Heinrich Manns Analyse des Nationalsozialismus als Kriegsbringer war hellsichtig. Seine scharfe Polemik, die sich 1933 in der Exilschrift *Der Haß* niederschlug, richtete sich darauf, daß der Faschismus die sittlichen Kräfte der Nation beseitige. 1936, als Heinrich Mann in der Volksfrontbewegung eine führende Position innehatte, schrieb er: »Die sittliche Verurteilung des Hitlerschen Staates ist das stärkste, was gegen einen unzeitgemäßen Staat getan werden kann.«[136] Dieser Verurteilung entsprach die dichterische Herausstellung eines erzieherischen Gegenbildes in der Gestalt des Henri Quatre. Die beiden Bände des Romans *Henri Quatre* (1935, 1938) gestalten die in den zwanziger Jahren entwickelte Vernunftutopie, wobei dem historischen Geschehen um den ›guten König‹ Frankreichs Gleichnischarakter für die Gegenwart zugewiesen ist, mit deutlichen Anspielungen auf die Volksfrontpolitik gegen Hitler. Demgegenüber war es Heinrich Mann in den Jahren der Weimarer Republik nicht gelungen, seine Gesellschaftsanalyse in einen künstlerisch überzeugenden (Gegenwarts-)Roman umzusetzen. Mehr Bedeutung als die Prosawerke besaß seine Essayistik, zumal für die literarischen Zeitgenossen.

Mit Heinrich Mann verbanden sich die Hoffnungen auf einen eigenständigen Beitrag der Intellektuellen zur Politik. Jedoch zeigt die Geschichte seiner Amtszeit als Präsident der Sektion Dichtkunst bei der Preußischen Akademie der

Künste zu Berlin (1931–1933), wie eng die Grenzen gezogen waren.[137] Ähnliches läßt sich an den Bemühungen von Alfred Döblin innerhalb und außerhalb der Akademie erkennen. Mit der umstrittenen Schrift *Wissen und Verändern* (1931) zielte Döblin auf eine Aktivierung der einsichtigen Intellektuellen. Auch seine Geistpostulate wurzelten im ästhetischen Aktivismus vor 1918.

Ebenso ist in Thomas Manns später vielzitierten Reden zu Demokratie und Sozialismus vor 1933 die ästhetische Argumentation nicht zu übersehen. Die Rede *Von deutscher Republik* (1922), sein Plädoyer für die Demokratie in Deutschland, stellt weniger eine politische Auseinandersetzung als einen Preis zweier Poeten, Novalis und Walt Whitman, dar. Seit jeher hat man gefragt, ob Thomas Mann hier seine unpolitisch-poetische Auffassung von Politik zum besten gab, oder ob er nur allzu genau wußte, daß das, was der Zustimmung zur Weimarer Republik entgegenstand, ihr Stil, ihre unpoetisch-unheroische Alltagsgestalt war, und er die Melodien von zwei großen Sängern aufnahm, um die Demokratie zum Tönen zu bringen. Doch schließt das letztere das erstere nicht aus. Thomas Mann, der in den *Betrachtungen eines Unpolitischen* (1918) unter Berufung auf Romantik sowie deutsche und russische Kultur gegen die westliche Demokratie polemisiert hatte, ließ selbst keinen Zweifel daran, wie schwer es ihm fiel, die Demokratie ohne Poetisierung und Mythisierung zu akzeptieren. Sein Vernunftrepublikanertum bedurfte der ästhetischen Stütze, und nicht von ungefähr entwickelte er die Stellungnahme für die Sozialdemokratie Ende der zwanziger Jahre aus der Anerkennung ihrer kulturbewahrenden Haltung heraus, aus der Tatsache, daß die Linke trotz ihrer Bindung an die ökonomische Klassenanalyse »dennoch weit freundlichere Beziehungen zum Geist unterhält als die bürgerlich volksromantische Gegenseite, deren Konservativismus die Berührung mit dem lebendigen Geist, die Sympathie mit seinen Lebensforderungen, für jedes Auge sichtbar, fast völlig verloren und verlernt hat«.[138] *(Kultur und Sozialismus)* Dieser Aspekt der Kulturpflege floß auch in seine Charakterisie-

rung der SPD ein, als er nach der Septemberwahl 1930, erschreckt vom enormen Stimmenzuwachs für die NSDAP,
dem deutschen Bürgertum empfahl, die SPD zu unterstützen. Er erwähnte ausdrücklich den scharfen und tiefen
»politisch-parteimäßigen Gegensatz« zwischen »der deutschen Sozialdemokratie und dem orthodoxen Marxismus
moskowitisch-kommunistischer Prägung«.[139] (Deutsche Ansprache)

Daß sich Thomas Mann in manchem mit den Kulturvor-
stellungen der sozialdemokratischen Rechten berührte, in
denen sich die sozialistische und nationale Kulturpflege mit
Gemeinschaftskonzepten mischte, ist schon erwähnt worden.
Zweifellos stand er damit um 1930 in starkem Gegensatz
zur kommunistischen Kultur- und Agitationspolitik. Doch
nicht nur das: in den Argumenten, mit denen er für die
SPD eintrat, ist die Distanz zum Aktivismuskonzept der
Intellektuellen deutlich zu erkennen. Im Gegensatz zu den
genannten linksbürgerlichen Schriftstellern in der Weimarer Republik wurde ihm die wenig intellektuellenfreundliche
Einstellung der SPD kaum zum Problem. Er hatte mit der
Polemik gegen den »Zivilisationsliteraten« und »Rhetor-
Bourgeois« Heinrich Mann im Ersten Weltkrieg eine Stellung bezogen, die ihn auch noch um 1930, nach Milderung
und Versöhnung, vom Großteil der engagierten Linksintel-
lektuellen trennte.

Als sich dann in den dreißiger Jahren die kommunistische
Kulturpolitik wandelte, wuchs bei den Verantwortlichen
das Interesse an Thomas Manns Konzept von der Verbindung der besten Werte der bürgerlichen Kultur mit der
»sozialistischen Gesellschaftsidee«. Unter Berufung auf ihn
formulierte Georg Lukács einen Teil seiner Ansichten zur
aktuellen Literatur und Literaturpolitik. Hinter dem Namen
Thomas Manns verblaßten die Assoziationen an die sozialdemokratische Kulturgesinnung, in der vieles von der aktua-
lisierenden ›Erbepflege‹ schon enthalten war.

Das öffentliche Engagement von Autoren wie Heinrich
Mann, Döblin und Thomas Mann in der Endphase der Weimarer Republik ist symptomatisch. Bis 1929 war die Anteil-

nahme an politischen Entscheidungen insgesamt nicht allzu
intensiv, erst mit der Krise fühlten sich viele Schriftsteller
gedrängt, über generelle politische Stellungnahmen hinauszugehen. Von der Künstlerhilfe, die Münzenberg 1921 organisierte, bis zur Tätigkeit in der Preußischen Akademie
galt ein wichtiger Teil der Aktionen von Künstlern und
Schriftstellern ihrer sozialen Sicherung und Anerkennung.
Ihre Stellung hatte sich gegenüber der Zeit vor 1914 stark
geändert, oder genauer: mit der Republik trat ihre Abhängigkeit vom Markt unverhüllt zutage. Für viele wurde
Demokratie gleichbedeutend mit der Dominanz ökonomischen Denkens. Fast noch mehr als im politischen Bereich
machte sich in der Sphäre des Ökonomischen das Fehlen
der demokratischen Tradition in Deutschland bemerkbar.
Der in diesem Land so lange hinausgeschobene Zwang zur
Säkularisierung des Geistes und der Geistigen setzte sich
nun mit einem plötzlichen Schub durch, mit dem Ergebnis,
daß man die Weimarer Republik für diesen (überfälligen)
Prozeß verantwortlich machte und die (gestörte) Selbstiden-
tifikation an eine Abwehr des politischen ›Systems‹ band.
Daraus ergab sich auch ein Teil der Berührungspunkte zwischen rechten und linken Intellektuellen.

Immerhin entstanden in den zwanziger Jahren organisatorische Ansätze zu einer Berufsvertretung, mit welcher
Künstler und Schriftsteller in die politischen Entscheidungs-
prozesse hineinzuwirken versuchten. Erwähnt sei der Schutzverband Deutscher Schriftsteller, der zur Stätte scharfer
Auseinandersetzungen wurde, besonders nach 1930.[140] Einzelne Zensur- und Verbotsmaßnahmen des Staates[141] erzeugten nach 1925 Solidarisierungsaktionen, die dann ab
1930 zu festerer Zusammenarbeit, oft mit kommunistischer
Beteiligung, führten. In dieser Periode der ›Machtausübung
durch Notverordnungen‹ kam der gemeinsamen Abwehr
der Justizübergriffe gesteigerte Bedeutung zu. Die Abstem-
pelung linksbürgerlicher Schriftsteller zu gefährlichen Fein-
den des Staates sollte nicht selten politische Unterdrückungs-
maßnahmen rechtfertigen.[142] Hierbei sprachen öffentliche
Stellen der Literatur plötzlich eine überaus große Bedeutung

für die Gesellschaft zu. Nicht wenige Autoren unterlagen einer Fehleinschätzung ihrer Position.

Selbstüberschätzung und Ohnmachtsgefühl: beides ist charakteristisch für die literarische Intelligenz der Weimarer Republik, beides gehörte zusammen und kulminierte in den Jahren vor Hitlers Machtergreifung. Da wirkte auf der einen Seite die von Alfred Weber vor dem Krieg entwickelte Vorstellung von den »sozial freischwebenden Intellektuellen« weiter, die in der modernen Gesellschaft einen wissenschaftlich begründeten Ausgleich der Klasseninteressen herstellen sollen. Karl Mannheim baute dieses Konzept Ende der zwanziger Jahre zur Lehre von der »freischwebenden Intelligenz« aus, »freischwebend« über den Klassen- und Massenstürmen und dazu berufen, eine »Kultursynthese« hervorzubringen. Da vertiefte sich auf der anderen Seite die Desillusionierung über die Möglichkeiten erfolgreicher Einflußnahme, was sich im resigniert-ironischen Ton von Feuilletons, Gedichten, Skizzen und Theaterstücken niederschlug. Da berührten einander Zynismus und neue Gläubigkeit, auf der Rechten wie auf der Linken. Mit der Wirtschaftskrise verwandelten sich dann die Bekenntnisse in politische Entscheidungen: nicht nur zwischen links oder rechts, sondern vor allem zwischen politischer Tat oder Rückzug nach innen.

Unter diesen Aspekten entwickelten sich die Kontakte bürgerlicher Schriftsteller mit den Kommunisten. Das repräsentative Organ bildete mehrere Jahre lang *Die Neue Bücherschau* (1919–1930), die beste literarische Zeitschrift der Linken nach 1925, von Gerhart Pohl (1902–1966) herausgegeben. Wie alle linken Unternehmungen profitierte sie vom »Sonnenschein des EKKI-Briefes« 1925, wie Kurt Hiller die Wirkung der (relativ) kooperationsfreundlichen Einstellung der Komintern umschrieb, die bis etwa 1927 anhielt. Die Sonne schien auch über der ›Gruppe 1925‹, die Autoren wie Döblin, Becher, Brecht, Leonhard, Tucholsky, Leonhard Frank, Albert Ehrenstein umfaßte. Wie und ob diese Gruppe mit der auf Anregung von Gertrud Alexander, Becher, Hermann Duncker und Frida Rubiner gegründeten ›Arbeitsgemeinschaft kommunistischer Schriftsteller‹, der ersten Organisation kommunistischer Autoren, zusammenhängt, ist bisher nicht geklärt. (»Diese Arbeitsgemeinschaft beschäftigte sich mit den kulturpolitischen Aufgaben der Partei und mit den Problemen der proletarisch-revolutionären Literatur. Sie arbeitete vor allem in Berlin mit humanistischen und demokratischen bürgerlichen Schriftstellern zusammen.«[143]) Gleichfalls erwähnenswert ist die Kooperation von Mitgliedern der Friedensbewegung, aus der etwa Carl von Ossietzky hervorging, mit Sozialisten und Kommunisten. Hiller bezeichnete als Ziel seines Kreises die Etablierung der ›Deutschen Linken‹ als »Zusammenschluß aller Parteien und Bünde der Linken, vom sozialgewillten und pazifistisch tendierenden Flügel des bürgerlichen Liberalismus an (Hellmut v. Gerlach, Harry Graf Keßler, Ludwig Quidde, Walter Schücking, Theodor Wolff) bis zu den Kommunisten«.[144] Die von Hiller 1926 gegründete ›Gruppe revolutionärer Pazifisten‹ war nach 1930 an erneuten Versuchen der Einigung der Linken beteiligt, vor allem mit dem kurzlebigen ›Kartell revolutionär-sozialistischer Gruppen‹ 1931, an dem sich Alfons Goldschmidt, Walther Karsch, Rudolf Leonhard, Tucholsky und Hiller beteiligten.[145]

Die *Neue Bücherschau* wurde zum Forum der Bestrebungen um eine neue sozialkritische und möglicherweise sozialistische bzw. proletarische Literatur, Bestrebungen, die über die Ansätze vom Beginn der zwanziger Jahre hinauszielten. Becher sprach 1926 vom »toten Punkt« in der Gegenwartsliteratur, der überwunden werden müsse.[146] Bereits im Jahr davor hatte Gerhart Pohl einen programmatischen Briefwechsel in der *Neuen Bücherschau* mit *Der Weg aus dem Nichts* überschrieben. Pohl lieferte nach Wieland Herzfeldes überlegter und praxisnaher Schrift *Gesellschaft, Künstler und Kommunismus*[147] von 1921, in welcher der organisatorische Zusammenschluß der kommunistischen Schriftsteller gefordert wurde, erste Beiträge zur Frage, wie die literarische Stagnation, die man Mitte der zwanziger Jahre konstatierte, in Deutschland überwunden werden könne.

Ausgangspunkt bildete, wie schon in den vorangegange-

nen Jahren, die Überzeugung, die bürgerliche Kultur sei am
Ende. Als Programmschrift für die neue Kulturanschauung
stellte Pohl Trockijs Buch *Literatur und Revolution* heraus,
die zu dieser Zeit einzige aktuelle und zugleich grundsätzliche Auseinandersetzung eines Marxisten mit der Literatur.
Wie sich auch an der 1924 in Wien erschienenen Zeitschrift
Arbeiter-Literatur ablesen läßt, auf die August Thalheimer
gewissen Einfluß ausübte, wirkten Trockijs Beiträge stimulierend auf die Beschäftigung mit revolutionärer Literatur.[148]
Trockij lieferte nicht nur die wichtigste Kritik an Proletkult
und proletarischer Literatur in nachrevolutionärer Zeit, sondern umriß auch Notwendigkeit und Grenzen der Beteiligung linksbürgerlicher Schriftsteller an einer revolutionären
Literatur. Trockij war der erste kommunistische Führer, der
die intellektuellen ›Mitläufer‹, die später in der Volksfrontpolitik der dreißiger Jahre eine zentrale Rolle spielten, in
ihrem literarischen und politischen Potential ernstnahm und
gruppenmäßig definierte. Wohl sprach er über ihre Anteilnahme am sozialistischen Kampf in kritischem Ton, doch
gewährleistete er ihrer spezifischen künstlerischen Begabung
Entfaltungsmöglichkeiten, ohne die Unterordnung unter die
Partei zur Vorbedingung zu machen.

Ähnlich wie Lu Märten, die an der *Neuen Bücherschau*
mitarbeitete, betrachtete Pohl die Darlegungen von Trockij
als Ermutigung für seine Arbeit. In dem Beitrag *Der Weg
aus dem Nichts* schrieb er:

»Trotzki hat mit seinem Werk über die Literatur und ihre
Aufgaben die Grundlagen einer neuen Kulturanschauung geschaffen, die dem mißverstandenen ›Proletkult‹ ebenso abhold ist wie
den bürgerlichen Ideologien, vielmehr Aufgaben und Leistungen
einer lebensnahen — und das ist heute: revolutionären — Literatur
zeigt. Das Schöpferische dieser Leistung liegt darin, daß Trotzki
der Literatur wieder ›die Wichtigkeit, die kulturelle Kapazität,
die enträtselnde, helfende, begeisternde Bedeutung‹ gibt, indem er
sie unter die grellen Scheinwerfer der zerwühlten Gegenwart
rückt und von ihr Lebenskenntnis fordert.«[149]

Pohl brachte in seiner Zeitschrift wesentlich mehr kritische und programmatische Artikel als literarische Beiträge

(letztere u. a. von Kläber, Marieluise Fleißer, Hans Lorbeer, Heinrich Mann, Jack London, Henri Barbusse). Er öffnete das Blatt Autoren wie Kurt Kersten, Leo Lania, Lu Märten, Becher, Herrmann-Neiße, Kisch und Klaus Herrmann (der sich mit seiner engagierten Literaturkritik besonders profilierte) und ließ auch Trockij zu Wort kommen. 1927 konstituierte sich ein Redaktionskomitee mit Becher, Otto Bratskoven, Bernard von Brentano, Herrmann, Herrmann-Neiße, Kersten, Kisch und Lania. Faktisch übernahm die *Neue Bücherschau* noch vor Gründung des BPRS für kurze Zeit die »Funktion des literarischen Sprachrohrs und Organisators der proletarisch-revolutionären Schriftsteller Deutschlands«.[150]

Die *Neue Bücherschau* polemisierte gegen etablierte Größen des literarischen Lebens, etwa gegen Thomas Mann und Willy Haas, den Herausgeber der *Literarischen Welt,* der den Wert der von der *Bücherschau* propagierten Literatur bestritt. Zugleich erhob die Zeitschrift jedoch selbst die Forderung, daß die neue proletarisch-revolutionäre Literatur auch formal bestehen und Neuland erschließen müsse. Klaus Herrmann schrieb 1928: »Darum ist auch die Gründung des proletarisch-revolutionären Schriftstellerbundes zu begrüßen, dessen Hauptaufgabe eine erzieherische sein wird: seinen Mitgliedern nämlich die Grundlagen des Marxismus immer wieder einzuhämmern (denn jede statt auf wissenschaftlicher Grundlage auf angelernten Schlagworten aufgebaute Agitation bleibt wirkungslos) und ihnen beizubringen, daß für den Arbeiter, auch was den Stil anlangt, das Beste gerade gut genug ist.«[151] Ähnliches bemerkte Kurt Kersten in der *Welt am Abend.* Die Auffassung, daß formale Fragen nicht vernachlässigt werden dürfen, durchzieht die Artikel der meisten Beiträger; Lu Märten formulierte sie in grundsätzlicher Weise.[152]

Es hat nicht zuletzt mit dieser Einstellung zu tun, wenn sich die kommunistischen Schriftsteller nach Änderung der Kominterntaktik aus der *Neuen Bücherschau* zurückzogen und dem BPRS — nach vorübergehendem ›Gastrecht‹ in der von Hans Conrad geleiteten Zeitschrift *Die Front* (1928/29)

— ein eigenes Organ, *Die Linkskurve*, schufen. Noch 1927/ 1928 hatte man in der Sowjetunion mit dem Hinweis auf Tolstoj, dem die *Neue Bücherschau* eine Sondernummer widmete, der literarischen Meisterschaft eine hohe Bedeutung eingeräumt. 1928/29 brachte die kulturrevolutionäre Wendung eine schroffe Abkehr von Formdiskussion und Kooperation mit bürgerlichen Schriftstellern. Die Linkstaktik der Komintern, der sich die deutschen Kommunisten unterordneten, bewirkte, »daß — weder in der ›Front‹ noch im Organ des Bundes, der ›Linkskurve‹ — bis zum II. Internationalen Weltkongreß der proletarisch-revolutionären Literatur (Oktober 1930) kaum noch spezielle Fragen des Verhältnisses zum Erbe, der Fortführung konkreter Traditionen der Gestaltung von Mensch und Epoche aufgegriffen« wurden.[153]

Wenn die Kommunisten der *Neuen Bücherschau* 1929 ›Trotzkismus‹ vorwarfen, so war der Vorwurf durchaus berechtigt: von Trockij hatte die Zeitschrift verschiedene Darlegungen gebracht, die den eigenständigen Beitrag von Literatur und Kunst zum politischen Kampf bekräftigten.[154] Jedoch war die Redaktion in der Frage literarischer Qualität nicht auf Trockijs Äußerungen angewiesen. Nach dem Ausscheiden der kommunistischen Redaktionsmitglieder veröffentlichte sie, unmißverständlich gegen den BPRS gerichtet, den Artikel von Gorkij *Die Arbeiterklasse muß die Schmiede ihrer Kultur erziehen* unter dem Titel *Noch immer geht es um das Können*, eine ausführliche Kritik an dem ›proletarischen‹ Literaturbetrieb in der Sowjetunion, in der es von den Zeitschriften heißt:

»Sie zählen zu ihren Mitarbeitern Genossen aller Schattierungen, von hellrosa bis purpurrot, die ehrlich bestrebt sind, ›die ideologische Linie‹ nach allen Seiten hin zu ›korrigieren‹. Sie lassen die schweren Hämmer der Leninzitate auf die Köpfe der Gegner fallen, beleidigen einander und fühlen sich beleidigt, prahlen mit literarischen Kenntnissen, offenbaren beflissen alle Tiefen ihrer Weisheit — mit einem Wort: sie arbeiten, was das Zeug hält. Und ihr Glaube, sie sind so in gegenseitige Belehrungen vertieft, daß ihnen die Frage entglitten ist: Welchen erzieherischen Wert haben unsere Wortgefechte eigentlich für die Massen? Man muß die Massen durch Tatsachen und nicht durch Schlußfolgerungen daraus erziehen.«[155]

Natürlich erschöpfte sich der ›Trotzkismus‹ der Redaktion nicht in der Betonung literarischer Qualität. Die entscheidende Differenz zur neuen Kominterntaktik lag in der Ablehnung der völligen Unterordnung des Schriftstellers unter die Partei. Wenn Becher und Kisch 1929 einen lobenden Artikel über Gottfried Benn von Max Herrmann-Neiße zum Anlaß ihres Austritts aus dem Redaktionskomitee erklärten, so waren sich die Kontrahenten, zumal Pohl, bewußt, daß das nur ein vordergründiges Manöver darstellte.[156] Eine Polemik gegen L'art-pour-l'art-Gesinnung versprach immer eine gewisse Wirkung.[157] Allerdings konnte die Zeitschrift in der Wirtschaftskrise nicht mehr lange weiterbestehen.

Auch in dieser Auseinandersetzung zeigte sich, daß das zunehmende Interesse der Intellektuellen und Schriftsteller an der Sowjetunion nicht automatisch der KPD und ihren Organisationen zugutekam. Ganz zweifellos wuchs das Interesse nach 1928, vor allem als die Sowjetunion mit den technischen und gesellschaftlichen Großprojekten des Fünfjahrplans einen unübersehbaren Kontrast zum krisengeschüttelten Kapitalismus darbot. Münzenbergs Vermittlerrolle für die Sympathisierenden kam zu dieser Zeit besonders stark zur Geltung. Die von der IAH seit 1921 initiierten und geförderten Komitees und Vereinigungen, vor allem die 1923 gegründete ›Gesellschaft der Freunde des neuen Rußland‹, in der sich Künstler, Schriftsteller und Wissenschaftler zusammenfanden (Albert Einstein, Helene Stöcker, L. Frank, Maximilian Harden, Paquét, Käthe Kollwitz u. a.; Generalsekretär war Erich Baron)[158] erhielten verstärkten Zulauf. Die Gesellschaft hatte anfangs 400, später ca. 1300 Mitglieder. Ihr Publikationsorgan war die Zeitschrift *Das Neue Rußland* (1924–1932)[159], die wichtigste Dokumentation der deutsch-sowjetischen Beziehungen in den zwanziger Jahren, abgesehen von den zahllosen Reiseberichten und Reportagen.[160] Erwähnt sei an dieser

Stelle auch die Gründung des ›Bundes der Freunde der Sowjetunion‹ 1928, dessen Mitgliederschaft (1932 ca. 30 000) sich vornehmlich aus Arbeitern und Funktionären rekrutierte.[161]

Die Sympathiebekenntnisse der Intellektuellen und Schriftsteller für die Sowjetunion kamen bekanntlich nicht nur aus Deutschland. Die dreißiger Jahre brachten den Auf- und Abstieg der ›Mitläufer‹ bzw. ›Fellow-Travellers‹, den Auf- und Abstieg der Hoffnungen auf die Macht im Osten, die sich dem Kapitalismus und Faschismus gegenüber behauptete. Daran änderten die ersten politischen Prozesse in der Sowjetunion nach 1928 (Šachty-Prozeß) wenig. Die Todesurteile im Ingenieursprozeß 1930[162] forderten zwar einen Protest deutscher Intellektueller, angeführt von Einstein, Heinrich Mann und Arnold Zweig, heraus, prägten aber das bei der Linken positive Image der Sowjetunion nicht um. Besonders stark regte der Sprung des agrarischen Rußland ins technische Zeitalter die Phantasie an. Ohne das Verhältnis der Intellektuellen zur technischen Moderne unter dem Vorzeichen der Neuen Sachlichkeit genauer behandeln zu können, sei dieser Punkt hervorgehoben: anders als in Deutschland, wo die Technik bereits ihr Janusgesicht gezeigt hatte und vielfach verteufelt wurde, war sie in Sowjetrußland von der Aura sowohl der Revolution wie deren emanzipatorischer Programmatik umgeben. Die Fragwürdigkeit des ›nur‹ Technischen, das an geheime Ängste rührte, so viel auch von Fordismus, vom ›Frieden mit Maschinen‹, vom herrschaftsfreien Apparat der rationalisierten Moderne die Rede war[163], schien im Hinblick auf den jungen kommunistischen Staat nicht zu existieren. Vom Futurismus und Konstruktivismus ausgehend, wurde an einem Mythos gebaut, der auch in Deutschland seine Adepten fand, an einem der ästhetisch fundierten Mythen, welche die endgültige Überwindung der Trennung von Kunst und Leben zum Inhalt haben.

Leo Lania glaubte 1927, die Periode der Romantisierung der Technik sei auch in Sowjetrußland abgelaufen. Er verwies auf die Schilderungen der Technikbegeisterung nach

der Revolution, auf den Ruf der Maler, den Ilja Erenburg
überlieferte: »Zum Teufel die Malerei! Hoch die amerikanischen Badeeinrichtungen!« sowie auf Majakovskijs Verherrlichung der »Elektro-Dynamo-Magischen Stadt«. Lania
stellte fest: »Der russische Konstruktivismus war eben die
Flucht in die Romantik einer Welt, die es nicht gab.«[164]
Aber nach 1928 fand die Technikbegeisterung unter den
Auspizien des Fünfjahrplans neue Artikulierung, neue
Resonanz. Diesmal wirkte Sergej Tretjakov als kundiger
Botschafter, der bei seinem Auftreten in Berlin 1930 deut-
sche Schriftsteller mit seiner »Literatura fakta«, seiner utili-
tären Produktionskunst, vertraut machte und bei Brecht und
Benjamin wichtige Reflexionen über die Zuordnung von
Kunst und technischer Produktion auslöste. Wie weit diese
Überlegungen gingen, die mit der Gleichsetzung von litera-
rischer mit industrieller Technik dem Epitheton ›materiali-
stisch‹ im Gebiet der Ästhetik Respekt verschafften, ist in
jüngerer Zeit, speziell anhand von Benjamins Aufsatz *Der
Autor als Produzent* (1934), aufgearbeitet worden.

Allerdings hat die Gleichsetzung von literarischer und
industrieller Technik inzwischen selbst ihre Aura verloren.
Das Romantische an den Begriffen ›Technik‹ und ›Produktion‹ läßt sich deutlicher erkennen. Das kollektive Schaffen
und die Faktizität, die Tretjakov meinte, sind Forderungen
geblieben, wenngleich wichtige und stimulierende Forderungen. Die Liquidation des Kunstwerks, die damit übereingeht, wird vom Pathos der Emanzipation nicht mehr aufge-
wogen, wie es unter anderen historischen Voraussetzungen
geschehen konnte. Was aber das Epitheton ›materialistisch‹
in diesem Zusammenhang betrifft, so merkte schon 1931
ein Kritiker an: »Die ›materialistischen‹ Dialektiker berufen
sich zwar auf die Technik, aber sie vermeiden es, zu konkreten Beispielen aus der Technik zu greifen.«[165]

Während sich bei diesen Fragen in jüngerer Zeit immerhin zahlreiche Anknüpfungen ergaben, sind andere Themen,
mit denen sich linke Schriftsteller und Intellektuelle am
Ende der Weimarer Republik beschäftigten, stark in den
Hintergrund getreten. So ist die Aufarbeitung der proleta-

ris h-revolutionären Literatur bisher ohne Referenz zum Problem von Nation und Nationalismus geschehen, das ab 1930 auch die Kommunisten beschäftigte. Der ›Schub‹ an Kriegserinnerungen, an Vorstellungen von Tat, Kampf und Einsatz, der zunehmend von der Rechten ausgebeutet wurde, ging an den sozialistischen Schriftstellern nicht spurlos vorüber. Das spätere Engagement im Spanischen Bürgerkrieg zeigte in vielen Fällen, nicht nur bei Ludwig Renn und Bodo Uhse (1904–1963), der in *Söldner und Soldat* (1935) über seine Zeit als Nationalsozialist Rechenschaft ablegte, die Spuren dieser Jahre.

Renn gehörte unter seinem vollen Namen Arnold Vieth von Golssenau, Hauptmann a. D., zu den führenden Mitgliedern des ›Aufbruch‹-Kreises, der sich 1931 nach dem aufsehenerregenden Übertritt des nationalsozialistischen Reichswehrleutnants Richard Scheringer zur KPD konstituierte und weitere Nationalsozialisten von ihrer Bewegung abzuspalten und herüberzuziehen suchte. Daneben traten Bodo Uhse, Bruno von Salomon, die Hauptleute a. D. Beppo Römer und Egon Möller, Karl Diebitsch, ehemaliger Leutnant im Freikorps Oberland und andere Offiziere hervor, die der Werbung der KPD um die Reichswehr Nachdruck verliehen. Die Zeitschrift *Aufbruch. Kampfblatt im Sinne des Leutnants a. D. Scheringer* eröffnete mit Lenins Satz: »Machen wir die Sache des Volkes zur Sache der Nation. Dann wird die Sache der Nation die Sache des Volkes sein.« Zu den Mitarbeitern zählte auch Alexander Graf Stenbock-Fermor (geb. 1902), der in der *Linkskurve* (H. 2, 1932) den Fall Scheringer kurz darlegte. Er hatte mit seinen Berichten aus dem Leben des Proletariats *Meine Erlebnisse als Bergarbeiter* (1928) und *Deutschland von unten* (1931) Aufsehen erregt. (Vgl. die Autobiographie *Der rote Graf*, 1973)

Der gemeinsame Nenner der sozialistisch-nationalrevolutionären Gruppierungen im Umkreis der KPD (an deren Schulung sich Wittfogel und H. Duncker beteiligten) war die Propaganda für die ›revolutionäre Tat‹.[166] Bezugspunkt bildete die Sowjetunion, die man als einzige Macht ansah, mit der sich der soziale und nationale Aufbruch bewerkstelligen lasse – gegen die Republik ebenso wie gegen die kapitalistischen Demokratien des Westens. Das fand in einigen autobiographischen Werken Niederschlag, doch läßt sich die Tatgesinnung, wie Alfred Kantorowicz 1932/33 in dem unveröffentlichten Manuskript *Die deutsche Jugend ringt um die Zukunft* darlegte, als Tendenz bei zahlreichen linken und rechten Schriftstellern der Zeit konstatieren.

All diese Aktivitäten vor 1933 gaben den Sozialisten nicht mehr das Gesetz des Handelns zurück. Die Nationalsozialisten hatten sich weitgehend des nationalen Bekenntnisses bemächtigt und gewannen mit revolutionärer Terminologie sogar im Proletariat, bei den Erwerbslosen Stimmen hinzu.

DRITTER TEIL:

DAS SYSTEM
UND DIE ERBEN

Kapitel VIII
Im Exil

1. Der sozialistische Realismus

Das Jahr 1933 hat mit Hitlers Machtübernahme das Scheitern der sozialistischen Revolution in Deutschland besiegelt. Sieger war der Nationalsozialismus, ein grausamer Sieger, der Sozialisten und Kommunisten blutig verfolgte, um schließlich selbst in einer Woge von Blut und Grausamkeit zu versinken. Mit der Niederlage 1933 geriet der revolutionäre Sozialismus in Deutschland endgültig in die Abhängigkeit der Sowjetunion: als Funktion ihrer Außenpolitik. Die Etablierung eines kommunistischen Staates auf deutschem Boden geschah durch sowjetische Initiative, für den Aufbau lieferte die Sowjetunion die Antriebe und Modelle.

Will man die Entwicklung sozialistischer Literatur in deutscher Sprache nach 1933 erfassen, so muß man mehr als zuvor auf die sowjetische Situation blicken. Es geht dabei weniger um die Abhängigkeit bestimmter Formen und Regeln von sowjetischen Vorbildern als um die von Stalin bewirkte Veränderung im Verhältnis von Partei und Literatur, die das Phänomen ›sozialistische Literatur‹ weit über den Zweiten Weltkrieg hinaus prägte. Die von Stalin bewirkte Änderung lief auf den Anspruch hinaus, die sozialistische Literatur müsse sich an der Sowjetunion ausrichten, und das hieß in Stalins Einflußbereich zumeist: Abkehr von der proletarischen Bekenntnisaussage zugunsten der Erhöhung und Mythisierung der sowjetischen Wirklichkeit. Literatur bekam eine spezifische Funktion im Zusammenhang des ideologischen und politischen Systems zugewiesen, mit dem die Sowjetunion nach der Durchsetzung des ›Sozia-

lismus in einem Lande‹ ihre Legitimation als sozialistischer
Staat begründete.

Diese Umorientierung begann Ende der zwanziger Jahre
— seit jeher gilt 1929 als das ›Jahr des großen Umschwungs‹
— und fand mit der Proklamierung des sozialistischen Realismus 1932 einen ersten Abschluß. In diesem Jahr schnitt
Stalin die kulturrevolutionären Tendenzen ab und löste die
proletarische Schriftstellervereinigung RAPP auf, die sich
voll dem klassenkämpferischen Bekenntnis verpflichtet hatte.
Stalins Rede vom 23. 6. 1931, die unter dem Titel *Neue
Lage — neue Aufgabe des Wirtschaftsaufbaus* veröffentlicht
wurde, zeigte die »neue Richtung« an, indem sie die »Gleichmacherei« und »Spezialistenfresserei« verurteilte und die
technische Intelligenz, überhaupt die »Führungsgruppen«,
als wichtiges Element der sozialistischen Gesellschaft reha-
bilitierte. In der Folgezeit dekretierte Stalin die Aufhebung
der Klassen in der Sowjetunion, d. h. den Eintritt des Proletariats (neben den Bauern) in den verwirklichten Sozialismus. Sein diktatorisches Vorgehen bei der Kollektivierung
der Landwirtschaft begründete er mit der Theorie der ›Revolution von oben‹.

Wie intensiv Stalin den Marxismus-Leninismus auf seine
Bedürfnisse zuschnitt, ist auf ideologischem und politischem
Gebiet seit langem aufgearbeitet worden. Die Umformung
des Marxismus zum geschlossenen Weltanschauungssystem
des dialektischen Materialismus fällt in diese Periode, da
Stalin erst die Mechanizisten und Evolutionisten um Bucha-
rin, dann die ›Linken‹ um Deborin ausschalten ließ. An die
Stelle des emanzipativen Anspruchs der von der Masse ge-
tragenen proletarischen Revolution trat nun eindeutig die
Direktive des Parteiapparats, die sich im ›bürokratischen
Zentralismus‹ schließlich zu der entscheidenden Herrschaftsform im sowjetischen Einflußbereich entwickelte.

Für die Kennzeichnung des stalinistischen ›Systems‹, wie es
immer wieder genannt worden ist, sei die Definition des bürokratischen Zentralismus von Roger Garaudy herangezogen: »Das
Grundprinzip dieses bürokratischen Zentralismus ist das Dogma,
demzufolge die kommunistische Partei und der Staat jede soziale

Aktivität zu steuern habe, alles leiten müsse, von der wirtschaftlichen Produktion bis zur intellektuellen und künstlerischen Tätigkeit — ›von außen‹ das Bewußtsein in sie hineintragend, ohne Berücksichtigung des anderen Faktors, des revolutionär Subjektiven, das bei Marx und Lenin in untrennbarem dialektischen Zusammenhang damit steht: die Initiative der Massen.«[1] Garaudy betonte, gegen dieses Monopol auf Wissen und Entscheidung polemisierend, daß die Definition nicht allein auf Stalin abgestellt werden dürfe. Hier erhebt sich das immer wieder diskutierte Problem, inwieweit Stalin den bürokratischen Zentralismus geschaffen habe oder von ihm geschaffen worden sei (weshalb eine Auswechslung der Person an der Spitze wenig an der Herrschaftspraxis ändere).[2] Die historische Betrachtung der sozialistischen Entwicklungen seit 1930 kann natürlich von der absolut dominierenden Gestalt Stalins nicht absehen, sei es im Hinblick auf die Säuberungen der dreißiger Jahre, in denen Stalin über eine Million Parteimitglieder und Millionen anderer Sowjetbürger liquidieren ließ, sei es im Hinblick auf die Konfrontation mit Hitlers Deutschland, die nach einer Phase heftiger gegenseitiger Propagandaattacken im Jahre 1939 zum Pakt der beiden Diktatoren führte, womit Hitler freie Hand bei der Eröffnung des Zweiten Weltkrieges gegeben wurde.

Die vorübergehende ›Entstalinisierung‹, die 1956 mit der Rede Chruščevs vor dem XX. Parteitag der KPdSU einsetzte, hat diese Dominanz des Diktators um so mehr hochgespielt, je weniger wirkliche Veränderungen des Systems erfolgen sollten. Gewiß ist, daß seit 1956 das von Stalin — außer gegenüber Jugoslawien — verfolgte Konzept des monolithischen Kommunismus abgebrökkelt, wenn auch keineswegs aufgegeben ist, in dem die sowjetische Partei das Monopol besitzt, Interpret der Geschichte, des Weges zur Revolution und des Aufbaus des Sozialismus zu sein. Aus der Perspektive des heutigen Polyzentrismus wirkt Stalins System in der Tat monolithisch. Doch sei, wenn im folgenden von den Ereignissen seit 1930 die Rede ist, nicht übersehen, daß der Marxismus in dieser Zeit keineswegs nur auf die stalinsche Interpretation, etwa auf seine *Fragen des Leninismus* (1934) und *Dialektischer und historischer Materialismus* (1938), eingeengt werden kann. Unter den deutschen Emigranten allein befanden sich von Arthur Rosenberg bis zu Karl Korsch, von Wilhelm Reich bis zu Max Horkheimer, Theodor W. Adorno, Herbert Marcuse, Erich Fromm vom Frankfurter ›Institut für Sozialforschung‹ genügend unabhängige Marxisten, die für die weitere

Beschäftigung mit dem Marxismus wichtige Anregungen gaben, ganz abgesehen von den Austromarxisten, den Trotzkisten und Marxisten anderer Länder.

Diese Tatsache beleuchtet zugleich die Bedingtheit der Bemühungen um den sozialistischen Realismus nach 1930. Sie stellten nicht die alleinige marxistische Stellungnahme zum Problem von Literatur und Kunst dar. Theoretiker wie Max Raphael (1889 bis 1952) und Christopher Caudwell (1907–1937) schrieben zu dieser Zeit ihre wichtigen Beiträge zur marxistischen Ästhetik. Kontinuitäten liegen nicht nur in den trotzkistischen Konzepten, die sich bei antifaschistisch engagierten Schriftstellern verfolgen lassen, sondern auch in der Fortführung anderer von 1930 vertretenen Einstellungen. Zu ihnen gehört auch die in Frankreich, England und den USA sichtbare Desinteressiertheit von Marxisten an einem spezifisch sozialistischen Literaturkonzept. Wenn der Realismus in den dreißiger Jahren zu einem öffentlichen, von der sowjetischen Partei beständig diskutierten Problem wurde, so war das in der Tat zunächst eine sowjetische Angelegenheit. Die meisten Äußerungen von nichtrussischen Marxisten zu diesem Komplex stellten Reaktionen darauf dar, wobei eine große Rolle spielte, wo die Disputanten jeweils saßen, ob im Einflußbereich des stalinistischen Systems oder in einem westlichen Land.

Die anfängliche Unsicherheit über die Einschätzungen des Konzepts vom sozialistischen Realismus rührte vor allem aus der Tatsache her, daß Stalin nach 1930 die kulturrevolutionär-proletarische Bewegung abwürgte, die sich unter anderem gegen die Intelligenz richtete. Stalin erschien also eine Zeitlang als ein den Intellektuellen gegenüber positiv eingestellter Herrscher. Maksim Gorkij, der in der literarischen Diskussion zur Schlüsselgestalt wurde, drückte mit anderen Autoren die Überzeugung aus, daß mit Auflösung der RAPP deren Literaturreglementierung der Boden entzogen sei. Das Ende der Kampagne gegen die literarischen ›Mitläufer‹ gab der Gründung des einheitlichen Sowjetischen Schriftstellerverbandes 1932 die Aura von Liberalität, und zahlreiche Äußerungen bezeugen ein gewisses Aufatmen.[3]

Stalin nahm selbst recht intensiv am Entstehen des Konzepts vom sozialistischen Realismus Anteil. Verschiedentlich schrieb man ihm sogar die Prägung des Begriffs zu, der offiziell zum erstenmal am 20. Mai 1932 bei einer Tagung der Moskauer Literaturzirkel gebraucht wurde. Daß Stalin sich auch in die Entstehung von Werken einschaltete, ist bezeugt, besonders aufschlußreich in seinen Korrekturen zum Stück *Die Lüge* (1933) von Aleksandr Afinogenov. Stalin strich nicht nur Szenen, Monologe und Aperçus, sondern fügte sogar einige neue Dialoge ein. Er verlangte positive Charaktere und Aussagen als Gegengewicht zu kritischen und bestand auf der Einfügung einer Versammlungsszene zur Verdeutlichung des Parteistandpunktes.[4]

Die Kampagne für den sozialistischen Realismus, die mit dem 1. Allunionskongreß der Sowjetschriftsteller 1934, vor allem der Rede Andrej Ždanovs, ihren ersten Höhepunkt erreichte, läßt sich nicht allein unter der Perspektive einer verbesserten Kontrolle der Literatur einordnen. Gewiß kam diesem Aspekt von vornherein große Bedeutung zu, und man hat gesagt, daß es beim Auflösungsbeschluß der RAPP weniger um die Freiheit der Kunst ging als darum, daß die RAPP-Taktik der literarischen Reglementierung keine Früchte getragen habe und statt dessen andere Methoden erforderlich seien.[5] Nicht weniger wichtig aber dürfte das Bedürfnis zu repräsentativer Selbstverständigung über die Leistungen der Sowjetunion gewesen sein, das mit dem Aufbaumythos des Fünfjahrplans übereinging. Erst ab Mitte der dreißiger Jahre entfaltete sich die Parteireglementierung von Kunst und Literatur ungehindert.

Welch bedeutsame Stellung der Literatur im Repräsentationsdenken des stalinschen Staates zukam, läßt sich an dem Aufwand ablesen, mit dem man 1934 den Schriftstellerkongreß durchführte. Mit über hundert Ansprachen, Diskussionen und Erklärungen wurde er unter Anteilnahme großer Zuschauermassen zu einer kulturellen Selbstdarstellung der Sowjetunion, wie es sie zuvor nicht gegeben hatte. Allerdings: der Podest, auf den man die Literatur hob, war tönern. Karl Radek charakterisierte in einer langen Ansprache die Literatur als Legitimationsträger im Leistungswettbewerb von Sozialismus und Kapitalismus. Vom proletarischen Kampfinstrument war nicht mehr die Rede. Das

korrespondierte mit der Verwandlung des Marxismus von
einer kritisch-emanzipatorischen Denkhaltung zum geschlossenen System, das den Widerspruch von Begriff und Wirklichkeit, Programm und Alltag mit »formallogischer Konsequenz«[6] überdeckte. Indem man die Literatur an einem
jenseits der gesellschaftlichen Widersprüche verankerten
Allgemeinen ausrichtete, erhöhte man ihre Position,
schwächte jedoch zugleich ihre dialektisch kritische Funktion
in der Gesellschaft. Je höher man den Podest schraubte, auf
dem sie jenes Allgemeine symbolisieren sollte, um so kraft-
loser wurde, auch wenn sie vom Einzelnen sprach, ihr Zugriff auf die spezifischen Widersprüche und individuellen
Erfahrungen.

Damit blieb kein Raum mehr für Kunstanschauungen,
die den Widerspruch von Wesen und Erscheinung heraus-
hoben. Die Kritik an den modernen Montageformen, die
schon vor 1930 vielfach geäußert wurde, gewann allgemeine
Geltung. Ausgangspunkt der Beurteilung bildete die Eig-
nung künstlerischer Formen und Werke für die politische
Repräsentanz, wenn man einmal von Stalins persönlichem
Geschmack absieht, aufgrund dessen das Werk Majakovskijs, des Futuristen und Avantgardisten, nicht der Verdammung verfiel. Als Radek in seiner Rede auf James Joyce zu
sprechen kam, verknüpfte er die alten Vorwürfe der Beliebigkeit und des L'art-pour-l'art-Denkens mit der Feststellung, daß der Ire nichts für die Repräsentanz leiste. Radek
fragte: »Was ist das Bemerkenswerteste an Joyce?« und antwortete:

> »Das Bemerkenswerteste an ihm ist die Überzeugung, daß es im
> Leben nichts Großes gibt — keine großen Ereignisse, keine großen
> Menschen, keine großen Ideen; und der Schriftsteller kann das
> Leben abbilden, indem er sich einfach ›irgendeinen Helden an
> irgendeinem Tag‹ vornimmt und ihn mit größter Genauigkeit
> schildert. Ein von Würmern wimmelnder Misthaufen, mit einer
> Filmkamera durch ein Mikroskop aufgenommen — das ist Joyces
> Werk.«[7]

Vom Misthaufen zu den sozialistischen Heroen: der Einstufung der Literatur als Legitimationsträger entsprach die

äußerst vage Definition des sozialistischen Realismus. Die zentrale Stelle im *Statut des Verbandes der Sowjetschriftsteller* lautet:

>»Der sozialistische Realismus, der die Hauptmethode der sowjetischen schönen Literatur und Literaturkritik darstellt, fordert vom Künstler wahrheitsgetreue, historisch konkrete Darstellung der Wirklichkeit in ihrer revolutionären Entwicklung. Wahrheitstreue und historische Konkretheit der künstlerischen Darstellung muß mit den Aufgaben der ideologischen Umgestaltung und Erziehung der Werktätigen im Geiste des Sozialismus verbunden werden.«[8]

Die Betonung liegt auf der »revolutionären Entwicklung«, in der die Wirklichkeit zu sehen ist, und auf der »Erziehung«, die von der sozialistisch-realistischen Darstellung bewerkstelligt werden soll. Neben »Volkstümlichkeit« und »Parteilichkeit« gewinnt die »revolutionäre Romantik« spezielles Gewicht, die der Schriftsteller, der »Ingenieur der menschlichen Seele« (Stalin), anzuwenden habe. Ždanov machte deutlich, daß die vorhandene gesellschaftliche Wirklichkeit weder im Stil noch im Wesen transzendiert werde, wenn er ausführte: »Die Sowjetliteratur muß verstehen, unsere Helden zu gestalten, sie muß verstehen, einen Blick in unsere Zukunft zu werfen. Das wird keine Utopie sein, denn unsere Zukunft wird durch planmäßige bewußte Arbeit schon heute vorbereitet.«[9]

Natürlich wird einer solchen Literaturauffassung die Realismusdefinition zum Problem, und zwar, da die Partei das Auslegungsmonopol für die Wirklichkeit beansprucht, zunächst zu einem Problem der Partei. Die Schwierigkeit lag für sie darin, das Auslegungsmonopol festzuhalten und zugleich den wechselnden Erfordernissen und geschichtlich-politischen Veränderungen anzupassen. Ergebnis ist die bis zum heutigen Tage *zwangsläufig* vage gebliebene Definition des sozialistischen Realismus, die der Partei das Auslegungsmonopol sichert, jedoch Anpassung an neuen Entwicklungen ermöglicht. In diesem Zusammenhang läßt sich auch auf die Definition so zentraler Begriffe wie ›proletarisches Interesse‹, ›Diktatur des Proletariats‹, ›Sozialismus‹ und ›Kommunismus‹ verweisen, deren Undeutlichkeit bis zu Marx und Lenin zurückreicht und den jeweils tonangebenden Machthabern die Interpretation in die Hand liefert.

Undeutlich war schließlich auch der ›neue‹ Begriff vom Menschen, den man in die Diskussion des sozialistischen Realismus einbrachte. Mit der erwähnten Rede Stalins, *Neue Lage — neue Aufgabe des Wirtschaftsaufbaus*, gewann dieser Begriff von vornherein einen repräsentativen Charakter in der Programmatik des sozialistischen Aufbaus. In der Folgezeit wurde er unter Vernachlässigung, ja Ausschaltung des Klassenbegriffs so sehr auf die politischen Legitimationsbedürfnisse ausgerichtet, daß er für die Klärung der Probleme des Individuums im sozialistischen Staat seinen heuristischen Wert verlor.

Insofern Gorkij wichtigen Anteil an der Propagierung dieses ›neuen‹ Begriffs besaß, äußerte sich darin direkt die Erneuerungsgesinnung aus der Zeit der Jahrhundertwende, die ausführlich behandelt worden ist. Noch einmal sei auf den Schlüsseltext hingewiesen, Gorkijs Essay *Die Zerstörung der Persönlichkeit* (1909), der bereits einen Großteil der Argumentation zur Kulturerneuerung enthält, mitsamt der Berufung auf die Kräfte des Volkes und den Attacken auf die westliche Dekadenz und das Kleinbürgertum. Gustav Regler hat die Wirkung überliefert, die von Gorkijs großer Kulturpredigt auf dem Schriftstellerkongreß 1934 ausging.[10] Gorkij heizte gleichsam den alten Zorn auf das dekadente Bürgertum erneut an, einen kulturpolitischen und -philosophischen, nicht eigentlich klassenkämpferischen Zorn. Tolstojs Vorwurf, die bestehende (anerkannte) Kunst sei den Massen unverständlich, in ihr betreibe eine Minderheit formale Spielereien, wurde zur offiziellen Stellungnahme. Mit Tolstojs Autorität weihte man den nun bei jeder Gelegenheit beschworenen Volksbegriff. In Tolstojs Namen programmierte man die neue Kunst als eine wahre Kunst des Volkes, d. h. als Ausdruck einer gemeinsamen Weltanschauung der arbeitenden Gesellschaft.

Es war mehr als eine Rückbindung an die Erneuerungsideologien der Jahrhundertwende, es war eine Neuaufnahme

— als seien die Erneuerungsenergien ästhetisch und politisch zwischendurch in die falsche Richtung gegangen, um nun endlich in die richtigen Kanäle gelenkt zu werden. Man kämpfte die Schlacht um die moderne Kunst, die sich in Naturalismus und Symbolismus verkörperte, noch einmal aus, nun allerdings mit Verfolgungen und Reglementierungen, die weder Tolstoj noch Gorkij im Sinn gehabt hatten. All die Argumente, die Ende des 19. Jahrhunderts gegen den Naturalismus und Symbolismus vorgebracht wurden, lassen sich in der Kampagne ›Gegen Formalismus und Naturalismus‹ wiedererkennen, welche die *Pravda* 1936 mit mehreren Artikeln zur verbindlichen Politik machte. Wieder die Attacke gegen das Oberflächliche, das bloß Formale, die Beliebigkeit in der Stoffwahl, den Positivismus; wieder als Positivum der Begriff der volksverbundenen Einfachheit, der Volkstümlichkeit sowie das Postulat, daß der Künstler im Volk aufgehen müsse. »Was ist Naturalismus?« lautete die Frage. Darauf hieß es:

»Im Grunde genommen formaler Realismus, Realismus des Details, kleinlicher Realismus, der den für den Inhalt der dargestellten Wirklichkeit bestimmenden Kern ignoriert. Der Naturalismus ist im Grunde genommen eine fast ebenso ästhetisierende Richtung wie der Formalismus: dem Naturalisten ist sorgfältiges Kopieren irgendeiner auserkorenen Einzelheit wichtig, wie dem Formalisten die Herausarbeitung des ›Striches‹, des Farbtupfens, der ›Dynamik‹ oder der ›Wortexpression‹. In der Hand des Naturalisten ist auch der Mensch, die Natur, das gesellschaftliche Leben in erster Linie ein ›Stoff‹, dessen Vielfältigkeit und innere Besonderheit zurücktritt hinter dem gleichen Recht jeder beliebigen Erscheinung, der Kunst als ›Stoff‹ zu dienen.

Der Naturalismus ist wie der Formalismus der degenerierte Nachfahr eines großen Realismus, ein lebendiger Zeuge des Zerfalls der Kunst in der bürgerlichen Epoche.«[11]

Zur Zeit dieser Feststellungen — 1936 — war die Kampagne gegen Schriftsteller wie Tretjakov bereits im Gange, die mit ihren Bemühungen um eine Produktionsästhetik der propagierten (repräsentativen) Darstellungsästhetik widersprachen. Die von der naturalistischen Dokumentation

zu den ästhetischen Neuerungen der zwanziger Jahre führenden Entwicklungen wurden nicht nur als Irrweg eingestuft, sondern als Bedrohung angegriffen. (Tretjakov fiel
wenig später den Säuberungen zum Opfer.) Wo richtig und
falsch von oben entschieden werden, stellen Bemühungen
um eine schöpferische Mitarbeit der Massen entweder ein
leeres Ritual oder — eine Gefahr dar. Ebenso liegt in der
Rücksichtnahme auf die spezifischen Bedingungen der künstlerischen Produktion eine latente Bedrohung der vorgegebenen Inhalte.

Für die Ästhetik der Repräsentanz bildete der ›große‹
Realismus des 19. Jahrhunderts die entscheidende Referenz.
Die vom deutschen Idealismus geprägte Überzeugung, daß
es Aufgabe und Vermögen der Kunst sei, die objektiven
Gesetze der Wirklichkeit darzustellen, ließ sich effektvoll
gegen Modernismus und L'art-pour-l'art-Denken wenden.
Belinskij, Černiševskij und Dobroljubov wurden in den
Rang von Bundesgenossen erhoben.

Bei Dobroljubov, dem von den Verfechtern des sozialistischen
Realismus meistgeschätzten Theoretiker des 19. Jahrhunderts,
wird dem Künstler die Fähigkeit zugeschrieben, das, was das Volk
unbewußt (intuitiv) lebe, bewußt zu machen. Nach Dobroljubov
erzieht der Künstler das Volk nicht mit Hilfe von Agitation, sondern einer Darstellung, bei der die Wahrheit an der eigenen
Erfahrung überprüfbar ist. Tendenz wird unnötig, statt dessen
handelt das Volk nach Einsicht in die bewußtgemachte Wahrheit.
Sie vermag Zukunft zu antizipieren.

Dobroljubov formulierte bereits die Vermischung von Reproduktion und Antizipation, von Schilderung und Belehrung, welche
die ästhetische Definition des sozialistischen Realismus seit jeher
kontrovers machte.[12] Doch läßt sich diese Vermischung, wie René
Wellek gezeigt hat, generell in den Realismustheorien des 19.
Jahrhunderts verfolgen. Die Realismusprogrammatik richtete sich
nicht allein auf »objektive Darstellung der zeitgenössischen sozialen Wirklichkeit«, sondern umschloß auch Didaktik. Wellek
spricht von einer »nicht logisch zu lösenden Spannung zwischen
Beschreiben und Vorschreiben, zwischen Wahrheit und Lehre«[13]
und erwähnt schließlich auch den sozialistischen Realismus, in
dem der Widerspruch offen zu Tage trete.

Bereits auf dem wichtigen I. Plenum des Organisationskomitees des Schriftstellerverbandes Ende 1932, auf dem die Merkmale des sozialistischen Realismus zum erstenmal ausführlich erörtert wurden, betonte der Referent Valeri Kirpotin emphatisch die Bindung an die literarische Tradition. Allerdings verstand er die Traditionsanknüpfung nicht nur als ästhetische Hilfestellung. Sie wurde bei ihm selbst zu einem Teil der Legitimationsideologie, unterlag der Dogmatisierung und entfernte sich damit von der Tradition, die sie beschwor.

In Kirpotins Referat zeichnete sich bereits die Entwertung der empirischen, geschichtlichen Erscheinungen ab, die man als kennzeichnend für das stalinistische Denken analysiert hat.[14] Kirpotin löste spezifische literarische Elemente aus dem historischen Kontext und erhob sie zu allgemeingültigen Gesetzen. Das korrespondierte mit der Wendung zu Aussagen von Marx, Engels und Lenin über die Literatur, die zumeist ohne genauere Berücksichtigung des jeweiligen Anlasses als Grundtexte der Realismusprogrammatik plakatiert wurden. Die später zu Tode interpretierten Äußerungen über Tendenz, Realismus und Typik, die Engels in Privatbriefen an die Schriftstellerinnen Margaret Harkness und Minna Kautsky gerichtet hatte, gelangten zu diesem Zeitpunkt ins Blickfeld der allmählich entstehenden Scholastik, die auf dem Kongreß 1934 noch vorübergehend in den Hintergrund trat, dann aber im System der stalinistischen Legitimationsideologie dominierte.

Die Hochstellung der Kunst in diesem System wurde mit der Herausgabe der verstreuten Bemerkungen von Marx und Engels zu Fragen der Literatur und Kunst offiziell abgesichert. Daneben sprach man den Anschauungen von Lenin große Bedeutung zu. Seine Äußerungen zur Widerspiegelung legte man der philosophischen Definition des Verhältnisses von Kunst und Realität zugrunde. Bestimmend ist seitdem die Theorie, daß geistige und sinnliche Wahrnehmungen Widerspiegelungen der Objekte der unabhängig existierenden materiellen Welt darstellen. Das Wesen der Kunst wird als eine spezifische Widerspiegelung der Wirklichkeit mit Hilfe künstlerischer Gedanken und Bilder definiert. Wer den Wahrheitswert der Kunst beurteilen will, muß die Kategorien von Lenins Erkenntnislehre berücksichtigen, d. h. das Definitionssystem der marxistisch-leninistischen Weltanschauung im aktuellen Zusammenhang.

Auf die Fragwürdigkeit von Lenins Widerspiegelungstheorie hat Karl Korsch bereits 1929 hingewiesen.[15] Darauf braucht hier nicht eingegangen zu werden. Jedoch sei auf die Manipulation aufmerksam gemacht, die man im Parteiinteresse mit Lenins Äußerungen zur Widerspiegelung vornahm. Vladimir Karbusicky hat gezeigt, daß Lenin im Gebrauch des Begriffes Widerspiegelung keineswegs konsequent war, und daß seine erkenntnistheoretischen Aussagen, in denen dieser Begriff auftaucht, der Sphäre von Kunst und Ästhetik fernstehen. »Lenin selbst hat seine Aussagen aus dem Bereiche der Erkenntnislehre nicht ausschließlich mit diesem Wort verbunden, und nie hat er es im ontologischen Sinne für die Sphäre der Kunst benutzt.«[16] Erst Theoretiker wie M. K. Dobrynin und D. Tamartšenko rückten diese Bereiche nach 1930 zueinander. Karbusickys Resümee lautet:

»Die sog. ›Leninsche Widerspiegelungstheorie in der Kunst‹ ist nicht die Theorie Lenins. Sie entstand nicht aufgrund einer marxistischen Analyse der Kunst, sondern aufgrund scholastischer Kombinationen von Aussagen und Zitaten, die in einer anderen Situation und nicht über die Kunst gesprochen wurden. Sie konstituierte sich in einem nicht reflektierten, typisch ideologischen Prozeß.«[17]

Seit längerem wird der Begriff der ›Widerspiegelungstheorie‹ durch den weniger mechanisch klingenden der ›Abbildlehre‹ ersetzt. Die Basis ist dieselbe. Offensichtlich manifestiert sich im Konzept der Abbildlehre, dem sich das Definitionsmonopol des Realismus zuordnet, ein Anspruch, der für die ästhetische Selbstverständigung im marxistisch-leninistischen Weltanschauungssystem unabdingbar ist. Nur sehr vorsichtig wird die Abbildtheorie in einem neueren Werk von Literaturwissenschaftlern der DDR angefaßt, das den Distanzierungsprozeß gegenüber der Darstellungsästhetik voranbringt, der seit den sechziger Jahren an Intensität gewonnen hat. Eine zentrale These des wichtigen Bandes *Gesellschaft — Literatur — Lesen* lautet, daß die Abbildung nicht abgehoben werden dürfe, sondern im realen Kontext von Produktion und Rezeption gesehen werden müsse. Es heißt: »Die Formierung des literarischen Werkes als ein im Medium der Sprache objektiviertes Abbild der Welt enthält den Bezug auf einen Adressaten als integrierendes Moment.«[18] Darauf hat auch die von Roland Barthes, Hans Robert Jauß und anderen westlichen Forschern in Gang gesetzte Rezeptionsforschung hingewiesen, wobei die Wissenschaftler der DDR im Begriff der ›Rezeptionsvorgabe‹ die inhaltliche Steuerung des Lesers auf geschickte Weise als Vorbedingung der ästhetischen Aktivität zu definieren wissen.

2. Exil und Widerstand

Wenn davon die Rede war, daß der deutsche revolutionäre Sozialismus mit seiner Niederlage gegen den Nationalsozialismus endgültig zu einer Funktion der sowjetischen Außenpolitik wurde, so rückt damit auch ein Phänomen ins Blickfeld, das seit langem Aufmerksamkeit erregt hat: Stalins langwährendes Schweigen im Hinblick auf Hitler und dessen politische Massenbewegung, der Mangel an sowjetischen Untersuchungen zu Aufstieg und Herrschaft des Nationalsozialismus.[19] Die Definition des Faschismus, welche die Komintern Ende 1933 formulierte, blieb bis heute in Kraft, wobei sich schon damals die Frage erhob, ob der Nationalsozialismus mit dem Faschismus, der sich in Italien entwickelte, ohne weiteres gleichgesetzt werden könne. Die Frage wurde beiseite geschoben, auf dem VII. Weltkongreß der Komintern 1935 fixierte Dimitrov die Formel endgültig: der Faschismus als »offene terroristische Diktatur der reaktionärsten, am meisten chauvinistischen, am meisten imperialistischen Elemente des Finanzkapitals«.[20] Diese Formel, eine Ausweitung von Lenins Imperialismustheorie, lieferte für die Massenbasis des Nationalsozialismus keine Erklärung, ebensowenig für das Faktum, daß das deutsche Volk in seiner Mehrheit Hitler bis zur totalen Niederlage 1945 folgte. Nicht nur der Nationalsozialismus blieb eigentümlich unerklärt, sondern auch Führerkult und Massenpsychologie. Ganz zu schweigen von der Judenverfolgung, die im nationalsozialistischen Herrschaftssystem eine so zentrale Stellung einnahm.

Die Ereignisse, die sich 1933 in Deutschland abspielten, bewirkten in der Sowjetunion kaum offizielle Reaktionen. Die sowjetische Presse berichtete die Fakten, auch über die Judenverfolgungen, jedoch ohne Kommentar und Protest.[21] Möglicherweise wollte Stalin, der sich von Japan im Osten bedroht fühlte, im Westen keine Komplikationen herausfordern; vielleicht war es auch ein Wartespiel, um zu sehen, wohin die Nationalsozialisten steuern würden. Diese Reaktion, die 1934, als Hitler die Propaganda gegen die Sowjetunion verschärfte, einer offensiven Haltung Platz machte, nimmt den tapferen Widerstandsaktionen von Kommunisten in Deutschland nichts von ihrem Gewicht. Im Gegenteil. Mit Stalins Zurückhaltung gewinnen diese Aktionen ihr besonderes Profil — es war ein heldenhafter Kampf, aber ein einsamer Kampf. Unzureichend auf die Illegalität vorbereitet, fielen Tausende in die Hände der Gestapo, starben grausam. Nach wie vor setzten Komintern und KPD auf Revolution und die Sozialfaschismusthese. In der *Kommunistischen Internationale* schrieb Fritz Heckert Ende 1933: »Nur Blinde können jetzt nicht sehen, wie sich der revolutionäre Haß in den Massen des Proletariats gegen das faschistische Blut- und Hungerregime anhäuft, wie die Masse in revolutionären Aktionen, im schnellen Wachsen der Sympathien für den Kommunismus einen Ausweg zu suchen beginnt, *wie vor unseren Augen ein neuer revolutionärer Aufschwung in Deutschland heranwächst.*«[22]

Die Geschichte des Nationalsozialismus ist, so hat man gesagt, die Geschichte seiner Unterschätzung. In Stalins Umkreis mochte das außenpolitische Kalkül spezifische Verhaltensweisen diktieren, in Deutschland bezahlten die Arbeiter mit Blut. Hier hatten die SPD und die Gewerkschaften versagt, hatten im Frühjahr 1933 versucht, ihre Organisation zu ›retten‹ — um den Preis ihrer Glaubwürdigkeit als Arbeitervertretungen. Als ihre Mitglieder gleichwohl verfolgt wurden, als die SA furchtbare ›Rache‹ nahm an den Gewerkschaftsvertretern, blieb kein Zweifel: es war die Niederlage. Sie war zunächst kampflos geschehen. Die größte Arbeiterbewegung der Welt außerhalb der Sowjetunion hatte die nationalsozialistische Machtergreifung ohne Aktion geschehen lassen. Während viele Parteiführer ins Exil gingen, mußten die Arbeiter nicht nur die Verfolgung, sondern auch die Demoralisation aushalten.[23] Bei den Kommunisten war der Widerstand stärker, die Opfer größer, aber auch die Frage bohrender, ob diese Opfer nicht einer falschen Taktik dargebracht wurden. Die kommunistischen Führer warfen den Sozialdemokraten den Gebrauch des Wortes ›Niederlage‹ vor, als hätten sie keinen Anteil daran.

Nachdem ein Großteil der im Bund proletarisch-revolutionärer Schriftsteller organisierten kommunistischen Literatur darauf abgestellt gewesen war, der Sozialdemokratie den Verrat am revolutionären Sozialismus vorzuhalten, und das Thema Nationalsozialismus nur gestreift hatte, setzte nun eine langsame Änderung ein. Die meisten prominenten Autoren wie Becher, Wolf, Brecht emigrierten und suchten, zumeist von Prag oder Paris aus, den publizistischen Kampf gegen den Faschismus anzukurbeln. Die Fortsetzung der linken Taktik, zumal im Hinblick auf die Revolutions- und Sozialfaschismusthese, äußerte sich mehr in theoretischen als in belletristischen Beiträgen. Die Lyrik und Kurzprosa, die entstand, richtete sich direkt gegen den Faschismus. Mit der Thematik des verfolgten, kämpfenden und leidenden Menschen vermochten die Schriftsteller den Kontakt zur Realität in Deutschland zu halten. Dennoch reichte der Vorwurf, die Kommunisten überdeckten die Niederlage mit einem gefährlichen Illusionismus, bis in die literarische Diskussion hinein. Die Bewältigung der geschehenen Fehler, lautete die Mahnung, dürfe nicht allein mit Hilfe von Parolen wie ›Wir sind das bessere Deutschland‹ geschehen.

Die Literatur sozialistischer und kommunistischer Schriftsteller legitimierte sich in der Phase bis 1935 aus der unmittelbaren Konfrontation mit dem Faschismus. Sie folgte im wesentlichen den vor 1933 entwickelten operativen Kurzformen, lieferte Identifikation für die Kämpfenden in Deutschland und die Exilanten sowie Dokumentation für die Weltöffentlichkeit. Die Auffassung dominierte, der Nationalsozialismus sei ein vorübergehendes Ereignis; er werde bald zugunsten des Sozialismus abwirtschaften. Für diese Stunde müsse man vorbereitet sein.

Unter sehr gefährlichen Bedingungen setzte eine kleine Gruppe von jüngeren und kaum bekannten Autoren des BPRS unter der organisatorischen Leitung von Jan Petersen (Deckname für Hans Schwalm, 1906–1969) die Arbeit in Deutschland fort. Mit anderen illegalen Gruppen gab sie 1933–1935 in Berlin die Zeitschrift *Stich und Hieb* heraus, die neben politischen Artikeln und Glossen auch literarische Beiträge gegen den Faschismus brachte. Ihr Wirkungskreis blieb notwendigerweise sehr beschränkt (Auflage 300 bis 500); ihre Herstellung war kompliziert, sie wurde mit der Schreibmaschine geschrieben und dann zum Verkleinern fotografiert.[24]

In Nummer 2 der Zeitschrift erschien die Erzählung aus dem »Berlin von 1933«: *Die Straße*, der Vorläufer von Jan Petersens Romanchronik über den illegalen Kampf in der Berliner Wallstraße. Das Manuskript gelangte, in zwei Kuchen eingebacken, ins Ausland, wurde 1936 in Bern und Moskau gedruckt und zu einem großen Erfolg. Petersen lieferte eine spannende und beklemmende Dokumentation der Aktionen kommunistischer Widerstandskämpfer, bezeugte allerdings auch die überaus große Macht des nationalsozialistischen Terrorapparates, der in dieser Zeit die Konspirationsmöglichkeiten immer mehr lahmlegte. Eine nicht geringe Rolle spielten die Kontakte mit Sozialdemokraten, besonders aus der SAJ, zugunsten einer Einheitsfront; ein bezeichnendes Gespräch entzündet sich am Kampf der österreichischen Sozialisten 1934, die zwar auch gescheitert seien, aber ein großes Beispiel für den aktiven Widerstand gegeben hätten.

In dem 1970 erschienenen Buch *Die Bewährung* hat Petersen eine Ergänzung zu *Unsere Straße* geliefert. Hier wird, ebenfalls im Stil romanhafter Chronik, über die Umstände, unter denen diese Literatur entstand und verbreitet wurde, genauerer Aufschluß gegeben. Es ist eine Art Rechenschaftslegung, auch über die Grenzen der Arbeit des BPRS. Petersen stellte darüber als Motto den Satz von Brecht, der an das schwierigste Problem der Widerstandsarbeit rührt: »Wer täte nicht viel für den Ruhm, aber wer tut's für das Schweigen?«[25] Diese Frage wurde — sinngemäß — nicht selten auch an die Exilierten gestellt. Sie ist für die Bewertung ihrer Leistungen im Vergleich zum namenlosen Widerstand in Deutschland recht gewichtig. Sie vermittelt einen Maßstab bei der Einschätzung von Literatur in der Phase des Faschismus. Sie bewahrt vor der Überschätzung des Gedruckten.

Zu Jan Petersens illegaler Gruppe in Berlin gehörten u. a. Elfriede Brüning, Walter Stolle, Werner Ilberg, Berta Waterstradt.[26] Es bestanden einige Verbindungen zu der 1933 bis 1935 im Malik-Verlag Wieland Herzfeldes in Prag erscheinenden, kommunistisch bestimmten Zeitschrift *Neue Deutsche Blätter*. Neben Anna Seghers und Oskar Maria Graf firmierte darin ein ungenannter Redakteur in Berlin: Jan Petersen, der vor allem für die Rubrik ›Stimme aus Deutschland‹ literarische Beiträge beschaffte. Es waren aus Deutschland geschmuggelte Erzählungen, Gedichte, Berichte und Rezensionen u. a. von Paul Körner-Schrader, Petersen, E. Brüning, Anton Kaufmann, Stolle, natürlich unter wechselnden Pseudonymen. Nach der Niederlage des Schutzbundes in Österreich 1934 erweiterte man die Rubrik zu ›Die Stimme aus Deutschland und Österreich‹. Die Zeitschrift *Internationale Literatur* in Moskau, die 1932 die *Literatur der Weltrevolution* ablöste und bis 1945 bestand, brachte unter dem Titel ›Die Stimme der Illegalen‹ viele Beiträge aus Deutschland. Ebenso finden sich in der bewußter ›literarisch‹ geführten Zeitschrift *Das Wort*, die 1936—1939 in Moskau herauskam, solche Beiträge.[27]

Die Verbindung mit der Widerstandsarbeit in Deutschland wurde in den sozialistischen Exilzeitschriften stark betont. Mehr als die Texte selbst zählte die Tatsache, *daß* solche Texte in Deutschland entstanden, *daß* in Deutsch-

land dem Bild des kämpferischen Schriftstellers entsprochen
wurde, das man Ende der zwanziger Jahre entworfen hatte
und das im Exil, zumindest bis zum Spanischen Bürgerkrieg,
nicht ohne weiteres aufrechtzuerhalten war. Die vom BPRS
1934 in Basel herausgegebene Broschüre *Hirne hinter Stacheldraht*, welche die ausländische Öffentlichkeit über das
Schicksal deutscher Schriftsteller in Gefängnis und KZ unter-
richtete, gab dieser Stilisierung mit den Worten Raum:

>»Ein ganz neuer Typ des Schriftstellers ist das, so diametral
anders als ihn der Steckbrief des Kleinbürgers schildert. Er ist
hart und diszipliniert geworden, heute redigiert er in einem
Keller eine illegale Zeitung – ein Toter auf Urlaub –, morgen
dichtet er Knüttelverse, übermorgen zieht er sie selbst ab oder
klebt sie an die Mauern der Straßen, und zwischendurch sichtet
er das Material, das die Grundlage eines Romans oder einer größeren Reportage bilden soll.«[28]

Der romantisierende Oberton ist nicht zu überhören. Die
Broschüre bot anderes, das stärker beeindruckte: den Bericht
über das Schicksal Carl von Ossietzkys (der dann 1936, als
er im KZ Papenburg war, den Friedensnobelpreis erhielt
und 1938 an den Folgen der Haft starb), Ludwig Renn (der
1933–1935 in Haft war), Willi Bredel (1933/34 im KZ
Fuhlsbüttel), Klaus Neukrantz (der 1933 brutal mißhandelt,
dann in eine Nervenheilanstalt eingeliefert wurde und 1941
starb), Gregor Gog (der ›Organisator‹ der deutschen Vagabunden, der nach schwerer Haftzeit in die Sowjetunion zu
emigrieren vermochte), Erich Mühsam (der 1934 im KZ
Oranienburg grausam gequält und ermordet wurde), Erich
Baron (der sich im Spandauer Gefängnis erhängte), Kurt
Hiller (1933/34 im KZ), Hermann Duncker und Karl August
Wittfogel (1933/34 im KZ) sowie Theodor Lessing (der
1933 in Marienbad von einer faschistischen Fememord-
organisation ermordet wurde). Ein Schreckensbericht, wie
so viele der Zeit, doch auch ein Zeugnis vom Geist des
Widerstandes. Das Heroische wurde von selbst sichtbar, wie
auch in verschiedenen Berichten von Schriftstellern über ihre
KZ-Erfahrungen. Unter ihnen errang Bredels dokumentarischer Roman *Die Prüfung* (1935) besonders breite Reso-

nanz. Daneben sind *Die Moorsoldaten* (1935) von Wolfgang Langhoff, *Schutzhäftling 880* von Karl Billinger (d. i. Paul Massing) und *Dachau* (1936) von Walter Hornung (d. i. Julius Zerfass) zu nennen und als die wohl umfassendste und durchdringendste romanhafte Dokumentation der Zeit *Staatliches Konzentrationslager VII* (1936), das Wittfogel unter dem Pseudonym Klaus Hinrichs veröffentlichte.

Vieles an dem kämpferischen Optimismus kommunistischer Autoren schloß an die vor 1933 angenommene Haltung an. Wie stark allerdings der illegale Kampf improvisiert werden mußte, beleuchtete Heinz Liepman (1905–1966) in den dokumentarischen Romanen *Das Vaterland* (1933) und ... *wird mit dem Tode bestraft* (1935) über den Widerstand in Hamburg. Liepman lieferte eine scharfe Kritik am Versagen der kommunistischen und sozialdemokratischen Parteileitungen, arbeitete dann die Leistungen der auf sich gestellten Widerstandskämpfer beim Aufbau ihrer illegalen Organisation um so nachdrücklicher heraus. Otto, der Held in ... *wird mit dem Tode bestraft,* hat die Organisation gerade einigermaßen aufgebaut, als er von seinem der SS angehörigen Schwager verraten und von den Nationalsozialisten auf bestialische Weise ermordet wird. Wenngleich Bredel in *Dein unbekannter Bruder* (1937) keine solche Kritik an den Parteiführungen vorbrachte, ließ er erkennen, wie gering der Spielraum des illegalen Kampfes geworden war.

Das Auftreten von Jan Petersen als Vertreter der kämpfenden Antifaschisten in Deutschland auf dem Internationalen Schriftstellerkongreß 1935 in Paris — als »Mann mit der schwarzen Maske« — bildete den Höhepunkt in der öffentlichen Anerkennung des Widerstandskampfes. Der Kongreß erhob sich spontan, ehrte den Redner stumm — es war totenstill im Saal. (André Gide wiederholte danach die Rede auf französisch.[29]) Aber für Petersen war weitere Arbeit in Deutschland nicht mehr möglich; die folgenden Jahre wurden zu den dunkelsten des Widerstandes.

Neben den zahlreichen Rundfunksendungen, mit denen man im Ausland — von der Londoner BBC bis zum Moskauer Deutschen

Freiheitssender — nach Deutschland hineinzuwirken versuchte, wobei literarische Beiträge deutscher Schriftsteller eine wichtige Rolle spielten, sind die Bemühungen zu erwähnen, mit Tarnschriften in kleinem Format eine Verbindung herzustellen, sowohl zum Zweck allgemeiner antifaschistischer Propaganda als auch zu dem spezifischer Kampfanleitung und Information.[30] Viele politische Publikationen (zu 80 % von Kommunisten herausgegeben) fanden in Heftchen mit Titeln wie *Die Bastelwerkstatt* (Anleitung zur Herstellung illegaler Literatur), *Warum nicht ein Musikinstrument?* (Dimitrovs Rede im Reichstagsbrandprozeß), *Gebrauchsanweisung für die Dollina* [Fotoapparat] (Volksfrontreden von Heinrich Mann, Breitscheid, Ulbricht, Münzenberg u. a.), Ludwig Tieck, *Der Runenberg* (Reden von Stalin und Molotov 1936) ihre Leser, wobei, wie das letztgenannte Beispiel zeigt, durchaus doppeldeutige Kombinationen entstanden, gewollt oder ungewollt. Was es nach dem Heftchen *Die Bastelwerkstatt* zu basteln gab, läßt sich auf Seite 19 erkennen: Flugblätter, Handzettel, Klebezettel, kleine Plakate mit antifaschistischem Inhalt. Zuvor, auf Seite 4, wird der illegalen Literatur, zumal den Betriebszeitungen, zentrale Bedeutung zugesprochen.[31] Immerhin erschienen zur regelmäßigen Unterrichtung in Kleindruck bzw. Tarnung von seiten der Kommunisten Zeitschriften wie *Kommunistische Internationale*, *Westdeutsche Kampfblätter*, *Die Internationale*, *Die Rote Fahne*, *Die Junge Garde*, von seiten der Roten Hilfe *Tribunal*, von seiten der KPO *Gegen den Strom* und *Der Internationale Klassenkampf*, von seiten der Sozialdemokraten, die mit dem *Neuen Vorwärts* nach Deutschland zu wirken versuchten, *Sozialistische Aktion* u. a. Eine ›Anthologie‹ von Tarnschriften kam selbst als Tarnschrift heraus: *Unser Kampf. 200 Beispiele aus dem antifaschistischen Kampf in Deutschland mit Abbildungen von illegalen Zeitungen.* Das Heft erschien 1935 unter dem Titel *Geographisch-statistisches Handbüchlein 1935* und warb um eine Einheitsfront der deutschen Arbeiter innerhalb der Volksfrontbewegung.[32]

Diese Tarnpublikationen hatten für (belletristische) Literatur, außer für Agitations- und Kampfgedichte, wenig Raum. Dennoch rückte die Literatur mit der offiziellen Wendung der Kommunisten zur Volksfrontpolitik 1935 zu einem der häufiger behandelten Themen auf. Nach 1935 finden sich auch in den Tarnausgaben der *Roten Fahne*, *Internationale* etc. theoretische Auseinandersetzungen mit dem Kulturerbe und Hinweise auf dessen Verwendung für den Widerstand.[33] Hier wurde in der

Tat eine wichtige Möglichkeit oppositioneller Verständigung gegen den Nationalsozialismus berührt. Als Beispiel sei der Beitrag *Unsere klassische Literatur gegen die Tyrannenmacht* in der illegalen *Roten Fahne* 1938 angeführt, der mit der Erklärung beginnt: »Geeignet für Veranstaltungen der ›KdF‹, der Hitlerjugend und für die Dit-Abende der Sportler. Nachfolgend geben wir einige Hinweise auf den reichen Schatz unserer klassischen Literatur, die Zeugnis gegen die heutige undeutsche Tyrannei und Volksunterdrückung Hitlers ablegt. All diese Werke sind *legal* zu kaufen (billige Ausgaben bei Reclam) oder in Büchereien zu leihen. Bei ihrer Aufführung oder Vorlesung kann man von Mund zu Mund die Diskussion über ihren wahren Sinn organisieren, als einen Teil unseres Freiheitskampfes gegen die nazistische Tyrannei.«[34] Es folgen erläuternde Hinweise zu Schiller, *Don Carlos* (3. Akt: Posa fordert Gedankenfreiheit), *Wilhelm Tell* (2. Akt: Rütliszene, in der Schiller »das Recht des Volkes auf Revolution gegen einen unerträglichen Druck« anerkennt), *Kabale und Liebe* (2. Akt: Auflehnung Millers gegen polizeiliches Willkürregiment); Lessing, *Nathan* (Ringparabel), *Emilia Galotti* (Schluß des 1. Aktes: Worte des Camillo Rosta: »Ein Todesurteil recht gern«; 2. Akt: Die Szene des Banditen Angelo, der einen vom Minister befohlenen Mord als Raubmord zu tarnen hat); Goethe, *Egmont* (4. Akt), *Götz* (3. und 5. Akt); Hölderlin, *Hyperion* (Die Klage über die Deutschen); u. a.

Getarnte Beiträge emigrierter deutscher Schriftsteller waren selten und standen zumeist im Zusammenhang mit der Volksfrontpolitik. Heinrich Mann, der selbst verschiedene Appelle und Reden beisteuerte, betonte die Notwendigkeit dieser Literatur. Brechts Schrift *Fünf Schwierigkeiten beim Schreiben der Wahrheit* (1934) gelangte unter dem Titel *Praktischer Wegweiser für Erste Hilfe* nach Deutschland, Thomas Manns Briefwechsel mit der Universität Bonn 1937 unter dem Titel *Briefe deutscher Klassiker*. Eine Publikation verdient besonders hervorgehoben zu werden; die vom Schutzverband Deutscher Schriftsteller und der Deutschen Freiheitsbibliothek in Paris 1935 herausgegebene Broschüre *Deutsch für Deutsche*. Sie brachte auf über 200 kleinformatigen, kleingedruckten Seiten einen Querschnitt durch die kämpferische Exilliteratur, und zwar Gedichte, dramatische Szenen, Ausschnitte aus Prosawerken und politischen Abhandlungen. Alle Richtungen der Volksfront waren vertreten, von Bredel, Anna Seghers, Kläber, Brecht, Becher,

Scharrer, Fritz Brügel, Kantorowicz, Theodor Balk, Regler, Walter
Schönstedt über Heinrich und Klaus Mann, Lion Feuchtwanger
und Ernst Toller bis zu Emil Ludwig, Bruno Frank und Rudolf
Olden. Kurz zuvor hatte der Schutzverband Deutscher Schriftsteller in Paris die Broschüre *Der Schriftsteller* mit Beiträgen
von Exilautoren an einige hundert Schriftsteller in Deutschland
geschickt und Echo gefunden — auch in Form scharfer Polemik
von Goebbels, welcher der Aktion damit breitere Resonanz verschaffte.

Erich Weinert, der bei solchem ›Import‹ wohl meistver-
breitete Autor, bezog sich auf diese Aktionen, als er 1935
auf dem Pariser Schriftstellerkongreß allzu optimistisch davon sprach, daß man sowohl an die »intellektuellen Schichten« als auch an die »Massen des empörten Volkes« heran-
komme.[35] Wie gering das Interesse der intellektuellen
Schichten und die Empörung des Volkes im allgemeinen
war, erwiesen die folgenden Jahre, in denen Hitler, der von
den Westmächten mehr und mehr freie Hand bekam, zum
Gipfel seiner Macht emporstieg. Die Saarabstimmung 1935,
bei der er den Nationalismus voll ausspielte, setzte die
Zeichen. Die von den Kommunisten gebrauchte Gegenüberstellung von Versprechung und Wirklichkeit des Dritten
Reiches verlor an Wirkung, zumal mit Hitlers Ausschaltung
der SA, in der sozialistische Tendenzen vorhanden gewesen
waren.

Was die Arbeiter selbst betrifft, so wird deren Situation
zwischen Terror und nationaler Gemeinschaftspropaganda
erst langsam überschaubar.[36] Hier kann nur darauf hingewiesen werden, daß die Nationalsozialisten zwar aus der
politischen Zersplitterung der Arbeiter größten Nutzen zogen, aber damit nicht schon deren Zustimmung fanden. Die
Rückgliederung von Millionen Arbeitslosen in den Wirt-
schaftsprozeß gewann Hitler zweifellos viele Anhänger, jedoch nahm die betriebliche Situation kaum den Charakter
der harmonischen Leistungsgemeinschaft an, den das neugeschaffene Amt ›Schönheit der Arbeit‹ propagierte und die
Machthaber zur Verfolgung ihrer Ziele brauchten. Auch die
Bewegung ›Kraft durch Freude‹, das Aushängeschild der

Deutschen Arbeitsfront nach Zerschlagung der Gewerkschaften, vermochte die allenthalben konstatierten Schwierigkeiten nicht zu überwinden.[37] In den späteren Jahren, vor allem im Krieg, trat zunehmend die Gestapo in den Vordergrund, um die ›anfallenden Probleme‹ zu lösen.

Der Wirkungsbereich des Amtes ›Schönheit der Arbeit‹ ist wie folgt umrissen worden: »Das Kapital nahm soziale Forderungen der Arbeiter auf und löste sie teilweise ein. Dies teilweise Einlösen wurde dann als das Ganze ausgegeben und galt als der Beweis für das ganz Neue, für die ›nationale Revolution‹. Auf der staatlichen Ebene, in der Sphäre der Politik, übernahmen die Faschisten Teile der Kampfformen und Symbole aus der Arbeiterbewegung. Sie trennten die Form vom Inhalt und stopften in die sinnlos gemachte Hülle ihre politischen Forderungen und Absichten.«[38] Die ästhetische Inszenierung im Betrieb sollte die Produktivkraft Arbeit und damit die Verwertungsbedingungen des Kapitals verbessern.

Zur ästhetischen Inszenierung gehörte auch die Zurschaustellung der Arbeiterdichtung. Max Barthels offener Anschluß an die Nationalsozialisten und Heinrich Lerschs Annahme von deren Ehrungen hat zu einer generellen Verurteilung geführt, gegen die sich ein Autor wie Max von der Grün (geb. 1926) später nachdrücklich gewandt hat.[39] Wohl vermochten die Nationalsozialisten den Mythos von der Befreiung des Volkes, der in vielen Arbeitergedichten vorwaltet, den neuen Zwecken dienstbar zu machen, doch hielten die meisten zuvor bekannten Arbeiterdichter auf Distanz[40], schwiegen (Grisar, Max Dortu, Willi Kagelmacher u. a.) oder gingen in die Emigration (Krille, Zerfass, Schönlank, Kurt Doberer, Martin Grill, Hans Dohrenbusch u. a.), wo sie, wenig beachtet, an ihren Themen und Motiven festhielten. In seinem kritischen Rückblick warf Walther Victor 1939 den Arbeiterdichtern den Mangel an grundsätzlicher politischer Erziehung vor, außerdem das Fehlen einer dialektischen, an der Geschichte der Klassenkämpfe geschulten Betrachtungsweise, ohne sie jedoch → mit Ausnahmen wie Barthel — dem Nationalsozialismus zuzurechnen.[41]

Über die Resonanz der Arbeiterdichtung nach 1933, zumal ihrer nationalsozialistischen Adepten, stehen Untersuchungen noch aus. An Zeugnissen fehlt es nicht. Hier sei nur auf einen von den illegalen *Roten Fahne* kommentierten Artikel im *Völkischen Beobachter* vom 1.11.1935 aufmerksam gemacht, der die Frage aufwarf: »Warum sind die Arbeitssendungen so unbeliebt, warum finden sie so selten ein Echo, warum sind sie, offen und ehrlich gesagt, so oft nichtssagend?« Die *Rote Fahne* fügte an: »Herbert Leisegang meint, daß das Hämmern und Klopfen der Werkstatt (!) in den Hörspielen schon gut gelinge, aber bei den Arbeiterdichtern ›folgt Hymnus auf Hymnus, da wird in beinahe schon feststehenden Wendungen immer wieder das ›Heilige Lied‹ von der Arbeit, der Kohle, dem Eisen usw. angestimmt. Die Gefahr liegt darin, daß nichts so leicht zur unverbindlichen Phrase wird als Hymnen, die sich dauernd wiederholen‹. Was ist − nach Leisegangs Geständnissen − der Hauptgrund für die Ablehnung der sogenannten Arbeiterdichter durch die Rundfunkhörer? Leisegang meint, daß ›sich die Arbeiterdichter noch allzu eng an die Reden unsrer Arbeitsführer anlehnen‹. Sehr richtig! In der Arbeitsfrontversammlung, in der Versammlung des NSV oder NS-Hago hören die Werktätigen die Reden der Naziführer und haben *übergenug* davon. Sie wollen sich denselben Quatsch mit den gleichen Phrasen nicht nochmals von den ›Arbeiterdichtern‹ im Rundfunk vorsetzen lassen!«[42]

Bei der aktiven, konspirativen Widerstandsarbeit von Sozialisten und Arbeitern war für Literatur kein Raum.[43] Im Zentrum standen politische Informationen − auch wenn das, was von draußen hereindrang, kaum ermutigte: die Moskauer Prozesse 1936/38, die Schwäche der Westmächte beim Pakt von München 1938, schließlich der Pakt zwischen Hitler und Stalin 1939/41, der so viele Anstrengungen vergeblich erscheinen ließ. Um so mehr Gewicht kam den zahllosen Aktionen zu, die dennoch unternommen wurden. »In allen diesen neuen Gruppierungen«, hat Wolfgang Abendroth festgestellt, »standen Angehörige aller früheren Richtungen der Arbeiterbewegungen zusammen, wenn auch der Kern häufig (allerdings keineswegs immer) von früheren Mitgliedern der KPD gebildet wurde.« Die Widerstandsgruppen im Zweiten Weltkrieg seien fast alle durch die Gestapo aufgerollt worden. »Aber ihre Tätigkeit und die

Arbeit der politischen Gruppierungen, die in den Zuchthäusern und KZs überdauern konnten, hat es ermöglicht,
programmatische Vorstellungen für die Zeit nach dem Ende
des Faschismus auszuarbeiten, die nicht nur die Wiedererstehung der Arbeiterbewegung nach 1945 möglich gemacht haben, sondern auch die Vorstellungen der Landesverfassungen, die 1946 bis 1948 in den Besatzungszonen entstanden, mitbestimmt haben.«[44]

Dafür lassen sich die Spuren der Literatur im Umkreis
der Zuchthäuser und KZs verfolgen. Wolfgang Langhoff,
der Mitverfasser des berühmten *Moorsoldatenliedes* (1933)
bemerkte zu einer Auswahl künstlerischer Dokumente aus
Konzentrationslagern:

> »Vom rein ›ästhetischen‹ Standpunkt aus ist hier nichts zu
> gewinnen — es sei denn eine Revision und Bereicherung der
> ästhetischen Begriffe des Betrachters. Ich weiß aus eigener Er
> fahrung — und könnte unzählige Beispiele dafür anführen —,
> welche Bedeutung diese künstlerische Selbstbetätigung für die
> Gefangenen in den Konzentrationslagern hatte: wieviel Mut zum
> Widerstand, wie viele Erkenntnisse und welchen Willen zum
> Ausharren und Überwinden diese gemalten, gedichteten, kom
> ponierten Zeugnisse in uns auslösten. Diese Seite des Lebens in
> den KZ-Lagern ist noch viel zu wenig bekannt.«[45]

Zahlreiche Lieder und Gedichte sind erhalten. Neben die
— heimlich und unter größten Gefahren gesungenen — Arbeiterlieder traten neue Lieder wie das erwähnte, von dem
Bergarbeiter Esser im KZ Börgermoor entworfene *Moorsoldatenlied*. Man hat verschiedene Genres unterschieden:
das Marschlied, das zuweilen auf dem Marsch zur Arbeit
gesungen werden konnte und teilweise auf bekannte Soldatenliedmelodien zurückgreift (auch Kontrafakturen zu
faschistischen Liedern); das lyrische Lied, in der Zuchthauszelle entstanden; das Couplet und der Song, die auf illegalen Veranstaltungen im Lager vorgetragen wurden. »Es
mag verwundern, daß ein großer Teil dieser Lieder in leichtem, oft humoristischem und ironischem Ton gehalten ist;
doch hat gerade dieser Ton dazu beigetragen, die Häftlinge
aufzumuntern und sie von Depressionen zu befreien.«[46]

3. Deutsche Schriftsteller in der Sowjetunion

Als 1933 in Moskau offizielle politische Reaktionen ausblieben und der ›Berliner‹ Vertrag von 1926 über wirtschaftliche Zusammenarbeit und politische Neutralität ohne Anstand verlängert wurde, trug das nicht dazu bei, die Verwirrung von Schriftstellern und Emigranten gegenüber dem Phänomen des Nationalsozialismus zu mildern. Die Zeugnisse der ersten Niedergeschlagenheit reichen bis zu Johannes R. Becher. Um so schwerer wog in der Folgezeit, daß die Sowjetunion, der in der Weltwirtschaftskrise viel Bewunderung zugeflossen war, die Herausforderung annahm und damit in noch stärkerem Maße Hoffnungen und Erwartungen auf sich lenkte. Mit der ökonomischen und geistigen Verunsicherung der Krise war seit 1929 der Faktor Sowjetunion mehr als zuvor ins Bewußtsein gerückt. Wie intensiv sich Schriftsteller Mitte der dreißiger Jahre für den kommunistischen Staat interessierten, wie stark viele von ihnen in ›kommunistischen‹ Identifikationsmustern dachten, ist eines der meistkommentierten Phänomene der Intellektuellengeschichte im 20. Jahrhundert und wird noch zur Sprache kommen.

Zunächst sei der Blick denjenigen literarisch-ästhetischen Entwicklungen zugewandt, die sich innerhalb des stalinschen Herrschaftssystems abspielten, denn es machte einen beträchtlichen Unterschied, ob ein sozialistischer Exilautor sich und sein Werk mit den Bedingungen in der Sowjetunion oder denen in den demokratischen Ländern in Einklang zu bringen hatte. Die Ergebenheitsadressen, die Lobpreisungen für Stalin und die UdSSR sowie die ›stalinistischen‹ Elemente in den Werken der meisten in die Sowjetunion emigrierten Autoren müssen von vornherein in diesem Bezug gesehen werden. Eine Wertung kann nur im jeweiligen Fall erfolgen und ist nirgendwo einfach; es spielen persönlich-psychologische, politisch-taktische und ideologische Aspekte herein, die im nachhinein nur schwer zur Gänze zu rekonstruieren sind. Neben Denunziantentum und Machtanmaßung gab es immer auch Bemühungen, hinter offiziellen Konzepten wie ›Realismus‹, ›Nation‹ oder ›Volkstümlichkeit‹ Freiräume für eigene Vorstellungen zu schaffen. Der Bezug zur offiziellen Linie war etabliert, die Intentionen jedoch wiesen häufig in eine andere Richtung. Wie gefährlich dieses Vorgehen war, bezeugen die Namen so vieler Künstler und Schriftsteller, die in den Säuberungen umkamen. Niemand konnte sich nach 1936 der Furcht entziehen, am frühen Morgen abgeholt zu werden. Zwei Aspekte trugen besonders zur Peinigung bei: die scheinbare Wahllosigkeit der Verhaftungen und das Bewußtsein, daß eine Verteidigung nicht möglich war. Wenn seit diesen Jahren der Schicksalsglaube auch unter Kommunisten stark an Boden gewann, dürfte die Begründung nicht schwerfallen.

Angesichts dieser Entwicklungen läßt sich die Feststellung nicht ohne Ironie anschließen, daß die Sowjetunion offensichtlich nur ungern Asyl gewährte. Das Privileg, hereingelassen zu werden, kam nicht jedem Beliebigen zu — was über die Gesamtzahl der liquidierten deutschen Genossen allerdings nichts aussagt. Die UdSSR bemühte sich darum, den Flüchtlingsstrom in die kapitalistischen Länder abzulenken, wo Emigranten der kommunistischen Politik sehr viel nützlicher sein konnten. Die für Betreuung, Unterbringung und notfalls auch Tarnung verfolgter Kommunisten zuständige ›Internationale Rote Hilfe‹ definierte in einem Rundschreiben der Moskauer Exekutive 1936 die sowjetische Haltung mit den Worten: »Die Hauptrichtlinie ist, daß die Emigranten in den kapitalistischen Ländern untergebracht werden müssen. Die Exekutive unterstreicht, daß die Emigration nach der Sowjetunion nur dann genehmigt werden darf, wenn Todesstrafe oder sehr lange Einkerkerung droht oder in Fällen, wo die Auslieferungsgefahr unmittelbar besteht und wo die Sowjetunion die allerletzte Möglichkeit der Asylgewährung darstellt.«[47] Als eine wichtige Ausnahme sei die großzügige Aufnahme österreichischer Schutzbündler nach ihrem gescheiterten Aufstand gegen die Dollfuß-Diktatur 1934 erwähnt, womit allerdings auch in diesem Falle nichts über die jeweiligen Schicksale ausgesagt ist.[48]

Johannes R. Becher, der 1934/35 die Volksfrontpolitik unter Schriftstellern an führender Stelle einleitete und an der Vorbereitung des ›Internationalen Schriftstellerkongresses zur Verteidigung der Kultur‹ 1935 in Paris großen Anteil hatte, lebte nach dieser ›Reisezeit‹ bis 1945 in der UdSSR. Mit seinen vielen Äußerungen der Verehrung zu diesem Land ist er zum Repräsentanten der deutsch-sowjetischen Freundschaft stilisiert worden. Das geschah nicht ganz zu unrecht. Becher formulierte, obwohl er selbst der Furcht vor den Säuberungen Ausdruck gegeben hat, nachdrücklich das Gefühl der Dankbarkeit, in diesem Land zur Zeit des Faschismus Wirkungsmöglichkeiten gefunden zu haben. Bereits vor 1933 war er hier der meistübersetzte sozialistische Schriftsteller aus Deutschland gewesen. Das fand nach 1933 Fortsetzung. Natürlich ist damit nicht schon seine innere Einstellung erfaßt — es gibt zu denken, daß er zeit seines Lebens kein Russisch lernte. Oft ließ er in seinen Gedichten anklingen, daß das Rußlanderlebnis sein Gefühl, Deutscher zu sein, erst richtig ausgebildet habe. Doch wies er darauf hin, daß das auch von der Wertschätzung, die das Nationale in diesem Land erfahre, gefördert worden sei. Es dürfte kein Zweifel daran bestehen, daß er in diesem Punkt seine Überzeugung ganz ausgesprochen hat: in seiner Dankbarkeit, daß er der nach 1933 aufbrechenden, fast ins Exzentrische sich steigernden Liebe zu Deutschland — zum ›richtigen‹, nichtfaschistischen Deutschland — in Rußland hat voll nachgehen können (wenn er damit offenbar auch viel Mißtrauen erweckt hat). Im Eröffnungssonett seines Rußlandbandes *Sterne unendliches Glühen* (1951) schrieb er:

> »Wofür euch aber tiefster Dank gebühr:
> Niemals hat falscher Stolz mir abverlangt,
> Daß ich nicht leiden dürfe, was ich litt.
>
> Ihr littet meines Volkes Leiden mit.
> Dafür, ich weiß, wird reicher euch gedankt,
> Als ich vermag ... Mein Volk dankt einst dafür.«

Eine neue Auflage des Leidens an Deutschland: Becher muß als derjenige sozialistische deutsche Schriftsteller angesehen werden, der sich am stärksten mit den Aspekten der Niederlage von 1933 beschäftigt und die darauffolgende Wandlung der kommunistischen Politik am intensivsten verinnerlicht hat. Becher hatte schon 1919/20 auf das Scheitern der Revolution heftig reagiert, mit tiefer Resignation und religiös-mystischer Versenkung, aus der er dann als Kommunist und proletarisch-revolutionärer Schriftsteller hervorging. Nun reichte seine Reaktion wieder tief hinab, wobei es nicht leicht fällt, zwischen dem inneren »Anderswerden«, von dem er später sprach, und der Anpassung an die neue Parteilinie zu unterscheiden.

Sein Auftritt auf dem 1. Sowjetischen Schriftstellerkongreß 1934 wurde zum offiziellen Auftakt einer — zuvor in Zeitschriften wie *Unsere Zeit* von Hans Günther (1899 bis 1938) umrissenen — Umorientierung sozialistischer deutscher Autoren und stieß bei diesen keineswegs auf ein einhelliges Echo. Oskar Maria Graf hat bissig-ironisch beschrieben, wie Becher, der Organisator proletarisch-revolutionärer Literatur und Gegner alles Bürgerlichen, auf einmal selbstgemachte formstrenge Sonette vorlas und als wegweisend empfahl. Graf gab dem Erstaunen anschaulich Ausdruck, das seit jeher nicht nur Umschwünge der Parteitaktik, sondern auch die Lebensstationen dieses Dichters hervorgerufen haben. In der offiziellen Rede stellte Becher die Sowjetliteratur als leuchtendes Beispiel und als Lehrmeisterin heraus und forderte, ganz im Einklang mit der sowjetischen Programmatik, eine »schöpferische Höherentwicklung der Gestaltungsformen« und eine »reichere ästhetische Kultur«. Klassengedanken und ästhetische Kulturformen sollten sich künftig einander besser durchdringen. Zentral standen die für den Gründer des BPRS in der Tat erstaunlichen Worte:

»Künftig ist die Sache der klassischen deutschen Kultur, die Sache des klassischen Gedankens und der klassischen Dichtung, das edle Erbe der Jahrhunderte endgültig denen übergeben, die die Zukunft in ihren Händen tragen, den deutschen Arbeitern. Sie allein, die im heroischen Kampf stehen für die Befreiung und damit für die Zukunft Deutschlands überhaupt, werden dieses Kulturerbe, das sie lieben, zu erforschen, umzuarbeiten, kritisch zu durchleuchten, ihren neuen größeren Klassenzielen dienstbar zu machen wissen und es einbauen in das Gebäude jener zukünftigen Kultur des Sozialismus, für die sie heute zäh und tapfer kämpfen und bluten und sterben, wenn es not tut.«[40]

Bei genauerem Hinsehen läßt sich schon hier erkennen, wie Becher die Realität für seine Vision des Neuen, Anderen ästhetisierte, wie er die bewunderten breitschultrigen Proleten wieder zu Statisten machte, Statisten eines höheren Schauspiels, für das er seit seiner expressionistischen Jugend die Bühne eingerichtet hatte. In den Betrachtungen, Gedichten und Reden der folgenden Jahre rücken die Arbeiter wieder ins Volk zurück, das die Szenerie füllt, eine Szenerie mit all den Impressionen und Lebensmomenten, Figuren und Stimmungen, die in Deutschland seit der Romantik als zentrale Elemente der kulturellen Selbstdarstellung gepflegt worden sind, und auf die nun die Faschisten ihre Hand legten. Becher, in den zwanziger Jahren fasziniert vom Aufbrausen der Massenchöre, von dem millionenäugigen Kampfkörper der Partei, heftete nun, im Exil, die Augen auf *solche* Momente. Sie dünkten ihm gewichtiger als die Klassenkampfparolen, da in ihnen Daseinsformen sichtbar wurden, Ahnungen der unentfremdeten, harmonischen Gesellschaft, die er für die Zeit nach dem Sieg über den Faschismus erhoffte. Der Kampf galt nicht mehr der marxistisch definierten Ausbeuterklasse, sondern den Faschisten, die das Neuwerden, die »Wiedergeburt« der deutschen Gesellschaft verhinderten.

In dem Gedichtzyklus *Das Holzhaus*, den Becher in dem repräsentativen Gedichtband *Der Glücksucher und die sieben Lasten* (1938) zum zentralen Bekenntnis seiner Wandlung gemacht hat, heißt es:

> »Nicht einen Klang geb ich euch ab, nicht eine
> Der Farben wird freiwillig überlassen,
> Das Sensendengeln nicht und nicht das Läuten
> Der Kühe von den Almen, nichts dergleichen
> Gehört euch.«

Das war die Kampfansage. Daneben steht die Definition des Exils, eines zugleich inneren Exils:

> »Kämpfen ist gut, doch einer muß auch sein,
> Der sie bewahrt, die Landschaft, und im Lied
> Sie aufhebt. Auch das Wort will weiterwachsen
> Und muß gepflegt sein. Brücken des Erinnerns:
> Laßt uns darüber retten, was uns wert
> Und teuer ist, die unverlorenen Schätze
> Des Volks.«

Dann aber erfolgt die Abrechnung mit dem eigenen Verhalten und der vor der faschistischen Machtübernahme praktizierten Politik. Becher erkennt die Verantwortung für die Niederlage gegen den Faschismus an:

> »Zu wenig haben wir geliebt, daher
> Kam vieles. Habe ich vielleicht gesprochen
> Mit jenem Bauern, der den Weinstock spritzte
> Dort bei Kreßbronn. Ich hab mich nicht gekümmert
> Um seinen Weinstock. Darum muß ich jetzt
> Aus weiter Ferne die Gespräche führen,
> Die unterlassenen. Fremd ging ich vorbei
> Mit meinem Wissen, und an mir vorüber
> Ging wieder einer mit noch besserem Wissen.
> O überall war besseres Wissen, jeder
> Besaß die Weisheit ganz. Doch Liebe fehlte
> Und die Geduld. Und das Beisammensitzen.
> Aussprache alles dessen bis ins kleinste,
> Was not tat und was marterte die Seelen.«

Becher spricht von einer sehr persönlichen, sehr menschlichen Verantwortung. So auch in der folgenden Strophe, die sich direkt auf die politischen, ideologischen und literarischen Aktivitäten der Kommunisten vor 1933 bezieht:

> »Das war derselbe Hochmut wie das eitle
> Zurschausichstellen künstlich Aufgeblasener:
> Leicht hab ich mirs gemacht, wenn einer nicht
> Derselben Ansicht war, schön überlegen
> Kam ich mir vor, statt daß ich mit Geduld
> Mich ausgesprochen hätte, nach dem Satz:
> ›Ich laß dich nicht, du segnetest mich denn.‹

Nur an der Oberfläche war ich wohl
Geritzt von jener neuen Wahrheit, denn
Sonst hätt ich mich nicht so vergessen können:
›Wie soll ich meines Bruders Hüter sein?!‹
Unmenschlich ließ ich sie zum Opfer werden
Der tollsten Phrasen, und im Phrasenrausch
Fiel über mich mein eigenes Unvermögen.«[50]

Das ist ein ungewöhnliches Bekenntnis, abgestützt von Bechers Stellung als Kommunist, wenn auch hinzugefügt werden muß, daß es kaum je einen so selbstkritischen politischen Schriftsteller gab, der so vieles von dem Kritisierten doch weiterpflegte. Immerhin dürfte Lukács, der viel mit Becher verkehrte und ihn in dieser Phase stark beeinflußte, mit seiner Feststellung nicht unrecht haben, daß Becher die Wandlungen *zum* Menschlichen auch als eine *im* Menschlichen verstand. Habe Bechers Äußerung auch noch so sehr die äußerlichen Merkmale einer ästhetischen Stilwandlung (etwa zum formstrengen Sonett) getragen, die »wirklichen motorischen Kräfte dieses fruchtbaren Anderswerdens« seien »im Menschlichen, im Politischen« angesiedelt gewesen, »im echten und tiefen Erleben dieser entscheidenden politischen Wandlung«. Nachdrücklich verteidigte Lukács — in Anknüpfung an seine Kritik der proletarisch-revolutionären Literatur — die von Becher seit dieser Phase geschriebene Poesie als politisch. Sie sei politischer, kämpferischer gewesen als zuvor, jedoch in einem neuen Sinn: »Sie konnte ruhig auf alles Plakatmäßige verzichten, denn sie führte das ganze, echte, wirkliche menschliche Leben gegen den marktschreierischen, als Vitalität maskierten Totentanz der Faschisten ins Feld.«[51]

Lukács lieferte damit zugleich ein Plädoyer für sein in den dreißiger Jahren ausformuliertes ästhetisches und politisches Konzept, mit dem er die von Hegel her definierte Totalität für den Kampf gegen den Faschismus fruchtbar zu machen suchte. Die Aktualisierung dieses Totalitätskonzepts zielte über die Auseinandersetzung im BPRS Anfang der dreißiger Jahre hinaus, indem sie in der Dimension menschlicher Entfaltung *die* Gegenposition zu den negativen

(»enthumanisierenden«) Kräften der Zeit, d. h. gegen den Faschismus, umriß. Lukács rührte an die alte Schwäche der sozialistischen Bewegung in Deutschland: den Mangel an einem psychologisch konzipierten Bild vom Menschen, mit dem dieser nicht nur als Funktionsträger der Klasse, sondern als tatsächlich arbeitendes, hoffendes, liebendes, fehlgehendes und sich wandelndes Wesen erfaßt wird. In diesem Sinne achtete er Bechers Entwicklung in den dreißiger Jahren als wirkliche Wandlung und stellte die daraus hervorgehenden Gedichte über die »Kampfpoesien« der proletarisch-revolutionären Phase. Letztere hätten immer nur diejenigen erreicht, die ohnehin schon überzeugt gewesen seien, lautete seine Kritik — und damit verkürzte er das Problem, gerade im Gegenüber zum Faschismus. Etwas anderes ist allerdings seine Ausrichtung des literarischen Menschenbildes auf die Situation nach 1933:

> »Das menschliche Verhalten, in jede Anklage zugleich eine Selbstanklage, in jede Anprangerung einer Schuld die Feststellung einer Mitschuld einzubeziehen, erzwingt — auf der Grundlage des hier geschilderten Universalismus des dichterischen Gehalts — den Kontakt des Gedichts mit einer weitaus breiteren Schar der Angesprochenen. Beide Motive sind entscheidend wichtig. Denn nur ihr Zusammenwirken ergibt, daß die veranlassende Gelegenheit des Gedichts sich mit den wirklichen Problemen des Menschen verbinden kann, ja den Sorgen, Ahnungen und Ängsten auch jener entspringt, die für den Ideengehalt der Dichtung erst zu gewinnen sind.«[52]

Wenn auch erst später formuliert, ist darin Lukács' Volksfrontästhetik in Umrissen zu erkennen. Seine Stellungnahme für eine hegelianisch auf die Totalität bezogene Subjektivität hat in Bechers Werk deutliche Spuren hinterlassen. Spätere Kritiker stellten die Gefahr heraus, die der »einseitigen Überbetonung des Subjektiven« bei Hegel innewohne. Becher habe sie teilweise durch das Studium von Goethe gebannt, vor allem dessen Auffassung, daß die »Gelegenheit« sich im literarischen Werk nicht verflüchtigen dürfe, sondern als »Bruchstück der Erscheinungswelt« in der Gestaltung durch den Dichter objektiv erhalten bleiben müsse.[53] Jedoch konzentrierte sich Becher nach der, wie er zu erkennen gab, mißlungenen Entpersönlichung in der proletarischen Masse nur allzu bereitwillig auf die neuen (alten) Formen einer neuen (alten) Selbststilisierung. Die aktuelle »Gelegenheit«, das aktuelle Erlebnis gewannen dabei nur insofern Gewicht, als sie zur Repräsentanz des Subjektiven beitrugen. Das Subjektive verlor die Funktion des Gegenpols, mit dem sich vorgegebene Perspektiven und Ideologien überprüfen lassen, und wurde selbst zum symbolisch und repräsentativ Wirklichen stilisiert. Becher verfolgte das kontinuierlich weiter; die Essenz ist in dem vielzitierten Satz aus *Das poetische Prinzip* (1957) enthalten: »Indem der lyrische Dichter sich selbst gestaltet, gestaltet er das Problem des Jahrhunderts, wobei dieses ›Selbst‹, die dichterische Persönlichkeit, sich zu einem repräsentativen Charakter auswachsen muß, zu einem Organ, worin das Zeitalter seine eigene poetische Gestalt wiederfindet.«[54]

Die bedeutendsten Publikationen, die aus dieser Poetik subjektiver Repräsentanz hervorgingen, gehören Bechers Exilzeit an: zum einen der Gedichtband *Der Glücksucher und die sieben Lasten*, in dessen zyklischer Anordnung das Bestreben zu erkennen ist, die Gegenwart möglichst umfassend in der Kontinuität kultureller Traditionen zu erschließen, umrahmt vom Preis des neuen Menschen, des kämpfenden Proletariers und Erbauers des Sozialismus; zum anderen der Roman *Abschied* (1940), der ebenfalls das Motiv vom Anderswerden im Mittelpunkt hat, diesmal im stilisierenden Nachvollzug der bürgerlichen Kindheits- und Jugendjahre bis zum Kriegsausbruch 1914. Der Roman ist überaus aufschlußreich für das Bedürfnis nach ›Anderswerden‹, das Becher aus der bürgerlichen Gesellschaft ausbrechen ließ, ohne daß eigentlich sozialistische Motivationen den Weg bestimmten. Das Buch übte zu einer Zeit literarischen Einfluß aus, da eine andere junge Generation ihr ›Anderswerden‹ zu gestalten versuchte: in der Distanzierung von dem im Dritten Reich aufgenommenen Denk- und Verhaltensweisen, ohne daß auch hier eigentlich sozialistische bzw. klassenkämpferische Motivationen den Weg bestimmten. Das ›Anderswerden‹ als literarisches Thema in der DDR setzte geradezu den bürgerlichen ›Irrweg‹ voraus. Man verfolgte ein Höherschreiten, eine Entwicklung, ein Überwinden, jedoch keine klassenkämpferische Auseinandersetzung. Soweit sich damit der Anspruch von DDR-Autoritäten verband, eine sozialistische Literatur zu etablieren, geschah es in der vielbeschworenen Tradition des ›klassischen‹ deutschen Entwicklungsdenkens, auf bürgerlicher Grundlage.

Neben Becher gab Alfred Kurella, der zur Gruppe um die *Internationale Literatur* in Moskau gehörte und um 1960 die

Kultur- und Literaturpolitik in der DDR entscheidend mitformte, der Rückorientierung am ›kulturellen Erbe‹ am intensivsten Ausdruck. Sein Beitrag besteht unter anderem darin, daß er Formulierungen der marxschen Frühschriften für die Propagierung des ›neuen‹ Humanismus fruchtbar machte. In einer überaus lobenden Vorauskritik von Bechers *Glücksucher* klagte sich Kurella mit anderen Schriftstellern an, die Schönheit von Heimat und Vaterland aufgrund eines oberflächlichen (formalistischen und naturalistischen) Kunstbegriffs nicht genügend wahrgenommen zu haben. Es habe zweier Dinge bedurft, um von dem »Bann des Parasitismus« (!) erlöst zu werden: »Der Raub der Heimat mußte die äußerste Form der Besetzung und Unterdrückung des Landes durch die faschistischen Barbaren annehmen. Das war die eine. Und das andere: Wir mußten das Neue, das Märchenhafte: die Inbesitznahme eines Landes durch sein befreites, werktätiges Volk mit Händen greifen, um ganz zu verstehen, wessen wir beraubt waren und was als Preis des Sieges winkte. Die Emigration und die erste wirkliche Begegnung mit der Sowjetunion in der Periode des entfalteten Sozialismus haben diese Wandlung bewirkt. Nun ist die eigene Heimat wieder entdeckt, und wir können sie mit gutem Gewissen bei Namen nennen.«[55]

Hier ist fast Erleichterung zu spüren. Man glaubt geradezu die Schöpferhand am Werk zu sehen, welche die Schatten vom Jahr 1933 wegwischt. In der Auseinandersetzung mit Ernst Bloch schrieb Kurella, die Wandlung sei genau auf das Jahr 1933 datiert, vermied jedoch den Hinweis auf den Faschismus: »Es ist das Jahr entscheidender Siege in der Sowjetunion, es ist das Jahr Dimitroffs, das Jahr, das die Bildung der Volksfront einleitete.«[56] Vom »Parasitismus« vor Hitler geht der Flug der gefallenen Engel somit steil empor zu den humanen Werten, die in den Begriffen ›Klassik‹, ›Heimat‹, ›Vaterland‹ (auch) enthalten sind. Bezeichnend ist das anmaßende Etikett, daß Kurella dem Gedichtband *Der Glücksucher* aufklebte: »Es ist der Anfang unserer, der Antifaschisten, Rückkehr nach Deutschland; unsere Rückkehr als Sieger.«[57]

Bernhard Reich, der als Theaterregisseur das Leben in der Sowjetunion mitverfolgte und in seinem Erinnerungsband *Im Wettlauf mit der Zeit* (1970) aufschlußreiche Beobachtungen festhielt, ging, wenn auch mit Zurückhaltung, auf die Krise ein, in welche die proletarisch-revolutionären Schriftsteller aus Deutschland nach 1933 gerieten. Sie hätten »während des Marsches den Bestimmungsort ändern, den Kompaß umstellen, einen anderen Code, ein anderes Zeitgefühl lernen« müssen. »Das war schwer und mußte für viele eine schöpferische Krise hervorrufen. Eigentlich machten alle sie durch: Becher, Bredel, Scharrer ... und Wolf.«[58] Reich, der selbst in die Mühlen der stalinistischen Terrormaschine geriet, fügte an, alle Schriftsteller seien gezwungen gewesen umzulernen, der eine habe es früher und energischer, der andere später und zögernd getan.

Diese Differenz zeigte sich nur allzu deutlich 1934 beim Moskauer Schriftstellerkongreß. Friedrich Wolf, der mit *Professor Mamlock* (1934) das wohl erfolgreichste antifaschistische Stück dieser Jahre schrieb und in *Floridsdorf* (1935) den Kampf der Wiener Arbeiter gegen das Dollfußregime behandelte, wies polemisch darauf hin, daß die Kampfsituation in der kapitalistischen Gesellschaft andere literarische Formen erfordere als das Leben in der Sowjetunion.[59] Er plädierte für eine Trennung des sozialistischen Realismus in der Sowjetunion von der sozialistischen Kampfliteratur im Westen. Reich, der Wolfs Dramenproduktion der Folgezeit relativ kritisch würdigt, übergeht nicht die fragwürdige »Vermenschlichung um jeden Preis«, zu der es in der offiziellen Literaturtheorie der Sowjetunion kam. Für das Pathos der revolutionären Aktion, das die deutschen Kommunisten pflegten, fehlte in diesem Land zunehmend die Aufnahmebereitschaft. Wolf mußte zurückstekken; ähnlich erging es Piscator, dessen Film nach Anna Seghers' *Aufstand der Fischer von St. Barbara* noch ganz im Zeichen der revolutionären Aktion gedreht war. Beide Theaterleute hatten die Analyse von revolutionären Niederlagen ins Zentrum ihrer Dramaturgie gestellt. Nun fiel es schwer, dem »Persönlichkeitskult des Menschen« Tribut zu zollen. Aber selbst Vsevolod Višnevskij fügte seiner *Optimistischen Tragödie* 1933 einen neuen Schluß an, bei dem die im Kampf zunächst zentralen Matrosen beiseitezustehen und zu schweigen haben, während ›das Volk‹ die Szene füllt.[60]

Das von Piscator und Bernhard Reich angekurbelte Projekt, in

Engels, der Hauptstadt der Wolgarepublik, ein großes deutsches Theater aufzubauen, kam 1936 ins Stocken. Hier bestand die Möglichkeit, für die aus Deutschland geflohenen Theaterleute eine Bühne zu institutionalisieren, die den politischen Kampf gegen den Faschismus mit den Mitteln moderner Theaterkunst führte. Wenn schon die neuen sowjetischen Realismuskonzepte Hindernisse boten, um wieviel mehr die Auswirkungen der stalinistischen Prozesse.[61] Piscator blieb 1936 im Westen. Brecht, der sein Interesse geäußert hatte, verfolgte die Entwicklung aus der Ferne.

Auf dem Schriftstellerkongreß 1934 wandte sich Wolf gegen die Abwertung der Agitation als ›publizistisch‹. Willi Bredel, der kurz zuvor nach dreizehnmonatigem Aufenthalt aus dem KZ Fuhlsbüttel entlassen worden war, protestierte gegen die niedrige Einstufung der proletarisch-revolutionären Literatur. Karl Radek hatte zuvor in seinem Referat nur Marchwitza, Grünberg, Kläber und Plievier genannt. Bredel stellte demgegenüber eine ganze Liste bekannter Namen auf. Ein Auftrumpfen allerdings war auf seiten deutscher Kommunisten nicht möglich. Ihre Niederlage war geschehen, auch wenn sie überdeckt wurde. Das gab den Autoren um die *Internationale Literatur* (Becher, Kurella, Gabor, Erpenbeck, Lukács, Günther u. a.) die Möglichkeit, die Abrechnung, die die Komintern unter Dimitrov mit den begangenen Fehlern veranstaltete, offiziell auch auf die proletarisch-revolutionäre Literatur auszudehnen.

Für Wolf, den erfolgreichsten Autor politischer Kampfstücke zwischen 1928 und 1935, war das besonders schmerzlich. Auch als er später für das 1943 gegründete Nationalkomitee ›Freies Deutschland‹ und den kommunistischen Kulturaufbau nach 1945 arbeitete, vermochte er sich nicht mehr voll ›umzustellen‹, seine Dramen wurden nach 1948 in der DDR immer weniger beachtet.[62] Reich hat von Wolfs Distanz zur Gruppe um die *Internationale Literatur* berichtet; man habe dort Julius Hay (1900–1975), den Autor von konventionell gebauten, sozialistisch inspirierten Stücken wie *Haben* (1934/1936) und *Der Putenhirt* (1937) über das ungarische Dorfleben, gegen Brecht und Wolf als echten großen Dramatiker etabliert.[63]

Mehr Anerkennung fand Willi Bredel bei seiner Umstellung auf die neuen Verhältnisse. Das bestätigte er bereits als Mitherausgeber der Zeitschrift *Das Wort* (mit Brecht und Feuchtwanger), die 1936—1939 die kommunistische Volksfrontpolitik unterstützte. Bredel, der seine proletarisch-revolutionären Romane später als unausgereift beiseiteschob, machte sich nach 1940 daran, die Geschichte der deutschen Arbeiterbewegung in einer Familienchronik einzufangen, womit er ein literarisches Terrain betrat, das man zuvor dem Bürgertum zugerechnet hatte. Seine Romantrilogie *Verwandte und Bekannte* behandelt am Schicksal einer Arbeiterfamilie die Zeit von 1871 bis 1946 (1. Band *Die Väter*, 1941 in der Sowjetunion geschrieben: 1871—1914; 2. Band *Die Söhne*, 1949 veröffentlicht: 1917—1924; 3. Band *Die Enkel*, 1953 veröffentlicht: 1933—1946). Der Trilogie wurde zu recht vorgehalten, daß sich die weitgespannte Konzeption mit der traditionellen Erzählweise nicht bewältigen lasse.[64]

Der Vorwurf, Klassenanalyse und Klassenkampf würden zu unrecht zugunsten von ›Individuum‹ und ›Volk‹ vernachlässigt, erhob sich 1934/35 noch verschiedentlich. Brecht brachte diese Stimmen 1935 auf dem Pariser Schriftstellerkongreß zu Gehör, als die Kommunisten sehr darauf bedacht waren, die Volksfrontpolitik in der Literatur überzeugend zu demonstrieren. Brechts Wort »Kameraden, sprechen wir von den Eigentumsverhältnissen!« fand unter ihnen keine ungeteilte Billigung.[65] Brecht betonte, der Kampf gegen den Faschismus müsse als Klassenkampf geführt werden. Wenn er in der Folgezeit mit der Moskauer Gruppe deutscher Autoren in eine — zumeist hinter den Kulissen geführte — Auseinandersetzung geriet, so hatte daran auch seine Stellungnahme zugunsten der Klassenanalyse Anteil.

Brecht erkannte das Exil zunächst nicht als eine ›neue‹ Grundlage literarischer Produktion an. Entgegen der Wandlungsthematik und Fehlerkritik, die nach und nach in die Diskussionen kommunistischer Schriftsteller einzog, baute er anfangs auf eine Fortsetzung der vor 1933 erarbeiteten ästhetischen Tendenzen. Wie an seinem Stück *Die Rund-*

köpfe und die Spitzköpfe (1933) ersichtlich, hielt er sich eng an die ökonomische Definition des Faschismus, die die Komintern Ende 1933 formelhaft zusammenfaßte. Der ökonomischen Faschismusdefinition bediente sich Brecht im folgenden bei verschiedenen öffentlichen Anlässen. Damit ging seine Hoffnung überein, daß die deutsche Arbeiterklasse den Faschismus aus eigener Kraft überwinden und daß dem Faschismus der Kommunismus folgen werde. Die Theorie vom Faschismus als Sonderfall des Kapitalismus erlaubte es Brecht, die Kritik allgemeiner Erscheinungen des kapitalistischen Systems als Faschismus-Kritik zu bezeichnen. Nur unter dieser Voraussetzung vermochte Brecht beispielsweise die im *Guten Menschen von Sezuan* (1938 bis 1942) aufgezeigte Unmöglichkeit, unter den bestehenden Verhältnissen ein guter Mensch zu sein, als Teil seines Kampfes gegen den Faschismus zu deklarieren.[66]

Doch führt das schon zu einer Phase von Brechts Schaffen, in der das abstrakte Menschenbild seiner Lehrstücke einer differenzierteren Konzeption wich. Kein Zweifel: auch Brecht gab Änderungen Raum. 1938 äußerte er zu Walter Benjamin: »Es ist gut, wenn man in einer extremen Position von einer Reaktionsepoche ereilt wird. Man kommt dann zu einem mittleren Standort.« So sei es ihm ergangen; er sei milde geworden.[67] Ohne diese »Milde« sind die großen Stücke der anschließenden Exiljahre nicht zu denken, nicht die Würdigung des Intellektuellen in finsterer Zeit im *Leben des Galilei* (1938/39), nicht das Eingehen auf die kleinen Mitläufer der großen Kriege in *Mutter Courage und ihre Kinder* (1939) und *Schweyk im zweiten Weltkrieg* (1943), nicht die neue, freie Erarbeitung des Volksstücks in *Herr Puntila und sein Knecht Matti* (1940), nicht die idealische Erhöhung der Güte im *Kaukasischen Kreidekreis* (1944/ 45). Ohne diese »Milde« ist schließlich auch das eindrucksvollste Gedicht über das Exil der deutschen Schriftsteller nach 1933 nicht zu denken: *An die Nachgeborenen*, das mit den Zeilen beginnt:

»Wirklich, ich lebe in finsteren Zeiten!
Das arglose Wort ist töricht. Eine glatte Stirn
Deutet auf Unempfindlichkeit hin. Der Lachende
Hat die furchtbare Nachricht
Nur noch nicht empfangen.

Was sind das für Zeiten, wo
Ein Gespräch über Bäume fast ein Verbrechen ist
Weil es ein Schweigen über so viele Untaten einschließt!«

In diesem Gedicht wird die Hoffnung auf gesellschaftliche
Wandlungen nur mit leiser Stimme vorgetragen; die Aufmerksamkeit gilt den Nachgeborenen, die mit den Unzu-
länglichkeiten dieser Generation Nachsicht üben sollen.

Jedoch bezog sich Brecht mit der Bitte um Nachsicht nicht
auf spezifische Geschehnisse, sprach nicht von der Position
des ›Anderswerdens‹ wie Becher. Er orientierte sich am
Klassenkampf, auch wenn er in den *Fünf Schwierigkeiten
beim Schreiben der Wahrheit* die Schwierigkeiten beschrieb,
dieser Orientierung Ausdruck zu geben. Er scheute nicht
Simplifizierungen bei der Darstellung des Faschismus, etwa
im Stück *Der aufhaltsame Aufstieg des Arturo Ui* (1941),
Simplifizierungen, die er in den privaten Aufzeichnungen
des *Arbeitsjournals* hinter sich ließ (vgl. die Eintragung
am 27. 10. 1941). Dort finden sich einsichtige Analysen zum
Nationalsozialismus, zu Hitler als bürgerlichem Politiker, zu
nationalen Aspekten. Die Aktivität des deutschen Klein-
bürgertums (als der sozialen Massenbasis) erhielt zunehmend Aufmerksamkeit. Auch in seinen Stücken, beispielsweise im *Schweyk*, hat man Zeugnisse dafür gefunden, daß
er sich in den Kriegsjahren von dem zuvor etablierten Fa-
schismus-Verständnis entfernte.[68] Sein ›Realismus‹ in diesen Jahren läßt sich ohne diesen Zug nicht erfassen: die oft
festgestellte Kluft zwischen Theoretischem und Dargestell-
tem gilt auch in diesem Bereich.

So wenig Brecht vor 1933 sein Selbstverständnis als politischer Schriftsteller aus spezifischen Leistungen und Niederlagen der deutschen Arbeiterbewegung bezogen hatte, so
wenig tat er es in der Folgezeit. Er war dem Marxismus vor

allem aus theoretisch-dialektischem Interesse nachgegangen, hatte den Hochkapitalismus von der Stufe der ursprünglichen Akkumulation her definiert. Das Interesse an der marxistischen Dialektik und der kämpfenden Arbeiterklasse begleitete ihn weiterhin. Für die kommunistische Kulturpolitik im Einzugsbereich des stalinistischen Systems konnte er jedoch keine wegweisende Rolle spielen.

Damit richtet sich der Blick wieder auf die Gruppe deutscher Autoren in Moskau, die im Austausch mit den — von den Säuberungen verschonten — KPD-Führern, vor allem Wilhelm Pieck und Walter Ulbricht, Grundgedanken der neuen kommunistischen Kulturpolitik formulierten. Die Erneuerungsideologie, die sich in den sowjetischen Stellungnahmen zum sozialistischen Realismus äußerte, wirkte intensiv genug, um Becher 1937 zu der Feststellung zu beflügeln: »Für das Bemerkenswerteste in der Entwicklung der deutschen antifaschistischen Literatur halte ich die Versuche, die bestrebt sind, uns aus einer wohl jahrzehntelangen Verengung herauszuführen und auf diese Weise mitzuschaffen an dem Entstehen einer wahrhaft nationalen deutschen Volksliteratur.«[69] Gleiche Hoffnungen lassen sich zu dieser Zeit bei Kurella verfolgen, der 1936 im *Wort* mit dem Artikel *Nun ist dies Erbe zuende* ... eine Debatte über den Wert und Unwert des Expressionismus auslöste, die für die Volksfrontdiskussion linker deutscher Schriftsteller Schlüsselcharakter erhielt.[70] So eng sich Kurella bei seiner Propagierung einer neuen Literatur an die offizielle Kampagne gegen Formalismus und Naturalismus anlehnte, so wenig lassen sich in seiner Argumentation persönliche Motive verkennen: offensichtlich wurde die Kampagne als Schutzschirm benutzt, um ältere Kunst- und Literaturauffassungen auch unter den deutschen Schriftstellern durchzusetzen. Immerhin hatte Kurella selbst zu denjenigen gehört, die zur Zeit des Ersten Weltkrieges an die Stelle der untergehenden Kultur des Liberalismus und Kapitalismus eine neue Kultur hatten stellen wollen. Sein eigenes Scheitern machte ihn nun nicht gerade zu einem zuverlässigen Kritiker des Expressionismus. Zwar nahm Kurella im *Schlußwort* 1938 den stärk-

sten Vorwurf zurück, der Geist, dem der Expressionismus
entsprang, habe in den Faschismus geführt, doch hielt er an
der Aussage fest: »Vom Expressionismus haben wir keinerlei kulturelles Erbe zu übernehmen.«[71]

Für die Wirkung der von Kurella und Lukács anmaßend
vorgetragenen ästhetischen Konzepte sind Benjamins Bemerkungen und die Publikation von Brechts (teilweise zu-
rückgehaltenen) Äußerungen aufschlußreich geworden.[72]
Allerdings bedarf es noch einer genaueren Untersuchung
der tatsächlichen Lebensumstände, d. h. der Isolierung und
der politischen Diskussion in Moskau zu dieser Zeit, um die
Differenz in den jeweiligen Perspektiven und Aktivitäten
deutlich zu machen. Eine Gegenüberstellung im abstrakten
Raum genügt nicht.[73]

Isolierung bedeutet in diesem Zusammenhang keine Einschränkung der antifaschistischen Arbeit. Bernhard Reich hat dazu vorsichtig Stellung genommen. Er zählte zu den wichtigsten Namen:
»Johannes R. Becher, Erich Weinert, Willi Bredel, Fritz Erpenbeck,
Hedda Zinner, Hans Rodenberg, Gustav von Wangenheim, Alfred
Kurella, Adam Scharrer, Günther E.[rnst] Ottwalt, Franz Lesch-
nitzer, Maria Osten und andere. Sie bildeten eine autonome Sektion des sowjetischen Schriftstellerverbandes; ihr schlossen sich
Georg Lukács, Julius Hay, Béla Balázs, Hugo Huppert an. Sie
erhielten als ihr Sprachrohr zwei Zeitschriften, die ›IL‹ (Internationale Literatur) und ›Das Wort‹. Daneben veröffentlichte auch
eine allgemeine Tageszeitung, die ›Deutsche Zentralzeitung‹, in
deutscher Sprache literarische Beiträge und Kunstrezensionen. Die
emigrierten Schriftsteller leisteten eine gute antifaschistische Arbeit, die meisten von ihnen gingen in dieser Tätigkeit restlos auf;
und ohne sich darüber Rechenschaft zu geben, lebten und arbeiteten sie als eine Sondergruppe. Meiner Überzeugung nach beraubte
diese Selbstisolierung sie wichtigster Einsichten und Anregungen.«[74] Zu dieser Isolierung trug, wie Erpenbeck bemerkt hat,
die Tatsache bei, daß nur wenige deutsche Exilanten russisch
konnten oder lernten.[75] Die antifaschistische Arbeit, vor allem
am Deutschen Freiheitssender und später für das Nationalkomitee
›Freies Deutschland‹ spielte sich auf deutsch ab.

Besonders wenig ist bisher über die Lebens- und Arbeitsverhältnisse in der schwierigen Periode des Hitler-Stalin-

Paktes 1939–1941 bekannt. Hier dürfte das Wort Isolation zu ergänzen sein. Furcht und Vereinsamung wirkten noch in Bechers Veröffentlichungen der Folgezeit nach. Der Überfall der deutschen Wehrmacht auf die Sowjetunion am 22. Juni 1941 brachte die Exilanten erneut in eine überaus schwierige Situation (wozu auch eine vorübergehende Evakuierung 1941/42 nach Kasachstan gehört), doch ermöglichte er ein aktives Engagement. Es lief ab Juli 1943 in der Arbeit des Nationalkomitees ›Freies Deutschland‹ zusammen, dessen Präsident Erich Weinert wurde.

Die Arbeit der deutschen Exilautoren in der Sowjetunion ist nur unter Einbezug dieser Phase voll zu würdigen. Der Krieg machte die Umbesinnung auf die Faktoren Volk und Nation unabdingbar. Hier erhielten die nationalen Tendenzen von Stalins Politik eine vorübergehende Legitimation im deutschen Bereich. Für die Ermutigung des deutschen Widerstandes gegen Hitler wurde der Appell an Volk, Reich und Nation zu einem zentralen politischen Hebel. Hitlers Vernichtungsmaschinerie ließ sich nicht mit proletarischem Internationalismus aufhalten, die deutschen Frontsoldaten sahen im Kommunismus keine Alternative. Nur anfangs hatten ihnen die Sowjets 1941 solche Losungen entgegengehalten: »Halt! Hier ist das Land der Arbeiter und Bauern! Schießt nicht auf eure proletarischen Brüder!« Ein russischer Propagandaoffizier faßte die Reaktion zusammen:

»Wir appellierten an das Klassenbewußtsein des deutschen Soldaten. Er aber, von Siegen berauscht, verhöhnte uns wegen unserer zeitweiligen Schwäche. Wir waren damals in vieler Hinsicht naiv. Wir konnten uns nicht vorstellen, daß der Faschismus das Klassengefühl vieler Soldaten abstumpfen und durch nationale Überheblichkeit, Hurrageschrei und Trommelwirbel zum Schweigen bringen konnte.«[76]

Auch das gehört zur Geschichte der Faschismus-Definition der Komintern: die Selbsttäuschung der Russen über die Natur des Nationalsozialismus, die dann im blutigsten aller Kriege korrigiert wurde.

Doch lag es nicht zuletzt auch an dieser Definition, wenn die Russen in ihrem Kampf gegen die Deutschen, wo es die

Politik erforderte, gewisse Grenzen setzten, indem sie sich
bemühten, zwischen Faschisten und Deutschen zu unterscheiden, wie es die Westmächte in dieser Weise nie getan haben.
Etwas anderes ist allerdings die Frage, wie weit diese Definition vom russischen Soldaten und von der russischen und
ukrainischen Bevölkerung akzeptiert wurde, die die Deutschen brandschatzen und exekutieren sahen.

Auf die Unterscheidung zwischen Faschisten und Deutschen haben viele Exilierte hingearbeitet. Natürlich gab es
Ausnahmen, und natürlich geschah viel Weißwäscherei von
politischen Fehlern. In der Sowjetunion wurde die Bemühung deutscher Schriftsteller um diese Unterscheidung zu
einer taktischen Hilfe bei den Versuchen, den innerdeutschen
Widerstand gegen Hitler zu unterstützen. Zentral stand
1943 die unter Beteiligung von Soldaten, Offizieren, Schriftstellern (Weinert, Bredel, Becher, Wolf) sowie Politikern
(Pieck, Ulbricht, Anton Ackermann, Edwin Hoernle) erfolgte
Gründung des Nationalkomitees ›Freies Deutschland‹; dazu
kam die Gründung des ›Bundes Deutscher Offiziere‹ aus
kriegsgefangenen deutschen Offizieren. Das geschah zu
einem Zeitpunkt, da die Sowjets mit dem Sieg in Stalingrad
in ihren politischen Optionen wieder freier wurden, Deutschland mit der Wehrmacht aber noch über ein gewaltiges
Machtpotential verfügte. Die Sowjets sahen offensichtlich
eine Chance, die Weiterführung des Krieges mit all den
grausamen Begleiterscheinungen sowie dem völligen Zusammenbruch des Reiches vermeiden zu können, *wenn* die
Deutschen, d. h. die Wehrmacht, Hitlers Herrschaft beseitig-
ten und die Eroberungen aufgäben. Der Propagandafeldzug,
der die Westmächte stark beunruhigte, zielte darauf, dieses
›wenn‹ Wirklichkeit werden zu lassen. Schon 1943 zeichnete
sich ab, was die Alternative sein würde. Das Gründungs-
manifest des Komitees ließ darüber keinen Zweifel:

»Wenn das deutsche Volk sich weiter willenlos ins Verderben
führen läßt, dann wird es mit jedem Tag des Krieges nicht nur
schwächer, ohnmächtiger, sondern auch schuldiger. Dann wird
Hitler nur durch die Waffen der Koalition gestürzt. Das wäre das
Ende unserer nationalen Freiheit und unseres Staates, das wäre

die Zerstückelung unseres Vaterlandes. Und gegen niemand könnten wir dann Anklage erheben als gegen uns selbst.

Wenn das deutsche Volk sich jedoch rechtzeitig ermannt und durch seine Taten beweist, daß es ein freies Volk sein will und entschlossen ist, Deutschland von Hitler zu befreien, erobert es sich das Recht, über sein künftiges Geschick selbst zu bestimmen und in der Welt gehört zu werden. Das ist der einzige Weg zur Rettung des Bestandes, der Freiheit und der Ehre der deutschen Nation.«[77]

Die Gedankenführung ist ganz der deutschen Nation verpflichtet. Der Sozialismus gehörte nicht zur Argumentation. Mochte es die Kommunisten auch Überwindung gekostet haben (die durch Stalins Sowjetpatriotismus erleichtert wurde) — nun argumentierten sie im Bezugsfeld Nation. Wie nachdrücklich sie sich der neuen Linie widmeten, zeigen ihre Bemühungen seit 1939 um eine Uminterpretation der deutschen Geschichte. Die Revolution 1918/19, die sie bis in die dreißiger Jahre hinein als eine gescheiterte proletarische Revolution angesehen und aus deren Scheitern sie eine Zeitlang den Schwung zur endgültigen sozialistischen Revolution zu holen gehofft hatten, wurde nun als eine bürgerlich-demokratische Revolution aufgefaßt, die in gewissem Umfang proletarische Elemente umfaßt habe.[78] Diese bürgerlich-demokratische Revolution müsse man zunächst vollenden; die Kommunisten wollten sich diesem Ziel verpflichten. Es gelte, die Freiheitstradition der Revolution von 1848 in den Volksmassen wieder lebendig zu machen.

In diesem Konzept liegen die Wurzeln der antifaschistisch-demokratischen Programmatik der kommunistischen Nachkriegspolitik.[79] Die Kommunisten waren um so intensiver auf die deutsche Geschichte und ihre progressive Traditionen fixiert, als sie daraus ihre offizielle politische Legitimation für die neue Phase der Deutschlandpolitik bezogen. Indem sie ihre sozialistisch-revolutionäre Orientierung vor 1933 zu einem (vorläufigen) Seitenweg der modernen Entwicklung erklärten, hingen sie um so mehr von der Anerkennung der demokratisch-progressiven Strömungen der deutschen Geschichte ab, als deren Erben und Vollender sie sich hinstellten. Eine große Rolle spielte deshalb der Kampf gegen die Auffassung, die deutsche Geschichte stelle eine einzige Misere dar.[80] Offenbar war eher zuviel Verherrlichung als zuviel Kritik am Platze. Wie unduldsam die Partei im Verfolg dieser Ansichten wurde, und wie stark in der Unduldsamkeit wieder negative Tendenzen der deutschen Nationalgeschichte durchschlugen, bedürfte einer eigenen Untersuchung: ein Großteil der progressiven modernen Kunst zog den Vorwurf auf sich, antinational zu sein, was sich von den früheren Attacken der Rechten gegen den westlichen Liberalismus und Modernismus kaum unterschied.

Johannes R. Becher stellte in den vierziger Jahren mit seinem nationalen Engagement zweifellos einen Extremfall unter den Schriftstellern dar. Ebenso extrem äußerte sich Brecht 1943 gegen diesen »Reformismus des Nationalismus«. Brecht witterte darin die Abwehr der »linksgerichteten« Literatur überhaupt. Er polemisierte gegen Bechers *Deutsche Lehre:*

> »Natürlich ist die ›nationale Friedens- und Freiheitsfront gegen Hitler‹ als taktische Position naheliegend, da eben eine Katastrophe in nationalem Ausmaß durch Nationalismus eingetreten ist oder veranstaltet werden muß. Gegenüber den nationalistischen Zerstückelungs- und ›Deindustrialisierungs‹-Tendenzen muß Widerstand geleistet werden. Aber dazu dieser gigantische Spießerüberbau? Das Nationalistische ist bei Schiller, Goethe, Hölderlin für uns schon unerträglich. Wie spießig dieses ›Urdeutsche‹ im Götz! ›Deutsche Gestalten müssen wir zeigen, in denen das verwirklicht und vorgebildet ist, was uns allen als das neue Bild des deutschen Menschen vorschwebt.‹ Ich lese: ›Eine neue Gemeinsamkeit ist es, die sich bildet, damit Deutschlands Wille geschehe und er durch uns vollzogen werde, und ein Allerhöchstes ist es, das über solch einem Gemeinsamen waltet: der Genius eines ewigen Deutschlands.‹ Nachbar, Euren Speikübel!«[81]

Brecht äußerte sich später anders über Becher (»Dein Werk bis in die Gegenwart überblickend, wurde ich von tiefem und genußvollem Respekt erfaßt«, 1951[82]) und er nahm vorsichtiger zum nationalen Erbe Stellung. Als das von Hanns Eisler verfaßte Libretto zur Oper *Johann Faustus*

1952 bei der Partei scharfe Reaktionen und den Vorwurf des Antinationalen auslöste, stellte er sich vor Eisler, indem er im Sinne der Kritiker zugab, daß die Konzeption von der deutschen Geschichte als bloßer Misere falsch sei, jedoch Eisler selbst als Vertreter dieser Einsicht bezeichnete.[83] Dennoch löste Brechts Entschluß Überraschung aus, Bechers nationales Gedanken- und Schulddrama über die Schlacht von Moskau 1941, *Die Winterschlacht* (1942), mit dem Berliner Ensemble zu inszenieren (Premiere Januar 1955).

Bechers Gedichte nach 1941, die zumeist in der *Internationalen Literatur* erschienen und in den Bänden *Dank an Stalingrad* (1943) und *Die hohe Warte* (1944) gesammelt wurden, stellen wie die zuvor entstandenen Verse Dokumente nationaler Ergriffenheit und Heimatsehnsucht dar und lassen sich neben der Dichtung verschiedener bürgerlicher Autoren dieser Jahre plazieren.[84] Sie waren kaum für die Agitation geeignet. Viele entzogen sich ihr mit einer verinnerlichenden Gebärde, die eher bei Autoren der inneren Emigration zu erwarten war. (Becher verfolgte im übrigen die literarische Entwicklung im Dritten Reich sehr genau.) In seiner Bestimmung der Kunst verwischten sich die Grenzen von äußerer und innerer Emigration. 1944 schrieb er:

>»Die Kunst verhält sich auch diesem Krieg gegenüber nicht untätig, sie wirkt und lebt. Dem oberflächlich Hinblickenden mag ihre Tiefenwirkung entzogen sein. In den Menschentiefen aber, dort, wohin das Geschriebene nicht reicht oder in welcher Wölbung es alsbald achtlos verhallt und wo das Formlose keine Dauer hat, dort leistet die Kunst weiterhin ihre jahrhundertelang bewährte Arbeit, und mit einem für jede andere menschliche Überzeugungsart unnachahmbaren hartnäckigen, innig-stillen Drängen führt sie, unbeirrt und unaufhaltsam, die Menschenseele dem Reich des Guten, Wahren, Schönen und Freien zu, und führt sie ein in die Reihen derer, auf deren Seite der einzig gerechte Krieg steht.«[85]

Dem steht die agitatorische Prosa und Lyrik gegenüber, mit der Erich Weinert zu dieser Zeit an prominenter Stelle den antifaschistischen Kampf unterstützte. Weinert, der anders als Becher und Brecht am Spanischen Bürgerkrieg teilgenommen und — mit Ernst Busch — aufgrund seiner kämpferischen Lieder und Gedichte bei den Internationalen Brigaden zu einem Begriff geworden war, fand nach 1941 wieder ein Betätigungsfeld vor, das seinem Temperament und seinen Fähigkeiten entsprach.

Weinert war zunächst bemüht, in der Propaganda die literarische Stimme zur Geltung zu bringen; das erreichte er als Organisator (mit Bredel und Wolf in der 7. Abteilung der Politischen Hauptverwaltung) wie als Agitationsdichter. In einer bezeichnenden Analyse der Frontzeitung *Die Wahrheit* heißt es 1942 in Weinerts Kritik, daß das Blatt zum überwiegenden Teil mit Heeresberichten, politischen Nachrichten, Meldungen von den Kriegsschauplätzen ausgefüllt sei. Der »überaus wichtigen, sich bewußt an das Gefühl der Soldaten wendenden ›künstlerischen Propaganda‹ — Kurzgeschichten, Gedichte, Epigramme, Satiren, Karikaturen —« werde zu wenig Platz eingeräumt.[86] Mit Weinerts Bemühungen kamen die deutschen Schriftsteller in der Folgezeit tatsächlich wesentlich stärker zu Wort; die *Internationale Literatur* berichtete 1942 in Heft 7/8 von umfangreichen literarischen Aktivitäten für Frontzeitungen, Flugblätter und Radiosendungen. Die Beiträge der Autoren (Weinert, Bredel, Wolf, Kurella, Frida Rubiner, Becher, Klara Blum u. a.) erschienen ohne Verfassernamen; ihre Identifizierung ist zum Teil unmöglich geworden.

Die meisten der in Frontzeitungen und auf Flugblättern verbreiteten Verse — wohl in den größten Auflagen, die Gedichte je gehabt haben — stammten von Weinert. Er fand wiederum zu einer volkstümlichen Sprache, schloß mit zunehmender Dauer des Krieges Satire und Parodie ein. Auch hier spielte die Kontrafaktur von Schlagertexten und faschistischen Massenliedern eine große Rolle.[87] Sie suchten den deutschen Soldaten zum Umdenken und Überlaufen anzuregen.

Auch Weinert hat davon Rechenschaft abgelegt, daß der ursprüngliche Appell an das Klassenbewußtsein des deutschen Soldaten einer falschen Einschätzung der Situation in Deutschland entsprang und geändert werden mußte. Allerdings ist damit nicht schon belegt, daß die literarische Frontpropaganda gegenüber den deutschen Armeen erfolgreich war. Sie war es nicht. Darüber können die Berichte von den vielfältigen Aktivitäten nicht hinwegtäuschen. Wohl liefen

deutsche Soldaten zum Gegner über bzw. ergaben sich freiwillig — bisweilen mit einem ›Weinert-Flugblatt‹ als Pas-
sierschein[88] —, doch geschah das bis in die letzte hoffnungs-
lose Phase des Krieges hinein vergleichsweise überaus selten. Der Kampf, von Hitler als Vernichtungsfeldzug ange-
zettelt, wurde erbarmungslos geführt, auch von den Russen.
Mehr als alle Unbill des Krieges fürchtete der deutsche
Frontsoldat die russische Kriegsgefangenschaft. Sie bedeutete
für ihn Hunger, Siechtum und Tod. Hier gab es keine
Brücke.[89] Hingegen dürften die Gedichte und Prosatexte in
der Agitationsarbeit der Kriegsgefangenenlager einen gewissen Erfolg gehabt haben. Mit ihnen ließ sich leichter ein
Anstoß zum Umdenken geben als mit politischen Reden.

4. Lukács und Brecht

Georg Lukács lieferte Becher für das Wandlungskonzept
wichtige Stichworte, jedoch stand er dessen Nationalismus
fern. Lukács postulierte eine »Umkehr«[90], eine »Schicksalswende«[91], die viel umfassender war, formulierte eine Re-
organisierung, deren Ausmaß nur im Zusammenhang mit
dem kulturellen Erneuerungsdenken vom Beginn des Jahrhunderts zu verstehen ist. Lukács hatte damals gegen die
zentrifugalen Tendenzen der Moderne die Form als Abso-
lutum zu bewahren gesucht; seine Analyse vom Verfall des
Bürgertums und der bürgerlichen Kunst war nicht in die
Maxime der Zerstörung, sondern die der »Reintegration«
der Formen gemündet. Nun nahm er den Vorstoß wieder
auf, nutzte die Gunst der Stunde. Der Vorstoß war gut
vorbereitet, gewann mehr politisches Gewicht als alle früheren Unternehmungen.
Der Bezug auf die frühere Entwicklung ist nicht zu übersehen. Die Schriften, mit denen Lukács nach 1930 eine
kulturelle und literarische Erneuerung propagierte, stellen in
starkem Maße auch Abrechnungen mit den ethisch-ästhetischen Strömungen dar, gegen die er sich selbst entschieden
hatte. Es war zugleich eine Abrechnung mit der eigenen
Vergangenheit, und Lukács, in dieser Abrechnung sehr

strikt, verlangte es ebenso von den anderen, zum erstenmal ausführlich und provokativ im Essay ›*Größe und Verfall*‹ *des Expressionismus* (1934). Im Expressionismus summierte sich für Lukács der Abfall der Moderne (in doppeltem Sinne), eine Bewegung der bloßen Subjektivität, der bloß subjektiv-rhetorischen Erneuerung der Kunst, bei der die Inhalte belanglos und die Formen beliebig wurden und bei der er tiefen Zynismus und Nihilismus am Werke sah. Der Expressionismus-Essay zielt auf all das, was der Kunst immer wieder zum Vorwurf gemacht worden ist: Subjektivität, Oberflächlichkeit, Beliebigkeit, Positivismus und — die ratlose Vermessenheit der Autoren gegenüber einer sich entziehenden Welt. Die Tatsache, daß Goebbels anfangs mit der Anerkennung des Expressionismus liebäugelte, erleichterte Lukács die Verallgemeinerung seines Befundes. Er diagnostizierte den Faschismus ebenso als Fortsetzung des imperialistisch-irrationalistischen Denkens wie den Expressonismus. Am Ende des Essays stilisierte er diese Erscheinungen in Kunst und Politik zur Gegenwelt schlechthin:

»Der Faschismus hat — auch auf dem Gebiet der Literatur — nichts wirklich Neues hervorgebracht. Er faßt alle parasitären, alle Verfaulungstendenzen des Monopolkapitalismus zu einer eklektisch-demagogischen ›Einheit‹ zusammen, wobei freilich die Art der Zusammenfassung und insbesondere die Art der Auswertung zur Schaffung einer Massenbasis für den von Krise und Revolution bedrohten Monopolkapitalismus wirklich neu ist. Neu ist auch der Radikalismus, mit dem jede Erkenntnis der objektiven Wirklichkeit abgelehnt wird, mit dem die irrationalistisch-mystischen Bestrebungen der imperialistischen Epoche bis zur Unsinnigkeit auf die Spitze getrieben werden. Es ist klar, daß daraus auf dem Gebiet der Literatur die radikale Ablehnung eines jeden Realismus folgen muß. [...] Der Expressionismus kommt [...] dieser Abwendung von der Wirklichkeit sowohl weltanschaulich als auch in seiner schöpferischen Methode entgegen. Der Expressionismus als schriftstellerische Ausdrucksform des entwickelten Imperialismus beruht auf einer irrationalistisch-mythologischen Grundlage; seine schöpferische Methode geht in die Richtung des pathetisch-leeren, deklamatorischen Manifestes, der Proklamierung eines Scheinaktivismus.«[92]

Lukács hielt sich nicht zurück. Angesichts seines Angriffs nimmt sich Hegels Kritik an der Realitätsverfehlung der Zeitgenossen vergleichsweise wohlwollend aus. Lukács übertraf Hegel im Ausdruck der Unerbittlichkeit auch dort, wo er, gegen Subjektivismus und Irrationalismus gewandt, die positive Programmatik entwickelte, wo er, auf Hegels Schultern stehend, den Zeigefinger hob, höher als es der Meister selbst konnte, und den Zeitgenossen die Orientierung an der Totalität der Wirklichkeit vorzeichnete, d. h. das (realistische) Erfassen des Objektiven. Angesichts der ideologischen und politischen Entwicklung zum geschlossenen Weltanschauungssystem unter Stalin fiel es ihm nicht schwer, die Fehler der Sozialisten als subjektivistische Verfehlungen anzugreifen. Über die Härte, die er dabei walten ließ, hat Cesare Cases bemerkt: »Obwohl Lukács' Ehrlichkeit und Lauterkeit für jeden, der ihn gekannt hat, außer Zweifel stehen, ist die Mißdeutung einiger Zeitgenossen, wonach seine denunziatorische Geste sie nicht ans Objekt, sondern an Stalins Messer liefern sollte, wohl verständlich.«[93]

Doch bleibt festzuhalten: Lukács suchte das Denken der Zeitgenossen, zumal der Schriftsteller, auf die größeren Zusammenhänge der Epoche zu lenken, stellte sich damit neben, nicht unter die Partei, was oft genug Unbehagen auslöste und eine Zeitlang – um 1940 – überaus gefährlich war. Sein Realitätskonzept wuchs selbst in einen Dogmatismus hinein, aber es war nicht der Dogmatismus der stalinschen Machtpolitik. (In ihr diagnostizierte er die Verengung zum Subjektivismus.)

Was Lukács als objektives Gesetz der Gegenwartsepoche konstatierte, ist ebenfalls nicht von seinen früheren Erfahrungen zu lösen. In starker Vereinfachung läßt es sich so formulieren: Die Revolution ist vorerst vorüber, man muß sich mit den neuen Bedingungen einrichten, um den Sieg des Sozialismus sicherzustellen. Nach 1956, dem Jahr seines Engagements in der ungarischen Erhebung, wehte ihm dann der Wind wieder voll ins Gesicht. Lukács hatte Ende der zwanziger Jahre, im Schatten des heraufziehenden Faschismus, mit seinem Programm der ›demokratischen Diktatur‹

eine breite politische und soziale Basis angestrebt. »Er hatte
erkannt, daß die demokratischen Elemente des Sozialismus
sich mit den nationalen verbinden mußten.«[94] In den dreißiger Jahren war es in diesem Sinne zur Gegenüberstellung
von Faschismus und Antifaschismus gekommen, der man
über 1945 hinweg Gültigkeit zusprach. Lukács hielt diesem
Konzept zugute, daß es den Sozialismus gestärkt und seinen
Einflußbereich ungeheuer vergrößert habe. Nicht der Zusammenstoß Kapitalismus-Sozialismus habe das erreicht,
sondern der breit basierte Kampf von Fortschritt und Reaktion, Dialektik und Irrationalismus, Realismus und Antirealismus. Es seien die Volksdemokratien entstanden; die
chinesische Revolution habe gesiegt. Lukács folgerte: »Das
heißt also: Der Widerspruch, daß unsere Strategie und Taktik nicht von dem fundamentalen Gegensatz der Epoche,
vom Gegensatz zwischen Kapitalismus und Sozialismus bestimmt war, sondern von dem zwischen Faschismus und
Antifaschismus, war ein echter dialektischer Widerspruch,
der Ausdruck der wirklichen historischen Bewegung. So
konnte das konkrete Ergebnis einen gewaltigen Sieg für
den Sozialismus herbeiführen.«[95]

Eine Debatte um Lukács, die diese übergreifenden politischen Vorstellungen ausläßt, gewinnt nicht allzu viel Lehrwert. Als offizielle Antwort auf Lukács dürften die Überlegungen von Wolfgang Heise nach 1956 am meisten Substanz enthalten. Heise verwies 1958 auf Lukács' Koppelung
von Demokratie und Realismus. Lukács habe den Begriff
der Demokratie entpolitisiert; die von ihm konzipierte Front
zwischen Realismus und antirealistischen Tendenzen löse
sich von den wirklichen ideologischen Klassenfronten. Der
Vorwurf an Lukács lautete:

»Wie der Demokratiebegriff den unversöhnlichen Gegensatz
von Bourgeoisie und Proletariat zudeckt, verwischt, so verwischt
sein Begriff des Realismus den Gegensatz zwischen dem bürgerlichen kritischen und dem sozialistischen Realismus, zwischen
bürgerlichem und proletarischem Standpunkt. Entsprechend seiner
politischen Konzeption erfolgt hier eine Unterordnung des sozialistischen Realismus unter ein allgemeines ›demokratisches‹

Ideal des Realismus, der eine harmonische Linie vom klassischen
Realismus des 19. Jahrhunderts über Gorkij bis zu Thomas Mann
darstellt. Daraus ergibt sich, daß die neue Qualität des sozialistischen Realismus gegenüber dem kritischen nicht erfaßt wird,
dieser im Gegenteil den Wertmaßstäben des kritischen Realismus
untergeordnet und — analog der politischen Konzeption — die
Dialektik der revolutionären Romantik, der Perspektive, zugunsten einer chronologischen bloßen Etappentendenz aufgehoben
wird. Das ist aber objektiv eine Preisgabe des proletarischen
Parteistandpunktes in der Literaturwissenschaft. Lukács' Konzeption des Realismus trägt einen objektivistischen Charakter.«[96]

›Objektivistisch‹ und ›objektiv‹: die polemische Negati-
vierung nimmt Lukács' Postulat nach Erkenntnis des Objektiven nicht seine Gültigkeit. In diesem Zusammenhang
würde erst eine genaue Analyse seiner an Lenin angelehnten
Erkenntnistheorie grundsätzliche Wertungen zulassen. Auch
Lukács übertrug in den dreißiger Jahren die leninschen
Äußerungen zur Widerspiegelung vom Gebiet der Erkenntnistheorie auf das der Ästhetik. Mit Hilfe dieser Übertragung brachte Lukács die Welt des Kunstwerks, deren Ge-
schlossenheit er nicht nur anerkannte, sondern forderte, mit
der historischen Wirklichkeit — in einem Austauschprozeß
begrifflicher Art — zur Deckung. Voraussetzung bildete die
im leninschen Sinne geschichtsphilosophische Interpretation
der Wirklichkeit als Totalität, zu der das Kunstwerk in
eine Entsprechung tritt.

Lukács blieb nicht beim Hinweis auf die Entsprechung stehen.
Er machte deutlich, daß der Kunst eine Erkenntnisfunktion zukomme, die sie über jede naturalistische Widerspiegelung stelle.
Dazu schrieb er in dem zusammenfassenden Aufsatz *Kunst und
objektive Wahrheit* (1954): »Indem der Künstler Einzelmenschen
und Einzelsituationen gestaltet, erweckt er den Schein des Lebens.
Indem er sie zu exemplarischen Menschen, Situationen (Einheit
des Individuellen und Typischen) gestaltet, indem er einen möglichst großen Reichtum der objektiven Bestimmungen des Lebens
als Einzelzüge individueller Menschen und Situationen unmittelbar erlebbar macht, entsteht seine ›eigene Welt‹, die gerade darum
die Widerspiegelung des Lebens in seiner bewegten Gesamtheit,
des Lebens als Prozeß und Totalität ist, weil sie in ihrer Ge-

samtheit und in ihren Details die gewöhnliche Widerspiegelung der Lebensvorgänge durch den Menschen steigert und überbietet.«[97]

An diese Vorstellung, die zugleich dem Scheincharakter des Kunstwerks Rechnung trägt, schloß Lukács die grundsätzliche Bemerkung an, daß die künstlerische Widerspiegelung nicht auf einer »toten und falschen« Objektivität beruhe, sondern aus einer Parteinahme erwachse. Unter Berufung auf Lenin stellte er fest, »daß diese Parteinahme nicht vom Subjekt willkürlich in die Außenwelt hineingetragen wird, sondern eine der Wirklichkeit selbst innewohnende treibende Kraft ist, die durch die richtige, dialektische Widerspiegelung der Wirklichkeit bewußt gemacht und in die Praxis eingeführt wird.«[98] Mit besonderer Genugtuung zitierte er Engels' Bemerkung im Brief an Minna Kautsky, daß die Tendenz aus der Situation und Handlung selbst hervorspringen muß, ohne daß ausdrücklich darauf hingewiesen wird. Von Lenins Aufsatz *Parteiorganisation und Parteiliteratur* war nicht die Rede.

Inwiefern sich Lukács bei der Hinzunahme von Lenins Äußerungen zur Widerspiegelung ebenfalls einer scholastischen Kombination von Aussagen bediente, braucht hier nicht dargelegt zu werden. Aufschlußreich ist immerhin die Tatsache, daß er die Widerspiegelung später in seiner *Ästhetik* (1963) sehr viel stärker in traditioneller Weise als ›Mimesis‹ faßte, d. h. daß er an Aristoteles anknüpfte, wo er die aktive und künstlerische Funktion des Geistes definierte.

Auch hier gilt: Lukács stellte sich neben die Partei, nicht unter die Partei, und Heises Vorwurf, Lukács habe die neue Qualität des sozialistischen Realismus nicht erfaßt, stimmt durchaus, wenn auch in anderem Sinne. Für Lukács ließ sich die ›neue‹ Qualität der Parteiliteratur nicht erfassen. Die Gleichsetzung von Objektivität und Parteilichkeit sah er von naturalistischen und subjektivistischen Konzepten gefährdet.

Lukács hielt sich demgegenüber an die These vom ›Sieg des Realismus‹, die er und Lifšic bei der Aufarbeitung der ästhetischen Äußerungen von Marx und Engels in den dreißiger Jahren entwickelten. Hierbei geht es um die Äußerung Engels' im Brief an Margaret Harkness über Balzac: daß der Realismus in einem Werk den (politischen und ideologi-

schen) Ansichten des Autors zum Trotz durchbrechen könne.
Engels nennt es »einen der größten Triumphe des Realismus« (MEK 1, 159), wenn Balzac in seinem Werk entgegen
seinen Klassensympathien die zukünftige gesellschaftliche
Entwicklung richtig antizipiert habe. Gemäß der von Lukács
und Lifšic vertretenen These vom ›Sieg des Realismus‹ kann
die künstlerische Kraft eines Werkes über die ideologischen
›Fehler‹ des Autors antizipatorisch hinausweisen, andererseits verbürgt die ideologische Linientreue nicht von vornherein künstlerische Qualität. Bei dieser These berief man
sich auch auf Lenins Bemerkungen über Tolstoj, auf Lenins
Lob von Tolstojs großartiger, für die Arbeiterklasse unentbehrlicher Darstellung der russischen Gesellschaft trotz dessen mystischer, anarchischer, ›falscher‹ Weltanschauung. Die
These diente somit häufig der Bekämpfung des dogmatischen »Durchpolitisierens«[99], das Literatur und Literaturkritik im Stalinismus aufs stärkste einengte. Mit einem
Realismusbegriff, der historisch und zugleich überhistorisch
war, erarbeiteten Lukács und Lifšic der künstlerischen
Äußerung einen gewissen Freiraum, ohne die Parteischolastik unmittelbar herauszufordern.

Dieser für die Kunst und mittels der Kunst bewahrte
Freiraum trug mit dazu bei, daß der Sozialismus in der Zeit
stärkster Repression bis zu Stalins Tod für zahlreiche Zeitgenossen sein Gewicht als Konzept künftiger Menschheitsbefreiung behielt. Das ging überein mit den generalisierenden Gegenüberstellungen von ›Fortschritt‹ und ›Reaktion‹,
›Demokratie‹ und ›Faschismus‹, ›Realismus‹ und ›Antirealismus‹, die den Kampf der Volksfront gegen den Faschismus begleiteten, aber auch bei den Bemühungen nützlich waren, den Stalinismus zu unterlaufen. Dieses Phänomen hebt den Vorwurf, Lukács habe es an klassenkämpferischem Geist mangeln lassen, nicht auf. Jedoch verlor die
Feststellung, daß die Parteilichkeit der Kunst vom Stand
der Klassenauseinandersetzungen abhänge, im Stalinismus
ihre Unschuld.

Etwas anderes ist die Definition der Formen, mit welcher
Lukács sein Objektivitätspostulat in die Praxis umzusetzen

suchte. Hierbei war schon Hegel auf genügend Schwierigkeiten gestoßen. Lukács verwies auf den Realismus des
19. Jahrhunderts, der bei Balzac und Tolstoj die Wirklichkeit als gesellschaftliche Totalität erfahrbar macht. Die Linie
führt bei Lukács zu Romain Rolland, Gorkij, Thomas und
Heinrich Mann, Autoren, die, wie Lukács 1938 im Essay
Es geht um den Realismus konstatierte, in ihrem Werk
das »Epochengesetz« erkennbar werden ließen und »die
lebendigen, aber unmittelbar noch verborgenen Tendenzen
der objektiven Wirklichkeit so tief und wahr [gestalteten],
daß ihre Gestaltung von der späteren Wirklichkeitsent-
wicklung bestätigt wird«.[100] Das erforderte auf seiten von
Lukács den ständigen Nachweis des ›Richtigen‹ in diesen
Werken. Indem er diese Darstellungsweise auch für die
Gegenwartsepoche verlangte, stieß er mit zahlreichen zeitgenössischen Schriftstellern, vor allem Brecht, zusammen.

Bei den Untersuchungen zu dieser Konfrontation[101] fällt
auf, wie wenig das Konzept der Gegenwartsepoche, auf das
Lukács seine Realismusdefinition bezog, vom Kampf gegen
den Faschismus her behandelt worden ist. Erst unter diesem
aktuellen Aspekt aber läßt sich die Intensität verstehen, mit
der Lukács die freie Entfaltung des Menschlichen — in nachvollziehbaren Charakteren — mit der Perspektive der Epo-
chentotalität zusammenordnete. Zwei Intentionen vor allem
lassen sich unterscheiden: zum einen Lukács' Bemühen um
Durchsetzung seiner nachrevolutionären Epochendeutung
(was schon in seinen *Linkskurve*-Artikeln spürbar wird),
zum andern das Bestreben, den Faschismus mit einem
›ganzen‹, im freien Individuum verankerten Gegenentwurf
zu kontern (woraus sich seine Vorbehalte gegenüber der
›punktuellen‹ Tendenz- und Dokumentationsliteratur der
Exilierten erklären). Die zitierten Bemerkungen zu Bechers
Exillyrik liefern zu letzterem einen aufschlußreichen Kommentar. Lukács stellte das — in seiner Definition — »echte,
wirkliche« Leben gegen den Totentanz des Faschismus. Die
Verurteilung der modernen Bewegungen als oberflächlich-
beliebig, irrational und antirealistisch wurde ihm zum Hebel
antifaschistischer Literatur.

In diesem Zusammenhang ist auch der Satz zu sehen, den Lukács 1938 im *Wort* schrieb: »Die lebendige Macht der antifaschistischen Literatur ist ihr wiedererweckter Humanismus.«[102] Um diesen Humanismus zu belegen, wies Lukács immer wieder auf Thomas Mann hin. Lukács benötigte eine Literatur repräsentativer Gestalten und Geschehnisse, in denen der humanistische Gegenentwurf zum Faschismus mitvollziehbar würde. Er verlangte dafür von der Literatur den katharistischen Vorgang, den reale Erlebnisse im Menschen bewirken können, und der ein »ständiges und bedeutendes Mittel des gesellschaftlichen Lebens« darstelle. Mit den Worten von Rainer Rosenberg: »Katharsis ist für Lukács damit eine Kategorie nicht nur der Tragödie, sondern der Kunst schlechthin und, ›wie alle wichtigen Kategorien der Ästhetik, eine Kategorie, die aus dem Leben selbst in die Kunst gekommen ist‹. Lukács beschreibt die Katharsis, die das Kunstwerk im Menschen bewirkt — entsprechend seiner Auffassung vom Erkenntnischarakter der Kunst als fortschreitendem Abbau der Fetischisierung — als ›eine Art Scham darüber, etwas, das sich so ‚natürlich‘ in der Gestaltung darbietet, im eigenen Leben nicht wahrgenommen zu haben‹, Erschütterung über ›eine vorhergehende fetischisierte Betrachtungsweise der Welt, ihre Zerstörung durch ihr entfetischisiertes Bild im Kunstwerk‹ und ›Selbstkritik der Subjektivität‹ in einem als einen Akt, der im Menschen den Vorsatz entstehen lasse: ›Du mußt dein Leben ändern‹.«[103]

An die Verwirklichung dieser Maxime setzte Lukács viele Hoffnungen, im ästhetischen wie im politischen Bereich. An Becher achtete er die Umbesinnung eines Kommunisten zur ›ganzen‹ Menschlichkeit. Viel mehr aber beschäftigten ihn die Möglichkeiten der Wandlung zur Menschlichkeit im faschistischen Deutschland. Lukács gab sich über die Gewalt, mit der sich der Faschismus in den Deutschen festgesetzt hatte, keinen Illusionen hin. Vom Klassenbewußtsein der Arbeiter erwartete er keine Änderung. In seinen Essays nach 1943 betonte er, daß die ›Gegenwelt‹ des Faschismus nach Kriegsende ohne eine Wandlung nicht überwunden werden könne. Der zentrale Aufsatz *Schicksalswende*, in dem er 1944, ausgehend von Betrachtungen zum Todeslager Lublin, die politischen Möglichkeiten der Deutschen umriß, zeigt die Überschneidung politischer und ästhetischer Kategorien besonders deutlich. Hier wird die Dramendefinition des

Aristoteles herangezogen, in welcher Peripetie und Erken-
nungsszene nahe beieinander stehen, um die politische Entscheidungssituation der Deutschen zu kennzeichnen. Es
heißt: »Für das Subjekt ist das Erkennen seiner selbst und
seiner Mithandelnden — die Folge seiner Einsicht in die
wahren Wesenszusammenhänge — der Augenblick der echten Schicksalswende.« Die Stunde der Schicksalswende habe
für die Deutschen geschlagen: »Objektiv sind im Lubliner
Lager alle Elemente der Peripetie für das deutsche Volk, für
jeden ehrliebenden, mit seinem Volk verbundenen Deutschen vorhanden.«[104] Die heutige Entscheidung werde morgen schon die objektive Voraussetzung für das Leben des
deutschen Volkes sein.

Lukács verlangte kein Aschenkreuz auf der Stirn der
Deutschen. Seine Skepsis gegenüber der Umbesinnung
drückt sich in der Feststellung aus, daß die zivilisierte Welt
»institutionelle Garantien« schaffen müsse, »damit keine
objektive Möglichkeit zu einem nochmaligen deutschen Er-
oberungskrieg vorhanden sei« — »unabhängig davon, auf
Grundlage welcher Erwägungen und Entschlüsse die Deutschen ihre eigene Zukunft aufzubauen bestrebt sind«.[105]
Dazu fällt der Kommentar nicht allzu schwer. Jedoch plazierte Lukács die Schicksalswende als Notwendigkeit an die
allererste Stelle. Die Faktoren Klassenbewußtsein und Klassenkampf standen beiseite; um so mehr wurde ihm die
neuere deutsche Geschichte, insbesondere die Entwicklung zu
Wilhelminismus, Imperialismus und Nationalsozialismus
zum Argument für eine Wandlung. Aus dieser Entwicklung
sollten die Deutschen ihre Katharsis erfahren. Lukács lag
damit in einer Linie mit vielen, auch kommunistischen Zeitgenossen, welche die Deutschen bei Kriegsende dazu an-
hielten, aus den Fehlern von 1918 zu lernen. Immer spielte
die Demokratisierung in den Argumenten eine zentrale
Rolle. Damit läßt sich eine Kontinuität zu den Hoffnungen
von 1918 beobachten, aber es wurden zugleich auch generelle Einsichten ausgesprochen, deren Gültigkeit in Deutschland nicht an einzelne geschichtliche Daten gebunden ist.
Lukács hat es in dieser Formulierung zusammengefaßt:

»[Die] Verherrlichung der politischen Unfreiheit und Rückständigkeit Deutschlands verkrüppelt in jedem einzelnen Deutschen die demokratische Selbstachtung, die auf öffentliche Meinung appellierende und mit ihr tief verbundene persönliche Selbständigkeit, die eben deshalb oft tapfer gegen den Strom zu schwimmen vermag (Zola und Anatole France in der Dreyfus-Affäre), die echte Ehrfurcht vor der eigenen Persönlichkeit und dem eigenen Menschentum, vor der Persönlichkeit und dem Menschentum anderer, seien es einzelne Menschen oder ganze Völker.«[106]

Lukács' Entwurf einer Erneuerung der Demokratie aus dem Geiste des Sozialismus zielte weit über Deutschland hinaus, stützte sich aber besonders auf die deutsche Fehlentwicklung der Demokratie, an der er zugleich die Niederlage des Humanismus exemplifizierte. Die Erneuerung aus dem *Geiste* des Sozialismus: diese Formulierung läßt sich darin begründen, daß Lukács die *Praxis* des Sozialismus im Stalinismus zunehmend weniger akzeptieren konnte, wenn auch seine offiziellen Äußerungen erst lange nach dem Krieg Klarheit erreichten. Nach dem XX. Parteitag der KPdSU 1956 drängte er schließlich unablässig auf eine Abrechnung mit dem Stalinismus als Voraussetzung der Regeneration des Sozialismus.

Die Niederlage des Humanismus sah Lukács in der Unfähigkeit der Demokratie gegründet, sich allein mit den verbrauchten vorrevolutionären Aufklärungsidealen (die man zudem »selbstzersetzend skeptisch« angewandt habe) gegen den Faschismus zu verteidigen, der ohne jede humanistische Skrupel verfahren sei. Die Forderung laute dagegen, über die jakobinischen Ideale hinauszugehen und eine konkrete und positive Stellung zum Sozialismus zu gewinnen. Das hätten »die hervorragendsten Humanisten unserer Zeit« getan. Es bedeute durchaus nicht, »daß sie unbedingt Sozialisten werden mußten, sondern bloß, daß sie den gesellschaftlichen Inhalt der Demokratie konkreter, real-humanistischer, über den alten Formalismus hinausgehend erfaßt haben; daß sie einzusehen beginnen, daß die Gewalt des antihumanen, die Gewalt des entfesselten Rassenwahnsinns nur mit Gewalt: mit der Macht des zum demokratischen Leben erwachten Volkes überwältigt werden kann. Diese Entwicklung sehen wir bei Romain Rolland vom Ghandismus bis zur kämpferischen Humanität; diesen Weg sind Thomas und Heinrich Mann gegangen. Es ist eine wichtige Gegenbewegung zu der des vorigen Jahrhunderts; es ist der Beginn der Wiederherstellung des Bündnisses von Sozialismus und Demokratie und damit eines konkret gewordenen Humanismus.«[107]

Diese Aussage steht exemplarisch für Lukács' Vorgehen, Schriftsteller als Zeugen für Bewußtseinsvorgänge heranzuziehen, die weit über die Literatur hinausreichen. Schon in seiner Abkehr von der aktiven Politik 1929 hatte es sich abgezeichnet, und die spätere Entwicklung in der Sowjetunion verstärkte die Tendenz: Lukács wies dem Bereich von Kunst und Literatur eine repräsentative Funktion für seine politisch-historischen Äußerungen zu, beließ ihn damit jedoch in einer »Mittelbarkeit«, die viele Zeitgenossen und Leser zu Mißdeutungen verführt hat.[108] Sein Insistieren auf die kathartische Wirkung von Literatur entsprang der Überzeugung von ihrer politischen Funktion, bezog sich immer aber auf die Wirklichkeit in ihrer Gesamtbewegung. Was Lukács von der Literatur verlangte, war Abbau der Fetischisierung *als* Erkenntnisprozeß des Humanen und Aufklärend-Progressiven in einer von Krieg und Chaos geprägten Zeit. In diesem Sinne bot sie Erziehungs- und Umerziehungstexte, die tiefer und weiter drangen als politisch-abstrakte Äußerungen.

Mit diesem Konzept hat Lukács nach dem Zweiten Weltkrieg in der Tat dazu beigetragen, daß Literatur den Umerziehungsprozeß der Deutschen mit beeinflußte, insofern dieser überhaupt — über Stalinismus und Neokapitalismus hinweg — in größerem Maße in Gang gesetzt wurde. Lukács vermittelte mit seiner Literaturinterpretation in der Ostzone und späteren DDR eine Basis für die Selbstfindung jüngerer Intellektueller für Kulturbewußtsein und -kontinuität.

Nicht von ungefähr hat Bertolt Brecht, der sich nicht minder ernsthaft als Lehrer seiner Zeit verstand, erst in einer nachfolgenden Phase größere Wirkung erzielt. Nach seinem Tode erlangten seine Stücke ihre breitesten Erfolge, und sein Denken vermochte eine Vielzahl jüngerer Intellektueller im Westen zum marxistischen Denken hinzulenken. Während

Deutschland«, vorwarf, die tieferen Ursachen der Geschehnisse nicht sichtbar gemacht zu haben: über der eindrucksvollen Schilderung »sinnlicher oder psychologischer Zuständlichkeiten« bleibe »das tiefe Warum des Kampfes, das Herauswachsen seines gesellschaftlich-geschichtlichen Sinnes aus individuellen Erlebnissen, Zusammenhängen, Konflikten lebendiger Einzelmenschen« von einem Schleier verhüllt.[112] In dieser Kritik überzog Lukács sein Systemdenken mit ebenjener Starrheit, die die Autorin in ihren Briefen angedeutet hatte.

Aus den wenigen Bemerkungen dürfte schon deutlich geworden sein, wo sich die sozialistischen Schriftsteller gegen Lukács wehrten und zu wehren hatten. Ihr Werk spricht für sich; ihr flexibles Konzept von Realität und Form ist nachvollziehbar geblieben, wobei Anna Seghers mit ihrer Erlebnis- und Verinnerlichungspoetik durchaus mit gewissen Ansichten von Lukács übereingeht, während Brecht, zumindest theoretisch, jede Übereinstimmung zurückweist. Wo Brecht den Umweg der Verfremdung einschlägt, um vornehmlich über neue Einsichten in den ›Kausalnexus‹ die Gesellschaft zu verändern, da geht Anna Seghers ins »Innere des Menschen«. Das »Herauswühlen, in Bewegung gehen des menschlichen Schicksals«, wie sie es an Tolstoj bewundert, kommt vor dem Aufdecken gesellschaftlicher Mechanismen. Sie stützt sich nicht auf Verfremdung, sondern auf emotionale Erschütterung.[113]

Über Lukács ist zu recht bemerkt worden, seine Objektivitätspostulate trügen einen voluntaristischen Zug und seien von einem vielfachen »Sollen« und »Müssen« durchwirkt.[114] Ebenso hat man in Brechts »Prinzip der Veränderung um jeden Preis« Voluntarismus konstatiert.[115] Die Kritik, daß sein abstrahierendes Modell nicht eigentlich auf die konkrete Wirklichkeit, sondern auf die Reflexion bestimmter Aktionsweisen ziele, hat Brechts Werk seit Ende der zwanziger Jahre begleitet. Eine neuere Untersuchung bringt die Kritik, ohne den erkenntnistheoretischen Implikationen voll nachzugehen, auf den Nenner, die Dialektik werde auf einen subjektiven Idealismus eingeschränkt: »Die erst durch

r Wirklichkeit erkannte Widersprüchlichkeit ist
eobachter geschaffene Widersprüchlichkeit und
/irklichkeit; nicht die objektiven Widersprüche
nnt, sondern bloß die, die man sich zurechtge-
. Das mag zwar praktisch sein, wirklich ist es
aber nicht.«[116]

Hier wäre wieder ein Rekurs auf die bereits von Hegel
umrissenen Grenzen der Kunst angebracht. Doch muß die
Feststellung genügen, daß die Ausschließlichkeit, mit der
Brecht die Wirklichkeit im Widerspruch definierte, in der
Tat Angriffsflächen bietet. Die Verlagerung des Erkenntnis-
interesses von der vorgegebenen erkennbaren Wirklichkeit
auf die ›dialektischen‹ Widersprüche kann, vor allem für
die Erfassung menschlicher Verhaltensformen, eine Verar-
mung bewirken, mit der gerade der Anspruch stumpf wird,
den Brecht an die Literatur stellte: das Bekannte neu und
überraschend zu machen.

Brecht selbst hat im künstlerischen Werk dem Hang zum
Dogmatismus entgegengewirkt, der sich häufig bei Neube-
lehrten über die Lehre entwickelt.[117] Wenn die theoretischen
Bemerkungen, vor allem der Begriff ›Dialektik‹, von seiner
Praxis abgelöst werden, wird die Gefahr des Dogmatismus
tatsächlich groß. Andererseits liefert Brecht eine wirkungsvolle Verständigung über die marxistische Lehre und über
den Klassenkampf. Er belegt die Feststellung, daß der Klassenkampf, wie es in den zwanziger Jahren geschah, ästhetische Neuerungen inspiriert. Das bedeutet für jede Zeit, in
der die Konfrontationsstrategie der zwanziger Jahre mehr
als eine Erinnerung darstellt, eine Ermutigung. Für andere
Zeiten und Situationen verliert sein Theater, wo es nur
lehrt, an Vorbildlichkeit und zieht die Kritik auf sich, selbst
allzu überschaubar zu sein und an der Wirklichkeit abzu-
gleiten.

5. Die Schriftsteller in der Bewährung

Sowohl Brecht wie Lukács haben sich ausführlich mit dem Anteil der Intellektuellen an der Heraufkunft des Faschismus auseinandergesetzt. Die scharfe Kritik, die beide auf sehr verschiedene Art äußerten, stützt sich auf eine Hochstellung und häufige Überschätzung der Intellektuellen und bezeugt damit ihre eigene Zugehörigkeit zu der von ihnen kritisierten Schicht. Auch Brecht und Lukács ließen, was Heraufkunft und Charakter des Nationalsozialismus anbetraf, einiges von der Wirklichkeitsferne erkennen, die sie im *Tui-Roman*[118] bzw. in der *Zerstörung der Vernunft*[119] als charakteristisch diagnostizierten. Dem läßt sich aus vergleichbarer Perspektive nur Ernst Blochs Schrift *Erbschaft dieser Zeit* (1935) gegenüberstellen, die sowohl eine psychologische und soziologische Deutung des Nationalsozialismus als auch eine Verteidigung des Expressionismus und der Montageformen gegen Lukács enthält. Bloch, der Brechts Theater als wichtige Innovation begrüßte, rückte in diesem Buch die progressiven Aspekte der ethisch-ästhetischen Strömung in den Vordergrund, die von den Kommunisten zu ihrem Schaden vernachlässigt worden seien.

Daß den Intellektuellen für die Vorgänge der dreißiger Jahre Gewicht zukam, ist jedoch kaum zu bezweifeln — wobei über dem Engagement auf der Linken nicht das auf der Rechten vergessen werden sollte.[120] Vieles von dem, was sich in den ethisch-ästhetischen Strömungen vom Beginn des Jahrhunderts entwickelte, verlor die Ambivalenz. Die dreißiger Jahre brachten Schriftstellern politische und persönliche Entscheidungen wie kaum je eine Dekade.

Das Gewicht der Schriftsteller und Intellektuellen auf der Linken trat in den wütenden Angriffen und Verfolgungen von seiten der Faschisten zutage und erhielt sein schauriges Symbol in den öffentlich organisierten Bücherverbrennungen am 10. Mai 1933. Aus dieser Kriegserklärung leitete sich unter den geflohenen Autoren ein Gefühl kämpferischer

Berufung her; es zementierte sich am 10. Mai 1934 in der Gründung der ›Deutschen Freiheitsbibliothek‹ in Paris, deren Präsident Heinrich Mann und deren Sekretär Alfred Kantorowicz wurden. Mit neuer Verve berief sich Heinrich Mann auf den Geist als den Widersacher der Macht, der nun brutal ausgeübten Macht der Nationalsozialisten. Heinrich Manns ethisch bestimmte Nomenklatur gab der polemischen Publizistik der deutschen Exilautoren in den folgenden Jahren viele Stichworte. Die von ihm vertretene Hochstellung des Geistigen und die Zielrichtung auf eine ›Erziehungsdiktatur‹ zur Wandlung der Deutschen schlug sich in zahlreichen Aufrufen nieder.

Weitere Bestätigung erhielt das Gewicht der Schriftsteller auf der Linken mit dem Wandel der kommunistischen Taktik 1934/35 in Richtung auf die Volksfrontpolitik, die auf der ›Brüsseler‹ Parteikonferenz 1935 offiziell beschlossen wurde. Wenn Kommunisten bis dahin Heinrich Mann wegen seines idealistischen Denkens angegriffen hatten, so ließen sie nun um der Solidarisierung willen viele der ethischen Maximen passieren. Hans Günther, der in *Unsere Zeit* (wie der *Rote Aufbau* ab 1933 hieß) und der *Internationalen Literatur* die Wandlung der kommunistischen Kulturpolitik erläuterte, fügte 1934 in der Schrift *Der Herren eigener Geist*, seiner Abrechnung mit dem Faschismus, noch eine Auseinandersetzung mit Heinrich Manns »blasser«, der Demokratie verpflichteten Faschismus-Analyse ein. Beim Erscheinen des Buches 1935 hatte diese Stellungnahme, die noch mit der Sozialfaschismusthese verknüpft war, ihre Spitze eingebüßt. Es war Heinrich Mann gewesen, der für eine Einheitsfront der linken Parteien geworben hatte und 1934 im *Neuen Vorwärts*, dem Exilorgan der SPD (Sopade) für das Prager Manifest eintrat, das dem Umdenkprozeß der Sozialdemokraten entsprang und bei ihnen eine »Renaissance des Radikalismus« anzeigte. Er hatte als wichtigsten Satz herausgestellt: »Ob Sozialdemokrat, ob Kommunist … der Feind der Diktatur wird im Kampf durch die Bedingungen des Kampfes selbst der gleiche sozialistische Revolutionär!« und hinzugefügt: »Hiervon dürften indes nicht nur die Sozialdemokraten überzeugt sein. Auch alle anderen Sozialisten müssen denselben Glauben und festen Willen haben, sonst fände die entscheidende Stunde sie unvorbereitet. Ich empfehle vor allem Verhandlungen mit dem Ziel der unbedingten, restlosen Einigung. Das neue revolutionäre Programm Ihrer Partei wäre dabei als Mindestprogramm zu betrachten.«[121] In der Folge betrieben allerdings sozialdemokratische Gruppen und nicht der Parteivorstand die Annäherung zu den Kommunisten in der Volksfront; die »Renaissance des Radikalismus« stieß beim Vorstand auf hinhaltenden Widerstand.[122] Mit der Wandlung der kommunistischen Politik 1935 sah Heinrich Mann seine Ziele offensichtlich bei den Kommunisten besser aufgehoben und wurde ihnen als Repräsentant der deutschen Volksfront ein loyaler Freund. Am 2. Februar 1936 geschah es schließlich: Münzenberg brachte im Hotel Lutetia in Paris die verschiedenen politischen Parteien und Gruppen an einen Tisch, und es wurde unter Vorsitz von Heinrich Mann und unter Beteiligung bekannter Schriftsteller wie Toller, Emil Ludwig und Feuchtwanger das ›Komitee zur Schaffung der Deutschen Volksfront‹ gegründet. Die kommunistische Geschichts- und Literaturgeschichtsschreibung behandelt diese Vorgänge als Ergebnis einer konsequenten, weitsichtigen, wirklichkeitsnahen Politik — unter Auslassung der Verdienste von Münzenberg[123] und einer Reihe wichtiger politischer, psychologischer und ideologischer Faktoren.

Wenn vom Gewicht der deutschen Schriftsteller im Kampf gegen den Nationalsozialismus in den dreißiger Jahren nicht nur in allgemeinen moralischen Termini gesprochen werden kann, wie es schon immer bei exilierten Autoren geschehen ist, sondern in konkreter politischer Form, so hat dabei neben dem Herausgeber der Zeitschrift *Das Neue Tage-Buch*, Leopold Schwarzschild, und einigen anderen Organisatoren und Publizisten Willi Münzenberg besonderen Anteil. In Fortsetzung seiner Tätigkeit vor 1933 rief Münzenberg von Paris aus zahlreiche Unternehmungen ins Leben. Er hatte die Volksfrontlinie lange vor den Entschlüssen der Komintern als Notwendigkeit anvisiert und damit genügend

Vertrauenskapital geschaffen, um Schriftsteller zu Mitarbeitern einer publizistischen Front gegen den Faschismus zu gewinnen.

Der Höhepunkt von Münzenbergs Wirksamkeit liegt in den Jahren 1933–1936, vor Ausbruch des Spanischen Bürgerkrieges, der dann vor aller Welt zum Symbol des faschistischen Angriffs auf Kultur und Demokratie wurde, zugleich aber auch des internationalen Widerstandes dagegen. Bis dahin war der Kampf im wesentlichen publizistischer Natur, abhängig von der Fähigkeit, die faschistische Propagandawelle im Ausland zu konterkarieren, Einzelvorkommnisse wie den Reichstagsbrand als Symbole der Gesetzlosigkeit bewußt zu machen und nationalsozialistische Einrichtungen wie die Konzentrationslager als Stätten des Terrors zu entlarven, um dem gefährlichsten Feind der Demokratie, der Apathie, entgegenzuwirken.

Der größte Erfolg der antifaschistischen Kampagne dürfte die schnelle Herausgabe des *Braunbuchs über Reichstagsbrand und Hitler-Terror* gewesen sein, das zusammen mit dem Londoner Gegenprozeß gegen den Leipziger Reichstagsbrandprozeß 1933 die internationale Öffentlichkeit über die verbrecherischen Methoden des nationalsozialistischen Regimes aufklärte.[124] Am Freispruch Dimitrovs und der anderen angeklagten Kommunisten Blagoj Popov, Vasil Tanev und Ernst Torgler hatte die von Münzenberg organisierte Kampagne starken Anteil. Am Braunbuch selbst waren u. a. Gustav Regler, Kantorowicz, Babette Gross, Alexander Abusch, Max Schroeder beteiligt; Otto Katz wirkte als Koordinator, ebenso wie bei anderen münzenbergschen Unternehmungen, etwa dem Nachfolgeverlag zum Neuen Deutschen Verlag, den Editions du Carrefour. Weitere Enthüllungen brachten das *Braunbuch II: Dimitroff contra Goering*, das *Weißbuch über die Erschießungen des 30. Juni, Das braune Netz* (über Hitlers Propaganda- und Spionagenetz im Ausland) und andere Veröffentlichungen der Editions du Carrefour.

Münzenberg ließ in Prag unter der Chefredaktion von Franz Carl Weiskopf die erfolgreiche *Arbeiter-Illustrierte-Zeitung* fortführen, die eine Zeitlang nach Deutschland geschmuggelt wurde. (1936–1938 erschien sie im Zeichen der Volksfront als *Die Volks-Illustrierte*.) Zu ihren Beiträgern zählten die prominentesten

Namen, von Rolland und Heinrich Mann bis zu Ilja Erenburg und André Malraux. Im polemischen Kontrast zu Goebbels' Zeitschrift *Angriff* gründete Münzenberg mit Abusch und Bruno Frei am 1. Mai 1933 die Zeitschrift *Der Gegen-Angriff*, offiziöses Sprachrohr der Kommunisten, das 1936 von der *Deutschen Volks-Zeitung* abgelöst wurde. An letzterer lassen sich alle Stadien der Volksfronttaktik der KPD verfolgen[125], außerdem stellt die Zeitung in ihrem Feuilleton eine wichtige Dokumentation der kommunistischen Kultur- und Literaturaktivitäten dieser Jahre dar, zu vergleichen mit den Kulturberichten des sozialdemokratischen *Neuen Vorwärts*, der seit 1933 in Karlsbad herauskam.

Politisches Gewicht gewannen auch die Kampagnen und Komitees, die nach 1933 in steigender Anzahl berühmte Schriftsteller aus verschiedenen Ländern zum Protest gegen den Faschismus zusammenführten. Internationalität war notwendige Bedingung, sollten die Deklarationen auf die politische Öffentlichkeit der westlichen Länder wirken. Auch hier wurde Münzenberg zum wichtigsten Initiator und Vermittler. Er knüpfte an die von ihm mit vielen bekannten Namen organisierte ›Liga gegen Krieg und Faschismus‹ und andere Unternehmungen vor 1933 an, konnte sich dabei auf die Ausstrahlungskraft der Sowjetunion stützen, der er innerhalb der Kominternpolitik, doch relativ unabhängig von der deutschen Partei, loyal verbunden war.

Das Bekenntnis zur Sowjetunion rückte bei den öffentlichen Erklärungen der Schriftsteller neben der Verurteilung des Faschismus zunehmend in den Vordergrund. André Gides Rede auf dem ›Internationalen Schriftstellerkongreß zur Verteidigung der Kultur‹ 1935 in Paris wurde zu einem weithin wahrgenommenen Signal. Seit langem hatte Gide das dekadente Bürgertum kritisiert. Nun verband er die Kritik mit einer Stellungnahme für die Sowjetunion. Es war eine Stellungnahme auch gegen seine früheren Überzeugungen; gerade das sicherte ihm die Aufmerksamkeit der Öffentlichkeit. Hier wurden wichtige Weichen gestellt in einem Vorgang, der über den Bereich von Literaturquerelen hinauswies. Dazu vermittelte die Liste der Delegierten des Kongresses ein eindrucksvolles Bild. Neben Gide erschienen Malraux, Aragon, Barbusse, Julien Benda, Jean Guéhenno, E. M. Forster, Aldous Huxley, Andersen-Nexö, Guglielmo

Ferrero, Musil, Alvarez del Vayo, Ilja Erenburg, Vsevolod
Ivanov, Michail Kolcov, Boris Pasternak und von den Deut-
schen Alfred Kerr, Kisch, Bloch, Brecht, Anna Seghers,
Marchwitza, Weinert, Regler, Heinrich Mann, Kantorowicz,
Uhse, Leonhard, Becher, L. Frank, Emil Ludwig, Ernst
Weiß, Feuchtwanger, Ludwig Marcuse und Jan Petersen als
der maskierte ›Delegierte aus Westdeutschland‹.

Gustav Regler hat berichtet, daß die veranstaltenden
Kommunisten auf dem Pariser Kongreß darum besorgt waren, nicht zu stark in Erscheinung zu treten. Wie bei Brechts
Diskussionsbeitrag kritisierten sie diejenigen, welche die
›Neutralität‹ überschritten. Am schärfsten traf es offensichtlich Regler, nach dessen klassenkämpferischem Bekenntnis
gegen den Faschismus sich die Versammelten erhoben und
die Internationale sangen.[126] Eine solch eindeutige Stellungnahme wollte man nicht, sie ließ die Volksfrontpolitik als
bloße Taktik erscheinen. Sollte der Kampf gegen den Faschismus als ein Kampf für Demokratie und Kultur geführt
werden, durfte das revolutionäre Image nicht zu sehr in den
Vordergrund rücken. Es genügte das Eintreten für die Sowjetunion.

In dieser Prestige- und Kulissenpolitik deuten sich allerdings auch die Grenzen der Einflußnahme von Schriftstellern
an, und zwar nicht nur der aus Deutschland emigrierten. Es
fehlte nicht an Stimmen, die ernsthaft oder ironisch vor dem
Papierturm der Deklarationen warnten, auf dem sich kaum
ein wirkliches Geschütz in Stellung bringen lasse. Die Publizität, welche die Kommunisten und die demokratische Presse
den Bekenntnisaktionen zugestanden, machte die Folgen-
losigkeit vieler Appelle gegen die Diktaturen um so
schmerzlicher sichtbar.

Daran änderten die Volksfrontbemühungen der deutschen
Exilanten, die 1935/36 dem Beispiel der französischen Volksfront
folgten, kaum etwas. Im Rückblick bemerkte Kurt Kersten, daß
sich nur das Anfang 1936 gebildete Volksfrontkomitee eine Zeitlang als repräsentative Vertretung der politischen deutschen Emigration betrachten konnte, trotz der Abstinenz des sozialdemokratischen Parteivorstandes.[127] Die nachfolgenden Aktivitäten

vermochten die Risse in der Solidarität immer weniger zu verbergen. Der 1937 von Münzenberg organisierte erste und einzige große deutsche Volksfrontkongreß wurde von den Manipulationen der kommunistischen Seite, vornehmlich Ulbrichts, überschattet. Nachdem Schwarzschild Ende 1936 bereits den Versuch der Annäherung von Bürgerlichen und Kommunisten als gescheitert betrachtet hatte und scharf gegen die Kommunisten Stellung nahm, wurde die Politik auch auf kommunistischer Seite immer durchsichtiger: Ulbricht versuchte aus der überparteilichen Volksfront ein Instrument der Kommunisten zu machen. Wie er dabei vorging, ist in den empörten Äußerungen von Heinrich Mann überliefert (»Sehen Sie, ich kann mich nicht mit einem Mann an einen Tisch setzen, der plötzlich behauptet, der Tisch, an dem wir sitzen, sei kein Tisch, sondern ein Ententeich, und der mich zwingen will, dem zuzustimmen.«[128]), vor allem aber in zwei Briefen der nichtkommunistischen Volksfrontvertreter an das ZK der KPD vom 1. 10. und 13. 11. 1937, in denen diese über die Illoyalität der kommunistischen Vertreter in der Volksfront Beschwerde führten. Unterzeichner waren u. a. Heinrich Mann, Max Braun, Georg Bernhard, Jacob Walcher, Rudolf Breitscheid, Fritz Sternberg.[129]

So machte die Volksfrontpolitik mit den späteren taktischen Manövern nicht nur die Ohnmacht der Exilanten gegenüber dem nationalsozialistischen Deutschland einsichtig, sondern wurde für viele zum Symbol für die doppelbödige Politik der Komintern, zum Symbol eines Betrugs unter Kampfgefährten. Als sich Münzenberg vom Kurs der Komintern abwandte, warfen ihm die Kommunisten Verrat vor, doch setzte er die Einigungspolitik mit neuen, eigenen Unternehmungen fort.

Um so mehr Bedeutung gewann der Spanische Bürgerkrieg, der am 17. Juli 1936 mit einem Putsch faschistischer Generäle gegen die rechtmäßig gewählte Volksfrontregierung begann. Mit diesem Konflikt, der zum Auftakt des Zweiten Weltkrieges geworden ist, gelangte der Kampf gegen den Faschismus aus dem Stadium der Deklarationen hinaus. Statt eines Papierturms wurden wirkliche Befestigungen gebaut, wirkliche Waffen in Anschlag gebracht, wirkliche Schüsse abgegeben. Die Erschütterung und Hoff-

nung, die dieser Krieg unter Intellektuellen in Europa und
Amerika auslöste, läßt sich kaum überschätzen. Mit ihm
trat die Stellungnahme gegen Dekadenz und soziale Ver-
antwortungslosigkeit der Demokratien in ein entscheidendes
Stadium, und zahlreiche Schriftsteller entschlossen sich, auf
der Seite der Republikaner für eine demokratische, gerechte,
soziale Gesellschaftsordnung zu kämpfen. Sie suchten Identifikation innerhalb der großen Bewegung, von der die Deklarationen sprachen, eine Identifikation, die sie nicht mehr
vom Schreiben erwarteten (ohne daß sie der Literatur ab-
sagten). Hier geschah nicht nur eine Annäherung an das
Volk, sondern eine echte Verbrüderung, und in der Tat sind
die Internationalen Brigaden, in denen die Freiwilligen aus
aller Welt zusammenströmten, in der ersten Phase des Krieges 1936/37 für die erfolgreiche Verteidigung der spanischen Republik stark verantwortlich gewesen.[130] Sozialisten
und Kommunisten kämpften nebeneinander, und Alfred
Kantorowicz notierte in seinem *Spanischen Kriegstagebuch,*
»daß in diesen Freiheitsbataillonen die Volksfront, die in
manchen Kreisen der deutschen Emigranten in Paris und
Prag immer noch eine Formel ist, die man äußerstenfalls
zur Diskussion stellt, hier längst stillschweigend und
zwangsläufig Wirklichkeit geworden ist«.[131]

Der Anteil der Deutschen an den Freiwilligenbrigaden ist
wie der der Italiener groß gewesen; Kantorowicz schätzt die
Zahl der Deutschen und Österreicher auf etwa 5000. Er
zählt über zwanzig deutschsprachige Schriftsteller auf, die
in verschiedenen Funktionen mitkämpften, an erster Stelle
Ludwig Renn, der als ehemaliger Berufsoffizier der erste
Kommandant des Thälmann-Bataillons wurde, später als
Stabschef der XI. Internationalen Brigade hervortrat und am
erfolgreichen Ausgang der Schlacht von Guadelajara Anfang
1937 großen Anteil hatte; dann Gustav Regler, der als
Kommissar der XII. Internationalen Brigade schwer verwundet wurde; Willi Bredel, Hans Marchwitza, Bodo Uhse,
Erich Arendt (geb. 1903), Eduard Claudius (geb. 1911),
Walter Gorrish (geb. 1909), Albert Gerhard Müller (1903
bis 1937), Kurt Stern (geb. 1907), Hanns Maassen (geb.

1908), Alexander Maaß und andere; dazu die »Kombattanten in Zivil« wie Kisch, Weinert, Ernst Busch, Arthur Koestler (geb. 1905), Victor Schiff, Erich Kuttner, Hanns Eisler.[132]

Ernest Hemingway hat im Vorwort zum Spanienroman *Das große Beispiel* (1976; erstmals in amerik. Übers. *The Great Crusade*, 1940) des mit ihm befreundeten Regler zwei ›große‹ Brigaden hervorgehoben, in denen zahlreiche Deutsche kämpften. Hemingway nannte die XI. Brigade ›deutsch‹; es seien zumeist Kommunisten gewesen, militärisch bestens geschult, mit herzerweichenden Liedern und großer Opfergesinnung, allerdings etwas zu ernsthaft, als daß man mit ihnen allzuviel Zeit hätte verbringen können – bis auf Hans Kahle, den beliebten Kommandeur. Sein Herz, schrieb Hemingway, sei bei der XII. Brigade gewesen, die der ungarische Schriftsteller Maté Zalka als General Lukácz befehligte, mit Regler als politischem Kommissar und Kämpfern aus allen politischen Lagern. (Reglers Buch handelt vor allem von dieser Brigade.)

Der Spanische Bürgerkrieg brachte eine Flut von Literatur hervor, zumeist in Form persönlicher Augenzeugenberichte, daneben aber auch – unmittelbar für den Kampf bestimmt – Lieder und Szenen.[133] Auf deutscher Seite ist neben Reglers Buch besonders Eduard Claudius' Roman *Grüne Oliven und nackte Berge* (1945) als Beispiel für romanhafte Darstellung zu nennen. Aus den vielen Tagebuch- und Reportageberichten seien erwähnt: *Tschapaiew, das Bataillon der 21 Nationen* (1938), von Kantorowicz zusammengestellt, ebenso dessen *Spanisches Tagebuch* (1948, verändert als *Spanisches Kriegstagebuch*, 1966); *Der spanische Krieg* (1955) von Ludwig Renn; *Begegnung am Ebro* (1939) von Bredel.

Die größte Resonanz fand Arthur Koestler mit zwei Veröffentlichungen, die sich auf seine waghalsigen Erkundungsfahrten auch auf faschistischer Seite stützten, Erkundungsfahrten, die ihn in Francos Todeszellen führten, aus denen er nur infolge englischer Intervention und einer internationalen Kampagne freikam. Dem Buch *Menschenopfer unerhört. Ein Schwarzbuch über Spanien* (1937) folgte *Ein spa-*

nisches Testament (1938), in dem Koestler nicht nur die Grausamkeiten der Faschisten und die unzulängliche Kampf- disziplin der Republikaner beschrieb, sondern auch die Situation eines zum Tode Verurteilten durchleuchtete, mit bewegenden Einblicken in die Selbstprüfung eines Intellek- tuellen in dieser Zeit der großen ideologischen Auseinander- setzungen.

Alle literarischen Zeugnisse, deutsche wie ausländische, stimmen in der Gewißheit überein, daß sich im Spanischen Bürgerkrieg das Schicksal der Epoche modellhaft vollziehe. Der Krieg bot die Chance vielfältiger Bewährung, in der sich der — von den Faschisten ständig mißbrauchte — Sinn für das gefährliche Leben mit einem einmaligen moralischen Auftrag verband. Die Bewährung, die nach 1933 in den Berichten von Verfolgung und KZ-Aufenthalt dokumentiert worden war, löste sich von diesen Anlässen, gewann nach einer Zeit der Ratlosigkeit und Demoralisierung wieder aktiven, bewußten Charakter, wurde zu einem Signal poli- tischer und menschlicher Stärke. André Malraux, der mit deutschen Emigranten wie Regler regen Kontakt pflegte, stellte in *Le temps du mépris* (1935, dt. *Die Zeit der Ver- achtung*), der besten und bekanntesten novellistischen Schil- derung des deutschen Widerstandskampfes, diese Bewäh- rung am Kommunisten Kassner dar. Im Vorwort des von Kurella übersetzten Buches steht der zentrale Satz über Kassner und sein von der SA grausam und raffiniert, aber erfolglos geführtes Verhör: »Die Welt eines Werkes wie dieses hier, die Welt der Tragödie, ist immer die antike Welt; der Mensch, die Menge, die Elemente, die Frau, das Schicksal. Sie beschränkt sich auf zwei Hauptpersonen, den Helden und den Sinn seines Lebens.«[134] Malraux erkundete einen Bezirk menschlicher Bewährung, der im Existentiellen, nicht im Politischen verankert ist, jedoch vom Politischen aufgerissen und bewußtgemacht wird. Von dem starken Eindruck, den die Schilderung ausübte, gibt die Rezension in der *Internationalen Literatur* Auskunft, in der es heißt: »Kassner im Konzentrationslager — das ist die männliche Kühnheit selbst, vom Menschen in sich gesammelt, die

Kühnheit, den heroischen Kampf aufzunehmen mit den blinden Kräften der Natur und dem faschistischen Ungeheuer.«[135]

Diese existentielle Thematik läßt sich auch in Reglers zur gleichen Zeit entstandener Erzählung *Der Tod in der Michaelskirche* verfolgen, welche die letzten Minuten eines schwer verwundeten Widerstandskämpfers und seine Begegnung mit dem »Sinn des Lebens« behandelt.[136] Mit dem Spanischen Bürgerkrieg fand diese Thematik breitere Ausformung, und zwar nicht nur in der Behandlung der Vorgänge in Spanien. Davon legt am intensivsten das Werk von Anna Seghers Zeugnis ab. In dem 1935/36 verfaßten Roman *Die Rettung* (1937) machte sie die Demoralisierung der proletarischen Kämpfer kenntlich, vollzog sie am Beispiel von arbeitslosen Bergarbeitern das Schweigen nach, das die Niederlage begleitet. Mit den Ereignissen in Spanien gewannen ihre Äußerungen jedoch neue Festigkeit, neuen Optimismus. Bezeichnend ist ihr Bericht vom 2. Internationalen Schriftstellerkongreß, der 1937 in Madrid und Valencia zu einer großen Demonstration gegen den Faschismus wurde, mit Teilnehmern wie Malraux, Renn, Kisch, Nordahl Grieg, Aleksej Tolstoj, Andersen-Nexö, Julien Benda u. a. Anna Seghers zitierte Renns Wort: »Wir beschreiben nicht bloß Geschichte, wir machen sie«, aber auch die Hinzufügung: »Der Krieg, den wir führen, hat für uns keine Freude. Er ist kein Ziel an sich, er ist etwas, durch das man hindurch muß.« Dazu ihre eigene Hinzufügung: »Dieses Hindurch-Müssen bedeutet aber gleichzeitig aus der Defensive herausmüssen, aus einer Kampfphase heraus, deren Begriffe allzuoft mit dem Wort ›anti‹ beginnen. Hier haben viele Diskussionen in Madrid eingesetzt: Mehr und mehr zeigen, *wofür* wir kämpfen als wogegen, nicht nur Kultur zu verteidigen, sondern aufzubauen.« Und die Forderung: »Wir müssen mit Hilfe möglichst vieler Schriftsteller den spanischen Freiheitskampf auch *für Deutschland* darstellen, als *das Beispiel* geschlossensten Kampfes für die Freiheit überhaupt.«[137]

Es war die Zeit, da sich Anna Seghers an die Niederschrift des Romans *Das siebte Kreuz* machte, der, 1940/41 auf Umwegen geborgen, 1942 zuerst in den USA erschien und großen Erfolg hatte. Seine Botschaft berührt sich mit Malraux' Konzept der Bewährung. Wie Kassner ist der Held, Georg Heisler, ein Kommunist, aber er gewinnt Vorbildwirkung als ein Mensch, der die große Herausforderung seines Lebens besteht. Heisler selbst wird zur Bewährung für andere: seine Flucht aus dem KZ durch Deutschland stellt die Mitmenschen in eine Entscheidungssituation hinein, in der sie zu sich selbst finden. Auch hier ist die Essenz schon in wenigen Sätzen des Vorworts zusammengefaßt, wo vom »Triumph« die Rede ist, »der einen die eigene Kraft plötzlich fühlen ließ nach wer weiß wie langer Zeit, jene Kraft, die lang genug taxiert worden war, sogar von uns selbst, als sei sie bloß eine der vielen gewöhnlichen Kräfte der Erde, die man nach Maßen und Zahlen abtaxiert, wo sie doch die einzige Kraft ist, die plötzlich ins Maßlose wachsen kann, ins Unberechenbare.« Was dann im Schlußsatz folgende Formulierung erhält: »Wir fühlten alle, wie tief und furchtbar die äußeren Mächte in den Menschen hineingreifen können, bis in sein Innerstes, aber wir fühlten auch, daß es im Innersten etwas gab, was unangreifbar war und unverletzbar.« Das entspricht recht genau der Bemerkung eines Kritikers: »Der Schriftsteller hat sich die Aufgabe gestellt, die Menschen zu lehren, daß sie sich jener ungeheuren Schätze bewußt werden, die in ihrem Leben enthalten sind. Er wollte den Menschen helfen, ›sich selbst zu öffnen‹, das heißt, das Beste zu erkennen, was der Mensch in sich trägt, oftmals, ohne daß er es selbst weiß.«[138] Letzteres ist Teil der zitierten Rezension in der *Internationalen Literatur*, auf Malraux' *Le temps du mépris* bezogen.

Malraux verfolgte diese Thematik in *L'espoir* (1937, dt. *Die Hoffnung*), seinem berühmten Beitrag zum Spanischen Bürgerkrieg, weiter. Ihm stand Hemingway mit *For Whom the Bells Tolls* (1940, dt. *Wem die Stunde schlägt*) nahe, mit größerem Interesse an den Erscheinungsformen des Einfachen und Vitalen. Malraux' Gedanke, daß sich die menschliche Existenz erst durch das Werk des Kollektivs realisiert, kehrt bei anderen Autoren in der Darstellung von Brüderlichkeit und Kameradschaft wieder.

All diese Werke stimmen in der primär humanen oder existentiellen Deutung der Bewährung überein. Angesichts ihrer tapferen Botschaft läßt sich ermessen, wie sehr der Krieg zunächst Fragen zur Ideologie und Praxis der Linken beiseiteschob. Nach und nach aber kehrten diese zurück. Auch darin brachte der Krieg modellhaft die generelle Entwicklung der Periode zum Austrag. Die stalinistischen Säuberungen machten vor der Internationalen Brigade nicht halt. »Nicht nur für Sozialdemokraten und Bürgerliche, erst recht für die hellsichtigen der in Spanien kämpfenden Kommunisten ergab sich daraus eine ungeheure psychische Belastung«, hat Hans-Albert Walter die Wirkung summiert. »Der Stalinismus zerstörte viele Hoffnungen, für die man in Spanien kämpfte. Die Spionenfurcht der kommunistischen Kader, ihre ideologische Intoleranz, ihr Kampf gegen angebliche Schädlinge in den eigenen Reihen, die Verdächtigungen nichtkommunistischer Mitkämpfer, gar die ›Liquidierung‹ von Mißliebigen, all das gehört zu den deprimierendsten Ereignissen des gesamten spanischen Krieges.«[139]

Damit wurde schließlich eine weitere literarische Aufarbeitung ausgelöst — unter schärfster Verdammung seitens der Kommunisten. Die Verdammung ist immer noch gültig, sie betrifft George Orwell, der seine Ernüchterung in *Homage to Catalonia* (1938, dt. *Mein Katalonien*) festhielt und zur Ablehnung des Totalitarismus in jeder politischen Gestalt gelangte, wie er es für viele stellvertretend formulierte; Orwell schuf später in *Animal Farm* (1945, dt. *Farm der Tiere*) und *Nineteen-Eighty-Four* (1949, dt. *1984*) die ›klassischen‹ Werke gegen das stalinistische System, machte mit dem Schlagwort »alle Tiere sind gleich, aber einige Tiere sind gleicher als die anderen« wie kaum ein Schriftsteller die »stalinistische Verbindung von egalitärem Mythos und neuen Privilegien«[140] deutlich. Die Verdammung von seiten der Kommunisten betrifft Koestler, der in *Darkness at Noon* (1940, dt. *Sonnenfinsternis*) den Mechanismus der stalinschen Säuberungen entlarvte, allerdings mit so eindrucksvoller Stilisierung der Macht der Partei, daß davon wiederum eine gewisse Faszination für Intellektuelle ausging. Die Verdammung betrifft zahlreiche andere Schriftsteller, die seit André Gides spektakulärer Absage nach seiner Rußlandreise (*Retour de l'URSS*, 1936) die Bindung an den Kommunismus lösten, von dem sie erwartet hatten, er würde die Hoffnung auf ein klares, moralisches, humaneres Leben und Denken erfüllen.[141]

Die individuelle und politische Bewährung, vom Kampf gegen den Faschismus inspiriert, ging nun auch aus der Auseinandersetzung mit dem stalinistischen Terror hervor. Die Desillusionierung richtete sich nicht nur auf den stalinschen Kommunismus. Ende der dreißiger Jahre verbreitete sich die Tendenz zur Absage an alle politischen Systeme und Ideologien. Für Unzählige bedeutete der Pakt zwischen Stalin und Hitler am Vorabend des Zweiten Weltkrieges einen Abschluß nicht nur im historisch-politischen, sondern auch im persönlich-existentiellen Sinn. Viele Schriftsteller sahen sich gezwungen, die Möglichkeiten der Literatur in einer Welt zerbrochener Glaubensinhalte zu prüfen, »in der ein Gefühl von philosophischem Nihilismus an die Stelle einer einheitlichen sozialen und politischen Ausrichtung getreten war«.[142] Wie stark die Verunsicherung auch die kommunistischen Autoren traf, die zur Partei hielten, läßt sich an Anna Seghers' Roman *Transit* (1943) ablesen, der die zermürbenden Schwierigkeiten der Emigranten bei der Flucht aus Frankreich zum Thema hat. Hier ist die Bewährung des Helden nach der erdrückenden Vergegenwärtigung von Einsamkeit, Verzweiflung und Flucht am Ende nur angedeutet. Über die schwere Zeit der deutschen Exilanten und zurückgekehrten Spanienkämpfer in Frankreich und seinen Lagern 1939/40 hat Kantorowicz in dem autobiographischen Buch *Exil in Frankreich* (1971) Bericht abgelegt.

Während die Schriftsteller in den westlichen Ländern inzwischen ihre Reaktionen auf den Stalinismus aufgearbeitet haben, wird dieser Komplex in der Sowjetunion und im kommunistischen Deutschland offiziell nach wie vor im Dunkel gehalten, trotz des XX. Parteitages. Hinter einer so umfassenden und erschütternden Abrechnung mit dem sowjetischen Straf- und Arbeitslagersystem, wie sie Aleksandr Solženicyn (geb. 1918) in *Der Archipel GULag* (1974) geliefert hat, sind auch die Schicksale deutscher Schriftsteller in der Sowjetunion noch genauer zu deuten, der tägliche Umgang mit Macht und Ohnmacht, die Wege zwischen Anmaßung und Verblendung.

Einen kleinen Einblick in die Defensivmechanismen hat der ungarische Autor Ervin Sinkó (1898–1967) gegeben, der 1935 nach Moskau kam und 1936 ein Tagebuch führte. Sinkó berichtet, wie er bei einem Zusammensein mit deutschen Schriftstellern, mit denen er sich zuvor über die Bewertung Nietzsches gestritten hatte, durch Zufall auf einen Nietzsche-Aphorismus stieß, der unter der Überschrift ›Die freiwillig Blinden‹ einen Moment lang ihre Situation erhellte: »Es gibt eine Art schwärmerischer, bis zum Äußersten gehenden Hingabe an eine Person oder an eine Partei, die verrät, daß wir im geheimen uns ihr überlegen fühlen und darüber mit uns grollen. Wir blenden uns gleichsam freiwillig zur Strafe dafür, daß unser Auge zu viel gesehen hat.« Sinkó hat die Reaktion auf diese Einsicht festgehalten: »Ich las diese Worte ohne jede Überlegung und ohne jede Absicht so vor, wie man vor Überraschung einen leisen Schrei ausstößt. Da ich sie aber Genossen vorlas, und das in einem Zimmer des Sonderhotels für Funktionäre der Komintern, im Hotel Lux, hörten sich die Worte Nietzsches auch für mich so an, als wäre mit einemmal hart ausgesprochen worden, was man niemals, und am allerwenigsten hier, hätte beim Namen nennen dürfen. Es wurde mir plötzlich klar, daß ich damit in rücksichtsloser Weise gegen eine stillschweigende, alle verpflichtende Übereinkunft, gegen eine Konvention verstoßen hatte, die man zum Leben braucht, deren man bedarf, um das Leben ertragen zu können. Ich habe noch nie so deutlich wie gerade jetzt erlebt, daß das Lautwerden eines Gedankens wie ein Schlag auf bloße Nerven wirken kann. Ich stellte das zwar nicht bei mir, wohl aber bei den anderen fest. Das peinliche Schweigen hielt nur kurz an, aber es war ein gemeinsames, ein gemeinschaftliches peinliches Schweigen. Wir beeilten uns, ihm ein Ende zu bereiten, so wie man ein Fenster, das ein eisiger Wind, der in das Zimmer einbrechen will, unerwartet aufgestoßen hat, rasch wieder zuschlägt. Alle beeilten sich, schnell über etwas anderes zu reden, über etwas anderes und lauter als gewohnt, sichtlich vom Eifer getrieben, den anderen zu helfen, das Erschauern von vorhin vor sich selbst zu leugnen und so zu tun, als wäre nichts vorgefallen. Wir näherten uns damals der zweiten Hälfte des Jahres 1936. Um jene Zeit hatte bereits jedermann Grund, sich vor seinen eigenen Gedanken, darüber hinaus aber auch vor jenen zu fürchten, die er für seine Freunde hielt. Jeder hatte Grund, sich vor allen anderen in acht zu nehmen.«[143]

Inzwischen haben sich mehr Fenster geöffnet. Doch sei auch auf diejenigen kommunistischen Schriftsteller hingewiesen, die im westlichen Exil bei der Partei blieben, mit dem größten Kontingent nach 1940 in Mexiko (Renn, Anna Seghers, Abusch, Frei, Kisch, Uhse, Leo Katz u. a.).[144] Mexiko bot bessere politische Arbeitsbedingungen als jedes andere westliche Exilland. Aufgrund der Unterstützung von seiten der Regierung konnte die von Kommunisten gegründete Bewegung ›Freies Deutschland‹ 1942 zum bedeutendsten Organisationskern nach dem Moskauer Nationalkomitee werden. Ein Teil der Aktivitäten galt der Auseinandersetzung mit der sozialdemokratischen Bewegung ›Das Andere Deutschland‹ in Buenos Aires. 1941 wurde die Zeitschrift *Freies Deutschland* gegründet, 1942 folgte der deutschsprachige Buchverlag ›El Libro libre‹ (›Das freie Buch‹) unter dem Lektorat des Lyrikers Paul Mayer (1889 bis 1970). Dort erschienen u. a. Kischs *Marktplatz der Sensationen* (1942), Feuchtwangers *Unholdes Frankreich* (1942), Anna Seghers' *Das siebte Kreuz* (1942), Heinrich Manns *Lidice* (1943), Theodor Balks *Das verlorene Manuskript* (1943), Renns *Adel im Untergang* (1944).

Die kommunistischen deutschen Exilanten, die in westlichen Ländern die Niederlage der deutschen Armeen erwarteten, widmeten sich in den letzten Jahren des Zweiten Weltkrieges wieder aktiver der Hoffnung, daß dem Faschismus in Deutschland der Sozialismus folgen werde und sie bei dessen Aufbau einen wichtigen Beitrag leisten könnten. Organisatorische Aktivitäten standen im Vordergrund, wie sich auch an den Gründungen der Bewegung ›Freies Deutschland‹ in England, der Schweiz, Frankreich und anderen Ländern erkennen läßt.[145] Aus dem überaus opferreichen Kampf der Sowjetunion gegen das faschistische Deutschland wuchsen den Kommunisten wieder viele Sympathien zu. Ohne Einbezug dieses Kampfes mit seinen Millionen Opfern ist eine Einschätzung des Stalinismus und seiner Auswirkung auf deutsche Kommunisten nicht möglich.

Mit dem Krieg fällt der Blick abschließend wieder auf die gesamte Periode, die den Schriftstellern Entscheidungen abverlangte wie keine zuvor. Ob diese Entscheidungen, wie es einige der besten Werke zeigen, tatsächlich zur Bewährung wurden, verdient insofern besondere Beachtung, als viele Autoren mit dem Anspruch auftraten, das moralische Gewissen der Zeit zu sein. Im Rückblick ist es nicht damit getan, die Proklamationen und Organisationen zu zählen und aus dem Gedruckten wieder einen Papierturm zu errichten. Die Bewährung, die diese Zeit verlangte, war immer auch eine der Menschlichkeit. Darin ist sie noch nicht Geschichte geworden — oder Papier.

Manès Sperber (geb. 1905) hat als Schriftsteller und ehemaliger Kommunist diese Aktualität bzw. Aktualisierung erläutert: »In solch einer Zeit kommt es auf die Solidarität mit den Opfern, mit *allen* Opfern an und auf die rückhaltlose Suche nach der Wahrheit über jene, die das Leiden erzeugen, und über die anderen, die sich ihm unterwerfen müssen, als wäre es die Erfüllung ihrer Wünsche. Es ging, es geht zugleich darum, den Sinn eines Widerstandes, den Zweck des Überlebens zu entdecken. So bemühte ich mich, im Geiste des Widerstandes die sich überstürzenden Ereignisse in ihrem wirklichen Zusammenhang zu deuten, so gut es gelingen wollte. Doch konnte das so erlangte Wissen nicht genügen. Man überträgt die vielschichtige Erfahrung und die aus ihr gewonnenen Lehren nur, indem man gleichzeitig mit dem Erlebnis des einzelnen dessen Einsichten und Irrtümer, dessen Leidenschaften oder seine Gleichgültigkeit vergegenwärtigt. Man schafft zwar die Vergangenheit nicht ab, indem man sie erinnernd wieder erlebt, das ist wahr, aber man verhindert sie so, die Zukunft zu hypothekieren und schließlich zu knechten.«[146]

Kapitel IX

Sozialistische Literatur nach 1945

1. Voraussetzungen der Teilung

»Freilich, wir, die mit Hitler nicht gesiegt hätten, sind mit ihm geschlagen.«[1] Brecht schrieb diese Worte im Sommer 1945 anläßlich der Potsdamer Konferenz der Großmächte. Er rechnete sich trotz des Exils zu den Geschlagenen. Seine Gedichte und Stücke nach 1933 hatten Deutschland zum Bezugspunkt, seine Hoffnungen waren wie die vieler anderer Sozialisten auf die deutsche Arbeiterklasse gerichtet gewesen, Hoffnungen auf die Überwindung des Faschismus durch Deutsche selbst. Nun war es besiegelt: das deutsche Volk hatte Hitler nicht selbst abgeschüttelt. Nur das hätte den politischen Bestand Deutschlands gesichert, denn damit wäre der Nationalsozialismus zum Teil einer furchtbaren, aber überwundenen deutschen Geschichte geworden. Die Deutschen hätten gewiß die Waage ihrer Geschichte nicht ins Gleichgewicht gebracht, aber zumindest wäre diese nicht so belastet worden, daß der Balken zerbrach. Gegen die Nationalsozialisten hatte es Widerstand gegeben, von Tausenden Arbeitern, Kommunisten und Sozialdemokraten, und auch von Bürgerlichen und Konservativen, Geistlichen und Generälen, und eine große Widerstandsaktion am 20. Juli 1944, die grausame Vergeltung forderte. Damit war, ebenso wie mit den Exilaktivitäten von Politikern und Intellektuellen, das ›andere‹ Deutschland hervorgetreten und hatte die Kontinuität des Gewissens sichtbar gemacht. Aber eben dies ist die Bilanz: die Kontinuität des Gewissens, nicht der politischen Souveränität.

Brecht notierte im selben Tagebucheintrag sein Aufatmen: »Das Wichtigste: daß die ökonomische (und damit politische) Einheit statuiert ist. Auch wenn es Mühe macht, muß man in dieser Zeit im Kopf behalten, daß Deutschland ein völlig zu Boden geworfener kapitalistischer Staat ist.« Die Hoffnung, daß sich Deutschland erhalten lassen werde, war mit der Forderung nach großen Änderungen seiner politischen, ökonomischen und gesellschaftlichen Struktur verbunden, und das reichte bis weit in die Reihen bürgerlicher Politiker hinein. Mit diesen Änderungen hätte der völlig zu Boden geworfene kapitalistische Staat nicht geteilt werden müssen, aber die Tatsache, daß es innerhalb weniger Jahre geschehen konnte, und daß die Deutschen die Teilung akzeptierten, zeigt, wie stark Hitler in seiner maßlosen Herausforderung an die Welt den Boden dafür bereitet hatte. Die Teilung vollzog sich durch die wachsende Konfrontation der Großmächte, die ihren jeweiligen Teil von Deutschland nicht aufgeben wollten, jedoch vollzog sie sich im Rahmen einer politischen Konstellation, welche die Deutschen selbst herbeigeführt hatten. Sie ist von der Welt in dieser Weise verstanden worden: ein geeintes Deutschland ist zu groß, zu unsicher, zu gefährlich für das europäische Gleichgewicht; nur in der Teilung in zwei Staaten liegt eine Garantie für den Frieden in diesem Teil der Erde — oder zumindest das, was einer Garantie nahekommt.

Damit zeichnen sich die Voraussetzungen ab, unter denen der ostdeutsche kommunistische Staat entstand. Das geschah nicht aufgrund einer Revolution oder einer revolutionären Bewegung, sondern im Verlauf des politischen Teilungsprozesses. Bis hin zu der heute in der DDR vertretenen Gegenüberstellung einer ›sozialistischen‹ Nation DDR und einer ›kapitalistischen‹ Nation Bundesrepublik ist der ostdeutsche Sozialismus mit der Teilung verknüpft. Seit er durch die mit dem Kalten Krieg fixierte internationale Politik der Teilung ermöglicht wurde, liefert er die hauptsächlichen Legitimationsargumente für die politische Verselbständigung Ostdeutschlands gegenüber dem größeren Westdeutschland.

Wie stark *politische* Faktoren diese Entwicklung bestimmten, bestätigt der Blick auf die sowjetische Politik im Zusammenhang mit der Frage, warum die Sowjetunion nach dem Krieg in Deutschland keine breite sozialistische Bewegung gefördert hat, wohl aber in ihrer Zone die Kommunisten in die Machtstellungen brachte, die dann die Sozialisierung bewerkstelligten. Stalin war an einer Konsolidierung der sowjetischen Nachkriegsposition und — verständlicherweise — am Aufbau seines von den Deutschen verwüsteten Landes interessiert, nicht an einer wirklich breiten und mächtigen sozialistischen deutschen Bewegung, für die der Schlüssel in Westdeutschland, der Hauptbasis des deutschen Kapitals und der deutschen Industrie, lag.[2] Diese Bewegung war nach 1945 in den Arbeitnehmerorganisationen, Parteien, Verfassungsgremien, Parlamenten durchaus zur Möglichkeit geworden. Wolfgang Abendroth sprach rückblickend von einer »sozialistischen Renaissance« und umriß ihr politisches Potential in dem Satz: »Gleichwohl hatte die kurze Blüteperiode sozialistischen Denkens, in der es, bis das deutsche Volk zu seiner Gewohnheit, jede etablierte Macht — welche auch immer — zu akklamieren, zurückgekehrt war, auch vorübergehend ohne Zweifel die Majorität dieser Nation gewonnen hatte, gezeigt, daß es die Probleme dieser Periode erfassen konnte und sich von sektiererisch-dogmatischer Verengung freizuhalten wußte.«[3]

Wenn überhaupt nach 1945 von seiten der Deutschen eine Alternative zur Teilung Deutschlands und Integration in zwei Machtblöcke entworfen wurde, welche die Vergangenheit überwinden sollte und wohl vom Volk getragen worden wäre, so geschah es in dieser kurzlebigen »sozialistischen Renaissance«. Sie wurde von den Amerikanern abgewürgt, aber zweifellos hat die sowjetische Politik bei diesem Prozeß eine überaus bedrückende Rolle gespielt. Nach dem Eroberungs- und Besatzungsterror (der von denen mit Schweigen übergangen worden ist, die ein Wiederaufleben faschistischer Gedankengänge verhindern wollten) erschütterte auch das Schicksal der Millionen deutscher Kriegsgefangener in der Sowjetunion das Vertrauen, zumal hierbei ja die Arbeiter- und Bauernklasse am schärfsten bestraft wurde, während man das mittlere und höhere Offizierskorps in der Regel nach der Genfer Konvention behandelte.[4] Vor allem aber untergrub die brutale Gleichschaltung sozialistischer und radikaldemokratischer Kräfte die Glaubwürdigkeit des Konzepts der »Volksdemokratie als besonderer Form des Übergangs vom Kapitalismus zum Sozialismus«. Die stalinistische Praxis machte die Bemühungen in Ost- und Mitteleuropa um eine breite sozialistische Demokratie auf der Basis der nationalen Selbstbestimmung zunichte. Theo Pirker charakterisierte die mit dieser Praxis übereingehenden Ideologien der »Volksdemokratie« mit den Worten: »Sie dienten mehr als propagandistische Innenargumentation und insbesondere als Argumentationsbasis mit den ehemaligen Verbündeten auf internationaler Ebene denn als Argumente zur Überzeugung der Arbeiterklasse in Europa.«[5] Im Osten Deutschlands setzte die üble Behandlung der Sozialdemokraten in der 1946 aus SPD und KPD gebildeten Sozialistischen Einheitspartei die Zeichen.[6] 1948 wurde dann auch der von Anton Ackermann vertretene ›deutsche Weg zum Sozialismus‹ abgeschnitten. In der Folgezeit brachte die deutsche Tugend der Unterwerfung und des ideologisch verbrämten Gehorsams auf beiden Seiten der Zonengrenze Früchte. In der Gefolgschaft zum jeweils dominierenden Besatzungsstaat kam es — in der DDR infolge der enormen Reparationslast für ganz Deutschland unter besonders schwierigen Umständen — zum respektheischenden Wiederaufbau des Landes, d. h. nun zweier Staaten.

Für die Artikulation der Konzepte eines demokratischen Sozialismus bei jungen deutschen Intellektuellen nach 1945 wies Abendroth u. a. auf die Zeitschrift *Der Ruf* hin, die Hans Werner Richter (geb. 1908), der spätere Leiter der Gruppe 47, und Alfred Andersch (geb. 1914) 1946/47 herausgaben, bis sie von der amerikanischen Besatzungsmacht verboten wurde. Beide Autoren hatten die Niederlage der deutschen Arbeiterparteien 1933 bewußt miterlebt. Richter wurde wegen trotzkistischer Neigungen aus der KPD ausgeschlossen (vgl. den autobiographischen Roman *Rose weiß, Rose rot*, 1971); Andersch kam als kommunistischer Jugendführer in München 1933 vorübergehend ins KZ, wandte sich vom Kommunismus, d. h. von ›allen‹ Ideologien ab und folgte einer stark existentialistischen Linie (vgl. den autobiographischen Bericht *Die Kirschen der Freiheit*, 1952).

Die existentialistische Erlebnishaltung, bei den meisten Schriftstellern der Zeit anzutreffen, prägte vor allem die Fixierung auf den Begriff des Nullpunkts als selbstgesetzten Ausgangspunkts einer grundsätzlichen Erneuerung, die auch den Sozialismus, der 1933 versagt habe, einschließen müsse. Für einen eigenen Weg Deutschlands zwischen Ost und West wurde eine Synthese von Demokratie und Sozialismus angestrebt, in der die Lehren der Niederlagen gezogen seien. Die Rolle der jungen Generation betonend, programmierte Richter Ende 1946: »Hier an diesem Wendepunkt der Ideen trifft sich das Wollen einer jungen, aus Krieg und Gefangenschaft heimkehrenden Generation mit der Wandlung des Sozialismus. Wie diese um die theoretische Synthese zwischen individueller Freiheit und wirtschaftlicher sozialistischer Gebundenheit ringt, sucht jene aus ihrer Erlebniswelt und aus ihrer Erkenntnis heraus den praktischen Weg, der aus dem unvermeidlichen bürokratischen Erstickungstod in der absolut geplanten Gesellschaft zu einer elastischen Ordnung führt, in der die sozialistische Planung sich mit der Freiheit des Menschen verbinden kann.«[7] Die Resonanz des *Rufs* war so groß, daß man die Gründung einer Ruf-Partei forderte. Vielleicht noch schwerer als die Programmatik wog die Kritik an den aktuellen Entwicklungen in West und Ost. Das galt in jedem Falle für die zensurierenden Besatzungsmächte. Richter läßt offen, ob amerikanische Bedenken oder eine sowjetische Intervention im Kontrollrat zum Verbot geführt haben.[8]

Für die deutschen Sozialisten und Kommunisten wurde zur schlimmsten Konsequenz der Niederlage die Tatsache, daß sie damit den Zugang zur Verwirklichung eines eigenständigen deutschen Sozialismus verloren, der sich nicht als Legitimationsideologie für die Teilung manipulieren ließ. Es verwundert nicht, daß die DDR, um diese Situation zu überspielen, die deutsche Geschichte insgesamt zu einer Legitimationsideologie für die Teilung uminterpretiert. Jedoch beraubt sie sich in der damit verbundenen Bemühung, sich aus der Verantwortung für die deutsche Geschichte zu entlassen, nur um so mehr der Souveränität über diese Geschichte, in welcher der Sozialismus eine so bedeutsame und hoffnungsvolle Rolle gespielt hat.

Wenn es Schriftstellern und Literaturkritikern der DDR seit jeher Schwierigkeiten bereitet hat, das spezifisch Sozialistische ihres Werkes klar herauszustellen, so bildet das Teil einer generellen Definitionsproblematik des ostdeutschen Sozialismus. Literatur und Literaturkritik stellen dafür nur einen Spiegel dar. Ohne Revolution, ohne revolutionäre Bewegung, ohne Wahlen als begründende Faktoren ist dieser Sozialismus in der Tat *Bemühung,* eine späte, von der Politik zugleich geforderte und desavouierte Bemühung. Die Schwierigkeiten werden um so deutlicher, als Literatur niemals nur die gewünschten Entwicklungen spiegelt. Sie macht auch andere psychologische, gesellschaftliche und politische Erscheinungen sichtbar. Sie läßt die Künstlichkeit vieler offizieller Aktivitäten erkennen, die in immer neuen Kampagnen angekurbelt werden. Sie läßt erkennen, daß die Versuche, ihr die Legitimation nur aus diesen Aktivitäten zuzuschneiden, die Glaubwürdigkeit dieser Aktivitäten selbst unterminiert. Man mag hier an das Wort denken, mit dem Engels, unter Hinweis auf Balzac, die Eigenbewegung der künstlerischen Wahrheit über alle politischen Vorurteile hinweg als »Triumph des Realismus« pries: wie über alle politischen Kampagnen und Auftragskonzepte hinweg in den in der DDR entstandenen literarischen Werken die tatsächliche Lebenswirklichkeit der siebzehn Millionen Deutschen spürbar wird, mit all den unausgesprochenen Problemen, in der politischen Konformität vorbildlich zu sein, mit dem Leiden an der Teilung, das hier viel stärker als in Westdeutschland die Selbsteinschätzung bestimmte, mit dem Aufatmen bei Leistung und Erfolg und dem schließlichen Einrichten in einer Leistungsgesellschaft, in der die Zuordnung von Konformismus und persönlichem Freiheitsverlangen nach bekannten Modellen geschieht. Die Literatur läßt erkennen, wie der aus dem Nachlaß der deutschen Geschichte dem westdeutschen Teilstaat gegenübergestellte ostdeutsche Teilstaat eine Wirklichkeit gefunden hat, d. h. wie sich seine Bewohner in die Balance der Nachkriegszeit zwischen Ost und West eingefügt haben, in der jüngeren Generation bereits mit viel Selbstverständlichkeit.

Wo bleibt hier die sozialistische Literatur? Eben das ist die Frage, da zweifellos enorme Mühe auf die Herstellung einer genuin sozialistischen Literatur gerichtet worden ist, die schließlich die Krönung einer die vergangenen Jahrzehnte durchlaufenden, aufsteigenden Tradition sein soll. Wenn man die Möglichkeit abrechnet, alles, was in der DDR an Literatur produziert worden ist, als sozialistische Literatur zu bezeichnen — etwas, das sowohl die Literatur wie den Sozialismus im staatlichen Legitimationsanspruch auflöst —, so bleibt nur die vorsichtige Skizzierung von Bemühungen, die über die generellen Versuche von Schriftstellern hinauszielen, die Wirklichkeit künstlerisch zu durchdringen und auf ihre Wahrheit für den Menschen hin zu befragen.

Eine solche Skizzierung soll im folgenden zum Abschluß noch vorgenommen werden. Nachdem an anderer Stelle auf das Verhältnis der DDR-Kulturpolitik zur kulturellen Tradition des deutschen Sozialismus eingegangen worden ist[9] und zur literarischen Entwicklung in der DDR verschiedene umfassende Werke vorliegen[10], erübrigt sich eine ausführliche Darstellung.

2. Die Probleme der Kontinuität

Brechts Aufatmen darüber, daß die Einheit Deutschlands bewahrt werden würde, entsprach der Reaktion der meisten deutschen Schriftsteller dieser Zeit. Unter denen, die sich im Exil nicht von Deutschland abgekehrt hatten, waren die sozialistischen Schriftsteller am ehesten bereit, in die Heimat zurückzugehen und zum Aufbau eines neuen Deutschlands beizutragen. Mit diesem Impuls kamen in der Nachkriegszeit viele von ihnen zurück, zumeist nach Berlin, dem politisch und kulturell zentralen Ort der ›Erneuerung‹ zwischen Ost und West; es seien Becher, Bredel, Wolf, Brecht, Anna Seghers, Renn, Uhse, Marchwitza, Kantorowicz, Bloch, Abusch, Stephan Hermlin, Gustav von Wangenheim, Plievier, Erich Arendt, Stefan Heym genannt. Die Erwartungen auf eine neue kulturelle Blüte, die an die der zwanziger

Jahre anschließen würde, waren bei ihnen wie beim Publikum groß.

Wenn man von diesem Ausgangspunkt aus die Entwicklung der deutschen Literatur, vor allem im Hinblick auf die zurückgekehrten sozialistischen Schriftsteller, im sowjetischen Einflußbereich verfolgt, so ist es unumgänglich, den Bogen der Hoffnungen und Enttäuschungen bis zu seinem Ende auszuschreiten, d. h. über die antifaschistisch-demokratische und offen stalinistische Phase hinweg bis hin zum 17. Juni 1953, dem Tauwetter nach Stalins Tod und dem XX. Parteitag der KPdSU 1956, der eine breite Diskussion der Intellektuellen über den Sozialismus auslöste, die 1957 mit der Kulturkonferenz der SED abbrach. Nur in diesem Gesamtzusammenhang werden die Bemühungen um eine sozialistische Erneuerung im biographischen und historischen Kontext überschaubar: als die erhoffte Fortsetzung und *Realisierung* der durch Exil, Krieg und ideologische Anfechtung hindurch bewahrten Überzeugungen. Was sich hier vollzog, läßt sich nicht mit der von der offiziellen Taktik hergeleiteten Einteilung allein fassen (antifaschistisch-demokratische Phase bis 1948/49, Übergang zur sozialistischen Revolution 1952 etc.). Es war mehr ein Abschluß als ein Anfang. Hier machte sich die mit den Revolutionen 1917/18 emporgestiegene Generation von Sozialisten daran, die Ernte einzubringen, nachdem sie lange genug ihre Konzepte vor Hitlers und Stalins Zugriff bewahrt hatte — historisch zurückgewandt (wie Lukács), visionär abgehoben (wie Bloch) oder geschichtlich-dialektisch (wie Brecht). Aber zur Ernte kam es nicht, vielmehr zu einer erneuten Bewährung, wo der Marxismus weiterhin in jenen Höhen des Modells, der Utopie und der Totalität zu verbleiben hatte, damit er über den Reglementierungen der stalinistischen Politik in seiner gesellschaftlich und geistig aufschließenden Kraft sichtbar sei, vor allem für die Jüngeren, die nach der Irreführung im Faschismus nach neuen Konzepten — nach *dem* richtigen Konzept — suchten.

Insofern stellt die in der DDR vielberufene politische und literarische Kontinuität eine höchst zwiespältige Erscheinung

dar. Sie bedeutete durchaus kein bloßes Weitergeben von
Traditionen, kein Emporreichen der Stafette, kein Einlaufen
in den Hafen, wie es offiziell in vielen Varianten gezeichnet
wird, vielmehr vor allem eine eigene kämpferische und
historische Erfahrung, an der das Neue, das unter der Herrschaft der sowjetischen und ihnen ergebenen deutschen
Kommunisten entstand, gemessen werden konnte und gemessen wurde. Aus dieser Erfahrung ging zunächst einmal
Souveränität hervor, und was das bedeutete, läßt sich am
Werdegang der in Deutschland gebliebenen kommunistischen und sozialdemokratischen Widerstandskämpfer ablesen, die sich den neuen Machthabern keineswegs willenlos
unterordneten. In den folgenden Jahren wurden die Widerstandskämpfer zwar geehrt — wie in Westdeutschland höchstens die Männer des 20. Juli 1944 und die Studentengruppe
›Die weiße Rose‹ —, jedoch in die wichtigen Entscheidungen
im allgemeinen nicht einbezogen. Von Ulbricht ist überliefert, daß er von vornherein ihren Einfluß eindämmte.[11]
Sie besaßen ihre eigene Legitimation als deutsche Sozialisten, und allein das machte sie zu einem Unsicherheitsfak-
tor. Es ging den machthabenden Kommunisten nicht um die
Souveränität des deutschen Sozialismus, sondern um seine
möglichst perfekte Unterordnung unter die sowjetische
Politik.

Ebenso läßt sich im kulturellen und philosophischen Bereich verfolgen, was die in eigener Erfahrung gewonnene
Kontinuität bedeutete. Für die aus dem Exil Heimgekehrten
gab es Ehrungen, wie sie in Westdeutschland überhaupt
nicht zu denken waren — und im weiteren nach einer Atem-
pause bis 1947/48 die Sprach- und Maßregelungen gemäß
der von Ždanov seit 1946 in der Sowjetunion wieder starr
gehandhabten Doktrinen des sozialistischen Realismus und
dialektischen Materialismus. Schon 1948 beschwerte sich
Ulbricht darüber, daß die Schriftsteller und Künstler das
Neue nicht aufgriffen:

»Unsere Genossen Schriftsteller haben in dieser Zeit Emigra-
tionsromane geschrieben, und so ist ein großer Teil zurückgeblie-
ben. Inzwischen ist der Kampf um eine neue gesellschaftliche

Ordnung geführt worden, aber ihr hinkt drei Jahre hinterher und fangt an, jetzt Probleme zu gestalten, die längst gestaltet sein sollten.«

Die Schriftsteller und Künstler hingen, so hieß es, zu sehr in der Vergangenheit, im Kleinbürgerlich-Individualistischen, außerdem sei die »übergroße Mehrheit der Kunstschaffenden, die unserer Partei angehört, vom Formalismus beherrscht«.[12] Bereits in dieser Rede zeichnete Ulbricht nach sowjetischem Vorbild genau den Typus des Betriebsromans vor, der in der Folgezeit in den Mittelpunkt der offiziellen literarischen Bemühungen rückte:

»Warum kann ein Schriftsteller nicht das Thema wählen, wie der Kampf um den Aufbau eines Betriebes geführt wurde? Es ist doch ein sehr interessantes Thema, zu zeigen, wie man den Unternehmer und einige andere Leute hinausexpediert und unter riesigen Anstrengungen den Kampf um den Neuaufbau geführt hat, welche menschlichen Schicksale sich dabei offenbarten, wie Ingenieure, die zunächst mit der neuen Ordnung nicht einverstanden waren, langsam begannen mitzuarbeiten. Einige haben sabotiert, andere wurden schließlich von der Aufbaubewegung erfaßt und sind ganz vorbildliche Menschen geworden.«[13]

Das war also das Neue, das man literarisch bewältigen mußte, wenn der Aufbau des Sozialismus in Deutschland vorangebracht werden sollte. War es das Neue? War es dasjenige, wofür die Antifaschisten drinnen und draußen den Kampf geführt hatten, einen Kampf, in dem viele die ideologische Anfechtungszeit Ende der dreißiger, Anfang der vierziger Jahre schließlich überwunden hatten? Gewiß war es das Neue, und in gewisser Weise hatte Ulbricht recht, wenn er die Schriftsteller und Künstler aufforderte, sich mit der Realität künstlerisch auseinanderzusetzen. Hier mußten manche der sozialistischen und künstlerischen Konzepte früherer Jahre mit den Tatsachen der ökonomisch-gesellschaftlichen Umstrukturierung eines geschlagenen Landes verbunden werden. Nur wenige, die sich vor 1945 literarisch und publizistisch bewährt hatten, besaßen genug Stehvermögen, und diejenigen, die diese Probleme — wie Anna Seghers und Brecht — in ihre künstlerische Arbeit hineinnahmen, hatten sehr damit zu kämpfen — ohne befreiende Resultate. Jedoch, so lauteten versteckt oder offen die Fragen immer wieder: War dies denn das ganze Neue, das den Sozialismus nach Hitler ausmachte? War die Eingrenzung auf eine Übernahme des stalinistischen Aufbau- und Diktaturreglements wirklich der einzige Weg der Verwirklichung des Sozialismus?

Die Variationen dieser Fragestellung waren zahllos. Sie lassen keinen Zweifel daran, daß in der Nachkriegsphase eine Vielzahl von Sozialisten *aufgrund* der Kontinuität ihres Engagements ein kritisches Potential darstellte, mit dem entgegen dem eingeschlagenen Weg ein anderer Neuanfang des deutschen Sozialismus hätte gesetzt werden können, ein Neuanfang, mit dem, anstatt die Niederlage im konstanten politischen Kapitulationsakt zu perpetuieren, aus ihrer Überwindung eine neue Souveränität hatte gewonnen werden können. Das zweimalige ›hätte‹ signalisiert, daß der tatsächliche Kurs anders verlief, jedoch nimmt es dem ideologischen, politischen, menschlichen und wohl auch demokratischen Potential nichts von seinem Gewicht. Nur wenn neben den Hoffnungen die Enttäuschungen analysiert werden, läßt sich der Aufbau des ostdeutschen Staates adäquat erfassen. Die Schriftsteller, Künstler und Intellektuellen, die Millionen Bürger, Kleinbürger, Arbeiter und Bauern, die keineswegs nur aus ›kapitalistisch-bürgerlicher‹ Gesinnung heraus dem ostdeutschen Sozialismus den Rükken kehrten, bezeugen, daß es mit der Berufung auf die Kontinuität des deutschen Sozialismus nicht getan ist, will man den Aufbau des ostdeutschen Staates historisch begründen. Ohne die *politische* Entscheidung über Deutschland vorauszusetzen, läßt sich kaum erschließen, warum der Sozialismus nach einer Orgie von Parteiwillkür, Untertanengeist, Heuchelei und Denunziantentum wiederum auf diesen in Deutschland so erschreckend perfektionierten Tugenden aufgebaut werden mußte. War nicht der Sozialismus als Ablösung von solchen ins Inhumane weisenden Verfehlungen anvisiert worden, nicht zuletzt auch in den Humanismus-Parolen seit Mitte der dreißiger Jahre? Nun aber ging

es im wesentlichen um die Durchsetzung eines ökonomisch
effizienten Systems, um dessen Betriebs- und Produktionsideologie willen der Bruch mit dem deutschen Untertanengeist und die Möglichkeiten eines menschlichen und demokratischen Sozialismus vergeben wurden. Dabei gewährt das
Argument, all dies sei um der Reparationen an die Sowjetunion willen geschehen, keine Begründung im Sinne des
Marxismus, vor allem nicht für die Stilisierung dieses Vorgehens zu dem für Deutschland vorbildlichen Sozialismus.

Um dieser Politik willen wurde auf eine Auseinandersetzung mit dem Nationalsozialismus verzichtet, die über
die generelle — und in dieser Form in Westdeutschland nie
erreichte[14] — Säuberung und Verdammung hinausgegangen
wäre. Mit den Worten von Ernst Richert: »Da man im
Hitlerismus eine ›marasmische‹ Ausgeburt der Fusion der
Bourgeoisie mit dem preußischen Militarismus und den
Landjunkern sah, konnte sich die Masse der NS-Gläubigen
und -Mitläufer in der Tat als unbetroffen empfinden und
zur Tagesordnung des neuen Systems übergehen, ohne daß
gravierende Traumata zurückblieben. Wie in allen Volksdemokratien wurde die Alternative antifaschistisch: pro-
faschistisch schnell durch die Alternative prokommunistisch
(prosowjetisch): antikommunistisch (antisowjetisch) abgelöst. Dezidierte Demokraten, Bildungsbürger, aber z. B.
auch Sozialdemokraten und autochthon orientierte Bauern-
gruppen wurden als Bremser der revolutionären Anstrengungen weitaus stärker drangsaliert als ehemalige NS-Mit-
läufer, soweit diese die erste Zeit der Großsäuberungen
überlebt hatten. Die Abrechnung mit der Vergangenheit
war dank der Zerschlagung des Reiches inaktuell geworden.
Nicht, wie sich einer zwischen 1933 und 1945 verhalten
hatte, zählte fortan, sondern wie er sich zur neuen Revolution verhielt: aktiv, loyal, indifferent oder feindlich.«[15]

Für diese Haltung war seit langem von Stalin der Weg
geebnet worden. Von dem Fehlen sowjetischer Analysen zu
Hitler und dem Nationalsozialismus, die über die ökonomische Faschismus-Definition der Komintern hinausgingen,
ist die Rede gewesen. Dieses Schweigen hielt nach 1945 an.

Im Gegensatz zum Westen, wo die Frage ›Wie konnte es geschehen?‹ in vielfache wissenschaftliche Beleuchtung gestellt wurde, erschien in der Sowjetunion nichts über die NSDAP, den Charakter des Nationalsozialismus und die Praktiken des Dritten Reiches. (So wurden nicht einmal die Dokumente des Nürnberger Prozesses 1946, das massivste Zeugnis der Naziverbrechen, publiziert; erst nach Stalins Tod ging man an die Veröffentlichung einer gekürzten Version.[16]) Diesem lange anhaltenden, erst in den sechziger Jahren langsam durchbrochenen Schweigen widerspricht nicht der exzessive Gebrauch des Faschismus-Vorwurfs, der auch von seiten der deutschen Kommunisten als Selbstlegitimierung und Munition im Kalten Krieg bis zur Entleerung des Begriffs Faschismus betrieben wurde.

Das führt zurück zur offiziellen Maßregelung der Schriftsteller und Künstler durch Ulbricht 1948, zu der Aufforderung, sich von der Vergangenheit abzuwenden und den Aufbau der Produktion zu heroisieren. Immerhin war direkt nach Kriegsende von allen Seiten das Bedürfnis zum Ausdruck gekommen, mit dem Nationalsozialismus gründlich abzurechnen, d. h. nicht nur eine administrative Großsäuberung durchzuführen — die, für sich genommen, eine enorme Leistung darstellt, vor allem im Schul- und Bildungsbereich —, sondern eine Wandlung der Deutschen zu erzielen. Becher drückte seine seit 1933/34 immer neu artikulierte Betroffenheit in Worten aus, die der im *Ruf* formulierten existentiellen Erschütterung[17] nahekamen. Becher sprach vom *Gewinn der Niederlage:*

»Die Wahrheit zu erkennen, ist einem Volke vielleicht mehr gegeben in seinem Unglück als in seinen glücklichen Tagen, so wie auch der Mensch oft der Wahrheit und der Vernunft eher Gehör zu schenken geneigt ist, wenn er sich dem Abgrund, dem Nichts, gegenübersieht, als wenn er in der Hochstimmung des Erfolgs, vom Schwindel ergriffen, sich unfehlbar wähnt und Gott ähnlich dünkt. Aus unserer tiefsten Erniedrigung, in der Konfrontation mit dem Nichts, ergibt sich zugleich auch die Chance, uns auf das Unvergängliche und Substantielle unseres Wesens zu besinnen.«[18]

Becher, der in der Rede *Wir, Volk der Deutschen* (1947) auf die Bemühungen von Eugen Kogon und Karl Jaspers um eine tiefgreifende Wandlung verwies, zog die aktuelle Bilanz:

> »Wir wissen es aus allen Erfahrungen der Geschichte und insbesondere aus der Erfahrung des ersten Weltkrieges, daß man einen Krieg zusätzlich noch ein zweites Mal verlieren kann, wenn man nicht imstande ist, den tiefen Sinn einer Niederlage zu begreifen und die daraus notwendigen Folgerungen zu verwirklichen.«[19]

Solche Gedanken waren in vieler Munde; mit ihnen wurden auch die Maßnahmen begründet, mit denen man die Produktionsmittel verstaatlichte, d. h. die Kapitalistenklasse, die den Faschismus unterstützt hatte, enteignete. Aber wie Becher und andere Schriftsteller deutlich machten, ging es nach den Verbrechen und Verirrungen der Deutschen noch um anderes. So war es auch in der Rede *Vom moralischen Gewinn der Niederlage* (1947) von Kantorowicz gemeint, der im ›Briefwechsel mit jungen Leuten‹ die moralische und ideologische Klärung für die junge Generation abhandelte (*Suchende Jugend*, 1949). Kantorowicz versuchte 1947–1949 mit der Zeitschrift *Ost und West* die Position grundsätzlicher politischer und moralischer Besinnung der Deutschen zwischen Ost und West lebensfähig zu erhalten, scheiterte aber an den Fronten des Kalten Krieges.[20] Von der Partei ebenso wie vom Westen mit Mißtrauen behandelt, war dieses Unternehmen schließlich ganz auf das Wohlwollen der sowjetischen Militärverwaltung angewiesen. Bechers Hinweis, daß die Russen dem Konzept Nation und nationale Besinnung spezifischen Respekt entgegenbrachten, fand Bestätigung.

Ein Großteil der intellektuellen Aktivitäten war ohnehin stark von den Sowjets ermutigt worden. Das hochfliegende Wort von der »Rangerhöhung der Geistigen« (Kantorowicz) bezeugte die Wirkung der intensiven und in der ersten Zeit recht liberal gehandhabten Förderung, ja Privilegierung der Intellektuellen von seiten der Besatzungsmacht, die offen-

sichtlich den Klärungsprozeß in Deutschland voranbringen
und die bürgerliche Intelligenz gewinnen wollte. An den
Vorbereitungen der neuen Kulturpolitik waren auch die
deutschen Exilpolitiker und -schriftsteller in der Sowjetunion
beteiligt gewesen.[21] Entscheidender Vermittler und Koordinator wurde Becher. Zentrum der Aktivitäten bildete der im
Juni 1945 gegründete ›Kulturbund zur demokratischen Erneuerung Deutschlands‹ mit der Zeitschrift *Aufbau* (1945
bis 1958) und der Wochenzeitung *Sonntag* (ab 1946).

Auch der 1947 in Berlin veranstaltete Deutsche Schriftstellerkongreß mit Teilnehmern aus allen Zonen Deutschlands entsprang, wie Hans Mayer (geb. 1907) festhielt, der
sowjetischen Regie. Das in den Ansprachen von Ricarda
Huch und Kantorowicz sichtbar herausgestellte Miteinander
von Exil und innerer Emigration bekräftigte der aus Mexiko
zurückgekehrte Alexander Abusch (geb. 1902) mit den Worten: »Weder die Literatur der Äußeren Emigration, so um-
fangreich und gewichtig sie ist, noch die der Inneren Emigration erheben den alleinigen Anspruch, ›die‹ deutsche
Literatur zu sein. Die deutsche Literatur wird aus dem
Zusammenfluß der beiden, während zwölf Jahren getrenn-
ten Ströme der deutschen Literatur entstehen.«[22] Dennoch
sei es ein windschiefes Gespräch gewesen, bemerkte Mayer,
der, nach dem Exil kurze Zeit am Frankfurter Rundfunk
tätig, von 1948 bis zu seinem Übertritt nach Westdeutschland 1963 in Leipzig Literaturgeschichte lehrte. Er führte
über die anschließende Entwicklung aus: »Die erste Konfrontation auf diesem Kongreß im Oktober 1947 bewirkte
Höflichkeit und gegenseitiges Nichtverstehen. Dann kam
die *zweite* Konfrontation, ausgelöst von den von nun an
gegeneinander arbeitenden Weltmächten. Melvin Lasky begründete bald darauf die Organisationen und Zeitschriften
des ›Kongresses für kulturelle Freiheit‹. In Moskau beendeten Stalin und Ždanov die Phase taktischer Kollaboration
mit den Ideologien des Westens, um ihrerseits die neue,
gerade die ideologische Konfrontation zu suchen. Das letzte
Wort sprach bald darauf die sowjetische Geheimpolizei.
Hatte man noch bis zu jenem Berliner Kongreß von 1947

die Fiktion aufrechterhalten von einer Zusammenführung
der inneren und äußeren Emigration, so wurde jetzt, in der
Frage politischer und polizeilicher Zuverlässigkeit, sogar
zwischen den Emigranten ein Unterschied gemacht. Von nun
an gab es die *Ost*emigranten und die *West*emigranten. Ost-
emigranten waren jene, die aus der Sowjetunion und in
ihrem Auftrag nach Deutschland zurückgekehrt waren. Sie
übernahmen bald darauf in der DDR die Machtpositionen
auch in der Kulturpolitik.«[23]

Diese Entwicklung fand ihre Ausprägung in einer generellen Wandlung der sowjetischen Kulturpolitik in Deutschland. Während diese Politik bis etwa 1948 eine werbende
und repräsentierende Tendenz erkennen ließ, setzte 1948/49
eine Veränderung zu einer anordnenden und vorschreiben-
den Haltung ein, die 1950 im Namen Stalins und Ždanovs
kaum noch Raum für Abweichungen zuließ.

Eine Übersicht über die zahlreichen Bücher, Filme, Theater-,
Chor- und Tanzensembles aus der Sowjetunion, die 1945–1949
in die sowjetische Zone strömten, läßt erkennen, wie sehr es den
Sowjets zunächst darauf ankam, das von der Goebbels-Propa-
ganda entstellte Bild ihres Landes, das auch durch die Brutalitäten
beim Einmarsch der Roten Armee 1945 stark gelitten hatte, zurechtzurücken. Das Gewicht lag auf dem Klassischen und Bewährten, auf Čaikovskij und Musorgskij, Gorkij und Čechov,
Puškin und Ostrovskij.[24] Mit Vorliebe bediente man sich der
Repräsentationsmöglichkeiten des Theaters und erreichte ein breites Publikum. Daneben lief aber auch die Produktion von Büchern — ebenfalls unter Bevorzugung des Bewährten — auf vollen
Touren; zwischen 1945 und 1949 wurden in der sowjetischen
Besatzungszone (mit den Buchzentren Leipzig und Berlin) 314
Titel (gegenüber 161 in den Westzonen) gedruckt, davon 64 allein
im Verlag der Sowjetischen Militäradministration in Deutschland, SWA.[25] Die werbende Selbstdarstellung schloß auch viele
der politisch stärker pointierten Importe ein, etwa die viel aufgeführten Stücke *Die russische Frage* (1947) von Konstantin
Simonov und *Oberst Kusmin* von den Gebrüdern Tur und L.
Šeinin. Simonov rechnete mit dem Antisowjetismus am Beispiel
eines amerikanischen Journalisten ab, der sich für die Sowjetunion einsetzt. *Oberst Kusmin* brachte die Konfrontation von
sowjetischer und amerikanischer Besatzungspolitik: der deutsche

Professor Dietrich, der anfänglich die Russen nicht mag, entschließt sich schließlich zur Zusammenarbeit.[26]

Offensichtlich kam auch noch unter den ersten Verhärtungen des Kalten Krieges die Intention zum Zuge, Deutschland auf einen eigenen, aber der Sowjetunion freundlichen Weg zu lenken, bis dann der Kalte Krieg voll einsetzte und eine Art zweiter Inbesitznahme zur Folge hatte, die in aller Perfektion und unter tüchtigem Beistand der SED vorgenommen wurde.

Dazu gehörte Ende 1948/Anfang 1949 eine große Kampagne zugunsten eines neuen Verhältnisses der deutschen Bevölkerung zur Sowjetunion, bei der das Negativimage mit Nachdruck beseitigt werden sollte. Oder in offizielleren Worten: »Die Partei orientierte deshalb auf eine offensive Diskussion der Fragen, die man — wenn auch unberechtigterweise — gern als ›heikel‹ bezeichnete.«[27] Dem entspricht dann Ende 1949, im Jahr der Gründung der beiden deutschen Staaten, die befriedigte Feststellung des SED-Parteivorstandes, das vergangene Jahr sei zu einem »Jahr des Umschwungs im Verhältnis des deutschen Volkes zum Sowjetvolk« geworden. Weniger offiziell und im Hinblick auf die sowjetische Position ausgedrückt: nachdem feststand, daß man ›seine‹ Deutschen abbekommen hatte, mußte man das enge Zusammenleben entsprechend koordinieren.

Zur Koordination gehörte im kulturellen Bereich die Übertragung des Kampfes gegen die moderne Kunst und die Einsetzung des sozialistischen Realismus als verbindlicher Norm. Nachdem sich mit dem Sowjetpatriotismus die Abwehr der ›westlichen‹, ›dekadenten‹, ›kosmopolitischen‹ Einflüsse erneuert hatte, gewann die Etikettierung der künstlerischen Moderne als ›westlich‹ im Kalten Krieg direkt politischen Wert: Literatur und Kunst wurden wie kaum je zuvor zum Medium politischer Kontrolle, was ihnen eine ungewöhnlich hohe Bedeutung zumaß. Gezahlt wurde allerdings mit dem Verlust an Kreativität. Die erste Hälfte der fünfziger Jahre wurde zu einem künstlerischen Vakuum, das die etablierten Autoren wie Becher, Brecht, Anna Seghers (*Die Toten bleiben jung*, 1949, überwiegend im Exil entstanden), Arnold Zweig (1887—1968; *Die Feuerpause,* 1954), Bodo Uhse (*Die Patrioten,* 1954), Bredel (*Die Söhne,* 1949, *Die Enkel,* 1953), Louis Fürnberg (1909—1957) mit ihren angepaßten, umgearbeiteten oder gemaßregelten Schöpfungen nur um so sichtbarer machten. Aufsicht führte 1951—1953, nach den von den Sowjets gesetzten Regeln, die Staatliche Kommission für Kunstangelegenheiten (Helmut Holtzhauer, Wilhelm Girnus, Ernst Hoffmann, Herbert Gute, Kurt Magritz u. a.).[28]

Für die Ausrichtung auf die Sowjetunion — die in ihren kulturellen Phasen an der von den Sowjets herausgegebenen Zeitschrift *Neue Welt* (1946—1954) gut verfolgt werden kann — sei wieder die offizielle Sprache gewählt: »Der Vermittlung der Kultur der Sowjetunion kam in der Etappe des Übergangs zur sozialistischen Kulturrevolution eine noch größere Bedeutung zu als in den vergangenen Jahren. Bei zahlreichen fortschrittlichen Kulturschaffenden der DDR ist festzustellen, daß sie begannen, sich auf das sowjetische Vorbild zu orientieren, insbesondere bei der Gestaltung von Gegenwartsthemen. In seiner Volkskammerrede zur Begründung des Fünfjahrplanes am 31. Oktober 1951 wies Walter Ulbricht nachdrücklich auf die Notwendigkeit hin, zur Erfüllung der für die nächsten Jahre gestellten Aufgaben systematisch von der Sowjetkunst zu lernen.«[29] Bis in die Sprache hinein ist das Abhaken der Vollzugsmeldungen zu verfolgen — obwohl mehr als fünfzehn Jahre später abgefaßt. Das läßt der Annäherung an die sozialistischen Werte der so entstandenen Literatur nicht viel Freiraum. Die Aufbauliteratur wurde zum Zeugnis für die Mühsal, aus der Betriebs- und Produktionsideologie das Antlitz eines deutschen Sozialismus zu modellieren. Am 17. Juni 1953 wurde die Maske abgerissen: die deutschen Arbeiter wehrten sich gegen die Ausbeutung durch den Arbeiterstaat.

Erwähnenswert ist als Betriebsroman neben *Stahl* (1952) von Maria Langner (1901—1967), *Helle Nächte* (1952) von Karl Mundstock (geb. 1915), *Die Sieben ist eine gute Zahl* (1953) von Hans Lorbeer und *Roheisen* (1955) von Hans Marchwitza das Buch *Menschen an unserer Seite* (1951), in dem Eduard Claudius das zuvor in der Novelle *Vom schweren Anfang* (1950) entwickelte Thema des Aktivisten Garbe behandelte, der mit seinen Maurerkollegen einen großen Ringofen erneuert hatte, ohne daß dieser außer Funktion gesetzt werden mußte. Während in der Novelle noch das Individuum (Hans Garbe) im Zentrum steht, geht es im Roman (der Namenwechsel von Garbe zu Ähre ist vielsagend) vor allem um die Beziehungen im Kollektiv.

Claudius packte »mit der Darstellung des Übergangs von der individuellen Leistung in der Aktivistenbewegung zur kollektiven Leistung in Brigaden das entscheidende Thema der Arbeiterliteratur in der DDR«[30] an; noch in der Bemühung um die Brigadetagebücher im späteren Bitterfelder Weg nach 1959 ist es zu verfolgen. Hierfür waren die Muster zunächst von der Sowjetliteratur der Ždanov-Ära vorgeprägt, in der sich der Einzelne in Wert und Funktion nur nach seiner Stellung im Kollektiv bestimmt, das die Zusammenarbeit von Menschen zwecks Verwirklichung eines gemeinsamen, für alle verbindlichen Zieles darstellt. Auch die negative Figur ist vom Kollektiv her begründet, nicht nur die positive: es darf nicht einfach Charakterschwäche oder bloß Versagen sein, sondern bedarf einer Kollektivbegründung, sei es im Sinne einer klassenfeindlichen Herkunft, sei es in Form aktiver Teilnahme an einem Gegenkollektiv (z. B. Organisationen ausländischer Agenten oder konterrevolutionärer Verschwörer). »Das ist eine der Hauptursachen für die in kaum einem Industrie- oder Kolchozroman der Stalinzeit fehlende Verschwörung feindlicher Agenten oder Saboteure, selbst wenn die Handlung Jahrzehnte nach der Revolution im Innersten der Sowjetunion spielt.«[31] Diese Manipulation bezeugte die völlige Negierung des menschlichen Faktors, in dessen Namen Stalin 1931 in seiner Rede *Neue Lage — neue Aufgabe des Wirtschaftsaufbaus* die Abkehr von der klassenkämpferischen Ausrichtung propagiert hatte. Der stalinistische Produktionssozialismus verlangte den Menschen als bloßes Objekt der Wirtschaftspläne, zugleich allegorisiert zum Monument des Bestehenden. Damit wurde jeder individuelle Konflikt zu einer Bedrohung des politischen Selbstverständnisses (›Theorie der Konfliktlosigkeit‹). Zwar war auch in der proletarisch-revolutionären Literatur vor 1933, deren Tradition man, etwa im Hinweis auf Marchwitza, häufig beschwor, allegorisiert worden. Aber diese Allegorisierung hatte sich als Teil des sozialistischen Kampfes verstanden, nicht als Machtlegitimation und Produktionsantreiberei.

Die Agitation mit Hilfe von positiven Arbeiterhelden setzte in der DDR im Herbst 1948 nach dem Vorbild der russischen Štachanov-Bewegung ein.[32] Man popularisierte den Bergarbeiter Adolf Hennecke, der in einer Sonderschicht seine Tagesnorm mit 380 % übererfüllte. Die Herausstellung von solchen Helden, von Neuerern, Neuererbrigaden und ähnlichen Vorbildern hat die wirtschaftliche Entwicklung der DDR auch weiterhin begleitet — als Teil der wirtschaftlichen Entwicklung.

Für die Verabsolutierung der Agitation lieferten Stalins Aufsätze *Marxismus und Fragen der Sprachwissenschaft* (1950, dt. 1952), die als Kritik des Dogmatismus erschienen, die ideologische Begründung. Anläßlich einer Debatte über die Plazierung der Sprache im System von Basis und Überbau führte Stalin aus, daß der Überbau zwar aus der Basis entstehe, doch bedeute dies keineswegs, daß er sich passiv, neutral verhalte. »Vielmehr, sobald er sich herausgebildet hat, wird er eine äußerst aktive Kraft, wirkt er aktiv an der Formung und Festigung seiner Basis mit, ergreift er alle Maßnahmen, um die neue Ordnung zu unterstützen und die alte Basis und die alten Klassen zu beseitigen.«[33] Der aktive Charakter, den Stalin dem Überbau zuschrieb, galt natürlich seiner eigenen Herrschaftsform. Werner Hofmann bemerkte dazu: »Die Vereinseitigung der Initiative, die der Verselbständigung der Führer gegenüber ihrer gesellschaftlichen Basis entsprach, hat die Selbsttätigkeit der Befohlenen schließlich — ganz entgegen Lenins Gedanken von einer fortschreitenden Selbsterzeugung der Produzenten — nicht entwickelt, sondern geradezu vereitelt.«[34]

Damit sind die Umstände der von Ulbricht propagierten Zuwendung zur Gegenwart im groben skizziert. Sie lassen erkennen, wo der ›Realismus‹ dieser Haltung lag: in der Verpflichtung auf die Partei, die Sowjetunion und die Produktion. Sie lassen aber auch erkennen, daß dieser ›Realismus‹ mit einer Abkehr von den humanisierenden Elementen des Sozialismus erkauft war, und daß sich die offiziell behauptete Kontinuität zuallererst auf die stalinistische Herrschaftspraxis bezog.

3. Revision und Restriktion (1953—1957)

»War, vom Standpunkt der Künste aus, unsere Kunstpolitik der letzten Jahre realistisch?« fragte Brecht am
17. Juni 1953. Er antwortete:

»Wir haben, um es plump auszudrücken, weniger Neues, mehr
Altes. Große Teile der Bevölkerung sind noch tief in kapitalistischen Vorstellungen befangen. Dies trifft sogar für Teile der
Arbeiterschaft zu. Bei der Zertrümmerung dieser Vorstellungen
muß auch die Kunst mithelfen. Wir haben allzufrüh der unmittelbaren Vergangenheit den Rücken zugekehrt, begierig, uns der
Zukunft zuzuwenden. Die Zukunft wird aber abhängen von der
Erledigung der Vergangenheit. Wo sind die Kunstwerke, die die
ungeheure Niederlage der deutschen Arbeiterschaft von 1933
schildern, von der sie sich nur langsam erholt? Sie würden auch
heroische Beispiele eines zähen Kampfes zu zeigen haben. Und
sie würden unseren jetzigen Kampf inspirieren, indem sie ihn mit
Kenntnissen und Vorbildern versähen.«[35]

Kurz zuvor hatte Brecht, wie bereits erwähnt, Hanns
Eisler für seine Bemühung in Schutz genommen, im Libretto
zur Oper *Johann Faustus* (1952) die Vergangenheit neu und
illusionslos zu durchleuchten. Auch hier hatte der Schriftsteller, mit aller politischen Vorsicht, klargemacht, daß aus
der Klärung der Vergangenheit ihre Überwindung hervor-
gehe. Brecht schrieb: »Und wer, wie Eisler, von der deutschen Misere redet, um sie zu bekämpfen, der gehört selber
zu den schöpferischen Kräften, zu denen, die es unerlaubt
machen, von der deutschen Geschichte als von einer einzigen
Misere zu sprechen.«[36] Allerdings überzeugte das die offiziellen Stellen nicht.[37] Eisler geriet durch die Heftigkeit der
Attacken, die auch Ernst Fischer galten, der Eislers Konzept
in *Sinn und Form* verteidigt hatte, in eine schwere Schaf-
fenskrise.

Bald war es nicht mehr nur die Geschichte des Sozialismus und der Nation, sondern auch die des Stalinismus, die
einer kritisch-historischen Durchleuchtung bedurfte. Brecht
stellte sich am 17. Juni 1953, in deutlicher Furcht vor neo-

nazistischen Tendenzen aus dem Westen[38], hinter die SED-Regierung, trat aber für eine »große Aussprache mit den Massen« ein. Diese Aussprache wurde, nachdem die sowjetischen Panzer Ruhe geschaffen hatten, nicht geliefert. Wohl aber kam es in den folgenden Jahren zu einer großen Aussprache der Intellektuellen, an welcher Brecht teilnahm. Brecht wurde, zusammen mit Lukács, 1956 in der wichtigsten politischen Stellungnahme einer Intellektuellengruppe als Diskussionspartner erwähnt, der sogenannten *Plattform* des Kreises jüngerer Intellektueller um Wolfgang Harich (geb. 1921). Der Kernsatz dieser *Plattform* lautet:

> »Wir wollen nicht mit dem Marxismus-Leninismus brechen, aber wir wollen ihn vom Stalinismus und Dogmatismus befreien und auf seine humanistischen und undogmatischen Gedankengänge zurückführen. Wir wollen unsere Konzeption vom besonderen deutschen Weg zum Sozialismus und unsere Plattform eines vom Stalinismus befreiten Marxismus-Leninismus vollkommen legal in der Partei und in der DDR diskutieren und verwirklichen.«[39]

Daraus wurde nichts. Harich bekam eine Zuchthausstrafe von zehn Jahren. Die Parteikampagnen gegen den ›Revisionismus‹ drängten die historisch, philosophisch und anthropologisch entwickelten Entwürfe zu einem nachstalinistischen Sozialismus beiseite. Ernst Bloch, der dem erstarrten Dogma des Marxismus-Leninismus auf der Basis seiner Ontologie der Freiheit den Entwurf eines »offenen Systems der Zusammenhänge« entgegenstellte und zum wichtigsten Anreger von Studenten und Intellektuellen geworden war, verlor seinen Lehrstuhl in Leipzig und blieb auf einer Vortragsreise 1961 in der Bundesrepublik. Auf Georg Lukács, der viel dazu beigetragen hatte, daß die Literaturwissenschaft einen gewissen Standard wahrte, richteten sich nach seiner Teilnahme an der ungarischen Erhebung 1956 massive Vorwürfe. Hans Mayer, der Ende 1956 im Vortrag *Zur Gegenwartslage unserer Literatur* das Resümee der verfehlten Literaturpolitik und der Abschnürung von der ›westlichen‹ modernen Literatur zog, wurde scharf kritisiert.

Alfred Kantorowicz, nach dem Scheitern von *Ost und West* Literaturwissenschaftler an der Humboldt-Universität in Berlin, ging 1957 in den Westen (vgl. *Deutsches Tagebuch*, 1959/1961).

Kantorowicz, der sich der Pflege und Erforschung der demokratischen und sozialistischen Literaturtradition der letzten Jahrzehnte widmete, wandte sich 1956 in einem vielbeachteten Artikel der *Berliner Zeitung* gegen die Verfälschung dieser Tradition. Er zitierte aus dem häufig gesungenen *Thälmann-Lied* des als repräsentativer Parteidichter geehrten Kuba (Kurt Barthel, 1914 bis 1967):

> »Deutsch unsere Fluren und Auen!
> Bald strömt der Rhein wieder frei.
> Brechen den Feinden die Klauen,
> Thälmann ist immer dabei.«

Kantorowicz' Einspruch richtete sich gegen die gedankenlose Annäherung an die Sprache der Faschisten: »Wie? Thälmann immer dabei — beim Klauenbrechen? Und niemand scheint zu bemerken, welche Verunglimpfung eines bedeutenden deutschen Arbeiterführers und uns allen ehrwürdigen Opfers nazistischer Mörder diese rohe Reimerei ist. Nein, nein und nochmals nein! Klauenbrecher, das waren und sind die anderen, gegen die führend auch Thälmann kämpfte im humanistischen Geiste des Sozialismus und der Völkerverständigung — bis zur selbstlosen Hingabe seines Lebens. [...] Die Sache des Sozialismus bedarf nicht des Bombastes, Schwulstes, Gerassels, Gekreischs, Gedröhns, der marktschreierischen Superlative und der schiefen Bilder; sie tut sich Genüge mit einer klaren, genauen, einprägsamen Sprache, die die Erkenntnis der Notwendigkeit aufschließt.«[40]

Im literarischen Bereich lockerten sich zu dieser Zeit die Fronten. Wenn dieser Bereich eine recht wichtige Rolle spielte, so lag das weniger an spezifischen Werken als an der Tatsache, daß man ihn zum Austragungsort eines Großteils der von der Sowjetunion ausgehenden, in Polen und Ungarn besonders intensiven politischen ›Tauwetter‹-Kritik machte. Erste Impulse lieferte die Diskussion in der Sowjetunion vor dem II. Schriftstellerkongreß 1954; den Ton setzte Ilja Erenburg (1891–1967) mit dem Kurzroman *Tauwetter* (1954). Was Erenburg in diesem Werk an Sehnsucht nach

Wärme, Frühling und ungehindertem Menschsein nach Stalins Tod im Stimmungsbild vorbrachte, formulierte er in
dem für die ostdeutsche Diskussion wohl noch wichtigeren
Essay *Über die Arbeit des Schriftstellers* (1954) als Kritik
am Auftragsdenken der Partei. Erenburg polemisierte gegen
die ›Theorie der Konfliktlosigkeit‹ und die Unglaubwürdig-
keit der idealen Helden und plädierte für eine Darstellung,
die dem individuellen Dasein wirklich gerecht werde.[41] Ihm
war die negative Reaktion auf die Produktionsliteratur
wohlbekannt; sie wurde dann auch in der DDR bei Leser-
umfragen öffentlich geäußert. In der populären Massenzeit-
schrift *Wochenpost* hieß es 1955: »Sollen die Helden unserer Bücher etwa mit dem Preßluftbohrer ins Bett gehen anstatt mit der geliebten Frau und, statt die kleinen Freuden
und Schönheiten des Alltags zu genießen, nur noch die
Produktionsziffern vor Augen haben?«[42]

Die Kritik am literarischen Schematismus artikulierte sich
bei der Vorbereitung des IV. Schriftstellerkongresses (Januar
1956), etwa von seiten Anna Seghers', Walther Victors,
Kurt Sterns[43], doch brachte der Kongreß selbst nicht die
erhoffte Öffnung zum Neuen. Erst mit dem XX. Parteitag,
auf dem Chruščev seine Abrechnung mit Stalin vortrug,
kam eine freiere Diskussion über die Lage der Literatur in
Gang. Man sprach nun öffentlich aus, daß die bisherige
stalinistische Kulturpolitik ein Vakuum hinterlassen habe,
daß weder eine Literatur existiere, die den Bedürfnissen und
dem Wahrheitsanspruch des Publikums entgegenkomme,
noch eine Literaturkritik, die ästhetische Maßstäbe setze.

Von diesem Zeitpunkt resultiert eine für die Literatur in
der DDR überaus folgenreiche Erscheinung: das Auftreten
einer jüngeren Generation von Schriftstellern und Intellektuellen, deren Erfahrungen und Denkweisen sich von denen
der älteren stark unterschieden. Für sie vor allem markierte
die Entthronung Stalins einen Einschnitt, oft einen Schock,
denn damit war die große Gestalt, an der sie alles auszu-
richten gelernt hatten (und sei es auch widerwillig), plötzlich auch zum Verbrecher geworden. Die Relativierung der
unzählige Male beschworenen Lehre, die Brüchigkeit des

Systems war erwiesen. Die Beispiele eines unabhängigen sozialistischen Weges, die bei den Polen und Ungarn erkennbar wurden, spornten zu eigenen Konzepten eines ›menschlichen‹ Sozialismus an. Während die Auseinandersetzung von 1953 die Form der offenen Revolte der Arbeiterschaft gegen die Führung gehabt hatte, war es diesmal die Intelligenz, die revoltierte. Die Krise reichte bis in die staatlich-parteiliche Führungshierarchie hinein.

Als Ulbricht nach der Niederwerfung der ungarischen Revolte durch die Russen, »obschon zögernd«, die Hochschulen und besonders die geisteswissenschaftlichen Fakultäten durchkämmen ließ, gingen einige Tausende Studenten, Dozenten und Assistenten in den Westen.[44] Von ihren Hoffnungen und Enttäuschungen bis 1957 (und darüber hinaus) hat Gerhard Zwerenz (geb. 1925) Zeugnis abgelegt.[45] Damit kehrte ein wichtiger Teil des kritischen Potentials der DDR den Rücken. Viele, die dablieben, hatten noch eine schwierige Zeit der Umstellung durchzumachen, integrierten sich aber dann bewußt in diesen Staat. Es entstand, vor allem in der Prosa, eine Literatur, die das Thema der Integration in verschiedenen, auch kritischen Varianten durchspielte.

Für die älteren Schriftsteller war die Integration in die neue Wirklichkeit nicht in gleicher Weise möglich. Das läßt sich an den Werken von Anna Seghers verfolgen, zumal den Romanen *Die Entscheidung* (1959) und *Das Vertrauen* (1968), die dem Aufbau der DDR, teilweise in Auseinandersetzung mit den früheren Aufbauromanen, gewidmet sind. Was die von allen Seiten hochgeehrte Dichterin den Jüngeren vermitteln konnte, waren weniger spezifische Formen und Motive — auch wenn sie sich durchaus bei Christa Wolf (geb. 1929) erkennen lassen — als das Bewußtsein, daß sich darstellerische Wahrhaftigkeit nicht ohne Durchdringung der jeweiligen Schwächen und Enttäuschungen erreichen läßt. Jedoch: diese Durchdringung garantiert nicht schon die Wahrhaftigkeit der Darstellung. Andere Autoren, wie Friedrich Wolf, Erich Weinert und Ludwig Renn, wichen thematisch aus oder verstummten. Theodor Plievier war

1947 in den Westen gegangen. Der einst als Hoffnung der deutschen Lyrik gefeierte Stephan Hermlin (geb. 1915), der aus französischem Exil zurückgekehrt war und 1945 mit den *Zwölf Balladen von den großen Städten* eines der wenigen literarisch überzeugenden Dokumente dieser Zeit veröffentlichte, beließ es bei Versuchen, die neue Realität zu thematisieren (*Mansfelder Oratorium*, 1951; *Der Flug der Taube*, 1952). Erich Arendt, 1950 zurückgekehrt, schwieg sich zunächst über die Gegenwart aus, veröffentlichte in den Lyrikbänden *Trug doch die Nacht den Albatros* (1951) und *Bergwindballade* (1952) den Ertrag aus Spanischem Bürgerkrieg und Exil in Südamerika, dazu Übersetzungen. Arnold Zweig, aus Israel zurückgekommen, hielt sich an seine schon früher entwickelte Thematik. Literarisch für sich stand der epische Bericht aus dem KZ Buchenwald, in dem Bruno Apitz (geb. 1900), Autobiographisches verarbeitend, 1958 großen Erfolg errang *(Nackt unter Wölfen)*. Willi Bredel und Hans Marchwitza repräsentierten als ehemals proletarische Dichter; Bredel tat es mit gewisser Zivilcourage, wagte manches kritische Wort. Otto Gotsche (geb. 1904), einst ebenfalls proletarischer Schriftsteller im BPRS und nun Sekretär Ulbrichts, hatte mit *Tiefe Furchen* (1949) als erster ein Thema der Sozialisierung (Bodenreform) im Roman verarbeitet; er widmete seine weiteren Bücher vor allem dem Andenken der proletarischen Kämpfe in Deutschland, in einem gleichmäßig heroisierenden Funktionärsstil. Selbst die Erinnerungsliteratur, die nach so vielen faszinierenden, grausamen, ermutigenden und erschütternden Erfahrungen eigentlich zu einer Blüte hätte kommen müssen, blieb von der Sprachregelung über die Geschichte blockiert. Hier ist aber das letzte Wort noch nicht gesprochen, was die später erschienenen guten Autobiographien von Eduard Claudius (*Ruhelose Jahre*, 1968) und Fritz Selbmann (*Alternative, Bilanz, Credo*, 1969) belegen.

Eine einsame Stellung hielt der Lyriker Peter Huchel (geb. 1903) bis 1962 mit der Herausgabe der Zeitschrift *Sinn und Form* (ab 1949), in der er, bis zu Bechers Tod 1958 unter dessen Schutz, »diejenige Weltliteratur unserer

Zeit« in der DDR bekanntmachte, »die Ausdruck des Veränderungswillens war«.[46] Huchel, der vor Hitlers Machtergreifung zusammen mit Bloch, Kantorowicz, Max Schroeder, Weinert, Koestler u. a. im ›roten‹ Künstlerblock am Laubenheimer Platz in Berlin-Wilmersdorf gelebt hatte, allerdings ohne sich politisch sonderlich zu exponieren, suchte nun als Freund und Außenseiter *die* qualitätvolle Literaturzeitschrift der DDR herzustellen, was ihm unter vielen Mühen gelang. Die Mühen schlugen sich in seiner Lyrik nieder, nachdem er den Versuch einer optimistischen Versdichtung über die Bodenreform *(Das Gesetz)* abgebrochen hatte. Huchels Gedichte der fünfziger und sechziger Jahre, vom *Winterpsalm* bis zu *Der Garten des Theophrast*, geben die sensibelste und wohl auch resigniertestе Dokumentation dafür, wie tief eine kulturelle Restriktionspolitik ins Menschliche, Seelische hinein zu treffen vermag. Huchel lebte nach 1962 völlig isoliert, 1971 erlaubte man ihm die Ausreise in die Bundesrepublik.

Von den Mühen blieb auch Becher selbst keineswegs verschont. Seine im Exil entworfene Vision eines anderen Deutschland, für die er in den Nachkriegsjahren unermüdlich, auch in Westdeutschland, warb, wurde ihm von der Politik genommen. Nur widerstrebend paßte er sich 1949 der neuen Kulturpolitik an und war dann, als sich die Reglementierung lockerte, der geeignete Vertreter für den neugeschaffenen Posten des Kulturministers. Hier hielt er über verschiedene Versuche der Liberalisierung seine schützende Hand. Die erneute Verhärtung 1957 brachte ihm, dem Freund von Lukács, im letzten Lebensjahr erneut schwere Kritik ein.[47] Als Toten machten ihn die Verantwortlichen dann zur Galionsfigur einer eigenen sozialistischen Nationalliteratur.

Wenn man davon gesprochen hat, wie weit die anerkannten Schriftsteller der DDR von der Realität entfernt lebten, so ist Becher immer als erster genannt worden. Seine zu dieser Zeit entstandenen Gedichte galten als untrügliche Zeugnisse: ihre Sprache entbehrt der Anschaulichkeit, der Körperlichkeit, der Spannung — der Substanz. Ging

Becher damit hinter sich selbst zurück, unfähig, die Probleme der Zeit literarisch zu fassen?

Im Falle von Becher dürfte so wenig wie bei anderen sozialistischen Schriftstellern, etwa Anna Seghers, die formale Abwertung des Spätwerks in der DDR gerechtfertigt sein. Seine Situation sei etwas deutlicher umrissen. Gerade in dem konstanten Anderswerden drückt sich Kontinuität aus, Kontinuität im Konzept einer vom Ich her entworfenen Welt poetischer Erscheinungen. Diese eigenbewegte poetische Welt hatte sich in der Periode des Expressionismus mit der wirklichen, geschichtlichen Welt über deren tatsächliche Umbruchsgesinnung verbunden. Hier war Becher auch im Bürgertum ›zum Begriff‹ geworden und hatte viele Zeitgenossen mitgerissen. Diese poetische Welt hatte sich in den zwanziger Jahren mit der sozialistischen Bewegung verbunden, die, vor allem in ihrer radikalen Ausformung, wiederum Umbruchsgesinnung garantierte und damit die visionäre Metaphorik füllte. In den dreißiger Jahren dann, abgeschnitten von einem größeren Publikum, war die Verinnerlichung, der Rückgriff auf klassische Formen und Inhalte wiederum von der Gesinnung der Zeit getragen worden, nun von der ›Gegen‹-Gesinnung der Antifaschisten, derjenigen, die mit Bechers Sonetten das ›andere‹ Deutschland aus der Geschichte emporsteigen sahen. In all den Phasen wurde der eigenbewegte poetische Entwurf von der Zeit getragen, wurden seine Bilder ›gezogen‹ und seine Rhetorik ›geschoben‹. Wenn Becher das Anderswerden jeweils neu betonte, so liefert das nur die innerste Bestätigung dafür, daß er den geschichtlichen Wandel vornehmlich als Problem der Anpassung des Ich an die neue Grundgesinnung verstand. Damit wird auch die Schwierigkeit sichtbar, der Becher in der DDR, die als Erfüllung aller Umbruchsgesinnungen zu gelten hatte, begegnete. Hier stand die Vision für sich. Hier blieben die Metaphern ungefüllt, die Bilder Rhetorik. Die Gedichte widerlegten, was sie besangen. Das Bekenntniszeremoniell trat nackt hervor.

Daß sich Becher dieser Entwicklung bewußt war, zeigt nicht nur der Inhalt, sondern auch die Form seiner »Bemühungen« dieser Zeit. Er verteidigte die Poesie, aber er tat es in der Reflexion, im reflektierten Tagebuchstil, selbstkritisch. (*Auf andere Art so große Hoffnung*, 1951; *Verteidigung der Poesie*, 1952; *Poetische Konfession*, 1954; *Macht der Poesie*, 1955; *Das poetische Prinzip*, 1957). Hier trennte er sich schließlich von der offiziellen Inanspruchnahme seiner Poesie und seiner Visionen: sein anderes Ich blieb lebendig, kontrollierte und gab dem Schmerz Ausdruck, daß er die äußeren Gesinnungen für seine Dichtung brauchte, die dieser doch zugleich wieder das Dichterische entzogen.

Wie sehr Becher nach der Anerkennung als Dichter strebte, der als Formschöpfer und Handwerker in seinem eigenen Recht steht, bezeugt eine seiner letzten kleinen Erzählungen, die auf knapp drei Seiten eine Summe zieht: *Die Korrektur*. Sie berichtet von einem Sterbenden, der sich, nur noch über Zeichen verständlich machend, eines der von ihm verfaßten Bücher bringen läßt, um eine winzige Korrektur anzubringen, nämlich ein Wort auszutauschen. Nachdem das geschehen ist, sinkt er in die Kissen zurück, beruhigt: »Ihm war, als hätte er mit dieser unscheinbaren Korrektur eine große Korrektur durchgeführt. Vielleicht wollte er damit nur zu verstehen geben, daß man bis zum letzten unablässig bemüht sein müsse, seinen Stil zu verbessern, sein Leben zu verbessern.«[48] Was der Sterbende korrigiert, ist aufschlußreich. Er ersetzt ein neutrales Wort durch ein trauriges, endgültiges und entspricht damit der Erkenntnis seiner selbst: »Er war ein Dichter und hatte viele Werke geschrieben. Er war zweifellos sehr begabt, dabei aber unausgeglichen und sprunghaft. So hatte er vieles veröffentlicht, was schon beim Erscheinen seiner Kritik nicht mehr standhielt. Er war auch ein Mann, der sich über sich selbst verhältnismäßig wenig vormachte. Er hielt sein Wirken für mehr als problematisch, das ihn beherrschende Gefühl war eine namenlose Trauer, und diesem Gefühl gab er in seinen Dichtungen oft einen ergreifenden Ausdruck. Der Tod war ihm vertraut geworden von Jugend an, in allen Arten des Sterbens. Er hatte sich auf ihn seit langem vorbereitet, eigentlich sein ganzes Leben war dieser Abschiedsstunde gewidmet, Scheiden und Abschiednehmen waren zum Leitmotiv seiner besten Dichtungen geworden. Er war sich nicht im unklaren darüber, daß von seinem Werk nur wenig werde bestehen bleiben.«[49]

Doch muß auch der Schluß der Erzählung zitiert werden, das
letzte Wort über diese Dichterexistenz, mit dem Becher in überaus
raffinierter und entwaffnender Form ebendiesen Platz im vorliegenden Buch okkupiert: »Und dieser angesichts des Todes sich
noch einmal aufraffende Mensch, im Willen zur Berichtigung und
Korrektur — dieses Bild, das er uns hinterlassen hat, hat seinem
ganzen Leben und Werk einen Sinn und eine Weihe gegeben, der
Dichter selbst war in seiner Abschiedsstunde zum Gedicht geworden, ein Gedicht seiner eigenen Dichtung, das beste und das
letzte.«[50]

Der Sprung zu Brecht scheint kaum aus größerer Distanz
möglich. Dennoch spielte auch bei Brecht die Stilisierung
seiner selbst in den letzten Jahren eine große Rolle. Er
wollte als Lehrer verstanden werden. Er wurde es, und zwar
im buchstäblichen Sinne: er fand Schüler und hatte, zumindest unter jungen Künstlern und Intellektuellen, Wirkung. Ob er für sein Theater, das er und Helene Weigel
1949 als Berliner Ensemble mit Ernst Busch, Paul Dessau,
Erich Engel und anderen aufbauten, die Zuschauer dort
fand, wo er sie suchte, in der Arbeiterklasse, wurde hingegen bald bezweifelt. Er selbst notierte Anfang 1953:
»Unsere Aufführungen in Berlin haben fast kein Echo mehr.
In der Presse erscheinen Kritiken Monate nach der Erstauf-
führung, und es steht nichts drin, außer ein paar kümmer-
lichen soziologischen Analysen. Das Publikum ist das Klein-
bürgerpublikum der Volksbühne, Arbeiter machen da kaum
7 Prozent. Die Bemühungen sind nur dann nicht ganz
sinnlos, wenn die Spielweise späterhin aufgenommen werden kann, d. h. wenn ihr Lehrwert einmal realisiert wird.«[51]
Brecht schuf gleichsam auf Vorrat. Der dann, was die unmittelbare Praxis betrifft, vom Berliner Ensemble im Jahrzehnt nach seinem Tod 1956 langsam aufgezehrt wurde.
Brecht brachte — gegen starke Widerstände[52] — ein wirkliches Stück Kontinuität sozialistischer Literatur in die auf
bloße Affirmation abgestellte Theater- und Literaturentwicklung hinein, nämlich die Offenheit der dialektischen
Infragestellung des Vorhandenen. Es geschah zweifellos
auch im Modell, in der Abstraktion, und die Tatsache, daß

Brecht trotz Drängens von außen kein Stück über die Gegenwart schrieb, verbindet ihn mit anderen zurückgekehrten Schriftstellern. Aber da er die Distanzierung vom Vorgegebenen längst zu einem Mittel entwickelt hatte, dieses Vorgegebene kritisch zu durchdringen, stand er nicht verunsichert vor einer grauen Welt. Er erzeugte selbst eine graue Welt auf der Bühne (im Brecht-Theater sprach man später selbstironisch von der »grauen Periode«) und schuf damit die Möglichkeit der Erarbeitung neuer Verhaltensformen, ohne von der Reproduktion und Affirmation des Vorgegebenen aufgesogen zu werden.

In dieser Situation wurde die Abgehobenheit, der Reflexionscharakter von Brechts Theater (und seiner Lyrik) zum Stimulans neuer sozialistischer Perspektiven mit sehr aktuellem Aussagewert. Viele seiner Konzepte, die auf den Kapitalismus gemünzt waren, bekamen Aufklärungscharakter auch für einen im Dogmatismus erstarrten Sozialismus. In der Lyrik nahmen jüngere Autoren wie Günter Kunert (geb. 1929), Heinz Kahlau (geb. 1924), Manfred Bieler (geb. 1934) und später Wolf Biermann (geb. 1936) und Volker Braun (geb. 1939) Brechts Methode der poetischen Infragestellung auf, in der Theaterregie führten u. a. Manfred Wekwerth, Benno Besson, Ruth Berghaus, Peter Palitzsch seine Anregungen weiter, und im Drama knüpften Peter Hacks (geb. 1928), Heiner Müller (geb. 1929), Helmut Baierl (geb. 1926) und Hartmut Lange (geb. 1937) an sein dialektisches Theater an. Damit ist bereits ein gewichtiger Teil von Namen genannt, mit denen die literarische Entwicklung außerhalb der Prosa seit Mitte der fünfziger Jahre eigene Konturen zeigte. Die kritische Reflexion wurde über die vorgeprägte Fabel vom Helden, der endlich nach Hause, zum Sozialismus findet, hinausgeführt. Sie blieb Vorbedingung für die Mitarbeit, ständig sich erneuernd und neue Fragen aufwerfend — was angesichts des Bedürfnisses des Staates nach Repräsentation argwöhnisch verfolgt und häufig eingeschränkt wurde.

Unter den Älteren hat nur Stefan Heym (geb. 1913) eine solche Position kritischer Reflexion in der Prosa beibehalten, freilich mit dem Status eines international bekannten Romanciers, der 1953 seine als Emigrant angenommene US-Staatsbürgerschaft zurückgab, um in die DDR überzusiedeln, ohne seine Kontakte zum Publikum im Westen abzubrechen. Heym erzielte seinen literarischen Durchbruch 1942 mit dem auf englisch verfaßten Roman *Hostages (Der Fall Glasenapp)*, mit dem er in spannender Form den tschechischen Widerstandskampf gegen den Faschismus dokumentierte; den größten Erfolg verschaffte ihm der Roman über seine Zeit als amerikanischer Offizier im Krieg und in der Nachkriegszeit in Deutschland: *The Crusaders* (1948, *Kreuzfahrer von heute*). Nur im Falle des 17. Juni 1953 allerdings, dessen Ereignisse er nach seiner Rückkehr in Berlin miterlebte, vermochte er die deutsche Gegenwart in einem größeren Romanwerk direkt anzugehen, mit dem Erfolg, daß das Manuskript (*Der Tag X.*, 1959 beendet) von den zuständigen Stellen auf Eis gelegt wurde und nach einer intensiven Umarbeitung im Westen erschien (*5 Tage im Juni*, 1974), ebenso wie die vorangehenden historischen bzw. historisch verschlüsselten Bücher. Unter ihnen hat der *König David Bericht* (1972) eine besonders prekäre Beziehung zur kommunistischen Gegenwart: es ist ein Buch über die Schwierigkeiten der offiziellen Geschichtsschreibung in einem autoritären Staat, mit denen der Schriftsteller Ethan, ebenso besorgt um seinen Kopf wie um seinen Text, kämpft. Am Ende, in einer Kommissionssitzung mit dem Tode bedroht, wird er mit dem salomonischen Urteil ›begnadigt‹: »Darum soll er zu Tode geschwiegen werden.«

Dabei kann im Falle von Heyms Buch über den 17. Juni 1953 gewiß nicht von »wühlerischen Bemerkungen« die Rede sein, die die Kommission bei Ethan voraussetzt. Heym hat, mit vielen dokumentarisch-reportagehaften Elementen um Authentizität bemüht, ein Bild der Ereignisse hergestellt, mit dem zwar die Fehler der Partei vor dem 17. Juni ans Licht kommen, aber die Verpflichtung ihr gegenüber bestätigt wird. Auch hier ist, aus einer nicht von Nahzielen kommunistischer Kulturplanung verstellten Perspektive, eine historische Einordnung gegeben *und* gefordert. Der

Autor legt dem Gewerkschaftssekretär Martin Witte am
Schluß die Worte in den Mund: »Das Schlimmste wäre, für
das eigne Versagen den Feind verantwortlich machen zu
wollen. Wie mächtig wird dadurch der Feind! ... Doch
ist die Schuld nicht nur von heut und gestern. Auch für die
Arbeiterbewegung gilt, daß nur der sich der Zukunft zu-
wenden kann, der die Vergangenheit bewältigt hat.«

4. Die Ankunft der Jüngeren

Die Profilierung einer jüngeren Schriftstellergeneration in
der DDR seit der zweiten Hälfte der fünfziger Jahre geschah nicht im Prozeß einer ›Revolte‹, wie es sie in der
deutschen Literatur verschiedentlich gegeben hat. Ähnlich
wie bei der Heraufkunft der neuen Namen in der Bundesrepublik gründete sie auf den andersartigen Erfahrungen.
Die Jüngeren erschlossen neue Stoffbereiche — die Erlebnisse einer Generation von Deutschen, die bei Kriegsende
häufig noch als Soldaten gekämpft hatten —, doch geschah
das im Vorfeld der von der Partei vertretenen Sinnvermittlung und Gegenwartsdeutung. Wenn dabei die Affirmation immer wieder durchbrochen wurde, so kamen dafür die
meisten Impulse aus der Brechtnachfolge. Mit dem Roman
Der geteilte Himmel (1963) von Christa Wolf, der das
spektakuläre Thema einer Flucht und einer Nicht-Flucht in
den Westen behandelt, übersprang dann die Literaturdebatte
die zuvor eng gezogenen Grenzen. Die Debatte zeigte zugleich, wie ernst Literatur in dieser Zeit genommen wurde.
Die Ernsthaftigkeit bestätigte schließlich das 11. Plenum des
ZK der SED 1965, auf dem man, teilweise in Anlehnung
an die sowjetische Entwicklung, die gerade gewonnene
größere Selbständigkeit in Literatur und Film abschnitt.
Daß auch ein weniger konformistischer Weg möglich gewesen wäre, läßt sich aus dem ›Sommer des Aufbegehrens‹
1956 vermuten, vor allem aber aus der Härte des Gegen-
schlages, den die SED gegen alle abweichenden Literaturentwürfe richtete, wobei sie die Abweichung je nach tak-
tischem Bedürfnis auslegte. Die Härte der Angriffe, vor-

nehmlich auf der Kulturkonferenz 1957 (Abusch, Kurella, Girnus, Kuba), bestätigt die Verunsicherung, welche die Ereignisse von 1956 unter den Dogmatikern hervorgerufen hatten.

Wie auch in späteren Jahren fanden die eigenständigen Entwürfe in der Lyrik ihre unmittelbarste Formulierung. Die Zeugnisse reichen vom ›Kongreß junger Künstler‹ im Juni 1956 in Karl-Marx-Stadt, auf dem sich Heinz Kahlau, Manfred Streubel und Jens Gerlach vorwagten, bis zu der von Marianne Dreyfuß und Paul Wiens herausgegebenen Lyrikreihe *Antwortet uns!* im Verlag Volk und Welt, in der 1956/57 Gedichte u. a. von Streubel, Kahlau, Georg Maurer (1907–1971), Fürnberg, Arendt und Wiens (geb. 1922) erschienen. Paul Wiens' schmaler Band *Nachrichten aus der Dritten Welt* (1957) wurde 1958 als exemplarisch für den »ideologischen Sumpf« hingestellt, vor allem mit dem »Rückzug aus der öffentlichen Thematik«, was Wiens' Absage an die stalinistischen Polithymnen umschloß.[53] Dieter Schiller sprach von einem »Rückzug in eine begrenzte Intellektuellenproblematik, die über weite Strecken betont individualistisch-privaten Charakter trägt«, mit dem Zusatz: »Die Grundlage der individualistischen Haltung ist also ein Unbehagen an der sozialistischen Wirklichkeit unseres Staates.«[54] Damit gab er dem Vorwurf der Partei gegen eigenständige Literaturentwürfe eine auch späterhin gültige Formulierung. Die Kritik der sozialistischen Wirklichkeit von den Ansprüchen des Individuums her, das sich durchaus zum Sozialismus bekennt, läßt sich von Wiens' Gedicht *Der Schlüssel* (*Nachrichten*, S. 8), das unverkennbar von Bloch inspiriert ist, bis zu einem Werk wie *Nachdenken über Christa T.* (1968) von Christa Wolf verfolgen. — Ebenfalls hart attackiert wurde Autoren in der ›experimentellen‹ Prosareihe *tangenten* des Mitteldeutschen Verlages (1957/58). Der Aufarbeitung moderner ›westlicher‹ Erzähltechniken (Hemingway, Faulkner, Kafka) warfen die Kritiker Perspektivelosigkeit vor.[55]

Sehr genau beobachtete die Partei die Welle der Kriegsliteratur, die nach 1955 einen großen Nachholbedarf an realistischem, spannendem Erzählen befriedigte. Die Perspektive auf den kommunistischen Staat durfte nicht zugunsten einer bloßen Erlebnisdarstellung verlorengehen. Die Initiativen von seiten der Partei formulierte 1955 Marianne Lange in der *Einheit* im Artikel *Über die literarische Gestaltung des neuen Lebens in unserer Republik.* Darin heißt es:

»Dagegen fehlt in unserer Literatur bis heute die Stimme der jüngeren Schriftsteller bei der Abrechnung mit der Vergangenheit. Die Generation, die den Irrweg der deutschen Nation gläubig oder gleichgültig mitgegangen ist und ihn erst nachher als einen Irrweg erkannte, hat in unserer Literatur noch nicht für sich selbst und damit für Millionen deutscher Menschen gesprochen. Es gibt z. B. noch keinen Roman über den zweiten Weltkrieg, der den großen Wandlungsprozeß unserer jungen Generation zeigt. Nur auf dem Gebiete der Lyrik z. B. hat Franz Fühmann eine solche Wandlung glaubhaft gemacht. Anna Seghers hat in ihrer Erzählung ›Der Mann und sein Name‹ das Problem eines solchen Umerziehungsprozesses gestaltet.«[56]

Der Vorwurf der Kritikerin an die Jüngeren verdeckte jedoch kaum die Tatsache, daß hier ein von der Partei selbst gesetztes Tabu durchbrochen werden mußte. Erst mit dem angehenden ›Tauwetter‹ und der Welle der Erlebnisliteratur über den Krieg in Westdeutschland war die Zeit gekommen. Nach Franz Fühmann (geb. 1922), der mit dem Thema der Wandlung zum Kommunisten den Spuren von Becher folgte (*Fahrt nach Stalingrad*, 1953; *Kameraden*, 1955), griff Karl Mundstock (geb. 1915) in der Erzählung *Bis zum letzten Mann* (1955) das Motiv auf, das dann in der Form des Bildungsromans nach Goethes Vorbild entwickelt wurde, am umfassendsten von Dieter Noll (geb. 1927) in *Die Abenteuer des Werner Holt* (1. Bd. 1960; 2. Bd. 1964) und Max Walter Schulz (geb. 1921) in *Wir sind nicht Staub im Wind* (1962).[57] Zu den weniger bildungsbefrachteten, nach 1955 besonders erfolgreichen Kriegsbüchern gehören *Die Lüge* (1956) von Herbert Otto (geb. 1925), *Als die Uhren stehenblieben* (1957) von Werner Steinberg (geb. 1913), *Der kretische Krieg* (1957) von Egon Günther (geb. 1927) und — besonders umstritten — *Die Stunde der toten Augen*

(1957) von Harry Thürk (geb. 1927). Thürk machte in seinem Buch erfolgreich Anleihen bei der ›harten‹ Kriegsprosa Norman Mailers, was man nicht als Vorbild für andere Schilderungen durchgehen lassen wollte.

Mit dem V. Parteitag 1958 nahm die Partei die Initiative dann ganz an sich und propagierte die Schließung der Kluft zwischen Kunst und Leben, was beispielsweise durch den Aufenthalt von Schriftstellern in Industriebetrieben ermöglicht werden sollte. Neben der Verpflichtung der Autoren auf die neue industrielle Wirklichkeit forderte man die künstlerische Tätigkeit der Arbeiter (»Die Arbeiterklasse muß die Höhen der Kultur erstürmen und von ihnen Besitz ergreifen«) sowie die Bemühung um die Schaffung der ›gebildeten Nation‹.[58] Von diesen drei Punkten erhielt zunächst die Aktivierung der Arbeiter zu künstlerischer Tätigkeit auf dem sogenannten Bitterfelder Weg die breiteste Aufmerksamkeit, da sich darin die Möglichkeit abzeichnete, die alte Vorstellung von den schöpferischen, immer wieder zurückgedrängten kulturellen Kräften der Arbeiterklasse endlich in Aktion umzusetzen. Jedoch verschob sich in den Jahren nach der 1. Bitterfelder Konferenz 1959, auf der Ulbricht diese Punkte als Anleitung für die kulturelle Praxis spezifizierte, das offizielle Interesse zunehmend auf die Leistungen der Schriftsteller. Das Prestigebedürfnis des Staates, schon in Bitterfeld mit der Berufung auf Goethe und Schiller betont, verlangte in den sechziger Jahren nach künstlerisch ›hochwertigen‹ Werken, und hier trugen die Bemühungen um die jungen Autoren Früchte: es entstand eine Erzählliteratur, in der die jüngere Generation ihre Entscheidung für die DDR in der Begegnung mit deren industriellem Aufbau poetisierte, eine Entscheidung, die ja bis zum Bau der Berliner Mauer 1961 tatsächlich eine Alternative besaß. Das Thema der Flucht oder Nicht-Flucht — das sogenannte nationale Thema — fand bald darauf Behandlung, neben Christa Wolf bei Brigitte Reimann (*Die Geschwister*, 1963).

Wie stark die Sinnvermittlung von der Partei schon vorgeprägt war, bezeugt das Auftreten der Autorin Regina Hastedt (geb. 1921) auf der 1. Bitterfelder Konferenz. Sie hatte sich als Schriftstellerin im Bergwerk umgesehen, geführt vom Bergmann Sepp Zach, und nun wurde ihr Buch *Die Tage mit Sepp Zach* (1959), in dem sie in schwülstigem Stil diese werkgeheiligte, *Faust*-nahe Begegnung schildert, als vorbildlich hingestellt. Hier lag das Modell für die postulierte Verbindung von Intelligenz und Arbeiterklasse. Ulbricht pries ihr Unternehmen. Es sei »der Weg des Schriftstellers der neuen Zeit«.[59] Diesen Weg zum Produktionsbetrieb gingen Christa Wolf, Brigitte Reimann (1933 bis 1973), Franz Fühmann, Helmut Hauptmann (geb. 1928), Herbert Nachbar (geb. 1930) und andere Autoren. Das war nicht gerade etwas Neues — Anfang der fünfziger Jahre hatten es die Autoren der Aufbauromane auch getan —, geschah aber nun mit dem neuen Indentifikationsschema nicht nur um der Information, sondern auch um des seelischen Bekenntnisses willen und wurde mit dem Begriff ›Ankunft‹ überhöht, nach Brigitte Reimanns Roman *Ankunft im Alltag* (1961), dem exemplarischen Buch des Genres.

Die Tatsache, daß die junge Generation als eigenes Element so stark herausgestellt wurde — innerhalb der marxistischen Gesellschaftsanalyse keineswegs üblich —, hatte zweifellos mit dem Unbehagen an der bisherigen Profilierung des Staates zu tun. Die in der DDR herangewachsene Generation schien für die Herausbildung einer loyalen Staatsgesinnung wesentlich geeigneter zu sein als die Älteren. Daneben wirkte in starkem Maße das sowjetische Vorbild ein. Mit dem ›Tauwetter‹ und dem XX. Parteitag hatte sich unter Chruščev, trotz dessen zeitweiligen Interventionen und Restriktionen (vor allem 1957/58), eine spezifisch jugendbezogene Literaturbewegung entwickelt, in der die Entstalinisierung mit der Propagierung eines neuen, unabhängigen Lebensgefühls übereinging. Bekanntester Vertreter war Evgenij Evtušenko (geb. 1933), der auf großen öffentlichen Lyrik-Lesungen ein begeistertes Publikum fand; in der Prosa lieferte Anatolij Kuznecov (geb. 1929) 1957 mit *Fortsetzung der Legende* ein Modell, das jüngere Schriftsteller der DDR aufgriffen. Das Buch erschien hier 1958 unter dem Titel *Im Gepäcknetz nach Sibirien*, es behandelt den Weg des Abiturienten Tolja, der nach Sibirien fährt, um beim Bau des Irkutsker Wasserkraftwerks mitzuhelfen. Er wird stark ernüchtert, gliedert sich aber schließlich in die vorgegebene Ordnung ein. Andere Autoren wie Vasilij Aksenov (geb. 1932) artikulierten unter dem stilistischen Einfluß von Jerome D. Salingers *The Catcher in the Rye* (1951) den Ausbruch aus dem grauen Alltag der Stalin-Periode noch drastischer. Im Unterschied zu der Befreiung zu deftiger Sprache, exotischer Aktion und romantisierendem Lebensgefühl, die die sowjetischen Autoren verfolgten, richteten sich die DDR-Autoren jedoch von vornherein sehr viel mehr auf Affirmation aus. Der Titel von Aksenovs Erfolgsbuch lautet *Fahrkarte zu den Sternen*, Brigitte Reimanns Buch heißt *Ankunft im Alltag*.

Die sowjetische Entwicklung hat man in dieser Weise summiert: »Ein Hauptergebnis der großen Realismus-Diskussion von 1957 war die Abkehr von einer vielfach zu mechanisch aufgefaßten Widerspiegelungstheorie: Nicht auf die passive Illustration bereits geläufiger Wahrheiten kommt es an, sondern auf die Verantwortung des Schriftstellers als eines Entdeckers neuer Erkenntnisse. Nicht schlechthin ein mechanisches Abbild der Welt hat die Literatur zu liefern, sondern ein Abbild, gegeben von einem Künstler, der seine unverwechselbare Persönlichkeit, seine subjektiven Voraussetzungen mitbringt.«[60] Anders als bei Zola, an den diese Formulierung anklingt, ging es allerdings nicht um epische Gesamtdarstellungen, vielmehr um exemplarische Einzelfälle, die zumeist in der russischen Form des ›povest‹, der längeren Erzählung, gestaltet wurden. Der Roman, im Stalinismus das dominierende Genre, trat zurück, wenn auch die großen Namen wie Gorkij, Aleksej Tolstoj, Nikolaj Ostrovskij (*Wie der Stahl gehärtet wurde*, 1932–1934) und Michail Šolochov (*Der stille Don* und vor allem *Neuland unterm Pflug*, dessen 2. Teil 1960 erschien) weiterhin als ›Klassiker‹ galten. Einen wichtigen Impuls für die Form der längeren Erzählung gab Šolochov selbst mit *Ein Menschenschicksal* (1957).

Was die Reinigung der Romanform von den schlimmsten Klischees der stalinistischen Produktionsromane betrifft, so erwarb sich Daniil Granin (geb. 1918) mit dem im Milieu von Industrie und Technik spielenden Romanen *Bahnbre-*

cher (1954) und *Dem Gewitter entgegen* (1962) besondere
Geltung. Mit Galina Nikolaeva (1911–1963), deren 900-
Seiten-Roman *Schlacht unterwegs* (1958) 1962 in der DDR
herauskam, gab er die wichtigsten Anregungen für eine
genauer vom Individuum und seinen Möglichkeiten her
angelegte Darstellung der Produktionsverhältnisse. Als Erik
Neutsch (geb. 1931) seinen 900-Seiten-Roman *Spur der
Steine* 1964 pünktlich zur 2. Bitterfelder Konferenz vorlegte,
pries man das Buch als die längst erhoffte deutsche *Schlacht
unterwegs* und damit als Zeugnis einer erfolgreichen deutschen Produktionsliteratur. Das Werk steht mit dem der
Russin in einer kritischen Auseinandersetzung[61] und geht
thematisch über die Bücher der ›Ankunftsliteratur‹ hinaus,
indem es aus den Konflikten der Arbeitssphäre heraus zu
einer inneren Wandlung erzieht, nicht mehr bloß die Annäherung an den Produktionsbereich zeigt.

Neben Neutschs Roman *Spur der Steine,* der auf einer
Großbaustelle spielt, wurde zu dieser Zeit der Roman *Ole
Bienkopp* (1963) von Erwin Strittmatter (geb. 1912) heftig
diskutiert: die nicht völlig konforme Schilderung eines eigenwilligen kommunistischen Bauern, der es nicht nur dem
Klassenfeind, sondern auch der Partei schwermacht, vor
allem mit seinem Sterben am Ende des Buches. Strittmatter
knüpfte nicht an sowjetische Vorbilder an. In den fünfziger
Jahren hatte man ihn mit den bäuerlich-proletarischen
Romanen *Ochsenkutscher* (1951) und *Tinko* (1954) sowie
dem gelungenen Schelmenroman *Der Wundertäter* (1957)
als die wichtigste Prosabegabung der DDR angesehen.
Brecht inszenierte 1953 seine Verskomödie *Katzgraben.
Szenen aus dem Bauernleben* über die Folgen der Bodenreform 1947–1949 auf dem Dorf.

Versucht man, Bücher wie *Spur der Steine* und *Ole Bienkopp,* die in den sechziger Jahren in der DDR so viel Beachtung erhielten, einzuordnen, so muß die öffentliche Diskussion, die um sie geführt wurde, einbezogen werden. Mit
ihr relativieren sich die ästhetischen Probleme, ohne allerdings völlig beiseitezutreten. Ohne literarische Einfälle
hätten die Bücher ihre Prominenz nicht über einige Zeit hin-

weg halten können. Dennoch bleiben die beiden Pole der Reaktion, zwischen die sie gestellt sind, sichtbar und für diese Periode verallgemeinerungswürdig. Da ist einmal die pointierte Aussage Stefan Heyms, der 1964 feststellte: »Wie tief das Sehnen nach Debatte und Diskussion in der sozialistischen Welt geht, kann man an der Tatsache ermessen, daß dort, wo der Rotstift des Zensors eine echte Diskussion verhindert, unechte Diskussionen mit viel Lärm und wie auf Kommando durchgeführt werden — Kontroversen ohne Kontroverse, über Fragen von minimaler Bedeutung; öffentliche Debatten über Bücher, in denen so welterschütternde Ereignisse behandelt werden wie das törichte Vorgehen eines Dorfbürgermeisters, der seinen Bauern eine falsche Art von Kuhställen aufzwingen will, oder die außereheliche Vaterschaft eines kleinen Parteisekretärs, der den Skandal vertuschen möchte.«[62] Da sind zum anderen die hochgestimmten Ansprachen auf der 2. Bitterfelder Konferenz 1964, die eine Erfolgsbilanz der Aktivitäten zogen, welche die Partei seit 1958 angekurbelt hatte. Für sie sei aus der Rede zitiert, die Alexander Abusch 1964 zur Vorbereitung der Konferenz hielt: »Diese neueren Bücher unserer erzählenden Literatur des sozialistischen Realismus suchen und finden ihren ›großen Gegenstand‹ in der neuen Beziehung des Menschen zur Arbeit, die ihm so lange unter dem Kapitalismus als Fluch erschien — und sie finden überhaupt den ›großen Gegenstand‹, der nach Schillers Wort allein ›vermag, den tiefen Grund der Dinge aufzurühren‹, in den brennenden Fragen und Entscheidungen der sozialen und nationalen Auseinandersetzung unserer Tage. Diese Romane und Erzählungen gewinnen ihre Lebendigkeit, ihren erregenden Atem, ihre Wirkung in Zustimmung und Widerspruch auf so viele Menschen gerade aus der Tatsache, daß sie in ihrem Charakter und ihrer historisch neuen Qualität unverwechselbar die Literatur der ersten deutschen sozialistischen Republik sind.«[63]

Beide Aussagen verweisen aufeinander — was allerdings erst in der Reflexion der Gesamtsituation voll einsichtig wird. Deren Kontur läßt sich mit wenigen Strichen nachzeichnen:

Nach 1955, als die Existenz der DDR in Abgrenzung von der Bundesrepublik feststand, setzte die SED zunehmende Energien daran, die Profilierung und Konsolidierung dieses Staates zu erreichen, und zwar in einem neuen, eigenverantwortlichen Anlauf zum industriell-technischen Aufbau. Dazu gehörte der ehrgeizige Wirtschaftsplan von 1958, die Bundesrepublik in den wichtigsten Produktionsbereichen bis 1961 einzuholen, dazu gehören die zahlreichen anderen Maßnahmen zur Sozialisierung im Produktionsbereich (mitsamt der Kollektivierung der Landwirtschaft 1960). Ernst Richert spricht von einer »langen kritischen ordnungspolitischen Durststrecke«[64] bis 1963, in die 1961 der Bau der Mauer fiel. Literatur und Kunst wurden, dem sowjetischen und − bis 1960 − chinesischen Vorbild gemäß, in einer ›Kulturrevolution‹ zur Gewinnung der Massen herangezogen; die Bitterfelder Konferenz 1959 stand im Zeichen der 1958 verkündeten Ziele.

Abuschs zitierte Berufung auf Schiller zeigt den Unterschied zu der früheren, stalinistischen Phase der Aufbauideologie. Er folgte der ab 1958 popularisierten Interpretation der sozialistischen Gegenwart als Aufbau einer Gesellschaft, in der die Arbeit ohne Entfremdung geschehe, in Erfüllung der Zukunftsahnung der deutschen Klassiker. Hier wurde gleichsam dem Bild von Sais, dem Marx einst den Schleier abgenommen hatte, ein neuer Schleier umgelegt, für die, die ihn sehen wollten: aus Goethes und Schillers hohen Gedanken, aus Literatur und Literaturbetriebsamkeit. Ein Ästhetiker verglich einen Bericht über Štachanov mit der Beschreibung, die Goethe von der Arbeit des Künstlers gegeben hat, und sah das hohe Ziel in Reichweite gerückt: »Mit der proletarischen Revolution wird die Arbeit befreit, die Ausbeutung des Menschen durch den Menschen in der Arbeit beseitigt. Damit sind die Voraussetzungen für ein wahrhaft menschliches, dem menschlichen Wesen harmonisches Verhältnis zur Arbeit geschaffen. Wenn auch erst ansatzweise und in begrenztem Umfang, kann die Industrie wieder Verwirklichung der menschlichen Wesenskräfte werden (dafür zeugt das Beispiel Stachanows) und ihre Produkte

wieder ›sinnlich vorliegende menschliche Psychologie‹, Vergegenständlichung des Schönen.«[65]

Wenn Anfang der fünfziger Jahre bei der Produktionsliteratur in Übernahme des sowjetischen Begriffs von der
›befreiten Arbeit‹ die Rede gewesen war, so wurde nun,
sinngemäß, die ›in der DDR befreite Arbeit‹ als der in
schillerschem Geiste »große Gegenstand« benannt. Die Bezugnahme geschah in der Tat ganz in der deutschen Tradition seit der Klassik: in der Verinnerlichung. Und ganz in
der deutschen Tradition reagierte man auf jede Kritik an
diesem Prozeß der Selbsterhöhung durch Verinnerlichung:
schroff und trotzig. Das wurde bei der Kafka-Konferenz
1963 in Liblice bei Prag auf einem internationalen Podium
sichtbar, als die ostdeutsche Delegation gegen die Marxisten
aus anderen Ländern, sozialistischen und westlichen, argumentierte, Kafkas Thema der Entfremdung sei in der sozialistischen Welt überwunden. Ihr widersprachen Ernst Fischer, Roger Garaudy, Roman Karst, Jiří Hajek, Eduard
Goldstücker und andere.

Ernst Fischer (1899–1972), der in der Folgezeit in der DDR
heftig angegriffen wurde[66], zumal er in engem Kontakt zu den
Reformern im ›Prager Frühling‹ 1968 stand, faßte seine Entgegnung in die Worte zusammen: »Denn die Entfremdung wurde,
so legten wir dar, durch die Enteignung der Guts- und Industrie-
herren keineswegs aufgehoben, weder ökonomisch noch politisch.
Zum erstenmal stritten Kommunisten in öffentlicher Kontroverse
nicht nur über ›Dekadenz‹, ›Realismus‹, ›Kulturerbe‹, sondern
über das Problem der Entfremdung im unzulänglichen, durch ein
Herrschaftssystem, dessen Inkarnation, doch nicht einziger Ur-
heber Stalin war, entstellten Sozialismus. Die Sprecher der DDR
wurden beunruhigt ihrer Isolierung gewahr. Die sowjetische Delegation war nicht gekommen.«[67]

Garaudy machte deutlich: »Wenn Kafkas Botschaft heute noch
so lebendig ist, wenn so viele Männer und Frauen in ihm ihre
Probleme und das Bild ihres Lebens wiederfinden, so kommt das
daher, daß wir noch immer in einer Welt der Entfremdung leben
und auch die sozialistische Welt — selbst wenn sie die Perspektive der Beseitigung der Entfremdung des Menschen und das
Kommen eines vollkommenen Menschen zeigt — sich erst in der

ersten Etappe ihres Kampfes befindet und ihre Widersprüche und ihre Entfremdung noch in sich hat.«[68]

Die Reaktion der DDR-Offiziellen auf diese und ähnliche Kritik, von der man auch in den eigenen Reihen nicht frei war, äußerte sich nicht zuletzt deshalb so heftig, weil die DDR das Entfremdungsthema mehr, als es andere kommunistische Länder taten, die über ihre nationale Identität verfügen, zu einer Stütze der Selbstlegitimation stilisiert hatte. Die Phase der Konsolidierungsversuche nach 1955/56 war von ebendem Kampf gegen die Diskussion der Entfremdung im Sozialismus geprägt gewesen. Man hatte die Gruppen um Harich und vor allem Bloch nicht zuletzt wegen dieser Diskussion und der anthropologischen Reflexion mundtot gemacht, die sich gegen das im Stalinismus erstarrte Menschenbild richtete. Wiederum, wie schon in der alten Sozialdemokratie, hatte man sich in der Folge auf die deutsche Klassik berufen, um das Defizit an Anthropologie auszugleichen — nun allerdings mit beträchtlich gravierenderen Folgen. Marx' inzwischen veröffentlichte frühe Manuskripte boten nur teilweise ›Ersatz‹, wenn sie auch reichlich verwertet wurden.[69]

Damit stand schließlich auch im Zusammenhang, daß die Rückwendung zu den proletarisch-revolutionären und klassenkämpferischen Traditionen nach 1956 nur ein Zwischenspiel blieb. Sie war unter anderem durch die massenorientierten kulturrevolutionären Aktivitäten in China ermutigt worden und sollte dem sozialistischen Profil des neuen Staates zugutekommen. Die Zeitschrift *Junge Kunst*, die als Forum für Aufarbeitung und Förderung der proletarisch-revolutionären Kunst diente, bestand nur von 1957 bis 1960. Das noch von Brecht 1956 angeregte Interesse für Agitpropformen — das der Umstellung der politischen Massenagitation auf literarische Formen in dieser Zeit entsprach[70] — geriet mit der Kritik am didaktischen Theater spätestens 1959 ins Abseits.[71] Das traf vor allem Heiner Müllers Ansatz eines dialektischen, auch in der sozialistischen Gesellschaft provokativen Lehrtheaters. Seine Stücke

Die Korrektur (1958) und *Der Lohndrücker* (1958) wurden zunächst viel gespielt, ebenso Helmut Baierls *Die Feststellung* (1958). Beim Bitterfelder Weg, der anfangs mit dem Interesse für die proletarisch-revolutionäre Literatur der zwanziger Jahre übereinging, die man neu auflegte, ging es um das Konzept einer literarisch-politischen Repräsentation (durch Schriftsteller) und literarisch-politischen Produktionskontrolle (durch Arbeiter), nicht um die ›noch übrigen‹ Klassenauseinandersetzungen.

In einer gewissen Parallele zu Stalins Wendung 1932 gegen die kulturellen Aktivitäten legte sich Ulbricht, zeitweise von Alfred Kurella sekundiert, auf eine an der Klassik orientierte Repräsentativkunst fest. Innerhalb der deutschen Tradition bedeutete das die Wendung gegen die kommunistische zugunsten der sozialdemokratischen Kulturpraxis.[72] Ulbricht propagierte in den sechziger Jahren das harmonisierende Konzept der ›sozialistischen Menschengemeinschaft‹, das, zeitgemäß dem Neuen Ökonomischen System nach 1963, die technische Intelligenz (›Planer und Leiter‹) gegenüber der Arbeiterschaft bevorteilte. Schon in der Sowjetunion hatte die Literatur der dreißiger Jahre dazu gedient, die Widersprüche, die sich mit der von den Spezialisten vorangetriebenen Industrialisierung für das Selbstverständnis des Arbeiters ergaben, zu überdecken und zu harmonisieren.

Als sich Mitte der sechziger Jahre die Haltung der Partei den Künstlern gegenüber wieder verhärtete, manifestierte sich darin nicht nur ein taktischer Wechsel. Es war der Zeitpunkt, an dem der Erfolg von Ulbrichts, auf modernes technisch-ökonomisches Management gestützter Wirtschaftspolitik zutagetrat, als jene »lange kritische ordnungspolitische Durststrecke« vorüber war. Die Mobilisierung der Literatur zur politischen und ökonomischen Konsolidierung des Staates, wofür der Terminus ›Bitterfelder Weg‹ Symbolwert erhielt, verlor an Gewicht. Damit verlor die Literatur für die Partei, die deren Hochstellung ermöglicht hatte, an ›operativer‹ Bedeutung. Die Schriftsteller und Künstler drangen ohnehin schon zu einer Position selbständiger Kritik vor, die über das neugewonnene Selbstgefühl gewisse Schatten warf. Erich Honecker umriß die für die Folgezeit bestimmende Haltung, die den Schriftstellern und Künstlern schwer zu schaffen machte, auf dem 11. Plenum 1965 in wenigen Worten:

»Es gibt eine einfache Rechnung: Wollen wir die Arbeitsproduktivität und damit den Lebensstandard weiter erhöhen, woran doch alle Bürger der DDR interessiert sind, dann kann man nicht nihilistische, ausweglose und moralzersetzende Philosophien in Literatur, Film, Theater, Fernsehen und Zeitschriften verbreiten. Skeptizismus und steigender Lebensstandard beim umfassenden Aufbau des Sozialismus schließen einander aus. Und umgekehrt: Eine von unserer sozialistischen Weltanschauung ausgehende vielfältige, lebensnahe, realistische Kunst und Literatur sind gute Weggefährten und Wegbereiter für die arbeitenden Menschen in unserer Deutschen Demokratischen Republik.«[73]

5. ›Sozialistische deutsche Nationalliteratur‹?

Zu den Maßnahmen, die mit den Konsolidierungsbemühungen nach 1956 übereingingen, gehörte auch die offizielle Abrechnung mit Georg Lukács. Noch kurz zuvor hatte man ihm von allen Seiten für seine Beiträge zur deutschen Literaturgeschichte gedankt. Nun setzte man zur Eliminierung seiner Thesen über die neuere deutsche Literatur und den Realismus an, ein Vorhaben, das von seiner Beteiligung an der ungarischen Revolte von 1956, aber auch von den periodisch wiederkehrenden Attacken gegen seinen ›Revisionismus‹ erleichtert wurde, und man konnte Argumente aus der ungarischen Debatte 1949/50 ebenso wie aus Aleksandr Fadeevs Rede von 1950 schöpfen.[74]

Von diesen Dingen ist bereits andeutungsweise die Rede gewesen. Sie werden nur um einer spezifischen Thematik willen noch einmal erwähnt: der Thematik ›sozialistische Literatur in Deutschland‹, die man nun von Lukács als völlig falsch behandelt ansah und für die man ein Gegenkonzept entwickeln wollte. Man bezog sich auf die wenigen Stellen[75], an denen Lukács auf diese Thematik eingegangen war (schon diese Vernachlässigung gab zur Kritik Anlaß), vor allem seine abwertende Behandlung der proletarisch-revolutionären Literatur[76], aber auch seine »Behauptung«, »daß die sozialistische Literatur in den 30er und 40er Jahren ›unumstritten zerfallen sei‹.«[77] Was das für den Staat bedeutete, der ansetzte, sich aus der Literatur der letzten Jahrzehnte auf wissenschaftlich-interpretatorischem Wege einen festen Rückhalt in der Geschichte zu erarbeiten, bedarf keiner Erläuterung. Es konnte nicht akzeptiert werden. Dazu kam der Vorwurf, Lukács blockiere für die literarische Praxis der Gegenwart »eine ungehemmte sozialistische Entwicklung unserer literarischen Politik, Praxis und Theorie«.[78]

Inzwischen läßt sich dieser Vorwurf nicht mehr erheben. Die sozialistische Entwicklung der literarischen Politik, Theorie und Praxis, konnte ungehemmt vorankommen. Lukács' Vernachlässigung von Arbeiterklasse, Klassenprinzip, Klassenkampf stellte eine Sache der Vergangenheit dar. Man ging daran, die Traditionslinien aufzuzeigen, in denen »die Herausbildung einer modernen sozialistschen Literatur in den zwanziger und dreißiger Jahren« als der »entscheidende Wendepunkt in der deutschen Literaturgeschichte des 20. Jahrhunderts« erscheint[79], von dem aus sie über die sozialistische Exilliteratur hinweg zur Krönung in der ›sozialistischen deutschen Nationalliteratur‹ der DDR emporsteigen. Das unterschied sich stark von dem Konzept, das Lukács 1956 in der Rede *Der Kampf des Fortschritts und der Reaktion in der heutigen Kultur* darlegte. In diesem Konzept kommt der Feststellung »Es ist unsere Pflicht, mit der jetzt abgelaufenen Periode entschieden abzurechnen«[80] entscheidendes Gewicht zu. Wenn man die berechtigte Frage, ob gerade Lukács der richtige Mann für diese Abrechnung gewesen sei, einmal beiseiteschiebt, läßt sich in seinen Äußerungen die Prämisse erkennen, daß die richtige Abrechnung mit der Vergangenheit die Grundlage zu einer Neuschaffung der Kultur im sozialistischen Sinne gewähre.

Das Bedeutsame für die Entwicklung der Literatur in der DDR und ihrer offiziellen Interpretation ist nun, daß man nicht nur Lukács, sondern auch diese Prämisse beiseiteschob und das Geschichtskonzept einer sozialistischen Literatur etablierte, das dem gegenwärtigen Schriftsteller nur das Bewußtsein vermittelt, daß seit langem in Deutschland sozialistische Literatur hergestellt und, solange sie der kommunistischen Parteilinie folgte, richtig hergestellt worden sei. Es verwundert nicht, daß die seit Ende der fünfziger Jahre in der DDR entstandenen Werke ihren Sozialismus gemäß der jeweiligen Affirmation an das Vorgegebene nachgerechnet bekommen, jedoch nicht anhand eines die tatsächlichen Geschehnisse im 20. Jahrhundert voll umfassenden Konzepts. Und es verwundert ebensowenig, daß von seiten der Schriftsteller, unter denen inzwischen viele Talente hervorgetreten sind, kein Weg für eine neue sozialistische Literatur freigemacht worden ist, der über die — wichtige — Darstellung von Integrationsproblemen hinauswiese, wie sie unter den Bedingungen einer modernen Leistungsgesellschaft allgemein in der Gegenwart anzutreffen sind. Wo der Versuch dazu gemacht wird, wie bei Heiner Müller, reagiert der Staat wie auf jeden »Skeptizismus«, ja noch schärfer, *weil* der Autor im Namen des Sozialismus argumentiert, *weil* der Autor seine bohrenden Fragen nach dem Sozialismus dieses Staates nicht ins Literarische abbiegt.

Zu der spezifischen Ausformung jener Integrationsprobleme in der DDR gehört die Auseinandersetzung mit dem Interpretationsmonopol, das die Partei innehat. Das bedeutet, wie an Honeckers Äußerungen von 1965 ablesbar, ständigen Kampf um Kategorisierung dessen, was wirklich, was wahr ist. Die offiziellen Schwankungen — ›was gestern war, zählt taktisch bereits zu einer ganz anderen Situation‹ — bestätigen die Brüchigkeit der ständig beschworenen Kontinuität. Soll Literatur nicht konstant hinterherhinken, müssen sich die Schriftsteller auf Grundsätzlicheres besinnen und kommen damit auf Fragen nach den Möglichkeiten menschlicher Entfaltung, wie sie generell in der zeitgenössischen Literatur gestellt werden. Das Auslegungsmonopol der Partei bildet dafür keineswegs nur einen Widerstand, es wirkt auch als ein Stimulans, das für krea-

tive Reibung sorgt; zahlreiche Komödien und Satiren leben
davon. Man verweist zuweilen auf jene Wände, mit denen
sich ein besserer Klang und ein besseres Echo erzielen läßt.
So wurden die Anfang der siebziger Jahre erfolgten Provo-
kationen gegen das allzu marmorne Klassikbild, dessen
Pflege sich der Staat angelegen sein läßt, mit dem Plädoyer
für unbekümmerte, jugendliche Lebensformen, wie es sich
in Ulrich Plenzdorfs Erzählung *Die neuen Leiden des jungen
W.* (1973) nach Goethes *Werther* findet, zu einem spezifischen literarischen Ereignis in der DDR, das beim übrigen
deutschsprechenden Publikum nicht das gleiche große Interesse auslösen konnte. Unter den Autoren, die das Perspek-
tivische der ›Parteilichkeit‹ geschickt zu handhaben wissen,
sei vor allem Hermann Kant (geb. 1926) genannt. Kant
erreichte in seinen Erzählungen und Romanen (*Ein bißchen
Südsee*, 1962; *Die Aula*, 1965; *Das Impressum*, 1972; *Die
Übertretung*, 1975) eine große Fertigkeit, die Lebenswirklichkeit der DDR in Spiegelungen wiederzugeben, die, um-
sichtig-humorvoll und in voller Kontrolle des jeweiligen
Lichteinfalls hin- und herbewegt, das Entscheidende bestätigen: die Unangreifbarkeit des Vorgegebenen. Die literarische Wirkung beruht auf ebendiesem Arrangement; indem sich der Autor um die Kunst der Spiegelungen bemüht, hält er sich in der Gunst der Wirklichkeit.

Wie wichtig die Darstellung der Integrationsprobleme
in der modernen Leistungsgesellschaft ist, zeigt die positive
Reaktion des Publikums. Dazu gehört, daß viele der Bücher
nicht zur öffentlichen Repräsentanz oder zum großen Panorama, sondern zu privaten Lebenssituationen tendieren, wo
die eigentliche ›Bewältigung‹ stattfindet. Daß die Literatur
unter diesen Umständen für die Partei an Gewicht verliert,
jedoch überaus wichtige Aufgaben der Selbstverständigung
im gesellschaftlichen System erfüllt, bezeugt auf andere
Weise ihre Abgehobenheit von einer historischen Gesamtperspektive. Für die Partei ist seit Mitte der sechziger Jahre
das Fernsehen viel wichtiger geworden.

Unter den neueren Werken ließen sich in diesem Zusammenhang Bücher wie *Pause für Wanzka* (1968) von

Alfred Wellm (geb. 1927), *Buridans Esel* (1968) und *Preis-verleihung* (1972) von Günter de Bruyn (geb. 1926), *Franziska Linkerhand* (1974) von Brigitte Reimann oder *Die Interviewer* (1973) von Karl-Heinz Jakobs (geb. 1929) nennen, das letztere vor allem im Hinblick darauf, wie der Autor die Frage verfolgt, ob der Arbeitsalltag in der DDR zwangsläufig menschlicher wird, ob die Produktionssteigerung in dieser Leistungsgesellschaft auch zugleich einen besseren Sozialismus repräsentiert. Andere Wege — ins bewußt Ferne und Poetische — zeigt Irmtraut Morgner (geb. 1933) mit *Hochzeit in Konstantinopel* (1968) und *Leben und Abenteuer der Trobadora Beatriz nach Zeugnissen ihrer Spielfrau Laura* (1974); viel Fabulierfreiheit nimmt sich Jurek Becker (geb. 1937), der 1968 mit dem Getto-Roman *Jakob der Lügner* debütierte, in *Irreführung der Behörden* (1973).

Über die Prosa hinausgehend, kann man die Veröffentlichungen von Volker Braun (geb. 1939) hinzuzählen, der bisher vorwiegend mit Lyrik (*Provokation für mich*, 1965; *Wir und nicht sie*, 1970) und Dramen hervorgetreten ist. Brauns Stellungnahme mischt Provokation und Anerkennung der DDR-Wirklichkeit in einer Weise, die ihm offizielle Kritik, aber auch Lob eingebracht hat. In ihr blieb noch einiges von dem Schwung aus der ersten Hälfte der sechziger Jahre erhalten, als Dramatiker wie Peter Hacks in *Die Sorgen und die Macht* (1962), *Moritz Tassow* (1965), Heiner Müller in *Die Umsiedlerin* (1961) und *Der Bau* (1965) und Hartmut Lange (geb. 1937) in *Marski* (1962/63) das Neue mit stärkerem Optimismus angingen, es damit aber auch härter testen wollten.[81] Von damals ist in Brauns Stücken (speziell in *Kipper Paul Bauch*, später umgearbeitet und ›gemildert‹ als *Die Kipper*) das Motiv des Selbsthelfers und starken Kerls ausgeprägt, der mit der kleinlichen, bürokratischen Welt zusammenstößt.

Peter Hacks faßte 1965 in einem Artikel über *Marski* von Hartmut Lange (der im selben Jahr über Jugoslawien nach Westberlin ging), die Situation des Schriftstellers in der sozialistischen Gesellschaft zusammen: Seitdem der zerstörerische Widerspruch zwischen dem Menschen und der

Klassengesellschaft sich aufzulösen beginne, würden die
produktiven Widersprüche zwischen dem Menschen und der
Gesellschaft als solcher sichtbar; »da ist keine Identität möglich; davon bleibt und lohnt zu handeln«. Im selben Artikel
pries Hacks das Neue Ökonomische System als »die historische Stelle, wo der Sozialismus aus der bloßen und be-
schränkten Verneinung der Ausbeutergesellschaft sich steigert zur Aufhebung aller geschichtlichen Leistungen vor
ihm.«[82] Hacks wich der Harmonisierung nicht aus, benutzte
sie für die Komödie; im Weg über die Umarbeitung der
Klassik machte er die kritischen Tendenzen literarisch konsumierbar, auch für den Westen. Die produktiven Widersprüche zwischen dem Menschen und der Gesellschaft: das
umriß in der Tat die Möglichkeiten der Literatur in der
DDR; nur daß die Möglichkeiten daran gebunden blieben,
ob der jeweilige Widerspruch als produktiv ausgelegt wurde. Davon haben am kritischsten die Lyriker gehandelt, hier
sei nur auf Günter Kunert, Reiner Kunze (geb. 1933) und
Karl Mickel (geb. 1935) verwiesen.

Das Bild zeigt eine Vielfalt von Autoren und Werken.
Ihre Ernsthaftigkeit und Originalität bedarf keiner Erläuterung. Damit läßt sich zu den Einwänden gegen Lukács
zurückkehren. Ist es jene »ungehemmte sozialistische Entwicklung unserer literarischen Politik, Praxis und Theorie«
geworden? Ist es die sozialistische Literatur, die sich unverwechselbar von der zeitgenössischen Literatur in anderen
Leistungsgesellschaften abhebt, indem sie den Sozialismus
als befeuerndes und stimulierendes Element ausstrahlt? Indem sie über die Geschichte des deutschen Sozialismus
souverän geworden ist und damit auch dessen Grenzzie-
hung, einschließlich der Berliner Mauer, hinter sich läßt?

Die Fragen gelten weniger der Literatur als ihrer Interpretation. Sie führen zurück auf die Prämissen, unter denen
der Staat Deutsche Demokratische Republik gegründet und
aufgebaut wurde, Prämissen, an denen alle Deutschen Anteil hatten. Sie lassen erkennen, wie stark die Argumente
zur Aufwärtsentwicklung der sozialistischen deutschen Literatur in ideologischer Weise entwickelt wurden, als eine

akademisch-politische Stützung, die jedoch von dem, was Ulbricht in der Folgezeit mit beträchtlicher Adaptionsfähigkeit an technisch-ökonomisches Denken etablierte, von selbst abgebaut wurde. Daran haben die Nachfolger, auch wenn sie das Konzept der ›sozialistischen Menschengemeinschaft‹ als allzu harmonisierend aufgaben, grundsätzlich nichts geändert. Ulbricht selbst entzog den Revolutionshymnen den Text. Geblieben ist eine eindrucksvolle Kultur- und Bildungspolitik in Fortsetzung und Überwindung einstiger sozialdemokratischer Bestrebungen, von der Klassikpflege bis zur vorbildlichen Schulpolitik, von den Arbeiterfestspielen bis zum Kampf gegen Schmutz und Schund in der Massenliteratur.[83] Dazu eine intellektuelle Disziplin ›Sozialistische deutsche Literatur‹, die ausgedehnte, von der Literatur- und Geschichtswissenschaft völlig vernachlässigte Bereiche aufgearbeitet hat, sowie ein ins 19. Jahrhundert zurückgreifender Terminus: ›Sozialistische deutsche Nationalliteratur der DDR‹. Über die tatsächlichen Probleme der neueren Kulturpolitik und der Traditionsbeziehungen wird die Diskussion erst langsam aufgenommen.[84]

Nur wenige Autoren stellen sich dieser Situation, unter unter ihnen an erster Stelle Heiner Müller und Wolf Biermann, aber auch Christa Wolf. Sie prüfen das Entstandene genauer, sie beziehen Zukunft und Vergangenheit ein, und zwar die wirkliche Vergangenheit. Sie nehmen das Vorhandene so ernst, daß sie darunter leiden, und sie heben es auf, um sich ihm verpflichten zu können. Christa Wolf formulierte in einem Interview als praktische Maxime die Frage: »Warum sollte sich nicht auch der sozialistische Autor als ›Moralist‹ begreifen?« und erläuterte: »Ich kann und will mich nicht einlassen auf einen blanken historischen Determinismus, der in Individuen, Schichten, Klassen, Völkern nur die Objekte einer sich unumstößlich durchsetzenden historischen Gesetzmäßigkeit sähe und dem eine vollkommen fatalistische Geschichtsphilosophie entspräche; ebensowenig aber auf einen öden Pragmatismus, der in der Moral von Klassen und Individuen nichts sieht als ein Mittel zum Zweck, beliebig manipulierbar, beliebig ignorierbar,

mal nützliches, mal unnützes Vehikel.«[85] Hier zeichnet sich
die Funktion des sozialistischen Schriftstellers in der Gegenwart etwas deutlicher ab. Wie ernst sie genommen wird,
bleibt abzuwarten.

6. Kein Abschied von der Geschichte

Im Westen war diese Frage nach dem sozialistischen
Schriftsteller lange obsolet. Was wiederum mit den Entwicklungen in der DDR viel zu tun hatte. Auch wenn man
sich in der Bundesrepublik sonst wenig um diese Entwicklungen kümmerte — wo von Sozialismus und sozialistischer
Literatur gesprochen wurde, rückten sie schnell an die Stelle
von Argumenten. Es dauerte lange, bis es zu einer offeneren
Haltung kam; bezeichnenderweise aber entstand die Welle
des Sozialismus-Interesses seit Mitte der sechziger Jahre in
auffälliger Distanz gegenüber dem Sozialismus der SED.

Inzwischen hat ein genereller Aufholprozeß zum Thema
Marxismus und Sozialismus stattgefunden, lange verzögert
und dementsprechend heftig. Es war die Sache einer neuen
Generation. Sie empfing ihre Inspiration vor allem von der
Generation, die ihr Sozialismuskonzept in den zwanziger
und dreißiger Jahren ausbildete und über die Periode
Hitlers und Stalins hinweg in gewisser Abgehobenheit bewahrt hatte. Diese Umstände prägten auch das Verhältnis
zur sozialistischen Literatur. Sie hob sich gleichfalls von
dem geschichtlichen Kontext ab. Es wurden die vergangenen
Debatten neu durchgefochten — die Debatten. Es wurden
die vergangenen Texte neu aufgelegt — die Texte. Es wurde
die vergangene Programmatik wieder aufgenommen — die
Programmatik. Debatten, Texte und Programmatik sind
nun erhältlich geworden, und das ist ein wichtiger Schritt
über den vorangegangenen Zustand hinaus. Aber auch das
ist nicht allzu weit entfernt von einer intellektuellen Disziplin mit dem Titel ›sozialistische Literatur‹.

Auch in Westdeutschland ging die führende sozialistische
Partei nach dem Zweiten Weltkrieg an die jüngste deutsche

Geschichte mit einer großen Prätention heran, die nach und
nach zugunsten der Akkomodation mit den Erfordernissen
einer modernen Leistungsgesellschaft abbröckelte. Die Prätention des ›Als ob‹, wie es Theo Pirker genannt hat[36],
bedeutete der von Kurt Schumacher erhobene Anspruch der
SPD, sie sei die Nation, diese Nation bilde noch eine politische Einheit, und die SPD sei die einzige legitime Erbin
der deutschen Demokratie. Das zerbröckelte nicht nur unter
dem Widerstand der Alliierten und deren Rekonstituierung
des Kapitalismus in ihrem Teil Deutschlands, sondern auch
mit der alten großen Tugend der SPD, die immer schon ihre
Möglichkeiten und Grenzen markierte: der parlamentarischen Arbeit. Indem sich die Partei ausschließlich auf diese
Arbeit konzentrierte, geriet sie schließlich voll in das Be-
wegungsmoment der gegnerischen Kräfte hinein. Auch hier
wirkte die Besinnung über die Niederlage in den dreißiger
Jahren — die kaum vom Parteivorstand gekommen war —
nicht nach; der Tod Schumachers löste keine neue politische
Selbstverständigung aus. Bis in die sechziger Jahre zog zwar
die SPD im ›linken Vorfeld‹ radikale Aktionen und intellektuelle Bewegungen an, ließ sie aber, sobald sie sich für ihre
politisch-parlamentarische Taktik nicht auszahlten, ›hängen‹. (Protest der Göttinger Achtzehn, Bewegung gegen
Wiederaufrüstung, Ostermarschbewegung etc.)

In dieser Politik manifestierte sich nach und nach immer
deutlicher die Tatsache, an der weder kulturpolitische Entwürfe[87] noch die gewerkschaftliche Bildungsarbeit (›Arbeit
und Leben‹) oder die Ruhrfestspiele[88] etwas änderten: daß
Bekenntnis, Geist und Selbstverständigung der früheren
sozialistischen Bewegung, die zugleich eine Kulturbewegung
darstellte, nicht mehr prägend waren. Wohl gab und gibt
es in der Partei, den Gewerkschaften und den ihnen ange-
schlossenen Organisationen eine wichtige, lokal häufig sehr
starke Tradition, wohl wurde 1963 das 100jährige Jubiläum
der Sozialdemokratie mit Feststimmung und Lassalle-Por-
trät gefeiert, doch ist darin jene Bekenntnisqualität verlorengegangen, die noch, wenngleich gedämpft, in die erste
Nachkriegszeit hineinreichte. Zu ihr gehörte die Berufung

auf Marx und sein weitausgreifendes wissenschaftliches System als Selbstverständlichkeit. Mit dem Godesberger Programm wurde 1959 ein Strich darunter gezogen, von vielen als ehrliche Entscheidung angesichts einer stark gewandelten Wirklichkeit begrüßt.

Auch wenn man die stete Distanzierung der Sozialdemokratie von ›literarischer‹ Politik berücksichtigt, die häufig vorgebrachte Abneigung der Gewerkschaften dagegen, bleibt der Ausfall an Interesse für sozialistische Literatur im Umkreis der Partei bemerkenswert — ein Zeugnis der skizzierten Entwicklung. Hier wurde nichts mehr angekurbelt, weder auf der Linken, noch auf der Rechten, und für die politisch-gesellschaftliche Legitimierung standen andere Mittel zur Verfügung.

Was blieb? Die gewohnte Ignoranz in der Gesellschaft gegenüber der Lebenswirklichkeit der Arbeiterschaft, die den Wiederaufbau des zerstörten Landes im wesentlichen trug. Inwiefern bei dieser Ignoranz die Reaktion auf den Nationalsozialismus mitspielte, der den ›deutschen Arbeiter‹ in einer Weise gelobhudelt hatte, die auch dem Arbeiter nur vorübergehend Eindruck machte, kann hier nicht geklärt werden. Wohl aber kann auf die Tradition dieser Haltung in Deutschland hingewiesen werden, die eng mit dem Mangel an Realitätssinn, an Sinn für die tatsächliche, geschehende, sinnlich greifbare Realität, zu tun hat, über den die deutsche Literatur mit ihrem Mangel an großen sozialkritischen Romanen Auskunft gibt. Arnold Zweig hat darüber 1927 in der Zeitschrift *Der Klassenkampf* unter dem bezeichnenden Titel *Bericht aus dem Unbekannten* Aufschlußreiches gesagt: »Während in England, Amerika und Frankreich, von Rußland nicht zu reden, beständig Botschafter des Bürgertums ergriffen und mit staunenden und verstehenden Augen zu den Ausgenutzten hinab unterwegs waren, vielleicht auch als Kundschafter, aber auf alle Fälle als Träger des gegenseitigen Verstehens, als Aufrufer zur Wiedergutmachung an den ausgeplünderten Menschenschichten, ist in Deutschland der Riß zwischen Volksschülern und höheren Schülern eine Einrichtung geworden, die seit den Befreiungskriegen die Deutschen diesseits und jenseits der Bürgergrenze tiefer voneinander trennt als irgendeine geographische oder politische Kluft. Das deutsche Bürgertum weiß von französischen oder englischen Bürgerfrauen (Madame Bovary, die Forsytes) viel mehr als von den Gedanken, Lebensstimmungen und Lebensnöten seiner eigenen Angestellten, der Arbeiter, die ihm sein Brot bakken oder sein Haus bauen, die ihn als Trambahnschaffner fahren oder als Totengräber beerdigen, die ihm seine Elektrizität ins Haus liefern und sein Leitungswasser allererst erbohren.«[89]

Zweig rührte an alte Wahrheiten. Schon Büchner skizzierte Ähnliches über die Kluft zwischen Gebildeten und Volk. Schon die Berliner *Kreuz-Zeitung* stellte 1891 angesichts von Paul Göhres Bericht *Drei Monate Fabrikarbeiter* erschrocken fest, daß es einer abenteuerlichen Expedition wie in das Innere Afrikas bedürfe, um etwas Authentisches über die Arbeiter zu erfahren. Arnold Zweig bezog sich auf die Berichte von Oskar Maria Graf, Harry Domela, Max Hölz und Ernst Toller. Wenn um 1960 Autoren wie Alfred Andersch, Wolfgang Rothe und Walter Jens vom Schriftsteller den thematischen Einbezug der Arbeitswelt forderten, so entsprach das einer alten Tradition des ›Aufwachens‹ aus Einseitigkeit und Realitätsdefizit. Das galt für einige Schriftsteller. Demgegenüber waren in den fünfziger Jahren, zumeist im Ruhrgebiet, einige Traditionen der Arbeiter- und Industriedichtung wieder aufgenommen worden, teilweise in Rückbesinnung auf Lersch und Engelke und die ›Werkleute auf Haus Nyland‹, teilweise in lokaler Tradition, etwa des ›Ruhrlandkreises‹, den Otto Wohlgemuth nach 1923 geführt hatte[90]. So kam es 1961 zur Gründung der ›Dortmunder Gruppe 61‹ unter der Initiative von Fritz Hüser (geb. 1908) und Max von der Grün, der sich mit seinem ersten Manuskript *Männer in zweifacher Nacht* (1962) an ihn gewandt hatte, so entstanden in den sechziger Jahren mehrere Romane über die Arbeitswelt, die eine beachtliche Resonanz — und Prozesse auslösten, so wurde nach der Streikbewegung von 1969 der ›Werkkreis Literatur der Arbeitswelt< etabliert, der seit 1970 soziale Dokumentation mit politischer Aufklärungsarbeit verbindet.

Die Bemühung um die eigene literarische Äußerung der Arbeiter bildete auch nach 1960 wieder einen zentralen Bestandteil der sozialen Dokumentation. Bereits zu Beginn des Jahrhunderts hatte man sich damit auseinandergesetzt; aus den Richtlinien des Frowein-Verlages sei noch einmal der Satz zitiert, es gehe darum, »den Arbeiter selbst zu Worte kommen zu lassen, um an Hand ungeschminkten Tatsachenmaterials zu beweisen, wie unsere technische Kultur den Arbeiter teilweise erdrückt, teilweise aber auch schlummernde geistige Kräfte freimacht«.[91] Die Betonung lag ganz auf der technischen Kultur und ihrer zweifachen Wirkung — von den Ausbeutungsverhältnissen war nicht die Rede —, und auch diese Haltung galt zunächst um 1960, nicht zuletzt mit der Hervorhebung des Terminus >(Neue) Industrieliteratur< (nicht >Arbeiterliteratur<, nicht >Agitationsliteratur<). Ein schärferes sozialpolitisches Engagement hat diese Haltung dann abgelöst und sich schließlich in einem zweiten Programm der Gruppe 61 (1971) niedergeschlagen, dessen erster Satz lautet: »Die Gruppe 61 will unter Benutzung aller Kommunikationsmöglichkeiten Sachverhalte der Ausbeutung ins öffentliche Bewußtsein bringen.«

Und wenn sich einst der Theologe Paul Göhre drei Monate lang als Arbeiter umsah und eine genaue Dokumentation lieferte, die wiederum zahlreiche Arbeiter zum Schreiben ermutigte, so ist die Reaktion auf die »abenteuerliche Expedition wie in das Innere Afrikas«, der die *Kreuz-Zeitung* Ausdruck gab, nicht allzu weit entfernt von der Reaktion, die Günter Wallraff (geb. 1942) mit seinen Reportagen aus der Arbeitswelt seit 1965 hervorrief. Wallraff selbst hat es unter Hinweis auf Erika Runge (geb. 1939), die Tonbandprotokolle mit Vertretern verschiedener sozialer Schichten veröffentlichte (vgl. *Bottroper Protokolle*, 1968), in einem Interview beschrieben:

»Es war damals ein riesiger Nachholbedarf vorhanden. Die Literatur hatte sich allzu lange abstinent der Wirklichkeit der Mehrheit der Menschen hierzulande verhalten, so daß, allzu oft mit vordergründiger Bedeutung, viele parolenhafte Bekenntnisse ablegten und deren Inhalte nicht präzise, subtil und konkret realisierten. Aber ich glaube schon, daß das, was damals zum Beispiel als Dokumentartheater kam, was an Protokollen kam, von großer Bedeutung war; es war ja doch eine Sensation, als Erika Runge damals Arbeiter im Film über anderthalb Stunden zu Wort kommen ließ – das kann man nicht wiederholen, dann wird es zur Masche; es war insofern eine Sensation, weil hier Leute sich artikulierten, die im Grunde sehr viel zu sagen hatten, die aber in Wirklichkeit nichts zu sagen haben innerhalb dieser Gesellschaft; und die kamen hier zu Wort, indem sich ein Autor zu ihrem Sprachrohr machte. Und man hörte hin, man ließ sie ausreden – wo gab es das bis dahin im Fernsehen?«[92]

Schließlich ließe sich auch die Erwartung, daß mit schreibenden Arbeitern ein großes künstlerisches Potential heranwächst – in der DDR sprach man beim Bitterfelder Weg von einer neuen Nationalliteratur, in der Bundesrepublik spricht man von einer »unausgeschöpften Avantgarde von großem, unabsehbarem Potential«[93] –, historisch vergleichen. Schon um die Jahrhundertwende waren die Kritiker beeindruckt von der Realitätsnähe und »Erlebnisintensität« (um ein Wort von Wallraff zu benutzen) dieser Äußerungen und erwarteten von ihnen eine Erneuerung der Literatur. Nach dem Ersten Weltkrieg kam die Erwartung zu einem neuen Höhepunkt.

Der Blick zurück soll nicht ablenken, nicht relativieren. Immerhin aber verhilft er, was die deutsche Situation betrifft, zu Folgerungen: Da in diesem Land der öffentliche Sinn für individuell gelebte, sozial differenzierte Wirklichkeit schwach entwickelt ist, sind diese Erkundungen und Realitätsoffenbarungen besonders wichtig, besonders wirkungsvoll und sowohl für die Literatur wie für die (Sozial-) Politik notwendig. Allerdings liegt in diesem impulsiven Schub, den hier viele ›Bewegungen‹ annehmen, auch die Gefahr der Vereinseitigung und Überschätzung. Schon oft ist davon gleich eine neue Literatur und eine neue Politik erwartet worden, und die Enttäuschung über die ausgebliebenen Resultate (häufig als ›Versagen‹ angeklagt) hat dann die substantiell wichtigen und notwendigen Bemühungen überhaupt desavouiert. Bis eines Tages wieder ein neuer Schub kommt, mit dem rigiden Anspruch, den schon Heine kritisch charakterisierte, ein für allemal das Richtige gefunden zu haben.

Insofern darf die sich seit 1960 entwickelnde Literatur der sozialen Perspektive nicht zu einer Sache von Cliquen werden (und gestempelt werden). Unter den Voraussetzungen der enormen ökonomischen, sozialen und technischen Wandlungen muß sie Teil des literarischen und politischen Selbstverständnisses sein, sei es unter reformistischem, sei es unter klassenkämpferischem Vorzeichen. Die ›soziale Wahrheit‹ zu sehen, ist Teil der Demokratie, und sie kann nicht gesehen werden, ohne daß man die Veränderung des Negativen, Entmenschlichenden anstrebt.

Mit Wallraff, mit von der Grün sind wichtige Autoren hervorgetreten, die dazu beigetragen haben, die größte Schwierigkeit zu bewältigen, ein breiteres Publikum zu erschließen.[94] Max von der Grün, ehemaliger Bergarbeiter und Grubenlokführer, war, wenn man von dem älteren Bruno Gluchowski (geb. 1900) absieht, der im Roman *Der Honigkotten* (1965) Arbeiterdasein im Ruhrgebiet zwischen 1912 und 1923 geschildert hat, der ›Vorreiter‹ in den sechziger Jahren. Sein Roman *Irrlicht und Feuer* (1963), der den Arbeitsalltag im Ruhrgebiet im Lichte gefährlicher (und gefährdender) Rationalisierungsbestrebungen behandelt, beschwor nicht nur heftige Konflikte mit den Arbeitgebern herauf, sondern auch Auseinandersetzungen mit der Gewerkschaft, die vom Autor und der Gruppe 61 abrückte. Doch der Roman wurde zum Erfolg und fand Nachfolger.[95] Wallraff gewann mit seinen Reportagen auch gewissen Zugang zum Arbeiterpublikum, zumeist durch die sehr konkrete Bezugnahme auf Mißstände in Betrieben und die Zusammenarbeit mit der (Gewerkschafts-)Presse. (Vgl. die Bände *Wir brauchen Dich,* 1966; *13 unerwünschte Reportagen,* 1969; *Neue Reportagen,* 1972, u. a.)

Um eine ›Gegenöffentlichkeit‹ ging es seit der Studentenbewegung mit den neuen Ansätzen zu einer politischen, agitatorischen Literatur, vor allem in Lyrik und Song, in

Kabarett, Theater und Straßentheater. Hier sei nur auf die Bemühungen der Werkkreise hingewiesen, die sich seit der Trennung des ›Werkkreises Literatur der Arbeitswelt‹ von der Gruppe 61 — vor allem mit dem Auszug von Josef Büscher (geb. 1918) — in verschiedenen Städten der Bundesrepublik gebildet haben. Sie lassen sich mit den Zirkeln schreibender Arbeiter, die vom Bitterfelder Weg in der DDR übriggeblieben sind, vergleichen, natürlich mit den Möglichkeiten der Konfrontation in der kapitalistischen Gesellschaft. Die Ambivalenz dieser Situation läßt sich an der Tatsache verfolgen, daß sich die Werkkreisarbeit zunächst stark auf die Publikation in einem angesehenen Verlag und seiner Taschenbuchserie ausrichtete (S. Fischer Verlag). Wohl auch durch den Einfluß literarischer Entwicklungen in der DDR rückte der Akzent von der agitatorischen Funktion stärker zum Literarisch-Ästhetischen, vom »Agitationstext« zum »Argumentationstext«.[96] Womit jedoch die Agitation in den Werkkreisen selbst keineswegs zum Erliegen kam. Das Konzept der antikapitalistischen Literatur und Kunst steht im politischen Vorfeld der linken Gruppen in der Bundesrepublik, einschließlich der DKP, deren Kulturpolitik[97] stark von den Anstößen der DDR ausgeht; für sie ist auch die Zeitschrift *Kürbiskern* unentbehrlich geworden.

Die Frage, inwiefern eine ›Gegenöffentlichkeit‹ herstellbar ist, führt zurück auf die generelle Problematik des Sozialismus seit den dreißiger Jahren. Die Versuche der Anlehnung an Gewerkschaft und sozialistische Organisationen sowie die Rückgriffe auf die literaturpolitische Praxis des BPRS, die zur Werkkreisarbeit gehören, bestätigen insgesamt die Folgerung, daß der Sozialismus unabdingbar ist für die Theorie und Praxis dieser Literatur, indem er die Wirklichkeitsdetails plaziert und Gesamtzusammenhänge herstellt, die wiederum politische Bewegung und Aktion ermöglichen, aber daß er in Deutschland nicht mehr aus der Kontinuität der Bewegung heraus kulturell verändernd wirkt. Gerade *das* bildet Teil seiner Geschichte in diesem Lande, und auch *das* muß in einem solchen historischen

Überblick über sozialistische Literatur erwähnt werden. Es verbindet sich mit der Tatsache, daß seiner wissenschaftlichen Ausformung, wie eingangs skizziert, bereits die Literatur der sozialen Perspektive voranging. Dafür lassen sich nicht nur die Schriftsteller in England und Frankreich anführen, sondern auch Engels, der mit *Die Lage der arbeitenden Klasse in England* ein großes — auch literarisch wichtiges — Beispiel gegeben hat. Das Ausland bietet dafür weitere Aspekte.

Die Geschichte des Sozialismus umschließt neben einem großen Theoriepotential vor allem Praxis und Erfahrung, d. h. *Wirklichkeit*. In beidem liegt ihr Gewicht, in beidem liegt ihre Aktualität, gerade in Deutschland, wo der Sozialismus lange Zeit die Veränderungsmöglichkeiten repräsentiert hat. Nach dem, was geschehen ist, bedeutet dies Erbe und Anspruch, nicht aber Legitimation. Vor allem aber: es muß erst verdeutlicht werden.

Anmerkungen

Kapitel I

(Seite 13—77)

1 Protokoll über den 6. Congress der Sozial-demokratischen Arbeiterpartei abgehalten zu Coburg am 18.—21. 6. 1874. Leipzig 1874, 98.

2 Zur Geschichte des Begriffs vgl. Herbert Bartholmes, Bruder, Bürger, Freund, Genosse und andere Wörter der sozialistischen Terminologie. Wortgeschichtliche Beiträge. Diss. Göteborg 1970, 223—239.

3 Franz Mehring, Gesammelte Schriften Bd. 10, hrsg. v. Hans Koch. Berlin 1961, 395.

4 Ebd., 421.

5 Ebd.

6 Franz Mehring, Leo Tolstoi. In: Mehring, Gesammelte Schriften Bd. 12, hrsg. v. Hans Koch. Berlin 1963, 131.

7 Jacques Grandjonc, Die deutschen Emigranten in Paris. Ihr Verhältnis zu Heinrich Heine. In: Heine-Studien. Internationaler Heine-Kongreß Düsseldorf 1972, hrsg. v. Manfred Windfuhr. Hamburg 1973, 165—177 (166).

8 Arnold Hauser, Sozialgeschichte der Kunst und Literatur Bd. 2. München 1953, 240 f.

9 Vgl. David Owen Evans, Social Romanticism in France 1830—1848. Oxford 1951, 92.

10 Vgl. Le développement de l'esthétique sociologique en France et en Angleterre au XIXe siècle. Paris 1926.

11 S. die ausführliche Darstellung bei Eric J. Hobsbawm, The Age of Revolution, 1789—1848. London 1962 (dt.: Europäische Revolutionen. München 1962).

12 Das Junge Deutschland. Texte und Dokumente, hrsg. v. Jost Hermand. Stuttgart 1966, 375 (Nachwort).

13 Büchner an Gutzkow. Straßburg (1836). In: Georg Büchner, Sämtliche Werke und Briefe Bd. 2, hrsg. v. Werner R. Lehmann. Hamburg 1971, 455.

14 Georg Herwegh, Die neue Literatur. In: Herwegh, Frühe Publizistik 1837—1841, hrsg. v. Bruno Kaiser u. a. Berlin 1971, 49.

15 Ebd.

16 Georg Herweghs Briefwechsel mit seiner Braut, hrsg. v. Marcel Herwegh. Stuttgart 1906, 65.

17 Vgl. L. Frisman, Über den Stil von Friedrich Engels' Werk ›Die arbeitende Klasse in England‹. In: Kunst und Literatur 19 (1971), 156–171.

18 Vgl. Elliot Manfield Grant, French Poetry and Modern Industry, 1830–1870. Cambridge (USA) 1927.

19 Als Überblick s. Helen Drusilla Lockwood, Tools and the Man. A Comparative Study of the French Workingman and English Chartists in the Literature of 1830–1848. New York 1927 (Reprint N. Y. 1966).

20 H. J. Hunt, Le socialisme et le romantisme en France. Étude de la presse socialiste de 1830 à 1848. Oxford 1935, 305 ff.

21 Albert J. George, Lamartine and a Literature for the People. In: Symposium 3 (1949), 245–260 (254). – Vgl. Edouard Dolléans, George Sand amie des poètes ouvriers. Paris 1938; Michel Ragon, Histoire de la littérature ouvrière et paysanne du moyen âge à nos jours. Paris 1953, 71 ff.

22 Die Arbeiterdichtung in Frankreich. Ausgewählte Lieder französischer Proletarier, hrsg. v. Adolf Strodtmann. London / New York / Hamburg 1863, XXII (Einl.).

23 K. K., Ferdinand Freiligraths Werke (Rez.). In: Die Neue Zeit 24, I (1905/06), 467.

24 Allg. über die Rückwendung zur Revolution von 1848 in diesem Zeitraum: Walter Wittwer, Die Revolution von 1848/49 in der sozialdemokratischen Presse während der Revolution in Rußland 1905–1907. In: Jahrbuch für Geschichte 8. Berlin 1973, 185–222. – Zur literarischen Nachwirkung generell: Helmut Hartwig / Karl Riha, Politische Ästhetik und Öffentlichkeit. 1848 im Spaltungsprozeß des historischen Bewußtseins, Fernwald 1974.

25 Clara Zetkin, Ein Dichter der Revolution. In: Zetkin, Über Literatur und Kunst, hrsg. v. Emilia Zetkin-Milowidowa. Berlin 1955, 80–89 (89).

26 Karl Kautsky, Die Rebellionen in Schillers Dramen. In: Die Neue Zeit 23, II (1904/05), 152 f.; Franz Mehring, Schiller. Ein Lebensbild für deutsche Arbeiter (Vorworte 1905, 1909). In: Mehring, Bd. 10 (Anm. 3), 91–97.

27 Franz Mehring, Sozialistische Lyrik. Ebd., 414.

28 Vgl. die Bemerkungen in: Freiligrath und Marx in ihrem Briefwechsel. Ebd., 603 ff.

29 Mehring, Schiller. Ein Lebensbild für deutsche Arbeiter. Ebd., 93.

30 Mehring, Gesammelte Schriften Bd. 2, hrsg. v. Thomas Höhle. Berlin 1960, 706.

31 Einleitung zu Ferdinand Lassalle: Arbeiter-Programm. In: Mehring, Ges. Schriften Bd. 4. Berlin 1963, 315 f.

32 Vgl. O. K. Werckmeister, Ideologie und Kunst bei Marx. In: Neue Rundschau 84 (1973), 604–627 (610).

33 Michail Lifschitz, Karl Marx und die Ästhetik. Dresden 1967, 145 f.

34 Vgl. A. Jesuitow, Fragen der Ästhetik im ›Kapital‹ von Marx. In: Kunst und Literatur 18 (1970), 823–832.

35 Vgl. Vernon L. Lidtke, Engels über Proletariat und Kultur. In: Friedrich Engels 1820–1970. Referate, Diskussionen, Dokumente, hrsg. v. Hans Pelger. Hannover 1971, 142.

36 Marx an Freiligrath, 29. 2. 1860. In: Freiligraths Briefwechsel mit Marx und Engels, Teil 1, hrsg. v. Manfred Häckel. Berlin 1968, 142.

37 Horst Bartel/Walter Schmidt, Zur Entwicklung der Auffassungen von Marx und Engels über die proletarische Partei. In: Marxismus und deutsche Arbeiterbewegung. Studien zur sozialistischen Bewegung im letzten Drittel des 19. Jahrhunderts, hrsg. v. H. Bartel. Berlin 1970, 7–101 (49). – Der Beitrag leidet u. a. darunter, daß die Autoren einer Auseinandersetzung mit Lassalles Gründung des ADAV und seinem von Lenin gelobten Parteidenken aus dem Wege gehen.

38 Walther Victor, Ausgewählte Schriften Bd. 1. Berlin/Weimar 1965, 590.

39 Ferdinand Lassalle, Gesammelte Schriften und Reden Bd. 5, hrsg. v. Eduard Bernstein. Berlin 1919, 355.

40 S. im einzelnen: Shlomo Na'aman, Lassalle. Hannover 1970 (bes. 576 ff.).

41 Zugänglich in: Gustav Mayer, Radikalismus, Sozialismus und bürgerliche Demokratie, hrsg. v. Hans-Ulrich Wehler. Frankfurt 1969. – Als neuere Arbeit vgl. Wolfgang Schieder, Das Scheitern des bürgerlichen Radikalismus und die sozialistische Parteibildung in Deutschland. In: Sozialdemokratie zwischen Klassenbewegung und Volkspartei, hrsg. v. Hans Mommsen. Frankfurt 1974, 17–34.

42 C. [Karl] Korn, Proletariat und Klassik. In: Die Neue Zeit 26, II (1907/08), 414.

43 Wilhelm Liebknecht, Wissen ist Macht – Macht ist Wissen (2. Aufl.). Leipzig 1875, 36 f.

44 Ebd., 40.

45 Vgl. Anhang zu W. Liebknecht, Wissen ist Macht — Macht ist Wissen, 46.
46 Nach: Walter Holzheuer, Karl Kautskys Werk als Weltanschauung. Beitrag zur Ideologie der Sozialdemokratie vor dem Ersten Weltkrieg. München 1972, 16 f.
47 Karl Kautsky, Erinnerungen und Erörterungen, hrsg. v. Benedikt Kautsky, 's-Gravenhage 1960, 374 f.
48 Nach: Holzheuer (Anm. 46), 17.
49 Hans-Josef Steinberg, Sozialismus und deutsche Sozialdemokratie. Zur Ideologie der Partei vor dem I. Weltkrieg. Hannover 1967.
50 Vorwort der Ausgabe 1888. In: Liebknecht, Wissen ist Macht — Macht ist Wissen. Berlin 1920, 9 f.
51 Georg Lukács, Werke Bd. 10. Neuwied/Berlin 1969, 520.
52 Zit. n. Im Klassenkampf. Deutsche revolutionäre Lieder und Gedichte aus der zweiten Hälfte des 19. Jahrhunderts, hrsg. v. Wolfgang Friedrich. Halle 1962, 138 f.
53 Vgl. Hans-Josef Steinberg, Sozialismus, Internationalismus und Reichsgründung. In: Reichsgründung 1870/71. Tatsachen, Kontroversen, Interpretationen, hrsg. v. Theodor Schieder/ Ernst Deuerlein. Stuttgart 1970, 319—344 (322).
54 Protokoll über den 6. Congress (Anm. 1), 32.
55 Hans Rosenberg, Große Depression und Bismarckzeit. Wirtschaftsablauf, Gesellschaft und Politik in Mitteleuropa. Berlin 1967.
56 Wolfgang Sauer, Das Problem des deutschen Nationalstaates. In: Probleme der Reichsgründungszeit 1848—1879, hrsg. v. Helmut Böhme. Köln/Berlin 1968, 448—479 (468).
57 Rosenberg, Große Depression (Anm. 55), 207.
58 Horst Bartel, Die Durchsetzung des Marxismus in der deutschen Arbeiterbewegung im letzten Drittel des 19. Jahrhunderts. In: Zeitschrift für Geschichtswissenschaft 14 (1966), 1334—1371 (1369).
59 Internationaler Sozialistenkongreß zu Amsterdam. Berlin 1904, 37, zit. n. Robert Michels, Die deutsche Sozialdemokratie im internationalen Verbande. In: Archiv für Sozialwissenschaft und Sozialpolitik 25 (1907), 172. — Für die Festlegung der SPD auf die repräsentative Komponente des Parlamentarismus s. die ausführliche Studie von Peter Domann, Sozialdemokratie und Kaisertum unter Wilhelm II. Wiesbaden 1974.
60 Gerhard A. Ritter, Die Arbeiterbewegung im Wilhelmini-

schen Reich. Die Sozialdemokratische Partei und die Freien Gewerkschaften 1890–1900. Berlin 1959, 102 f.

61 Vgl. Hans Manfred Bock, Die ›Literaten- und Studenten-revolte‹ der Jungen in der SPD um 1890. In: Das Argument H. 63 (1971), 22–41.

62 Zit. n. Eberhard Hackethal, Der historische Platz der Pariser Kommune im praktischen Wirken und theoretischen Denken der zeitgenössischen deutschen Arbeiterbewegung (1871 bis 1878). In: Jahrbuch für Geschichte 2. Berlin 1967, 75 bis 122 (102). – Vgl. Günter Grützner, Die Pariser Kommune. Macht und Karriere einer politischen Legende. Die Auswirkungen auf das politische Denken in Deutschland. Köln/Opladen 1963.

63 Zit. n. Wolfram Wette, Kriegstheorien deutscher Sozialisten. Marx, Engels, Lassalle, Bernstein, Kautsky, Luxemburg. Stuttgart 1971, 94.

64 Der Festtag der Arbeit. In: Die Neue Zeit 12, II (1893/94), 99.

65 Ebd., 97.

66 Franz Mehring, Zum Sedantage (Volks-Zeitung Nr. 208, 2. 9. 1888), zit. n. Thomas Höhle, Franz Mehring. Sein Weg zum Marxismus 1869–1891 (2. Aufl.). Berlin 1958, 207.

67 Vgl. Helmuth Plessner, Die verspätete Nation. Stuttgart 1959; Fritz Stern, Die politischen Folgen des unpolitischen Deutschen. In: Das kaiserliche Deutschland. Politik und Gesellschaft 1870–1918. Düsseldorf 1970, 168–186.

68 Wilhelm Liebknecht, Die zwei Nationen. In: Vorwärts Nr. 220 (20. 9. 1891). – Zur Auseinandersetzung über das Verhältnis der Sozialdemokratie zur Nation s. Horst Bartel u. a., Revolutionäre Sozialdemokratie und Reichsgründung 1871. Frankfurt 1970; Werner Conze/Dieter Groh, Die Arbeiterbewegung in der nationalen Bewegung. Stuttgart 1966.

69 Vgl. Karl Dietrich Bracher, Über das Verhältnis von Nationalbewußtsein und Demokratie. Eine Betrachtung zur deutschen Pathologie. In: Entstehung und Wandel der modernen Gesellschaft. Fs. für Hans Rosenberg, hrsg. v. Gerhard A. Ritter. Berlin 1970, 166–184.

70 Georges Haupt, Programm und Wirklichkeit. Die internationale Sozialdemokratie vor 1914. Neuwied/Berlin 1970, 178 f.

71 Liebknecht, Wissen ist Macht (Anm. 43), 36 f.

72 Nach: Hildegard Reisig, Die Rolle der Bildung für die Befreiung des Proletariats im politischen Denken der deutschen

Arbeiterbewegung von den vierziger Jahren bis zum Weltkrieg. Langensalza 1933, 140.

73 Ebd., 140 f.

74 Ebd., 141, 145.

75 Vgl. Georg Fülberth, Proletarische Partei und bürgerliche Literatur. Neuwied/Berlin 1972, 29 f.; Guenther Roth, The Social Democrats in Imperial Germany. A Study in Working-Class Isolation and National Integration. Totowa, N. J. 1963, 212—248 (dt.: Die kulturellen Bestrebungen der Sozialdemokratie im kaiserlichen Deutschland. In: Moderne deutsche Sozialgeschichte, hrsg. v. Hans-Ulrich Wehler. Köln/Berlin 1966, 342—365).

76 Heinrich Schulz, Arbeiterbildung und Bildungsarbeit (Arbeiternotizkalender für das Jahr 1913. Berlin 1913, 6), zit. n. Emil Blum, Arbeiterbildung als existentielle Bildung (Diss. Bern), Bern/Leipzig 1935, 138.

77 Hildegard Feidel-Mertz, Zur Ideologie der Arbeiterbildung. Frankfurt 1964, 49. — Vgl. Artur Koch, Die Rolle der Klassik in den proletarischen Erziehungsbestrebungen Clara Zetkins. In: Int. Konferenz über Arbeiterbewegung und Klassik. Probleme der Rezeption des klassischen Erbes. Berlin/Weimar 1965, 119—134.

78 Zit. n. Hans Müller, Der Klassenkampf in der deutschen Sozialdemokratie. Zürich 1892, 118 (Reprint zus. mit Artur Staffelberg, Revolution und reformistische Politik in der Geschichte der deutschen Arbeiterbewegung. Heidelberg 1969).

79 S. die Sammlung Die Pariser Kommune im deutschen Gedicht, hrsg. v. Bruno Kaiser. Berlin 1958; Cäcilia Friedrich, Die Gestaltung der Pariser Kommune in der frühen sozialistischen Lyrik. In: Weimarer Beiträge 18 (1972), H. 3, 144 bis 160.

80 Eduard Bernstein, Sozialdemokratische Lehrjahre, Berlin 1928, 14.

81 Kautsky, Erinnerungen und Erörterungen (Anm. 47), 191 f.

82 Vgl. Rüdiger Bernhardt, Die literarische Opposition in Deutschland und die Pariser Kommune. In: Weimarer Beiträge 18 (1972), H. 4, 116—143.

83 Oskar Negt/Alexander Kluge, Öffentlichkeit und Erfahrung. Zur Organisationsanalyse von bürgerlicher und proletarischer Öffentlichkeit. Frankfurt 1972, 346.

84 Ebd., 352.

85 Oskar Negt, Die Funktion der sozialen Topik. In: Topos-

forschung. Eine Dokumentation, hrsg. v. Peter Jehn. Frankfurt 1972, 181—187 (181).

86 Hendrik de Man, Zur Psychologie des Sozialismus. Jena 1926, 254.

87 Zit. n. Charlotte Beradt, Paul Levi. Ein demokratischer Sozialist in der Weimarer Republik. Frankfurt 1969, 96.

88 Hans Rosenberg, Große Depression (Anm. 55), 83.

89 Sigmund Rubinstein, Romantischer Sozialismus. Ein Versuch über die Idee der deutschen Revolution. München 1921, 245.

90 Karl Kautsky, Bernstein und das sozialdemokratische Programm. Stuttgart 1899, 195.

91 Nachwort der Redaktion zu: E. Erdmann, Das erste sozialdemokratische Bilderbuch. In: Die Neue Zeit 12, I (1893/94), 342.

92 Ebd.

93 Über die — nicht nur bei deutschen Sozialisten — vorhandenen Vorurteile gegenüber einer Literatur der ›unteren‹ Schichten (Folklore etc.) als Teil der sozialistischen Agitation s. Robert Michels, Psychologie der antikapitalistischen Massenbewegungen. In: Grundriß der Sozialökonomik Bd. 9. Tübingen 1926, 347 f.

94 Gert Mattenklott, Nietzsches ›Geburt der Tragödie‹ als Konzept einer bürgerlichen Kulturrevolution. In: Positionen der deutschen Intelligenz zwischen bürgerlicher Reaktion und Imperialismus, hrsg. v. Gert Mattenklott/Klaus R. Scherpe. Kronberg 1973, 103—120.

95 Ebd., 117.

Kapitel II
(Seite 78—172)

1 Vgl. Shlomo Avineri, Marx and the Intellectuals. In: Journal of the History of Ideas 28 (1967), 269—278; Otto Wilhelm Müller, Intelligencija. Untersuchungen zur Geschichte eines politischen Schlagwortes. Frankfurt 1971 (bes. 85—94).

2 Franz Mehring, Gesammelte Schriften Bd. 10, hrsg. v. Hans Koch. Berlin 1961, 413.

3 Karl Kautsky, Die Intelligenz und die Sozialdemokratie. In: Die Neue Zeit 13, II (1894/95), 10—16, 43—49, 74—80 (14 f.).

4 August Bebel, Akademiker und Sozialismus. Ein Vortrag. Berlin 1898.

5 Protokoll über die Verhandlungen des Parteitages der SPD. Abgehalten zu Dresden vom 13. bis 20. 9. 1903. Berlin 1903, 225.

6 Vgl. Robert Michels, Soziologie des Parteiwesens in der modernen Demokratie (Neudruck der 2. Aufl., hrsg. v. W. Conze). Stuttgart 1957, bes. das Kapitel ›Die sogenannte Akademikerfrage und das Bedürfnis nach dem intellektuellen Element in den Arbeiterparteien‹ (300–313).

7 K. K., Akademiker und Proletarier. In: Die Neue Zeit 19, II (1900/01), 91.

8 Karl Kautsky, Die Revision des Programms der Sozialdemokratie in Österreich. In: Die Neue Zeit 20, I (1901/02), 79 f.

9 Ausführlich: Otto Wilhelm Müller, Intelligencija (Anm. 1), 376 ff.

10 Karl Kautsky, Franz Mehring. In: Die Neue Zeit 22, I (1903/04), 101.

11 Die Briefe von Friedrich Engels an Eduard Bernstein, hrsg. v. Eduard Bernstein. Berlin 1925, 115.

12 Paul Lafargue, Der Sozialismus und die Intellektuellen. In: Lafargue, Vom Ursprung der Ideen. Eine Auswahl seiner Schriften von 1886 bis 1900. Dresden 1970, 229.

13 Vgl. Johannes Goldhahn, Theoretische Aspekte der sozialistischen literarischen Bildung in den Briefen von Friedrich Engels nach 1870. In: Weimarer Beiträge 17 (1971), H. 2, 108–139.

14 Karl Kautsky, Die Intelligenz und die Sozialdemokratie (Anm. 3), 74.

15 Karl Mannheim, Das konservative Denken. Soziologische Beiträge zum Werden des politisch-historischen Denkens in Deutschland. In: Archiv für Sozialwissenschaft und Sozialpolitik 57 (1927), 68–142; 470–495.

16 Vgl. Claus Offe, Technik und Eindimensionalität. Eine Version der Technokratiethese? In: Antworten auf Herbert Marcuse, hrsg. v. Jürgen Habermas. Frankfurt 1968, 73–88.

17 Rolf Engelsing, Zur Sozialgeschichte deutscher Mittel- und Unterschichten. Göttingen 1973, 163.

18 An die Leser und Mitarbeiter des ›Gesellschaftsspiegels‹. In: Gesellschaftsspiegel Bd. 1. Elberfeld 1848 (Reprint Amsterdam 1971).

19 Gustav Mayer, Die Anfänge des politischen Radikalismus im vormärzlichen Preußen. In: Mayer, Radikalismus, Sozialismus und bürgerliche Demokratie, hrsg. v. Hans-Ulrich Weh-

ler. Frankfurt 1969, 93.

20 Zit. n. Edmund Silberer, Der ›Kommunistenrabbi‹ und der ›Gesellschaftsspiegel‹. In: Archiv für Sozialgeschichte 3 (1963), 90 f.

21 Wolfgang Mönke, Das literarische Echo in Deutschland auf Friedrich Engels' Werk ›Die Lage der arbeitenden Klasse‹. Berlin 1965, 21 f.

22 Vgl. Walther Roer, Die soziale Bewegung vor der deutschen Revolution 1848 im Spiegel der zeitgenössischen politischen Lyrik. Münster (1933).

23 Vgl. Hermann Schneider, Die Widerspiegelung des Weberaufstandes von 1844 in der zeitgenössischen Prosaliteratur. In: Weimarer Beiträge 7 (1961), 255–277; Karin Gafert, Die Soziale Frage in Literatur und Kunst des 19. Jahrhunderts. Ästhetische Politisierung des Weberstoffes. Kronberg 1973.

24 Hadwig Kirchner-Klemperer, Der deutsche soziale Roman der vierziger Jahre des vorigen Jahrhunderts, repräsentiert durch Ernst Willkomm und Robert Prutz einerseits und Alexander Sternberg andererseits, unter besonderer Berücksichtigung seiner Beziehungen zum französischen Roman. In: Wiss. Zeitschrift der Humboldt-Univ. Berlin (GS) 11 (1962), 241 bis 279.

25 Zit. n. Erich Edler, Ernst Dronke und die Anfänge des deutschen sozialen Romans. In: Euphorion 56 (1962), 50.

26 Für Engels' Kritik an der sozialkritischen Literatur der vierziger Jahre s. vor allem die seinerzeit ungedruckt gebliebene Forts. des 2. Bandes der ›Deutschen Ideologie‹ (Die wahren Sozialisten). MEK 2, 157–218.

27 Als Beispiel s. die Untersuchung der sozialrevolutionären Poeten im Wuppertal vor und nach 1848 bei Joachim Bark, Beruf und Berufung. Zur Haltung der Dichter im Vor- und Nachmärz. In: Beiträge zur Theorie der Künste im 19. Jahrhundert Bd. 2, hrsg. v. Helmut Koopmann/Adolf Schmoll gen. Eisenwerth. Frankfurt 1972, 149–174.

28 Auf die Abgrenzung von der umfangreichen sozialpolitischen Literatur zur Lage der Arbeiter, die von ›Praktikern‹ (Unternehmern, Landwirten, Juristen, Pastoren, Journalisten, Beamten etc.) geschrieben wurde und auf die Entwicklung der Sozialpolitik in den deutschen Ländern großen Einfluß besaß, kann hier nicht näher eingegangen werden. Dazu gehören Namen wie Friedrich Harkort, Otto Lüning, Karl Biedermann, Wilhelm Wolff u. a. Verschiedentlich verfließen die

Grenzen zur belletristischen Dokumentation der ›wahren‹ Sozialisten. Als Überblick s. Jürgen Kuczynski, Bürgerliche und halbfeudale Literatur aus den Jahren 1840 bis 1847 zur Lage der Arbeiter. Eine Chrestomathie (= Die Geschichte der Lage der Arbeiter unter dem Kapitalismus Bd. 9). Berlin 1960; Die Eigentumslosen. Der deutsche Pauperismus und die Emanzipationskrise in Darstellungen und Deutungen der zeitgenössischen Literatur, hrsg. v. Carl Jantke/Dietrich Hilger. München 1965.

29 Gustav Mayer, Die Anfänge des politischen Radikalismus (Anm. 19), 94.

30 Helmut Hartwig, Literatursoziologie und das Problem der Klassenüberschreitung. Zur Soziologie ästhetischer Fragestellungen – Fr. Th. Vischer über Georg Herwegh. In: Literaturwissenschaft und Sozialwissenschaften [Bd. 1]. Grundlagen und Modellanalysen, hrsg. v. Horst Albert Glaser u. a. Stuttgart 1971, 315–340 (326).

31 Kurt Lenk, Volk und Staat. Strukturwandel politischer Ideologien im 19. und 20. Jahrhundert. Stuttgart 1971, 77.

32 Hans Kohn, Wege und Irrwege. Vom Geist des deutschen Bürgertums. Düsseldorf 1962, 151.

33 Heinrich Heine, Sämtliche Werke Bd. 9, hrsg. v. Hans Kaufmann. München 1964, 282.

34 Ebd., 283 ff.

35 Zit. n. Hans Freyer, Die Bewertung der Wirtschaft im philosophischen Denken des 19. Jahrhunderts. Leipzig 1921, 63.

36 Heine, Briefe über Deutschland. In: Heine, Sämtliche Werke Bd. 14, hrsg. v. Hans Kaufmann. München 1964, 65.

37 Leo Kreutzer, Heinrich Heine und der Kommunismus. Göttingen 1970, 11 f.

38 Heine, Lutetia (6. 1. 1841). In: Heine, Sämtl. Werke Bd. 11, hrsg. v. Hans Kaufmann. München 1964, 243.

39 Heine, Französische Zustände. Beilage zu Artikel VI, Note a. In: Heine, Sämtl. Werke Bd. 8, hrsg. v. H. Kaufmann. München 1964, 215.

40 Kreutzer, Heinrich Heine (Anm. 37), 33 f.

41 Heine Bd. 11 (Anm. 38), 337 (Übersetzung der ›Préface‹).

42 Reinhard Bendix, Modernisierung und soziale Ungleichheit. In: Wirtschafts- und sozialgeschichtliche Probleme der frühen Industrialisierung, hrsg. v. Wolfram Fischer. Berlin 1968, 179–246 (244).

43 Walter Hinck, Ironie im Zeitgedicht Heines. Zur Theorie der

politischen Lyrik. In: Heine-Studien. Int. Heine-Kongreß Düsseldorf 1972, hrsg. v. Manfred Windfuhr. Hamburg 1973, 81–104 (100).

44 Vgl. Rainer Rosenberg, Literaturverhältnisse im deutschen Vormärz. Berlin 1975; Heinz Brüggemann, Literarische Technik und soziale Revolution. Versuche über das Verhältnis von Kunstproduktion, Marxismus und literarischer Tradition in den theoretischen Schriften Bertolt Brechts. Hamburg 1973.

45 Friedrich Sengle, Biedermeierzeit. Deutsche Literatur im Spannungsfeld zwischen Restauration und Revolution 1815–1848, 2 Bde. Stuttgart 1971/72; ders., Die literarische Formenlehre. Vorschläge zu ihrer Reform. Stuttgart 1967, 21 f.

46 Sengle, Die literarische Formenlehre (Anm. 45), 15.

47 Heine, Sämtl. Werke Bd. 8 (Anm. 39), 48.

48 Wolfgang Preisendanz, Der Funktionsübergang von Dichtung und Publizistik bei Heine. In: Die nicht mehr schönen Künste. Grenzphänomene des Ästhetischen, hrsg. v. Hans Robert Jauß. München 1968, 343–374 (361).

49 Heine, Sämtl. Werke Bd. 8 (Anm. 39), 49.

50 Vgl. G. M. Friedländer, Heinrich Heine und die Ästhetik Hegels. In: Weimarer Beiträge 19 (1973), H. 4, 35–48 (45 f.); Wolfgang Heise, Heine und Hegel. Zum philosophisch-ästhetischen Standpunkt Heines. In: Weimarer Beiträge 19 (1973), H. 5, 5–36.

51 Georg Friedrich Wilhelm Hegel, Ästhetik Bd. 1, hrsg. v. Friedrich Bassenge. Frankfurt o. J., 579.

52 Hans-Georg Werner, Die oppositionelle Dichtung des Vormärz und die bürgerliche Ordnung. In: Wiss. Zs. der Univ. Halle (GS) 13 (1964), 557–570 (565).

53 Hegel, Ästhetik (Anm. 51), 110 (Die Stellung der Kunst im Verhältnis zur Religion und Philosophie). – Vgl. Willi Oelmüller, Hegels Satz vom Ende der Kunst und das Problem der Philosophie der Kunst nach Hegel. In: Philosophisches Jahrbuch 73 (1965), 75–94.

54 Hegel, Ästhetik (Anm. 51), 579 f. (Das Ende der romantischen Kunstform).

55 Ebd., 64.

56 Stefan Morawski, Hegels Ästhetik und ›Das Ende der Kunstperiode‹. In: Hegel-Jahrbuch 1964. Meisenheim am Glan 1965, 60–71 (66).

57 Vgl. Rainer Rosenberg, Literaturverhältnisse (Anm. 44), 78 bis 86.

58 Vgl. Günter Oesterle, Interpretation und Konflikt. Die Prosa Heinrich Heines im Kontext oppositioneller Literatur der Restaurationsepoche. Stuttgart 1972, 37.

59 Heine, Sämtl. Werke Bd. 2, hrsg. v. H. Kaufmann, München 1964, 150. — Besonders populär waren die Verse »Den Himmel überlassen wir / Den Engeln und den Spatzen«. Sie bildeten u. a. Teil des antireligiösen ›Sozialistengebets‹, in dem ein Kirchenlied parodiert wurde (Volksstaat-Erzähler Nr. 6, 18. 1. 1874, s. Heiner Grote, Sozialdemokratie und Religion. Eine Dokumentation für die Jahre 1863 bis 1875. Tübingen 1968, 191).

60 Vgl. die ausführliche Interpretation: Heinrich Heine, ›Die schlesischen Weber‹. In: Hans Kaufmann, Analysen, Argumente, Anregungen. Aufsätze zur deutschen Literatur. Berlin 1973, 11–31.

61 Walter Hinck, Ironie im Zeitgedicht Heines (Anm. 43), 101.

62 Werner Feudel, Georg Weerth — ein sozialistischer Parteischriftsteller des Vormärz. In: Weimarer Beiträge 18 (1972), H. 8, 92–110 (92).

63 Ebd., 97 f.

64 Florian Vaßen, Georg Weerth. Ein politischer Dichter des Vormärz und der Revolution von 1848/49. Stuttgart 1971, 54, 72.

65 Immerhin berichtete die österreichische Sozialdemokratin Adelheid Popp, Lafargues Schrift als Material für ihre Versammlungsreden ausgewertet zu haben. (Die Jugendgeschichte einer Arbeiterin. Berlin/Stuttgart 1922, 4. Aufl., 51).

66 Paul Lafargue, Das Recht auf Faulheit. In: Der Sozialdemokrat Nr. 51 (13. 12. 1883).

67 Guiseppe Farese, Georg Herwegh und Ferdinand Freiligrath. Zwischen Vormärz und Revolution. In: Demokratisch-revolutionäre Literatur in Deutschland: Vormärz, hrsg. v. Gert Mattenklott/Klaus R. Scherpe. Kronberg 1974, 187–244.

68 Vgl. Helena Szépe, Vom burschenschaftlichen Radikalismus zum Arbeiterpathos in der Dichtung Georg Herweghs. In: Monatshefte 62 (1970), 329–339.

69 Helmut Hartwig, Literatursoziologie (Anm. 30), 330.

70 Vgl. Friedrich Sengle, Biedermeierzeit Bd. 2. Stgt. 1972, 548.

71 Vgl. Reinhold Grimm, Spiel und Wirklichkeit in einigen Revolutionsdramen. In: Basis. Jahrbuch für deutsche Gegenwartsliteratur Bd. 1, hrsg. v. R. Grimm/Jost Hermand. Frankfurt 1970, 49–93.

72 Gustav Mayer, Friedrich Engels Bd. 2. Den Haag 1935, 269.

73 Robert Prutz, Die deutsche Literatur der Gegenwart 1848 bis 1858 (2. Aufl.). Leipzig 1860, 70.

74 Vgl. Hans-Wolf Jäger, Politische Metaphorik im Jakobinismus und im Vormärz. Stuttgart 1971; Peter Stein, Politisches Bewußtsein und künstlerischer Gestaltungswille in der politischen Lyrik 1780–1848. Hamburg 1971.

75 Hans-Peter Bayersdörfer, Fürstenpreis im Jahre 48. Heine und die Tradition der vaterländischen Panegyrik. In: Zs. f. dt. Philologie 91 (1972), Sonderheft, 163–205 (202).

76 Hans Mayer, Schillers Gedichte und die Traditionen deutscher Lyrik. In: Mayer, Zur deutschen Klassik und Romantik. Pfullingen 1963, 125–146.

77 Robert Prutz, Vorlesungen über die deutsche Literatur der Gegenwart. Leipzig 1847, 322.

78 Erhard John, Probleme der Kultur und der Kulturarbeit. Berlin 1965, 26.

79 Michail Lifschitz, Karl Marx und die Ästhetik. Dresden 1967, 38.

80 Ob iskusstvje, hrsg. v. A. Lunačarskij, M. Lifšic, F. P. Šiller. Moskau 1933, erweiterte Ausgaben 1938 und 1957; dt. Ausg. Über Literatur und Kunst, hrsg. v. M. Lifschitz. Berlin 1948, erweitert 1967/68, hrsg. v. Manfred Kliem; vgl. auch: Karl Marx/Friedrich Engels, Über Kunst und Literatur, hrsg. v. I. K. Luppol. Basel 1937.

81 Lifschitz, Karl Marx und die Ästhetik (Anm. 79), 39.

82 Ebd. 135.

83 Karl Marx, Über China und Indien, zit. n. Lifschitz, ebd.

84 Vgl. Werner Hahl, Reflexion und Erzählung. Ein Problem der Romantheorie von der Spätaufklärung bis zum programmatischen Realismus. Stuttgart 1971.

85 Friedrich Sengle, Biedermeierzeit Bd. 1. Stuttgart 1971, 257 ff.

86 Eine ausf. Dokumentation der ›Sickingen-Debatte‹ und der an sie im 20. Jahrhundert anschließenden Diskussion hat Walter Hinderer herausgegeben: Sickingen-Debatte. Ein Beitrag zur materialistischen Literaturtheorie. Darmstadt/Neuwied 1974.

87 Vgl. auch die Rezension von F. Th. Vischer im Brief an Lassalle, ebd., 105–107.

88 Vgl. René Wellek, Der Realismusbegriff in der Literaturgeschichte. In: Wellek, Grundbegriffe der Literaturkritik. Stuttgart 1965, 161–182. – Zur deutschen Situation: Helmuth

Widhammer, Realismus und klassizistische Tradition. Zur Theorie der Literatur in Deutschland 1848–1860. Tübingen 1972.

89 Hegel, Ästhetik Bd. 1 (Anm. 51), 579.

90 Ebd.

91 Vgl. Peter Demetz, Marx, Engels und die Dichter. Ein Kapitel deutscher Literaturgeschichte. Frankfurt/Berlin 1969, 172 ff.

92 Wellek, Der Realismusbegriff (Anm. 88), 174.

93 G. Fridlender, Marx und Engels und Probleme des Realismus. In: Kunst und Literatur 18 (1970), 675–697, 801–822 (808).

94 Zit. n. F. Schiller, Marx und Engels über den Realismus in der Literatur. In: Unsere Zeit 6 (1933), 177–180 (180).

95 Vgl. Thilo Ramm, Ferdinand Lassalle als Rechts- und Sozialphilosoph. Meisenheim/Wien 1953, 83 f.

96 Wolfgang Friedrich, Die sozialistische deutsche Literatur in der Zeit des Aufschwungs der Arbeiterbewegung während der sechziger Jahre des 19. Jahrhunderts bis zum Erlaß des Sozialistengesetzes. Habilschrift Halle-Wittenberg 1964, 87.

97 August Bebel, Die Frau und der Sozialismus (9. Aufl.). Stuttgart 1891, 326 f.

98 Vgl. die Bemerkungen bei Martin Gregor-Dellin, Richard Wagner – die Revolution als Oper. München 1973, 20–41.

99 Richard Wagner, Die Kunst und die Revolution. In: Wagner, Gesammelte Schriften und Dichtungen Bd. 3. Leipzig 1907, 32.

100 B. W., Kunst und Revolution. In: Berliner Volks-Tribüne Nr. 42 (20. 10. 1888), Nr. 43 (27. 10. 1888).

101 Vgl. Hildegard Feidel-Mertz, Zur Ideologie der Arbeiterbildung. Frankfurt 1964, 49 ff.

102 Clara Zetkin, Über Literatur und Kunst. Berlin 1955, 107.

103 Clara Zetkin, Die Intellektuellenfrage. In: Zetkin, Ausgewählte Reden und Schriften Bd. 3. Berlin 1960, 9–56 (55).

104 Dora Angres, Die Beziehungen Lunačarskijs zur deutschen Literatur. Berlin 1970, 82.

105 Wagner, Das Kunstwerk der Zukunft. In: Wagner, Ges. Schriften Bd. 3 (Anm. 99), 51.

106 Ebd., 53.

107 Vgl. William J. McGrath, Dionysian Art and Populist Politics in Austria. New Haven/London 1974.

108 Vgl. Hans Mommsen, Die Sozialdemokratie und die Nationalitätenfrage im habsburgischen Vielvölkerstaat. Wien 1963, 101 ff.

109 Ausführlich dazu: McGrath (Anm. 107), 208–237. – Vgl. Adlers Bemerkung im Brief an Engels (29. 12. 1891), in der er darauf verweist, daß die Gruppe der ›Unabhängigen Sozialisten‹ in Deutschland »ihre Affen in Österreich gefunden haben; sind sie auch dümmer als ihre Vorbilder, so haben sie bei uns doch weit besseren Boden, weil uns ja jede Möglichkeit politischer Betätigung fehlt. Was ich und meine Freunde machen, ist ja nichts als beständig uns den Kopf zerbrechen, wie Gelegenheit zu politischer Arbeit herbeigeschafft werden kann.« (Victor Adler, Aufsätze, Reden und Briefe Bd. 1. Wien 1922, 31.) Darin kommt die generelle Bedeutung des ästhetischen Elements – im weitesten Sinne – besonders klar zum Ausdruck, auch im Hinblick auf die agitatorische Tätigkeit der Gruppe der ›Jungen‹ um Bruno Wille.

110 Zur Kulturarbeit der österreichischen Sozialdemokratie bisher am ausführlichsten: Deutsch-Österreichische Literaturgeschichte Bd. 3 (1848–1918), hrsg. v. Eduard Castle. Wien 1933, 1536–1558 (›Die Kulturbewegung der aufsteigenden Arbeiterklasse‹).

111 Victor Adler (Brief v. 26. 11. 1893). In: Adler, Aufsätze (Anm. 109), 86.

112 Zu diesem Komplex ausführlich: Arne Fryksén, Hitlers Reden zur Kultur. Kunstpolitische Taktik oder Ideologie? In: Probleme deutscher Zeitgeschichte (= Lund Studies in International History 2). Läromedelsförlagen 1970, 235–266 (257).

113 Völkischer Beobachter v. 10. 9. 1936, zit. n. ebd., 257.

114 Ursula Münchow, Deutscher Naturalismus. Berlin 1968; Georg Fülberth, Proletarische Partei und bürgerliche Literatur. Neuwied/Berlin 1972; Positionen der deutschen Intelligenz zwischen bürgerlicher Reaktion und Imperialismus, hrsg. v. Gert Mattenklott/Klaus R. Scherpe. Kronberg 1973; Naturalismus. Bürgerliche Dichtung und soziales Engagement, hrsg. v. Helmut Scheuer. Stuttgart 1974; Herbert Scherer, Bürgerlich-oppositionelle Literaten und sozialdemokratische Arbeiterbewegung nach 1890. Stuttgart 1974; Manfred Brauneck, Literatur und Öffentlichkeit im ausgehenden 19. Jahrhundert. Studien zur Rezeption des naturalistischen Theaters in Deutschland. Stuttgart 1974.

115 Vgl. Helmuth Widhammer, Realismus und klassizistische Tradition (Anm. 88), 119 f.

116 Für die Kritik des Naturalismus zugunsten eines »versöhnenden (wahren) Realismus« s. Karol Sauerland, Diltheys Erleb-

nisbegriff. Entstehung, Glanzzeit und Verkümmerung eines literaturhistorischen Begriffs. Berlin/New York 1972 (130).

117 Ein Überblick bei Friedrich Wolfzettel, Zwei Jahrzehnte Zola-Forschung. In: Romanistisches Jahrbuch Bd. 21 (1970), 152 bis 180.

118 Vgl. Philip Walker, Zola, Myth, and the Birth of the Modern World. In: Symposium 25 (1971), 204–220.

119 Vgl. Anthony Thorlby, Irrationalism. In: The Modern World 2. Realities, hrsg. v. David Daiches/A. Thorlby. London 1972, 107–180 (156).

120 Georg Lukács, Zum hundertsten Geburtstag Zolas. In: Lukács, Werke Bd. 6. Neuwied/Berlin 1965, 514 f.

121 Ebd., 516.

122 Über die mögliche Anteilnahme von Engels an diesem Artikel s. W. Goffenschefer, Paul Lafargue und die Kritik am Naturalismus. In: Kunst und Literatur 5 (1958), 491–517 (498).

123 Paul Lafargue, ›Das Geld‹ von Zola. In: Lafargue, Vom Ursprung der Ideen. Eine Auswahl seiner Schriften von 1886 bis 1900. Dresden 1970, 183.

124 Ein unveröffentlichter Brief Friedrich Engels' über Balzac. In: Die Linkskurve 4 (1932), H. 3, 11 f. – S. auch Anm. 94.

125 Georg Lukács, Kritik der Literaturtheorie Lassalles. In: Der Rote Aufbau 5 (1932), 851–857, 900–904 (854).

126 Lukács, Hegels Ästhetik. In: Lukács, Werke Bd. 10, Neuwied/Berlin 1969, 120.

127 Franz Mehring, Der heutige Naturalismus. In: Mehring, Ges. Schriften Bd. 11, hrsg. v. Hans Koch. Berlin 1961, 133.

128 Vgl. Herbert Scherer, Bürgerlich-oppositionelle Literaten (Anm. 114), 139–193.

129 Protokoll über die Verhandlungen des Parteitages der SPD. Abgehalten zu Gotha vom 11. bis 16. 10. 1896. Berlin 1896, 93.

130 Ebd., 95.

131 Ebd., 96.

132 Ebd., 110.

133 Arbeiterpresse und moderne Literatur. In: Vorwärts Nr. 274 (22. 11. 1896).

134 (Sperans), Parteikunst. In: Das Magazin für Litteratur Nr. 44 (31. 10. 1896), Sp. 1352; auch in: Kurt Eisner, Taggeist. Culturglossen. Berlin 1901, 287.

135 Eine ausführliche Übersicht über die Entwicklung in Belgien

und Frankreich bei Eugenia W. Herbert, The Artist and Social Reform. France and Belgium, 1885–1898. New Haven 1961.

136 Willy Wack, Les préoccupations de culture intellectuelle du prolétariat berlinois. In: La Revue Socialiste No. 168 (1898), 641–663.

137 Eugenia Herbert, The Artist and Social Reform (Anm. 135), 31.

138 Vgl. Jost Hermand, Das perfektionierte Dichterroß. Arno Holz als Autor des ›Phantasus‹. In: Hermand, Der Schein des schönen Lebens. Studien zur Jahrhundertwende. Frankfurt 1972, 188–224; Klaus R. Scherpe, Der Fall Arno Holz. Zur sozialen und ideologischen Motivation der naturalistischen Literaturrevolution. In: Positionen der literarischen Intelligenz (Anm. 114), 121–178.

139 Arno Holz, Werke Bd. 5, hrsg. v. Wilhelm Emrich/Anita Holz. Neuwied/Berlin 1962, 26 f.

140 Vgl. Karl Robert Mandelkow, Orpheus und Maschine. In: Euphorion 61 (1967), 108 f.

141 Paul Böckmann, Der Naturalismus Gerhart Hauptmanns. In: Gestaltprobleme der Dichtung. Fs. Günther Müller, hrsg. v. Richard Alewyn u. a. Bonn 1957, 239–258. – Zur Gestaltung des Weberstoffs s. Karin Gafert, Die soziale Frage (Anm. 23).

142 Käthe Kollwitz, Tagebuchblätter und Briefe, hrsg. v. Hans Kollwitz. Berlin 1948, 42 f.

143 Fontane an James Morris (22.2.1896). In: Briefe Theodor Fontanes, 2. Samml., Bd. 2, hrsg. v. Otto Pniower/Paul Schlenther. Berlin 1910, 380.

144 Friedrich Nietzsche, Werke Bd. 2, hrsg. v. Karl Schlechta. München 1966, 784 (Aus dem Nachlaß der achtziger Jahre).

145 Friedrich Rothe, Frank Wedekinds Dramen. Jugendstil und Lebensphilosophie. Stuttgart 1968, 95.

146 Thomas Höhle, Franz Mehring. Sein Weg zum Marxismus 1869–1891. Berlin 1958; Josef Schleifstein, Franz Mehring. Sein marxistisches Schaffen 1891–1919. Berlin 1959; Hans Koch, Franz Mehrings Beitrag zur marxistischen Literaturtheorie. Berlin 1959.

147 Lukács, Werke Bd. 10 (Anm. 126), 432.

148 Vgl. Ursula Ratz, Aus Franz Mehrings marxistischer Frühzeit. Ein Briefwechsel Franz Mehrings mit Lujo Brentano (1891–93). In: Int. wiss. Korrespondenz zur Geschichte der

deutschen Arbeiterbewegung H. 19/20 (1973), 20–44.

149 Werner Keller, Franz Mehring und die Anfänge der marxistischen Literaturkritik in Deutschland. In: Zeiten und Formen in Sprache und Dichtung. Fs. Fritz Tschirch, hrsg. v. Heinz Schirmer/Bernhard Sowinski. Köln/Wien 1972, 307 bis 331 (313).

150 Lukács, Werke Bd. 10 (Anm. 126), 400.

151 Vgl. Josef Schleifstein, Franz Mehring (Anm. 146), 100 ff.

152 Vgl. Mehrings Vorwort 1909 zu: Schiller. Ein Lebensbild für deutsche Arbeiter. In: Mehring, Ges. Schriften Bd. 10 (Anm. 2), 93.

153 Mehring, Ästhetische Streifzüge. In: Mehring, Ges. Schriften Bd. 11 (Anm. 127), 182.

154 Mehring Bd. 10 (Anm. 2), 89.

155 Mehring, Ästhetische Streifzüge, Bd. 11 (Anm. 127), 150.

156 Über Mehrings Verhältnis zu Kants Ästhetik vgl. Schleifstein (Anm. 146), 118 ff.

157 S. die Anmerkung der Redaktion zu: Karl Petersson, Richard Dehmel noch einmal. In: Die Neue Zeit 27, I (1908/09), 778 bis 784; Paul Frölich, Richard Dehmel, ebd., 302–307.

158 Mehring Bd. 10 (Anm. 2), 608.

159 Vgl. Herbert Scherer, Bürgerlich-oppositionelle Literaturen (Anm. 114), 105 ff.

160 Mehring, Ästhetische Streifzüge, Bd. 11 (Anm. 127), 226.

161 Georg Gottfried Gervinus, Neuere Geschichte der poetischen National-Literatur der Deutschen. 2. Teil. Leipzig 1842, 733.

162 Mehring, Ges. Schriften Bd. 9, hrsg. v. Hans Koch. Berlin 1963, 365.

Kapitel III
(Seite 173–243)

1 Vorwärts! Eine Sammlung von Gedichten für das arbeitende Volk. Zürich 1886, III (Vorwort). – Über Lavant s. Hans Uhlig, Rudolf Lavant. In: Weimarer Beiträge 17 (1971), H.12, 162–168.

2 E. P. Thompson, The Making of the English Working Class (1963). New York 1966, 9 ff. – Vgl. Michael Vester, Die Entstehung des Proletariats als Lernprozeß. Die Entstehung antikapitalistischer Theorie und Praxis in England 1792 bis 1848. Frankfurt 1970, 30 ff.

3 Kultur und Lebensweise des Proletariats. Kulturhistorische und volkskundliche Studien und Materialien, hrsg. v. Wolfgang Jacobeit/Ute Mohrmann. Berlin 1973, 7 ff.; Proletarische Lebensläufe. Autobiographische Dokumente zur Entstehung einer zweiten Kultur in Deutschland Bd. 1. Anfänge bis 1914, hrsg. v. Wolfgang Emmerich. Reinbek b. Hamburg 1974, 13 f., 30 ff.

4 Raymond Williams, Culture and Society 1780–1950 (1958). Penguin Books, Harmondsworth/Middlesex 1966, 312.

5 In seiner Untersuchung ›Die deutschen Arbeiterbildungsvereine 1840–1870‹ (Berlin 1973) stellt Karl Birker fest: »Bei allem Einfluß der bürgerlichen Bildungstheorie sind gerade die individualisierenden und ästhetisierenden Züge am wenigsten übernommen und jedenfalls, soweit sich das allgemein beurteilen läßt, in der Praxis nicht wirksam geworden.« (S. 196.)

6 Hermann Bausinger, Verbürgerlichung – Folgen eines Interpretaments. In: Kultureller Wandel im 19. Jahrhundert, hrsg. v. Günter Wiegelmann. Göttingen 1973, 24–49 (41).

7 Franz Mehring, Gesammelte Schriften Bd. 2. Berlin 1960, 664.

8 Bausinger, Verbürgerlichung (Anm. 6), 27. – Vgl. Vernon L. Lidtke, Die kulturelle Bedeutung der Arbeitervereine, ebd., 146–159.

9 Ferdinand Lassalle, Nachgelassene Briefe und Schriften Bd. 5, hrsg. v. Gustav Mayer. 1925 (Neudruck Osnabrück 1967), 255.

10 Vgl. Rolf Engelsing, Zur Sozialgeschichte deutscher Mittel- und Unterschichten. Göttingen 1973, 168.

11 Karl Kautsky, Erinnerungen und Erörterungen, hrsg. v. Benedikt Kautsky. 's-Gravenhage 1960, 299 f.

12 Über das Verhältnis der deutschen Arbeiterbewegung zum Problem der Frau vgl. den Literaturbericht von Hans-Jürgen Arendt, Forschungen zur Geschichte der Frau und zur Geschichte der bürgerlichen Frauenpolitik. In: Zs. f. Geschichtswiss. 22 (1974), 452–460. – Werner Thönessen, Frauenemanzipation. Politik und Literatur der deutschen Sozialdemokratie zur Frauenbewegung 1863–1933. Frankfurt 1969; Arbeiterinnen kämpfen um ihr Recht. Autobiographische Texte rechtloser und entrechteter ›Frauenpersonen‹ in Deutschland, Österreich und der Schweiz des 19. und 20. Jahrhunderts, hrsg. v. R. Klucsarits/F. G. Kürbisch. Wuppertal 1975.

13 Zit. n. Wolfgang Schmierer, Von der Arbeiterbildung zur

Arbeiterpolitik. Die Anfänge der Arbeiterbewegung in Württemberg 1862/63–1878. Hannover 1970, 59, Anm. 78.

14 Protokoll über den 2. Congreß der sozialdemokratischen Arbeiterpartei, abgehalten zu Dresden am 12.–15. 8. 1871. Leipzig 1872, 105 f.

15 Zit. n. Georg Eckert, Die Braunschweiger Arbeiterbewegung unter dem Sozialistengesetz, Teil 1. Braunschweig 1961, 34.

16 Vorwärts! (Anm. 1), V.

17 August Bebel, Aus meinem Leben Bd. 1. Berlin 1953, 59 f.

18 Wolfgang Steinitz, Deutsche Volkslieder demokratischen Charakters Bd. 2. Berlin 1962.

19 Wolfgang Schieder, Anfänge der deutschen Arbeiterbewegung. Die Auslandsvereine im Jahrzehnt nach der Julirevolution von 1830. Stuttgart 1963, 143. – Vgl. ders., Wilhelm Weitling und die politische Handwerker-Lyrik im Vormärz. In: International Review of Social History 5 (1960), 265 bis 290.

20 Zu Harring s. Walter Grab, Harro Harring. In: Demokratisch-revolutionäre Literatur in Deutschland: Vormärz, hrsg. v. Gert Mattenklott/Klaus R. Scherpe. Kronberg 1974, 9–84.

21 Walter Grab/Uwe Friesel, Noch ist Deutschland nicht verloren. Eine historisch-politische Analyse unterdrückter Lyrik von der Französischen Revolution bis zur Reichsgründung. München 1970, 143.

22 Zit. n. Hans-Georg Werner, Geschichte des politischen Gedichts in Deutschland von 1815 bis 1840. Berlin 1969, 376.

23 Schieder, Anfänge (Anm. 19), 221.

24 Zit. n. Waltraut Seidel-Höppner, Frühproletarisches Denken oder erwachendes Klassenbewußtsein. Die Anfänge der Arbeiterbewegung im Blickwinkel formierter Heidelberger Historiographie. In: Jahrbuch für Geschichte 3. Berlin 1969, 95–136 (135).

25 Vgl. Heiner Grote, Sozialdemokratie und Religion. Eine Dokumentation für die Jahre 1863–1875. Tübingen 1968, 8–25.

26 Rainer Rosenberg, Deutsche Vormärzliteratur in komparatistischer Sicht. In: Weimarer Beiträge 21 (1975), H.2, 74 bis 98 (88).

27 Ingrid Pepperle, Literatur des deutschen Frühproletariats. In: Weimarer Beiträge 18 (1972), 123–143.

28 Vgl. Frolinde Balser, Sozial-Demokratie 1848/49–1863. Die erste deutsche Arbeiterorganisation ›Allgemeine Arbeiter-

verbrüderung‹ nach der Revolution. Stuttgart 1962, 47 ff.

29 Vgl. Dieter Bergmann, Die Berliner Arbeiterbewegung in Vormärz und Revolution 1830–1850. In: Untersuchungen zur Geschichte der frühen Industrialisierung vornehmlich im Wirtschaftsraum Berlin/Brandenburg, hrsg. v. Otto Büsch. Berlin 1971, 511.

30 Zit. n. Inge Lammel, Das Arbeiterlied. Leipzig 1970, 34.

31 Zit. n. ebd., 33.

32 Vgl. Margarete Nespital, Das deutsche Proletariat in seinem Lied. Diss. Rostock 1932, 15 ff.

33 Vgl. P. H. Noyes, Organization and Revolution. Working-Class Associations in the German Revolution of 1848–1849. Princeton 1966.

34 J. T., An die Arbeiter. In: Verbrüderung Nr. 14 (15. 2. 1850), zit. n. Balser (Anm. 28), 673 f.

35 Wolfgang Steinitz, Arbeiterlied und Volkslied. In: Deutsches Jahrbuch für Volkskunde 12 (1966), 1–14.

36 Wolfgang Steinitz, Das Lied von Robert Blum. In: ebd. 7 (1961), 9–40.

37 Vgl. meinen Beitrag: Vom Vormärz zum Bürgerkrieg. Die Achtundvierziger und ihre Lyrik. In: Amerika in der deutschen Literatur, hrsg. v. Sigrid Bauschinger u. a. Stuttgart 1975, 93–107.

38 Ferdinand Lassalle's Briefe an Georg Herwegh, hrsg. v. Marcel Herwegh. Zürich 1896, 79.

39 Zit. n. Im Klassenkampf. Deutsche revolutionäre Lieder und Gedichte aus der zweiten Hälfte des 19. Jahrhunderts, hrsg. v. Wolfgang Friedrich. Halle 1962, 28.

40 Franz Mehring, Ges. Schriften Bd. 10. Berlin 1961, 502.

41 Vgl. Gustav Mayer, Johann Baptist von Schweitzer und die Sozialdemokratie. Jena 1909, 90.

42 Bert Andréas, Zur Agitation und Propaganda des Allgemeinen Deutschen Arbeitervereins 1863/64. In: Archiv für Sozialgeschichte 3 (1964), 297–423 (303).

43 Gustav Mayer (Anm. 41), 266.

44 Rolf Engelsing, Massenpublikum und Journalistentum im 19. Jahrhundert in Nordwestdeutschland. Berlin 1966, 79 f.

45 (Adelheid Popp) Die Jugendgeschichte einer Arbeiterin von ihr selbst erzählt. München 1909, 61 (hier zit. n. Engelsing, ebd., 81).

46 Mehring, Ges. Schriften Bd. 2. Berlin 1960, 420.

47 Vgl. August Otto-Walster, Leben und Werk, hrsg. v. Wolf-

gang Friedrich. Berlin 1966, 13 (Einl.).

48 Ausführlich: Gustav Schröder, Das sozialistische Bühnenstück von den sechziger Jahren des 19. Jahrhunderts bis
zum Zusammenbruch der zweiten sozialistischen Internationale. Habilschrift Potsdam 1965 (bes. 126 ff., 232 ff.); Frühes deutsches Arbeitertheater 1847–1918. Eine Dokumentation, hrsg. v. Friedrich Knilli/Ursula Münchow. München
1970 (bes. 16 ff.); Aus den Anfängen der sozialistischen
Dramatik Bd. 1, hrsg. v. U. Münchow. Berlin 1964; Peter
von Rüden, Sozialdemokratisches Arbeitertheater (1848 bis
1914). Frankfurt 1973.

49 D. Bach, Vom Wiener Volksstück. In: Die Neue Zeit 19, I
(1900/01), 308–312 (312).

50 Frühes deutsches Arbeitertheater (Anm. 48), 200 ff.

51 Zit. n. Im Klassenkampf (Anm. 39), 30.

52 Lassalle, Das Arbeiterprogramm. In: Lassalle, Ges. Reden
und Schriften Bd. 2, hrsg. v. Eduard Bernstein. Berlin 1919,
200.

53 Zit. n. Nespital (Anm. 32), 132.

54 Grote, Sozialdemokratie und Religion (Anm. 25), 189.

55 C. Weiser, Arbeiterchoral, in: Mosts Proletarierliederbuch
(S. 45), zit. n. Grote, ebd., 55.

56 Vgl. V. Lidtkes Analyse der sozialistischen Lieder zur Melodie ›Die Wacht am Rhein‹ (Anm. 8, 153 f.).

57 Vgl. Inge Lammel, Zur Rolle und Bedeutung des Arbeiterliedes. In: Beiträge zur Geschichte der deutschen Arbeiterbewegung 3 (1962), 726–741 (731 f.).

58 Vgl. Nespital (Anm. 32), 103.

59 Lassalle, Arbeiter-Lesebuch (Vorbemerkung von Eduard
Bernstein). In: Lassalle, Ges. Reden und Schriften Bd. 3,
hrsg. v. Ed. Bernstein. Berlin 1919, 176.

60 Wolfgang Friedrich, Die sozialistische Literatur in der Zeit
des Aufschwungs der Arbeiterbewegung während der sechziger Jahre des 19. Jahrhunderts bis zum Erlaß des Sozialistengesetzes. Habilschrift Halle–Wittenberg 1964, 51.

61 Vom bürgerlichen Chorgesang zur revolutionären ›Kampfgemeinschaft der Arbeitersänger‹. In: Sozialistische Zeitschrift für Kunst und Gesellschaft (1973), H. 20/21, 29–57
(33 f.). – Vgl. Walter Fillies, Die Arbeitersängerbewegung.
Diss. Rostock 1922.

62 Zit. n. A. Held, Die deutsche Arbeiterpresse der Gegenwart.
Leipzig 1873, 104 ff.

63 Vgl. Charlotte Fraenkel, Studien zur sozialen Arbeiterlyrik in Frankreich vom Beginn des 19. Jahrhunderts bis zum Ausbruch des Weltkrieges. Diss. Breslau 1935.

64 Zit. n. Jungsozialistische Blätter 7 (1928), H. 11. — Auch in: Georg Heintz, Deutsche Arbeiterdichtung 1910–1933. Stuttgart 1974, 165 f.

65 Klaus Völkerling, Max Kegel (1850–1902): Bedeutung und Grenzen eines Vertreters der frühen sozialistischen Literatur in Deutschland. In: Weimarer Beiträge 20 (1974), H. 1, 161 bis 170 (166).

66 Vgl. ders., Zur frühen sozialistischen Literatur. Politisch-satirische Zeitschriften der frühen sozialistischen Literatur in Deutschland. In: Weimarer Beiträge 17 (1971), H. 10, 139–163.

67 Lexikon sozialistischer deutscher Literatur von den Anfängen bis 1945. Halle 1963, 390.

68 Chemnitzer Raketen Nr. 44 (30. 11. 1873), zit. n. Grote (Anm. 25), 188.

69 Deutsche Arbeiter-Dichtung Bd. 4. Gedichte von Max Kegel. Stuttgart 1893, 25 ff.

70 Protokoll über den ersten Congreß der Social-demokratischen Arbeiterpartei am 4.–7. 6. 1870. Leipzig 1870, 27 f.

71 Eva D. Becker, Das Literaturgespräch zwischen 1848 und 1870 in Robert Prutz' Zeitschrift ›Deutsches Museum‹. In: Publizistik 12 (1967), H. 1, 14–36 (29).

72 Protokoll über den fünften Congress der Social-demokratischen Arbeiterpartei abgehalten zu Eisenach, am 23.–27. 8. 1873. Leipzig 1873, 43 f.

73 Lexikon sozialistischer deutscher Literatur (Anm. 67), 380.

74 Vgl. Manfred Häckel, Arbeiterbewegung und Literatur. In: 100 Jahre Reclams Universal-Bibliothek 1867–1967, hrsg. v. Hans Marquardt. Leipzig 1967, 378–411 (397).

75 Protokoll über den sechsten Congress der Sozial-demokratischen Arbeiterpartei, abgehalten zu Coburg, am 18.–21. 7. 1874. Leipzig 1874, 96.

76 Karl Korn, Die Arbeiterjugendbewegung. Eine Einführung in ihre Geschichte, Teil 1. Berlin 1922, 6.

77 Franz Mehring, Die deutsche Socialdemokratie. Bremen 1879, 119.

78 Marx/Engels, Briefe an Bebel, S. 161 (31. 7. 1877), zit. n. Horst Lademacher, Zu den Anfängen der Deutschen Sozialdemokratie 1863–1878. In: International Review of Social History 4 (1959), 389 f.

79 Protokoll 1874 (Anm. 75), 98.
80 Ebd., 97 f.
81 Vgl. Erich Hellmut Wittenberg, Sozialdemokratische Bildungsfremdheit — aufgezeigt an Bebels Bildungslehre im Rahmen der siebziger Jahre. Diss. Berlin 1933, 134 ff.
82 August Bebel, Die Frau und der Sozialismus. Stuttgart 1892, 376 (12. Aufl.).
83 Vgl. Hans-Josef Steinberg, Sozialismus und deutsche Sozialdemokratie. Hannover 1967, 127—142.
84 Zur »Weltverbesserung aus ›wissenschaftlicher Weltanschauung‹« in der zweiten Hälfte des 19. Jhs. s. Hermann Lübbe, Politische Philosophie in Deutschland. Studien zu ihrer Geschichte. Basel/Stuttgart 1963, 127—172.
85 Leopold Jacoby, Die Idee der Entwicklung. Eine sozialphilosophische Darstellung. Erster Teil. Berlin 1874 (Zit. n. Leopold Jacoby, Auswahl aus seinem Werk, hrsg. v. Manfred Häckel. Berlin 1971, 104).
86 Vgl. Hans-Jürgen Moltrecht, Kultur- und Bildungsarbeit im Leipziger Fortbildungsverein für Arbeiter während des Sozialistengesetzes (1879—1890). In: Kultur und Lebensweise des Proletariats (Anm. 3), 137—158.
87 Schröder, Das sozialistische Bühnenstück (Anm. 48), 165 ff.
88 Zit. n. Frühes deutsches Arbeitertheater (Anm. 48), 343.
89 Hanns Eisler, Geschichte der deutschen Arbeitermusikbewegung von 1848 (1934). In: Eisler, Musik und Politik. Schriften 1. 1924—1948, hrsg. v. Günter Mayer. München 1973, 211 bis 230 (216).
90 Vgl. Helga Herting, Der Aufschwung der Arbeiterbewegung um 1890 und ihr Einfluß auf die Literatur. Diss. am Inst. für Gesellschaftswiss. am ZK der SED. Berlin 1961.
91 Brief an Ernst Klaar (20. 4. 1891), zit. n. Klaus Völkerling, Manfred Wittich — Dichter und Germanist der deutschen Arbeiterklasse. In: Weimarer Beiträge 14 (1968), 1060—65 (1064).
92 Buch der Zeit, hrsg. v. Karl Henckell. Berlin 1896, V (Vorwort).
93 Theophil Zolling, Lassalle, Herwegh und die Socialdemokratie. In: Die Gegenwart Nr. 50 (12. 12. 1896), 376.
94 Vgl. Dietger Pforte, Die Anthologie als Kampfbuch. Vier Lyrikanthologien der frühen deutschen Sozialdemokratie. In: Die deutschsprachige Anthologie Bd. 2, hrsg. Joachim Bark/ Dietger Pforte. Frankfurt 1969, 199—221.

95 Deutsche Arbeiter-Dichtung Bd. 1. Gedichte von W. Hasenclever, K. E. Frohme und Adolph Lepp. Stuttgart 1893, 143.
96 Deutsche Arbeiter-Dichtung Bd. 2. Gedichte von Jakob Audorf. Stuttgart 1893, 7.
97 J. Ch. Schlecht, Die Poesie des Sozialismus. Ein Beitrag zur
   deutschen Literaturgeschichte im letzten Jahrzehnt. Würz-
   burg/Wien 1883, 67.
98 Ebd., 2.
99 August Geib, Gedichte. Leipzig 1876 (2. Aufl.), 4; Schlecht,
   ebd., 7.
100 Vgl. Walter Hinck, Epigonendichtung und Nationalidee. Zur
    Lyrik Emanuel Geibels. In: Zs. f. dt. Philologie 85 (1966),
    267—284.
101 Die Logik des Sumpfes. In: Der Sozialdemokrat Nr. 21
    (19. 5. 1888).
102 Vgl. die Würdigung von 1890: Bücherschau sozialistischer
    Dichterwerke. In: ebd., Nr. 3 (18. 1. 1890).
103 Jacoby, Auswahl (Anm. 85), 160.
104 Richard Hamann/Jost Hermand, Gründerzeit. Berlin 1965,
    198 ff.
105 Jacoby, Auswahl (Anm. 85), 9.
106 Ebd., 25 f.
107 Karl Henckell, Lyrik und Kultur. Neue Vorträge zu Leben
    und Dichtung. München/Leipzig 1914, 11 ff.
108 Vgl. das Gedicht ›Vom Schlachtfeld der Arbeit‹, in dem
    Audorf im Stil von Schillers ›Lied von der Glocke‹ schildert,
    wie ein Schienenarbeiter bei der Rettung eines Zuges sein
    Leben verliert. (Anm. 96, 25—27).
109 Karl Ecks, Die Arbeiterdichtung im rheinisch-westfälischen
    Industriegebiet. Diss. Münster 1925, 31.
110 Vgl. Waldemar Heinz, Das Bergmannslied. Diss. Greifs-
    wald 1913.
111 Heinrich Kämpchen, Aus Schacht und Hütte. Bochum 1899
    (Vorwort).
112 Zit. n. Walter Köpping, Arbeiterdichtung als soziale Doku-
    mentation. Vor 50 Jahren starb der Bergarbeiterdichter
    Heinrich Kämpchen. In: Gewerkschaftliche Monatshefte 13
    (1962), 129—138 (135).
113 Karl Kautsky, Erinnerungen (Anm. 11), 299.
114 Ernst Schultze, Die Schundliteratur. Ihr Wesen — ihre Be-
    kämpfung. Halle 1925 (1. Aufl. 1909), 12.
115 Erste Hinweise gab der Pfarrer A. H. Th. Pfannkuche in der

Schrift: Was liest der deutsche Arbeiter? Auf Grund einer Enquete beantwortet. Tübingen/Leipzig 1900. — Vgl. Christa Paustenbach/Almut Berkenhoff, Arbeiterbildung und Buch. Eine Untersuchung der Entwicklung in Deutschland bis zum 1. Weltkrieg. Hausarbeit b. Bibliothekar-Lehrinst. d. Landes Nordrh.-Westf. Köln 1971.

116 Steinberg, Sozialismus (Anm. 83), 127—142.

117 Kautsky, Erinnerungen (Anm. 11), 301.

118 Mehring, Robert Schweichel. In: Mehring, Ges. Schriften Bd. 11. Berlin 1961, 456.

119 Zit. n. Erika Pick, Robert Schweichel. Von den Schweizer Novellen zum Bauernkriegsroman. Untersuchungen zur Stoff- und Heldenwahl. Diss. Humboldt-Univ. Berlin 1961, 128.

120 Vgl. Helmut Kreuzer, Zur Theorie des deutschen Realismus zwischen Märzrevolution und Naturalismus. In: Realismustheorien, hrsg. v. Reinhold Grimm/Jost Hermand. Stuttgart 1975. 48—67 (62).

121 Wiederabgedruckt in: Robert Schweichel, hrsg. v. Erika Pick. Berlin 1964.

122 Schweichel an Liebknecht, Juni 1873. In: Wilhelm Liebknecht. Briefwechsel mit deutschen Sozialdemokraten Bd. 1 (1862—1878), hrsg. v. Georg Eckert. Assen 1973, 496.

123 Eduard Bernstein, Etwas Erzählungsliteratur. In: Die Neue Zeit 11, II (1892/93), 267.

124 Victor Adler, Ludwig Anzengruber. In: Arbeiter-Zeitung (13. 12. 1889), zit. n. Adler, Aufsätze, Reden und Schriften Bd. 11, hrsg. v. Gustav Pollatschek. Wien 1929, 101—104.

125 Vgl. Minna Kautsky, Auswahl aus ihrem Werk, hrsg. v. Cäcilia Friedrich. Berlin 1965, XII (Einl.).

126 Kautsky, Erinnerungen (Anm. 11), 302.

127 Aus dem Schaffen früher sozialistischer Schriftstellerinnen, hrsg. v. Cäcilia Friedrich. Berlin 1966, XV (Einl.).

128 Wie schwer diese Thematik auch den bürgerlichen Naturalisten fiel, vgl. Ludwig Niemann, Soziologie des naturalistischen Romans. Berlin 1934.

129 Protokoll 1892 (262—268); Protokoll 1893 (122—124); Protokoll 1897 (102—112). — Vor dem 1. Weltkrieg wurde die Diskussion verstärkt wieder aufgenommen in den ›Mitteilungen des Vereins Arbeiterpresse‹ 14 (1913), Nr. 117, 118; 15 (1914), Nr. 122; 17 (1916), Nr. 152. (Vgl. Manfred Braunedk, Literatur und Öffentlichkeit im ausgehenden

19. Jahrhundert. Stuttgart 1974, 258).

130 Georg Fülberth, Sozialdemokratische Literaturkritik vor 1914. Diss. Marburg 1969, * 91, Anm. 435.

131 Zur Rezeption in Deutschland s. Franz X. Riederer, The German Acceptance and Reaction. In: Edward Bellamy Abroad. An American Prophet's Influence, hrsg. v. Sylvia E. Bowman u. a., New York 1962, 151—205.

132 Mehring, Ges. Schriften Bd. 11. Berlin 1961, 475.

133 Vgl. Frühes Leipziger Arbeitertheater. Friedrich Bosse, hrsg. v. Gustav Schröder. Berlin 1972.

134 Bosse, Die Arbeiter und die Kunst. Schwank in einem Akt. In: Aus den Anfängen der sozialistischen Dramatik Bd. 1 (Anm. 48), 178.

135 Ebd., 191 f.

136 Vgl. von Rüden (Anm. 48), 122—129.

137 Michael Pehlke, Ein Exempel proletarischer Dramatik. Bemerkungen zu Friedrich Bosses Streikdrama ›Im Kampf‹. In: Literaturwissenschaft und Sozialwissenschaften [Bd. 1]. Grundlagen und Modellanalysen, hrsg. v. Horst A. Glaser u. a. Stuttgart 1971, 400—434 (418).

138 Ernst Preczang, Rückblick. Berlin 1920, 26 (Im Nachlaß, aufbewahrt im Inst. f. dt. und ausländ. Arbeiterliteratur, Dortmund).

139 Vgl. Aus den Anfängen der sozialistischen Dramatik Bd. 2, hrsg. v. Ursula Münchow. Berlin 1965, XVI ff. (Einl.).

140 Hermann Wendel, Emil Rosenow, Ges. Dramen. In: Die Neue Zeit 30, II (1911/12), 645.

141 Karl Wendemuth, Nachdenkliches zum Fall Rosenow. In: Die Neue Zeit 32, II (1913/14), 636. — Vgl. Der Unfug der Zensur. In: Vorwärts Nr. 106 (8. 5. 1912).

142 Clara Zetkin, Ein Arbeiterdrama. In: Die Gleichheit Nr. 16, 1912, zit. n. Aus dem Schaffen früher sozialistischer Schriftstellerinnen (Anm. 127), 162.

143 Ebd., 163.

144 Heinz Sperber, Ödipus im Zirkus. In: Vorwärts Nr. 296 (18. 12. 1910).

145 Lu Märten, Zur ästhetisch-literarischen Enquête. In: Die Neue Zeit 30, II (1911/12), 791 f.

146 Felix Alexander, Die nebenberuflichen Theatergesellschaften in Deutschland. Diss. Tübingen 1913, 9, zit. n. Schröder (Anm. 48), 52.

147 Max Schneider, Die moderne Arbeiterbewegung und die

Arbeiter-Vergnügungs- und -Sportvereine. In: Die Neue Zeit 27, II (1908/09), 865.

148 Michael Impertro, Akademiker und Proletarier. In: Die Neue Zeit 20, I (1901/02), 222.

149 Durch Bildung zur Freiheit oder durch Freiheit zur Bildung. In: Sturmglocken 1 (1. 10. 1894), 10.

150 Der Männerchor als Träger sozialistischen Gefühls. In: Sturmglocken 2, Nr. 3 (März 1895), 14.

151 Otto Krille, Unter dem Joch. Geschichte einer Jugend. Berlin 1914, 223.

152 Der freie Bund Nr. 4 (April 1901), zit. n. Hans-Joachim Schäfers, Zur sozialistischen Arbeiterbildung in Leipzig 1890 bis 1914. Leipzig 1961, 70.

Kapitel IV
(Seite 247—338)

1 Zwischen Sozialgeschichte und Legitimationswissenschaft. Protokoll einer Tagung über Geschichtsschreibung der Arbeiterbewegung in Frankfurt am 17. 2. 1974. In: Jahrbuch Arbeiterbewegung Bd. 2, hrsg. v. Claudio Pozzoli. Frankfurt 1974, 267—300 (287).

2 Vgl. Dieter Fricke, Zur Organisation und Tätigkeit der deutschen Arbeiterbewegung (1890—1914). Dokumente und Materialien. Leipzig 1962, 185 ff.

3 Georg Fülberth, Proletarische Partei und bürgerliche Literatur. Neuwied/Berlin 1972, 22.

4 Ebd., 36.

5 Arthur Rosenberg, Zum 9. November. In: Rosenberg, Demokratie und Klassenkampf. Ausgewählte Studien, hrsg. von Hans-Ulrich Wehler. Frankfurt 1974, 209—216 (213).

6 Claudio Pozzoli, Rosa Luxemburg als Marxist. In: Rosa Luxemburg oder Die Bestimmung des Sozialismus, hrsg. v. C. Pozzoli. Frankfurt 1974, 9—20 (15).

7 E. H. Carr, A Historical Turning Point: Marx, Lenin, Stalin. In: Revolutionary Russia. A Symposium, hrsg. v. Richard Pipes (Harvard Univ. Press 1968). Anchor Books Ed. 1969, 364.

8 Ebd., 365.

9 Hildegard Reisig, Die Rolle der Bildung für die Befreiung des Proletariats (Kap. I, Anm. 72), 125.

10 Otto Rühle, Weltrevolution. In: Rühle, Schriften, hrsg. v. Gottfried Mergner. Reinbek 1971, 167.

11 Geschichtliche Grundbegriffe. Historisches Lexikon zur politisch-sozialen Sprache in Deutschland, hrsg. v. Otto Brunner u. a. Stuttgart 1972 (Begriff ›Arbeit‹, bes. ›Nationale Arbeit‹, 208 ff.).

12 Wilhelm Heinrich Riehl, Die deutsche Arbeit (1861), zit. n. ebd., 211.

13 Rosa Luxemburg, Massenstreik, Partei und Gewerkschaften. In: Luxemburg, Schriften zur Theorie der Spontaneität, hrsg. v. Susanne Hillmann. Reinbek 1970, 106.

14 Ebd., 137.

15 Hendrik de Man, Der Kampf um die Arbeitsfreude. Jena 1927, 170. – Vgl. Robert Meßmer, Selbstaussage und Stellvertretung. Untersuchungen zur Entstehung der Arbeiterliteratur im ersten Drittel des 20. Jahrhunderts. Unter Zugrundelegung autobiographischen Materials. Magisterarbeit Freiburg 1971, 82 ff.

16 W. I. Lenin, Werke Bd. 5, 385, zit. n. Dieter Fricke, Zum dialektischen Wechselverhältnis von Partei und Klasse in der dt. Arbeiterbewegung vor dem Ersten Weltkrieg. In: Zs. f. Geschichtswiss. 21 (1973), 524–541 (526).

17 Ein Überblick über die internationale Situation um 1900 bei Madeleine Reberioux, Critique littéraire et socialisme au tournant du siècle. In: Le mouvement sociale No. 59 (1967), 3–28.

18 Brief v. 24. 1. 1917, zit. n. Luxemburg, Schriften über Kunst und Literatur, hrsg. v. Marlen M. Korallow. Dresden 1972, 195.

19 Die Seele der russischen Literatur, ebd., 59.

20 Ebd.

21 Brief v. 26. 1. 1917, ebd., 126.

22 Luxemburg, Franz Mehring, Schiller. Ein Lebensbild für deutsche Arbeiter (Rez.), ebd., 20.

23 Ebd., 22.

24 Brief an Mathilde Wurm (16. 2. 1917), ebd., 173.

25 St. R. Stande, Die literarischen Anschauungen Rosa Luxemburgs. In: Internationale Literatur (1932), H. 3, 92–99 (92).

26 Ebd., 94.

27 Karl Kautsky, Erinnerungen und Erörterungen, 's-Gravenhage 1960, 199.

28 Kautsky, Die Fortsetzung einer unmöglichen Diskussion. In:

Die Neue Zeit 24, II (1905/06), 717–727 (723).

29 Debatten über Wenn und Aber (VI). In: Vorwärts Nr. 212 (10. 9. 1905).

30 Fülberth, Proletarische Partei (Anm. 3), 120 ff.

31 Eduard Bernstein, Klassenromantik. In: Der Strom 2 (1912), 193–201 (199).

32 Georg Lukács, Einführung in die ästhetischen Schriften von Marx und Engels (1945). In: Lukács, Werke Bd. 10. Neuwied/Berlin 1969, 225.

33 Kurt Eisner, Parteikunst. In: Eisner, Taggeist. Culturglossen. Berlin 1901, 286.

34 Eisner, Karl Marx' Kunstauffassung. In: Eisner, Ges. Schriften Bd. 2. Berlin 1919, 278.

35 Protokoll über die Verhandlungen des Parteitages der SPD, abgehalten zu Nürnberg 13.–19. 9. 1908. Berlin 1908, 227 bis 257.

36 Franz Schade, Kurt Eisner und die bayerische Sozialdemokratie. Hannover 1961, 28.

37 Gerhard Holtz-Baumert, ›Überhaupt brauchen wir eine sozialistische Literatur . . .‹. Skizzen vom Kampf um eine sozialistische deutsche Kinderliteratur. Berlin 1972, 48 f. – Zur Diskussion um die Entwicklung einer sozialistischen Kinderliteratur vgl. auch: Das politische Kinderbuch. Eine aktuelle historische Dokumentation, hrsg. v. Dieter Richter. Darmstadt/Neuwied 1973.

38 Otto Krille, Aus engen Gassen. Gedichte. Berlin 1904, 4 (C. Zetkin, Vorwort).

39 Ebd.

40 Julius Bab, Sozialdemokratische Poetik. In: Das neue Magazin für Literatur, Kunst und Leben H. 18 (29. 10. 1904), 541–550.

41 Brief v. 14. 9. 1904, zit. n. Mehring, Ges. Schriften Bd. 11, 596.

42 Vgl. Gerhard Kratzsch, Kunstwart und Dürerbund. Ein Beitrag zur Geschichte der Gebildeten im Zeitalter des Imperialismus. Göttingen 1969.

43 Clara Zetkin, Über Literatur und Kunst, hrsg. v. Emilia Zetkin-Milowidowa. Berlin 1955, 114.

44 Eine Zusammenfassung bei Fülberth, Proletarische Partei (Anm. 3), 123–150.

45 Heinz Sperber, Kunst und Industrie. In: Vorwärts Nr. 183 (7. 8. 1910).

46 Ders., Kunst und Industrie II. In: Vorwärts Nr. 189 (14. 8. 1910).

47 Ders., Tendenziöse Kunst. In: Vorwärts Nr. 207 (4. 9. 1910).

48 Ders., Die Theatersaison. In: Vorwärts Nr. 125 (31. 5. 1911).

49 Lu Märten, Zur ästhetisch-literarischen Enquete. In: Die Neue Zeit 30, II (1911/12), 790–793 (791).

50 Ebd.

51 Vgl. Heinz Sperber, Wegmarken proletarischer Kunst. In: Vorwärts v. 15. 6. 1912.

52 Heinrich Ströbel, Eine ästhetische Werttheorie. In: Die Neue Zeit 29, I (1910/11), 597–602 (598).

53 Ebd., 601.

54 Ebd., 602.

55 Heinrich Ströbel, Kunst und Proletariat. In: Die Neue Zeit 30, II (1911/12), 785–790 (787).

56 Als lange Zeit einzige Untersuchung über Liebknechts ästhetische Ansichten s. N. Serebrow, Karl Liebknecht über das künstlerische Schaffen. In: Kunst und Literatur 9 (1961), 953–960.

57 Harry Schumann, Karl Liebknecht. Ein unpolitisches Bild seiner Persönlichkeit. Dresden 1919.

58 Karl Liebknecht, Trotz alledem! In: Liebknecht, Ges. Reden und Schriften Bd. 11. Berlin 1968, 679.

59 Die Rote Fahne Nr. 14 (14. 1. 1919).

60 Karl Liebknecht, Studien über die Bewegungsgesetze der gesellschaftlichen Entwicklung. München 1922, im folgenden nur mit Seitenzahlen (im Text) zitiert nach der von Ossip K. Flechtheim edierten Neuausgabe (Hamburg 1974), 27.

61 Ders., Zu Unruh's Geschlecht (Anf. August 1918). In: Liebknecht, Briefe aus dem Felde, aus der Untersuchungshaft und aus dem Zuchthaus. Berlin 1922, 119.

62 Ebd., 110.

63 Vgl. Michael Wegner, Deutsche Arbeiterbewegung und russische Klassik 1900–1918. Theoretische und praktische Probleme der sozialistischen Erbe-Rezeption. Berlin 1971, 252 f.

64 Brief v. 26. 3. 1907, zit. n. ebd., 185.

65 Bezeichnenderweise wurde Plechanovs Kritik an Gorkijs ›Mutter‹ in dem Band ausgemerzt: G. W. Plechanov, Kunst und Literatur. Berlin 1955, 229, Hinweis 983 (Vorwort zur dritten Auflage des Sammelbandes ›Zwanzig Jahre‹, 1908).

66 Wegner (Anm. 63), 184.

67 Henriette Roland-Holst, Gorkij als proletarischer Literatur-

kritiker. In: Die Neue Zeit 24, II (1905/06), 76–81.

68 Maxim Gorkij, Wie ich schreiben lernte. In: Gorkij, Über Literatur. Berlin/Weimar 1968, 171–206 (205).

69 Harald Feddersen, Das Feuilleton der sozialdemokratischen Tagespresse in Deutschland von den Anfängen bis zum Jahr 1914 (mit einem Überblick über das sozialdemokratische Feuilleton vom August 1914 bis Mai 1922). Diss. Leipzig 1923, zit. bei Wegner (Anm. 63), 153 f.

70 Wegner, 208.

71 Franz Mehring, Leo Tolstoi. In: Mehring, Ges. Schriften Bd. 12. Berlin 1963, 141.

72 Wegner, 232 (Anm. 63).

73 Rosa Luxemburg, Tolstoi als sozialer Denker. In: Luxemburg, Schriften über Kunst und Literatur (Anm. 18), 31–38.

74 W. I. Lenin, Tolstoi und der proletarische Kampf. In: Lenin, Über Kultur und Kunst. Eine Sammlung ausgewählter Aufsätze und Reden. Berlin 1960, 130.

75 V. I. Lenin i A. M. Gorkij, Moskau 1961 (2. Aufl.), 62, zit. bei Peter Reddaway, Literature, the Arts and the Personality of Lenin. In: Lenin. The Man, the Theorist, the Leader. A Reappraisal, hrsg. v. Leonhard Schapiro/Peter Reddaway. New York 1967, 37–70 (45).

76 Mehring, Leo Tolstoi (Anm. 71), 141.

77 Lenin, Über Kultur und Kunst (Anm. 74), 142 f.

78 Ders., Tolstoi und der proletarische Kampf, ebd., 131.

79 Vgl. A. W. Lunatscharski, Lenin und die Literatur. In: Internationale Literatur (1935), H. 1, 11–30; H. 2, 2–23.

80 Vgl. Referat über die Zeitschriften ›Swesda‹ und ›Leningrad‹ (1946). In: A. A. Shdanov, Ausgewählte Reden zu Kunst, Wissenschaft und Politik. Berlin 1972, 13–45.

81 Für eine grundsätzliche Diskussion sei verwiesen auf Ernest J. Simmons, The Origins of Literary Control. In: Survey No. 36 (1961), 78–84; No. 37 (1961), 60–67; sowie: Gesellschaft, Literatur, Lesen. Literaturrezeption in theoretischer Sicht, hrsg. v. Manfred Naumann u. a. Berlin/Weimar 1973, 237–253.

82 Lenin, Über Literatur und Kunst, 60 f.

83 Ebd., 61.

84 Vgl. Stanislaw Roshnowski, Die Dialektik von Parteilichkeit und Realismus. In: Literatur der Arbeiterklasse, hrsg. v. Irmfried Hiebel. Berlin/Weimar 1971, 442–540. — Das bestätigt ebenfalls indirekt: Horst Schmidt, Lenins Einfluß auf

den revolutionären geistigen Prozeß in Deutschland 1917 bis 1933. In: Wiss. Zs. d. Univ. Halle (GS) 22 (1972), 39 bis 48.

85 N. Lenin, Agitation und Propaganda. Ein Sammelband. Wien/Berlin 1929 (Reprint Frankfurt 1971). — In der Sowjetunion wurden 1928 Lenins ›Thesen über Produktionspropaganda‹ (Anm. 74, 387–389), die auf die Presse bezogen waren, auf die Literatur insgesamt ausgedehnt.

86 Karl August Wittfogel, Über proletarische Kultur. In: Die Rote Fahne Nr. 122 (31. 5. 1925); ders., Proletarische Kampfkultur, ebd. Nr. 127 (7. 6. 1925); ders., Im Kampf mit welchen Elementen entwickelt sich die proletarische Kampfkultur?, ebd. Nr. 139 (21. 6. 1925). Zugänglich in: Die Rote Fahne, hrsg. v. Manfred Brauneck. München 1973, 194–206.

87 Johannes Resch, Leninismus in der deutschen proletarischen Kulturbewegung. In: Die Tat 17, I (1925/26), 168–180.

88 Erster Entwurf einer Resolution über proletarische Kultur (1920). In: Lenin, Über Kultur und Kunst (Anm. 74), 373.

89 Über proletarische Kultur, ebd., 375.

90 László Illés, Proletarierkultur oder sozialistische Kultur. In: Acta Litteraria Academiae Scientiarum Hungaricae 14 (1972), 105–130. — Vgl. Oskar Anweiler, Erziehungs- und Bildungspolitik. In: Kulturpolitik der Sowjetunion, hrsg. v. O. Anweiler/Karl-Heinz Ruffmann, Stuttgart 1973, 17 ff.

91 Lenin, Die Aufgaben der Jugendverbände. In: Lenin, Über Literatur und Kunst (Anm. 74), 353–371 (357).

92 Vgl. Peter Reddaway (Anm. 75), 57 f.

93 Zit. n. Karl Eimermacher, Literaturpolitik in der UdSSR. In: Sowjetsystem und demokratische Gesellschaft Bd. 4. Freiburg 1971, Sp. 94.

94 Illés, Proletarierkultur (Anm. 90), 113.

95 George Katkov, Lenin as Philosopher. In: Lenin (Anm. 75), 78 f. — Zur Kritik und Wirkung des Werkes s. Richard Albrecht, Die Kritik von Korsch und Pannekoek an Lenins ›Materialismus und Empiriokritizismus‹. In: Das Argument 14 (1972), H. 74, 586–625.

96 Michail Lifschitz, Karl Marx und die Ästhetik. Dresden 1967, 23.

97 Vgl. Klaus-Dieter Seemann, Der Versuch einer proletarischen Kulturrevolution in Rußland 1917–1922. In: Jahrbücher für Geschichte Osteuropas Bd. 9 (1961), 179–222 (181).

98 A. Bogdanov, Was ist proletarische Dichtung? (Neudruck in:)

Ästhetik und Kommunikation (1972), H. 5/6, 76 f.

99 Dietrich Grille, Lenins Rivale. Bogdanov und seine Philosophie. Köln 1966, 178.

100 Zit. n. ebd., 180.

101 Eine ausführl. Darst. bei Christian Riechers, Antonio Gramsci. Marxismus in Italien. Frankfurt 1970 (bes. 142 bis 161).

102 A. Bogdanov, Was ist proletarische Dichtung? (Anm. 98), 83.

103 Vgl. S. V. Utechin, Philosophy and Society: Alexander Bogdanov. In: Revisionism. Essays on the History of Marxist Ideas, hrsg. v. Leopold Labedz. New York 1962, 117–125 (119).

104 Grille (Anm. 99), 183.

105 Dietrich Geyer, Arbeiterbewegung und ›Kulturrevolution‹ in Rußland. In: Vierteljahrshefte für Zeitgeschichte 10 (1962), 43–55.

106 Zit. n. Proletarische Kulturrevolution in Sowjetrußland (1917 bis 1921). Dokumente des ›Proletkult‹, hrsg. v. Richard Lorenz. München 1969, 40 f.

107 Ebd., 43.

108 A. Bogdanov, Was ist proletarische Dichtung? (Anm. 98), 78.

109 Vgl. Kommentar und Anmerkungen zu den [Proletkult-]Texten. In: Ästhetik und Kommunikation (1972), H. 5/6, 143.

110 L. F. Denissowa, W. I. Lenin und der Proletkult. In: Kunst und Literatur 12 (1964), 781.

111 Ebd.

112 Michael Wegner, G. V. Plechanov in Deutschland. Materialien über das literaturkritische Wirken Plechanovs in der deutschen Sozialdemokratie (1889–1910). In: Zs. f. Slawistik 14 (1969), 429–443 (438 f.).

113 Plechanov, Die französische dramatische Literatur und die französische Malerei des 18. Jahrhunderts vom Standpunkte der Soziologie. In: G. W. Plechanov, Kunst und Literatur. Berlin 1955, 196 f.

114 Ders., Briefe ohne Adresse, ebd., 128. (Kommentiert bei A. Lebedew, Zur Frage der Zugeständnisse Plechanovs an Kant in der Ästhetik. In: Kunst und Literatur 19, 1971, 476 bis 486).

115 A. Lebedew, Zur Frage der Zugeständnisse, ebd., 481.

116 Dem Erstaunen gibt Burton Rubin Raum: Plekhanov and Soviet Literary Criticism. In: The American Slavic and East European Review 15 (1956), 527–542 (535 f.).

117 Vgl. Für eine Leninsche Literaturkritik (Pravda v. 15. 4. 1932). In: Dokumente zur sowjetischen Literaturpolitik 1917 bis 1932, hrsg. v. Karl Eimermacher. Stuttgart 1972, 427 bis 433.

118 Rolf-Dieter Kluge, Vom kritischen zum sozialistischen Realismus. Die literarische Tradition in Rußland 1880–1925. München 1973, 204.

119 A. Lunatscharski, Gerhart Hauptmann und Rußland. In: Gerhart Hauptmann und sein Werk, hrsg. v. Ludwig Marcuse. Berlin/Leipzig 1922, 110–115 (113).

120 Vgl. Werner Stauffacher, Anatol Lunatscharskis Spitteler-Erlebnis. In: Schweizer Monatshefte 54 (1974), 748–763.

121 Vgl. Rolf-Dieter Kluge (Anm. 118), 148.

122 Zit. n. Bernhard Küppers, Die Theorie vom Typischen in der Literatur. Ihre Ausprägung in der russischen Literaturkritik und in der sowjetischen Literaturwissenschaft. München 1966, 231.

123 Ebd., 231 f.

124 Zit. n. ebd., 234 f.

125 Maxim Gorkij, Frühe Dramen. Leipzig 1968, 198.

126 Gorkij, Die Zerstörung der Persönlichkeit. In Gorkij, Über Literatur. Berlin/Weimar 1968, 29–86 (53).

127 Ebd., 85.

128 Anatoli W. Lunatscharski, Profile der Revolution. Frankfurt 1968, 10 (Einl. v. Isaac Deutscher).

129 Vgl. A. L. Tait, Lunacharsky, the ›Poet-Commissar‹. In: The Slavic and East European Review 52 (1974), 234–251.

130 Lunatscharski, Profile (Anm. 128), 9.

131 A. Lunatscharski, Die Kulturaufgaben der Arbeiterklasse. Frankfurt 1971, 36.

132 Proletarische Kulturrevolution (Anm. 106), 9 f.

133 Vgl. Anatoli Glebov, Yesterday. Workers Theatre of Old Russia. In: New Theatre (New York) 2 (1935), H. 1, 4–5.

134 Raymond Williams, Culture and Society 1780–1950 (1958), Penguin Books, Harmondsworth/Middlesex 1966, 159.

135 Helmuth Plessner, Die Legende von den zwanziger Jahren. In: Plessner, Diesseits der Utopie. Düsseldorf/Köln 1966, 87–102 (100).

136 Eine ausführliche Darst. bei Richard Hamann/Jost Hermand, Stilkunst um 1900. Berlin 1967.

137 Vgl. aber die kritischen Überlegungen zur deutschen Sonderentwicklung bei Helga Grebing, Aktuelle Theorien über

Faschismus und Konservatismus. Eine Kritik. Stuttgart 1974, 49—81.

138 Dietrich Rüschemeyer, Modernisierung und die Gebildeten im kaiserlichen Deutschland. Überlegungen zu einer in Arbeit befindlichen Untersuchung. In: Soziologie und Sozialgeschichte, hrsg. v. Peter Christian Ludz (= Kölner Zs. f. Soziologie und Sozialpsychologie, Sonderheft 16). 1972, 513 bis 525 (517 f.).

139 Helga Grebing, Linksradikalismus gleich Rechtsradikalismus. Eine falsche Gleichung. Stuttgart 1971, 45.

140 Vgl. den Überblick zur Entwicklung in Frankreich, Deutschland und Italien: H. Stuart Hughes, Consciousness and Society. The Reorientation of European Social Thought 1890 — 1930 (1958), Vintage Book, New York, 1966.

141 Rembrandt als Erzieher. Von einem Deutschen. Leipzig 1909, 2 (49. Aufl.).

142 Ebd., 258 (Abschnitt ›Kunstpolitik‹). — Vgl. Fritz Stern, The Politics of Cultural Despair. A Study in the Rise of the Germanic Ideology. Berkeley/Los Angeles 1961, 130 ff.

143 Vgl. Gotthart Wunberg, Utopie und fin de siècle. Zur deutschen Literaturkritik vor der Jahrhundertwende. In: Dt. Vierteljahrsschrift f. Literaturwiss. und Geistesgesch. 43 (1969), 685—706.

144 Günter Fröschner, Die Herausbildung und Entwicklung der geschichtsphilosophischen Anschauungen von Georg Lukács. Diss. Inst. f. Gesellschaftswiss. beim ZK der SED. Berlin 1965, 77.

145 Fritz K. Ringer, The Decline of the German Mandarins. The German Academic Community 1890—1933. Harvard Univ. Press 1969, 162 f. — Vgl. Kurt Lenk, Das tragische Bewußtsein in der deutschen Soziologie. In: Kölner Zs. f. Soziologie und Sozialpsychologie 16 (1964), 257—287.

146 Lukács, Metaphysik der Tragödie: Paul Ernst. In: Lukács, Die Seele und die Formen (1911). Neuwied/Berlin 1971, 249.

147 Ders., Aradne auf Naxos. In: Paul Ernst. Zu seinem 50. Geburtstag. München 1916, zit. n. Der Wille zur Form. Blätter der Paul-Ernst-Gesellschaft 1. Folge, Nr. 9, 385.

148 Vgl. Alberto Asor Rosa, Der junge Lukács — Theoretiker der bürgerlichen Kunst. In: Lehrstück Lukács, hrsg. v. Jutta Matzner. Frankfurt 1974, 65—111. — Zu den Fragen der Kontinuität s. Peter Ludz, Marxismus und Literatur. Eine kritische Einführung in das Werk von Georg Lukács. In:

Lukács, Schriften zur Literatursoziologie, hrsg. v. Peter Ludz. Neuwied/Berlin 1961, 19—68.

149 Ernst Bloch, Geist der Utopie. Berlin 1923, 284.

150 Ders., Erbschaft dieser Zeit. Zürich 1935, 11 f.

151 Lukács, ›Größe und Verfall‹ des Expressionismus. In: Lukács, Werke Bd. 4, Neuwied/Berlin 1971, 111 f.

152 Zit. n. Christoph Kleßmann, Theorie des historischen Materialismus und revolutionäre Praxis bei Georg Lukács im Jahre 1919. In: Archiv für Kulturgeschichte 55 (1973), 190—214 (210).

153 Lukács (Anm. 151), 132.

154 Ders., Esztétikai Kultura, zit. n. Festschrift für Georg Lukács, hrsg. v. Frank Benseler. Neuwied/Berlin 1965, 193.

155 Walter Benjamin, Die religiöse Stellung der neuen Jugend. In: Die Tat 6 (1914/15), 211.

156 Clara Zetkin, Ausgew. Reden und Schriften Bd. 3. Berlin 1960, 21.

157 Heinrich Mann, Ausgew. Werke in Einzelausgaben Bd. 12, hrsg. v. Alfred Kantorowicz. Berlin 1956, 501.

158 Ders., Geist und Tat. In: Mann, Ausgew. Werke Bd. 11, hrsg. v. Alfred Kantorowicz. Berlin 1954, 12.

159 Ebd., 10.

160 Hanno König, Heinrich Mann. Dichter und Moralist. Tübingen 1972, 111.

161 Ludwig Rubiner, Der Dichter greift in die Politik. In: Die Aktion v. 22. 5. 1912, Sp. 651.

162 Ders., Intensität. In: Die Aktion v. 14. 5. 1913, Sp. 511.

163 Ders., Der Dichter (Anm. 161).

164 Heinrich Mann, Zola. In: Mann, Ausgew. Werke Bd. 11 (Anm. 158), 209.

165 Franz Pfemfert, Vom Kompromiß. In: Die Aktion v. 12. 2. 1913, Sp. 198. — Vgl. Rudolf Kurz, Heinrich Manns politische Ideologie, ebd. (18. 12. 1912), Sp. 1605/06.

166 Thomas Nipperdey, Jugend und Politik um 1900. In: Kulturkritik und Jugendkult, hrsg. v. Walter Rüegg. Frankfurt 1974, 87—114 (94 f.).

167 Franz Pfemfert, Die Jugend spricht! In: Die Aktion v. 11. 10. 1913, Sp. 953/4.

168 Die Aktion v. 8. 5. 1912, Sp. 581.

169 Ein Ansatz bei David Meakin, Decadence and the Devaluation of Work: The Revolt of Sorel, Péguy and the German Expressionists. In: European Studies Review 1 (1971), 49—60.

170 Vgl. Hans-Joachim Lieber, Die deutsche Lebensphilosophie und ihre Folgen. In: Nationalsozialismus und die deutsche Universität. Universitätstage 1966. Berlin 1966, 92–108.

171 Ausführlich dargestellt von R. J. V. Lenman, Art, Society, and the Law in Wilhelmine Germany: the Lex Heinze. In: Oxford German Studies 8 (1973), 86–113.

172 Vgl. Ernst Robert Curtius, Die Wegbereiter des neuen Frankreich. Potsdam 1923 (3. Aufl.), 17.

173 Vgl. Dieter Fricke, Zur Rolle der revisionistischen Zeitschrift ›Die Neue Gesellschaft‹ in der deutschen Arbeiterbewegung 1905 bis 1907. In: Beitr. z. Gesch. d. Arbeiterbewegung 17 (1975), 696–709; Willy Hellpach, Wirken in Wirren. Lebenserinnerungen Bd. 1. Hamburg 1948, 230 ff. und passim.

174 Ein paar Briefe, die keines Kommentars bedürfen. In: Die Zukunft Bd. 49 (1904), 68.

175 Über H. Manns Verhältnis zu Kant s. die ausführl. Darst. bei Hanno König (Anm. 160, 216–299), dazu die einschränkende Rez. v. Doris Keutmann in Zs. f. dt. Philologie 93 (1974), 300–307.

176 Hermann Lübbe, Politische Philosophie in Deutschland. Basel/Stuttgart 1963, 114.

177 Max Adler, Der Sozialismus und die Intellektuellen. Wien 1919, 6 (Vorw. zur 1. Aufl. 1910).

178 Rez.: Max Adler, Der Sozialismus und die Intellektuellen. In: Die Neue Zeit 28, II (1909/10), 852 f.

179 Lothar Peter, Literarische Intelligenz und Klassenkampf. Die Aktion 1911–1932. Köln 1972, 32.

180 Vgl. Helmut Kreuzer, Die Bohème. Analyse und Dokumentation der intellektuellen Subkultur vom 19. Jh. bis zur Gegenwart. Stuttgart 1971 (1968).

181 Peter (Anm. 179), 28. – Vgl. Friedrich Albrecht, Deutsche Schriftsteller in der Entscheidung. Wege zur Arbeiterklasse 1918–1933. Berlin/Weimar 1970, 60 f.

182 Parteitagsrede. In: Kain 3 (1913), Nr. 7, 98 f.

183 Gustav Landauer, Aufruf zum Sozialismus, hrsg. v. Heinz-Joachim Heydorn. Frankfurt 1967, 89.

184 Vgl. Eugene Lunn, Prophet of Community. The Romantic Socialism of Gustav Landauer. Berkeley 1973 (bes. »The Literature of the Volk«, 280–290).

185 Landauer, Aufruf zum Sozialismus, 86.

186 Julius Skall, Das Verhältnis der Kunst zum Anarchismus. In: Jahrbuch der freien Generation für 1910. N. F. Bd. 1.

Paris 1910, 102—109 (109).

187 Levin L. Schücking, Soziologie der literarischen Geschmacksbildung. München 1923.

188 Vgl. Walter H. Sokel, Der literarische Expressionismus. München o. J. (1960), 54; Silvio Vietta, Großstadtwahrnehmung und die literarische Darstellung. Expressionistischer Reihungsstil und Collage. In: Dt. Vierteljahrsschrift f. Literaturwiss. u. Geistesgesch. 48 (1974), 354—373.

189 Marx, Randglossen zum Programm der Deutschen Arbeiterpartei. In: Marx, Politische Schriften Bd. 2, hrsg. v. H.-J. Lieber. Stuttgart 1960, 1017.

190 -g., Meunier als Prophet der Arbeiter. In: Die Neue Zeit 24, I (1905/06), 752—755 (753); vgl. F. P., Der Arbeiter in der bildenden Kunst, ebd. 21, II (1903/04), 22—29. — Zum Aspekt der Monumentalisierung der Arbeit s. J. A. Schmoll gen. Eisenwerth, Denkmäler der Arbeit — Entwürfe und Planungen. In: Denkmäler im 19. Jahrhundert, hrsg. v. Hans-Ernst Mittig/Volker Plage. München 1972, 253—281.

191 Vgl. Wolfgang Frhr. von Löhneysen, Kunst und Kunstgeschmack von der Reichsgründung bis zur Jahrhundertwende. In: Zeitgeist im Wandel Bd. 1. Das Wilhelminische Zeitalter, hrsg. v. Hans Joachim Schoeps. Stuttgart 1967, 87—120.

192 Gertrud Bäumer, Dichtung und Maschinenzeitalter. In: Die Frau 14 (1906/07), 267—275, 358—365 (359).

193 Gertrud Alexander, Politische und literarische Bildung — Grundlagen sozialistischer Journalistik. In: Klaus Puder, Erinnerungen sozialistischer Journalisten. Berlin 1968, 141 bis 149 (144).

194 Vgl. Fritz Stern, The Politics of Cultural Despair (Anm. 142), 173 ff.

195 Friedrich Naumann, Kunst und Volk. In: Naumann, Werke Bd. 6. Köln/Opladen 1964, 78—93 (88).

196 Ders., Allgemeine photographische Ausstellung (1906), ebd., 216—218.

197 Ders., Kunst und Volk (Anm. 195), 90.

198 Emilie Altenloh, Zur Soziologie des Kino. Die Kino-Unternehmung und die sozialen Schichten ihrer Besucher. Jena 1914, 100.

199 Ebd., 102.

200 Franz Förster, Das Kinoproblem und die Arbeiter. In: Die Neue Zeit 32, I (1913/14), 486.

201 Sichtbare Musik (1912), in: Naumann (Anm. 195), 559.

202 Zit. n. Hans Barth, Masse und Mythos. Die ideologische Krise an der Wende zum 20. Jahrhundert und die Theorie der Gewalt: Georges Sorel. Hamburg 1959, 130.

203 Lukács im Vorwort von 1962 zur Theorie des Romans, Neuwied/Berlin 1963, 13.

204 Giuseppe La Ferla, Introduzione allo studio delle opere di G. Sorel, zit. n. Michael Freund, Georges Sorel. Der revolutionäre Konservatismus. Frankfurt 1972 (Neudr.), 212.

205 Sergei Eisenstein, Dickens, Griffith und wir. In: Eisenstein, Ausgew. Aufsätze. Berlin 1960, 157–229 (192).

206 Ebd., 212, 216, 217.

207 Vgl. Paul Szende, Bergson, der Metaphysiker der Gegenrevolution. In: Die Gesellschaft 7, II (1930), 542–568 (565).

208 Hans-Georg Gadamer, Wahrheit und Methode. Tübingen 1960, 60 ff.

209 So der Untertitel zu Clemens Heselhaus, Deutsche Lyrik der Moderne von Nietzsche bis Ivan Goll. Düsseldorf 1961.

210 Zit. n. Christa Baumgarth, Geschichte des Futurismus. Reinbek 1966, 167 f.

211 Ebd. 170.

212 Adolf Hitler, Mein Kampf. München 1942, 526. – Vgl. Gert Mattenklott, Bilderdienst. München 1970, 24 f.

Kapitel V
(Seite 339–404)

1 Brief an Hans Diefenbach v. 5. 3. 1917. In: Luxemburg, Schriften über Kunst und Literatur. Dresden 1972, 159.

2 Etwa im Archiv für Sozialwissenschaft und Sozialpolitik; Robert Michels, Psychologie der antikapitalistischen Massenbewegungen. In: Grundriß der Sozialökonomik 9. Tübingen 1926, 271 ff. (mit Bibl.); Theodor Geiger, Zur Kritik der arbeiterpsychologischen Forschung. In: Die Gesellschaft 8, I (1931), 237–254; Leo Uhen, Gruppenbewußtsein und informelle Gruppenbildungen bei deutschen Arbeitern im Jahrhundert der Industrialisierung. Berlin 1964; Ursula Münchow, Frühe deutsche Arbeiterautobiographien. Berlin 1973; Proletarische Lebensläufe, hrsg. v. Wolfgang Emmerich. Reinbek 1974 ff.

3 Ein Überblick bei Anthony Oberschall, Empirical Social Research in Germany 1848–1914. Paris/The Hague 1965. –

Lukács, der einst dem Kreis um Max Weber angehört hatte, setzte sich ideologiekritisch damit auseinander: Die deutsche Soziologie vor dem Ersten Weltkrieg. In: Aufbau 2 (1946), 476–489.

4 Otto Rühle, Das proletarische Kind. München 1922 (Einl. z. 1. Aufl. 1911), 17.

5 Max Weber, Zur Methode sozialpsychologischer Enquêten und ihrer Bearbeitung. In: Archiv f. Sozialwiss. u. Sozialpol. 29 (1909), 949–958 (953).

6 Carl Fischer an Eugen Diederichs (16. 12. 1903). In: Diederichs, Selbstzeugnisse und Briefe von Zeitgenossen. Düsseldorf/Köln 1967, 137.

7 Denkwürdigkeiten und Erinnerungen eines Arbeiters, hrsg. v. Paul Göhre. Leipzig 1903, IV (Vorw.).

8 Kreuz-Zeitung v. 19. 6. 1891, zit. n. Max Schippel, Drei Monate Fabrikarbeiter. In: Die Neue Zeit 9 (1890/91), 506.

9 Franz Diederich. Ein Buch Vorgeschichte des modernen Industriearbeiters in Deutschland. In: Die Neue Zeit 21, II (1902/03), 636 f.

10 E-r, Memoiren eines Proletariers. In: Die Neue Rundschau 14 (1903), 889–891.

11 Wilhelm Hegeler, Erinnerungen eines Arbeiters. In: Das litterarische Echo (1903), Sp. 30–35 (35).

12 Paul Ernst, Das Buch eines Arbeiters. In: Die Zukunft Bd. 45 (1903), 328–333.

13 Otto Wittner, Der Sozialismus und die Kunst. In: Der Kampf 3 (1909/10), 280–285.

14 Delbrück, Rez. zu Rehbein. In: Preußische Jahrbücher Bd. 147 (1912), 536–540.

15 Mehring, Ges. Schriften Bd. 11, 496–500 (498).

16 Proletariers Jugendjahre, hrsg. v. Adolf Levenstein. Berlin o. J. (1909), 95.

17 Rudolph Broda/Julius Deutsch, Das moderne Proletariat. Eine sozialpsychologische Studie. Berlin 1910, 141.

18 Vgl. die Angaben bei Max Weber (Anm. 5) und Heinrich Herkner, Seelenleben und Lebenslauf in der Arbeiterklasse. In: Preußische Jahrbücher Bd. 140 (1910), 393–412.

19 Adolf Levenstein, Die Arbeiterfrage. Mit besonderer Berücksichtigung der sozialpsychologischen Seite des modernen Großbetriebes und der psycho-physischen Einwirkungen auf die Arbeiter. München 1912.

20 Vgl. Anm. 18.

21 Vgl. Levensteins Kommentar: Arbeiterdilettantenkunst. In: Der Kunstwart 23 (1910), 404–407.

22 Von Emil Ritter, der den ersten Gedichtband von Lersch (Abglanz des Lebens. Mönchen-Gladbach 1914) einleitete, s. den Aufsatz: Proletarische Literatur. In: Hochland 11, II (1913/14) 20–43.

23 app., Arbeiterleben. In: Der Kampf 3 (1909/10), 47.

24 Vgl. Aus dem Schaffen früher sozialistischer Schriftstellerinnen, hrsg. v. Cäcilia Friedrich. Berlin 1966; Renate Genth, Literarische Zeugnisse aus der frühen sozialdemokratischen Arbeiterinnenbewegung. In: Arbeiterdichtung. Wuppertal 1973, 47–64.

25 Arno Franke, Die Parteipresse auf dem Parteitag. In: Die Neue Zeit 32, I (1913/14), 25 f. — Vgl. Gustav Hoch, Die Aufgaben der Parteipresse, ebd.; A. Franke, Nochmals die Arbeiterpresse, ebd., 427 f.

26 Max Weber, Zur Methodik (Anm. 5), 956 f.

27 Vgl. Hermann Bertlein, Jugendleben und soziales Bildungsschicksal. Reifungsstil und Bildungserfahrung werktätiger Jugendlicher 1860–1910. Hannover 1966.

28 Alfred Weber, Das Berufsschicksal des Industriearbeiters. In: Archiv f. Sozialwiss. u. Sozialpol. 34 (1912), 377–405 (394).

29 Theodor Geiger, Zur Kritik (Anm. 2), 243.

30 Alfred Weber, Das Berufsschicksal (Anm. 28), 392.

31 Vgl. Peter N. Stearns, Adaptation to Industrialization: German Workers as a Test Case. In: Central European History 3 (1970), 303–331.

32 D. Bach, Vagabonden. In: Die Neue Zeit 19, I (1900/01), 26.

33 Jost Hermand, Der ›neuromantische‹ Seelenvagabund. In: Hermand, Der Schein des schönen Lebens. Frankfurt 1972, 128–146.

34 Vgl. Alfred Klein, Im Auftrag ihrer Klasse. Berlin/Weimar 1972, 222 f.

35 Eine ausführliche Darst. dieser Situation vor dem 1. Weltkrieg bei Willi Münzenberg, Die Dritte Front. Berlin 1931.

36 Lu Märten, Revolutionäre Dichtung in Deutschland. In: Die Erde 2 (1920), H. 1, 12–38 (15).

37 Rudolf Franz, Revolutionäre Lyrik. In: Die Neue Zeit 29, I (1910/11), 341, 344. — Vgl. die Erwiderung von Häusgen, ebd., 615/616.

38 Vgl. Inge Lammel, Das Arbeiterlied. Leipzig 1970, 48 ff.

39 Werner Möller, Sturmgesang. Proletarische Gedichte. Elberfeld (1913), 10.

40 Alfred Klein, Im Auftrag (Anm. 34), 54.

41 P. M. Kerschenzew, Das schöpferische Theater. Hamburg 1922, 91 ff.

42 Wilhelm Hausenstein, Meunier und der belgische Künstlersozialismus. In: Der Strom 3 (1913/14), 152–156 (154).

43 Franz Diederich, Emile Verhaeren. In: Der Kampf 4 (1910 bis 11), 520–526 (522).

44 Vgl. Heinz Rölleke, Die Stadt bei Stadler, Heym und Trakl. Berlin 1966, 32; Manfred Gsteiger, Französische Symbolisten in der deutschen Literatur der Jahrhundertwende (1869–1914). Bern/München 1971, 158.

45 Über Whitmans starken Einfluß s. Harry Law-Robertson, Walt Whitman in Deutschland. Gießen 1935.

46 Otto Krille, Aus engen Gassen. Gedichte. Berlin 1904, 21 f.

47 Ebd., 6.

48 Ders., Kunst und Kapitalismus. In: Die Neue Zeit 24, I (1905/06) 530–534 (533).

49 Ders., Die Kunstphrase und die Arbeiterfeste. In: Die Neue Zeit 23, I (1904/05), 460.

50 Vgl. Ernst Preczang, Auswahl aus seinem Werk, hrsg. v. Helga Herting. Berlin 1969, XIV (Einl.).

51 Ebd., 16.

52 Marie Pukl, Soziale Lyrik (Lyrik der Arbeit). In: Die Lese 2 (1911), 718.

53 Vgl. Herbert Exenberger, Petzold und die österreichische Sozialdemokratie. In: Alfons Petzold. Beiträge zum Leben und Schaffen, hrsg. v. H. Exenberger/Hans Schroth/Fritz Hüser. Dortmund 1972, 39–42.

54 Tagebucheintragung v. 24. 1. 1909. In: Petzold, Das rauhe Leben. Wien/Leipzig 1940, 437.

55 Ebd., 242 f.

56 Julius Bab, Arbeiterdichtung. Berlin o. J. [1924, 2. Aufl.], 25 ff.

57 Josef Luitpold Stern, Der Dichter als Kampfgefährte. In: Der Kampf 4 (1910/11), 326–329 (327).

58 Ders., Arbeiter und Dichter. In: Der Kampf 5 (1911/12), 182–188 (184).

59 Ebd., 185 f.

60 Der Strom 4 (1914), 129.

61 Diese und die folgenden Angaben nach: Dora Angres, Die Beziehungen Lunačárskijs zur deutschen Literatur. Berlin 1970, 36.

62 Noch die Untersuchung von Christoph Rülcker, Ideologie der Arbeiterdichtung 1914–1933 (Stuttgart 1970), hat 1914 als Ausgangspunkt. — Vgl. für die Kriegszeit: Rolf Busch, Imperialismus und Arbeiterliteratur im Ersten Weltkrieg. In: Archiv für Sozialgeschichte 14 (1974), 293–350.

63 Franz Osterroth, Biographisches Lexikon des Sozialismus Bd. 1. Hannover 1960, 51 f.

64 Patrick Bridgewater, German Poetry and the First World War. In: European Studies Review 1 (1971), 147–186.

65 Julius Bab, Die deutsche Kriegslyrik 1914–18. Eine kritische Bibliographie. Stettin 1920, 25.

66 Roland N. Stromberg, The Intellectuals and the Coming of War. In: Journal of European Studies 3 (1973), 109–122.

67 Josef Luitpold Stern, Der deutsche Dichter und der Krieg. In: Der Kampf 7 (1913/14), 529–538. — Vgl. Fritz Elsner, Die Kriegslyrik der ersten Wochen. In: Die Neue Zeit 33, I (1914/15), 569–576.

68 Partei und Vaterland. In: Lichtstrahlen 2 (Okt. 1914), H. 1, 1–4 (3).

69 Franz Muncker, Gedichte eines Fabrikarbeiters. In: Süddeutsche Monatshefte (1910), II, 373–381.

70 L. Lessen (Karl Bröger, Die singende Stadt). In: Die Neue Zeit 32, II (1913/14), 935.

71 Karl Bröger, Die singende Stadt. Nürnberg o. J. [1914], 10.

72 Edwin Hoernle, Kriegsgedichte. In: Lichtstrahlen 2 (4. 4. 1915), H. 7, 129–133 (132 f.).

73 Gesammelt in: Aus Krieg und Kerker, Stuttgart, enthalten in: Hoernle, Rote Lieder. Berlin/Weimar 1968.

74 Karl Bröger, Kamerad, als wir marschiert. Jena 1918, 3.

75 Hermann Wendel (Bröger, Aus meiner Kriegszeit). In: Die Neue Zeit 33, I (1914/15), 765.

76 Arthur Rosenberg, Entstehung der Weimarer Republik. Frankfurt 1961, 69. — Eine ausführliche Erörterung bei Wolfram Wette, Kriegstheorien deutscher Sozialisten, Stuttgart 1971, bes. 95 ff.

77 Zit. n. Georges Haupt, Programm und Wirklichkeit. Die internationale Sozialdemokratie vor 1914. Neuwied/Berlin 1970, 173.

78 Zit. n. Egmont Zechlin, Bethmann Hollweg, Kriegsrisiko

und SPD vor 1914. In: Erster Weltkrieg, hrsg. v. Wolfgang
Schieder. Köln/Berlin 1969, 179 f.

79 Georges Haupt, Socialism and the Great War. The Collapse
of the Second International. Oxford 1972, 228.

80 Otto Rühle, Schriften, hrsg. v. Gottfried Mergner. Reinbek,
168.

81 Anschauliches Zeugnis legt davon die Entwicklung des Na-
tionaldenkmals in Deutschland seit dem 19. Jh. ab. Bes. aufschlußreich für die Zeit vor 1914: das Völkerschlachtdenkmal
in Leipzig von 1913, mit dem die Nation nicht mehr als
»Kultur- und Glaubensgemeinschaft«, sondern als »Kampf-,
Schicksals- und Opfergemeinschaft« bestimmt wird, in die
sich der einzelne, erfüllt von »mystischem Schauer«, einfügen
soll. (Thomas Nipperdey, Nationalidee und Nationaldenkmal
in Deutschland im 19. Jahrhundert. In: Historische Zs. Bd.
206, 1968, 576 f.).

82 Jürgen Kocka, Klassengesellschaft und Krieg. Deutsche Sozialgeschichte 1914–1918. Göttingen 1973, 136.

83 Karl Bröger, Der Held im Schatten. Jena 1919, 203.

84 Vgl. Rolf Geißler, Dekadenz und Heroismus. Zeitroman und
völkisch-nationalsozialistische Literaturkritik. Stuttgart 1964,
bes. 76 ff.; Hubert Orlowski, Untersuchungen zum falschen
Bewußtsein im deutschen Entwicklungsroman. Poznań 1971.

85 Benjamin, Eduard Fuchs, der Sammler und der Historiker.
In: Benjamin, Angelus Novus. Frankfurt 1966, 302–343
(309).

86 Ludwig Preller, Sozialpolitik in der Weimarer Republik.
Stuttgart 1949, 130 f.

87 Ein kurzer Überblick bei Werner Claus, Die Entwicklung der
Werkszeitschriften in Deutschland bis 1945. In: Zs. für
Journalistik 2 (1961), H. 4, 52–63.

88 Die Werksgemeinschaft. In: Der Bund Nr. 49 (9. 12. 1912),
zit. n. K. Vorwerck/K. Dunkmann, Die Werksgemeinschaft in
historischer und soziologischer Beleuchtung. Berlin 1928, 13.

89 Benjamin, Über den Begriff der Geschichte [Geschichtsphilo-
sophische Thesen]. In: Benjamin, Ges. Schriften Bd. 1, 2,
hrsg. v. Rolf Tiedemann/Hermann Schweppenhäuser. Frankfurt 1974, 698 f.

90 Chup Friemert, Das Amt ›Schönheit der Arbeit‹. In: Das
Argument (1972), H. 72, 258–275.

91 Vgl. Hermann Osten, Die Arbeitsfreudigkeit im Zusammenhang mit der geschichtlichen Entwicklung der sozialen Fragen

und den sozialpsychologischen Fragen der Gegenwart. Diss. Berlin 1928; Hendrik de Man, Der Kampf um die Arbeitsfreude. Jena 1927.

92 Nikolaus Pevsner, Wegbereiter moderner Formgebung. Von Morris bis Gropius. Hamburg 1957.

93 Helmuth Plessner, Die Legende von den zwanziger Jahren. In: Plessner, Diesseits der Utopie. Düsseldorf/Köln 1966, 87–102 (94 f.).

94 Zit. n. Sebastian Müller, Kunst und Industrie. Ideologie und Organisation des Funktionalismus in der Architektur. München 1974, 8.

95 Friedrich Naumann, Die Kunst im Zeitalter der Maschine (1904). In: Naumann, Werke 6. Köln/Opladen 1964, 186.

96 Peter Jessen, Der Werkbund und die Großmächte der deutschen Arbeit. In: Jahrbuch des Deutschen Werkbundes 1912. Jena 1912, 2–10 (6 f.).

97 Naumann, Kunstgewerbe und Sozialpolitik (1906). In: Naumann, Werke 6, 450.

98 Ebd., 451.

99 Hermann Muthesius, Wo stehen wir? In: Jahrbuch (Anm. 96), 11–26 (15).

100 Zu den wenigen Sozialisten, die in Deutschland die Annäherung von Industrie und Kunst verfolgten und Rückschlüsse auf die Möglichkeiten des Sozialismus zogen, gehörte nach 1900 der polnische Journalist Julian Marchlewski (Karski). Einige seiner Artikel sind zugänglich in: Marchlewski, Sezession und Jugendstil. Sozialdemokratische Kritik um 1900. Dresden 1974.

101 Wilhelm Hausenstein, Zur Sozialpolitik der Kunst. In: Der Kampf 4 (1910/11), 585–592 (592).

102 Angres, Die Beziehungen Lunačarskijs (Anm. 61), 88.

103 Karlheinz Daniels, Expressionismus und Technik. In: Expressionismus als Literatur, hrsg. v. Wolfgang Rothe. Bern/München 1969, 171–193.

104 Vgl. Friedrich Dessauer, Gedanken über Technik, Kultur und Kunst. In: Hochland 4, II (1907), 47–61; 189–201; Gerd Hortleder, Das Gesellschaftsbild des Ingenieurs. Zum politischen Verhalten der technischen Intelligenz in Deutschland. Frankfurt 1970, 76 ff.

105 Zu diesen Analogien s. Deutsche Arbeiterdichtung 1910 bis 1933, hrsg. v. Günter Heinz. Stuttgart 1974, 32 ff. (Einl.).

106 Zit. n. Armin Ayrenschmalz, Technik und Dichtung. In:

Schweizer Monatshefte 40 (1960/61), 602 f.

107 M. v. Eyth, Poesie und Technik. In: Zs. des Vereins deutscher Ingenieure Nr. 31 (30. 7. 1904), 1129.

108 Vgl. Reinhard Rürup, Die Geschichtswissenschaft und die moderne Technik. In: Aus Theorie und Praxis der Geschichtswissenschaft. Fs. Hans Herzfeld, hrsg. v. Dietrich Kurze. Berlin/New York 1972, 49 ff.

109 Ernst Lissauer, Politische Strömungen in der neuesten deutschen Literatur. In: Die Tat 5 (1913/14), 1145–1156 (1148).

110 Naumann, Die Kunst im Zeitalter der Maschine (Anm. 95), 194.

111 Theodor Kummer, Poesie im Industriezeitalter. Festvortrag. Gelsenkirchen 1911, 5.

112 Die Reisen Kunzens von der Rosen, des Optimisten. Jena 1910, 60.

113 Franz Alfons Hoyer, Die Werkleute auf Haus Nyland. Diss. Freiburg 1939, 80.

114 Abdruck der Anzeige in: Fritz Hüser/Ferdinand Oppenburg, Erlebtes Land – unser Revier. Das Ruhrgebiet in Literatur, Graphik und Malerei. Duisburg 1966, 61.

115 Kunst und Industrie I. In: Quadriga H. 2 (Herbst 1912), 68–89 (88 f.). Der Aufsatz stammt von Winckler; eine Aufschlüsselung der unsignierten Beiträge der ›Quadriga‹ findet sich in der Zs. ›Nyland‹ H. 1, 1918.

116 Ebd., 83.

117 Am Eingang steht. In: Quadriga H. 4 (Frühj. 1913), 212 bis 226. Karl Zielke veröffentlichte zus. mit Engelke und Lersch den Gedichtband: Schulter an Schulter. Gedichte von drei Arbeitern. Jena 1916.

118 Richard Dehmel, Ausgew. Briefe aus den Jahren 1902 bis 1920. Berlin 1923, 290.

119 Ebd., 291.

120 Robert Musil, Der Mann ohne Eigenschaften. Hamburg 1952, 147.

121 Vgl. die ›Nyland‹-Anzeige (Anm. 114).

122 Paul Robert, Das schwarze Revier. In: Die Aktion v. 18. 6. 1913, Sp. 619.

123 Paul Zech, Die eiserne Brücke. Neue Gedichte. Leipzig 1914.

124 Heinrich Lersch, Skizzen und Erzählungen aus dem Nachlaß. Hamburg 1940, 72.

125 Max von der Grün, Gerrit Engelke. In: Gewerkschaftliche Rundschau 16 (1963), 164–168 (165).

126 Zit. n. Minna Loeb, Die Ideengehalte der Arbeiterdichtung. Diss. Gießen 1932, 26.

127 Gerrit Engelke, Das Gesamtwerk, hrsg. v. Hermann Blome. München 1960, 102.

128 Vgl. die distanziert geschriebene Kriegserzählung ›Die Festung‹ v. 29. 8. 1914, ebd., 323–337.

129 Heinrich Lersch, Ausgew. Werke Bd. 2, hrsg. v. Johannes Klein. Düsseldorf/Köln 1965, 176 f.

130 Hermann Lübbe, Politische Philosophie in Deutschland. Basel/Stuttgart 1963, 214.

131 Joseph Roth, Schluß mit der ›Neuen Sachlichkeit‹! In: Die Literarische Welt v. 17. 1. 1930, 3.

132 Gerd Hortleder (Anm. 104), 87.

133 Adolf Hitler, Mein Kampf. München 1942, 247.

134 Timothy W. Mason, Arbeiterklasse und Volksgemeinschaft. Dokumente und Materialien zur deutschen Arbeiterpolitik 1936–1939. Opladen 1975, 1–16 (›Die Erbschaft der Novemberrevolution für den Nationalsozialismus‹).

135 Theodor Jost, Mechanisierung des Lebens und moderne Lyrik. Bonn 1934, 7 f.

136 Lersch, Ausgew. Werke Bd. 1, 65.

137 Georg Lukács, Die deutschen Intellektuellen und der Krieg [Ms. aus dem Nachlaß]. In: Text und Kritik H. 39/40 (1973), 65–69 (68).

138 Ebd., 67 f.

139 Ernst Jünger, Der Arbeiter. In: Jünger, Werke Bd. 6. Stuttgart o. J. [1964], 118 f.

140 Man hat darauf hingewiesen, daß Jünger dasselbe Begriffsinstrumentarium benutzt (Gestalt, Typus, Totalität), dessen sich schon Lukács in der ›Theorie des Romans‹ bedient, s. Gerald Stieg/Bernd Witte, Abriß einer Geschichte der deutschen Arbeiterliteratur. Stuttgart 1973, 135. – Zum Bildgebrauch s. Karl Prümm, Die Literatur des Soldatischen Nationalismus der zwanziger Jahre (1918–1933). Kronberg 1974, 113 ff.

141 A. James Gregor, The Fascist Persuasion in Radical Politics. Princeton 1974, 187 f.

142 Benjamin, Theorien des deutschen Faschismus. In: Benjamin, Ges. Schriften Bd. 3, hrsg. v. Hella Tiedemann-Bartels. Frankfurt 1972, 247 f.

143 Lersch, Ausgew. Werke Bd. 1, 283 f.

144 Ebd., 282 f.

Kapitel VI
(Seite 405—524)

1 Gift und Galle. Unterirdische Literatur aus zwei Jahrhunderten (1700—1918), hrsg. v. Ernst Drach. Hamburg/Berlin 1919, 6 (Vorw.).
2 Ebd., 129.
3 Wolfgang Steinitz, Deutsche Volkslieder demokratischen Charakters aus sechs Jahrhunderten Bd. 2. Berlin 1962, 341; vgl. die Kapitel ›Lieder gegen Krieg und Hungerpolitik aus dem ersten Weltkrieg 1914—1918‹ und ›Kurzlebige Lieder aus den ersten Monaten der Revolution‹.
4 Rolf Busch, Imperialismus und Arbeiterliteratur im Ersten Weltkrieg. In: Archiv für Sozialgeschichte 14 (1974), 320 ff.
5 Der neue Sozialistenmarsch, zit. n. Susanne Leonhard, Unterirdische Literatur im revolutionären Deutschland während des Weltkrieges. Berlin 1920, 12 f. (Neuaufl. Frankfurt 1968).
6 Vgl. Barthels Kriegslyrik in: Verse aus den Argonnen (1916), Freiheit (1917). — Weitere Beispiele oppositioneller Lyrik nach 1914 in: Stimme des Vortrupps. Proletarische Laienlyrik 1914—1945, hrsg. v. Ursula Münchow. Berlin 1961; Wir sind die Rote Garde. Sozialistische Literatur 1914—1935 Bd. 1, hrsg. v. Edith Zenker. Leipzig 1967 (2. Aufl.).
7 Willi Münzenberg, Die dritte Front. Berlin 1931, 284.
8 Vgl. Helga Grebing, Konservative Republik oder soziale Demokratie? Zur Bewertung der Novemberrevolution in der neueren westdeutschen Historiographie. In: Vom Kaiserreich zur Republik, hrsg. v. Eberhard Kolb. Köln 1972, 386—403.
9 Gerald D. Feldman/E. Kolb/R. Rürup, Die Massenbewegungen der Arbeiterschaft in Deutschland am Ende des Ersten Weltkrieges (1917—1920). In: Politische Vierteljahrsschrift 13 (1972), 84—105 (85).
10 Ebd.
11 Hermann Lübbe, Politische Philosophie in Deutschland, 211. — Zur Wirkung dieses Konzepts in den zwanziger Jahren s. Reinhard Kühnl, Die nationalsozialistische Linke 1925—1930. Meisenheim 1966, 170 ff.
12 Zit. n. Hans Manfred Bock, Syndikalismus und Linkskommunismus von 1918 bis 1923. Meisenheim 1969, 410.
13 Karl Schröder, Vom Werden der neuen Gesellschaft. Alte und neue Organisationsformen. Berlin (1920), 4 ff., 15 f.

14 Almanach der Freien Zeitung 1917–1918, hrsg. v. Hugo Ball. 1918, XIII f.

15 Patrick Bridgwater, German Poetry and the First World War. In: European Studies Review 1 (1971), 147–186 (179 ff.).

16 Vgl. Reinhard Meyer u. a., Dada in Zürich und Berlin 1916 bis 1920. Kronberg 1973.

17 Miklavž Prosenc, Die Dadaisten in Zürich. Bonn 1967, bes. 31–45.

18 Ernst Troeltsch, Die Ideen von 1914. In: Die Neue Rundschau 27 (1916), 605–624 (610).

19 Kurt Hiller, Philosophie des Ziels. In: Das Ziel. Aufrufe zum tätigen Geist, hrsg. v. K. Hiller, 1916, zit. n. Der Aktivismus 1915–1920, hrsg. v. Wolfgang Rothe. München 1969, 35, 38, 54.

20 Troeltsch, Die Ideen von 1914, 613.

21 Rudolf Leonhard, Wir Kriegsdichter. In: Die Neue Weltbühne H. 45 (5. 11. 1936), 1419 f.

22 Vgl. Eva Kolinsky, Engagierter Expressionismus. Politik und Literatur zwischen Weltkrieg und Weimarer Republik. Stuttgart 1970, 71; Horst Denkler, Drama des Expressionismus. München 1967, 243 ff.

23 Vgl. Horst Schmidt, Von Tolstoj zu Marx. In: Wiss. Zs. der Univ. Halle (GR) 19 (1970), 105–118.

24 Walther Rilla, Zum ewigen Frieden? In: Die Erde 7 (1919), 200.

25 Kurt Hiller, Leben gegen die Zeit. Reinbek 1969, 125.

26 Walter Fähnders/Martin Rector, Linksradikalismus und Literatur. Untersuchungen zur Geschichte der sozialistischen Literatur in der Weimarer Republik Bd. 1. Reinbek 1974, 91 ff.

27 Ebd., 91.

28 Arthur Holitscher, Mein Leben in dieser Zeit. Der ›Lebensgeschichte eines Rebellen‹ zweiter Band (1907–1925). Potsdam 1928, 147.

29 Vossische Zeitung v. 21. 11. 1918, zit. n. Eberhard Buchner, Im Zeichen der roten Fahne. Die deutsche Revolution in der Darstellung der zeitgenössischen Presse. Berlin 1921, 302 f.

30 Kurt Eisner, Kommunismus des Geistes. In: Eisner, Die halbe Macht den Räten. Ausgew. Aufsätze und Reden, hrsg. v. Gerhard Schmolze. Köln 1969, 196. — Vgl. die ersten ausführl. Untersuchungen zur ökonomischen Lage der Künstler und Schriftsteller: W. Fred (= Alfred Wechsler), Literatur als Ware. Berlin 1911; Lu Märten, Die wirtschaftliche Lage der Künstler. München 1914.

31 Eisner, ebd., 199.
32 Robert Michels, Kurt Eisner. In: Archiv für die Geschichte des Sozialismus und der Arbeiterbewegung 14 (1929), 364 bis 391 (381).
33 Heinrich Mann, Kurt Eisner. In: Mann, Ausgew. Werke Bd. 12, hrsg. v. A. Kantorowicz. Berlin 1956, 26–30 (27).
34 Ders., Kaiserreich und Republik. In: ders., Macht und Mensch. München (1919), 265.
35 Ebd., 255.
36 Vgl. Shaul Ginsburg, Raymond Lefèbvre et le mouvement ›Clarté‹. In: Le Mouvement Social No. 60, 45–76.
37 Axel Eggebrecht, Gespräch mit Remarque. In: Die Literarische Welt Nr. 24 (14. 6. 1929).
38 Bernhard Kellermann, Der Schriftsteller und die deutsche Republik. In: An alle Künstler! Berlin 1919, 16.
39 Jenö Kurucz, Struktur und Funktion der Intelligenz während der Weimarer Republik, o. O. 1967, 92.
40 Zur Sit. in Frankreich s. Victor Roussot, La condition économique et sociale des travailleurs intellectuels. Paris 1934. Mit aktueller Zielrichtung: Ernst Robert Curtius, Der Syndikalismus der Geistesarbeiter in Frankreich. Bonn 1921.
41 Georg Schreiber, Die Not der Wissenschaft und der geistigen Arbeiter. Leipzig 1923, 135. – Vgl. Alfred Weber, Die Not der geistigen Arbeiter. Berlin 1923.
42 Vgl. Edwin Hoernle, Die Kommunistische Partei und die Intellektuellen. In: Die Internationale (1919), 223–227; Kurt Kersten, Wirtschaft, Kultur, Intellektuelle. In: Die Weltbühne H. 50 (13. 12. 1923).
43 Zur Beteiligung der Schriftsteller s. Wolfgang Frühwald, Kunst als Tat und Leben. Über den Anteil deutscher Schriftsteller an der Revolution in München 1918/1919. In: Literaturwissenschaftliches Jahrbuch. Sonderband, hrsg. v. W. Frühwald/Günter Niggl. Berlin 1971, 361–389.
44 Dora Angres, Die Beziehungen Lunačárskijs zur deutschen Literatur, Berlin 1970, 169.
45 Ebd., 170.
46 Zur Scheidung von objektivem und subjektivem Klassenbegriff s. Ernest Mandel, Lenin und das Problem des proletarischen Klassenbewußtseins. In: Lenin. Revolution und Politik, hrsg. v. Paul Mattick u. a. Frankfurt 1970. 149–205 (157 f.).
47 Ernst Friedrich, Oskar Kanehl, der proletarische Dichter. Berlin 1924, 7.

48 Max Barthel, Utopia. Jena 1920, 28 f.

49 Ebd., 9.

50 Die Junge Garde Nr. 22 (24. 5. 1919).

51 Erich Anspach, Die neue Dichtung. In: Die Junge Garde v. 1. 5. 1919.

52 Radeks Schilderung ist abgedruckt in: Max Barthel, Kein Bedarf an Weltgeschichte. Wiesbaden 1950, 57–65.

53 Zit. n. Edwin Hoernle, Rote Lieder. Berlin/Weimar 1968, 85.

54 Vgl. Hoernles Bühnenspiel ›Arbeiter, Bauern und Spartakus‹, das in Anlehnung an das von Piscator entwickelte Agitationstheater 1921 sehr direkt zur politischen Gegenwart — dem Bündnis mit den Bauern — Stellung bezog.

55 Vgl. Clara Zetkin, Regierungspolitik und Generalstreik in Württemberg (1919). In: Zetkin, Ausgew. Reden und Schriften Bd. 2. Berlin 1960, 137.

56 Die Kommunistin. Frauenorgan der K.P.D. Nr. 7 (1919), 56.

57 Zetkin, Mit Entschiedenheit für das Werk der Bolschewiki! In: Zetkin (Anm. 55), 37.

58 Dies., Revolutionäre Kämpfe und revolutionäre Kämpfer, ebd., 166.

59 Vgl. Ossip K. Flechtheim, Die KPD in der Weimarer Republik. Frankfurt 1969, 159 (Neuaufl.).

60 Eine ausf. Darst. mit Dokumenten in: Literatur im Klassenkampf. Zur proletarisch-revolutionären Literaturtheorie 1919 bis 1923. Eine Dokumentation, hrsg. v. Walter Fähnders/ Martin Rector. München 1971.

61 Um die Proletarische Kultur. In: Die Internationale Nr. 7 (3. 11. 1920).

62 Adolf Lau, Revolutionäre Bildungsarbeit. In: Die Internationale Nr. 60 (31. 12. 1920).

63 Adolf Lau, Das Erwachen des Jungproletariats. Ein Rückblick und ein Ausblick, ebd.

64 Felix Stössinger, Moderne revolutionäre Kunst. In: Freie Welt H. 39 (1920), 4. — Für die politische und kulturpolitische Selbstdarstellung der USPD vgl. Die Revolution. Unabhängiges sozialdemokratisches Jahrbuch für Politik und proletarische Kultur 1920. Berlin 1920.

65 Vgl. die Dokumentation in: Literatur im Klassenkampf (Anm. 60), 155–182 (bes. 178 ff.).

66 Aufruf zu einem ›Bund für proletarische Kultur‹. In: Räte-Zeitung Nr. 41 (1919), zit. n. Literatur im Klassenkampf (Anm. 60), 157.

67 Der Bund für proletarische Kultur. In: Die Rote Fahne Nr. 74 (19. 12. 1919), ebd., 180.

68 Erwin Piscator, Schriften Bd. 2, hrsg. v. Ludwig Hoffmann. Berlin 1968, 9–12 (11 f.).

69 Ders., Das Politische Theater. Berlin 1929 (= Schriften Bd. 1), 42.

70 Vgl. Horst Denkler, Auf dem Wege zur proletarisch-revolutionären Literatur und zur Neuen Sachlichkeit. Zu frühen Publikationen des Malik-Verlages. In: Die deutsche Literatur in der Weimarer Republik, hrsg. v. Wolfgang Rothe. Stuttgart 1974, 143–168.

71 Literatur im Klassenkampf (Anm. 60), 13 ff., 43 ff. – Vgl. Arbeiterbewegung und Klassik (Katalog), hrsg. v. Helmut Holtzhauer. Weimar 1964, 114–119.

72 August Thalheimer, Das Proletariat und die Kunst. Politische Bemerkungen. In: Literatur im Klassenkampf (Anm. 60), 60 f.

73 Vgl. Anm. 26, 135 ff.

74 Vgl. Joachim Paech, Das Theater der russischen Revolution. Kronberg 1974.

75 Ein ausf. Überblick bei Peter Gorsen/Eberhard Knödler-Bunte, Proletkult. System einer proletarischen Kultur. Dokumentation (2 Bde.), Bd. 1. Stuttgart 1974, 43–121; dazu die Dokumentation in: Ästhetik und Kommunikation 2 (1972) H. 5/6 und den Literaturbericht von Gernot Erler, Revolution und Kultur, Sozialistische Kulturrevolution, Kulturpolitik und kulturelle Praxis in Rußland nach 1917. In: Ästhetik und Kommunikation 6 (1975), H. 19, 9–23; H. 20, 92–105.

76 Hugo Huppert, Erinnerungen an Majakowskij. Frankfurt 1966, 74.

77 Klaus Pfützner, Die Massenfestspiele der Arbeiter in Leipzig (1920–1924). Leipzig 1960, 10.

78 K. H. Tjaden, Struktur und Funktion der ›KPD-Opposition‹ (KPO). Meisenheim 1964, 17 f.

79 Richard A. Schaefter, Über proletarische Kunst. In: Die Rote Fahne Nr. 92 (24. 2. 1921), zit. n. Die Rote Fahne, hrsg. v. Manfred Brauneck. München 1973, 115.

80 G. G. L. [Gertrud Alexander], Die erste Reichskonferenz der Bildungsobleute. In: Die Rote Fahne Nr. 358 (8. 8. 1922).

81 Vgl. Auf der Roten Rampe. Erlebnisberichte und Texte aus der Arbeit der Agitproptruppen vor 1931, hrsg. v. Daniel Hoffmann-Ostwald. Berlin 1963, 19 f.

82 E. Th., ›Großstadt!‹ In: Rote Fahne Nr. 503 (14. 11. 1922).

83 G. G. L., Proletarischer Sprechchor. In: Die Rote Fahne Nr. 436, zit. n. Brauneck (Anm. 79), 172.

84 Daran übte Rudolf Franz heftige Kritik: Liquidation des historischen Materialismus. In: Die Internationale 4 (4. 6. 1922), 553–561.

85 Die Tagungen 1922 und 1923 sind ausf. dokumentiert in: Die Tat 14 (1922), H. 8, und 15 (1923) H. 8. – Johannes Resch, Die Freie Proletarische Volkshochschule Remscheid. In: Deutsche Schulversuche, hrsg. v. Franz Hilker. Berlin 1924, 430–447.

86 Johannes Resch, in: Die Tat 15 (1923), 579.

87 Etwa bei Franz Seiwert, Die Kunst und das Proletariat. Ebd., 612–614.

88 Vgl. Kurt Kläber, Aus ›Ein Jahr Freie Volkshochschule‹. In: Kläber, Empörer! Empor! Berlin 1925, 23–37.

89 Artur Meier, Proletarische Erwachsenenbildung. Die Bestrebung der revolutionären deutschen Arbeiterbewegung zur systematischen sozialistischen Bildung und Erziehung erwachsener Werktätiger (1918–1923). Hamburg 1971, 204 bis 210 (= Diss. Humboldt-Univ. Berlin 1964).

90 Resch, Die freie proletarische Volkshochschule. In: Die Tat 14 (1922), 588–594 (593).

91 Ders., Parteikommunismus, Freideutschtum und wir. In: Die Tat 15 (1923), 633–639 (637).

92 Ders., Leninismus in der deutschen proletarischen Kulturbewegung. In: Die Tat 17, I (1925/26), 168–180.

93 Max Adler, Masse und Mythos. In: Die Neue Schaubühne 2 (1920), 229.

94 Vgl. Klaus-Jürgen Göbel, Drama und dramatischer Raum im Expressionismus. Eine Entwicklungslinie des modernen Dramas von Richard Wagner bis Reinhard J. Sorge. Diss. Köln 1971; Klaus Lazarowicz, Die Rampe. Bemerkungen zum Problem der theatralen Partizipation. In: Literaturwissenschaftliches Jahrbuch. Sonderband 1971, 295–314; Joachim Fiebach, Von Craig bis Brecht. Studien zu Künstlertheorien in der ersten Hälfte des 20. Jahrhunderts. Berlin 1975.

95 P. M. Kerschenzew, Das schöpferische Theater. Hamburg 1922, 58.

96 Ebd., 59.

97 Ebd., 153.

98 Béla Balázs, Das Theater des Volkes. In: Die Neue Schau-

bühne 1 (1919), 193.

99 Vgl. Lee Congdon, The Making of a Hungarian Revolutionary: The Unpublished Diary of Bela Balazs. In: Journal of Contemporary History 8 (1973), Nr. 3, 57

100 Karl August Wittfogel, Grenzen und Aufgaben der revolutionären Bühnenkunst. In: Wittfogel, Die Mutter/Der Flüchtling. Berlin 1922, 41–47 (auch in: Der Gegner 3, 1922, H. 2, 39–44).

101 Rez. (F. Jung, Die Kanaker). In: Die Rote Fahne Nr. 163 (13. 4. 1921), zit. n. Literatur im Klassenkampf (Anm. 60), 205.

102 Berta Lask, Über die Aufgaben der revolutionären Dichtung. In: Die Front 2 (1929), H. 8, zit. n. Zur Tradition der sozialistischen Literatur in Deutschland. Berlin 1967, 134 f.

103 Lu Märten, Proletarische Kulturtagung in Magdeburg. In: Arbeiter-Literatur H. 7/8 (1924), 408–413.

104 Undatierter Brief aus der Graf Collection der Library der University of New Hampshire, Durham N. H.

105 Johannes R. Becher, Bürgerlicher Sumpf/Revolutionärer Kampf (1925), zit. n. Friedrich Albrecht, Deutsche Schriftsteller in der Entscheidung. Berlin/Weimar 1970, 580.

106 Ders., Der Weg zur Masse (1927), zit. n. Zur Tradition (Anm. 102), 57 f.

107 Werner Hirsch, Piscator-Bühne und die Arbeiterschaft. In: Die Rote Fahne v. 8. 9. 1927. Zit. n. Brauneck (Anm. 79), 288–292.

108 G. G. L. Alexander, Die ›Blaue Bluse‹ im Auslande. In: Die Rote Fahne v. 7. 10. 1927, ebd. 295–298.

109 Franz Krey, Massendrama oder Kurzszene. In: Arbeiterbühne 16 (1929), H. 2, 9.

110 Georg W. Pijet, Rotes Kabarett oder proletarisches Drama, ebd., H. 3, 1 f.; ders., Massendrama und Kurzszene, ebd., H. 5, 3 f.

111 Béla Balázs, Gespräch mit Eisenstein, dem ›Potemkin‹-Regisseur, ebd., H. 10, 7 f.

112 Klaus Pfützner, Revolutionäre Lyrik im Klassenkampf. Gestaltung und Darstellung in der Agitpropbewegung. In: Junge Kunst (1958), H. 10, 41.

113 Ders., Das revolutionäre Arbeitertheater in der Periode der revolutionären Nachkriegskrise (1918–1923). In: Schriften zur Theaterwissenschaft Bd. 1. Leipzig 1959, 375–493 (388 f.).

114 Vgl. Gerald Stieg/Bernd Witte, Abriß einer Geschichte der deutschen Arbeiterliteratur. Stuttgart 1973, 100 ff.

115 Franz Türk, Der Sprechchor im deutschen Unterricht. In: Zs. f. Deutsche Bildung 4 (1928), 671–677 (671).

116 Vgl. die Rez. der Aufführung der Berliner Volksbühne: U. Mur, Berliner Theaterbrief. In: Die Literarische Welt Nr. 12 (23. 3. 1928), 7.

117 Bruno Schönlank, Fiebernde Zeit. Sprechchöre und Kantaten. Arbon 1935, 54.

118 Fritz Rück, Proletarisches Drama. In: Die Rote Fahne Nr. 21 (21. 1. 1923).

119 Vgl. Schönlank, Ist der Sprechchor tot? In: Die Volksbühne 5 (1930), 399–402.

120 Ders., Vorwort zu Fiebernde Zeit (Anm. 117), III.

121 Kurt Bork, Sprech-Kor-Dichtungen. In: Die Neue Bücherschau (1929), H. 2, 103–105 (105).

122 Karl Vogt, Praxis des Sprechchors. Berlin o. J. (1929); Adolf Johannesson, Leitfaden für Sprechchöre. Berlin 1927. Die meisten Sprechchöre erschienen im Arbeiterjugend Verlag, Berlin, und im Arbeiter-Theater-Verlag Alfred Jahn, Leipzig.

123 Gustav von Wangenheim, Chor der Arbeit. In: Ludwig Hoffmann/Daniel Hoffmann-Ostwald, Deutsches Arbeitertheater 1918–1933. München 1973, 117.

124 Vgl. Otto Zimmermann, Sprechchor, Bewegungschor, Gruppentanz. In: Kulturarbeit in Leipzig. Sonderbeigabe zu ›Kulturwille‹ H. 5/6 (1931), 50–52; s. auch die Berichte: Heinrich Wiegand, Proletarische Tanzkunst. In: Kulturwille 6 (1929), 57; C. Z., Das Leipziger Massenspiel, ebd., 172.

125 H. Konrad Hoerning, Sprechchor. Leipzig 1960, 13 f.

126 Ebd., 15.

127 Vgl. Rudolf Arnheim, Theater ohne Bühne. In: Die Weltbühne (1932), 861–864, 899–902.

128 Hanns Eisler, Einige Ratschläge zur Einstudierung der Maßnahme (1932). In: Eisler, Musik und Politik. Schriften 1, hrsg. v. Günter Mayer. München 1973, 168.

129 Brecht, Aus den Anmerkungen zur ›Mutter‹. In: Brecht, Ges. Werke Bd. 2. Frankfurt 1967, 901.

130 Wir! Ein sozialistisches Festspiel. Text von Hendrik de Man, Musik von Ottmar Gerster. Berlin 1932, 4. (Vorbem. v. de Man.)

131 Kurt Kläber, Kampflieder! In: Arbeiterbühne 16 (1929), H. 6, 7 f.

132 Fähnders/Rector, Linksradikalismus (Anm. 26), Bd. 1, 233.

133 Oskar Kanehl, Steh auf, Prolet! Berlin 1922, 8.

134 Fähnders/Rector, Linksradikalismus (Anm. 26) Bd. 2, 107 ff.

135 Wolfgang Steinitz, Deutsche Volkslieder (Anm. 3), 421–575.

136 Vernon L. Lidtke, Songs and Politics: An Exploratory Essay on Arbeiterlieder in the Weimar Republic. In: Archiv für Sozialgeschichte 14 (1974), 253–277 (271 f.).

137 Inge Lammel, ». . . im Kampf für das Volk und die Freiheit . . .« Der Einfluß des russischen revolutionären Liedes auf das deutsche Arbeiterlied der zwanziger Jahre. In: Musik und Gesellschaft (1957), 584–588.

138 Lidtke, Songs (Anm. 136), 259 ff.

139 Gert Hagelweide, Das publizistische Erscheinungsbild des Menschen im kommunistischen Lied. Eine Untersuchung der Liedpublizistik der KPD (1919–1933) und der SED (1945 bis 1960). Bremen 1968, 100.

140 Erwähnenswerte Sammlungen von Arbeiterdichtung in den zwanziger Jahren: Arbeiterdichtung, hrsg. v. Fritz Droop. Hamburg o. J. [1919]; Arbeiterdichtung der Gegenwart, hrsg. v. Kurt Offenburg. Frankfurt 1925; Das proletarische Schicksal, hrsg. v. Hans Mühle. Gotha 1929.

141 Vgl. Kläbers Gedichte und Prosaskizzen 1920–1923 in: Jungborn. Jugendorgan des Verbandes der Bergarbeiter Deutschlands (Bochum).

142 Kläber Zu dem Heft ›Arbeiterdichtung‹. In: Junge Menschen 3 (1922), H. 7/8, 107–110 (110).

143 Zit. n. F. Albrecht (Anm. 105), 217.

144 Vgl. Kläbers Rez.: Die hungrige Stadt. In: Die Neue Bücherschau 7 (1927), 22–24.

145 Johannes R. Becher, Die hungrige Stadt. Gedichte, Wien/ Berlin 1928 (2. erw. Auflage).

146 Emil Ginkel, Pause am Lufthammer. Gedichte. Berlin 1928, 73.

147 Vgl. die ausf. Behandlung von Ginkel, Lorbeer und Tkaczyk bei Alfred Klein, Im Auftrag ihrer Klasse, 411–498.

148 Christian Zweter, Jüngste Arbeiterdichtung. In: Kulturwille 6 (1929), 215 f.

149 »Unter denen, die wir zuletzt doch nicht abdrucken konnten, möchten wir Helmut Weiß (Dresden) und Willi Brandt (Kiel) nennen. Der letzte ist nicht unbegabt, aber bis nun in keiner Probe über Herkömmliches, schon Gesagtes vorgedrungen.« Ebd., 216.

150 Ungedruckt im Johannes R. Becher-Archiv (Nr. 53/1).
151 Erich Weinert, 10 Jahre an der Rampe. In: Weinert, Ges. Werke Bd. 8, hrsg. v. Li Weinert. Berlin 1958, 9–39 (13).
152 Vgl. F. Albrecht (Anm. 105), 317 f.
153 Weinert (Anm. 151), 20.
154 Ebd., 15.
155 Ders., Ges. Werke Bd. 5. Berlin 1956, 110.
156 Wiktor Duwakin, Rostafenster. Majakowski als Dichter und bildender Künstler. Dresden 1967, 67.
157 Louis Aragon, John Heartfield und die revolutionäre Schönheit. In: Dada. Eine literarische Dokumentation, hrsg. v. Richard Huelsenbeck. Reinbek, 237–242.
158 Rote Signale. Gedichte und Lieder, Berlin o. J. [1931]. 4.
159 Brecht, Zum zehnjährigen Bestehen der A-I-Z. In: Brecht, Ges. Werke Bd. 20. Frankfurt 1967, 42 f.
160 Reinhold Grimm, Marxistische Emblematik. Zu Bertolt Brechts ›Kriegsfibel‹. In: Wissenschaft als Dialog, hrsg. v. Renate von Heydebrandt/Klaus Günther Just. Stuttgart 1969, 354–379.
161 Ulla C. Lerg-Kill, Dichterwort und Parteiparole. Propagandistische Gedichte und Lieder Bertolt Brechts. Bad Homburg 1968, 192.
162 Weinert, 10 Jahre an der Rampe (Anm. 151), 16 f.
163 Vgl. Eike Henning, Faschistische Öffentlichkeit und Faschismustheorien. In: Ästhetik und Kommunikation 6 (1975), H. 20, 107–117.
164 Becher, Ges. Werke Bd. 10. Berlin/Weimar 1969, 258.
165 Ebd., 240.
166 Vgl. die Dokumentation in: Aktionen — Bekenntnisse — Perspektiven. Berichte und Dokumente vom Kampf um die Freiheit des literarischen Schaffens in der Weimarer Republik. Berlin/Weimar 1966, 23–127.
167 Vgl. auch Bruno Vogel, Ein Gulasch und andere Skizzen. Rudolstadt 1928. — Über Vogel, den zu unrecht Vergessenen, s. Wolfgang U. Schütte, Ein vergessener Schriftsteller — ein vergessenes Buch. Zu Bruno Vogels Novellenband ›Es lebe der Krieg!‹ In: Marginalien. Blätter der Pirckheimer-Gesellschaft (1967), H. 25, 47–56.
168 Kleine Bilanz des Kulturterrors. In: Die Neue Bücherschau (1929), 244–246 (245).
169 Kläber, Der proletarische Massenroman. In: Die Linkskurve 2 (1930), H. 5, 22–25 (23).

170 Zur Rezeption genauer: Hanno Möbius, Der Rote Eine-Mark-Roman. In: Archiv für Sozialgeschichte 14 (1974), 157 bis 211 (168 ff.).

171 Alfred Kurella, Die Reserven der proletarisch-revolutionären Literatur. In: Der Rote Aufbau (1931), H. 1, zit. n. Zur Tradition (Anm. 102), 307.

172 Für die politische Haltung dieser Autoren s. die ausf. Darst. bei Fähnders/Rector, Linksradikalismus (Anm. 26); zu Scharrer besonders: Hans-Harald Müller, Vom ›Proletarier‹ zur ›Roten Fahne‹. Untersuchungen zur politischen Biographie und zum autobiographischen Roman ›Vaterlandslose Gesellen‹ von A. Scharrer. In: Int. wiss. Korrespondenz zur Gesch. der dt. Arbeiterbewegung 11 (1975), 30–59.

173 Franz Jung, Proletarische Erzählungen. In: Literatur im Klassenkampf (Anm. 60), 118.

174 Horst Ihde, Jack London als sozialistischer Schriftsteller. In: Zs. für Anglistik und Amerikanistik 20 (1972), 5–23 (21).

175 Vgl. Franz Schoenberger, Deutsche Übertragungen aus der amerikanischen Literatur. In: Die Literarische Welt Nr. 41 (14. 10. 1927).

176 Vgl. Lion Feuchtwanger, Die Konstellation der Literatur (1927). In: Feuchtwanger, Centum Opuscula. Eine Auswahl. Rudolstadt 1956, 419–421.

177 Die Neue Bücherschau widmete Zola 1927 ein Sonderheft (H. 3). – Vgl. das 1. Heft der Zs. Die Front (1928): Gerhart Pohl, Im Banne Émile Zolas (13–16); Klaus Herrmann, Wo blieb der deutsche Zola? (17–21). Zuvor hatte Max Herrmann-Neisse für Zola plädiert: Émile Zola (Dichter für das Proletariat Bd. 1). Berlin 1925.

178 Harry Wilde, Theodor Plievier. München 1965, 204.

179 Anton Gantner, Brennende Ruhr. In: Die Front 2 (1929), H. 1, 25.

180 Hinweise zur Wirkung Zolas auf Weiskopf, Becher und Rudolf Braune bei Alfred Klein, Die Entwicklung der proletarisch-revolutionären Romanliteratur in Deutschland. Diss. Leipzig 1961 (Bd. 2, S. 30, Anm. 5).

181 Möbius, Der Rote Eine-Mark-Roman (Anm. 170), 177 ff. – Zu vgl. wäre auch: Erich Knauf, Ça ira! Reportageroman aus dem Kapp-Putsch. Berlin 1929.

182 Über die deutsch-russischen Literaturbeziehungen der zwanziger Jahre vgl. Eva Kosing, Sozialdemokratie und Sowjetliteratur. Kritische Analyse der sozialdemokratischen Presse-

kritik zur sowjetischen Literatur (1918–1933). Diss. am Inst.
f. Gesellschaftswiss. beim ZK der SED. Berlin 1960; Ilse Heller, Kulturelle Beziehungen zwischen Deutschland und der
Sowjetunion 1922–1932. Dargestellt am Beispiel der Literatur, des Theaters, der Musik und der bildenden Künste. Diss.
Halle 1964 (bes. 175 ff.); Horst Fliege, KPD und Sowjetliteratur 1919–1933. Habilschrift Jena 1969; Christa Schwarze,
Die Stellung der sowjetischen Belletristik im deutschen Ver-
lagsschaffen 1917 bis 1933. In: Beiträge zur Gesch. des Buch-
wesens Bd. 4, hrsg. v. Karl-Heinz Kalhöfer/Helmut Rötzsch.
Leipzig 1969, 7–161; D. V. Fedorov, Der sowjetische Roman
und die deutsche proletarisch-rev. Literatur 1919–1933. In:
Wiss. Zs. d. Univ. Jena (GR) 19 (1970), 443–455; Literatur
der Arbeiterklasse. Aufsätze über die Herausbildung der
deutschen sozialistischen Literatur (1918–1933). Berlin/Wei-
mar 1971; Begegnung und Bündnis. Sowjetische und deutsche
Literatur, hrsg. v. Gerhard Ziegengeist. Berlin 1972; Horst
Schmidt, Deutsche Arbeiterbewegung und russische Klassik
1917–1933. Berlin 1973. – Eine Zusammenfassung in: Geschichte der russischen Sowjetliteratur 1917–1941, hrsg. v.
Harri Jünger u. a. Berlin 1973, 565–640.

183 Andor Gabor, Über den Einfluß der Sowjetliteratur in
Deutschland (1927), zit. n. Zur Tradition (Anm. 102), 69 f.

184 Egon Erwin Kisch, Soziale Aufgaben der Reportage. In: Die
Neue Bücherschau (1926/27), H. 4, 163–166.

185 Alexander Serafimowitsch, Ausgew. Werke Bd. 2 Berlin 1956,
476.

186 Zit. n. Horst Schmidt, Deutsche Arbeiterbewegung (Anm.
182), 230.

187 Gabor, Über den Einfluß (Anm. 183), 68.

188 »Sein neuester Roman ›Bergleute‹, der erst teilweise vor-
liegt, verspricht einen starken Vorstoß auf dem Gebiete der
Gestaltung des klassenmäßigen Erlebnisses in unserer Zeit.«
(O. Biha, Die proletarische Literatur in Deutschland. In:
Literatur der Weltrevolution, 1931, H. 3, 117).

189 Kläber, Eine Frau geht. In: Kläber, Empörer! Empor! Berlin
1925, 119 f.

190 Klaus Herrmann, Kurt Kläber. In: Die Neue Bücherschau
(1926/27), H. 5/6, 218.

191 Christa Wolf spricht mit Anna Seghers (1965). In: Seghers,
Über Kunstwerk und Wirklichkeit Bd. 2, hrsg. v. Sigrid Bock.
Berlin 1971, 37.

192 Zur Gestaltung »von der Niederlage her« vgl. Inge Diersen, Seghers-Studien. Berlin 1965, 177 ff.

193 Alfred Klein, Im Auftrag ihrer Klasse, 345 f.

194 Briefwechsel mit Georg Lukács. In: Seghers, Über Kunstwerk und Wirklichkeit Bd. 1, 179; A. Klein, ebd., 608 ff.

195 Michael Rohrwasser, Saubere Mädel — Starke Genossen. Proletarische Massenliteratur? Frankfurt 1975, 21. — Vgl. Udo Köster, Zum Verhältnis von proletarisch-revolutionärer Belletristik und kommunistischer Politik in Deutschland 1929 bis 1932. In: Int. wiss. Korrespondenz z. Gesch. d. dt. Arbeiterbewegung (1972), H. 17, 1—15.

196 Bernard von Brentano, Kapitalismus und schöne Literatur. Berlin 1930, 10.

197 Ebd., 11.

198 Ebd., 49.

199 Ernst Ottwalt, ›Tatsachenroman‹ und Formexperiment. Eine Entgegnung an Georg Lukács. In: Die Linkskurve 4 (1932), H. 10, 21—26.

200 Teildrucke u. d. Titel ›Die Generalversammlung‹ und ›Abschied‹. In: Neue Deutsche Blätter 1 (1933), H. 1 + 2; ›Der Mann am Ende‹. In: Internationale Literatur 5 (1935), H. 1, 53 ff.

201 Theo Haubach, Die Generationenfrage und der Sozialismus. In: Soziologische Studien zur Politik, Wirtschaft und Kultur der Gegenwart. Fs. Alfred Weber. Potsdam 1930, 106—120 (109).

202 Vgl. den Bericht bei Karl Retzlaw, Spartakus. Erinnerungen eines Parteiarbeiters. Frankfurt 1972, 23 ff.; Deutschlands junge Garde. Erlebnisse aus der Geschichte der Arbeiterjugendbewegung von den Anfängen bis zum Jahre 1945, hrsg. v. Wolfgang Arlt u. a. Berlin 1959.

203 Geschichte der Arbeiterjugendbewegung 1904—1945. Dortmund (Berlin) 1973, 274.

204 Johannes Schult, Aufbruch einer Jugend. Der Weg der deutschen Arbeiterjugendbewegung. Bonn 1956, 149.

205 Zit. n. Franz Osterroth, Der Hofgeismarkreis der Jungsozialisten. In: Archiv für Sozialgeschichte 4 (1964), 525 bis 569 (526).

206 Jahnke/Parson/Pietschmann, Zum Prozeß der Ausarbeitung der marxistisch-leninistischen Jugendpolitik und ihrer Durchsetzung in der deutschen Arbeiterbewegung. In: Beiträge zur Gesch. der Arbeiterbewegung 14 (1972), 3—19 (13).

207 Vgl. Artur Meier, Proletarische Erwachsenenbildung. Hamburg 1971, 164 ff.

208 Als Überblick über Politik und Erscheinungsformen der (bürgerlichen) Jugendbewegung s. Walter Z. Laqueur, Young Germany. A History of the German Youth Mouvement. London 1962.

209 Vgl. Werner Zorn, Der Durchbruch des Marxismus in der proletarischen Jugend. In: Jungsozialistische Blätter 11 (1930), 341—343. — Referate und Diskussion zugänglich in: Hermann Heller, Ges. Schriften Bd. 1, hrsg. v. Martin Drath u. a. Leiden 1971, 527—563.

210 Herbert Scherer, Die Volksbühnenbewegung und ihre interne Opposition in der Weimarer Republik. In: Archiv für Sozialgeschichte 14 (1974), 213—251 (240 ff.).

211 Karl August Wittfogel, Die freideutsche Meißner-Tagung und die Kommunisten. In: Das Wort 1 (1923), Nr. 41. — Vgl. Otto-Ernst Schüddekopf, Nationalbolschewismus in Deutschland 1918—1933 (Stuttgart 1960), Frankfurt 1973, 139 ff.

212 Vgl. Alfred Kurella, Freie Deutsche Jugend. In: Kurella, Zwischendurch. Verstreute Essays 1934—1940. Berlin 1961, 203 bis 237; ders., Unterwegs zu Lenin. Erinnerungen. Berlin 1967.

213 Ausführlicher darüber mein Beitrag: Die Kulturpolitik der DDR und die kulturelle Tradition des deutschen Sozialismus. In: Literatur und Literaturtheorie in der DDR, hrsg. v. Peter Uwe Hohendahl/Patricia Herminghouse. Frankfurt 1976, 44 ff.

214 Fritz Hüser, Jugendbewegung und Arbeiterdichtung. In: Rundschreiben des Arbeitsausschusses des Freideutschen Konvents Nr. 111 (Mai 1966), 1120—1131.

215 Zit. n. Wolfgang Neugebauer, Die sozialdemokratische Jugendbewegung in Österreich 1894—1945. Diss. Wien 1969, 333.

216 Vgl. die Zs. der sozialistischen Arbeiterjugend ›Der jugendliche Arbeiter‹ (1902—1934) und ›Die Praxis‹. Mitteilungen für die Organisationsarbeit der Sozialistischen Arbeiterjugend Deutsch-Österreichs (1922—1926, ab 1927 Beilage zu ›Die sozialistische Erziehung‹).

217 Neugebauer (Anm. 215), 332 f.

218 Ebd., 392 f.

219 Hans Mommsen, Die Sozialdemokratie in der Defensive: Der

Immobilismus der SPD und der Aufstieg des Nationalsozialismus. In: Sozialdemokratie zwischen Klassenbewegung und Volkspartei. Frankfurt 1974, 126. Vgl. K. L. Gerstorff, Jugend, Staat und S. P. D. In: Die Weltbühne 27, I (1931), 903–906.

220 Georgi Dimitroff, Die Offensive des Faschismus und die Aufgaben der Kommunistischen Internationale im Kampf für die Einheit der Arbeiterklasse gegen den Faschismus. In: VII. Weltkongreß der Kommunistischen Internationale. Referate. Frankfurt 1971, 84.

221 Wilhelm Worringer, Künstlerische Zeitfragen. In: Worringer, Fragen und Gegenfragen. München 1956, 121.

222 Vgl. die ausf. Diskussion dieser Aspekte in: Expressionism as an International Literary Phenomenon, hrsg. v. Ulrich Weisstein, Paris/Budapest 1973.

223 Hegel, Ästhetik Bd. 1. Frankfurt o. J., 579.

224 Worringer, Künstlerische Zeitfragen, 119 f.

225 Benjamin, Das Kunstwerk im Zeitalter seiner technischen Reproduzierbarkeit. In: Benjamin, Ges. Schriften I, 2, hrsg. v. R. Tiedemann/H. Schweppenhäuser. Frankfurt 1974, 463 f.

226 Hugo Ball, Die Flucht aus der Zeit. Luzern 1946, 83.

227 Hegel, Ästhetik (Anm. 223).

228 Harry Graf Kessler, Tagebücher 1918–1937, hrsg. v. Wolfgang Pfeiffer-Belli. Frankfurt 1961, 114 (28. 1. 1919).

229 Ebd., 146 (5. 3. 1919).

230 Ignaz Wrobel, Dada-Prozeß. In: Die Weltbühne (1921), 454 bis 457.

231 Zit. n. Peter Schütt, Novemberrevolution in der Bundesrepublik. In: Kürbiskern (1969), 558.

232 Kessler (Anm. 228), 119 (5. 2. 1919).

233 Günther Anders, Die Kunst John Heartfields, zit. n. Wieland Herzfelde, John Heartfield. Leben und Werk. Dresden 1962, 316.

234 George Grosz, Randzeichnungen zum Thema. In: Schulter an Schulter. Blätter der Piscatorbühne (Die Abenteuer des braven Soldaten Schwejk). Berlin o. J. [1928], 9.

235 Piscator, Schriften 2 (Anm. 68), 9.

236 Ebd., 11 f.

237 Ders., Das Politische Theater (Anm. 69), 39.

238 Proletarisches Theater. In: Der Gegner 2 (1920/21), 275 f.

239 Wittfogel, Grenzen und Aufgaben (Anm. 100), 46.

240 Ausführlicher mein Beitrag: Das politisch-revolutionäre Theater. In: Die deutsche Literatur in der Weimarer Repu-

blik, hrsg. v. Wolfgang Rothe. Stuttgart 1974, 77–113.

241 Anna Lazis, Das Theater Piscators. In: Das Internationale Theater (1933), H. 5, 8–15 (13).

242 Joachim Fiebach, Von Craig bis Brecht. Berlin 1975, 258.

243 Friedrich Wolf-Wsewolod Wischnewski, Eine Auswahl aus ihrem Briefwechsel, hrsg. v. Gudrun Düwel. Berlin 1965.

244 Piscator, Bühne der Gegenwart und der Zukunft. In: Piscator, Schriften 2, 36.

245 Sergei Eisenstein, Dickens, Griffith und wir. In: Eisenstein, Ausgew. Aufsätze. Berlin 1960, 157–229 (216).

246 Vgl. die Hinweise zur Diskussion des Zeittheaters in den zwanziger Jahren bei Manfred Brauneck, Literatur und Öffentlichkeit im ausgehenden 19. Jahrhundert. Stuttgart 1974, 182–186.

247 Brecht, Ges. Werke Bd. 17. Frankfurt 1967, 961.

248 Brecht, Über eine neue Dramatik (1928). In: Brecht, Ges. Werke Bd. 15. Frankfurt 1967, 175.

249 Inwiefern Brecht direkte Anregungen von Asja Lacis' und Benjamins Beschäftigung mit dem proletarischen Kindertheater aufnahm, kann hier nicht erörtert werden. Vgl. Rainer Steinweg. Das Lehrstück. Brechts Theorie einer politisch-ästhetischen Erziehung. Stuttgart 1972, 138; Heinrich Berenberg-Gossler/Hans-Harald Müller/Joachim Stosch, Das Lehrstück — Rekonstruktion einer Theorie oder Fortsetzung eines Lernprozesses? Eine Auseinandersetzung mit Rainer Steinweg. In: Joachim Dyck u. a., Brechtdiskussion. Kronberg 1974, 137 ff.

250 Kurt Weill, Über meine Schuloper ›Der Jasager‹. In: Die Scene (1930), H. 8, 232.

251 Brecht, Die dialektische Dramatik. In: Brecht, Ges. Werke Bd. 15, 222 f.

252 Weill, Über meine Schuloper, 233.

253 Brecht, Das Lehrstück ›Die Maßnahme‹. In: Brecht, Ges. Werke Bd. 17, 1034.

254 Über die Wirkung im Deutschen Arbeitersängerbund s. Ernst Schumacher, Die dramatischen Versuche Bertolt Brechts 1918 bis 1933. Berlin 1955, 374 ff.

255 Alfred Kurella, Ein Versuch mit nicht ganz tauglichen Mitteln. In: Brecht, Die Maßnahme. Kritische Ausgabe, hrsg. v. Rainer Steinweg. Frankfurt 1972, 386.

256 Dieter Henrich, Kunst und Kunstphilosophie der Gegenwart. In: Immanente Ästhetik — Ästhetische Reflexion, hrsg. v.

Wolfgang Iser. München 1966, 28 f.

257 Vgl. Berenberg-Gossler u. a. (Anm. 249), 133 f.

258 Abgedr. in: Brecht, Die Maßnahme (Anm. 255), 465 f.

259 Ebd. 342.

260 Brecht, Eine kleine Bemerkung. In: Brecht, Ges. Werke Bd. 17, 1075 f.

Kapitel VII
(Seite 525—594)

1 Vgl. Thomas Weingartner, Stalin und der Aufstieg Hitlers. Die Deutschlandpolitik der Sowjetunion und der Kommunistischen Internationale 1929—1934. Berlin 1970.

2 Alfons Paquét, Zwischen West und Ost. In: Die Tat 17, I 1925/26), 166.

3 Eine ausf. Erörterung bei Nyota Thun, Das erste Jahrzehnt. Literatur und Kulturrevolution in der Sowjetunion. Berlin 1973, bes. 133 ff.

4 A. K. Voronskij, Über die proletarische Kunst und über die Politik unserer Partei auf dem Gebiet der Kunst. In: Dokumente zur sowjetischen Literaturpolitik 1917—1932, hrsg. v. Karl Eimermacher. Stuttgart 1972, 161 f.

5 Leo Trotzkij, Literatur und Revolution. Wien 1924, 124.

6 Ebd., 115.

7 N. Bucharin, Proletarische Revolution und Kultur. Frankfurt 1971, 51.

8 Trotzkij, Literatur und Revolution, 134.

9 Ebd., 13.

10 Ebd., 43.

11 Robert A. Maguire, Literary Conflicts in the 1920s. In: Survey 18 (1972), 98—127 (111).

12 Vgl. Sheila Fitzpatrick, Cultural Revolution in Russia 1928 — 1932. In: Journal of Contemporary History 9 (1974), 33 bis 52; Edward J. Brown, The Proletarian Episode in Russian Literature 1928—1932. New York 1953.

13 Voronskij (Anm. 4), 165 f.

14 Peter Hübner, Literaturpolitik. In: Kulturpolitik der Sowjetunion, hrsg. v. Oskar Anweiler/Karl-Heinz Ruffmann. Stuttgart 1973, 211 f.

15 Vgl. László Illés, Proletarierkultur oder sozialistische Kultur. In: Acta Litteraria Academiae Scientiarum Hungaricae 14 (1972), 105—130.

16 K. A. Wittfogel, Entwicklungsstufen und Wirkungskraft proletarisch-revolutionärer Kulturarbeit. In: Die Linkskurve 3 (1931), H. 1, 17–23.

17 Franz Mehring, Zur Literaturgeschichte von Calderon bis Heine. Berlin 1930, 15–32 (Einl.).

18 K. A. Wittfogel, Zur Frage einer marxistischen Ästhetik, zit. n. dem Gesamtabdruck in: Ästhetik und Kommunikation 1 (1970), H. 2, 66–80 (74).

19 Erhard H. Schütz, Die Kunst als Garantie der Revolution. Bemerkungen zur kommunistischen Literaturdiskussion im Hinblick auf August Thalheimer. In: August Thalheimer, Über die Kunst der Revolution und die Revolution der Kunst. Aufsätze. Gießen 1972, 18.

20 Lu Märten, Kunst und Proletariat. In: Die Aktion 15 (1925), Sp. 663–668 (665); auch in: Die Alternative (1973), H. 89, 56.

21 Vgl. Helga Gallas, Marxistische Literaturtheorie. Neuwied/ Berlin 1971, 118.

22 Wittfogel, Zur Frage (Anm. 18), 78.

23 Georg Lukács, Gegen die Spontaneitätstheorie in der Literatur. In: Die Linkskurve 4 (1932), H. 4, 31. – Vgl. ders., Willi Bredels Romane, ebd., H. 1.

24 Eine ausf. Darst. bei Alexander Stephan, Georg Lukács' erste Beiträge zur marxistischen Literaturtheorie. In: Brecht-Jahrbuch 1975, hrsg. v. J. Fuegi/R. Grimm/J. Hermand. Frankfurt 1975, 79–111.

25 Vgl. Michael Löwy, Lukács and Stalinism. In: New Left Review (1975), H. 91, 25–41 (26 f.).

26 Georg Lukács, L'art pour l'art und proletarische Dichtung. In: Die Tat 18 (1926/27), 220–223 (222).

27 Vgl. Udo Köster, Zum Verhältnis von proletarisch-revolutionärer Belletristik und kommunistischer Politik in Deutschland 1929–1932 (Kap. VI., Anm. 195).

28 Lukács, Ausgew. Schriften 3. Reinbek 1969, 161.

29 K. H. Tjaden, Struktur und Funktion der ›KPD-Opposition‹ (KPO). Meisenheim 1964, 282.

30 Ebd., 280. – August Thalheimer, Über den Faschismus (1930). In: Faschismus und Kapitalismus, hrsg. v. Wolfgang Abendroth. Frankfurt 1972, 19–38.

31 Vgl. Istvan Deak, Weimar Germany's Left-Wing Intellectuals. Berkeley 1968, 175 ff. – Leo Trotzkij, Wie wird der Nationalsozialismus geschlagen? Auswahl aus ›Schriften über

Deutschland‹, hrsg. v. Helmut Dahmer. Frankfurt 1971.

32 Vgl. Christoph Rülcker, Arbeiterkultur und Kulturpolitik im Blickwinkel des ›Vorwärts‹ 1918–1928. In: Archiv für Sozialgeschichte 14 (1974), 115–155.

33 Otto Rühle, Illustrierte Kultur- und Sittengeschichte des Proletariats Bd. 1. Berlin 1930, 27.

34 Vgl. die programmatische Schrift: Paul Franken, Vom Werden einer neuen Kultur. Aufgaben der Arbeiter-Kultur- und Sportorganisationen. Berlin 1930.

35 Arthur Rosenberg, Geschichte der Weimarer Republik. Frankfurt 1961, 180.

36 Siegfried Bahne, Die Kommunistische Partei Deutschlands. In: Das Ende der Parteien 1933, hrsg. v. Erich Matthias/ Rudolf Morsey. Düsseldorf 1960, 662.

37 Tim Mason, Zur Entstehung des Gesetzes zur Ordnung der nationalen Arbeit, vom 20. Jan. 1934: Ein Versuch über das Verhältnis ›archaischer‹ und ›moderner‹ Momente in der neuesten deutschen Geschichte. In: Industrielles System und politische Entwicklung in der Weimarer Republik, hrsg. v. Hans Mommsen u. a. Düsseldorf 1974, 332.

38 Vgl. Hildegard Pleyer, Politische Werbung in der Weimarer Republik. Diss. Münster 1959, 82 ff.

39 Nur unter großen Vorbehalten sei für diesen Zeitraum genannt: Heinz Kluth, Arbeiterjugend — Begriff und Wirklichkeit. In: Arbeiterjugend gestern und heute, hrsg. v. Helmut Schelsky. Heidelberg 1955, bes. 38–74.

40 Max Adler, Über marxistische Staatsauffassung. In: Der Klassenkampf 1 (1927), 3–9 (7).

41 Vgl. ders., Die Niederlage der Volksgemeinschaftsidee, ebd., 4 (1930), 581–586.

42 Otto Thomas, Kunst und Volk. In: Die Glocke 4 (9. 11. 1918), 1020–1026.

43 R. G. Haebler, Marx und Goethe, ebd. 5 (20. 9. 1919), 785 bis 793 (792).

44 Thomas Mann, Ges. Werke Bd. 12. Frankfurt 1960, 648.

45 Konrad Haenisch, Sozialdemokratische Kulturpolitik. Berlin (1918), 23.

46 Der Geist der neuen Volksgemeinschaft. Eine Denkschrift für das deutsche Volk, hrsg. v. der Zentrale für Heimatdienst. Berlin (1919), 3 f.

47 Vgl. Wolfgang Schumann, Der Pessimismus in der sozialistischen Bewegung. In: Die Glocke 6 (27. 6. 1921), 351–357.

48 Gustav Radbruch, Kulturlehre des Sozialismus. Frankfurt 1970, 34.

49 Vgl. Klaus Meyer, Arbeiterbildung in der Volkshochschule. Die ›Leipziger Richtung‹. Ein Beitrag zur Geschichte der deutschen Volksbildung in den Jahren 1922–1933. Stuttgart 1969.

50 Hermann Heller, Sozialismus und Nation. Berlin 1925, 49; auch in: Heller, Ges. Schriften Bd. 1, 477.

51 Max Adler, Weltanschauliches im Marxismus. In: Der Kampf 26 (1933), 112–121.

52 Vgl den Hinweis auf Trockij bei Oswald Bauer, Kunstausstellungen für die Arbeiterschaft. In: Die Tat 16 (1925), 951 bis 955 (952).

53 Erich Winkler, Bericht über die Kulturwoche. Ebd., 892–903 (893).

54 Vgl. Hugo Marx, Werdegang eines jüdischen Staatsanwalts und Richters in Baden (1892–1933). Ein soziologisch-politisches Zeitbild. Villingen 1965, 191–201.

55 Alexander Stein, Die kulturelle Lage der Arbeiterschaft. In: Sozialismus und Kultur. Tagung des Sozialistischen Kulturbundes 2.–3. 10. 1926 in Blankenburg, o. O., o. J. [1926], 13 f.

56 Anna Siemsen, Politische Kunst und Kunstpolitik. Berlin 1927, bes. 45 ff.

57 Dies., Sozialismus und Kunst. In: Sozialismus und Kultur (Anm. 55), 37.

58 Film und Funk. Sozialistischer Kulturtag in Frankfurt am Main 28.–29. 9. 1929, hrsg. v. Sozialistischen Kulturbund. Berlin o. J.

59 Kurt Koszyk, Zwischen Kaiserreich und Diktatur. Die sozialdemokratische Presse von 1914 bis 1933. Heidelberg 1958. – Vgl. Elfriede Fischer, Grundlagen der Interpretation der Politik der deutschen Sozialdemokratie durch die sozialdemokratische Presse. Diss. Heidelberg 1928.

60 Friedrich Knilli, Die Arbeiterbewegung und die Medien. Ein Rückblick. In: Gewerkschaftliche Monatshefte 25 (1974), 349 bis 362. – Vgl. Ernst Fraenkel, Der Film als sozialistische Kunstform. In: Jungsozialistische Blätter 5 (1926), 77–79.

61 Vgl. Korea Senda/Heinz Luedecke, Agitpropisierung des proletarischen Films. In: Arbeiterbühne und Film 18 (1931), H. 5, 8–11. – S. auch Karl Tümmler, Zur Geschichte des Volksfilmverbandes. In: Film, hrsg. v. Inst. f. Filmwiss. an

der Dt. Hochschule für Filmkunst, 4 (1964), 1224–1251.

62 Vgl. Horst Hanzl, Der Rundfunk der Weimarer Republik als Klasseninstrument der Bourgeoisie und der Kampf der Arbeiterklasse um das Mitbestimmungsrecht. Diss. Leipzig 1961, 138 ff.

63 Vgl. Herbert Scherer, Die Volksbühnenbewegung (Kap. VI, Anm. 210).

64 Eine Dokumentation des 10. Bundestages 1928 in: Ludwig Hoffmann/Daniel Hoffmann-Ostwald, Deutsches Arbeitertheater 1918–1933. München 1973, 312–338. – Vgl. Friedrich Wolfgang Knellessen, Agitation auf der Bühne. Emsdetten 1970, 272 ff.

65 Vgl. Herbert Krauß, Die Roten Ratten. Ein Erlebnisbericht. In: Auf der roten Rampe. Erlebnisberichte und Texte aus der Arbeit der Agitproptruppen vor 1933, hrsg. v. D. Hoffmann-Ostwald. Berlin 1963, 119–141.

66 Vgl. Heinrich Ströbel, Was uns fehlt. In: Der Klassenkampf 3 (1929), 687 ff., 729 ff.

67 Anna Siemsen, Franz Mehring, der Literaturhistoriker. Seine Aufgabe in unserer Zeit, ebd. 4 (1930), 116–120. – Vgl. O. Hermann, Mehring und wir, ebd. 3 (1929), 124–126.

68 Dies., Sozialismus und Kunst (Anm. 57), 34 f.

69 Das Pressebureau der Partei. In: Der Klassenkampf 3 (1929), 512 f.

70 Eine Darst. der ›Proletarischen Heimstunden‹ bei H. U. Schütte, Der Verlag ›Die Wölfe‹. In: Marginalien. Zs. f. Buchkunst und Bibliophilie (1968), H. 32, 6–24.

71 Vgl. Hellmuth Heinz, Die Büchergilde Gutenberg 1924–1933. In: Marginalien (1970), H. 37, 23–43.

72 Vgl. Rolf Recknagel, B. Traven. Beiträge zur Biografie. Leipzig 1971, 9 ff.

73 Karl Schröder, Arbeiterdichtung? – Proletarische Dichtung! In: Arbeiterjugend (1928), 258 f.

74 Vgl. Olaf Ihlau, Die roten Kämpfer. Meisenheim 1969, 180 f.

75 Karl Schröder, Der Roman als Gesellschaftsspiegel. In: Sozialistischer Literaturführer Bd. 1. Berlin 1927, 73–81 (81).

76 Zur Biographie von Karl Schröder s. Franz Osterroth, Biographisches Lexikon des Sozialismus Bd. 1. Hannover 1960, 273.

77 Vgl. Hanno Drechsler, Die Sozialistische Arbeiterpartei Deutschlands (SAPD). Meisenheim 1965, 238 ff. und passim.

78 Zit. n. Der Klassenkampf 3 (1929), 390.

79 Karl Rohe, Das Reichsbanner Schwarz Rot Gold. Ein Beitrag zur Geschichte und Struktur der politischen Kampfbünde zur Zeit der Weimarer Republik. Düsseldorf 1966, 403 ff.

80 Julius Leber, Ein Mann geht seinen Weg. Schriften, Reden und Briefe. Berlin/Frankfurt 1952, 239 f. und passim.

81 Nach Rohe, 405 f.

82 Ebd., 410.

83 N. Lenin, Agitation und Propaganda. Ein Sammelband. Wien/Berlin 1929 (Reprint 1971), 6 (Einl.).

84 W. Gollmick (Rez. zu Lenin, Agitation und Propaganda). In: Inprekorr (1929), Nr. 77, 1780.

85 Horst Fröhlich, Die kulturpolitische Arbeit der KPD. In: Inprekorr (1929), Nr. 110, 2614/15.

86 Vgl. Christine Gobron/Friedrich Rothe, Zur Geschichte der Organisierung und Arbeit kommunistischer Schriftsteller in Deutschland 1925—1933. In: Sozialistische Zeitschrift für Kunst und Gesellschaft (1972), H. 11/12, 5—33 (8); Geschichte der deutschen Arbeiterbewegung Bd. 4. Berlin 1966, 138 f.

87 Siegfried Bahne, ›Sozialfaschismus‹ in Deutschland. Zur Geschichte eines politischen Begriffs. In: International Review of Social History 10 (1965), 211—245 (243).

88 Arthur Rosenberg, Geschichte der Weimarer Republik, 199 f.

89 Oskar Negt/Alexander Kluge, Öffentlichkeit und Erfahrung. Frankfurt 1972, 399.

90 Ebd., 384 ff.

91 Wilhelm Reich, Massenpsychologie des Faschismus. Kopenhagen 1933; Ernst Bloch, Erbschaft dieser Zeit. Zürich 1935.

92 Heinz Paechter, Kommunismus und Klasse. In: Die Gesellschaft 9, I (1932), 326—344 (335 f.).

93 Willi Münzenberg, Unser Konzern. In: Der Rote Aufbau 2 (1929), 97—107. — Vgl. Rudolf Feistmann, Der Hugenberg-Konzern. Ebd. 3 (1930), 28—34; ders., Schwarze Pressemacht. Ebd., 81—85.

94 So die Schätzung von Karl Retzlaw, der 1928—1933 den Vertrieb des Neuen Deutschen Verlages organisierte. Retzlaw nennt die von Münzenberg angegebene Höchstauflage von wöchentlich 400 000 bis 500 000 Propaganda. (Peter Gorsen, ›Das Auge des Arbeiters‹. Anfänge der proletarischen Bildpresse. In: Ästhetik und Kommunikation (1973), H. 10, 7 bis 41. Das Heft ist der AIZ gewidmet.)

95 Willi Münzenberg, Solidarität. Zehn Jahre Internationale Arbeiterhilfe 1921—1931. Berlin 1931, 18.

96 Rundschreiben Nr. 1022 der Komintern (1923). In: Der deutsche Kommunismus 1915–1945, hrsg. v. Hermann Weber. Köln 1963, 213.

97 Münzenberg, Solidarität, 34.

98 Vgl. Helmut Gruber, Willi Münzenberg's German Communist Propaganda Empire 1921–1933. In: Journal of Modern History 38 (1966), 278–297.

99 Münzenberg, Erobert den Film. In: Münzenberg, Propaganda als Waffe. Ausgew. Schriften 1919–1940, hrsg. v. Til Schulz. Frankfurt 1972, 46–66 (50 f.).

100 Gorsen, ›Das Auge des Arbeiters‹ (Anm. 94), 14.

101 Vgl. Willi Lüdecke, Der Film in Agitation und Propaganda der deutschen Arbeiterbewegung (1919–1933). Berlin 1973; Film und revolutionäre Arbeiterbewegung in Deutschland 1918–1932. Dokumente und Materialien zur Entwicklung der Filmpolitik der revolutionären Arbeiterbewegung und zu den Anfängen einer sozialistischen Filmkunst, hrsg. v. der Hochschule f. Film und Fernsehen der DDR (2 Bde.). Berlin 1975.

102 Babette Gross, Willi Münzenberg. Eine politische Biographie. Stuttgart 1967, 183.

103 Vgl. die ausf. Dokumentation: Heinz Willmann, Geschichte der Arbeiter-Illustrierten Zeitung 1921–1938. Berlin 1974.

104 Vgl. Bruno Frei, Der Papiersäbel. Autobiographie. Frankfurt 1972, 131 ff.

105 4000 Mark-Preisausschreiben für einen Roman. Gestaltet das wahre Gesicht des Faschismus. In: Welt am Abend Nr. 41 (18. 2. 1931). – Vgl. die von Paul Friedländer hrsg. Broschüre: Wie kämpfen wir gegen ein Drittes Reich? Berlin 1931.

106 Bruno Frei, Massenorganisationen und Arbeiterpresse. In: Der Rote Aufbau 3 (1930), 383–386 (384 f.).

107 Münzenberg, Solidarität, 91.

108 Babette Gross, Willi Münzenberg, 213.

109 Als Dokumentation s. Der Malik-Verlag 1916–1947. Ausstellungskatalog, hrsg. v. Wieland Herzfelde. Berlin 1967.

110 Klaus Herrmann, Tolstoj im Malikverlag. In: Die Neue Bücherschau (1928), 105; W. Herzfelde, ›Bange Ahnung‹ — unbegründet, ebd., 261 ff.

111 Vgl. Kläbers Vorwort ›Proletarisch-revolutionäre Dichtung‹. In: Hans Lorbeer, Wacht auf! Berlin 1928, 5 f.

112 Vgl. Lexikon sozialistischer deutscher Literatur von den An-

fängen bis 1945. Halle 1963, 407—409; S. Robert, Die proletarisch-revolutionäre Literatur in Deutschland. In: Zur Tradition der sozialistischen Literatur in Deutschland, 83—86.

113 Münzenberg, Solidarität, 79 ff. — Vgl. Erich Lange, Von den ›Blauen Blusen‹ bis zur ›Kolonne links‹. In: Der Rote Aufbau 3 (1930), 291 f.

114 Vgl. die Dokumentation: Deutsches Arbeitertheater 1918 bis 1933 (2 Bde.), hrsg. v. Ludwig Hoffmann/Daniel Hoffmann-Ostwald. München (Berlin) 1973 (2., erw. Aufl.).

115 Lernt vom Gegner! In: Das Rote Sprachrohr. Sondernummer 2 (April 1932), 39.

116 Erwin Piscator, Über die Lehren der Vergangenheit und die Aufgaben der Zukunft. In: Das Internationale Theater (1934), H. 5/6, 3—7 (auch in: Anm. 114, 442—452). — Vgl. Margarete Lode, Ohne revolutionäre Theorie keine revolutionäre Praxis. Ebd. (1934), H. 2, 40—42.

117 Klaus Kändler, Drama und Klassenkampf. Berlin/Weimar 1970, 318.

118 Helga Gallas, Marxistische Literaturtheorie (Anm. 21), 25 ff.; Franz Schonauer, Die Partei und die Schöne Literatur. Kommunistische Literaturpolitik in der Weimarer Republik. In: Die deutsche Literatur in der Weimarer Republik hrsg. v. Wolfgang Rothe. Stuttgart 1974, 114—142.

119 Kurt Tucholsky, Die Rolle des Intellektuellen in der Partei. In: Die Front 2 (1929), 250—253 (251). — Vgl. Hans Conrad, Über die Rolle des Intellektuellen in der proletarischen Revolution, ebd., 280—283.

120 Hanno Möbius, Der Rote Eine-Mark-Roman. In: Archiv für Sozialgeschichte 14 (1974), 157—211 (193 ff.).

121 Resolution der Konferenz der Arbeiterkorrespondenten (1924), zit. n. Alfred Klein, Im Auftrag ihrer Klasse, 628. — Vgl. Karl Grünberg, Über Arbeiterkorrespondenten und ihre Presse. In: Klaus Puder, Erinnerungen sozialistischer Journalisten. Berlin 1968, 108—116.

122 So die zusammenfassende Rez. über die Bände zur sozialistischen deutschen Literatur, welche die Leipziger Forschungsgruppe Geschichte der sozialistischen Literatur an der Akademie der Künste der DDR erarbeitete (Literatur der Arbeiterklasse; F. Albrecht, Deutsche Schriftsteller in der Entscheidung; A. Klein, Im Auftrag ihrer Klasse; Klaus Kändler, Drama und Klassenkampf): Werner Berthold/Ulrich Heß, Beiträge zur Geschichte der deutschen sozialistischen

Literatur im 20. Jh. In: Beiträge zur Gesch. der Arbeiterbewegung 15 (1973), 351—357 (353).

123 Thomas Weingartner, Stalin und der Aufstieg Hitlers (Anm. 1), 59.

124 Vgl. Die Rote Fahne v. 27. 3. 1931 (Weingartner, 63).

125 Vgl. Geschichte der deutschen Arbeiterbewegung Bd. 4. Berlin 1966, 300 ff.

126 Vgl. Jenö Kurucz, Struktur und Funktion der Intelligenz während der Weimarer Republik, o. O. 1967, 104 ff. — Als Versuch einer Auseinandersetzung mit der ›Not der Intellektuellen‹ auf kommunistischer Seite s. die Broschüre: Die Kulturkrise und kein Ausweg? Berlin 1930.

127 Zugänglich in: Theorien über den Faschismus, hrsg. v. Ernst Nolte. Köln/Berlin 1967, 112—117.

128 Istvan Deak, Weimar Germany's Left-Wing Intellectuals. A Political History of the ›Weltbühne‹ and Its Circle. Berkeley 1968, 165 ff.

129 Eine ausf. Darst. bei Otto-Ernst Schüddekopf, Nationalbolschewismus in Deutschland 1918—1933. Frankfurt 1972 (Veränd. Neuaufl. v. Linke Leute von rechts. Stuttgart 1960).

130 Kurt Sontheimer, Antidemokratisches Denken in der Weimarer Republik. München 1962, 352.

131 Reinhard Kühnl, Die nationalsozialistische Linke 1925—1930. Meisenheim 1966.

132 Ein kurzer Überblick bei George L. Mosse, Germans and Jews. The Right, the Left, and the Search for a ›Third Force‹ in Pre-Nazi-Germany. New York 1970, 171—225.

133 Werner Hegemann, Heinrich Mann? Hitler? Gottfried Benn? Oder Goethe? In: Das Tagebuch v. 11. 4. 1931, 580—588.

134 Kurt Hiller, Der Präsident. In: Die Weltbühne 28, I (1932), 194—198.

135 Vgl. Klaus Thoenelt, Heinrich Manns Psychologie des Faschismus. In: Monatshefte 63 (1971), 220—234 (223 f.).

136 Heinrich Mann, Es kommt der Tag. Ein deutsches Lesebuch. Zürich 1936, zit. n. Hanno König, Heinrich Mann, Tübingen 1972, 294.

137 Inge Jens, Dichter zwischen rechts und links. Die Geschichte der Sektion für Dichtkunst der Preußischen Akademie der Künste, München 1971. — So auch das Resümee bei Lothar Köhn in der großen Überblicksskizze: Überwindung des Historismus. Zu Problemen einer Geschichte der deutschen Literatur zwischen 1918 und 1933. In: Deutsche Viertel-

jahrsschrift für Literaturwiss. u. Geistesgeschichte 48 (1974), 704–766; 49 (1975), 94–165 (bes. 124 f.).

138 Thomas Mann, Ges. Werke Bd. 12. Frankfurt 1960, 647.

139 Ders., Ges. Werke Bd. 11. Frankfurt 1960, 882.

140 Vgl. Aktionen – Bekenntnisse – Perspektiven, 321 ff.

141 Politische Justiz gegen Kunst und Literatur, o. O. 1925 (darin über die Fälle Ullrich, Zulauf, Raichle, Gärtner, Becher u. a.). – Vgl. den Überblick: Heinrich Hannover/Elisabeth Hannover, Politische Justiz 1918–1933. Frankfurt 1966, 238 bis 262.

142 Zu den Zensur- und Verbotsmaßnahmen vor 1933 s. Hans-Albert Walter, Bedrohung und Verfolgung bis 1933. Deutsche Exilliteratur 1933–1950 Bd. 1. Darmstadt/Neuwied 1972, 33–87.

143 Geschichte der deutschen Arbeiterbewegung Bd. 4, 133.

144 Kurt Hiller, Rote Ritter. Erlebnisse mit deutschen Kommunisten. Gelsenkirchen o. J., 11.

145 Das Ziel v. 1. 9. 1931 (H. 1). Zu Hillers polit. Unternehmungen s. Lewis David Wurgaft, The Activist Movement. Cultural Politics on the German Left 1914–1933. Diss. Harvard Univ. 1970, 322 ff.

146 Johannes R. Becher, Der ›tote Punkt‹ (1926). In: Zur Tradition der sozialistischen Literatur in Deutschland, 17–20.

147 Zugänglich in: Literatur und Klassenkampf (Kap. VI, Anm. 60), 149.

148 Vgl. Gerhart Pohls positive Würdigung von Trockij in der Neuen Bücherschau (1925), 38.

149 Wilhelm Michel und Gerhart Pohl, Der Weg aus dem Nichts. Ein Briefwechsel. In: Die Neue Bücherschau (1925), H. 4, 3 bis 12 (11 f.).

150 Horst Schmidt, Deutsche Arbeiterbewegung und russische Klassik 1917–1933. Funktion und Wirkung der sozialistischen Rezeption der russischen Literatur im gesellschaftlichen und literarischen Prozeß der Weimarer Republik. Berlin 1973, 240.

151 Klaus Herrmann, Qualität? Qualität! In: Die Neue Bücherschau (1928), H. 12, 657.

152 Lu Märten, Zweck und Form in der jungen Literatur. In: Die Neue Bücherschau (1927), H. 2, 47–50.

153 Horst Schmidt, Revolutionäre deutsche Arbeiterbewegung und klassische russische Literatur 1917–1933. Habilschrift Halle–Wittenberg 1969, 486. (Die Erörterung solcher Fragen

der kommunistischen Kulturpolitik Ende der zwanziger Jahre ist in der Druckfassung dieser Arbeit nur teilweise wiedergegeben, s. Anm. 150.)

154 Vgl. Leo Trotzkij, Die Frage der Tradition in der Kunst. In: Die Neue Bücherschau (1927), H. 4, 147 f.

155 Maxim Gorkij, Noch immer geht es um das Können, ebd. (1929), H. 10, 521–527 (526).

156 Vgl. Gerhart Pohl, Über die Rolle des Schriftstellers in dieser Zeit. Brief an Johannes R. Becher und E. E. Kisch, ebd. (1929), H. 9, 463–470.

157 Auch noch in dem Artikel von Edgar Kirsch, Die proletarisch-revolutionären Schriftsteller und ›Die Neue Bücherschau‹. In: Weimarer Beiträge 9 (1963), 295–320.

158 Hans Münch, Die Gesellschaft der Freunde des neuen Rußlands in der Weimarer Republik. Berlin 1955. – Als Überblick s. Deutsch-sowjetische Freundschaft von 1917 bis zur Gegenwart. Berlin 1975.

159 Vgl. Christel Pallmann, Die Zeitschrift: ›Das Neue Rußland‹. In: Kulturelle und wissenschaftliche Beziehungen zur Sowjetunion (1922–1932). Halle 1965, 12–22.

160 Vgl. Waltraut Engelberg, Die Sowjetunion im Spiegel literarischer Berichte und Reportagen in der Zeit der Weimarer Republik. In: Literatur der Arbeiterklasse. Berlin/Weimar 1971, 312–379.

161 Über die Zeitschriften ›Der drohende Krieg‹ (1928–1930), ›Freund der Sowjets‹ (1930–1932), ›Sowjetrußland von Heute‹ (1932/33) s. Josef Schmidt, Das Presseorgan des Bundes der Freunde der Sowjetunion und sein Anteil an der Entwicklung der deutsch-sowjetischen Freundschaft (1928 bis 1933). Diplomarbeit Leipzig (Fak. f. Journalistik) 1960.

162 Vgl. Die Weltbühne Nr. 49 (2. 12. 1930), darin Carl von Ossietzky, Sowjet-Justiz, 811 f.

163 Zum Technikkult s. Helmut Lethen, Neue Sachlichkeit 1924 bis 1931. Stuttgart 1970, 19 ff., 58 ff.

164 Leo Lania, Die Erben Zolas. In: Die Neue Bücherschau (1927), H. 3, 111–115 (113).

165 Fritz Schulte ten Hoevel, Die dialektische Lage. In: Scheinwerfer 5 (1931/32), H. 2, 17–21 (21). – Vgl. die anderen Beiträge der Disk.: H. W. Hillers, Thesen über einen dialektischen Realismus. Ebd., H. 1, 22 f.; ders., Kritik der komischen Käuze, ebd., H. 3, 18–20; Schulte ten Hoevel, Das private Kollektiv, ebd., 20–22.

166 Otto-Ernst Schüddekopf, Nationalbolschewismus in Deutschland 1918–1933, 302. – Vgl. Ossietzkys Kritik am Scheringer-Kurs (Leutnant Scheringer und die K. P. D. In: Die Weltbühne 27, 1931, 900–902).

Kapitel VIII
(Seite 597–677)

1 Roger Garaudy, Die große Wende des Sozialismus. München 1972, 91.
2 Vgl. Robert Havemann, Fragen Antworten Fragen. Aus der Biographie eines Marxisten. München 1970, 56 ff. und passim.
3 Ausführlicher in meinem Beitrag: Der ›sozialistische Realismus‹ im historischen Kontext. In: Realismustheorien in Literatur, Malerei, Musik und Politik, hrsg. v. Reinhold Grimm/ Jost Hermand. Stuttgart 1975, 68–86.
4 Michael Heller, Stalin and the Detectives. In: Survey 21 (1975), 160–175 (164 f.).
5 Gleb Struve, Geschichte der Sowjetliteratur. München o. J., 310. – Vgl. Georg Lukács, Postscriptum 1957 zu: Mein Weg zu Marx. In: Lukács, Ausgew. Schriften Bd. 4. Reinbek 1970, 161 ff.
6 Oskar Negt, Marxismus als Legitimationswissenschaft. Zur Genese der stalinistischen Philosophie. In: Abram Deborin/ Michael Bakunin, Kontroversen über den dialektischen und mechanischen Materialismus. Frankfurt 1969, 7–48 (Einl.).
7 Karl Radek, Die moderne Weltliteratur und die Aufgaben der proletarischen Kunst. In: Sozialistische Realismuskonzeptionen, hrsg. v. Hans-Jürgen Schmitt/Godehard Schramm. Frankfurt 1974, 205.
8 Statut des Verbandes der Sowjetschriftsteller, ebd. 390.
9 Andrej Ždanov, Die Sowjetliteratur, die ideenreichste und fortschrittlichste Literatur der Welt, ebd. 48.
10 Gustav Regler, Das Ohr des Malchus. Köln/Berlin 1958, 274 ff.
11 N. N., Gegen Formalismus und Naturalismus. Zu den ›Prawda‹-Artikeln über Kunstfragen. In: Internationale Literatur (1936), H. 6, 71–80 (78). – Vgl. Moskauer Schriftstellerdebatte, ebd. 151.
12 Vgl. Edward Wasiolek, Nineteenth-Century Russian Criti-

cism and Soviet Literary Policy. In: Modern Age 14 (1970), 190–198.

13 René Wellek, Der Realismusbegriff in der Literaturwissenschaft. In: Wellek, Grundbegriffe der Literaturkritik. Stuttgart 1965, 174.

14 Vgl. Werner Hofmann, Stalinismus und Antikommunismus. Zur Soziologie des Ost-West-Konflikts. Frankfurt 1967, 84 f.

15 Karl Korsch, Marxismus und Philosophie, hrsg. v. Erich Gerlach. Frankfurt 1966, 62 ff.

16 Vladimir Karbusicky, Widerspiegelungstheorie und Strukturalismus. Zur Entstehungsgeschichte und Kritik der marxistisch-leninistischen Ästhetik. München 1973, 58.

17 Ebd., 92.

18 Gesellschaft – Literatur – Lesen. Literaturrezeption in theoretischer Sicht, hrsg. v. Manfred Naumann u. a. Berlin/Weimar 1973, 52.

19 Walter Laqueur, Russia and Germany. A Century of Conflict. Boston/Toronto 1965, 224 ff., 238 ff.

20 Zit. n. Philosophisches Wörterbuch Bd. 1, hrsg. v. Georg Klaus/Manfred Buhr. Berlin 1970 (7. Aufl.), 363.

21 Laqueur, Russia and Germany (Anm. 19), 225 f.

22 Fritz Heckert, Die gegenwärtige Lage in Deutschland und die Aufgaben der KPD. In: Die Kommunistische Internationale 14 (15. 12. 1933), 1208–1227 (1209).

23 Vgl. das Kapital ›Die Demoralisation (1933–1938)‹. In: Hans Werner Richter, Briefe an einen jungen Sozialisten. Hamburg 1974, 49–67.

24 Hans Baumgart, Die illegale Arbeit des Bundes proletarisch-revolutionärer Schriftsteller in Deutschland (1933–1935). In: Literatur der Arbeiterklasse, 191–203 (199 f.).

25 Jan Petersen, Die Bewährung. Eine Chronik. Berlin/Weimar 1970 (Motto).

26 Über die illegale Arbeit von Autoren in Deutschland s. die Erinnerungen von Elfriede Brüning, Werner Ilberg, Jan Koplowitz, Jan Petersen. In: Hammer und Feder. Deutsche Schriftsteller aus ihrem Leben und Schaffen. Berlin 1955.

27 Baumgart, Die illegale Arbeit (Anm. 24), 200 – Eine ausf. Analyse dieser Zeitschriften bei Hans-Albert Walter, Deutsche Exilliteratur 1933–1950 Bd. 7 (Exilpresse 1). Darmstadt/Neuwied 1974.

28 Hirne hinter Stacheldraht. Basel 1934, hier zit. n. Zur Tradition der sozialistischen Literatur in Deutschland, 548. (Der

Abdruck umfaßt allerdings nicht die ganze Broschüre.)

29 Vgl. die Bemerkungen zu Petersens Rede in: Neue Deutsche Blätter 2 (1935), 345.

30 Vgl. die gründliche Darstellung von Heinz Gittig, Illegale antifaschistische Tarnschriften 1933 bis 1945. Frankfurt 1972.

31 F. H. W. Schmidt, Die Bastelwerkstatt. Leipzig o. J. [1934]. (= Gittig Nr. 122.)

32 (= Gittig Nr. 175.) — Vgl. auch die grundlegende Broschüre für die illegale Publizistik in Deutschland: Hundert Tage illegaler Kampf. Die illegale Presse der KPD in Bild und Wort im Kampfe gegen die faschistische Diktatur. Moskau/ Leningrad 1933; S. Bahne, Die Kommunistische Partei Deutschlands (Kap. VII, Anm. 36), 709 f.

33 Ernst Bayer [d. i. Alexander Abusch], Die Verteidigung der deutschen Kultur und die Volksfront. In: Die Internationale (1937), H. 5/6, 17—28; Dittmar, Die Werke unserer Klassiker — eine scharfe Waffe im Freiheitskampf der deutschen Jugend. In: Die Junge Garde (Nov./Dez. 1937), 26—29.

34 Unsere klassische Literatur gegen Tyrannenmacht. In: Die Rote Fahne (1938), Nr. 2.

35 Erich Weinert, Die Bedeutung der Emigrantenliteratur für die illegale Arbeit in Deutschland. In: Zur Tradition der sozialistischen Literatur in Deutschland, 712.

36 Einen eindrucksvollen Beitrag zur Klärung leistet Timothy W. Mason, Arbeiterklasse und Volksgemeinschaft. Dokumente und Materialien zur deutschen Arbeiterpolitik 1936 bis 1939. Opladen 1975.

37 Ebd., 85 ff.

38 Chup Friemert, Das Amt ›Schönheit der Arbeit‹. Ein Beispiel zur Verwendung des Ästhetischen in der Produktionssphäre. In: Das Argument (1972), H. 72, 258—275 (274).

39 Max von der Grün, Verbrannt oder verschwiegen. Die Arbeiterdichtung kapitulierte nicht vor dem Nationalsozialismus. In: Welt der Arbeit Nr. 43 (27. 10. 1961).

40 Vgl. Christoph Rülcker, Ideologie der Arbeiterdichtung 1914 bis 1933. Stuttgart 1970, 105.

41 Walther Victor, Etwas von deutschen Arbeiter-Dichtern. In: Die sozialistische Warte v. 29. 9. 1939, 881, 888/89.

42 Die unbeliebten ›Arbeiterdichter‹. In: Die Rote Fahne (Mitte Dez. 1935), 12.

43 Vgl. Im Kampf bewährt. Erinnerungen deutscher Genossen an den antifaschistischen Widerstand von 1933 bis 1945,

hrsg. v. Heinz Voßke. Berlin 1969. – Vgl. auch die im Röderberg Verlag, Frankfurt, erscheinende ›Bibliothek des Widerstandes‹.

44 Wolfgang Abendroth, Historische Funktion und Umfang des Widerstandes der Arbeiterbewegung gegen das Dritte Reich. In: Fs. Otto Brenner, hrsg. v. Peter von Oertzen. Frankfurt 1967, 318, 319 f.

45 Kopf hoch, Kameraden! Künstlerische Dokumente aus faschistischen Konzentrationslagern, hrsg. v. Inge Lammel. Berlin 1965, 6 (Einl.).

46 Lieder aus faschistischen Konzentrationslagern, hrsg. v. Inge Lammel/Günter Hofmeyer. Leipzig 1962, 7 (Einl.).

47 Zit. n. Peter Stahlberger, Der Zürcher Verleger Emil Oprecht und die deutsche politische Emigration 1933–1945. Zürich 1970, 30.

48 Eine ausf. Darst. bei Karl R. Stadler, Opfer verlorener Zeiten. Geschichte der Schutzbund-Emigration. Wien 1974.

49 Johannes R. Becher, Das große Bündnis. In: Sozialistische Realismuskonzeptionen (Anm. 7), 256. – Über das frühere Verhältnis Bechers zur Sowjetunion s. Edgar Weiss, Johannes R. Becher und die sowjetische Literaturentwicklung 1917 bis 1933. Berlin 1971.

50 Zit. n. Becher, Sterne unendliches Glühen. Die Sowjetunion in meinem Gedicht 1917–1951 (= Sinn und Form, Sonderheft J. R. Becher), 259–283.

51 Lukács, Politische Parteilichkeit und künstlerische Vollendung. In: Dem Dichter des Friedens Johannes R. Becher zum 60. Geburtstag. Berlin 1951, 212.

52 Ebd., 223.

53 Vgl. Horst Haase, Johannes R. Bechers Deutschland-Dichtung. Zu dem Gedichtband ›Der Glücksucher und die sieben Lasten‹ (1938). Berlin 1964, 109.

54 Becher, Das poetische Prinzip. Berlin 1957, 228.

55 Alfred Kurella, Wiedersehn in Deutschland. In: Kurella, Zwischendurch. Verstreute Essays 1934–1940. Berlin 1961, 82.

56 Ders., Zur Theorie der Moral. Eine Polemik mit Ernst Bloch (1937), ebd. 74.

57 Ders., Wiedersehen (Anm. 55), 76.

58 Bernhard Reich, Im Wettlauf mit der Zeit. Erinnerungen aus fünf Jahrzehnten deutscher Theatergeschichte. Berlin 1970, 329.

59 Vgl. Friedrich Wolf in: Sozialistische Realismuskonzeptionen (Anm. 7), 220—224.

60 Vgl. Lee Baxandall, The Revolutionary Moment. In: The Drama Review 13 (1968), No. 2, 92—107 (104).

61 Eine Gesamtdarstellung liefern Hermann Haarmann/Lothar Schirmer/Dagmar Walach, Das ›Engels‹ Projekt. Ein antifaschistisches Theater deutscher Emigranten in der UdSSR (1936—1941). Worms 1975.

62 Werner Jehser, Friedrich Wolf. Sein Leben und Werk. Berlin 1968, 149 f.

63 Reich, Im Wettlauf (Anm. 58), 318, 374. — Vgl. Julius Hay, Geboren 1900. Hamburg 1971, 165 ff.; dazu Hans-Albert Walter, Die Grenzen des Erinnerungsvermögens. Kritische Anmerkungen zur Autobiographie von J. Hay. In: Frankfurter Hefte (1972), 107—116.

64 Annemarie Auer, Proletarischer Familienroman und Nationalliteratur. Zu Willi Bredels Romantrilogie ›Verwandte und Bekannte‹. In: Neue Deutsche Literatur (1954), H. 12, 133 bis 150.

65 Hans Mayer, Bertolt Brecht und die Tradition. Pfullingen 1961, 75.

66 Vgl. Klaus-Detlef Müller, ›Das Große bleibt groß nicht . . .‹ Die Korrektur der politischen Theorie durch die literarische Tradition in B. Brechts ›Schweyk im Zweiten Weltkrieg‹. In: Wirkendes Wort 23 (1973), 26—44 (28).

67 Walter Benjamin, Versuche über Brecht. Frankfurt 1966, 129 f.

68 Müller (Anm. 66).

69 Becher, Maß und Richtung. In: Deutsche Zentral-Zeitung Nr. 220 (24. 9. 1937), zit. n. Becher, Von der Größe unserer Literatur. Reden und Aufsätze. Leipzig 1971, 189.

70 Die Debatte ist dokumentiert in: Die Expressionismusdebatte, hrsg. v. Hans-Jürgen Schmitt. Frankfurt 1973.

71 Kurella, Schlußwort, ebd. 244.

72 Benjamin, Versuche über Brecht (Anm. 67), 117 ff.; Brecht, Ges. Werke Bd. 19. Frankfurt 1967, 290 ff.; ders., Arbeitsjournal, passim.

73 Vgl. Lothar Baier, Streit um den Schwarzen Kasten. Zur sogenannten Brecht-Lukács-Debatte. In: Lehrstück Lukács, hrsg. v. Jutta Matzner. Frankfurt 1974, 244—255.

74 Reich, Im Wettlauf (Anm. 58), 314 f.

75 Simone Barck, Interview mit Fritz Erpenbeck. In: Weimarer

Beiträge 21 (1975), H. 4, 5–15. – Vgl. Hans-Albert Walter, Deutsche Exilliteratur 1933–1950 Bd. 2. Darmstadt/Neuwied 1972, 132–142.

76 Nikolai Kirillowitsch Popjel, Panzer greifen an. Berlin 1964, 35.

77 Manifest des Nationalkomitees ›Freies Deutschland‹ an die Wehrmacht und an das deutsche Volk (1943), zit. n. Verrat hinter Stacheldraht? Das Nationalkomitee ›Freies Deutschland‹ und der Bund Deutscher Offiziere in der Sowjetunion 1943–1945, hrsg. v. Bodo Scheurig. München 1965, 79.

78 Werner Berthold, Marxistisches Geschichtsbild – Volksfront und antifaschistisch-demokratische Revolution. Zur Vorgeschichte der Geschichtswissenschaft der DDR und zur Konzeption der Geschichte des deutschen Volkes. Berlin 1970, 88 ff.

79 Vgl. Horst Laschitza, Kämpferische Demokratie gegen Faschismus. Die programmatische Vorbereitung auf die antifaschistisch-demokratische Umwälzung in Deutschland durch die Parteiführung der KPD. Berlin 1969; Arnold Sywottek, Deutsche Volksdemokratie. Studien zur politischen Konzeption der KPD 1935–1946. Düsseldorf 1971, 123 ff.

80 Berthold (Anm. 78), 60 ff., 95 ff.

81 Brecht, Arbeitsjournal Bd. 2, hrsg. v. Werner Hecht. Frankfurt 1973, 641.

82 Ders., Wandelbar und stetig. Johannes R. Becher zum 60. Geburtstag. In: Brecht, Ges. Werke Bd. 19, 494. – Vgl. auch Brechts Interpretation von Bechers Lied ›Deutschland‹. Ebd. 509 f.

83 Ders., Thesen zur Faustus-Diskussion. Ebd. 533–537.

84 Vgl. Hans Dieter Schäfer, Stilgeschichtlicher Ort und historische Zeit in J. R. Bechers Exildichtungen. In: Die deutsche Exilliteratur 1933–1945, hrsg. v. Manfred Durzak. Stuttgart 1973, 358–372.

85 Becher, Eine Betrachtung über Kunst und Krieg. In: Freies Deutschland 3 (10. 9. 1944), H. 10, 28.

86 Zit. n. Gerhard Zirke, Im Tosen des Krieges geschrieben. Zur publizistischen Tätigkeit der deutschen Kommunisten und des Nationalkomitees ›Freies Deutschland‹ in der Sowjetunion während des Großen Vaterländischen Krieges, o. O. 1964, 18. – Vgl. die Dokumentation: Die Front war überall. Erlebnisse und Berichte vom Kampf des Nationalkomitees ›FD‹, hrsg. v. Else und Bernt von Kügelgen. Berlin 1968. –

Für die Frontpropaganda vor der Gründung des Nationalkomitees s. Damir K. Sebrow, Deutsche Schriftsteller gegen
den Faschismus 1941/42. In: Weimarer Beiträge 14 (1968),
Sonderh. 2, 160—188.

87 Vgl. Dieter Posdzech, Das lyrische Werk Erich Weinerts.
Berlin 1973, 284 ff.

88 Erich Weinert, Das Nationalkomitee ›Freies Deutschland‹
1943—1945. Bericht über seine Tätigkeit und Auswirkung.
Berlin 1957, 138, 164. — Vgl. Wolfgang Leonhard, Die Revolution entläßt ihre Kinder. Köln 1955.

89 Zur Frage, warum die Frontpropaganda so wenig Erfolg zei-
tigte, s. den Bericht des ehemaligen Mitgliedes des Nationalkomitees Max Emendörfer, Rückkehr an die Front. Erlebnisse
eines deutschen Antifaschisten. Berlin 1972.

90 Lukács, Skizze einer Geschichte der neueren deutschen Literatur. Berlin 1953, 147.

91 Vgl. den gleichnamigen Aufsatz von 1944 und die gleich-
namige Essaysammlung von 1956.

92 Lukács, ›Größe und Verfall‹ des Expressionismus (1934), zit.
n.: Lukács, Werke Bd. 4. Neuwied/Berlin 1971, 147 f.

93 Cesare Cases, Einleitung zu: Lehrstück Lukács (Anm. 73), 17.

94 Peter Ludz, Der Begriff der ›demokratischen Diktatur‹ in der
politischen Philosophie von Georg Lukács. In: Lukács,
Schriften zur Ideologie und Politik, hrsg. v. P. Ludz. Neu-
wied/Berlin 1967, LIV.

95 Lukács, Der Kampf des Fortschritts und der Reaktion in der
heutigen Kultur, ebd., 609.

96 Wolfgang Heise, Zur ideologisch-theoretischen Konzeption
von Georg Lukács. In: Weimarer Beiträge 4 (1958), Sonderheft, 26—41 (29).

97 Lukács, Kunst und objektive Wahrheit. In: Lukács, Werke
Bd. 4 (Anm. 92), 620.

98 Ebd., 621.

99 Béla Köpeczi, Ideengeschichte — Literaturgeschichte. Fragen
der Methodik. In: Beiträge zur romanischen Philologie
(1968), 260—276 (271).

100 Lukács, Werke Bd. 4 (Anm. 92), 332.

101 Klaus Völker, Brecht und Lukács. Analyse einer Meinungs-
verschiedenheit. In: Kursbuch (1966), H. 7, 80—101; Werner
Mittenzwei, Die Brecht-Lukács-Debatte. In: Sinn und Form
(1967), 235—269; Johann-Friedrich Anders/Elisabeth Klobu-
sicky, Vorschlag zu einer Interpretation der Brecht-Lukács-

Kontroverse. In: Alternative (1972), H. 84/85, 114—120; Helga Gallas, Zur Brecht-Lukács-Kontroverse, ebd., 121 bis 123; L. Baier, Streit um den Schwarzen Kasten (Anm. 73); Christian Fritsch/Peter Rütten, Anmerkungen zur Brecht-Lukács-Debatte. In: Rhetorik, Ästhetik, Ideologie. Aspekte einer kritischen Kulturwissenschaft. Stuttgart 1973, 137—159.

102 Lukács, Das Ideal des harmonischen Menschen in der bürger-lichen Ästhetik. In: Lukács, Werke Bd. 4 (Anm. 92), 311.

103 Rainer Rosenberg, Zum Menschenbild der realistischen bür-gerlichen Literatur des 19. Jahrhunderts. In: Weimarer Bei-träge 15 (1969), 1125—1150 (1141 f.).

104 Lukács, Schicksalswende (Anm. 94), 374.

105 Ebd., 373 f.

106 Ebd., 372.

107 Ders., Aristokratische und demokratische Weltanschauung (1946), ebd., 428.

108 Vgl. István Mészáros, Die Philosophie des ›tertium datur‹ und der Koexistenzdialog. In: Fs. Lukács, hrsg. v. Frank Benseler. Neuwied/Berlin 1965, 205.

109 Heinz Brüggemann, Literarische Technik und soziale Revo-lution. Versuche über das Verhältnis von Kunstproduktion, Marxismus und literarischer Tradition in den theoretischen Schriften Bertolt Brechts. Reinbek 1973, 91.

110 Benjamin, Versuche über Brecht (Anm. 67), 132.

111 Eine ausf. Darst. bei Kurt Batt, Der Dialog zwischen Anna Seghers und Georg Lukács. In: Weimarer Beiträge 21 (1975), H. 5, 105—140.

112 Lukács, Skizze (Anm. 90), 149.

113 Batt, Der Dialog (Anm. 111), 131 f.

114 Ebd., 111.

115 Jan Knopf, Bertolt Brecht. Ein kritischer Forschungsbericht. Frankfurt 1974, 160.

116 Ebd., 162.

117 Vgl. Hans Mayer, Bertolt Brecht und die Tradition, 77 f.

118 Neben den Fragmenten des ›Tui-Romans‹ vgl. Brechts ›Buch der Wendungen‹ und das Stück ›Turandot‹. Dazu Jürgen Jacobs, Brecht und die Intellektuellen. In: Neue Rundschau 80 (1969), 241—258.

119 Lukács, Die Zerstörung der Vernunft (1954). Dazu Wolfgang Heise, Aufbruch in die Illusion. Zur Kritik der bürgerlichen Philosophie in Deutschland. Berlin 1964.

120 Vgl. Alastair Hamilton, The Appeal of Fascism. A Study

of Intellectuals and Fascism 1919–1945. London 1971.

121 Heinrich Mann, Revolution und Einigkeit. In: Neuer Vorwärts Nr. 36 (18. 2. 1934).

122 Eine ausf. Darst. der Politik der SPD nach 1933 bei Frank Moraw, Die Parole der ›Einheit‹ und die Sozialdemokratie. Zur parteiorganisatorischen und gesellschaftspolitischen Orientierung der SPD in der Periode der Illegalität und in der ersten Phase der Nachkriegszeit 1933–1948. Bonn-Bad Godesberg 1973. – Vgl. Günter Plum, Volksfront, Konzentration und Mandatsfrage. Ein Beitrag zur Geschichte der SPD im Exil 1933–1939. In: Vierteljahrshefte für Zeitgeschichte 18 (1970), 410–442; Erich Matthias, Sozialdemokratie und Nation. Ein Beitrag zur Ideengeschichte der sozialdemokratischen Emigration in der Prager Zeit des Parteivorstandes 1933–1938. Stuttgart 1952.

123 Dieter Schiller bringt es fertig, in seinem Buch über die deutsche Volksfront Münzenberg keinmal zu erwähnen (›. . . von Grund auf anders‹. Programmatik der Literatur im antifaschistischen Kampf während der dreißiger Jahre. Berlin 1974).

124 Vgl. Helmut Gruber, Willi Münzenberg: Propagandist for and against the Comintern. In: International Review of Social History 10 (1965), 188–210.

125 Ursula Langkau-Alex, Deutsche Emigrationspresse. Auch eine Geschichte des ›Ausschusses zur Vorbereitung einer Deutschen Volksfront‹ in Paris, ebd. 15 (1970). 167–201 (188).

126 Gustav Regler, Das Ohr des Malchus (Anm. 10), 314 ff.

127 Kurt Kersten, Das Ende Willi Münzenbergs. Ein Opfer Stalins und Ulbrichts. In: Deutsche Rundschau 83 (1957), 484 bis 499 (489).

128 Alfred Kantorowicz, Deutsches Tagebuch Bd. 1. München 1959, 328.

129 Zugänglich im dokumentarischen Anhang zu: Carola Stern, Ulbricht und die Volksfront. In: SBZ-Archiv (1963), 148 bis 153 (151/3).

130 Hans-Albert Walter, No pasaran! Deutsche Exilschriftsteller im Spanischen Bürgerkrieg. In: Kürbiskern (1967), H. 1, 5 bis 27 (7).

131 Kantorowicz, Spanisches Kriegstagebuch. Köln 1966, 49.

132 Ders., Die Exilsituation in Spanien. In: Die deutsche Exilliteratur (Anm. 84), 90–100.

133 Edgar Kirsch, Der spanische Freiheitskampf (1936–1939) im

Spiegel der antifaschistischen Literatur. In: Wiss. Zs. d. Univ. Halle–Wittenberg (GS) 4 (1954/55), 99–119; Aldo Garosci, Gli intelletuali e la guerra di Spagna. Torino 1959; Frederick R. Benson, Schriftsteller in Waffen. Die Literatur und der Spanische Bürgerkrieg. Zürich 1969; Gerhard Mack, Der Spanische Bürgerkrieg und die deutsche Exilliteratur. Diss. Univ. of Southern California 1971.

134 André Malraux, Die Zeit der Verachtung. Novelle. Paris 1936, 7.

135 W. Dmitrewski, André Malraux' neuer Roman. In: Internationale Literatur (1935), H. 9, 82–86 (85).

136 In: Die Sammlung 2 (1935), 124–143.

137 Anna Seghers, Zum Schriftstellerkongreß in Madrid. In: Die Internationale (1937), H. 5/6, 21–26 (25 f.).

138 Dmitrewski (Anm. 135).

139 Hans-Albert Walter, No pasaran! (Anm. 130), 10.

140 Konstantin A. Jelenski, Abfall vom Kommunismus. Die Bücher der ›Enttäuschten‹. In: Aus Politik und Zeitgeschichte (1963), Nr. 15, 12–21 (16).

141 Eine ausf. Darst. des Verhältnisses der Intellektuellen und Schriftsteller zum Kommunismus bei David Caute, The Fellow-Travellers. New York 1973. – Vgl. Jürgen Rühle, Literatur und Revolution. Die Schriftsteller und der Kommunismus. Köln/Berlin 1960; dazu die Selbstzeugnisse von Arthur Koestler, Ignazio Silone, Richard Wright, André Gide, Louis Fischer, Stephen Spender in: Ein Gott, der keiner war, hrsg. v. Richard Grossmann. Zürich 1950 (München 1962); Ernst-August Roloff, Exkommunisten. Abtrünnige des Weltkommunismus. Ihr Leben und ihr Bruch mit der Partei in Selbstdarstellungen. Mainz 1969.

142 Benson (Anm. 133), 265.

143 Erwin Sinkó, Roman eines Romans. Moskauer Tagebuch. Köln 1962 (Sonderausg. 1969), 82 f.

144 Vgl. Marianne O. de Bopp, Die Exilliteratur in Mexiko. In: Die deutsche Exilliteratur (Anm. 84), 175–182; Wolfgang Kießling, Alemania Libre in Mexiko, 2 Bde. Berlin 1974.

145 Karlheinz Pech, An der Seite der Resistance. Zum Kampf der Bewegung ›Freies Deutschland‹ für den Westen in Frankreich. Berlin 1974; Karl Hans Bergmann, Die Bewegung ›Freies Deutschland‹ in der Schweiz 1943–1945. München 1975. – Zur Sit. in den USA s. Robert E. Cazden, German

Exile Literature in America 1933—1950. Chicago 1970, bes. 29—55.

146 Manès Sperber, ›Ich habe keine Gewißheiten zu bieten‹. Rede beim Empfang des Büchner-Preises der Darmstädter Akademie. In: Süddeutsche Zeitung Nr. 246 (25./26. 10. 1975).

Kapitel IX
(Seite 679—738)

1 Bertolt Brecht, Arbeitsjournal Bd. 2, hrsg. v. Werner Hecht. Frankfurt 1973, 749 (3. 8. 1945).

2 Theo Pirker, Der Stalinismus und die Arbeiterbewegung in Westdeutschland. In: Die Sowjetunion, Solschenizyn und die westliche Linke, hrsg. v. Rudi Dutschke/Manfred Wilke. Reinbek 1975, 84—91.

3 Wolfgang Abendroth, Bilanz der sozialistischen Idee in der Bundesrepublik Deutschland. In: Bestandsaufnahme. Eine deutsche Bilanz 1962, hrsg. v. Hans Werner Richter. München 1962, 252. — Vgl. Eberhard Schmidt, Die verhinderte Neuordnung 1945—1952. Frankfurt 1970.

4 Pirker, Der Stalinismus, 87.

5 Ebd., 89.

6 Vgl. Frank Moraw, Die Parole der ›Einheit‹ (Kap. VIII, Anm. 122), 219 ff.; Karl Wilhelm Fricke, Sozialdemokraten und Kommunisten. ›Unbewältigte Vergangenheit‹. In: Deutschland-Archiv 6 (1973), 911 ff.

7 Hans Werner Richter, Die Wandlung des Sozialismus — und die junge Generation. In: Der Ruf v. 1. 11. 1946, H. 6, zit. n. Der Ruf. Eine deutsche Nachkriegszeitschrift, hrsg. v. Hans Schwab-Felisch. München 1962, 74.

8 Ders., Briefe an einen jungen Sozialisten. Hamburg 1974, 105.

9 Vgl. meinen Beitrag: Die DDR-Kulturpolitik und die kulturelle Tradition des deutschen Sozialismus. In: Literatur und Literaturkritik in der DDR, hrsg. v. Peter Uwe Hohendahl/Patricia Herminghouse. Frankfurt 1976, 13—76.

10 Konrad Franke, Die Literatur der Deutschen Demokratischen Republik. München 1971; Fritz J. Raddatz, Traditionen und Tendenzen. Materialien zur Literatur der DDR. Frankfurt 1972; Hans-Dietrich Sander, Geschichte der Schönen Litera-

tur in der DDR. Ein Grundriß. Freiburg 1972; Werner Brett-schneider, Zwischen literarischer Autonomie und Staatsdienst. Die Literatur der DDR. Berlin 1972; Einführung in Theorie, Geschichte und Funktion der DDR-Literatur, hrsg. v. Hans-Jürgen Schmitt. Stuttgart 1975; Literatur der Deutschen Demokratischen Republik, hrsg. v. Horst Haase u. a. Berlin 1976.

11 Moraw (Anm. 6), 93 f. und passim.

12 Walter Ulbricht, Der Künstler im Zweijahrplan. Diskussions-rede auf der Arbeitstagung der SED-Schriftsteller und Künst-ler 2. 9. 1948. In: Ulbricht, Zur Geschichte der deutschen Arbeiterbewegung Bd. 3. Berlin 1954, 312 f.

13 Ebd., 314.

14 Reinhard Kühnl, Die Auseinandersetzung mit dem Faschis-mus in BRD und DDR. In: BRD—DDR. Vergleich der Gesell-schaftssysteme, hrsg. v. Gerhard Heß. Köln 1971, 248—271.

15 Ernst Richert, Die neue Gesellschaft in Ost und West. Ana-lyse einer lautlosen Revolution. Gütersloh 1966, 343.

16 Walter Laqueur, Russia and Germany, 238 ff.

17 Vgl. H. W. Richter, Warum schweigt die junge Generation. In: Der Ruf (Anm. 7), 29—33. — Vgl. Ilse Siebert, Studien zur Gestaltung des Menschenbildes in der Prosa Johannes R. Bechers von 1941 bis 1951. Diss. Jena 1967, 92 ff. — Über den Problemkomplex in Ost- und Westdeutschland s. auch meinen Beitrag: Der zögernde Nachwuchs. Entwicklungspro-bleme der Nachkriegsliteratur in West und Ost. In: Tenden-zen der deutschen Literatur seit 1945, hrsg. v. Thomas Koeb-ner. Stuttgart 1971, 1 ff.

18 Becher, Vom Gewinn der Niederlage. In: Becher, Vom An-derswerden. Reden — Aufsätze — Briefe. Berlin 1955, 185.

19 Ebd., 183.

20 Vgl. Barbara Baerns, Ost und West — Eine Zeitschrift zwi-schen den Fronten. Zur Funktion einer literarischen Zeit-schrift in der Besatzungszeit (1945—1949). Münster 1968.

21 Horst Laschitza, Kämpferische Demokratie gegen Faschismus, 97. — Bechers Rede von 1944 in: Karl-Heinz Schulmeister, Zur Entstehung und Gründung des Kulturbundes zur demo-kratischen Erneuerung Deutschlands. Berlin 1965, 135—137.

22 Alexander Abusch, Die Begegnung. Die innere und die äußere Emigration in der deutschen Literatur. In: Aufbau 3 (1947), 223—226 (226).

23 Hans Mayer, Konfrontation der inneren und äußeren Emi-

gration: Erinnerung und Deutung. In: Exil und innere Emigration, hrsg. v. R. Grimm/J. Hermand. Frankfurt 1972, 75 bis 87 (86).

24 Vgl. Ilse Heller/Hans-Thomas Krause, Kulturelle Zusammenarbeit DDR—UdSSR. Berlin 1967, 36—60.

25 Vgl. die Bibliographie von Friedhilde Krause, Schöne Literatur aus der Sowjetunion in deutscher Übersetzung, erschienen von 1945 bis 1949 in Deutschland. In: Kultur und Politik 13 (1965), 528—550.

26 Heller/Krause (Anm. 24), 50.

27 Helga Heerdegen, Das Ringen der fortschrittlichen Kräfte im östlichen Teil Deutschlands um die Durchsetzung der deutsch-sowjetischen Freundschaft (1945—1949). In: Wiss. Zs. d. Univ. Halle—Wittenberg (GS) 16 (1967), 317—326 (322).

28 Das wichtigste und aufschlußreichste Dokument für die stalinistische Kulturpolitik Anfang der fünfziger Jahre ist: Hans Lauter, Der Kampf gegen den Formalismus in Kunst und Literatur, für eine fortschrittliche deutsche Kultur. Referat von Hans Lauter, Diskussion und Entschließung von der 5. Tagung des Z. K. der S. E. D. v. 15.—17. 3. 1951. Berlin 1951. Darin Stellungnahmen u. a. von H. Axen, F. Oelßner, A. Zweig, O. Grotewohl, Helene Weigel, Kuba, Becher, H. Rodenberg, Girnus, K. Maetzig, Otto Nagel.

29 Heller/Krause (Anm. 24), 65.

30 Lutz-W. Wolff, ›Auftraggeber Arbeiterklasse‹. Proletarische Betriebsromane 1948—1956. In: Einführung in Theorie (Anm. 10), 260.

31 Jurij Striedter, Persönlichkeit und Kollektiv im Sowjetroman der Gegenwart. In: Universitätstage 1961. Marxismus-Leninismus. Geschichte und Gestalt. Berlin 1961, 175.

32 Ernst Richert, Agitation und Propaganda. Das System der publizistischen Massenführung in der Sowjetzone. Berlin/Frankfurt 1958, 234.

33 J. Stalin, Marxismus und Fragen der Sprachwissenschaft, hrsg. v. H. P. Gente. München 1968, 24.

34 Werner Hofmann, Stalinismus und Antikommunismus, 83.

35 Brecht, Kulturpolitik und Akademie der Künste (13. 8. 1953). In: Brecht, Ges. Werke Bd. 19, 542, 543.

36 Ders., Thesen zur Faustus-Diskussion, ebd., 535.

37 Vgl. Alexander Abusch, Faust — Held oder Renegat in der deutschen Nationalliteratur. In: Abusch, Kulturelle Probleme des sozialistischen Humanismus. Beiträge zur deutschen Kul-

turpolitik 1946–1961. Berlin 1962, 147–163.

38 Thomas K. Brown, Brecht and the 17th of June, 1953. In: Monatshefte 63 (1971), 48–55.

39 Die Plattform der Gruppe Harich 1956, zit. n. Dieter Knötzsch, Innerkommunistische Opposition. Das Beispiel Robert Havemanns. Opladen 1968, 69–74 (70).

40 Alfred Kantorowicz, Gewissen und Mahner des Volkes. In: Berliner Zeitung v. 14. 6. 1956, zit. n. Kantorowicz, Im 2. Drittel unseres Jahrhunderts. Köln 1967, 152.

41 Erenburgs Artikel wurde vollständig abgedruckt in: Neue Welt 9 (1954), 211–246.

42 Zit. n. Heinz Kersten, Aufstand der Intellektuellen. Wandlungen in der kommunistischen Welt. Ein dokumentarischer Bericht. Stuttgart 1957, 145.

43 Vgl. Über unsere Literatur und die jungen Autoren. Diskussionsmaterial zur Vorbereitung des IV. Schriftstellerkongresses, H. 6 (1955).

44 Ernst Richert, Das zweite Deutschland. Frankfurt 1966, 133 f.

45 Vgl. auch die Sammlung: Das Ende einer Utopie. Hingabe und Selbstbefreiung früherer Kommunisten. Eine Dokumentation im zweigeteilten Deutschland, hrsg. v. Horst Krüger. Olten/Freiburg 1963.

46 Hans Mayer, Erinnerungen eines Mitarbeiters von ›Sinn und Form‹. In: Über Peter Huchel, hrsg. v. H. Mayer. Frankfurt 1973, 179.

47 Vgl. Alexander Stephan, Johannes R. Becher and the Cultural Development in the GDR. In: New German Critique 1 (1974), H. 2, 72–89.

48 Becher, Die Korrektur. Erzählende Prosa. Leipzig 1971, 132.

49 Ebd., 131.

50 Ebd., 133.

51 Brecht, Arbeitsjournal Bd. 2, 1008 (4. 3. 1953).

52 Über Brechts Situation in der DDR: Manfred Jäger, Sozialliteraten. Funktion und Selbstverständnis der Schriftsteller in der DDR. Düsseldorf 1973, 151–179.

53 Dieter Schiller, Kuba, Wiens. Über einige Probleme der neuesten deutschen Lyrik. In: Weimarer Beiträge 4 (1958) Sonderheft, 75–94 (83).

54 Ebd., 85.

55 Vgl. meinen Beitrag: Prosaentwicklung und Bitterfelder Weg. In: Einführung (Anm. 10), 296 ff.

56 Marianne Lange, Über die literarische Gestaltung des neuen

Lebens in unserer Republik. In: Einheit 10 (1955), 230–237 (231 f.).

57 Ausführlich darüber mein Beitrag: Von Stalin zu Hölderlin. Über den Entwicklungsroman in der DDR. In: Basis 2, hrsg. v. R. Grimm/J. Hermand. Frankfurt 1971, 141–190.

58 Kultur in unserer Zeit. Zur Theorie und Praxis der sozialistischen Kulturrevolution in der DDR, hrsg. v. Inst. f. Gesellschaftswiss. beim ZK der SED. Berlin 1965, 118.

59 (Anm. 55), 319.

60 Moderne sowjetische Prosa. Vom Beginn der fünfziger Jahre bis zur Gegenwart, hrsg. v. Roland Opitz u. a. Berlin 1967, 35.

61 R. Lenzer, Die Konfliktgestaltung in Galina Nikolaevas Roman ›Schlacht unterwegs‹ und in Erik Neutschs Roman ›Spur der Steine‹. In: Zs. f. Slawistik 10 (1965), 393–409.

62 Stefan Heym, ›Stalin verläßt den Raum‹ (Rede am 4. 12. 1964 in Ostberlin). In: Die Zeit v. 5. 2. 1965.

63 Alexander Abusch, Grundfragen unserer neuen Literatur auf dem Bitterfelder Weg. In: Sonntag Nr. 16 (19. 4. 1964).

64 Ernst Richert, Zwischen Eigenständigkeit und Dependenz. Zur Wechselwirkung von Gesellschafts- und Außenpolitik der DDR. In: Deutschland-Archiv 7 (1974), 955–982 (958).

65 Horst Redeker, Die klassische Kulturkritik und das Dilemma der Dekadenz. Berlin 1958, 52 f.

66 Vgl. Alfred Kosing, Ernst Fischer – ein moderner Marxist? Berlin 1969.

67 Ernst Fischer, Kunst und Koexistenz. Beitrag zu einer modernen marxistischen Ästhetik. Reinbek 1966, 72.

68 Ebd.

69 Vgl. Entfremdung und Humanität. Berlin 1964; Das sozialistische Menschenbild, hrsg. v. Elmar Faber/Erhard John. Leipzig 1967.

70 Vgl. etwa den Bericht über Agitpropaktivitäten 1957/58: E. Harcks, Kunst ist Waffe. In: Wiss. Zs. d. Univ. Greifswald (GS) 8 (1958/59), 307 f.

71 Bernhard Greiner, Von der Allegorie zur Idylle. Die Literatur der Arbeitswelt in der DDR. Heidelberg 1974, 94.

72 Vgl. Walter Ulbricht, Die Entwicklung der sozialistischen Kultur in der Deutschen Demokratischen Republik. In: Einheit 24 (1969), 1267–1282. – Vgl. Anm. 9.

73 Erich Honecker, Bericht des Politbüros an das 11. Plenum des ZK der SED. In: Dokumente zur Kunst-, Literatur- und

Kulturpolitik der SED, hrsg. v. Elimar Schubbe. Stuttgart 1972, 1077 f.

74 Vgl. Georg Lukács und der Revisionismus. Eine Sammlung von Aufsätzen. Berlin 1960; Alexander Fadejew, Über Parteinahme und Kritik in der Literatur. In: Aufbau 6 (1950), 354—363.

75 Vor allem: Lukács, Skizze einer Geschichte der neueren deutschen Literatur. Berlin 1953, 139 f.

76 S. vor allem das Sonderheft 1958 der Weimarer Beiträge, darin: Horst Eckert, Zur Bedeutung der proletarisch-revolutionären Literatur in Deutschland in den Jahren 1927—1933 (9—17).

77 Klaus Jarmatz, Zu Grundproblemen der deutschen antifaschistischen Literatur (1933—1945). Eine kritische Sicht von Lukács' Darstellung der antifaschistischen Literatur. Diss. am Inst. f. Gesellschaftswiss. beim ZK der SED. Berlin 1964, III.

78 Hans Kaufmann, Bemerkungen über Realismus und Weltanschauung. In: Weimarer Beiträge 4 (1958), Sonderheft, 42 bis 50 (50).

79 Vgl. Kap. VII, Anm. 122.

80 Lukács, Schriften zur Ideologie und Politik (Kap. VIII, Anm. 94), 632.

81 Vgl. Wolfgang Schivelbusch, Sozialistisches Drama nach Brecht. Drei Modelle: Peter Hacks — Heiner Müller — Hartmut Lange. Darmstadt/Neuwied 1974.

82 Peter Hacks, Über Langes ›Marski‹. In: Hacks, Das Poetische. Ansätze zu einer postrevolutionären Dramaturgie. Frankfurt 1972, 113, 105.

83 Ein Überblick bei Volker Gransow, Kulturpolitik in der DDR, Berlin 1975.

84 Vgl. Arbeiterklasse und kulturelles Lebensniveau, hrsg. v. Inst. f. Gesellschaftswiss. beim ZK der SED. Berlin 1974.

85 Subjektive Authentizität und gesellschaftliche Wahrheit. Interview mit Christa Wolf. In: Auskünfte. Werkstattgespräche mit DDR-Autoren, hrsg. v. Anneliese Löffler. Berlin/Weimar 1974, 516 f.

86 Theo Pirker, Die SPD nach Hitler. München 1965.

87 Vgl. Die Kulturpolitik der SPD, hrsg. v. Vorstand der SPD. Bonn 1953; Kultur und Politik in unserer Zeit. Dokumentation des Kongresses der SPD am 28./29. 10. 1960 in Wiesbaden, hrsg. v. Parteivorstand der SPD. Hannover 1960. —

88 Vgl. Auf dem Wege zu einer gesellschaftlichen Kultur. 25

Jahre Ruhrfestspiele 1946 bis 1971, hrsg. v. Heinz Winfried Sabais. Frankfurt 1971.

89 Arnold Zweig, Bericht aus dem Unbekannten. In: Der Klassenkampf 1 (1927), 26 f.

90 Eine ausf. Dokumentation und Darst. bei Peter Kühne, Arbeiterklasse und Literatur. Dortmunder Gruppe 61. Werkkreis Literatur der Arbeitswelt. Frankfurt 1972 (bes. 55 ff.); Almanach der Gruppe 61 und ihrer Gäste, hrsg. v. Fritz Hüser/Max von der Grün, Neuwied/Berlin 1966. — Zur Anknüpfung an die Arbeiter- und Industrieliteratur s. die Serie: Der Ruf gilt dir, Kamerad! Deutsche Arbeiterdichtung. In: Bergbau und Wirtschaft. Informationsblatt der IG Bergbau und Energie (Jg. 14, 5. 11. + 5. 12. 1961), ab 1962: Gewerkschaftliche Rundschau für die Bergbau- und Energiewirtschaft (Jg. 1, 1962 — Jg. 2, 1963).

91 Vgl. Kap. V, Anm. 16.

92 Heinz Ludwig Arnold, Gespräch mit Günter Wallraff. In: Literaturmagazin 4, hrsg. v. Hans Christoph Buch. Reinbek 47–63 (50).

93 Ebd., 51.

94 Ausf. Darstellungen bei Reinhard Dithmar, Industrieliteratur. München 1973; Gerald Stieg/Bernd Witte, Abriß einer Geschichte der deutschen Arbeiterliteratur, 138 ff.; Manfred Bosch/Klaus Konjetzky, Für wen schreibt der eigentlich? Gespräche mit lesenden Arbeitern. Autoren nehmen Stellung. München 1973.

95 Hanno Möbius, Arbeiterliteratur in der BRD. Eine Analyse von Industriereportagen und Reportageromanen: Max von der Grün, Christian Geissler, Günter Wallraff. Köln 1970.

96 Als Dokumentation der Grundsatzdiskussionen: Werkkreis Literatur der Arbeitswelt, Realistisch Schreiben. Der Werkkreis in der Entwicklung einer antikapitalistischen Literatur in der Bundesrepublik, 1972; ders., Partei Ergreifen. Für die Einheit der Werktätigen mit einer antikapitalistischen Literatur und Kunst, Berlin 1974.

97 Vgl. Kulturpolitisches Forum der Deutschen Kommunistischen Partei 12./13. 6. 1971 in Nürnberg, hrsg. v. Parteivorstand der DKP. Düsseldorf 1972.

Bibliographie

Die Bibliographie umfaßt nur einige wichtige Überblickswerke und gut zugängliche Textdokumentationen zum Thema ›Sozialistische Literatur in Deutschland‹. Im übrigen wird auf die Anmerkungen zu den jeweiligen Kapiteln und Themenbereichen verwiesen.

MEK 1 + 2 = Karl Marx/Friedrich Engels, Über Kunst und Literatur, 2 Bde., hrsg. v. Manfred Kliem. Berlin 1967.

MEW = Karl Marx/Friedrich Engels, Werke. Berlin 1956 ff.

Aktionen — Bekenntnisse — Perspektiven. Berichte und Dokumente vom Kampf um die Freiheit des literarischen Schaffens in der Weimarer Republik. Berlin/Weimar 1966.

Albrecht, Friedrich: Deutsche Schriftsteller in der Entscheidung. Wege zur Arbeiterklasse 1918—1933. Berlin/Weimar 1970.

Arbeiterdichtung. Analysen, Bekenntnisse, Dokumentationen, hrsg. v. d. Österreichischen Gesellschaft für Kulturpolitik, Wuppertal 1973.

Demetz, Peter: Marx, Engels und die Dichter. Ein Kapitel deutscher Literaturgeschichte (1959). Frankfurt/Berlin 1969.

Deutsche sozialistische Literatur. Bibliographie der Buchveröffentlichungen, hrsg. v. der Akademie der Künste der DDR (B. Melzwig). Berlin 1975.

Deutsche Arbeiterdichtung 1910—1933, hrsg. v. Günter Heintz. Stuttgart 1974.

Deutsches Arbeitertheater 1918—1933, hrsg. v. Ludwig Hoffmann/Daniel Hoffmann-Ostwald (1961). 2 Bde. München 1973.

Dokumente zur Kunst-, Literatur- und Kulturpolitik der SED, hrsg. v. Elimar Schubbe. Stuttgart 1972.

Die Expressionismusdebatte. Materialien zu einer marxistischen Realismuskonzeption, hrsg. v. Hans-Jürgen Schmitt. Frankfurt 1973.

Fähnders, Walter/Rector, Martin: Linksradikalismus und Literatur. Untersuchungen zur Geschichte der sozialistischen Literatur in der Weimarer Republik. 2 Bde. Reinbek 1974.

Frühes Deutsches Arbeitertheater 1847—1918. Eine Dokumentation, hrsg. v. Friedrich Knilli/Ursula Münchow. München 1970.

Fülberth, Georg: Proletarische Partei und bürgerliche Literatur. Auseinandersetzungen in der deutschen Sozialdemokratie der II. Internationale über Möglichkeiten und Grenzen einer sozialistischen Literaturpolitik. Neuwied/Berlin 1972.

Gallas, Helga: Marxistische Literaturtheorie. Kontroversen im Bund proletarisch-revolutionärer Schriftsteller. Neuwied/Berlin 1971.

Geschichte der deutschen Literatur von den Anfängen bis zur Gegenwart Bd. 8—11. Berlin 1973—76.

Gesellschaft — Literatur — Lesen. Literaturrezeption in theoretischer Sicht, hrsg. v. Manfred Naumann u. a. Berlin/Weimar 1973.

Grundlagen der marxistischen Ästhetik, hrsg. v. der Akademie der Wissenschaften der UdSSR. Berlin 1962.

John, Erhard: Probleme der marxistisch-leninistischen Ästhetik. Ästhetik der Kunst. Halle 1967.

Kändler, Klaus: Drama und Klassenkampf. Beziehungen zwischen Epochenproblematik und dramatischem Konflikt in der sozialistischen Dramatik der Weimarer Republik. Berlin/Weimar 1970.

Klein, Alfred: Im Auftrag ihrer Klasse. Weg und Leistung der deutschen Arbeiterschriftsteller 1918—1933. Berlin/Weimar 1972.

Koch, Hans: Marxismus und Ästhetik. Zur ästhetischen Theorie von Karl Marx, Friedrich Engels und Wladimir Iljitsch Lenin. Berlin 1962.

Kritik in der Zeit. Der Sozialismus — seine Literatur — ihre Entwicklung, hrsg. v. Klaus Jarmatz. Halle 1970.

Lexikon sozialistischer deutscher Literatur von den Anfängen bis 1945. Halle 1963.

Literatur der Arbeiterklasse. Aufsätze über die Herausbildung der deutschen sozialistischen Literatur (1918—1933), hrsg. v. Irmfried Hiebel. Berlin/Weimar 1971.

Literatur im Klassenkampf. Zur proletarisch-revolutionären Literaturtheorie 1919—1923. Eine Dokumentation, hrsg. v. Walter Fähnders/Martin Rector. München 1971.

Lukács, Georg: Schriften zur Literatursoziologie, hrsg. v. Peter Ludz. Neuwied 1961.

Ders., Werke Bd. 4 (Essays über Realismus). Neuwied/Berlin 1971; Bd. 10 (Probleme der Ästhetik), Neuwied/Berlin 1969.

Marx, Karl/Engels, Friedrich/Lenin, Wladimir Iljitsch: Über Kultur, Ästhetik, Literatur. Ausgewählte Texte, hrsg. v. Hans Koch, Leipzig 1969.

Marxismus und Literatur. Eine Dokumentation in drei Bänden, hrsg. v. Fritz J. Raddatz. Reinbek 1969.

Mehring, Franz: Gesammelte Schriften Bd. 9–12, hrsg. v. Hans Koch. Berlin 1961–63.

Negt, Oskar/Kluge, Alexander: Öffentlichkeit und Erfahrung. Zur Organisationsanalyse von bürgerlicher und proletarischer Öffentlichkeit. Frankfurt 1972.

Osterroth, Franz: Biographisches Lexikon des Sozialismus Bd. 1. Hannover 1960.

Parteilichkeit der Literatur oder Parteiliteratur? Materialien zu einer undogmatischen marxistischen Ästhetik, hrsg. v. Hans Christoph Buch. Reinbek 1972.

Positionen. Beiträge zur marxistischen Literaturtheorie in der DDR, hrsg. v. Werner Mittenzwei. Leipzig 1969.

Proletarische Lebensläufe. Autobiographische Dokumente zur Entstehung der Zweiten Kultur in Deutschland, hrsg. v. Wolfgang Emmerich. 2 Bde. Reinbek 1974/75.

Rühle, Jürgen: Literatur und Revolution. Die Schriftsteller und der Kommunismus. Köln/Berlin 1960.

Rülcker, Christoph: Ideologie der Arbeiterdichtung 1914–1933. Eine wissenssoziologische Untersuchung. Stuttgart 1970.

Sander, Hans-Dietrich: Marxistische Ideologie und allgemeine Kunsttheorie. Tübingen 1970.

Sozialistische Realismuskonzeptionen. Dokumente zum 1. Allunionskongreß der Sowjetschriftsteller, hrsg. v. Hans-Jürgen Schmitt/Godehard Schramm. Frankfurt 1974.

Stieg, Gerald/Witte, Bernd: Abriß einer Geschichte der deutschen Arbeiterliteratur. Stuttgart 1973.

Texte der proletarisch-revolutionären Literatur Deutschlands 1919 bis 1933, hrsg. v. Günter Heintz. Stuttgart 1974.

Veröffentlichungen deutscher sozialistischer Schriftsteller in der revolutionären und demokratischen Presse 1918–1945. Bibliographie, hrsg. v. Edith Zenker, Berlin/Weimar 1966.

Wir sind die Rote Garde. Sozialistische Literatur 1914 bis 1935, hrsg. v. Edith Zenker. 2 Bde. Leipzig 1974.

Zur Theorie des sozialistischen Realismus, hrsg. v. Institut für Gesellschaftswissenschaften beim ZK der SED. Berlin 1974.

Zur Tradition der sozialistischen Literatur in Deutschland. Eine Auswahl von Dokumenten. Berlin/Weimar 1967 (2. Auflage).

NAMENREGISTER